SCHATZHAUS KÄRNTENS

Landesausstellung St. Paul 1991
900 Jahre Benediktinerstift

I
KATALOG

Herausgegeben vom Ausstellungskuratorium

Redigiert und bearbeitet unter der Leitung von Hartwig Pucker
von Barbara Maier, Doris Petautschnig,
Brigitte Schuchlenz, Werner Thelian, Barbara Wiltsche

Schriftleitung: Johannes Grabmayer und Günther Hödl

I KATALOG
ISBN 3-85378-376-7

II BEITRÄGE
ISBN 3-85378-377-5

Gestaltung: Art & Design Atelier Egon Waltl, Graz
Gesamtherstellung: Graphischer Betrieb Carinthia, Klagenfurt

Inhaltsverzeichnis

Das stolze Jubiläum des neunhundertjährigen Bestehens des Stiftes St. Paul im Lavanttal ist Anlaß für die erste Kärntner Landesausstellung. Jubiläum und Landesausstellung waren in den letzten Jahren ihrerseits Anlaß für eine Reihe denkmalpflegerischer, konservatorischer und museumsbezogener Aktivitäten, um sowohl das Äußere als auch das Innere dieses „Schatzhauses Kärntens" in einer seiner geistigen und kulturellen Bedeutung würdigen Form präsentieren zu können. Das Wissenschaftsministerium hat als zuständige Bundesinstitution diese Vorarbeiten nach Kräften durch den Einsatz finanzieller Mittel und hochqualifizierter Restauratoren und Denkmalpfleger unterstützt.

Das Benediktinerstift St. Paul ist somit in der Lage, im Rahmen dieser Ausstellung, aber auch in Zukunft seine Leistungen für Kultur, Geistesleben und Seelsorge besser als bisher den Besuchern bewußt zu machen und seinem Auftrag nachzukommen, die bedeutenden, oft einmaligen Objekte, die es beherbergt, zu erhalten und zu zeigen.

In diesem Sinn wünsche ich der Ausstellung viel Erfolg und zahlreiche Besucher und dem Stift St. Paul alles Gute für die Zukunft.

Dr. Erhard Busek
Bundesminister für Wissenschaft und Forschung

Von allen Klostergründungen des Mittelalters ist in Kärnten nur die Abtei St. Paul im Lavanttal bis heute Heimat jenes Ordens geblieben, der hier vor 900 Jahren eine Zelle des Gebetes, der Seelsorge und der Kultur begründet hat. Wegen der zahlreichen in St. Paul entstandenen oder aus der ehemaligen Fürstabtei St. Blasien im Schwarzwald hierher verbrachten Kunstwerke aus allen Epochen von der Romanik bis zur Gegenwart ist St. Paul ein wahres Schatzhaus der Kunst. Die hier geborgenen Schätze wollen aber nicht nach ihrem Materialwert oder ihrem Handelswert auf dem Kunstmarkt beurteilt werden, sondern als Ausdruck geistiger, zumal religiöser Kraft. Diese Kunstwerke vermögen es, den einfühlsamen Betrachter zu läutern und mehr Mensch werden zu lassen.

Mögen die Besucher der Jubiläumsausstellung diese Botschaft verstehen und annehmen.

Dr. Egon Kapellari
Diözesanbischof von Gurk-Klagenfurt

Anläßlich des Jubiläums „900 Jahre Benediktinerstift St. Paul im Lavanttal" werden die Geschichte, das geistliche und kulturelle Wirken dieser Einrichtung und seine Kunstschätze durch die erste Kärntner Landesausstellung einer breiten Öffentlichkeit präsentiert. Es wird damit Zeugnis über eine lange und wechselvolle Geschichte abgelegt, aber auch über die Bedeutung dieses Klosters für die Entwicklung der Region, in der es 1091 gegründet wurde, und jene des Landes Kärnten, dessen Geschicke es all die Jahrhunderte mitgestaltete.

Mit seinen reichen und wertvollen Objekten aus allen Epochen seiner Geschichte gilt das Stift St. Paul heute als das Schatzhaus Kärntens. Es sollte aber auch jenes, nicht genug zu schätzende Haus benediktinischen Geistes bleiben, auf das die Welt von heute unter ihren Bedingungen ebensowenig verzichten mag, wie zu Zeiten seiner Gründung im 11. Jahrhundert. Die besten Glückwünsche des Landes Kärnten mögen es auf diesem Weg begleiten.

Dr. Jörg Haider
Landeshauptmann von Kärnten

Die österreichischen Benediktiner freuen sich mit der Abtei St. Paul im Lavanttal über die Darstellung des Stiftes als „Lux regionis" anläßlich des 900-Jahr-Jubiläums seit der Gründung des Klosters im Jahr 1091 und gratulieren zu diesem Jubiläum.

Die erste Kärntner Landesausstellung, deren Mitarbeitern ein herzlicher Dank ausgesprochen werden soll, führt den Besucher nicht nur durch neun Jahrhunderte mit ihrem ständigen Auf und Ab, sondern versucht den Gast auch in die benediktinische Lebensform des „Ora et labora", nach der „in allem Gott verherrlicht" werden soll, einzuführen. So zeigt sich, daß der einzige heute noch bestehende Benediktinerkonvent in Kärnten besondere Bedeutung für die Bevölkerung und für die Kirche dieses Landes hat, und wir hoffen, daß die vielfältigen Bemühungen und Aktivitäten des Jubiläumsjahres ein Beitrag dafür sind, daß dieses Stift in ein gesegnetes 10. Jahrhundert seines Betens und Arbeitens treten kann und sich das Wort dessen erfüllt, dem letztlich ein Kloster dienen soll: „So soll euer Licht vor den Menschen leuchten, damit sie eure guten Werke sehen und euren Vater im Himmel preisen" (Mt 5,16).

Prälat Dr. Clemens Lashofer OSB
Abtpräses der Österreichischen Benediktinerkongregation

900 Jahre Benediktinerstift St. Paul im Lavanttal: ein würdiger Anlaß, um seitens des Landes Kärnten erstmalig das ehrenvolle Prädikat „Landesausstellung“ zu vergeben und auch nicht unwesentlich zur finanziellen Absicherung eines solchen bedeutenden Ereignisses beizutragen; handelt es sich doch um das Jubiläum einer Stätte, die durch eine lange Zeit das Profil der Kärntner Kulturlandschaft, die sie umgibt, entscheidend mitgeprägt hat.

Diese erste Landesausstellung wird uns insbesondere in Erinnerung rufen, daß in allen Epochen zwei einander ergänzende Bereiche für das Leben des einzelnen Individuums ebenso wie für das Gemeinwohl von großer Wichtigkeit sind: der Sektor der Arbeit, der Werktätigkeit, des zivilisatorischen Aufbereitens von Lebensräumen als Basis für eine zweite Sphäre, die alles Geistige und Kontemplative umfaßt, Kultur und Kunst, Bildung und Wissenschaft.

Beides war bekanntlich schon in der Benediktinerregel gleichgestellt, deren Erfüllung auch die St. Pauler Mönche Jahrhunderte hindurch mit ihrer Hände und Köpfe Arbeit anstrebten, belohnt durch das Aufblühen ihres Stiftes zu einem Kultur- und Bildungszentrum, zu einer Schatzkammer der Kunst, deren Kleinodien uns in dieser Landesausstellung vor Augen geführt werden sollen.

Möge dieser eindrucksvolle Ausschnitt aus dem kulturellen Reichtum unseres Landes auf ein reges Interesse bei Einheimischen und Gästen stoßen!

Dr. Peter Ambrozy
Landeshauptmannstellvertreter, Kulturreferent

Diese erste Kärntner Landesausstellung kann sich sehen lassen. Das Benediktinerstift St. Paul ist ein wirkliches Schatzhaus Kärntens. Nicht nur was die Kostbarkeiten an sich betrifft, sondern auch in der Tiefe der 900jährigen Geschichte des Stiftes.

Als Fremdenverkehrsreferent des Landes Kärnten bin ich davon überzeugt, daß die großartigen Bemühungen des Stiftes, unterstützt von internationalen Fachleuten und den Initiativen von Gemeinde und Land, ihren Niederschlag in einer entscheidenden Belebung der ganzen Region finden.

Ich lade Sie aber auch ein, die anderen, reichhaltigen Schätze Kärntens zu bergen, gleichviel ob jene der Kultur, der Landschaft oder der Menschen, die in diesem wunderschönen Teil Europas leben.

Dr. Christof Zernatto
Landeshauptmannstellvertreter, Fremdenverkehrsreferent

Das Jubiläum unseres Stiftes St. Paul erfüllt auch die Marktgemeinde mit Stolz und Freude. Die Gemeinde hat mit großem Einsatz zur Gestaltung der ersten Kärntner Landesausstellung beigetragen und damit ihre enge Verbundenheit mit Abt und Konvent zum Ausdruck gebracht. Die wechselvolle Geschichte des Benediktinerklosters und der im Ort lebenden Menschen war immer eng miteinander verbunden.
Jubiläum und Ausstellung bedeuten für uns Gemeindebürger von St. Paul eine Vertiefung der geistig-kulturellen und religiösen Identität mit unserem „Schatzhaus Kärntens".

Ing. Hermann Primus
Bürgermeister der Marktgemeinde St. Paul

Im Schallraum unserer Gemeinschaften, in den Ereignissen des Lebens, im geschichtlichen – auch theologischen – Prozeß ergeht der Ruf des Geistes an uns. Diesem Ruf zu antworten, ist Teil benediktinischen Bewußtseins. Eine der Antworten darauf ist es auch, Zeugnis abzulegen über die bisher neun Jahrhunderte dauernde Geschichte unseres Klosters. Daß dies neben allen geistlichen und feierlichen Anstrengungen eines ganzen Jubiläumsjahres auch durch eine erste Kärntner Landesausstellung geschieht, entspricht der Spannungseinheit von Kontemplation und Aktion, die der benediktinischen Lebensform zu eigen ist, und vermag die konventuale Gemeinschaft ebenso zu fördern wie die Erfüllung unserer vielfältigen Aufgaben. Zugleich erfüllt es mich mit großer Freude, erstmals die Vielfalt an Kunst und Kultur, die unser Haus enthält, möglichst vielen Menschen aus nah und fern nahebringen zu können. Allen, die dies ermöglicht haben, gilt mein herzlichster Dank*.

Prälat Mag. Bruno Rader OSB
Abt des Benediktinerstiftes St. Paul

* Im Besonderen danke ich für die Förderung durch alle Sponsoren und für die Impulsfinanzierung durch die Bank für Kärnten und Steiermark, die Kärntner Landes- und Hypothekenbank, die Kärntner Sparkasse und den Raiffeisenverband Kärnten.

Die Beiträge zur Geschichte des Stiftes St. Paul im Lavanttal (vgl. mein Vorwort dort) und der vorliegende Katalog, der die erste Kärntner Landesausstellung „Schatzhaus Kärntens, 900 Jahre Benediktinerstift St. Paul im Lavanttal" dokumentiert und dem Besucher die nachvollziehbare Vertiefung des Gesehenen ermöglichen soll, wurden gemeinsam konzipiert und werden, wie wir hoffen, zu einem erschwinglichen Preis auch gemeinsam angeboten. Sie sind der Mittelpunkt der Publikationen, die sich mit dem Stiftsjubiläum befassen oder mit dem Jubiläumsjahr im Zusammenhang stehen. Das Katalogteam war bemüht, auf der Grundlage der in den Beiträgen ausgearbeiteten Erkenntnisse und des Ausstellungskonzepts einen vertiefenden Leitfaden für den Ausstellungsbesucher zu erarbeiten, der eine möglichst mühelose Orientierung erlaubt. Wie die Beiträge in nahezu vollständiger Weise Geschichte, Kultur und geistige Bedeutung des Stifts, aber auch seines Umlandes präsentieren wollen, so dokumentiert der Katalog eine kulturhistorische Schau, die in das vielfältige Wirken eines Klosters im Innern wie nach außen einführen möchte, um gleichzeitig die Vielfalt geistigen wie kulturellen Wirkens zu bezeugen, die aus benediktinischer Lebensform in neun Jahrhunderten hervorgegangen ist. Möge den geneigten Besuchern dieses kulturhistorische Dokument als Darlegung einer lux regionis, als die ich das Kloster sehe, aber auch als Zeugnis eines Schatzhauses Kärntens für dessen Kunst und Kultur dienen.

o. Univ.-Prof. Dr. Günther Hödl
Universität Klagenfurt

Veranstalter und Ausstellungskuratorium

Veranstalter:

Benediktinerstift St. Paul
Abt Mag. Bruno Rader OSB und Konvent

Ausstellungskuratorium „900 Jahre Benediktinerstift St. Paul":

Ökonomierat Herbert Bacher
Obmann des Raiffeisenverbandes Kärnten, Klagenfurt

Hofrat Dr. Gerhard Baumann
Leiter der Abteilung 5 der Kärntner Landesregierung, Klagenfurt

Univ.-Doz. Dr. Gottfried Biedermann
Landesmuseum Joanneum, Graz

Univ.-Prof. Dr. Alois Brandstetter
Universität Klagenfurt

Vorstandsdirektor Dr. Günther Bresitz
Kärntner Elektrizitäts-AG (Kelag), Klagenfurt

Dr. Hermann Ehweiner
Öffentlicher Notar, St. Paul

Univ.-Prof. DDr. P. Ulrich Faust OSB
Internationales Forschungszentrum für Grundfragen der Wissenschaften, Salzburg

Dr. Leopold Goëss
Ebenthal

Univ.-Ass. Mag. Dr. Johannes Grabmayer
Universität Klagenfurt

Dr. Johannes Gut
Vorsitzender Richter am Landesgericht Karlsruhe

Vorstandsdirektor Mag. Alois Hochegger
Kärntner Sparkasse, Klagenfurt

Univ.-Prof. Dr. Günther Hödl
Stellvertreter des Vorsitzenden, Universität Klagenfurt

P. Bruno Jelen OSB
Hofmeister des Benediktinerstiftes St. Paul

Direktor Hans Jordan
Klagenfurt

Mag. P. Paulus Kaimbacher OSB
Benediktinerstift St. Paul

Vorstandsvorsitzender Dr. Georg Kapeller
Kärntner Landes- und Hypothekenbank, Klagenfurt

Dkfm. Dr. Ernst Kohlfürst
Wirtschaftsprüfer und Steuerberater, Klagenfurt

Dipl.-Ing. Ludwig Kramer
Forstmeister des Benediktinerstiftes St. Paul

Dr. Friedrich W. Leitner
Landesmuseum für Kärnten, Klagenfurt

Obermedizinalrat Dr. Hermann Leitner
St. Paul

StR. Ignaz Lernbaß
Stellvertreter des Vorsitzenden
Altbürgermeister der Marktgemeinde St. Paul

Generaldirektor Maximilian Meran
Bank für Kärnten und Steiermark, Klagenfurt

Hofrat Univ.-Doz. Mag. Dr. Alfred Ogris
Direktor des Kärntner Landesarchivs

Professor Dr. Ernst Petrasch
Karlsruhe

Hofrat Univ.-Doz. Dr. Gernot Piccottini
Direktor des Landesmuseums für Kärnten, Klagenfurt

Dr. Horst Pirker
Verlagsleiter, Klagenfurt

Ing. Hermann Primus
Bürgermeister der Marktgemeinde St. Paul

Mag. Hartwig Pucker
St. Paul

Prälat Mag. Bruno Rader OSB
Vorsitzender, Abt des Benediktinerstiftes St. Paul

Hofrat Dr. Elisabeth Reichmann
Landeskonservator für Kärnten, Klagenfurt

Dr. Karl Schreitter
Facharzt für Zahn-, Mund- und Kieferheilkunde, St. Paul

Frater Christoph Widrich
Benediktinerstift St. Paul

Univ.-Prof. Dr. Günther Winkler
Stellvertreter des Vorsitzenden, Universität Wien

Durchführung

Gesamtleitung:
Günther Hödl

Wissenschaftliche Konzeption:
Johannes Grabmayer
Günther Hödl
Friedrich W. Leitner
Barbara Maier
Doris Petautschnig
Hartwig Pucker
Brigitte Schuchlenz
Werner Thelian
Barbara Wiltsche

Geschäftsführung und Gesamtorganisation:
Hartwig Pucker

Finanzielle Angelegenheiten:
Ernst Kohlfürst
Hans Jordan

Rechtliche Angelegenheiten:
Hermann Ehweiner

Ausstellungsgestaltung, Planung:
Josef Klingbacher gemeinsam mit Franz Loranzi

Bauleitung:
Josef Klingbacher

Mitarbeiter:
Brigitte Zdouc
Karl Vouk
Elvira Klingbacher
Andreas Jesse
Manfred Katzenberger
H. Hermann Molnar
Erich Wicher

Lichttechnische Beratung:
Wilhelm Egger

Mitwirkung an der Ausstellung:
Werkstätten des Stiftes St. Paul unter Leitung von
Hofmeister P. Bruno Jelen OSB
Tischlerei: Ernst Gritsch
Baugewerbe: Franz Loibnegger
Malerei: Karl Pichler
Elektroarbeiten: Jakob Strohmaier

Marketing:
Horst Pirker

Presse:
Hartwig Pucker

Graphik:
Art & Design Atelier Egon Waltl, Graz

Modellbau:
Uwe Michel
Johann Mack

Kinder- und Jugendprogramm
(Spiel- und Informationsheft):
Werner Thelian

Mitarbeiter:
Rudolf Hosinner
Siegrun Marolt
Hartwig Pucker
Birgit Robein
Eva Themessl

Photographie:
Elisabeth Kohlweiß
Annegret Kohlmayer

Ausstellungsbüro:
Hartwig Pucker, Leitung
Barbara Maier
Doris Petautschnig
Brigitte Schuchlenz
Werner Thelian
Barbara Wiltsche
Werner Wutscher

Sekretariat:
Reinhild Tschischka
Barbara Koitz

Weitere Mitarbeiter:
Rudolf Hosinner
Manfred Mörth
Bea Robein
Gerald Strohmaier

Restauratoren:
Walter Campidell, Kirche / Gebäude / Abgüsse
Waltraud Darnhofer, gotische Tafelbilder
Karma Hoke, Stiftskirche / Fresken
Franz Höring, Gemäldesammlung / Plastik
Irmgard Kaffel, Gemäldesammlung
Charlotte Karl, Gemäldesammlung
Hans Dieter Wurzer, Portale und Brunnen

Konservierung der Kasel und des Pluviale von St. Paul:
ausgeführt in der ABEGG-Stiftung, Riggisberg / Bern, bearbeitet von Gisela Illek

Konservatorische Ausstellungsbetreuung:
Karma Hoke

Transportdurchführung:
Panalpina

Für die konservatorische und restauratorische Betreuung danken wir:

Hofrat Dr. Elisabeth Reichmann
Landeskonservator für Kärnten

Dipl.-Ing. Dr. Ulrich Harb
Bundesdenkmalamt Klagenfurt

Hofrat Akad. Restaurator
Univ.-Doz. Dr. Manfred Koller
Leiter der Abteilung für Konservierung und Restaurierung, Bundesdenkmalamt Wien

Mag. Franz Höring
Werkstätten des Bundesdenkmalamtes Wien

Autoren und Mitarbeiter

Univ.-Doz. Dr. Ernst Bacher
Bundesdenkmalamt, Wien (E. B.)

Mag. Dr. Wilhelm Baum
Klagenfurt (W. B.)

Univ.-Prof. Dr. Alois Brandstetter
Institut für Germanistik,
Universität Klagenfurt (A. B.)

Mag. Ulfried Burz
Institut für Geschichte,
Universität Klagenfurt (U. B.)

Dr. Wilhelm Deuer
Kärntner Landesarchiv, Klagenfurt (W. D.)

Mag. Heimo Th. Dolenz
Villach (H. Th. D.)

Univ.-Prof. Dr. Heinz Dopsch
Institut für Geschichte, Universität Salzburg

Mag. Dr. Werner Drobesch
Institut für Geschichte, Universität Klagenfurt

Univ.-Prof. Dr. Rudolf Flotzinger
Institut für Musikwissenschaft,
Universität Graz (R. F.)

Dr. Franz Glaser
Landesmuseum für Kärnten, Klagenfurt

Univ.-Ass. Mag. Dr.
Johannes Grabmayer
Institut für Geschichte,
Universität Klagenfurt (J. Gr.)

Univ.-Doz. Dr. Hans Gröchenig
Institut für Germanistik,
Universität Klagenfurt (H. G.)

Dr. Johannes Gut
Karlsruhe (J. G.)

Dr. Waltraut Hauk
Wien (W. H.)

Univ.-Prof. Dr. Günther Hödl
Institut für Geschichte,
Universität Klagenfurt

Univ.-Prof. Dr. Janez Höfler
Universität Laibach (J. H.)

Dr. Karl Hempel
Wien (K. H.)

Dr. Manfred A. Jelonek
Klagenfurt (M. A. J.)

Mag. Manfred Katzenberger
St. Paul

Dr. Barbara Kienzl
Bundesdenkmalamt Klagenfurt-Wien (B. K.)

Mag. Gerhard Kleinhenn
Neu Seiersberg (G. K.)

Dr. Waltraud Krassnig
Internationales Forschungszentrum
für Grundfragen der Wissenschaften,
Salzburg (W. K.)

Univ.-Doz. Mag. Dr. Elmar Lechner
Institut für Unterrichtswissenschaften,
Universität Klagenfurt (E. L.)

Dr. Gregor M. Lechner OSB
Benediktinerstift Göttweig (G. M. L.)

Dr. Friedrich W. Leitner
Landesmuseum für Kärnten, Klagenfurt (F. L.)

Univ.-Doz. Dr. Hubert Lengauer
Institut für Germanistik,
Universität Klagenfurt (H. L.)

Mag. Barbara Maier
St. Paul (B. M.)

Dr. Hermann Maué
Germanisches Nationalmuseum,
Nürnberg (H. M.)

Dr. Elisabeth Oberhaidacher
Bundesdenkmalamt, Wien (E. O.)

Dr. Karel Otavsky
Abegg-Stiftung, Riggisberg (K. O.)

Dr. Peter Hans Pascher
Maria Saal (P. P.)

Doris Petautschnig
St. Paul (D. P.)

Univ.-Doz. Dr. Gernot Piccottini
Landesmuseum für Kärnten, Klagenfurt (G. P.)

Univ.-Ass. Dr. Martina Pippal
Institut für Kunstgeschichte,
Universität Wien (M. P.)

Mag. Hartwig Pucker
St. Paul (H. P.)

Dr. Christine Rabensteiner
Steiermärkisches Landesmuseum Joanneum, Graz (Ch. R.)

Prälat Mag. Bruno Rader OSB
Abt des Benediktinerstiftes St. Paul (B. R.)

Mag. Josef Röck
Pustritz (J. R.)

Bischof Dr. Oskar Sakrausky
Evangelisches Diözesanmuseum, Fresach (O. S.)

Dr. Brigitte Schuchlenz
Graz (B. S.)

Prof. Mag. Leopold Spitzer
Musikhochschule Wien (L. S.)

Mag. Siegfried Stattmann OSB
Benediktinerstift St. Paul (S. S.)

Univ.-Doz. Dr. Wolfgang Szaivert
Institut für Numismatik, Universität Wien (W. S.)

Mag. Werner M. Thelian
Bad St. Leonhard (W. M. T.)

Dr. Johannes Tomaschek
Benediktinerstift Admont (J. T.)

Dr. Christine Tropper
Diözesanarchiv, Klagenfurt (Ch. T.)

Dr. Peter G. Tropper
Diözesanarchiv, Klagenfurt (P. G. T.)

Univ.-Ass. Dr. Markus J. Wenninger
Institut für Geschichte, Universität Klagenfurt (M. W.)

Dr. Barbara Wild
Wien (B. W.)

Mag. Barbara Wiltsche
Bad St. Leonhard (B. Wi.)

Mag. Robert Wlattnig
Landesmuseum für Kärnten, Klagenfurt (R. W.)

Dr. Charlotte Ziegler
Zisterzienserstift Zwettl (Ch. Z.)

Leihgeber

Das Benediktinerstift St. Paul dankt allen Institutionen und Persönlichkeiten für die Leihgaben, die sie freundlicherweise zur Verfügung gestellt haben.

Abtei
Pfarramt Abtei / Apače

Admont
Benediktinerstift Admont

Bad St. Leonhard
Hermes Schleifmittel Ges.m.b.H. & Co. KG
Hespa Domäne

Bad St. Leonhard
Pfarramt

Dellach
Pfarramt St. Daniel

Fresach
Evang. Diözesanmuseum

Friesach
Deutsch-Ordensschwestern

Graz
Landesmuseum Joanneum

Göttweig
Benediktinerstift Göttweig, Graphisches Kabinett

Karlsruhe
Generallandesarchiv Karlsruhe

Klagenfurt
Archiv der Diözese Gurk
Archiv des Gurker Domkapitels
Diözesanmuseum
Dr. Leopold Goëss, Schloß Ebenthal
Landesmuseum für Kärnten
Kärntner Landesarchiv
Konvent der Elisabethinen
Universitätsbibliothek

Marburg
Pokrajinski Archiv Maribor

Maria Rojach
Pfarramt Maria Rojach

Melk
Benediktinerstift Melk

Münsing
Manuela Sedlmeier

Nürnberg
Germanisches Nationalmuseum

Pustritz
Pfarramt

Oxford
Bodleian Library

Salzburg
Burgi Breiter

Slovenj Gradec
Musikverein Hugo Wolf

Spital / Pyhrn
Pfarramt Spital / Pyhrn

Stuttgart
Vera Trost
Württembergische Landesbibliothek

St. Martin im Granitztal
Pfarramt

St. Paul im Lavanttal
Adelheid Holzer vlg. Burgstaller
Alfons Zentrich
Stiftsgymnasium

St. Stefan im Lavanttal
Ilse Knoch, Schloß Thürn

St. Urban / Feldkirchen
Pfarramt St. Urban

Villach
Museum der Stadt Villach

Waldshut
Kreismuseum St. Blasien

Wien
Österreichisches Museum für Angewandte Kunst
Österreichische Nationalbibliothek, Handschriften- und Inkunabelsammlung
Österreichisches Staatsarchiv, Haus-, Hof- und Staatsarchiv
Österreichisches Staatsarchiv, Finanz- und Hofkammerarchiv

Wolfsberg
Stadtgemeinde Wolfsberg

Dank an . . .

Das Zustandekommen der Ausstellung haben durch ihre Förderung hauptsächlich ermöglicht:

Land Kärnten
Bundesministerium für Wissenschaft und Forschung
Kärntner Arbeitsmarktverwaltung
Bank für Kärnten und Steiermark AG
Kärntner Landes- und Hypothekenbank
Die Kärntner Sparkasse
Raiffeisenverband für Kärnten
Österreichische Benediktinerkongregation
Diözese Gurk – Klagenfurt
Handelskammer Kärnten
Vereinigte Kärntner Brauereien AG
Kärntner Elektrizitäts-AG
Österreichische Draukraftwerke AG
Alt-St. Paulerinnen und Alt-St. Pauler
Lions-Club Lavanttal
Marktgemeinde St. Paul im Lavanttal

Weiters danken wir folgenden Institutionen, Firmen und Persönlichkeiten für ihre großzügige Unterstützung und Mithilfe:

Landesarbeitsamt für Kärnten
Arbeitsamt Wolfsberg
Landesschulrat für Kärnten
Universität Klagenfurt
Pädagogisches Institut des Bundes in Kärnten
Grazer Wechselseitige Versicherung
Wissenschaftsministerium Baden-Württemberg
Landkreis Waldshut
Stadt St. Blasien
Erzbischöfl. Ordinariat Freiburg i. Br.
Süddeutsche Jesuitenprovinz
Kärntner Tourismusgesellschaft, Krumpendorf
Stadttheater Klagenfurt
Glaserei Bux, Völkermarkt
Tischlerei Golger, Maria Rojach
Tischlerei Götsch, Ettendorf
Tischlerei Hasenbichler, St. Georgen
Tischlerei Hauptmann, Wolfsberg
Österreichische Homogen, Neudörfl
Glaserei Holzer, Völkermarkt
Schlosserei Huber, St. Paul
Tapezierer und Raumausstatter Hubmann, St. Paul
Tischlerei Kainbacher, Maria Rojach
Malerfachgeschäft Klingbacher, St. Paul
Tischlerei Ing. Knapp, Jakling
Kirchbaumer Moden, Klagenfurt
Fliesen Leeb, Wolfsberg
Holzfaserplattenwerk AG Leitgeb, Kühnsdorf
Tischlerei Leopold, St. Stefan
Funkberater Mahkovec, St. Paul
Tischlerei Paier, St. Michael
Patria Papier AG, Frantschach
Tischlerei Paulitsch, St. Georgen
Tischlerei Pichler, St. Paul
Raiffeisenbank St. Paul
Raiffeisen-Bezirksbank Wolfsberg
Raiffeisen-Lagerhaus St. Paul
Holzbau Reiter & Steiner, Wolfsberg
Firma Reu-Plan, Hard / Vlbg.
Siemens AG Österreich, Klagenfurt
Autohaus Sintschnig, Klagenfurt
Steiner-Bau GesmbH., St. Paul
STIA-Holzindustrie, Admont
Styria, Steirische Verlagsanstalt, Graz
Firma Thonet, Wien – Graz
Tischlerei Unterholzer, St. Paul
Tischlerei Vogt, Wolfsberg
Fachwerkstätte für Restaurierung Wech, Wolfsberg
Tischlerei Woltsche, Ettendorf
Tischlerei Zarfl, St. Gertraud
Installationsunternehmen Zernig, St. Paul
Pauline Almasy, St. Paul
Luciano Badini, St. Paul
Mag. Lucero und Prof. Mag. Josef Barth, Wolfsberg
Dipl-Ing. Friedrich Breitfuß, Klagenfurt
Dr. Mechthild Flury-Lemberg, Riggisberg bei Bern
Prof. Mag. Karlheinz Frauwallner, St. Paul-Wolfsberg
Gendarmerieposten St. Paul
Wolfgang Giegler, Wien
Karlheinz Grillitsch, St. Paul
Dr. Johannes Gut, Karlsruhe
Hofrat Dr. Artur Karisch, Graz
Ilse Knoch, St. Stefan
Rektor Jože Kopeinig, Tainach / Tinje
Hofrat Direktor Mag. Rudolf Leitner, St. Paul
Prof. Dr. Ernst Petrasch, Karlsruhe
Prof. Mag. Eduard Pototschnig, Ettendorf
Prof. Mag. Josef Pötsch, St. Andrä
Oberst Hugo Resinger, Landesgendarmeriekommando für Kärnten
Baumeister Albert Steiner, St. Paul
Gustav Türmer, St. Andrä
Wilhelm Waldmann, St. Paul
Kammerrat Walfried Wutscher, St. Paul

Die Liste der genannten Unternehmen und Persönlichkeiten kann aus Gründen des Drucklegungstermins unvollständig sein. Wir bitten um Nachsicht.

Gedanken zur Ausstellungsgestaltung

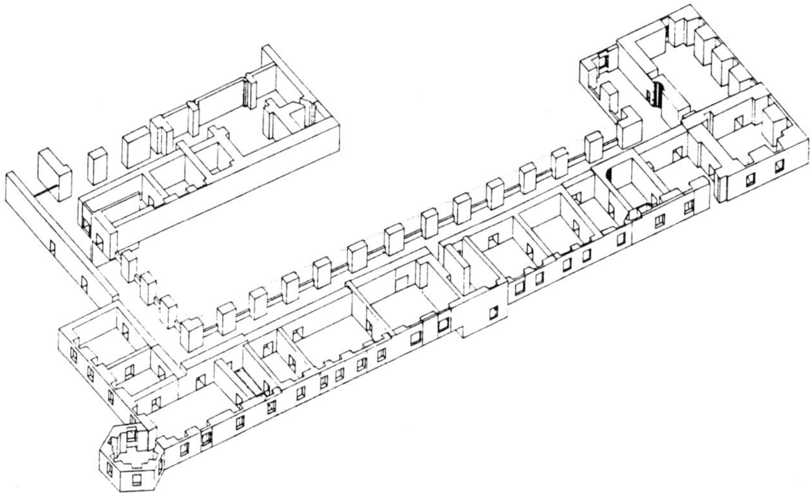

Der Ort gibt es vor: Die Aufgabenstellung ist komplex und diffizil.
Kunstschätze und Kulturgüter von höchstem Rang sind Schwerpunkte einer geschichtlichen Entwicklung, die es herauszuarbeiten galt.
Kunstbereiche waren mit geschichtlich authentischen Darstellungen zu mischen – gehalten von durchgehenden Gestaltungsprinzipien der Ausstellungsträger: diese haben einen bewußten Hang zum Stabilen, zum Monumentalen, zum Dauerhaften, zum Beständigen. Das blockhafte Element, die strukturierte Wand, die Vitrine als quadratische Säule, der Arkadenausbau als Anklang an christliches „duales Tafelprinzip".

Arch. Mag. Josef Klingbacher (Völkermarkt – St. Paul)
Arch. Mag. Franz Loranzi (Stuttgart – Wien).

1

Geologie und Klima Keltisches und Römisches im Lavanttal

Das Lavanttal verdankt sein Entstehen geologischen Vorgängen, die vor 195 Millionen Jahren einsetzten und damit – erdgeschichtlich gesehen – sehr jung sind. Das fast 1000 km² große Tal, das von der Kor- und der Saualpe umrahmt wird und vom Obdacher-Sattel im Norden (945 m Seehöhe) bis Lavamünd im Süden (344 m Seehöhe) ein starkes Gefälle aufweist, ist zusammen mit dem Wiener Becken, dem steirischen Becken und der sogenannten Norischen Senke (Fohnsdorfer Becken etc.) Teil einer großen Beckenlandschaft aus dem frühen Miozän. Während des Rückzuges des Draugletschers, der in seiner letzten Hochphase (20.000 v. Chr.) bis kurz vor Griffen reichte, erfolgte auch die letzte geologische Ausgestaltung des Lavanttales. Es kam zur Aufschotterung des südlichen Drautales, wodurch die Lavant zu einem großen See aufgestaut wurde, der später freilich wieder verschwand.
Der Markt und das Stift St. Paul liegen heute dort, wo die Lavant die St. Pauler Hügelkette durchbricht und das Granitztal, das sich von der Saualpe herzieht, in das Lavanttal einmündet.

Das Lavanttal hat ausgesprochen gute Bodenverhältnisse und ein mildes Klima, das günstiger ist als in anderen Teilen Kärntens. Die Luft ist meist recht trocken, der Herbst zeichnet sich durch besonders viele Sonnentage aus, was den Reifeprozeß des Obstes begünstigt. Das südliche Lavanttal mit seiner ausgedehnten Vegetation gehört zu den niederschlagsärmsten Gegenden Kärntens. Es war schon in urgeschichtlicher Zeit besiedelt.

Das Lavanttal weist zahlreiche römische Fundstätten auf, im besonderen ein Heiligtum des sogenannten Mars-Latobius bei St. Margarethen an der Lavant. Dieser gallo-römische Umgangstempel ist der einzige seiner Art in Kärnten. Durch Inschriften- und Skulpturenfunde war es möglich, die Anlage als Kultstätte des norisch-keltischen Kriegs- und Stammesgottes Latobius (Mars) zu identifizieren. Eine heute im Klostergang eingemauerte Inschrift gibt zu erkennen, daß das Heiligtum ursprünglich als ein Schiffsheiligtum (navalis) gedient hatte, das dann dem Latobius geweiht wurde. Diese ursprüngliche Funktion, die sich wahrscheinlich aus einem Schiffsidol, das im Tempel aufgestellt war, ergab, unterstreicht die Bedeutung des Wassers für den Kult der Gottheit. Diese Interpretation wird gestützt durch ein freigelegtes Schöpfbecken an der Lavant und die davon ausgehende Kultstiege. Im Tempel wurde aber auch Jupiter verehrt, wovon ein Rückentorso einer Kultstatue des Jupiter optimus maximus, des obersten Gottes des römischen Reiches, und ein Weihealtar Zeugnis ablegen.
In St. Paul selbst wurde ein römischer Töpferofen ausgegraben, der innerhalb eines Holzverschlages lag und im anstehenden Lehm eingetieft war, um die Wärme besser speichern zu können. Das Modell läßt erkennen, daß dieser römische Töpferofen aus einem Feuerungs- und einem Brennraum bestand. Aus der Produktion dieser Töpferstelle hat sich Keramik erhalten, die nach Form, Maßen und Ornamentik mit den Fundstücken des römischen Gutshofes in Allersdorf übereinstimmt.

ALOIS BRANDSTETTER

Unvorgreifliche Gedanken zum Beginn der Ausstellung, im besonderen zum Thema Mars-Latobius

Der Krieg ist der Vater aller Dinge. Getreu dem Grundsatz des Heraklit von Ephesos beginnt die Ausstellung mit Mars, also ,,martialisch''. Und sie beginnt mit dem Mars-Latobius-Heiligtum von St. Margarethen sakral. Wo aber im Kult und im Gebet Religion praktiziert wird, ist ihr ewiges Sehnsuchtsziel eigentlich der Friede, der Friede, ,,den die Welt nicht geben kann''. Latobius – Mars – Heilige Margarethe: Die Namen stehen für drei Kulturen. Man weiß, daß die nachfolgenden Kulturen mit den bodenständigen nicht immer pfleglich, gnädig oder ,,christlich'' umgegangen sind. Im Mars-Latobius-Kult haben wir freilich ein eindrucksvolles Beispiel für die Umarmung einer alten Gottheit durch eine neue, einer keltischen durch eine römische vor uns. Über 300 Heiligtümer des Mars hat man in Europa gezählt, und meist wurde der römische Göttername mit dem Namen einer angestammten Lokalgottheit zusammengespannt, von Mars *Albarinus* bis Mars *Vorocius. Interpretatio* nannte man diesen Vorgang. Kärntens Mars hieß Mars *Latobius*. Kärntens ,,Latinität'' ist auch sonst auf Schritt und Tritt sichtbar, sie ist wahrlich *evident*, um es lateinisch zu sagen. Denken wir nur an den Namen *Lavant*. ,,Auszugehen ist von einem vorslawischen Albanta'', ,,die Weißglänzende, Weißenbach; noch jetzt heißt je ein westlicher und ein östlicher Seitenbach der Lavant *Weißenbach*.'' (E. Kranzmayer, Ortsnamenbuch von Kärnten)

Welcher nun der Wochentag sein mag, an dem Sie, lieber Besucher, Anno Domini MCMXCI, 900 Jahre nach der Gründung des Benediktinerstiftes St. Paul im Lavanttal, die Kärntner Landesausstellung ,,Schatzhaus Kärntens'' besuchen, der Name des Wochentages wird in Ihrer romanischen, slawischen oder germanischen Muttersprache in irgend einer Weise mit Rom oder Hellas zu tun haben. Die Sprache ist das Gedächtnis der Menschen ... Sonntag, *dies Solis*, Montag, *dies Lunae*. Ein besonders günstiger Tag für einen Besuch wäre freilich der Dienstag (englisch *Tuesday*), der Tag des Himmelsgottes Ziu, des germanischen Kriegsgottes Thingsus, der Mars aus der *dies Martis* verdrängt oder ,,suppliert" hat. Im Slowenischen heißt der Dienstag *Torek*, ,,der zweite". In der bairischen Mundart Kärntens hieß der Tag früher aber *Ertag*. In diesem *Er* oder *Erge* verbirgt sich der griechische Kriegsgott Ares (Areōs hēméra). Diesen Namen haben die Baiern von den Goten übernommen, die ihn ihrerseits den Griechen verdanken. Die Goten mögen dabei aber auch an ihren Lehrer Arius gedacht haben, den *Irrlehrer*, wie ihn das Konzil von Nizäa im Jahre 325 polemisch nannte und verdammte. Man hält ihm heute freilich zugute, daß die Kirche auf seine ,,Anregung" hin, ihr Christusbild überdachte und neu formulierte. Damit schließt sich auch der Kreis zu Heraklits: Die Auseinandersetzung ist der Ursprung aller Bewegung.

Es mag auch Ihnen, wenn Sie sich im Raum 1 der Ausstellung umsehen, danach zumute sein, daß sie mit Thomas Mann (,,Joseph und seine Brüder") sagen möchten: ,,Tief ist der Brunnen der Vergangenheit. Sollte man ihn nicht unergründlich nennen?"

URGESCHICHTLICHE FUNDE

1.1-1.2

FUNDE VOM STRAPPELKOGEL

Auf dem Strappelkogel in Forst, unweit von St. Margarethen bei Wolfsberg, befand sich eine relativ umfangreiche bäuerliche Siedlung der Jüngeren Steinzeit mit einem gewissen Fortbestand während der Bronzezeit bis in die Epoche der Hallstattkultur. Bei den Ausgrabungen in der durch den Pflug im Laufe der Zeit stark gestörten Anlage wurden vielfach Steinwerkzeuge, wie Flachbeile aus Serpentinit, geborgen, aber auch zahlreiche Fragmente von Tongefäßen mit charakteristischen Verzierungsformen der Keramik der Jüngeren Steinzeit. Artverwandtes bis in die Steiermark und Mittelkärnten reichendes Material führte in der Forschung dafür zur Bezeichnung „Typus Pölshals-Strappelkogel-Kanzianiberg." Besondere Aufmerksamkeit verdienen die Tonlöffel mit durchlochtem Ansatz zur Aufnahme eines hölzernen Stils. Sie sind ein besonderes Kennzeichen der jungsteinzeitlichen westungarischen „Lengyelkultur" und sind wohl von Osten her, durch das Drautal, in das Lavanttal gekommen.

1.1 s. II, S. 320, Abb. 36

DREI FLACHBEILE

Fundort: Strappelkogel in Forst bei St. Margarethen, Gemeinde Wolfsberg, BH Wolfsberg; gefunden bei Grabungen 1931/32. Jungsteinzeit

Serpentinit; 1) L 10/B 4,5/Dm 1,6 cm; 2) L 7/ B 4/ Dm 1,5 cm; 3) L 5,5/B 4,0/Dm 1 cm

Landesmuseum für Kärnten, Klagenfurt

Trapezförmige Flachbeile mit leicht gerundeter Schneide.

Lit.: W. MODRIJAN, Urgeschichtliches aus dem Lavanttal (1952), S. 5. – L. FRANZ, Aus Kärntens urgeschichtlicher Zeit (o. J.), S. 16. – R. PITTIONI, Urgeschichte des österreichischen Raumes (1954), S. 208ff.

G.P.

1.2 s. II, S. 319, Abb. 35

ZWEI TONLÖFFEL

Fundort: Strappelkogel in Forst bei St. Margarethen, Gemeinde Wolfsberg, BH Wolfsberg; gefunden vor den Grabungen 1931/32. Jungsteinzeit

Gebrannter Ton; 1) L 8/B 7 cm, Dm Tülle 2,3 cm; 2) L 8,5/B 7,5 cm, Dm Tülle 3,5 cm.

Landesmuseum für Kärnten, Klagenfurt

Schöpferartige Tonlöffel mit durchbohrtem Tüllenansatz für einen Holzstiel.

Lit.: W. MODRIJAN, Urgeschichtliches aus dem Lavanttal (1952), S. 5. – L. FRANZ, Aus Kärntens urgeschichtlicher Zeit (o. J.), S. 12, Abb. 4. – R. PITTIONI, Urgeschichte des österreichischen Raumes (1954), S. 169.

G. P.

1.3

FUNDE VOM KULMBERG

Wie schon der Strappelkogel bei St. Margarethen, bot auch das Plateau des nach allen Seiten stark abfallenden, bewaldeten Kulmberges bei Ettendorf, Gemeinde Lavamünd (BH Wolfsberg), geschützten Siedlungsraum. So erbrachten die im Jahre 1919 von R. STRELLI und L. FRANZ durchgeführten Ausgrabungen als wichtigsten Befund ebenerdig angelegte Feuerstellen im Bereich der östlichen Plateauhälfte. In unmittelbarer Nähe zu denselben stießen die Ausgräber auf zahlreiche Keramikbruchstücke, worunter sich neben den Resten größtenteils nicht mehr rekonstruierbarer Gefäßkeramik auch Fragmente von sogenannten Lengyellöffel befanden. Fast vollständig auf uns gekommen ist auch ein jungsteinzeitlicher Henkeltopf. Für eine nur vorübergehende Besiedlung des Kulmberges an der Wende vom dritten zum zweiten Jahrtausend spricht jedoch das Fehlen von Steinwerkzeugen und der archäologische Nachweis von Wohnstätten.

HENKELTOPF

Fundort: Kulmberg bei Ettendorf, Gemeinde Lavamünd, BH Wolfsberg; gefunden bei Grabungen 1929. Jungsteinzeit

Gebrannter Ton; H 6,8/Dm Mündung 6,4 - 7,4/Dm max. 8,5/Dm Boden 5,6 cm

Stift St. Paul

Freigeformte Irdenware. Konischer Körper; Rand leicht eingezogen, mit kommaartigen Einkerbungen verziert; mittlere Magerungsanteile, feinsandig und etwas heller Glimmer; durch hervortretende Magerungsanteile körnige Oberfläche; mäßig hart gebrannter, hellbrauner bis sandgelber Ton.

Lit.: R. STRELLI, Ausgrabungen bei Ettendorf im Lavanttale, Car. I 119 (1929), S. 153f. – DERS., Ausgrabungen bei Ettendorf im Lavanttal, MAG LX (1930), S. 24ff. – W. MODRIJAN, Urgeschichtliches aus dem Lavanttal (1952), S. 6. – R. PITTIONI, Urgeschichte des österreichischen Raumes (1954), S. 169. - L. FRANZ, A. NEUMANN, Lexikon ur- und frühgeschichtlicher Fundstätten Österreichs (1965), S 42. - ÖKT 37 (1969), S. 448, Abb. 713.

H.Th. D.

1.4

TOPF AUS MEIER AM HOF

Fundort: Meier am Hof, Gemeinde St. Paul, BH Wolfsberg; gefunden bei Grabungen 1909. Ältere Urnenfelderkultur

Gebrannter Ton; H 15,5/Dm Mündung 17,5–19,5/Dm max. 25/Dm Boden 6,5 cm

Stift St. Paul

Freigeformte Irdenware. Konischer Körper; kräftig eingezogene Schulter, zylindrischer Hals mit ausladendem Rand; vier vom Rand zur Schulter reichende, im Querschnitt dachförmige Bandhenkel; Gefäßkörper mit ca. 1,5–2 cm breiten schrägeingeformten Kannelluren verziert; mäßig hart gebrannter, rötlich-brauner, beschlickter und geglätteter Ton, ohne ersichtliche Magerungsanteile.

Lit.: O. FRANKL, Bericht über 1909 für die Bezirke St. Veit, Völkermarkt, und Wolfsberg, MAG XL (1910), S. 27. – R. STRELLI, Die Ausgrabungen auf dem Gute „Meier am Hof" bei St. Paul/Kärnten, JbSP 1911, S. 1ff., Fig. 2. - DERS., Die Ausgrabungen bei St. Paul in Kärnten, MAG LVIII (1928), S. 168. – R. PITTIONI, Zum Hallstatt-A-Horizont in Kärnten, Car. I 140 (1950), S. 87ff., Abb. 1. - DERS., Urgeschichte des österreichischen Raumes (1954), S. 476ff., Abb. 343. – L. FRANZ, A. NEUMANN, Lexikon ur- und frühgeschichtlicher Fundstätten Österreichs (1965), S. 48. – ÖKT 37 (1969), S. 448, Abb. 713.

H.Th. D.

1.5-1.8

FUNDE VOM MUNDIFELD

Fundort: Mundifeld bei St. Paul (?), BH Wolfsberg, Grabung 1909. Hallstattzeit

Gebrannter Ton

Stift St. Paul

1.5

KEGELHALSGEFÄSS

H 20,5/Dm Mündung 15/Dm max. 23,6/Dm Boden 9 cm

Geformte Irdenware; abgesetzte Standfläche, gequetscht kugeliger Bauch mit hochsitzendem Umbruch, hoher konisch zusammenlaufender Hals mit schräg ausladendem Mundsaum; auf der Schulter drei Horizontalrillen; daran anschließend parallele Vertikalrillen; am Hals sechs Horizontalrillen; zwei kleine Bandhenkel, dazwischen auf gleicher Höhe zwei Knubben; zwischen Schulter und Randzone sieben horizontal angesetzte Einkerbungen; Gefäß aus braunem, hart gebranntem Ton; an der gesamten Außenseite und an der Innenseite des Mundsaumes dunkelgraue, glänzende Schlikkerauflage.

Lit.: W. MODRIJAN, Das Lavanttal in römischer Zeit, in: Das Lavanttal – Wirtschaftsperle Kärntens (1952), S. 7.

H.Th. D.

1.6

KEGELHALSGEFÄSS

H 14,5/Dm Mündung 9/Dm max. 12,6/Dm Boden 5,7 cm

Stift St. Paul

Geformte Irdenware; Form, Ton und Engobe wie Kat.Nr. 1.5; Gefäßhals mit umlaufenden Holzrillen, Schulter mit hängenden Dreiecken verziert; Knubben von halbkreisförmigen und dreieckigen Ornamenten umgeben.

Lit.: W. MODRIJAN, Das Lavanttal in römischer Zeit, in: Das Lavanttal – Wirtschaftsperle Kärntens (1952), S. 7.

H.Th. D.

1.7

ABSATZBEIL

Fundort: Oberleidenberg, Gemeinde Wolfsberg, BH Wolfsberg; unweit des Anwesens vulgo Karner. Ältere – mittlere Bronzezeit

Bronze; L 14,5/B 5 cm

Landesmuseum für Kärnten, Klagenfurt

Der Fundort liegt unmittelbar östlich gegenüber dem urgeschichtlichen Siedlungsplatz Forst – Strappelkogel.

Unpubliziert; Typus E.F. MAYER, Prähistorische Bronzefunde IX/9, Nr. 351 A.

G. P.

1.8

GRIFFZUNGENSCHWERT

Fundort: Wolfsberg-Priel, Gemeinde Wolfsberg; aus der Lavant geborgen. Mittlere Bronzezeit

Bronze; L 65 cm/Klingenbreite 2,4 cm/Zungenbreite 2,4 cm/Heftbreite 4,1 cm

Landesmuseum für Kärnten, Klagenfurt

Griffzungenschwert vom Typus Traun. Schwertklinge leicht gebogen und mit linsenförmigem Querschnitt; Mittelwulst von Rillen eingefaßt. Griffzunge leicht ausgebaucht und mit spitz auslaufenden Stegen gearbeitet. Am Heft zwei Nietlöcher. Es handelt sich um einen 1907 aus dem Uferschotter des Lavantflusses geborgenen Fund, der zumindest die Besiedlung des Lavanttales für diese Epoche aufzeigt.

Lit.: P. SCHAUER, Prähistorische Bronzefunde IV/2, Nr. 370, Taf. 54.

G. P.

1.9

Schautafel:
RÖMERZEITLICHE FUNDORTE IN KÄRNTEN

1.10

STATUE DES GOTTES MARS-LATOBIUS

Fundort: St. Margarethen–Burgstall, Gem. Lavamünd, BH Wolfsberg; Grabungen im Mars Latobius-Heiligtum 1926

Einheimischer Marmor. Gefundene Fragmente: Unterer Teil des rechten Oberschenkels; oberer Teil des rechten Oberschenkels; oberer Teil des linken Unterschenkels mit Schildansatz; H 0,66/B 0,66 m; Schildfragment mit Mantelfalten H 0,66/B 0,66 m; linke Hand mit Ende eines Pedums H 0,25/B 0,125 m; zwei Bruchstücke einer Basis. Vermutliche ursprüngliche Gesamthöhe 2,80 m.

Rekonstruktion; Fragmente ehedem Stift St. Paul, zur Zeit nicht auffindbar

Rekonstruktionsversuch nach einzelnen Fragmenten: Die Gottheit war offensichtlich aufrecht und überlebensgroß dargestellt. Bis auf einen Mantel über der linken Schulter und um den linken Arm war die Statue nackt. Das linke Bein war Standbein, an ihm lehnte ein Schild.

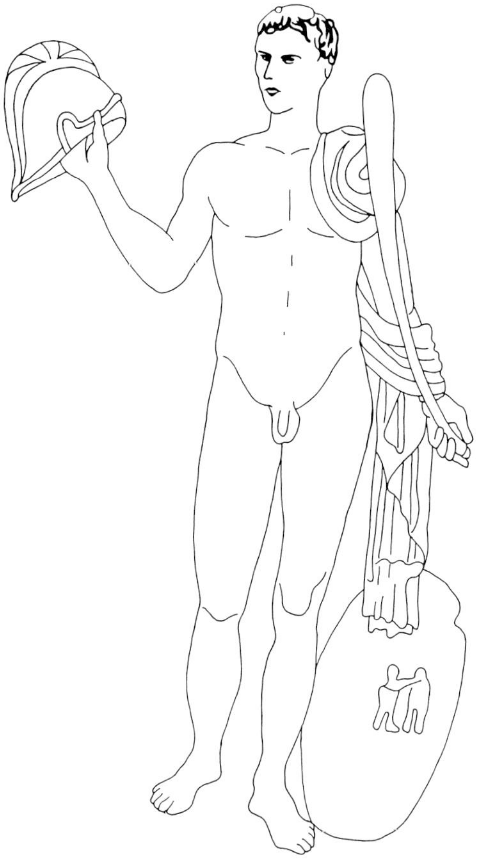

Rekonstruktionszeichnung

Die linke Hand trug ein Pedum, die rechte könnte einen Helm gehalten haben. Die Art der Darstellung läßt eine Kultstatue des einheimischen Kriegsgottes Mars-Latobius vermuten. Schild und Helm sind Attribute des römischen Mars, mit welchem der keltische Latobius römerzeitlich interpretiert wurde. C. PRASCHNIKER verwendete als Vorbild für deren Rekonstruktion die Bronzestatue des sogenannten Jünglings vom Magdalensberg. Allerdings liegt das umgekehrte Standmotiv vor, auch fehlt der Mantel. Darüberhinaus ist das Pedum als Attribut des einheimischen Kriegsgottes bisher sonst nicht nachgewiesen.

Lit.: R. EGGER, Anz.ÖAkad. Wiss., Phil.-hist.Kl., 3-4 (1927), S. 4ff. – C. PRASCHNIKER, ÖJh 36 (1946), Bibliographie Sp. 15ff., Abb.2f. – G. PICCOTTINI, CSIR-Österreich II/1 (1968), S. 20f., Nr. 20, Abb. 1, Taf. 23.

G. P.

1.11

MODELL: TEMPELBEZIRK DES MARS-LATOBIUS

Holz, Maßstab 1:125

Nach Grabungsergebnissen in Gallien wurde der Umgangstempel rekonstruiert. Die an zwei Seiten umlaufenden Hallen wurden aufgrund des Hinweises von R. EGGER in Analogie zu den Hallen des Tempelbezirkes in Kempten/Cambodunum ergänzt.
Entwurf: F. GLASER, Ausführung: H. MACK.

Die interessanteste Anlage der römischen Antike im unteren Lavanttal ist auf dem nahen Burgstall bei St. Margarethen (Gemeinde Lavamünd) 1925-1927 durch R. EGGER aufgedeckt worden. Es handelt sich um den gallo-römischen Umgangsstempel für die norisch-keltische Gottheit *Latobius-Mars*, den bis damals im Ostalpenraum erstmals festgestellten Tempel dieser Bauform. Das Heiligtum erhob sich auf dem Plateau des Burgstall-Hügels und besaß annähernd quadratischen Grundriß, gegliedert in eine exakt 9,80 m messende *Cella*, allseits umgeben von einer 17,10 bzw. 16 m langen und verschieden breiten, an der Ostseite jedoch bis zu 4,10 m abstehenden *Porticus* sowie von einem die Gesamtanlage umschließenden, von Mauern begrenzten Hof. Dieser ist offenbar als letzter Bauvorgang zu sehen, da seine Westmauer an die Mauer der westlichen Tempelporticus ansetzt; aus Geländerücksichten stand das Heiligtum nicht in der Mitte des genannten Hofes, sondern gegen dessen Südwestecke hin gerückt. Aus den Mauerstärken wie der Mauertechnik war zu schließen, daß das Aufgehende der quadratischen *Cella* gemauert gestaltet und wohl mit einem vierteiligen Zeltdach gedeckt gewesen war, während die *Porticus* an allen vier Seiten nahezu nur aus Trockenmauerfundamenten für die darauf aufgesetzten hölzernen Stützpfosten für die Pultdächer bestand. Von Osten her, durch den entsprechenden Umgang, führte der Zugang in die *Cella*, das eigentliche Heiligtum des Tempels. In ihrem Inneren fanden sich im Brandschutt Wandverputz, Dachziegelreste und zahlreiche Holznägel, Hinweise auf die Ausgestaltung und die Eindeckung des Baues. Die Identifizierung der Anlage als Tempel für den keltischen Kriegs- und Stammesgott *Latobius-Mars* gelang durch Inschrift und Skulpturenfunde in je einer umfangreichen Grube im Boden der *Cella* bzw. des Hofes davor. Darin lagen, offenbar absichtlich zerschlagen, u. a. wesentliche Teile des Kultinventars, Fragmente zweier Kultstatuen sowie drei Inschriften, ein Befund, den der Ausgräber den Zerstörern des Heiligtumes zu Ende des vierten Jahrhunderts ursächlich zuweist. Eine dieser Inschriften erweist sich als Bauinschrift für die Wiederherstellung des Tempels; nach dem Schriftcharakter im späten zweiten Jahrhundert n. Chr., womit ein älterer Vorgängerbau, der während der Grabung auch festgestellt wurde, durch diese Bauurkunde zusätzlich nachgewiesen erscheint.
Die Bezeichnung des Tempels als *(aedis) navalis* = Schiffsheiligtum, ein inzwischen zweimal in Kärnten, jedoch bisher sonst nirgendwo für einheimische Heiligtümer verwendeter Ausdruck, stellt eine Besonderheit dar und bezog sich vermutlich auf ein innerhalb des Tempels aufgestelltes, besonders merkwürdiges Schiffsidol der Gottheit, so daß – pars pro toto – dessen Benennung auf den gesamten Bau übertragen wurde. Daß Wasser im Kult eine Rolle spielte, zeigt, abgesehen von der Bedeutung desselben innerhalb der keltischen Religion im allgemeinen, der Fund eines massiven Wasserbeckens in einer der erwähnten Gruben. Dazu muß angemerkt werden, daß zum Antransport des bei den Kulthandlungen benötigten Wassers am Westrand des Plateaus eine gemauerte „Kultstiege" errichtet war, die zum Lavantufer hinab an ein Schöpfbecken führte; sie wurde wenige Jahre nach den Grabungen auf dem Burgstall entdeckt und freigelegt. Außer der erwähnten Bauinschrift unterstützen die Zuweisung des Tempels an diese Gottheit noch ein früher ausgegrabenes Altarfragment – *Latobius Augustus* geweiht – sowie ein erst jüngst auf dem Burgstall gefundener Altar, der als derselben Gottheit geweiht gilt, auch wenn sie hier mit einem sonst nur aus einer Inschrift aus Flavia Solva (Steiermark) bekannten Beinamen, *Maromogius* (etwa „Großmächtiger"), bezeichnet ist. C. PRASCHNIKER hat daher schon seinerzeit versucht, einzelne, aus den Gruben geborgene Statuenfragmente, unter Verwendung der bronzenen Jünglingstatue vom Magdalensberg als Vorbild, zur Kultstatue des *Latobius-Mars* zu rekonstruieren (s. Kat. Nr. 1.14). Das Heiligtum war jedoch nicht ihm allein vorbehalten gewesen: Zwei weitere Inschriften, eine Platte und ein Altar, enthielten Weihungen an *Jupiter optimus maximus*, den obersten Gott des Reiches; in beiden Fällen sind die Stifter Freigelassene, die für das Wohlergehen ihrer ehemaligen Herrschaft Gelübde einlösen. Darüberhinaus fanden sich innerhalb des Skulpturenmaterials auch ein mächtiger männlicher, nackter Torso, ein stark bestoßener Lockenkopf sowie einzelne Bruchstücke eines Zepters, die PRASCHNIKER alle einer ehemals lebensgroßen Jupiterstatue zuordnete, womit doppelt nachgewiesen werden konnte, daß im Tempel auch Jupiter Verehrung erfahren hatte. Nach der Ausgrabung wurde das Gelände wieder eingeebnet, die „Kultstiege" zur Lavant jedoch ist konserviert erhalten geblieben.

Lit.: R. EGGER, SBer. ÖAkad. Wiss. Phil.-hist. Kl. (1927), II/4, S. 4ff.– FS R. Egger (1962), I, S. 98ff. - C. PRASCHNIKER, ÖJh 36 (1946), Bibliographie Sp. 17ff. - G. PICCOTTINI, CSIR – Österreich, II/1 (1968), Nr. 19, Taf. 22; Nr. 20, Abb. 1, Taf. 23; Nr. 35, Abb. 2. – E. WEBER, AES 1

(1985), S. 652ff., Taf. 12,2. – Kultstiege: E. SWOBODA, Car. I 131 (1941), S. 303ff. – G. PICCOTTINI, Die Römer in Kärnten (1989), S.39ff.

G. P.

1.12 s. II, Karte S. 335

GRUNDRISSPLAN DES MARS-LATOBIUS HEILIGTUMS

1.13 s. II, S. 403, Abb. 72

FOTO DER KULTSTIEGE UND DES KULTBECKENS

1.14 s. II, S. 337, Abb. 42

BAUINSCHRIFT FÜR DAS MARS–LATOBIUS–HEILIGTUM

Fundort: St. Margarethen-Burgstall, Gemeinde Lavamünd, BH Wolfsberg; Grabung im Mars-Latobius-Heiligtum 1926; Spätes 2. Jahrhundert n. Chr.

Profiliert gerahmte Platte, links abgebrochen; H 45/B 68/Dm 14 cm

Stift St. Paul

[L]atobio sacr(um)/C(aius) Speratius Vibius et/Valeria Avita pro inc/[o]lumitate filior(um) suor(um)/[5] *[v]oto suscepto navale (m aedem) ve/tustate conlapsum restitu/er(unt)/ v(otum) s(olventes) l(ibentes) m(erito)*

„Dem Gott Latobius geweiht. Speratius Vibius und Valeria Avita haben nach einem für das Gedeihen ihrer Kinder übernommenen Gelübde, das durch Alter verfallene ‚Schiffsheiligtum' wieder herstellen lassen, damit das Gelübde freudig und nach Verdienst der Gottheit erfüllend".

Latobius ist ursprünglich wohl als Stammesgott der in Oberpannonien siedelnden keltischen Latobiker anzusehen, wurde jedoch auch im südlichen Noricum verehrt. Hier wurde er durch die Interpretation mit dem römischen Mars auch als Kriegsgottheit verstanden. Die Bauinschrift bezieht sich auf die Wiederherstellung eines älteren Tempels, dessen Bezeichnung als „Schiffsheiligtum" sich vermutlich auf ein im Tempelinneren aufgestelltes, besonders merkwürdiges Schiffsidol der Gottheit zurückführen läßt; damit wäre ein zusätzlicher Charakter des Gottes als Totengeleiter angesprochen.

Lit.: A.GERSTL, Supplementum epigraphicum zu CIL III für Kärnten und Osttirol (Diss. Wien, 1961), S. 11f., Nr. 10. – H. KENNER, Die Götterwelt der Austria Romana, ANRW II/18, 2 (1989), S. 905ff.

G. P.

1.15

RÖMERZEITLICHER WEIHEALTAR FÜR JUPITER OPTIMUS MAXIMUS

Fundort: St. Margarethen-Burgstall, Gem. Lavamünd, BH Wolfsberg; Grabung im Mars-Latobius-Heiligtum 1926

H 120/B 54/Dm 37 cm; links abgebrochen

Stift St. Paul

I(ovi) o(ptimo) m(aximo)/[p]ro salute/[P(ublii)] Ae(lii) Finiti/[b(ene)] f(iciarii) co(n)s(ularis) et Tu/[5]*llIae Felici/ati(s) patro/nis merent/ibus P(ublius) Ae(lius) Su/rus v(otum) s(olvit) l(ibens) m(erito).*

„Dem besten und größten Gott Jupiter. Für das Heil des konsularischen Benefiziariers P. Aelius Finitus und der Tullia Felicitas, den verdienten Patronen. P. Aelius Surus hat das Gelübde freudig und nach Verdienst der Gottheit eingelöst."

Jupiter ist der oberste römische Reichsgott; ihm gehört der Altar als Einlösung des Gelübdes. P. Aelius Surus war vordem Sklave des P. Aelius Finitus; nach seiner Freilassung erhielt er den Vornamen und Familiennamen seines ehemaligen Herrn, der zu ihm nunmehr im Verhältnis eines Patronus stand. Benifiziarier waren aus Truppenkörpern zur besonderen Verwendung abkommandierte Soldaten und versahen im Amt des Statthalters oder als Sicherheitsorgane an verkehrsstrategisch wichtigen Plätzen ihren Dienst. Der Zusatz *consularis* führt zur Datierung des Altares in die Zeit nach 176 n. Chr., da ab diesem Zeitpunkt die Provinz Noricum von Statthaltern verwaltet wurde, welche nach Beendigung dieser Statthalterschaft für das Amt des Konsuls im Rom designiert waren.

Lit.: A. GERSTL, Supplementum epigraphicum zu CIL III für Kärnten und Osttirol (Diss. Wien, 1961), S. 21, Nr. 32.

G. P.

1.16

WEIHEINSCHRIFT FÜR MARS-LATOBIUS

Fundort: St. Margarethen-Burgstall, Gem. Lavamünd, BH Wolfsberg; auf einem Acker des Anwesens vulgo Tschnegger 1981

Bruchstück einer kleinen Marmorsäule mit aus dem Schaft herausgearbeiteter Schrifttafel (Beitylos); H 52/Dm 20,5 cm; Schrifttafel: H 14,3/B 18,3 cm

Privatbesitz

Maromogio/pag(i) mag(istr/v(otum) s(olverunt) l(ibentes) m(erito)

„Dem Großmächtigen! Die Vorsteher des Landesbezirkes haben das Gelübde freudig und nach Verdienst der Gottheit eingelöst."

Maromogius (aus keltisch maro = groß und der Wurzel *mog– = groß werden, wachsen) ist ein Beiname des Gottes Mars–Latobius. Die Stifter dieses Weihedenkmales, welches wohl dem nahe der Fundstelle gelegenen Mars–Latobiustempel zuzuordnen ist, sind Organe eines Landbezirkes mit bescheidener Selbstverwaltung. Durch diese Inschrift ist für Noricum eine derartige, vermutlich aus vorrömischer Zeit stammende und nach der römischen Provinzialisierung beibehaltene Verwaltungsstruktur erstmals überliefert.

Lit.: E. WEBER, AES 1 (1985), S. 652, Taf. 12,2.

G. P.

1.17 s. II, S. 338, Abb. 43

FRAGMENT EINER JUPITERSTATUE

Fundort: St. Margarethen-Burgstall, Gem. Lavamünd, BH Wolfsberg; Grabung im Mars-Latobius-Heiligtum 1926

Einheimischer Mamor. Nur Oberkörper erhalten (gefunden wurde auch ein zugehöriger Kopf und acht Bruchstücke eines runden Lanzen– oder Zepterschaftes); Oberkörper H 43/B 52/Kopf H 20/Zepter Dm 4 cm

Stift St. Paul (Kopf und Zepterfragmente zur Zeit nicht auffindbar)

Nackter Oberkörper einer ungefähr lebensgroßen männlichen Statue. Der stark bestoßene Kopf zeigt Spuren eines Vollbartes und gelockten, langen Haares, paßt jedoch nicht unmittelbar an den Rumpf; im erhaltenen linken Augenwinkel ein Bohrloch. Der rechte Arm war gesenkt, der linke erhoben und hielt wohl das Zepter. C. PRASCHNIKER schrieb die Fragmente einer Jupiterstatue zu, zumal im Heiligtum gefundene bzw. aus der Umgebung stammende Inschriften die Verehrung Jupiters im gleichen Heiligtum bezeugen.

Lit.: R. EGGER, Anz.ÖAkad. Wiss., Phil.–hist.Kl.,3–4 (1972), S. 4ff. – PRASCHNIKER, ÖJh 36 (1946), Bibliographie Sp. 33f., Abb. 18.–G. PICCOTTINI, CSIR–Österreich II/1 (1968), S.20, Nr. 19, Taf.22.

G. P.

1.18

RÖMERZEITLICHE WEIHEINSCHRIFTPLATTE FÜR JUPITER OPTIMUS MAXIMUS

Fundort: St. Margarethen-Burgstall, Gemeinde Lavamünd, BH Wolfsberg; Grabung im Mars-Latobius-Heiligtum 1926. 2. Jahrhundert n. Chr.

Aus mehreren Bruchstücken zusammengesetzt; H 58/B 51/Dm 5 cm

Stift St. Paul

Iovi o(ptimo) [m(aximo)]/pro s[al]ut[e]/ Sabin[ii Cen]/sorini et Lic[i]/[5] niae Atticae pat/ronis opti(mis) Ianu/arius et Serena/ lib[e]r(ti) v(otum) s(olverunt) [l(ibentes)] m(erito).

„Dem besten und größten Gott Jupiter. Für das Heil des Sabinius Censorinus und der Licinia Attica, der besten Patrone, haben die Freigelassenen Ianuarius und Serena das Gelübde freudig und nach Verdienst der Gottheit eingelöst."

Die Einlösung des Gelübdes in Form der Weihung gilt dem obersten römischen Reichsgott Jupiter. Ianuarius und Serena waren zuvor Sklaven des Sabinius Censorinus und der Licinia Attica, vermutlich bezog sich das Gelübde auf den Akt der Freilassung. Danach standen die vormaligen Herren in einem Patronatsverhältnis zu ihren Freigelassenen.

Lit.: A. GERSTL, Supplementum epigraphicum zu CIL III für Kärnten und Osttirol (Diss. Wien, 1961), S. 20, Nr. 31.

G. P.

1.19

RÖMERZEITLICHES GRABRELIEFFRAGMENT

Fundort: unbekannt, wohl Lavanttal

Unten und rechts abgebrochener Block; H 29/B 40 cm

Stift St. Paul

Der Block ist wohl Rest eines sogenannten Zwischenstreifens, welcher ursprünglich als Trennung zwischen breiteren Reliefplatten in einem Grabbau eingelassen war. Auf der Vorderseite Rest der Reliefdarstellung eines nach rechts hin schwimmenden, geflügelten Meerwesens mit geringeltem Fischleib. Derartige Darstellungen beziehen sich auf den Meerthiasos, die Vorstellung der von Meerwesen geleiteten Seele des Toten auf die Insel der Seligen.

G. P.

1.20

RÖMERZEITLICHE STATUETTE EINES TRAUERGENIUS

Fundort: Wiesenau, Gemeinde Bad St. Leonhard, BH Wolfsberg; bei Schotterabbau am sog. Galgenbichl 1956

Einheimischer Marmor; H 71/B 29 cm

Privatbesitz

Der stark korrodierte, geflügelte Trauergenius ist in der üblichen Haltung, mit gekreuzten Beinen und auf eine gesenkte Fackel gestütztem Oberkörper, dargestellt. Der Körper ist nackt, der linke Arm liegt auf der rechten Schulter auf, die Hand hält einen Kranz. Das Lockenhaar des Kopfes ist gescheitelt. Provinziell ein-

fache Arbeit der ersten Hälfte des zweiten Jahrhunderts n. Chr.
Beim Abbau goldhältiger Sandablagerungen des Klieningerbaches im 16. Jahrhundert war man offensichtlich auf die Überreste eines römerzeitlichen Gräberfeldes nördlich des Schlosses Wiesenau gestoßen und hatte die dabei gefundenen Grabbauteile mit übrigem tauben Gestein seitlich der Waschgänge abgelagert. Als 1956–1958 in diesem Gelände, das die Bezeichnung „Galgenbichl" trägt, Schottermaterial abgegraben wurde, stieß man auf eine große Anzahl verstreut liegender Marmorquader, Inschriften, Reliefs und Skulpturen römischer Datierung, die der oben beschriebenen Anlage ihre Herkunft verdanken. Insgesamt waren es mehrere hundert Baustücke, darunter elf Grabsteininschriften bzw. Fragmente von solchen, die Rundskulptur eines Trauergenius, drei verschiedene Teile von Grabaltaraufsätzen und vier verschieden lange Mauerabdeckungen *(loricae)*; ferner 12 Reliefplatten und derartige Fragmente mit Darstellungen des Kantharos-Lebensbaum-Motivs und sieben verschieden große Friesbalkenstücke mit vegetatiblem Reliefschmuck bzw. Darstellungen von Fabelwesen im Sinne des Meerthiasos, wie Seeschlangen und Delphine. Vielfach traten auch Platten mit Libationsöffnungen auf. Aus den Grabinschrifttexten ist ersichtlich, daß die Bestatteten überwiegend der einheimischen Bevölkerung, teils dem peregrinen, teils dem Sklaven-Stande, angehörten. Sowohl Inschrift als auch Reliefmaterial datieren den Bestand des Gräberfeldes grob in die erste Hälfte des zweiten Jahrhunderts n. Chr. Die wesentlichen Denkmäler sind im Schlosse Wiesenau aufgestellt, eine Besichtigung ist möglich.

Lit.: Ältere Inschriftfunde (jetzt Landesmuseum für Kärnten): CIL III 14366; der Befund 1956/58. – H. DOLENZ, Car. I 149(1959), S, 744ff. – R. EGGER, ebd., S. 755f. – G. PICCOTTINI, Die Römer in Kärnten (1989) S. 161ff.

G. P.

1.21

RÖMERZEITLICHE GRABINSCHRIFT

Fundort: Bad St. Leonhard, Gemeinde Bad St. Leonhard, BH Wolfsberg; gefunden 1972 am Südrand der Stadt. Um die Mitte des 2. Jahrhunderts n. Chr.

H 73/B 127/D 27 cm.

Privatbesitz

T(itus) Fannius/Quartus sibi/et Valeriae/Iuliae uxori/[5] et Valerio fil(io) an(norum) XXX.
„T. Fannius Quartus (ließ) für sich und seine Gattin Valeria Julia sowie für den im Alter von 30 Jahren verstorbenen Sohn Fannius Valerius das Grabdenkmal errichten".
Die letzte Zeile ist offensichtlich später, nach Ableben des Sohnes, nachgetragen worden. Die Genannten sind römische Bürger. Im Klieninger-Graben, wenig südwestlich von Bad St. Leonhard im Lavanttal, sind Goldvorkommen festgestellt, deren Abbau auch in römischer Zeit angenommen werden kann. Darauf deutet zumindest eine Anzahl von Inschriften und Reliefs aus römerzeitlichen Grabdenkmälern hin, welche in verschiedenen Jahren südlich der Stadt gefunden wurden und wohl dem Gräberfeld einer bisher allerdings noch nicht festgestellten Siedlung zuzuordnen sein werden, deren Entstehung wiederum in ursächlichem Zusammenhang mit dem genannten Bergbau gesehen werden kann.

Lit.: G. PICCOTTINI, Kärntner Museumsschriften 57 (1974), S. 226ff. – DERS., Die Römer in Kärnten (1989), S.23.

G. P.

1.22

RÖMERZEITLICHER WEIHEALTAR FÜR IANUS GEMINUS

Fundort: Reisberg, Gemeinde St. Andrä, BH Wolfsberg

Nur als Bruchstück erhalten. H 32/B 22/Dm 16 cm

Landesmuseum für Kärnten, Klagenfurt

An der Vorderseite des Altarschaftes die ehedem vollständig angetroffene Inschrift: *Iano Ge/mino/Consuti(us)/Ianuarius/*[5] *v(otum) s(olvit) l(ibens) m(erito).*
„Dem Gott Ianus Geminus. Consutius Ianuarius hat den Altar als Einlösung eines Gelübdes freudig und nach Verdienst der Gottheit gestiftet."
Ianus ist die Schutzgottheit der öffentlichen Tore und Durchgänge, aber auch der Gott allen Anfangs. Ianus Geminus personifiziert insbesondere Krieg und Frieden, je nach dem, ob die beiden ihm geweihten Torbögen am Forum Romanum geöffnet oder geschlossen waren. In der Burgruine wie auch in der Kirche St. Peter und Paul am Reisberg sind vielfach römerzeitliche Reliefs und Inschriften verbaut anzutreffen. Darüberhinaus weisen verschiedene Einzelfunde für den Reisberg und seine unmittelbare Umgebung ein Kulturkontinuum von der Endjungsteinzeit über die Hallstatt- und Latènekultur bis in die Römerzeit nach. Auf diesem Berg ist daher, schon aus seiner strategisch günstigen Lage verständlich, eine umfangreichere Anlage mit offensichtlich lange währender Besiedlung anzunehmen.

Lit.: G. PICCOTTINI, Die Römer in Kärnten (1989), S. 117. – CIL III 5092a.

G. P.

1.23

RÖMERZEITLICHE GRABINSCHRIFT

Fundort: Gundischberg

Profiliert gerahmte Platte, Oberfläche etwas abgesplittert; H 47/B 60 cm

Stift St. Paul

Sirus/Tricci g(ilius)/et Primae/con (iugi).
„Sirus Sohn des Triccus und der Gattin Prima". Grabinschrift für ein Ehepaar. Die Genannten sind freie Einheimische ohne römisches Bürgerrecht (Peregrine); die Namen Sirus und Triccus sind keltisch.

Lit.: CIL III 5096.

G. P.

1.24

STEINBRUCH SPITZELOFEN

Fundort: St. Georgen, Gemeinde St. Paul, BH Wolfsberg

Reproduktion

Von den zahlreichen in Kärnten während der Römerzeit genützten Marmorbrüchen hat der Spitzelofen, auf dem Steinberg in 1100 m Höhe im südöstlichen Lavanttal gelegen, die eindrucksvollsten Spuren der antiken Abbautätigkeit hinterlassen. Grabungen im Jahre 1930 legten die römischen Abbaustufen teilweise frei und stellten einen während der Antike bearbeiteten Bereich von rund 500 m Länge und 20 m Höhe fest. An den einzelnen Felspartien sind nicht nur die regelmäßigen Abbaurillen erkennbar, sondern auch allenthalben halbfertig aus dem Fels bereits herausgearbeitete Blöcke; solche fanden sich auch, bereits am Boden liegend und zur Feinbearbeitung bestimmt, auf dem antiken Niveau des Steinbruches. In der Schuttschichte knapp über dem letzteren wurden zwei Spitzschlägel und ein Schlägelhammer aus Eisen gefunden, Werkzeuge, die in ähnlicher Form auch im römischen Steinbruch von Gummern westlich von Villach zutage kamen (hier sind die römischen Abbaustellen im wesentlichen der modernen Nutzung zum Opfer gefallen; eine Dokumentation der Funde jedoch im Stadtmuseum Villach). Erst 12 m über dem Boden ist eine bereits seit dem frühen 19. Jahrhundert bekannte Weiheinschrift in die Felswand eingehauen und *Silvanus Saxanus*, dem Schutzgott des Marmorbruches, gewidmet: *Dem erhabenen S(ilvanus) Saxanus geweiht, von Adiutor und Secundinus*; letztere beide sind wohl als Arbeiter im Steinbruch tätig gewesen.

Lit.: CIL III 5093. – G. SCHÜTTE, JbSP 1922/23, S. 1ff. - F. JANTSCH, Carinthia I 121 (1931), S. 2ff. - G. PICCOTTINI, Die Römer in Kärnten (1989), S. 124.

G. P.

1.25-1.27

FUNDE AUS LANGEGG

Fundort: Langegg, Gemeinde St. Andrä, BH Wolfsberg; gefunden bei Grabungen 1934 auf Parzelle 117. Römisch, 2. Jahrhundert n. Chr.

Gebrannter Ton

Stift St. Paul

1.25

s. II, S. 329, Abb. 41

TOPF

H 29,5/Dm Mündung 23/Dm max 27,5/Dm Boden 16 cm

Irdenware, gedreht. Kugeliger Gefäßkörper,

sich konisch zum Boden hin verjüngend; Standboden leicht nach innen eingezogen; übergeworfener an der Oberseite gewölbter Rand; graubrauner, stark feinsandig gemagerter Ton; rauhe Oberfläche mit sichtbaren Drehrillen.

Lit.: R. STRELLI, Römerstein in Langegg, Car. I 124 (1934), S. 24. – A. SCHÖRGENDORFER, Die römerzeitliche Keramik der Ostalpenländer (1942), S. 74, Taf. 33/416. – W. MODRIJAN, Das Lavanttal in römischer Zeit, in: Das Lavanttal – Wirtschaftsperle Kärntens (1952), S. 10. – L. FRANZ, A. NEUMANN, Lexikon der ur- und frühgeschichtlichen Fundstätten Österreichs (1965), S. 43; ÖKT 37 (1969), S. 448, Abb. 713 k.

H.Th. D.

1.26

NAPF

H 12/Dm Mündung 20/Dm Boden 9,2 cm

Irdenware, gedreht. Bauchiger Körper zum niederen Standfuß einfallend; schräggesteller, nach außen hin abgerundeter Rand mit Innenfalz; schwarzgrauer, glänzender Ton ohne ersichtliche Magerungsanteile; geglättete Oberfläche.

Lit.: R. STRELLI, Römerstein in Langegg, Car. I 124 (1934), S. 24. – A. SCHÖRGENDORFER, Die römerzeitliche Keramik der Ostalpenländer (1942), S. 11, Taf. 8/105. – W. MODRIJAN, Das Lavanttal in römischer Zeit, in: Das Lavanttal – Wirtschaftsperle Kärntens (1952), S. 10. – L. FRANZ, A. NEUMANN, Lexikon der ur- und frühgeschichtlichen Fundstätten Österreichs (1965), S. 43. – ÖKT 37 (1969), S. 448, Abb. 713 j.

H.Th. D.

1.27

SCHÄLCHEN

H 5,7/Dm Mündung 12,7/Dm Boden 5,4 cm

Irdenware, gedreht. Ausladende Wandung und niedriger Standring; leicht überzogener, schwach gewölbter Rand; tiefe Halskehlung, die gegen die Wandung kantig abgesetzt ist; ungemagerter, orangeroter, stellenweise durch den Brand grau verfärbter Ton.

Lit.: R. STRELLI, Römerstein in Langegg, Car. I 124 (1934), S. 24. – A. SCHÖRGENDORFER, Die römerzeitliche Keramik der Ostalpenländer (1942), S. 5, Taf. 3/44. – W. MODRIJAN, Das Lavantal in römischer Zeit, in: Das Lavanttal-Wirtschaftsperle Kärntens (1952), S. 10. – L. FRANZ, A. NEUMANN, Lexikon der ur- und frühgeschichtlichen Fundstätten Österreichs (1965), S. 43.

H.Th. D.

1.28–1.31

FUNDE AUS MEIER AM HOF

Fundort: Meier am Hof, Gemeinde St. Paul im Lavanttal, BH Wolfsberg; gefunden bei Grabungen 1909

Gebrannter Ton

Stift St. Paul

Die in der Flur „Mondstück" des auf einer Hochfläche südwestlich des Josefsberges gelegenen Gutes „Meier am Hof", Gemeinde St. Paul im Lavanttal (BH Wolfsberg), in den Jahren 1909 bis 1911 durchgeführten Ausgrabungen erbrachten weitere Zeugnisse einer regen, in prähistorischer Zeit beginnenden Siedlungstätigkeit im unteren Lavanttal. Das Grabungsareal barg Bestattungen der Urnenfelderkultur (Steinpackungen), hallstattzeitliche Keramik und Kugelkopfnadeln sowie ausgedehnte römische Grabkomplexe. In diesem Zusammenhang besonders hervorzuheben ist ein vierhenkeliger Topf mit Schrägkannelluren (s. Kat. Nr. 1.4), der dem Formenschatz der südostalpinen älteren Urnenfelderkultur zugeordnet werden kann. Bedauerlich ist jedoch der Umstand, daß der betreffende Bereich durch vorher durchgeführte Schatzgrabungen und die landwirtschaftliche Nutzung gestört war; deshalb konnten Grabinventare nur in Ausnahmefällen rekonstruiert werden. Die römischen Grabbauten zeichnen sich durch annähernd quadratische Steinsetzungen aus, die teilweise von Einfriedungsmauern umgeben waren. Das Gräberfeld folgt somit der in dieser Epoche üblichen Gepflogenheit der Brandbestattung in Gebrauchsgefäßen und der Errichtung aufwendiger Grabanlagen entlang von Straßenzügen. Das Fundmaterial läßt allgemein auf eine Belegzeit etwa ab der zweiten Hälfte des ersten Jahrhunderts bis ins dritte Jahrhundert n. Chr. schließen.

H.Th. D.

1.28

DREIFUSS–SCHALE

2. Jahrhundert n. Chr.

H 6/Dm Mündung 10,3/Dm Boden 4 cm

Irdenware, gedreht. Zylindrische Randzone; flache, konische Wandung, drei trapezförmige, seitlich aufgebogene Standfüßchen; Ton rotbraun, stark mit Sand und Glimmer gemagert; Magerungsanteile feinkörnig.

Lit.: R. STRELLI, Die Ausgrabungen auf dem Gute „Meier am Hof" bei St. Paul/Kärnten, JbSP 1911, S. 17f., Fig. 15. – DERS., Die Ausgrabungen bei St. Paul in Kärnten, MAG LVIII (1928), S. 174, Abb. 9. – A. SCHÖRGENDORFER, Die römerzeitliche Keramik der Ostalpenländer (1942), S. 15, Taf. 10/145. – ÖKT 37 (1969), S. 448, Abb. 713 n.

H.Th. D.

1.29

TOPF

2./3. Jahrhundert n. Chr.

H 7,4/Dm Mündung 5,5/Dm max. 7,5/Dm Boden 3,7 cm

Irdenware, gedreht. Kugeliger Körper; einziehender Standfuß; von der Schulter scharf abgesetzter eingekehlter Hals mit glatt abgeschnittenem, gekantetem Rand; rötlich-brauner Ton, stellenweise geschwärzt; starke, feinsandige Quarz- und Glimmermagerung.

Lit.: R. STRELLI, Die Ausgrabungen auf dem Gute ,,Meier am Hof" bei St. Paul/Kärnten, JbSP 1911, S. 16f., Fig. 12. – A. SCHÖRGENDORFER, Die römerzeitliche Keramik der Ostalpenländer (1942), S. 19, Taf. 12/178. – ÖKT 37 (1969), S. 448, Abb. 713 p.

H.Th. D.

1.30

TOPF

2. Jahrhundert n. Chr.

8,6/Dm Mündung 6.6/Dm max. 7,9/Dm Boden 4,5 cm

Irdenware, gedreht. Kugeliger Gefäßkörper, sich konisch zum Standfuß verjüngend; eingezogene Schulter, ausladender wulstiger Rand, in der Halskehlung mit zwei Rillen verziert; gelblich-grauer, grob mit Quarz- und Glimmersand gemagerter Ton.

Lit.: R. STRELLI, Die Ausgrabungen auf dem Gute ,,Meier am Hof" bei St. Paul/Kärnten, JbSP 1911, S. 15f., Fig. 9. – DERS., Die Ausgrabungen bei St. Paul in Kärnten, MAG LVIII (1928), S. 172, Abb. 6. – A. SCHÖRGENDORFER, Die römerzeitliche Keramik der Ostalpenländer (1942), S. 19, Taf. 12/175. – ÖKT 37 (1969), S. 448, Abb. 713 o.

H.Th. D.

1.31

TOPF

2. Jahrhundert n. Chr.

Gebrannter Ton. H 7,4/Dm Mündung 4,5/Dm max. 6,2/Dm Boden 3,5 cm

Irdenware, gedreht. Kugeliger Körper, einziehender abgesetzter Standfuß; von der Schulter abgeschrägter, eingekehlter Hals mit glatt abgeschnittenem, ausladendem Rand; rötlichgrauer Ton, stellenweise geschwärzt; starke, feinsandige Quarz- und Glimmerungsanteile.

Lit.: R. STRELLI, Die Ausgrabungen auf dem Gute ,,Meier am Hof" bei St. Paul in Kärnten, MAG LVIII (1928), S. 174, Abb. 8. – A. SCHÖRGENDORFER, Die römerzeitliche Keramik der Ostalpenländer (1942), S. 19, Taf. 12/177.

H.Th. D.

1.32-1.44

(v. l. n. r.:) 1.36, 1.42, 1.39, 1.38

FUNDE AUS DEM RÖMISCHEN GUTSHOF BEI ALLERSDORF

Fundort: Allersdorf, Gemeinde St. Georgen unter Stein, BH Wolfsberg; gefunden 1931-1934 bei den Ausgrabungen im römischen Gutshof. 2./3. Jahrhundert n. Chr.

Gebrannter Ton

Stift St. Paul

1.32

SCHÜSSEL

H 12,7/Dm Mündung 34,8/Dm Boden 11,6 cm

Irdenware, gedreht. Trichterförmig ausladende Wandung und abgesetzter Fuß; Drehrillen am Spiegel sichtbar; unterhalb des Gefäßrandes zwei kräftige Horizontalrillen; Rand waagrecht abgeschnitten, an der Innenseite gefalzt; grobsandig gemagerter, schwarzgrauer Ton.

Lit.: A. SCHÖRGENDORFER, Die römerzeitliche Keramik der Ostalpenländer (1942), S. 7, Taf. 5/66. – ÖKT 37 (1969), S. 444f., Abb. 713 c.

H.Th. D.

1.33

SCHÜSSEL

H 8/Dm Mündung 26/Dm Boden 10 cm

Irdenware, gedreht. Schräg ausladende Wandung, mit aufgestellter Randzone; umgeschlagener, gerundeter Rand; Wandung zum niedrigem Standboden leicht einziehend; schwarzer Ton grobkörnig mit Quarzsand gemagert.

Lit.: A. SCHÖRGENDORFER, Die römerzeitliche Keramik der Ostalpenländer (1942), S. 7f., Taf. 6/71. - ÖKT 37 (1969) S. 444f.

H.Th. D.

1.34

SCHÜSSEL

H 6,3/Dm Mündung 22/Dm Boden 10,5 cm

Irdenware, gedreht; abgeschrägte, trichterförmige Wandung; gerundet abgesetzter Standring mit eingezogenem Gefäßboden; leicht ausgebogene Randzone in abgerundetem Rand endend; graubrauner, stellenweise rötlicher, verfärbter Ton mit groben Sandmagerungsanteilen.

Lit.: A. SCHÖRGENDORFER, Die römerzeitliche Keramik der Ostalpenländer (1942), S. 5, Taf. 3/49. – ÖKT 37 (1969), S. 444f.

H.Th. D.

1.35

SCHALE

H 5,5/Dm Mündung 16,5/Dm Boden 8,5 cm

Irdenware, gedreht; konische Wandung mit ausbauchender Randzone und gerundetem Rand; halbrund abgesetzter Standboden; schwarzgrauer, grobsandig gemagerter Ton.

Lit.: A. SCHÖRGENDORFER, Die römerzeitliche Keramik der Ostalpenländer (1942), S. 5, Taf. 3/48. – ÖKT 37 (1969), S. 444f.

H.Th. D.

1.36

SCHALE

H 5/Dm Mündung 15/Dm Boden 8 cm

Irdenware, gedreht; schräge Wandung mit gerundetem Rand und halbrund abgesetztem Standboden; grauer, grobkörnig mit Sand gemagerter Ton.

Lit.: A. SCHÖRGENDORFER, Die römerzeitliche Keramik der Ostalpenländer (1942), S. 5, Taf. 3/47. – ÖKT 37 (1969), S. 444f, Abb. 713 d.

H.Th. D.

1.37

SCHALE

H 4,5/Dm Mündung 12/Dm Boden 4,7 cm

Irdenware, gedreht; leicht gebauchte Wandung, horizontal nach außen gebogener Rand, auf der Oberseite einmal gerillt; scharf abgesetzter Standring; rötlich brauner, feinsandig gemagerter Ton; stellenweise Reste von schwarzem Schlickerüberzug.

Lit.: A. SCHÖRGENDORFER, Die römerzeitliche Keramik der Ostalpenländer (1942), S. 4, Taf. 3/36. – ÖKT 37 (1969), S. 444f.

H.Th. D.

1.38

DREIFUSS-SCHALE

H 5,3/Dm Mündung 20,5/Dm max. 23,5/Dm Boden 10 cm

Irdenware, gedreht; konische Wandung mit stark zur Innenseite hin einziehendem Rand; Randzone mit sechs umlaufenden Rillen verziert; drei trapezförmige, dickwandig an den Schalenboden angesetzte Standfüße; feinkörnig sand- und glimmergemagerter, rotbrauner Ton.

Lit.: ÖKT 37 (1969), S. 444f., Abb. 713 e.

H.Th. D.

1.39

TOPF

H 18,5/Dm Mündung 15/Dm max. 16,5/Dm Boden 11 cm

Freigeformte Irdenware; mäßig gebauchter Gefäßkörper; Schulter vom gerade abgeschnittenen Rand durch Kehlung abgesetzt; ebener Standboden; Schulter und Bauch des Topfes sind bis zur Fußzone hin mit sich überschneidenden Kammstrichen ornamentiert; grauschwarzer, poröser Ton mit glimmerhaltigem Quarzsand gemagert.

Lit.: A. SCHÖRGENDORFER, Die römerzeitliche Keramik der Ostalpenländer (1942), S. 45, Taf. 32/404. – ÖKT 37 (1969), S. 444f., Abb, 713 a.

H.Th. D.

1.40

TOPF

H 17,5/Dm Mündung 16,2/Dm max. 22,5/Dm Boden 8,5 cm

Irdenware, gedreht; kugelförmiger Gefäßkörper mit leicht nach außen geneigtem, gerundetem Rand; Drehscheibenrillen im Inneren erkennbar; separat angesetzter niedriger Standring; heller graublauer Ton ohne sichtbare Magerung; Oberfläche sorgfältig geglättet.

Lit.: A. SCHÖRGENDORFER, Die römerzeitliche Keramik der Ostalpenländer (1942), S. 38, Taf. 27/344. – ÖKT 37 (1969), S. 444f.

H.Th. D.

1.41

TOPF

H 14,5/Dm Mündung 12,2/Dm max. 16,7/Dm Boden 8 cm

Siehe Kat.Nr. 1.40

Lit.: ÖKT 37 (1969), S. 444f., Abb. 713 b.

H.Th. D.

1.42

KRUG

H 23,5/Dm Mündung 12,4/Dm max. 14/Dm Boden 9 cm

Irdenware, gedreht; bauchiger Gefäßteil mit hochgewölbter, abgesetzter Schulter; hoher, konisch sich zum Rand verjüngender Hals, ausladender, gerundeter Rand mit seichtem Falz; schwarzgrauer, stellenweise bräunlich verfärbter, sandgemagerter Ton.

Lit.: A. SCHÖRGENDORFER, Die römerzeitliche Keramik der Ostalpenländer (1942), S. 38f., Taf. 27/350. – ÖKT 37 (1969), S. 444f., Abb. 713 g.

H.Th. D

1.43

KRUG

H 13,2/Dm Mündung 9,3/Dm max 7,7 cm/Dm Boden 6 cm

Irdenware, gedreht; kugelförmiger Schulter- und Bauchteil, zum Standboden hin eingezogen; in der Mitte eingebauchter Gefäßhals, durch eine Rille von der Schulter abgesetzt; abgerundeter Rand mit zwei Kerbenreihen verziert; zwei von ursprünglich drei Bandhenkeln setzen unter dem Rand an und reichen bis an die Gefäßschulter; ockerfarbener, hart gebrannter Ton ohne ersichtliche Magerungsanteile; geglättete Oberfläche durch Schlickerüberzug beim Brand ziegelrot verfärbt.

Lit.: A. SCHÖRGENDORFER, Die römerzeitliche Keramik der Ostalpenländer (1942), S. 63, Taf. 43/539. – ÖKT 37 (1969), S. 444f., Abb. 713 f.

H. Th. D.

1.44

TOPF

H 12,8/Dm Mündung 8,7/Dm max. 11,5/Dm Boden 5,9 cm

Irdenware, gedreht; kugeliger Körper zum Standfuß eingezogen mit vier zentrierten Punktkreisen in Barbotinetechnik ornamentiert; gekehlter Hals mit auswärts gebogenem, gerundetem Rand; Strichdekor am Schulterabschluß; Tonbeschaffenheit und Engobe wie Kat. Nr. 1.42.

Lit.: A. SCHÖRGENDORFER, Die römerzeitliche Keramik der Ostalpenländer (1942), S. 45, Taf. 32/406. – ÖKT 37 (1969), S. 444f., Abb. 713 h.

H.Th. D

1.45

IDEALREKONSTRUKTION DES TÖPFEROFENS VON ST. PAUL

Maßstab ca. 1:10

Stift St. Paul

Dem ausgestellten Modell liegen die Ergebnisse der im Jahre 1932 am Kreuzacker (Parzelle 311/3) in St. Paul im Lavanttal durchgeführten Ausgrabungen zugrunde. Freigelegt wurde ein römischer Töpferofen aus dem dritten nachchristlichen Jahrhundert, der sich neben einer mit Kohlenresten und Scherben gefüllten Abfallgrube im Inneren eines trapezoiden Holzverschlags befand. Der durch eine Mittelstütze (1) zweigeteilte, kreisförmige Feuerungsraum (2) wurde in den anstehenden Lehm eingetieft. Darüber erhob sich, durch die Lochtenne (3) abgetrennt, der in seinem unteren Teil trocken aufgezogene Brennraum (4) des Ofens, den der Ausgräber, mit einer Lehmkuppel überdacht und mit einer Beschickungsöffnung (5) versehen, ergänzte. Zur Befeuerung der Anlage waren den beiden Feuerkammern zwei gewölbte, aus lehmverbundenem Bruchsteinmauerwerk gefertigte Schürhälse (6) vorgelagert. Öfen dieser Bauart standen im gesamten *Imperium Romanum* in Verwendung und erbrachten bei nachgebauten Versuchsanlagen Temperaturen bis zu 1000°C. Sie wurden vornehmlich in Gebieten angetroffen, die über die notwendige Infrastruktur zur Keramikherstellung verfügten. Eben diese Grundlagen, wie Tonlagerstätten, Brennmaterial und Wasser, scheinen im unteren Lavanttal für eine noch nicht näher abzugrenzende Versorgung eines regionalen Marktes mit Keramikprodukten in dafür ausreichendem Maße vorhanden gewesen zu sein. Da die während der Ausgrabungen beim Töpferofen gefundenen Gefäße leider in den Kriegswirren verloren gegangen sind, bleiben als schwacher Trost die publizierten Zeichnungen und der vom Ausgräber zitierte Umstand, daß „die gleiche Keramik sich Stück für Stück nach Form, Masse und Ornamentik der Gefäße unter den Fundstücken aus der römischen Siedlung in Allersdorf nachweisen läßt." Einer daraus zu folgernden Belieferung des unweit von St. Paul gelegenen Gutshofes von Allersdorf mit Waren dieses Töpfereibetriebes dürfte nichts entgegensprechen.
Der Fund und die Erforschung des Töpferofens von St. Paul erbrachten nicht nur den ersten Nachweis einer römischen Keramikproduktion in Kärnten, sondern belegen zudem eine langandauernde Tradition der Lavanttaler Schwarzhaffnerei.

Lit.: R. STRELLI, Der Töpferofen von St. Paul, Car. I 123 (1933), S. 14–16. – W. MODRIJAN, Das Lavanttal in römischer Zeit, in: Das Lavanttal – Wirtschaftsperle Kärntens (1952), S. 8–14. – L. FRANZ, A. NEUMANN, Lexikon ur- und frühgeschichtlicher Fundstätten Österreichs (1965), S. 62.

H.Th. D.

1.46

ZWEI FOTOS ZUR AUSGRABUNG DES TÖPFEROFENS

1.47

RÖMERZEITLICHER GUTSHOF

Fundort: Allersdorf, Gemeinde St. Paul im Lavanttal, BH Wolfsberg

Reproduktion

Das in Ostkärnten gelegene Lavanttal gehört durch seine klimatischen Gegebenheiten zu den Gunstlandschaften des Landes. Dadurch wird auch die reiche prähistorische und römerzeitliche Fundsituation innerhalb dieses Gebietes verständlich. In den Jahren 1933 und 1934 erfolgte auf einem Acker des Anwesens vulgo Bauernwirt in Allersdorf Nr. 1 die teilweise Freilegung eines etwa 1 ha Umfang messenden römerzeitlichen Gutshofes, bestehend aus Wohn-und Wirtschaftsgebäuden sowie einer Badeanlage mit anschließender Piscina. Bedauerlicherweise liegen die Grabungsergebnisse bislang nur unzureichend publiziert vor. Danach waren die Baulichkeiten teilweise um einen Innenhof gruppiert, die wesentlichen Wirtschaftsgebäude an eine Umfassungsmauer gesetzt, durch welche eine Toranlage in den Innenbereich des Anwesens führte. Genauer untersucht wurde offensichtlich nur das Badegebäude. Dabei wurden sämtliche bei derartigen römischen Anlagen gewohnten Räumlichkeiten, wie *apodyterium* (Umkleideraum), *frigidarium* (Kaltwasserbecken) und *caldarium* (Warmwasserbecken), angetroffen; die Beheizung derselben erfolgte durch Pfeilerhypokausten und Tubulatur. Die Mauern dieses Baues, wie auch jene der übrigen Gebäude, bestanden aus Bruchsteinmauerwerk mit überwiegender Mörtelbindung; ihre erhaltene Höhe ragte vielfach nur wenig über die Fundamentzone auf; als Mauerbreiten wurden an den Außenmauern 0,60 bis 1,08 m, an den Innenmauern 0,43 bis 0,60 m (2 bis $3^1/_2$ römische Fuß bzw $1^1/_2$ bis 2 römische Fuß) gemessen. Der Gutshof weist zwei Bauperioden auf: eine ältere aus der Zeit vor der Mitte des zweiten Jahrhunderts n. Chr., welche in der zweiten Hälfte dieses Jahrhunderts durch Brand weitgehend zerstört wurde (offensichtlich in Zusammenhang mit dem auch den Südteil Norikums beeinträchtigenden Markomanneneinfall nach Oberitalien), und eine jüngere Phase, die bis in das vierte Jahrhundert andauerte. An Funden sind vor allem Keramik der angegebenen Zeitstellung und einzelne Eisengeräte zu nennen (Stift St. Paul). Die Fundmünzen der Grabung reichen von Antoninus Pius bis Propus (138 bis 282 n.

Chr.), im Inneren der *piscina* selbst wurden etwa 60 Münzen von Valerianus bis Probus (235 bis 282 n. Chr.), wohl ein Münzschatz, aufgedeckt. Bereits 1887 fand man in der Umgebung der späteren Grabungsstelle zwei anpassende Fragmente einer Grab- oder Ehreninschrift in *Tabula-ansata-* Form, welche vermutlich einen städtischen Beamten von Virunum (Zollfeld) und einen hoch ausgezeichneten Offizier der *Legio XXII primigenia* nennt.

Lit.: R. PAULSEN, Der römische Gutshof von Allersdorf, ÖKT 37 (1969), S. 442ff. – CIL III, 11667. – F. JANTSCH, Car. I, 123 (1933), S. 175ff. – A. BETZ, ÖJh 29 (1935), Bibliographie Sp. 316. – G. PICCOTTINI, Die Römer in Kärnten (1989), S. 19ff.

G. P.

1.48 s. II, Karte S. 331

GRUNDRISSPLAN DER AUSGRABUNGEN ALLERSDORF

2

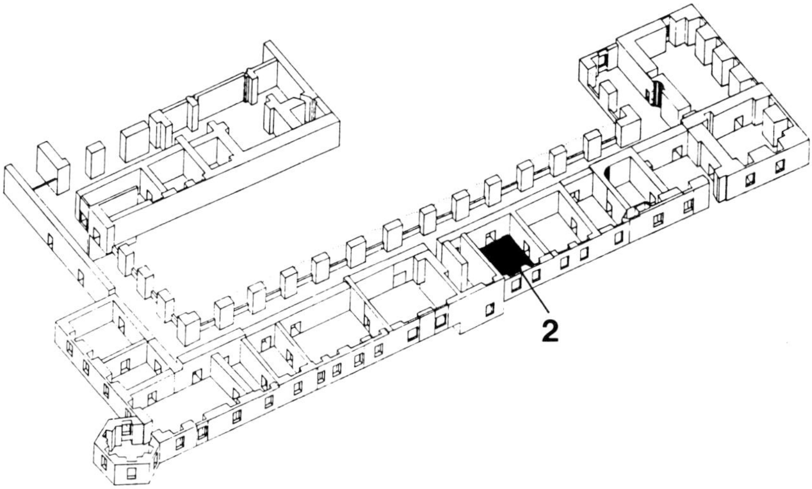

Das benediktinische Mönchtum als Mitgestalter des mittelalterlichen Europa

Zu Beginn des 6. Jahrhunderts hat Benedikt von Nursia verschiedenartige Ausformungen eines frühen europäischen Mönchtums zusammengefaßt und mit seiner Mönchsregel die Grundlage für eine monastische Lebensform geschaffen, die bald in weiten Teilen Europas Fuß fassen konnte. Benedikt wurde so der Vater des Benediktinerordens und der Schöpfer des abendländischen Mönchtums. Der 1964 von Papst Paul VI. zum Patron von ganz Europa erhobene Heilige wurde um 480 n. Chr. im heutigen Norcia bei Spoleto in Umbrien geboren. Von freien, nicht unbegüterten Eltern stammend wurde er nach unserer einzigen Quelle für sein Leben, nach der Schilderung Papst Gregors des Großen (gest. 604), zum Studium nach Rom geschickt, vollendete es aber nicht, sondern schloß sich in Affile einer Asketengemeinschaft an. Er zog sich drei Jahre lang in eine Höhle bei Subiaco im Anio-Tal zurück und folgte dann dem Ruf einer Eremitengemeinschaft als Vorsteher in Subiaco selbst. Die Gemeinschaft führte er in eine Ordnung nach den Vorschriften des Pachomios über, nach der die Mönche in zwölf kleinen Klöstern unter seiner Leitung lebten.

Intrigen gegen ihn veranlaßten Benedikt, mit einigen Mönchen nach Süden zu ziehen und sich auf einem Berg über Casium (heute Monte Cassino) anzusiedeln. Es ist unsicher, ob dies, wie immer wieder zu lesen ist, im Jahre 529 geschah. Der Ruf Benedikts, aber auch die Lebensunsicherheit in den Tälern, brachte der Gemeinschaft großen Zulauf. Es bedurfte einer starken Persönlichkeit und einer alles ordnenden Hausregel, um die Bruderschaft zusammenzuhalten und sie den geistigen Zielen Benedikts zu verpflichten. Er verfaßte seine Regula unter Benützung anderer Klosterregeln und gesammelter Erfahrungen etwa um 540. Aus ihr vor allem ist seine Willenskraft sichtbar, sein Streben nach Ordnung, Gottes- und Nächstenliebe, sein Bereitsein zur Nachsicht mit den Schwachen und seine pastorale Sorge. Benedikt starb, wie die Legende berichtet, stehend und im Kreise seiner Mitbrüder wohl gegen 560. Er wurde in Monte Cassino begraben.

Die Worte „ora et labora“ - „bete und arbeite“ bringen den Gehalt der Regel des hl. Benedikt am besten zum Ausdruck. Die Verbreitung seiner Regel vollzog sich freilich zunächst sehr zögernd. Erst im 9. Jahrhundert hat sie vor allem im lateinischen Westen Europas durchgehend Anerkennung gefunden und danach auch andere Orden maßgeblich beeinflußt. Im 10. Jahrhundert gab es in allen christlichen Ländern Europas Benediktinerklöster – von Spanien bis Ungarn, von Irland bis Polen und Italien – aber auch eine breite monastische Reformbewegung, die jedoch die Substanz der Benediktus-Regel im wesentlichen unangetastet ließ. Die wichtigsten Reformströmungen gingen von den Klöstern Cluny in Burgund, Gorze in Lothringen und Hirsau im Schwarzwald aus. Als das neugegründete Stift St. Paul 1091 von Benediktinermönchen aus Hirsau im Schwarzwald besiedelt wurde, erlangte damit die von Cluny beeinflußte Hirsauer Reformbewegung besondere Bedeutung im Ostalpenraum.

ALOIS BRANDSTETTER

Vater Benedikt – Gedanken zu den Räumen 2 und 3

Bevor der Heilige Benedikt 529 in das von ihm gegründete Kloster Monte Cassino einzieht und dort sein großes Regelwerk, die „Regula Sancti Benedicti" schreibt, hat er bereits andere Formen des geistlichen Alleinseins erprobt. Er begründet nicht nur eine große europäisch-abendländische Tradition, er steht auch in einer Tradition, einer morgenländischen. Begonnen hat er sein Mönchtum, wenn man durch die vielen Legenden hindurch auf sein Leben blickt, wirklich als *Mönch*, abseits des „Konvents". Mönch kommt bekanntlich von griechisch *monachós*, „der Einzelne", und dieses wieder von *mónos*, „allein". Drei Jahre lebte er als Anachoret, als „Zurückgezogener", als Einsiedler, in einer Höhle bei Subiaco. Romanus, ein Mönch eines benachbarten Klosters, versorgte ihn mit dem Lebensnotwendigen, indem er ihm an einem Faden, an dem auch eine Glocke befestigt war, ein Stück trockenes Brot hinunterließ. Dieses Glöckchen zerschlägt eines Tages ein Stein. Nach der Legende geht es aber dabei mit dem Teufel zu, der Benedikt in der Folge noch viele andere Versuchungen beschert und Steine zwischen die Füße wirft. Als schwarzer Vogel und schöne Jungfrau erscheint er ihm. Benedikt befreit sich davon, indem er sich in Dornen wälzt.

Am häufigsten wird Benedikt, wie in Raum 2 der Ausstellung, mit einem Buch dargestellt, mit seiner „Regel". Ähnlich häufig sind ikonographisch auch die Darstellungen, auf denen er einen Kelch in Händen hält, aus dem sich eine Schlange windet, wie er etwa im Schrein des Michael Pacher-Altares in St. Wolfgang am Abersee erscheint. Diese Darstellung spielt auf Benedikts „Gastspiel" bei den Mönchen von Vicovaro an, die den berühmten Einsiedler zu ihrem Abt gemacht haben, bald aber mit ihm, wegen seiner Strenge, wir dürfen gern auch sagen: wegen seines ethischen Fundamentalismus, so unzufrieden waren, daß sie den Verhaßten nach einer in Antike und Mittelalter häufigen Art und Weise beseitigen wollen: durch Gift im Becher. Benedikt segnet das Getränk, aus dem das Gift in Gestalt einer Schlange entweicht. Der Kelch zerspringt. Von Vergiftungsversuchen ist auch später noch die Rede. Woran man vielleicht auch für heute entnehmen kann, daß die Besten, ja die Heiligen und Gerechten, nicht immer zugleich auch die bei allen Beliebtesten sind...

Weder die inneren Widerstände noch der äußere politische Terror haben das epochale Werk der ,,Erschließung'' Europas unter dem benediktinischen Leitmotiv ,,Ora et labora'' (Bete und arbeite) verhindert. Sieht man auf Monte Cassino selbst, so lösen im Laufe der Geschichte Zerstörung und Wiederaufbau einander ab. Einmal sind es die Sarazenen (994), dann ist es ein Erdbeben (1349), die ihr Zerstörungswerk tun. Die letzte völlige Zerstörung im Februar 1944 wurde durch das Bombardement der Alliierten ins Werk gesetzt, nachdem die Hitlerarmee das Bergmassiv zum Eckpfeiler der deutschen Front gemacht hatte. Sie war sozusagen ein deutsch-amerikanisches Gemeinschaftswerk. Auch in der Geschichte, die Raum 2 erzählt, spielt Mars von Raum 1 eine unsägliche Rolle... Der Teufel, der Benedikt zugesetzt hat, schläft nicht.

Wie herrlich, wahrlich himmlisch klingt gegen den häßlichen Kriegslärm der gregorianische Chorgesang aus dem Oratorium der Mönche. Man darf sich an Mozart, den vor 200 Jahren verstorbenen, erinnern, der bekanntlich gesagt hat, für diese Musik würde er alles, was er geschrieben hat, hingeben. ,,Dem Gottesdienst soll nichts vorgezogen werden.'' Gerade das Reformkloster Hirsau, dem sich auch die Gründung St. Pauls verdankt, hat sich auf diesen liturgischen Auftrag Benedikts zurückbesonnen. Tag und Nacht, heißt es, habe es in der Hirsauer Klosterkirche, ihren vielen Apsiden, Altarnischen und Seitenkapellen, die heute noch an der Kirchenruine sichtbar sind, Anbetung, Andacht und Gottesdienst gegeben: Liturgia perennis, ewige Liturgie.

Und neben dem Gebet die Arbeit! Gearbeitet wurde in den Klöstern viel, wenn auch nicht im Sinne moderner Workaholics und sicher nicht ,,stressig''. Nicht jede Arbeit stand aber einem Mönch an, es handelte sich vor allem um Arbeiten in den Studier- und Schreibstuben, nicht um das Roden, bei körperlichen, sogenannten ,,knechtischen'' Arbeiten eher um die gärtnerischen, hausnahen, innerhalb der Mauern. Sieht man auf die Kolonialisationsleistung der Mönche, so darf man diejenigen der Hintersassen, der in verschiedener Weise abhängigen Bauern, und auch jene der ,,Brüder'', also der nicht zu Priestern geweihten Mitglieder der Orden nicht vernachlässigen. Die verschiedenen Orden der Benediktiner, Zisterzienser, Prämonstratenser und der Kartäuser, die in ihrem Erscheinungsbild und in ihren ,,Trachten'' in Raum 2 anschaulich gemacht sind, setzten die Gewichte zwischen der ,,vi-

ta activa“ und der „vita contemplativa“, dem tätigen und dem beschaulichen, meditativen Leben unterschiedlich. In rationalistischen Zeiten hatten es dann die rein kontemplativen Orden wie die Kartäuser schwerer, ihre „Daseinsberechtigung“ nachzuweisen. Wie aber an der in Raum 15 thematisierten Aufhebung des Klosters St. Paul im Jahre 1782, im Zeitalter der Josephinischen Aufklärung, ersichtlich, hat auch nicht wenige Benediktinerklöster das Schicksal ereilt. Und nur wenige (und in Kärnten kein anderes Kloster!) haben das zustandegebracht, was in den Räumen 16–19 dargestellt wird: eine Wiederbesiedlung und Neugründung – und die Fortdauer bis zum heutigen Tag. War bei der ersten Gründung das Kloster Hirsau die Taufpatin St. Pauls, so bei der „fundatio secunda“, bei der Wiederbesiedelung, das Stift St. Blasien im Schwarzwald sozusagen Firmpatin.
Eine Landesausstellung wie diese ist wie bereits ähnliche stattgefundene in den Benediktinerklöstern Melk, Kremsmünster, Lambach, Salzburg oder Seitenstetten im „Klösterland Österreich“ eine Verneigung vor der Leistung der Benediktiner im letzten Jahrtausend – und vor dem Vater Benedikt vor bald 1500 Jahren selbst, der mit gutem Recht neben Cyrill und Method zum Patron Europas erklärt wurde: Pater Benedictus Patronus, um nach der Missionierung Europas auch seiner Neuevangelisierung Orientierung zu verleihen. Segen vom „Gesegneten“. . .

2.1 s. II, S. 9, Abb. 1

HL. BENEDIKT

Diego Francesco Carlone
(1674 –1750 Scaria/Tessin), um 1720

Weidenholz (?), weiß grundiert, teilweise neuere Grundierschichten, spätere Rißsicherungen, urspr. Vergoldung oder polierweiße Fassung kann nicht mit Sicherheit festgestellt werden; letzte Restaurierung 1980; H 159 cm/max. B 78/max. T 40 cm, Plinthe: B 35/T 30 cm

Alte Galerie des Steiermärkischen Landesmuseums Joanneum, Graz; Inv.Nr. P 327

Carlone folgte mit der Physiognomie eines älteren Mannes mit wallendem Vollbart dem im 18. Jahrhundert bereits gängigen Typus des hl. Benedikt. Sein zu Boden gesenkter Blick deutet auf Meditation hin.
Die gestreckten Proportionen, die Kontrapoststellung sowie das leichte Überschreiten der Plinthe sind Stilmerkmale, durch die Carlone die seinen Skulpturen eigene, lockere Haltung schuf. Benedikt hält in der rechten Hand sein Attribut, das Regelbuch; der Abtstab in seiner Linken ist nicht mehr vorhanden. Durch das Halten des Buches rafft er die Kukulle derartig hoch, daß der Stoff zwischen Unterarm und Hüfte stark aufgebauscht wird. Von hier gehen die Falten aus: in kleineren Partien ziehen sie sich zur Brust, in dickeren Wülsten vertikal zur Leibesmitte, in einer frei vor dem Körper hängenden Röhrenfalte enden sie über dem Knie. Das entstehende, reizvolle Spiel von Licht und Schatten deutet auch die Diagonalen an. Im Vergleich zu anderen barocken Bildwerken ist der Umriß der Figur relativ ruhig.
Die Plastik stammt aus Zogenweiler bei Weingarten.

Lit.: K. WOISETSCHLÄGER, P. KRENN, Katalog Neuerwerbungen 1965–1969 u. Legat Königsbrunn 1967 (1969), S. 25, Kat.Nr. 18. – H. VAGT, Untersuchungen zum Werk Diego Francesco Carlones (Diss. München, 1970). – Kat. 1500 Jahre St. Benedikt Patron Europas (1980), S. 136, Kat.Nr. 15.

Ch. R.

2.2

Schautafel: HIRSAUER UND ST. BLASIER REFORMKLÖSTER

2.3

DER HL. BENEDIKT PREDIGEND

schwäbisch, vermutlich der Franz Joseph Spiegler-Schüler Anton Morath; um 1750/60

Öl auf Leinwand, H 48/B 25,5 cm

Stift St. Paul

Benedikt ist neben dem Kreuz zum Volk predigend dargestellt. Er präsentiert den Typus des abgeklärten Patriarchen hohen Alters mit bärtigem Gesicht. Diese Charakterisierung des Heiligen ist von Darstellungen östlicher Mönche mitbeeinflußt. Sie hat ihren Ursprung in der italienischen Kunst des ausgehenden 14. Jahrhunderts und ist seit dem Ende des 16. Jahrhunderts bis ins 18. Jahrhundert auch nördlich der Alpen geläufig.
In der linken Hand hält Benedikt den Rosenkranz; mit dem ausgestreckten rechten Arm deutet er auf eine Statue Johannes des Täufers, wodurch als Schauplatz der Predigt Monte Cassino angenommen werden kann, wo Bene-

dikt eine dem hl. Johannes geweihte Kapelle errichten ließ.

Lit.: ÖKT 37 (1969), S. 314, Nr. 114, Abb. 454. – Kat. St. Blasien 1983, Bd. I, S. 288, Nr. 243. – G.M. LECHNER, Der heilige Benedikt in der Ikonographie, in: Kat. 1500 Jahre St. Benedikt Patron Europas (1980), S. 25ff.

B. S.

2.4

DER HL. BENEDIKT UND DIE HL. SCHOLASTIKA

Gegenstück zu Kat.Nr. 2.3

Stift St. Paul

Benedikt wendet sich seiner betenden Schwester Scholastika zu.
Nach Gregor d. Gr. (Greg. I, Dialogi II, 33–34) lebte Scholastika im Kloster bei Subiaco und in Piumarola. Sie traf sich einmal im Jahr mit Benedikt, um geistliche Gespräche zu führen. Während ihres letzten Treffens drei Tage vor ihrem Tod versuchte sie, Benedikt zu einem längeren Aufenthalt zu bewegen. Das Gemälde dürfte sich auf jene Szene beziehen, in der Scholastika durch ihr Gebet das plötzliche Einsetzen eines Gewitters bewirkte und dadurch Benedikt veranlaßte, doch länger bei ihr zu bleiben. Den Hintergrund bildet eine mächtige Rundbogenarchitektur, die links den Blick ins Freie ermöglicht.

Lit.: ÖKT 37 (1969), S. 314, Nr. 115, Abb. 455. – Kat. St. Blasien 1983, Bd.I, S. 288, Nr. 244. – G.M. LECHNER (wie Kat.Nr. 2.3), S. 143.

B. S.

2.5

HL. BENEDIKT MIT AUFGESCHLAGENER REGULA

Phillip Jakob Straub zugeschrieben, 1770/74

Holz, H 100/B 95/T 52 cm

Stift St. Paul

Der hl. Benedikt vom Altaraufsatz des Stifteraltares ist sitzend mit dem Abtstab in seiner Linken und der Regula S. Benedicti in seiner Rechten dargestellt. Ikonographisch gesehen bildet er zusammen mit Papst Urban II., der auf der anderen Seite des Aufsatzes postiert ist, und der 1099 St. Paul privilegierte, als Vater des Benediktinerordens gleichsam den Überbau für die im Hauptgeschoß dargestellte Gruppe der weltlichen Klostergründer.
Die im dritten Viertel des 18. Jahrhunderts entstandene, sehr qualitätvolle Plastik des Stifteraltares steht in engster Beziehung zum Werk des Philipp Jakob Straub. Es ist anzunehmen, daß im Gegensatz zum Marienaltar, dessen plastischer Schmuck sich aus eigenhändigen Werken Straubs und Arbeiten des Völkermarkter Bildhauers Michael Zill zusammensetzt, die Figuren des Stifteraltares zur Gänze von Straub stammen. Der hl. Benedikt zeigt beinahe die idente Physiognomie wie der hl. Erzbischof Thiemo von Salzburg im Hauptgeschoß des Altares, wodurch die Zuschreibung der Werke an ein und denselben Meister unterstrichen wird.

s. II, S. 571ff.

Lit.: ÖKT 37 (1969), S. 134, Abb. 169.

B. K.

2.6

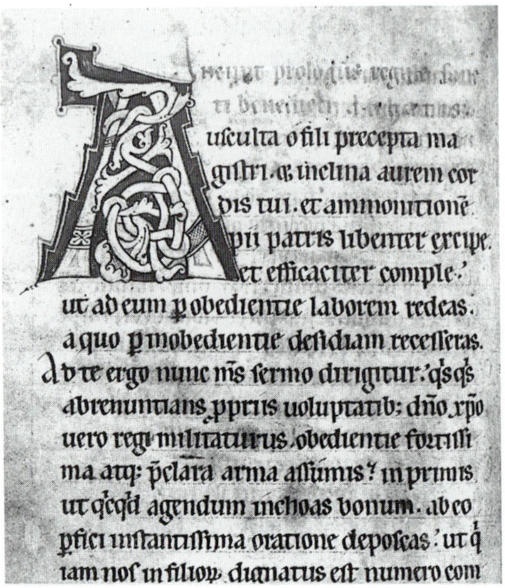

Cod. 31/1, fol. 80v

MARTYROLOGIUM UND BENEDIKTINERREGEL

Elsaß, 13. Jahrhundert

Pergament, 124 Bll. + 1 Bl.; H 27/B 18,5 cm

Stift St. Paul, Cod. 31/1

Am Beginn der Benediktinerregel steht eine fleuronnierte Initiale eines guten Skriptoriums. Die vorliegende Handschrift ist in HANSLIKS kritischer Edition der Benediktinerregel nicht berücksichtigt.

Lit.: ÖKT 37 (1969), S. 366. – R. HANSLIK, Benedicti Regula (2. Aufl. 1977).

H. G.

2.7

DER HL. BENEDIKT IN DER HÖHLE VON SUBIACO

Salzburg (?), Mitte oder
2. Hälfte des 12. Jahrhunderts

Kolorierte Federzeichnung auf Pergament, H 10/B 10 cm; Codex: Pergament, 133 Bll., ca. H 24,5/B 16,5 cm, Schriftspiegel: ca. H 18/B 10,5 cm

Benediktinerstift Admont, Cod. Admont. 289, Bl. 80v

Der Kodex Nr. 289 der Stiftsbibliothek Admont ist einspaltig beschrieben und weist pro Seite 18 Zeilen auf Blindlinierung auf. Auf fol. 3r–115r findet sich eine Auswahl aus den *Orationes* (Gebeten) und *Meditationes* (Betrachtungen) des Anselm von Canterbury, denen

eine Widmung des Verfassers an die Markgräfin Mathilde von Tuszien vorangestellt ist. Die meisten von diesen 16 „Betrachtungen“ (fol. 115r: die Texte werden summarisch als *meditationes* bezeichnet) sind in Form von Gebeten an Gottvater und Jesus Christus sowie an die Heiligen Maria, Petrus, Paulus, Johannes (Täufer und Evangelist), Stephanus, Nikolaus, Benedikt und Maria Magdalena gerichtet.
Die Handschrift war ursprünglich wohl für ein Frauenkloster bestimmt, doch vermag die in der Literatur übliche Zuweisung an Traunkirchen (Oberösterreich) nicht zu überzeugen. Die zu dem Gebetstext *De sancto Paulo* gehörige Miniatur (fol. 44v) legt vielmehr die Annahme nahe, daß der Kodex (oder zumindest dessen künstlerische Ausstattung) für ein Ordenshaus hergestellt wurde, das den hl. Paulus als Patron verehrt hat; Traunkirchen war jedoch der Gottesmutter Maria geweiht. Wann und auf welchem Weg Cod. 289 nach Admont kam, ist unbekannt. In den Bibliothekskatalogen von 1376 und 1380 wird er nicht angeführt, im Katalog von 1728 ist er von erster Hand eingetragen.
Die auffallend reiche künstlerische Ausstattung der Handschrift besteht neben der auf die Widmung bezogenen Titelminiatur aus elf, meist etwa halbseitigen Federzeichnungen, die aber nur in einem übertragenen Sinn als Illustrationen der Anselm-Texte gelten können. Die Bilder lassen nämlich im Unterschied zu den „meditativen“ Gebeten und Betrachtungen eine ausgesprochen „narrative“ Konzeption erkennen. Sie stellen fast durchwegs Szenen mit dramatischen Handlungsabläufen dar, auf die in den *meditationes* nicht immer ausdrücklich Bezug genommen wird. Das Ausstattungsprogramm erweist sich demnach als weitgehend eigenständiger Bilderzyklus, der zu den Anselm-Texten als zusätzliche Quelle betrachtender Erbauung hinzutritt. Diese Feststellung gilt in besonderem Maße für jene Miniatur, die den hl. Benedikt als Einsiedler in der Höhle von

Subiaco zeigt. Dieses Bild steht zwar im Buch innerhalb der Betrachtung *De sancto Benedicto* (fol. 80r-83r; Druck bei Migne PL 158, Sp. 1005–1007), weist aber damit keinen direkten inhaltlichen Zusammenhang auf: In der *meditatio* wird Benedikt ausdrücklich als Verfasser der Mönchsregel und Lehrmeister des klösterlichen (Gemeinschafts-)Lebens angesprochen, dessen Führung und Schule sich der Beter in dem Bemühen anvertraut, ein wahrer „Soldat Christi" zu werden; das Bild hingegen zeigt den heiligen als jugendlichen Eremiten, der sich in die Einsamkeit zurückgezogen hat, um hier einen neuen Abschnitt seines Lebens zu beginnen und den Weg zum Mönchtum einzuschlagen.

Die Art der Darstellung läßt eindeutig erkennen, welcher Text dem Zeichner hier tatsächlich als Illustrationsgrundlage gedient hat. Die rechts am Rand des Bildes stehende Mönchsgestalt ist über ihrem Haupt mit dem Namen *Romanus* bezeichnet, während links ein Teufel mit einer Glocke zu sehen ist; deutlich erkennbar ist weiters auch, daß der in der Bildmitte vor einem als Höhle zu deutenden Hintergrund knieende Benedikt gerade etwas in Empfang nimmt, das ihm von Romanus an einem Strick hinuntergelassen wird. Wir haben es hier also mit einer Schilderung jener Begebenheit zu tun, die Gregor der Große in seinen *Dialogen* (2. Buch, 1. Kapitel; Druck bei Migne PL 66, Sp. 128–130) erzählt:

„*Als der Mann Gottes* (Benedikt) *an diesem Ort* (Subiaco) *ankam, begab er sich in eine sehr enge Höhle und blieb dort drei Jahre lang den Menschen verborgen, ausgenommen dem Mönch Romanus ... Zu dieser Höhle gab es von der Zelle des Romanus keinen Zugang, weil darüber ein hoher Felsen hinausragte; aber von diesem Felsen ließ Romanus immer wieder ein Brot hinuntergelangen, das an einem sehr langen Seil angebunden war. In den Strick tat er ein kleines Glöckchen hinein, damit der Mann Gottes wußte, wann ihm Romanus ein Brot zukommen ließ, und herauskam, um es in Empfang zu nehmen. Der alte Feind* (der Teufel) *aber sah den Liebesdienst des Einen und die leibliche Stärkung des Anderen mißgünstig an, und als er eines Tages bemerkte, wie gerade ein Brot hinuntergelassen wurde, warf er einen Stein und zerbrach das Glöckchen. Romanus aber ließ dennoch nicht davon ab,* (dem heiligen Benedikt) *in geeigneter Weise dienstbar zu sein*".

Daß es dem Künstler nun freilich nicht um eine bloße Illustration dieses Textes zu tun war, dessen Kenntnis er bei den Betrachtern seines Bildes voraussetzen konnte, zeigt sich an einigen Besonderheiten der Darstellung: Weder der im Bild links unten mit einem runden Gegenstand im Schnabel wegfliegende Rabe noch die drei Spruchbänder, die über Benedikts Schulter, am oberen Höhlenrand und im Arm des Romanus zu sehen sind, stehen in einer ursprünglichen Verbindung mit der Erzählung von Benedikts Aufenthalt in Subiaco.

Der fliegende Rabe ist sicher nicht, wie neuerdings vermutet wurde, als Hinweis auf die wunderbare Speisung des Propheten Elias durch diese Vögel (3 Kg 17,6) aufzufassen, da gegen eine solche Deutung schon die Bewegungsrichtung des Raben spricht. Wir haben hier unzweifelhaft eine Anspielung auf eine weitere von Gregor dem Großen in seinen *Dialogen* (2. Buch, 8. Kapitel; Druck bei Migne PL 66, Sp. 148) berichtete Begebenheit vor uns, wonach ein solcher Vogel auf Befehl des Heiligen ein vergiftetes Brot weggetragen habe. Auch in diesem Fall wird die Kenntnis des Textes vorausgesetzt und der Blick somit von der im Bild geschilderten eremitischen Phase in Benedikts Leben auf dessen späteres Wirken gelenkt.

Von ganz besonderem Interesse sind sodann die drei erwähnten Spruchbänder, bei deren Text es sich jedoch – im Gegensatz zu der in der Literatur stets ohne nähere Begründung vorgebrachten Behauptung – keinesfalls um Zitate aus einem Hymnus handelt, wenn auch die hinzugesetzten Neumen zu einer derartigen Annahme verleiten könnten. Wir haben es hier vielmehr mit einzelnen Bibelworten (in einem Fall sogar mit einer regelrechten Textmontage) zu tun, die aus ihrem ursprünglichen Zusammenhang herausgenommen und in bemerkenswert assoziativer Weise mit dem Bild verknüpft sind.

Auf dem über Benedikts Schulter liegenden Schriftband ist zu lesen: *Sedebit solitarius et tacebit, quia levabit se super se* (Einsam soll er sitzen und schweigen, weil er sich über sich selbst erhoben hat). Hier liegt ganz offensichtlich ein wortwörtliches Zitat aus den *Lamentationes* des Propheten Jeremias vor (Klgl 3,28), wobei der Schlüssel für die Verbindung zwischen diesem Text und dem im Bild dargestellten hl. Benedikt unschwer in dem Wort *solitarius* (einsam) zu finden ist.

Eine ähnlich assoziative Bezugnahme auf den Heiligen liegt weiters auch in dem Schriftband am oberen Höhlenrand vor, wo es heißt: *Benedictio et claritas et sapientia super caput eius* (Segen und Ruhm und Weisheit über sein Haupt). Der erste Teil dieses Spruches erweist sich als Zitat aus dem großen Lobpreis der Johannes-Offenbarung (7,12), der allerdings auf Gott selbst bezogen ist. Die drei letzten Wörter dürften hingegen eine Anspielung auf eine alttestamentliche Bibelstelle (etwa Ex 15,19 oder Num 6,7) enthalten, wo vom Haupt eines Menschen als dem Träger von Segen und Weihe die Rede ist. Der Konnex zwischen dem Schriftband und dem Bild wird hier mit dem auf den Namen „Benedikt" hinweisenden Begriff *benedictio* (Segen) hergestellt, der seinerseits in der Betrachtung *De sancto Benedicto* im Sinne des beliebten Wortspiels mehrmals auf-

scheint und so auch wieder auf den Anselm-Text zurückverweist.
Eine „indirekte Anspielung“ von etwas anderer Art enthält schließlich auch noch jenes Schriftband, das der Mönch Romanus im linken Arm trägt. *Fera pessima* (Ein wildes Untier) ist hier zu lesen, womit unverkennbar eine Bezugnahme auf die bekannte Josephsgeschichte vorliegt, in der ein solcher Ausdruck zweimal vorkommt (Gen 37, 20 und 33). In unserer Darstellung des hl. Benedikt in der Höhle von Subiaco weist dieses Bibelwort nun aber in Verbindung mit der im Zeigegestus erhobenen rechten Hand des Romanus auf die Teufelsgestalt hin und soll vielleicht auf diese Weise eine subtile gedankliche Verbindung zwischen dem Patriarchen Joseph und dem Mönchsvater Benedikt herstellen. Mit der Einfügung all dieser „verfremdeten“ Bibelzitate (vielleicht ist auch die Neumierung in diesem Sinne aufzufassen) bewirkt der Künstler unverkennbar eine gewisse Distanzierung von seiner vorhin beschriebenen Illustrationsvorlage, da er mit diesen Bezugnahmen in mehrfacher Hinsicht über das im Bild dargestellte Eremitendasein des hl. Benedikt hinausweist und dieses zugleich in einen größeren heilsgeschichtlichen Zusammenhang stellt. So tut sich hier in der spannungsreichen Verbindung von Bild und Text ein gleichsam mehrdimensionales „Programm“ auf, das sowohl einen meditativ-erbaulichen wie auch einen assoziativen und damit höchst unterhaltsamen Zugang zur Bedeutung und Gestalt des Heiligen bereithält.

Lit.: P. BUBERL, Die illuminierten Handschriften in Steiermark I (1911), S. 35–38 (zur Benedikt-Miniatur S. 37). – E. DUBLER, Das Bild des hl. Benedikt bis zum Ausgang des Mittelalters, in: Benediktinisches Geistesleben V (1953), S. 107, S. 165 mit Abb. 34. – O. PÄCHT, The Illustrations of St. Anselms Prayers and Meditations, Journal of the Warburg and Courtauld Institutes 19 (1956), S. 68–82 (zur Benedikt-Miniatur S. 72 mit Pl. 20c). – Kat. 1500 Jahre St. Benedikt Patron Europas (1980), S. 152 (Kat.Nr. 134) mit Tafel II (Gregor Martin Lechner). – D.M. SHEPARD, Twelfth-Century Manuscripts of Anselm's Prayers and Meditations. A Thesis ... for the degree of Master of Arts, Sweet Briar College (1986), S. 62–64.

J. T.

2.8

s. II, S. 419, Abb. 88

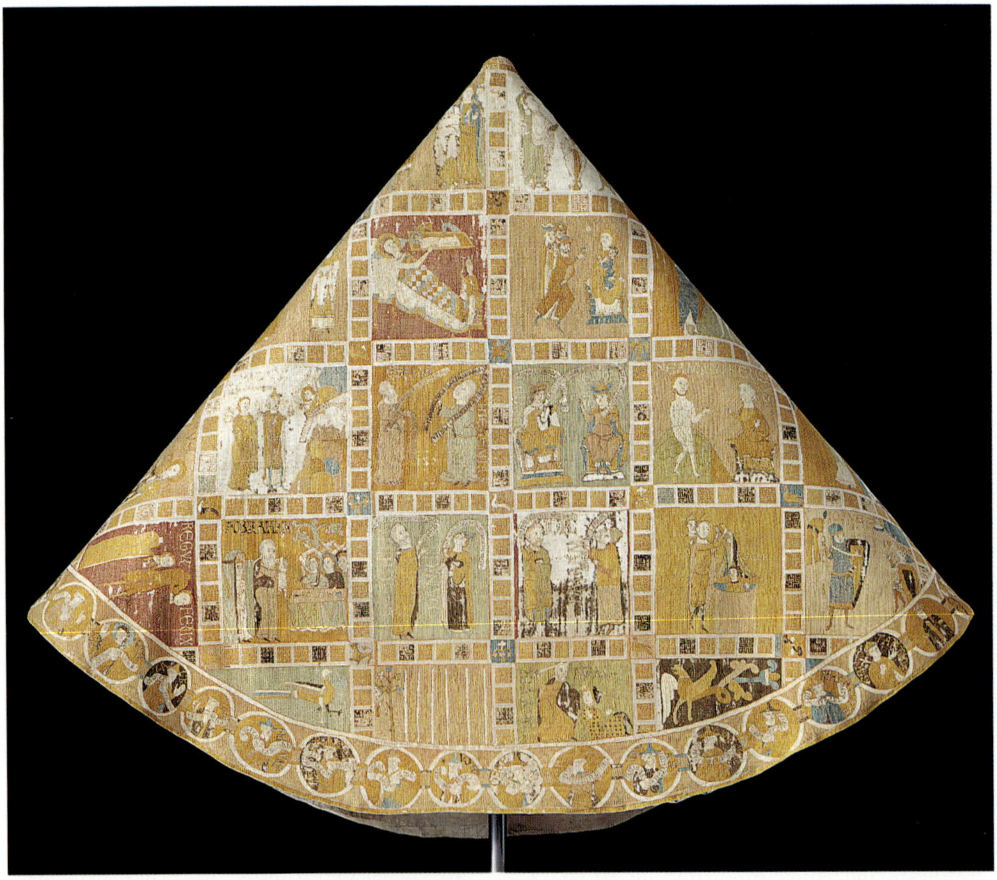

Glockenkasel, Rückenteil

GLOCKENKASEL MIT HEILIGENFIGUREN UND DARSTELLUNGEN AUS DEM ALTEN UND NEUEN TESTAMENT

Südwestdeutschland, 2. Viertel des 12. Jahrhunderts

Leinen, vollflächig mit Seide bestickt, geschlossener Kreuznahtstich (Hintergründe, Figuren) und Kettstich (Konturen, Schriftbänder); H 159,4 cm (rückwärtig)

Stift St. Paul

Die Glockenkasel ist aus einem vorne zusammengenähten, annähernd halbkreisförmigen Stoffstück angefertigt. Dieses besteht aus einer 118 cm breiten Bahn, an die seitlich und an der unteren Kante kleinere Stoffteile angesetzt sind, wie es auch bei seidenen Glockenkaseln vorkommt (Der Grundstoff konnte bei der Konservierung der Kasel untersucht werden, die im Jahre 1989 von Frau Gisela ILLEK und den Mitarbeiterinnen der Abegg-Stiftung in Riggisberg durchgeführt wurde). Diese Grundform des Gewandes wurde im ausgebreiteten Zustand bestickt, und zwar so, daß die Stichlagen in der Kettrichtung verlaufen. Anschließend wurde das Gewand abgefüttert und die vordere Naht geschlossen. Weiters dürften an der Kasel keine wesentlichen Änderungen vorgenommen worden sein.

Die Gesamtfläche ist in ein Netz von quadratischen Feldern eingeteilt. In 34 vollständigen oder vom Rand angeschnittenen Bildfeldern erscheinen szenische oder figürliche Darstellungen, in den restlichen vier ein Bäumchen, ein Drache, ein Vogel und ein Basilisk. Die Rahmenleisten bestehen aus Abschnitten von je acht kleinen Quadraten mit einer Vielfalt von geometrischen Motiven. Die Eckquadrate sind durch Pflanzen oder Tiere hervorgehoben. Den Saum bilden 35 Medaillons mit Halbfiguren. Inschriften in den Bildfeldern (elegante Kombination der kapitalen und unzialen Schrift des 12. Jahrhunderts) helfen das ikonographische Programm zu lesen. Seit der Zeit der ersten Konzile haben die Liturgiker einzelnen Meßgewändern symbolische Bedeutung gegeben, in denen verschiedene inhaltliche Aspekte der Meßfeier zum Ausdruck kamen *(expressio mysticae significationis* bei Walhafried Strabo). Den Darstellungen an unserer Kasel liegt von den zahlreichen Deutungen offenbar diejenige zugrunde, welche in dem geschlossenen Gewand ein Symbol der Einheit des Glaubens der alten und der neuen Kirche sieht; Wilhelm Durandus (Rationale divinorum officiourm III, Kap. 7/7) schreibt: *Quod autem casula unica et integra, et undique casula est, significat fidei unitatem et integritatem: veruntamen in extensione manuum in anteriorem et posteriorem partem quodammodo dividetur designans antiquem ecclesiam, quae passionem Christi praecessit: et novam, quae Christi passionem subsequitur.* 12 alttestamentliche Szenen in den unteren Bildreihen hinten und heraldisch rechts sind mehr oder weniger geläufige typologische Entsprechungen zu acht neutestamentlichen Szenen oben, während sechs Propheten, Job und Balaam durch ihre Spruchbänder, den Glauben des alten Bundes an den Erlöser ausdrücken (z.B. „Ich weiß, daß mein Erlöser lebt" bei Job). Die eschatologische Dimension des Programms kündigt sich im thronenden Christus vorne heraldisch links und 20 Heiligen als himmlische Fürsprecher des Klosters St. Blasien an. Blasius und Vinzenz waren die Titularheiligen der Klosterkirche, dem hl. Nikolaus wurde die Friedhofskapelle geweiht und dem hl. Stephanus die Pfarrkirche außerhalb des Klosterareals. Benedikt war nicht nur der geistige Vater der Mönche, sondern auch der Patron der Spitalskapelle. Die Hll. Gallus, Felix und Regula hatten ihre Altäre in der Klosterkirche. Die Figur des hl. Pantaleon hängt vermutlich mit der Verbrüderung St. Blasiens mit St. Pantaleon in Köln zusammen. Diese und die übrigen Heiligen kommen in der st.-blasianischen Litanei vor. Einzig für die Darstellungen der Hll. Oswald und Erasmus muß es andere Gründe gegeben haben.

Ein Kranz von 36 Medaillons mit Halbfiguren am unteren Saum grenzt die Komposition und das Programm ab. Vorne sind es die 12 Apostel und der hl. Paulus, denen hinten die 12 kleinen Propheten entsprechen. An der rechten Seite erscheinen die Evangelisten Lukas und Markus (Johannes und Matthäus befinden sich unter den Aposteln) sowie Konstantin, Helena und der vermeintliche Klostergründer, Kaiser Otto der Große. Den letzteren entsprechen drei königliche Gestalten des Alten Testaments, Josias, Ezechias und Esther auf der heraldisch linken Seite, zu denen sich – als Pendants zu den zwei Evangelisten – Elisabeth und Zacharias gesellen.

Die Medaillons sind durch Klammern verbunden und bilden eine regelrechte Kette, die einzig vorne unterbrochen ist. Offenbar war ursprünglich auch zwischen den vordersten zwei Medaillons eine Verbindung vorgesehen. Das deformierte und unvollständige linke Medaillon sollte auf die andere Seite der Vordernaht übergreifen, wo es dafür einen ausgesparten Platz gibt. Warum es nicht so ausgeführt wurde, ist nicht klar. Vom Mißverstehen des Entwurfs zeugt außerdem die als „Mathias" beschriftete Halbfigur. Ihre Position zwischen Petrus und Paulus sowie ihr Gestus deuten eindeutig darauf hin, daß sie eigentlich Christus darstellen sollte. Auch der andersartige Schriftcharakter verrät, daß die Bezeichnung „Mathias" nicht zum ursprünglichen Entwurf gehörte. Das umfassende theologische Programm wie auch die Qualität des Entwurfs und der Stickerei zeigen, daß hier ein außerordentliches, je-

doch nicht isoliertes Werk vorliegt. Der Klosterneuburger Ambo, die nur durch Beschreibung bekannten gestickten Wandbehänge im Kloster St. Ulrich und Afra in Augsburg, das typologische Fenster und das nicht erhaltene Kreuz des Abtes Suger von Saint-Denis sowie mehrere emaillierte Kreuze mit typologischen Szenen sind weitere Beispiele solch theologisch anspruchsvoller Kompositionen des 12. Jahrhunderts.
Die Auswahl der Heiligen läßt darauf schließen, daß das Programm in oder zumindest für St. Blasien konzipiert und vielleicht auch ausgeführt wurde. Das Beispiel des in St. Ulrich und Afra tätigen Stickers Bereta zeigt, daß die Stickkunst nicht ausschließlich eine Frauendomäne war. Von der Hochschätzung der Kasel zeugt die Tatsache, daß man später eine zweite Kasel und ein Pluviale in gleicher Art anschaffte. Angesichts dieses Umstandes kann man sie mit dem Abt Berthold (1125–1141) in Beziehung setzen, dessen Verdienste um den Schmuck und die Einrichtung der Kirche im Sanktblasier Nekrologium klar hervorgehoben sind: *In acquirendis autem ornamentis ecclesie et aliis utensilibus loci tam studiosus fuit, ut merito et ab incolis huis loci pax er requies iugiter aptetur* (MG, Necrologia I, Berlin 1888, S. 329.). Die Qualität der Stickerei ist so hoch, daß wir keine Stilverspätung – etwa gegenüber der Miniaturmalerei – einzurechnen brauchen.

s. II, S. 681ff.

Lit.: s. Kat.Nr. 17.3. – B. KURTH, Die deutschen Bildteppiche des Mittelalters (1926), S. 30.

K. O.

2.9

HL. PAULUS

Detail der Glockenkasel aus dem 2. Viertel des 12. Jahrhunderts; Medaillon mit Halbfigur vom unteren Saum

Diaschaubild

2.10

HL. PETRUS

Detail der Glockenkasel aus dem 2. Viertel des 12. Jahrhunderts; Medaillon mit Halbfigur vom unteren Saum

Diaschaubild

2.11

HL. BENEDIKT

Detail der Glockenkasel aus dem 2. Viertel des 12. Jahrhunderts; Ausschnitt des quadratischen Feldes der linken vorderen Kante („Benedictus und Gallus“)

Diaschaubild

2.12

WILHELM VON HIRSAU

Bl. 1v des Codex traditionum monasterii Reichenbacensis,
Mitte des 12. Jahrhunderts

Reproduktion aus Cod.hist. 4° 147, Württembergische Landesbibliothek Stuttgart

Frühe Darstellung des Abtes Wilhelm von Hirsau.

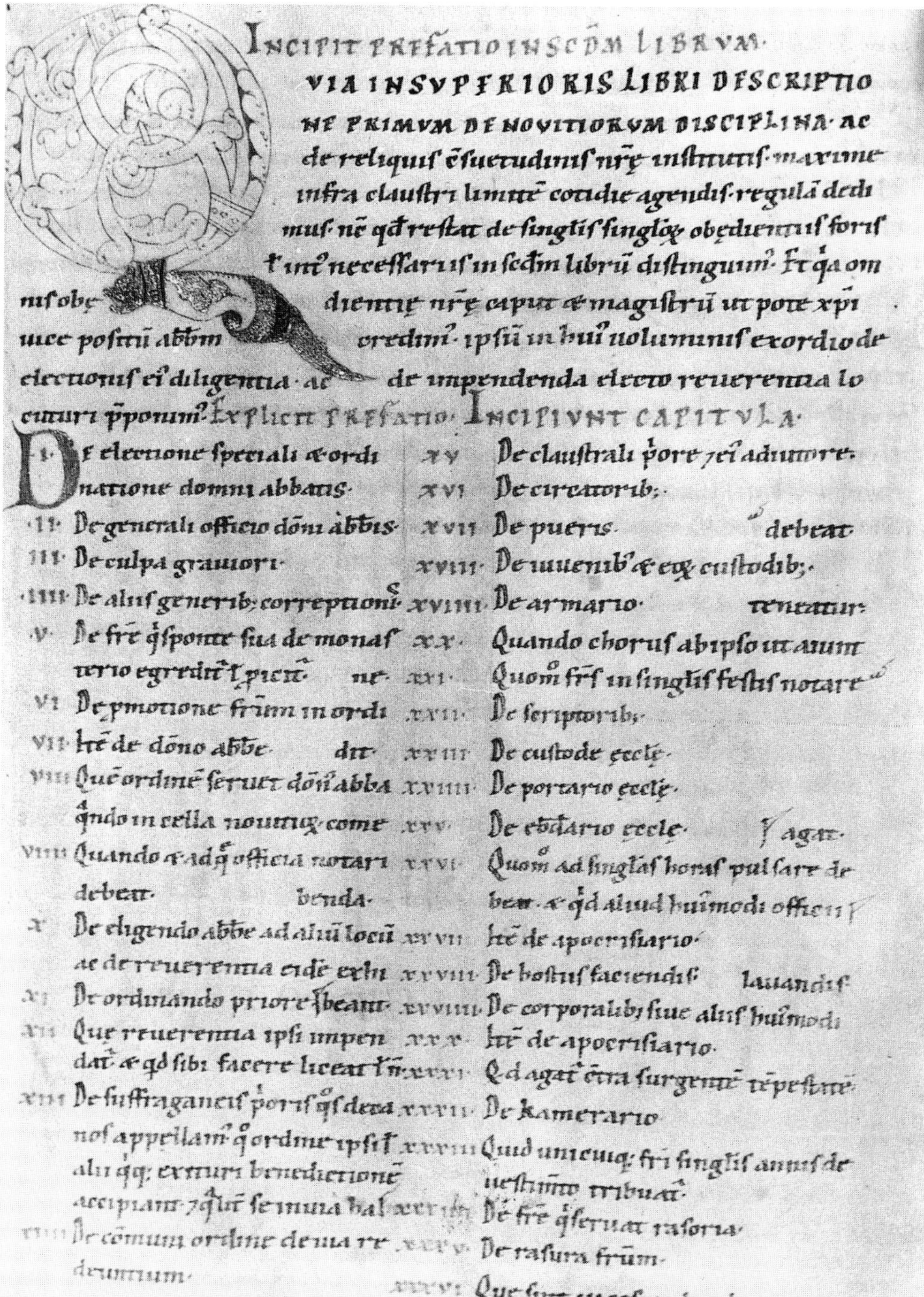

INCIPIT PREFATIO IN SECUNDUM LIBRUM.
QUIA IN SUPERIORIS LIBRI DESCRIPTIONE PRIMUM DE NOVITIORUM DISCIPLINA AC de reliquis consuetudinis nostre institutis maxime infra claustri limitem cotidie agendis regulam dedimus, nunc quod restat de singulis singulorum obedientiis foris et intus necessariis in secundum librum distinguimus. Et quia omnis obedientie nostre caput et magistrum ut potest Christi vice positum abbatem credimus, ipsius in huius voluminis exordio de electionis eius diligentia ac de impendenda electo reverentia locuturi proponimus. EXPLICIT PREFATIO. INCIPIUNT CAPITULA.

I. De electione speciali et ordinatione domni abbatis.
II. De generali officio domni abbatis.
III. De culpa graviori.
IIII. De aliis generibus correptionis.
V. De fratre qui sponte sua de monasterio egreditur ...
VI. De promotione fratrum in ordinibus.
VII. Item de domno abbate.
VIII. Qualem ordinem servet domnus abbas quando in cella novitius ...
VIIII. Quando et ad que officia notari debeat.
X. De eligendo abbate ad alium locum ac de reverentia eidem exhibenda.
XI. De ordinando priore et qualis esse debeat.
XII. Que reverentia ipsi impendatur et quid sibi facere liceat et non.
XIII. De suffraganeis prioribus quos decanos appellamus, quo ordine ipsi et alii quique exituri benedictionem accipiant et ...
XIIII. De communi ordine decanorum.
XV. De claustrali priore et eius adiutore.
XVI. De circatoribus.
XVII. De pueris.
XVIII. De iuvenibus et eorum custodibus.
XVIIII. De armario.
XX. Quando chorus ab ipso ... teneatur.
XXI. Quomodo fratres in singulis festis notare debeat.
XXII. De scriptoribus.
XXIII. De custode ecclesie.
XXIIII. De portario ecclesie.
XXV. De ebdomadario ecclesie.
XXVI. Quomodo ad singulas horas pulsare debeat et quid aliud huiusmodi officii agat.
XXVII. Item de apocrisiario.
XXVIII. De hostiis faciendis.
XXVIIII. De corporalibus sive aliis huiusmodi lavandis.
XXX. Item de apocrisiario.
XXXI. Quid agat contra surgentem tempestatem.
XXXII. De camerario.
XXXIII. Quid unicuique fratri singulis annis de vestimento tribuatur.
XXXIIII. De fratre qui servat rasoria.
XXXV. De rasura fratrum.
XXXVI. Que sint vices radendi.

Cod. 497, fol. 51r

WILHELM VON HIRSAU: CONSTITUTIONES HIRSAUGIENSES

Admont, Mitte des 12. Jahrhunderts

Pergament, 114 Bll., 33 bis 36 Zeilen pro Seite; der Text der *Constitutiones* (Bl. 1v–102v), von einer Hand in regelmäßiger Minuskel geschrieben, wurde späterhin mit den Texten des späten 12. und frühen 13. Jahrhunderts zusammengebunden; aufgeschlagen: Bl. 50v und 51r: Ende des ersten und Anfang des zweiten Buches; dessen Vorrede beginnt mit der großen „Q(uia)"-Initiale in roter Federzeichnung (ähnlich gestaltete Initialen finden sich auch auf Bl. 1v u. 51v); H 24/B 17,5 cm

Benediktinerstift Admont, Cod.497

Abt Wilhelm von Hirsau stammte wohl aus bayerischem Hochadel und wurde als *puer oblatus* im Kloster St. Emmeram in Regensburg erzogen, wo er sich dann auch als Mönch der Klostergemeinschaft anschloß. Seine schulische Ausbildung erhielt er hier u. a. von dem gelehrten Otloh.

Als Wilhelm im Jahre 1069 zur Leitung der Abtei Hirsau im Schwarzwald berufen wurde, galt sein Bestreben zunächst der Verwirklichung der klösterlichen Eigenständigkeit. Im Jahre 1075 gelang es ihm, mit der als *Hirsauer Formular* berühmt gewordenen Urkunde von König Heinrich IV. die Rechte der freien Abtwahl, der Freiheit vom Eigenklosterherrn und der weitgehend freien Vogtwahl für sein Kloster zu erlangen.

Hand in Hand mit dem Bemühen um die rechtliche Freiheit der Abtei ging Wilhelms Bestreben nach einer Reform des innerklösterlichen Lebens. Wilhelm orientierte sich dafür, nachdem er seine Mönche zunächst auf die in St. Emmeram geübten Lebensformen verpflichtet hatte, am burgundischen Reformkloster Cluny, in das er dreimal je zwei Mönche seiner Abtei schickte, die dort die vielgepriesene neue monastische Lebensform an der Quelle kennenlernen und darüber authentisch berichten sollten.

Diese vielfältigen – wenn auch für Wilhelm selbst nur mittelbaren – Begegnungen mit Cluny fanden in den von ihm in den Jahren 1083 bis 1088 verfaßten Konstitutionen ihren Niederschlag. Sie lehnen sich eng an jene Konstitutionen von Cluny an, wie sie von Ulrich, dem Sekretär Abt Hugos von Cluny (1049–1103) und Mitschüler Wilhelms in St. Emmeram, aufgezeichnet worden waren. Abt Hugo selbst hatte jedoch für deren Übernahme in Hirsau ausdrücklich Ergänzungen angeraten.

Wilhelms *Constitutiones* zielen in ihren zahlreichen und detaillierten Einzelbestimmungen auf ein streng reglementiertes und sorgfältig stilisiertes Leben im Kloster ab und gehen so in jedem Fall sehr weit über die Anordnungen der Benedikt-Regel hinaus. So ist etwa aus Benedikts einfachem Schweigegebot eine komplizierte Anleitung für eine Zeichensprache (*Signa loquendi*) geworden. Besonders breiten Raum nehmen die Bestimmungen über die liturgischen Dienste ein. Sie regeln selbst so scheinbar Nebensächliches wie das Reinigen der Altartücher und die Aufstellung der Mönche beim Begräbnisgottesdienst.

Die organisatorische Komplexität eines Klosters cluniazensisch-hirsauischer Prägung kommt in Wilhelms Konstitutionen in den Anweisungen für die Inhaber der verschiedenen Klosterämter zum Ausdruck. Neben den schon aus der Benedikt-Regel bekannten Amtsträgern (Abt, Prior und Cellerar) finden wir hier noch den Kämmerer, den Schatzmeister, den Almosenverteiler, den Bibliothekar und viele andere mit ihren jeweils genau umschriebenen Verpflichtungen und Kompetenzen. Die Einhaltung der in den Konstitutionen festgelegten Regelungen des klösterlichen Alltagslebens wird schließlich durch eigens bestellte Aufseher (*Circatores*) überwacht, die auf ihren Kontrollgängen jeden Winkel des Klosters zu inspizieren hatten.

Wilhelms „Hirsauer Konstitutionen" fanden nach anfänglicher Ablehnung bald eine erstaunliche Akzeptanz in den Benediktinerklöstern des deutschen Sprachraumes, so daß sein Biograph mit Recht feststellen konnte: *Die klösterliche Lebensweise, die in deutschen Landen bei denen, die sich den Anschein des Mönchtums gaben, beinahe zum Erliegen gekommen war, begann sich durch Bemühungen dieses seligen Vaters wieder zu beleben und neu an Geltung zu gewinnen* (Vita Wilhemi, Kap.21).

Zu diesen solchermaßen charakterisierten Ordenshäusern gehörte auf heute österreichischem Gebiet vor allem das Stift Admont, das Wilhelms Konstitutionen allerdings erst zweieinhalb Jahrzehnte nach dem Tod ihres Verfassers (1091) auf dem Weg über die Abtei St. Georgen im Schwarzwald, die schon zuvor unter Abt Theoger in den Kreis der hirsauischen Reform eingetreten war, vermittelt erhielt. Von hier aus griff mit Abt Wolfhold ab 1115 die erste Welle der Klosterreform auf das steirische Ennstalkloster über, und im Jahre 1138 übernahm in der Person des Abtes Gottfried abermals ein Mönch aus St. Georgen die Leitung des Stiftes Admont.

Während der langen Regierungszeit dieses Prälaten (er starb im Jahre 1165) konnte die monastische Reformbewegung voll zur Geltung kommen. In welchem Maße man sich nun mit diesem Anliegen identifiziert hat, kommt etwa darin zum Ausdruck, daß die Admonter Mönche in einer Verbrüderungsurkunde von etwa 1160 ganz selbstverständlich von ihrer Zugehörigkeit zum „hirsauischen oder cluniazensischen Orden" sprechen.

Wie einst der große Abt von Hirsau konnte auch Gottfried von Admont von den Zeitgenossen als *eifriger Erneuerer alter Klöster* und *Vater vieler Mönche* gepriesen werden, da während seiner Amtszeit nicht weniger als sieben

Mönche aus seinem Kloster zur Leitung anderer Ordenshäuser berufen wurden, nachdem schon unter Gottfrieds Vorgänger vier Admonter Professen zu solcher Würde gelangt waren. Auch unter seinem Nachfolger holten noch drei Abteien ihren Vorsteher aus Admont. Von den Kärntner Benediktinerklöstern finden sich Ossiach und Millstatt (dieses sogar zweimal) auf der „Admonter Ruhmesliste“ verzeichnet; St. Paul scheint hier verständlicherweise nicht auf, da es ja dank seiner direkten Verbindung mit Hirsau nicht des Umwegs über Admont bedurfte, um an den schwäbischen Reformkreis Anschluß zu finden.
Welch überragende Bedeutung man in Admont den „Hirsauer Konstitutionen“ zur Zeit des Abtes Gottfried beigemessen hat, zeigt sich am eindrucksvollsten in dem Umstand, daß man diesen Text hier gleich dreimal abgeschrieben hat. Die älteste und buchkünstlerisch am anspruchsvollsten ausgestattete von diesen Constitutiones-Handschriften ist zweifellos Cod. 497, der vielleicht noch vor der Jahrhundertmitte entstanden ist; der zweite dieser handschriftlichen Textzeugen, von etwas schlichterer Ausstattung, liegt mit Cod. Admont. 518 vor, während der dritte Kodex späterhin (wohl um 1169) in das Kloster Garsten und nach dessen Aufhebung in die Studienbibliothek in Linz gekommen ist.
Daß die drei genannten Handschriften tatsächlich für und somit höchstwahrscheinlich auch in Admont geschrieben wurden, geht daraus hervor, daß in allen dreien, von erster Hand eingetragen, in der Profeßformel das *Kloster der heiligen Gottesmutter Maria und des heiligen Märtyrers Blasius* genannt wird, womit eindeutig das Doppelpatrozinium des Stiftes Admont angesprochen ist. Gemeinsam ist den drei Handschriften weiters auch, daß sie in unmittelbarem Anschluß an die „Hirsauer Konstitutionen“ eine Reihe von Bestimmungen enthalten, mit denen man in Admont eine bemerkenswerte Modifikation der cluniazensisch-hirsauischen Lebensformen vornahm, um sie auf diese Weise den örtlichen Gegebenheiten anzupassen.

Lit.: H. MEZLER-ANDELBERG, Admont und die Klosterreform des 12. Jahrhunderts, ZS des Historischen Vereins für Steiermark 47 (1956), S. 28–42. – H. JAKOBS, Die Hirsauer. Ihre Ausbreitung im Zeitalter des Investiturstreites (1961). – E. DEMM, Reformmönchtum und Slawenmission im 12. Jahrhundert. Wertsoziologisch-geistesgeschichtliche Untersuchungen zu den Viten Ottos von Bamberg (1970), (bes. S. 24–31 u. S. 106–109). – K. ARNOLD, Admont und die monastische Reform des 12. Jahrhunderts, ZS für Rechtsgeschichte / Kanonistische Abteilung 58 (1972), S. 350–369. – M. PFAFF, Abt Wilhelm von Hirsau, Erbe und Auftrag 48 (1972), S. 83–94. – K. SCHREINER, Hirsau, in: GB 5 (1975), S. 281–303. – J. TOMASCHEK, St. Georgen und die „Admonter Reform“, in: 900 Jahre Stadt St. Georgen im Schwarzwald 1084-1984 (1984), S. 34–44. – K.S. FRANK, Hirsau, in: Theologische Real-Enzyklopädie 15 (1986), S. 388–390. – G. GONSA, Einige paläographische Beiträge zur Erforschung der Admonter Schreibschule des 12. Jahrhunderts (Staatsprüfungsarbeit am Institut für Österreichische Geschichtsforschung Wien 1989), S. 47 – 53, S. 86 f. – Druckausgabe der Constitutiones Hirsaugienses: Migne, Patrologiae Latina, vol. 150, Sp. 927–1146 (mit zahlreichen Abweichungen von der Admonter Überlieferung im Text und in der Kapitelzählung).

J. T.

2.14 s. II, S. 57, Abb. 6

SPANHEIMER EVANGELIAR

Hirsau (?), 1129

H 20,5/B 15,8 cm (stark beschnitten)

Stift St. Paul, HS 2/8

Das einzelne Blatt, das vermutlich zu einem Evangeliar gehörte, kam als Geschenk der Stifterfamilie an das Kloster. Das Fragment trägt am oberen und unteren Rand eine Datierung und Lokalisierung, die aussagt, daß es 1129 für Spanheim geschrieben wurde. Später wurde die Handschrift als Buchbindermaterial verwendet und erst am Ende des vorigen Jahrhunderts gerettet. Die leider schon ziemlich schlecht erhaltene Miniatur zeigt den segnenden Christus auf einem Regenbogen sitzend, mit der Segenshand Gottes über ihm. Darunter ist deutlich eine andere Vorzeichnung zu erkennen. Links und rechts von Christus sind zwei Heilige dargestellt, darunter Graf Meginhard und Abt

Bernhelm. In den Ecken sind die Symbole der Evangelisten zu erkennen.

Lit.: Armarium 1, S. 63ff. – ÖKT 37 (1969), S. 359 (mit weiterer Literatur).

H. G.

2.15 s. Abb. S. 491

VIER ORDENSTRACHTEN

Reproduktionen aus Cod.Zwetl. 420a von 1577, Conterfactur des geistlichen Standes aller Orden *(Omnium Ecclesiasticorum ordinum habitus)*, Stiftsbibliothek Zwettl; Bl. 12 (Benediktiner), Bl. 19 (Kartäuser), Bl. 20 (Zisterzienser), Bl. 36 (Augustinerchorherren)

Die Darstellungen des Zwettler Kodex greifen auf die Holzschnitte des Nürnberger Künstlers Hans Sebald Beham von 1526 zurück. Form und Kolorierung des Habit sind jedoch bei unserem Meister häufig frei interpretiert; etwa stimmt die Art des Habit beim Cistercienser-Ordensbruder nicht mit der Originalform des Ordenshabit überein. Fast bei jedem Ordensbruder ist oben das Entstehungsjahr der Ordensgründung hinzugefügt. Die Größe der Darstellungen, jeweils auf einem beige-braungrünen Rasenstück, hat die Maße 16,6/21 x 15,5/17,5 cm.

Lit.:A. HASSLINGER, Catalogus Bibliothecae Monasterii Zwettlensis, noviter erectus Anno 1814, P.1. – O. PAUSCH, Die Wiederentdeckung einer Zwettler Kostümhandschrift. Ein Beitrag zur geistlichen Ikonographie zwischen Hans Sebald Beham und Jost Amman, Codices Manuscripti 1/1 (1975), S. 6–13, Abb. 1–6.

Ch. Z.

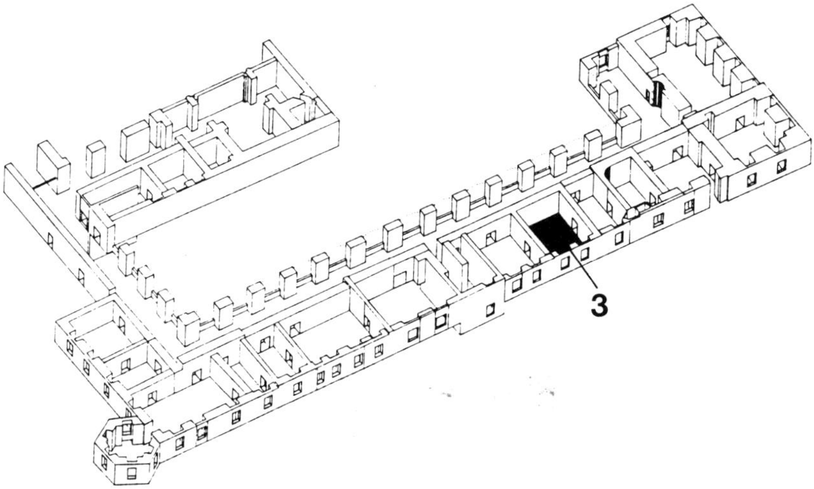

3

Klostergründung und hochmittelalterliche Blütezeit

Der erste Abt Wezilo des von Graf Engelbert I. von Spanheim 1091 gegründeten Benediktinerklosters St. Paul im Lavanttal wurde mit seinen Mönchen aus dem Reformkloster Hirsau im Schwarzwald erbeten. Seither gilt der 1. Mai 1091 als Gründungsdatum des Stiftes, das, wiewohl eine Familienstiftung und als solche als Grablege für die Spanheimer gedacht, allein dem Papst unterstellt war. Von der Stifterfamilie erhielt das Kloster eine reiche Gründungsausstattung. Als Papst Urban II. 1099 das Stift in seinen Schutz nahm, entsprach dieser Akt in allem den Motiven der hirsauischen Reformbewegung. Mit der Verfassungsurkunde war die Freiheit vom Eigenkirchenrecht ebenso garantiert wie die Sicherung gegenüber allen Eingriffen der Bischöfe. Dies ermöglichte eine weitgehend freie Entfaltung der klösterlichen Gemeinschaft und ihrer Lebensart. Zwar wurden Graf Engelbert und seine Erben zu Klostervögten bestimmt, doch sollte es ohne Zustimmung der Mönche niemandem möglich sein, über die Güter des Klosters in irgend einer Form zu verfügen. Seit 1170 steht das Stift auch unter kaiserlichem Schutz, den Kaiser Friedrich I. Barbarossa erteilte, wobei er den Mönchen abermals die freie Vogtwahl aus der Stifterfamilie gewährte.

Die Vogtei lag seit 1122 in den Händen der Herzöge von Kärnten. Vom ersten Spanheimer Herzog Heinrich IV. (1122–1123) über den herausragenden Herzog Bernhard von Kärnten (1202–1256) bis hin zum letzten Spanheimer Philipp (1269–1279) waren neun Mitglieder der Stifterfamilie im Kärntner Herzogsamt tätig. Danach ging die Herzogswürde zunächst auf die Meinhardiner (Görz-Tiroler) und seit 1335 auf die Habsburger über.
Die wirtschaftliche Grundlage für das mittelalterliche Kloster St. Paul und seine hochmittelalterliche Blüte bildeten die von der Stifterfamilie gemachten Güterschenkungen, die erst um 1200 allmählich aufhörten. Die wichtigen Güter am Außenrand der St. Pauler Berge bis hinauf zum Südrücken der Saualpe konnte man nur auf den Wegen durch das Granitztal erreichen. Dort, wo dieses Tal in das Lavanttal einmündet, entstand daher auch der Markt St. Paul. Der größte Teil des Besitzes lag aber nicht im Lavanttal, sondern im angrenzenden Draugebiet, am Bachern und Bosruck, in den Windischen Büheln bis hin zur Mur und auf dem oberen Draufeld südwärts bis zum Pulsgaubach. Das Stift verfügte auch über Güter in Friaul und Krain, die ebenfalls auf spanheimische Schenkungen zurückgehen. Aus dem anfänglich eher bescheidenen Klosterbesitz entwickelte sich allmählich eine ausgedehnte Grundherrschaft, die die wirtschaftliche Grundlage für das Blühen der klösterlichen Gemeinschaft bildete.

3.1

Schautafel:
AUSFORMUNGEN DER BENEDIKTINERREFORM IM 11. JAHRHUNDERT

3.2

PAPST URBAN II.

Philipp Jakob Straub zugeschrieben, 1770/74

Holz, H 100/B 85/T 42 cm

Stiftskirche St. Paul, Stifteraltar

Papst Urban II., durch das Papstkreuz und die Tiara zu seinen Füßen eindeutig identifizierbar, ist wie sein Gegenüber, der hl. Benedikt, sitzend dargestellt. In seiner Linken hält er den Stab mit dem Papstkreuz, in seiner Rechten eine Urkunde, von der Siegelkapseln herunterhängen und die sich laut Inschrift auf die Gründung des Klosters St. Paul 1091 und auf die Privilegierung durch Papst Urban II. bezieht. Ikonographisch gesehen bildet der Papst am Altaraufsatz zusammen mit dem Gründer des Benediktinerordens gleichsam den Überbau für die im Hauptgeschoß dargestellte Gruppe der weltlichen Klostergründer.
Die im dritten Viertel des 18. Jahrhunderts entstandene sehr qualitätvolle Plastik des Stifteraltares steht in engster Beziehung zum Werk des steirischen Bildhauers Philipp Jakob Straub. Es ist anzunehmen, daß im Gegensatz zum Marienaltar, dessen plastischer Schmuck sich aus eigenhändigen Werken Straubs und Arbeiten des Völkermarkter Bildhauers Michael Zill zusammensetzt, die Figuren des Stifteraltares zur Gänze von Straub stammen. Papst Urban II. zeigt, stilistisch gesehen, vor allem in der Physiognomie unübersehbare Parallelen mit dem hl. Erzbischof Thiemo von Salzburg im Hauptgeschoß, wodurch die Zuschreibung der Werke an ein und denselben Meister unterstrichen wird.

Lit.: ÖKT 37 (1969), S. 134, Abb. 169.

B. K.

3.3 s. II, S. 77, Abb. 7

PRIVILEG PAPST URBANS II. FÜR ST. PAUL

Lateran, 1099 März 26, ausgestellt vom päpstlichen Scriniar Petrus (Datumszeile vom Kanzler Johannes verfaßt), neuzeitliche Rückvermerke

Original, Pergament, Bleibulle an gelben und roten Seidenfäden; H 71,5–72/B 44 cm, Plica 7,5 cm

Stift St. Paul, UK 1

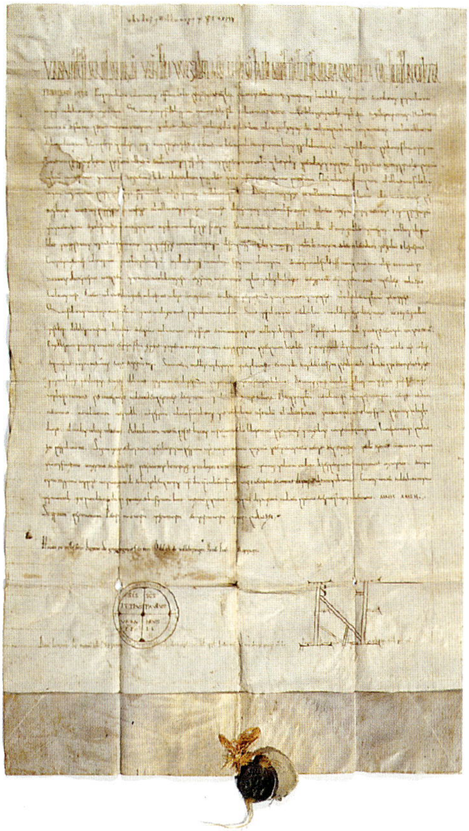

Papst Urban II. nimmt Abt Wezilo und das Kloster St. Paul in seinen besonderen Schutz. Er verfügt, daß die jetzigen und die zukünftigen Besitzungen des Klosters dem Abt und dessen Nachfolgern verbleiben und untersagt jedermann, diese an sich zu bringen.
Bezüglich der Abtwahl bestimmt er, daß die Brüder sich den als Abt wählen sollen, der in einem gemeinsamen Beschluß oder vom kleineren, aber besseren Teil *(pars consilii sanioris)* bestimmt wurde.
Die Weihen von Kirchen, Altären, Priestern, der hl. Öle und die übrigen, dem Bischof zustehenden Belange sollten vom Bischof von Salzburg vorgenommen werden, wenn er katholisch sei und es umsonst mache. Sollte dies nicht der Fall sein, dürften die St. Pauler Mönche jeden anderen Bischof oder den Hl. Stuhl selbst darum bitten.
Den Stiftern wird das Begräbnisrecht zugesichert (außer sie sind exkommuniziert).
Bezüglich der Vogtei bestimmt Urban, daß Engelbert II. von Spanheim Vogt sein solle und nach ihm sein Erbe, falls dieser sein Amt gut verwalte. Sonst könne ihn der Abt mit Rat der Brüder seines Amtes entheben und einen geeigneteren Vogt erwählen. Weiters bestätigt Urban die Zehente, die das Kloster von Erzbischof Thiemo von Salzburg (anläßlich der

Kirchweihe) erhalten hatte und verbietet jedermann, gleich ob weltlichen oder kirchlichen Standes, dem Kloster irgend einen Schaden zuzufügen. Zum Zeichen der erhaltenen Freiheit solle jährlich ein goldener Byzantiner bezahlt werden.
Auf den Text folgt nach einer Leerzeile eine in St. Paul vorgenommene Eintragung von Zeugen (Herrant von Griggingen und seine Söhne, Odalrich von Willhering, Hezil, Etih und Marquart). In der Datumszeile führt Kanzler Johannes den zweiten Tag des Jahres 1100 als Ausstellungsdatum der Urkunde an, was darauf zurückzuführen ist, daß in der päpstlichen Kanzlei zwischen 1088 und 1145 neben dem Florentiner Kalender auch jener Pisas Verwendung fand, der den 25. März als Jahresbeginn hatte, d.h., er war unserer Jahreszählung vom 25. März bis 31. Dezember um eine Einheit voraus.

Druck: MC 3, Nr. 508. Regest: UB St. Paul, Nr. 1. – JAFFÉ, Nr.4330; JL 1, Nr. 5784, GP I/2, Nr. 115 – ANKERSHOFEN, Regesten, Nr. 178.
Lit.: P.H. PASCHER, Die Privilegierung der Reformklöster Hirsau, St. Blasien und St. Paul durch Papst Urban II. (Diss.Salzburg,1980).

J. Gr.

3.4

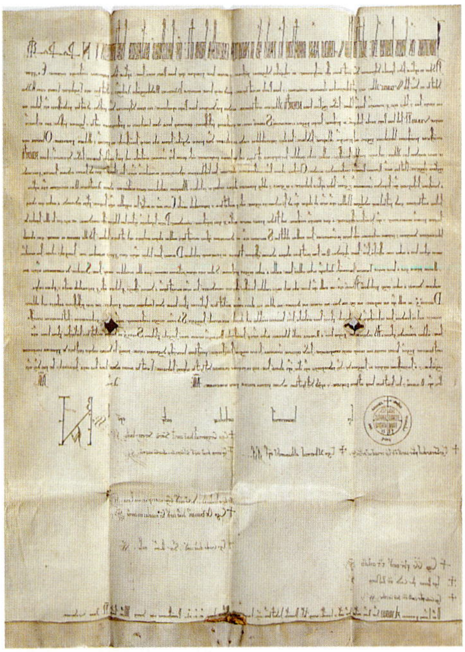

PRIVILEG PAPST INNOZENZ II. FÜR ST. PAUL

Lateran, 1140 November 23, neuzeitliche Rückvermerke

Original, Pergament, Bleibulle an gelben Seidenfäden (fehlt); H 50,5/B 67–68 cm, Plica 3 cm

Stift St. Paul, UK 3 (alt 336)

Innozenz II. bestätigt dem Abt Werner von St. Paul und dessen Nachfolgern das Privileg Papst Urbans II. (s. Kat. Nr. 3.3) in vollem Umfang sowie die Besitzungen des Klosters. Er bestimmt, daß es dem gewählten Abt zukomme, vom Papst geweiht zu werden, daß der Abt außer in kirchlichen und zweckmäßigen Angelegenheiten von keinem Bischof an einer Synode teilzunehmen gezwungen werden dürfe, daß der Abt dem Diözesanbischof die Priester für die Kirchen und Kapellen lediglich präsentieren müsse, und daß nur der vom Abt in Übereinstimmung mit dem Konvent erwählte Vogt die Vogtei üben dürfe. Gewährt werden überdies die Zehentfreiheit von dem in Eigenwirtschaft bearbeiteten Land sowie ein bischöfliches Interdiktverbot.

Druck: MC III, Nr. 732. – Regest: ANKERSHOFEN, Regesten, Nr. 254. – JAFFÉ, Nr. 8106; GP II/1, Nr. 205.
Lit.: W. SCHÜTZ, Die kirchenrechtliche Stellung des Klosters St. Paul nach den Papsturkunden aus der Zeit 1099–1195, JbSP 1953/54, S. 3–6; 1954/55, S. 3–11.

J. Gr.

3.5

PRIVILEG PAPST LUCIUS III. FÜR ST. PAUL

Verona, 1184 September 21, neuzeitliche Rückvermerke

Original, Pergament, Bleibulle an gelben Seidenfäden (fehlt); H 50/B 69 cm, Plica 3 cm

Stift St. Paul, UK 12 (alt 372)

Lucius III. bestätigt dem Abt Pilgrim und dem Konvent von St. Paul die Privilegien seiner Vorgänger Urban II., Innozenz II. und Alexander III., alle übrigen Rechte und Freiheiten sowie genannte Besitzungen.
Das Privileg nennt alle dem Stift seit seiner Gründung zugekommenen Besitzungen (d. s. Besitzungen in und/oder bei dem Ort, wo das Kloster liegt samt Zugehör, der Johannesberg, der Ort St. Paul, Bischofsdorf, Stadling, Framrach, Griffen, St. Philippen, St. Georgen/Stein, Weinberg und Windisch Weinberg, St. Andrä, Krottendorf, Hard, Achalm, Hundsdorf, Raglach, Andersdorf, Siegelsdorf, Lavamünd, „Lomsich, Wisse, Sirnewich", Gorentschach, Völkermarkt, Pustritz, Nußberg, Drauhofen, Lind, Wölfnitz/Saualpe, Fresen, St. Lorenzen in der Wüste, Rast, Gams, Hollern, Bogenfeld, Villacaccia, Lippa, Vendoglio, Vivaro, Aquileia und Möchling).

Druck: MC III, Nr. 1308. Auszüge: NEUGART, Hist.mon. s.Paulum II, 17. – Regest (mit Teildruck): UB St. Paul, Nr. 19. – ANKERSHOFEN, Regesten, Nr. 509. – Steiermärkisches Urkundenbuch I, Nr. 598; JL II, Nr.10583; GP II/1, Nr. 514.
Lit: W.SCHÜTZ, Die kirchenrechtliche Stellung des Klosters St. Paul nach den Papsturkunden aus der Zeit 1099–1195, JbSP 1953/54, S 3–6; 1954/55, S 3–11.

J. Gr.

3.6

PRIVILEG PAPST ALEXANDERS III. FÜR ST. PAUL

Venedig, 1177 Juni 4, mehrere mittelalterliche und neuzeitliche Rückvermerke

Original, Pergament, Bulle an rotgelben Seidenfäden fehlt, H 25/26,7 cm, Plica 2,2 cm

Stift St. Paul, UK 8

Papst Alexander III. verleiht dem Abt von St. Paul das Recht die Infel zu tragen und bekräftigt einige andere Rechte des Klosters.
Den Aufenthalt Papst Alexanders im Frühjahr und Sommer 1177 im relativ nahe gelegenen Venedig nutzten mehrere Kärntner Klöster, um sich Besitz und Rechte bestätigen zu lassen oder päpstliche Intervention in Streitfällen zu erwirken; so auch St. Paul. Im Vergleich zu den päpstlichen Privilegien von 1099, 1140 und 1184 (s. Kat.Nrn. 3.3, 3.4, 3.5) oder dem am 6. April 1177 ebenfalls von Alexander in Venedig für St. Paul ausgestellten Privileg wirkt die vorliegende Urkunde nicht nur von den Ausmaßen her bescheiden. Abgesehen von einigen leicht vergrößerten und verzierten Initialen und dem in sogenannter Elongata (verlängerter Schrift) geschriebenen Namen des Papstes, fehlt ihr jedes repräsentative Beiwerk (Rota, Bene-Valete-Zeichen, Unterschriften von Kardinälen und Bischöfen). Dafür hatte das Stift für die Ausstellung dieser Urkunde freilich wesentlich weniger zu bezahlen.
Die Infel stand als Kopfbedeckung eigentlich den Bischöfen zu, war aber aus Repräsentationsgründen auch bei Äbten sehr begehrt. Diesen mußte das Recht zum Tragen der Infel allerdings eigens verliehen werden („infulierte Äbte").

Druck: MC 3, Nr. 1220. – Regest: ANKERSHOFEN, Nr. 467, Schroll S. 90 Nr. 16. – JL II, Nr. 12862.

M. W.

3.7

LITTERA PAPST COELESTINS III. FÜR ST. PAUL

Lateran, 1195 Oktober 8, Rückvermerke des 13. Jahrhunderts und der Neuzeit

Original, Pergament, Bleibulle samt Seidenfäden fehlen; H 24–24,5/B 22,5 cm, Plica 2,5 cm

Stift St. Paul, UK 14

Coelestin III. erlaubt dem Abt Ulrich von St. Paul und dessen Nachfolgern den Gebrauch von Mitra und Ring und die Weihe von Kirchengewändern und gewährt das Präsentationsrecht gegenüber dem Diözesanbischof für die Priester jener Kirchen, die auf klösterlichem Grund liegen, wo erforderlich, auch für einen Priester für mehrere Kirchen sowie die dauernde Zehentfreiheit für allen seit 40 Jahren zehentfreien Grund und Boden.
Das Präsentationsrecht und die Zehentfreiheit gewährte bereits Papst Alexander III. (s. Kat. Nr. 3.6), ergänzt um die Infulierung. Die Littera Coelestins III. erweiterte diese Rechte ohne Erwähnung der Infulierung.

Regest: UB St. Paul, Nr. 28. – ANKERSHOFEN, Regesten, Nr. 573. – JL II, Nr. 17286, GP II/1, Nr. 612. – Auszug: Neugart, Hist. mon. s. Paulum II, S 21 f.
Lit.: W. SCHÜTZ, Die kirchenrechtliche Stellung des Klosters St. Paul nach den Papsturkunden aus der Zeit 1099–1195, JbSP 1953/54, S 3-6; 1954/55, S. 3-11.

J. Gr.

DIPLOM FRIEDRICH BARBAROSSAS FÜR ST. PAUL

Leibnitz, 1170 März 19

Das Diplom entspricht nach Schrift und Diktat völlig den Gebräuchen der kaiserlichen Kanzlei.

Original, Pergament, H 51 /B 34 cm, aufgedrücktes Wachssiegel des Kaisers.

Faksimile, Original im Österr. Staatsarchiv (Finanz-und Hofkammerarchiv), Wien

Friedrich nimmt das Kloster in seinen Schutz und untersagt aufgrund eines einhellig gefällten Spruches des kaiserlichen Hofgerichtes, Klostergut als Lehen zu vergeben. Dem Abt und dem Konvent von St. Paul werden der alleinige Besitz Völkermarkts inklusive aller Marktein-

nahmen zugesprochen. Niemand soll Vogt des Stiftes sein, der nicht dem Geschlecht des Stifters angehört und vom Stift erwählt wurde. Bei Unfähigkeit darf der Vogt abgesetzt und ein Angehöriger eines anderen Geschlechtes berufen werden. Der Vogt hat darüberhinaus sein Amt unentgeltlich auszuüben.
Die hier vorliegende Urkunde ist die erste eines Kaisers für St. Paul. Friedrich Barbarossa, der in Leibnitz mit den Prälaten der Diözese Salzburg über die Besetzung des Salzburger Erzbischofsstuhles verhandelte, nimmt das Kloster St. Paul auf Bitten Herzog Hermanns von Kärnten, des Grafen Berthold von Andechs und des Abtes Peregrin in seinen Schutz. Das Kloster, dessen rechtliche Stellung zunächst durch ein Privileg Papst Urbans II. von 1099 geregelt worden war (s. Kat. Nr. 3.3), war bis zu diesem Zeitpunkt in keine direkten Beziehungen zum Reichsoberhaupt getreten. Die hier vorliegenden Bestimmungen über die Vogtei lehnen sich zum Teil wörtlich an das der kaiserlichen Kanzlei offenbar vorliegende Urbanprivileg an, wie überhaupt die Regelung der Vogteiverhältnisse und auch das Belehnungsverbot auf Übereinkünften der Spanheimer mit dem Hl. Stuhl beruhen. Die Herrschaft über das sich in dieser Zeit zur Stadt entwickelnde Völkermarkt war zwischen den Herren von Trixen und dem Kloster St. Paul umstritten, daher sind die auf Völkermarkt bezogenen Satzungen des Diploms als Unterstützung des Klosters gegen die Trixener zu verstehen. Der Kärntner Herzog und das Stift St. Paul waren höchst interessiert daran, das Kloster der alleinigen Schirmvogtei des Landesherrn zu unterstellen und jede Einflußnahme eines anderen Geschlechtes zu verhindern.

Druck: MG. Die Urkunden Friedrichs I. 1168–1180 (1985), Nr. 564 (mit allen älteren Druckorten).
Lit.: H. APPELT, Das Diplom Friedrich Barbarossas für St. Paul im Lavanttal, Car. I 151 (1961), S. 478–485 (mit Angaben der Drucke und weiterführender Literatur).

J. Gr.

3.9

DIE GRÜNDUNG DES KLOSTERS ST. PAUL MIT SEINEN STIFTERN

Werkstatt von Jakob Lorenz Glaber, 1620; Stiftung des Abtes Hieronymus Marchstaller

Öl auf Leinwand, H 128/B 232 cm

Stift St. Paul

Im Vordergrund knien die Stifter Graf Engelbert von Spanheim, seine Gattin Hartwiga, seine Mutter Richardis sowie sein Bruder Erzbischof Hartwig von Magdeburg. Dahinter ist zentral die Stiftskirche abgebildet. Sie ist bereits mit dem unter Abt Marchstaller 1618 aus romanischen Werkstücken errichteten Südportal wiedergegeben. Rechts, auf einem Hügel, wird noch einmal die Kirche innerhalb der gesamten Klosteranlage gezeigt. Seitlich des Kirchengebäudes sind die Vertreter Christi auf Erden versammelt: rechts die Träger kirchlicher Macht (2 Päpste, 1 Abt, 2 Bischöfe) und links die der weltlichen (Kaiser, Könige, Fürsten usw.). In der Himmelszone erscheint in der Mitte Maria mit Kind, flankiert von den Patronen Petrus und Paulus sowie den Schutzheiligen der Stifter: rechts Benedikt, Wilhelm von Hirsau, Erzbischof Hartwig von Salzburg und

links Scholastika neben Dietrich, dem Mönch vom Johannesberg, und Erzbischof Thiemo von Salzburg.
Der untere Bildrand trägt die Inschrift: *MONASTERIUM S.PAULI EST FUNDATUM ANNO DOMINI 1091 CAL: MAY H: A 1620.*

Lit.: ÖKT 37 (1969), S. 37, S. 187f. u. S. 321, Abb. 4.

B. S.

3.10

Schautafel:
STAMMBAUM DER SPANHEIMER UND KÄRNTNER HERZÖGE BIS 1335

s. II, S. 43ff.

3.11

Schautafel:
DIE POSITION DER SPANHEIMER IN REICH UND KIRCHE VOM 11. BIS ZUM 13. JAHRHUNDERT

s. II, S. 43ff.

3.12

Schautafel:
MACHTAUFTEILUNG IN KÄRNTEN

3.13

Schautafel:
BESITZUNGEN DES KLOSTERS ST. PAUL IM MITTELALTER

3.14

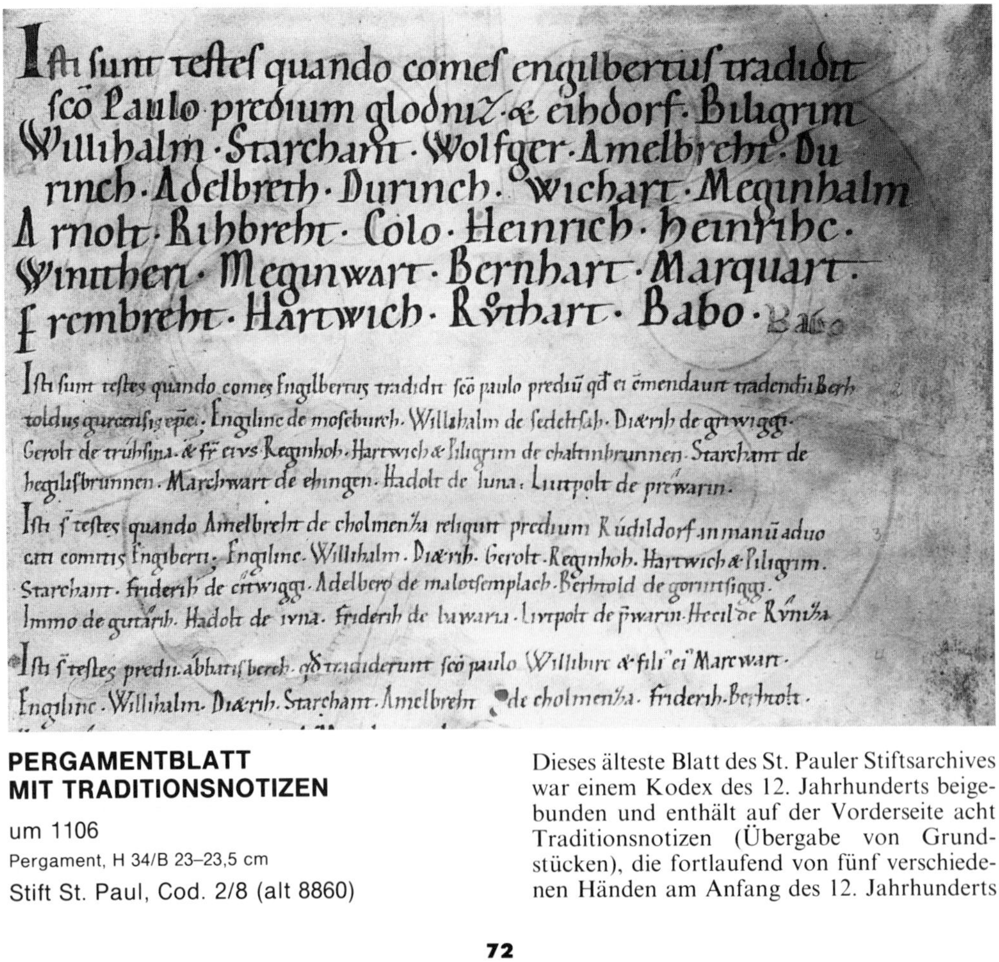
Isti sunt testes quando comes engilbertus tradidit
scō Paulo predium glodniz & eibdorf. Biligrim
Willihalm · Starchart · Wolfger · Amelbreht · Du
rinch · Adelbreth · Durinch · Wichart · Meginhalm
Arnolt · Rihbreht · Colo · Heinrich · heinrihc ·
Winthere · Meginwart · Bernhart · Marquart ·
Frembreht · Hartwich · Ruthart · Babo ·

PERGAMENTBLATT MIT TRADITIONSNOTIZEN

um 1106

Pergament, H 34/B 23–23,5 cm

Stift St. Paul, Cod. 2/8 (alt 8860)

Dieses älteste Blatt des St. Pauler Stiftsarchives war einem Kodex des 12. Jahrhunderts beigebunden und enthält auf der Vorderseite acht Traditionsnotizen (Übergabe von Grundstücken), die fortlaufend von fünf verschiedenen Händen am Anfang des 12. Jahrhunderts (um 1106) geschrieben wurden. Auf die Rückseite wurde im 13. Jahrhundert ein umfassender Stammbaum der Tugenden und Laster eingetragen.

Teildruck: UB St. Paul, S. 22f., S. 41f.
Lit.: MC III, S. XXIIIf. – O. REDLICH, Über bairische Traditionsbücher und Traditionen, MIÖG 5 (1884), S. 1–82. – F. PAGITZ, Die Urkundenschreiber der St. Pauler Klosterschule bis zum Jahre 1335, Car. I 149 (1959), S. 389–444 (FG S. 77–132).

J. Gr.

3.15

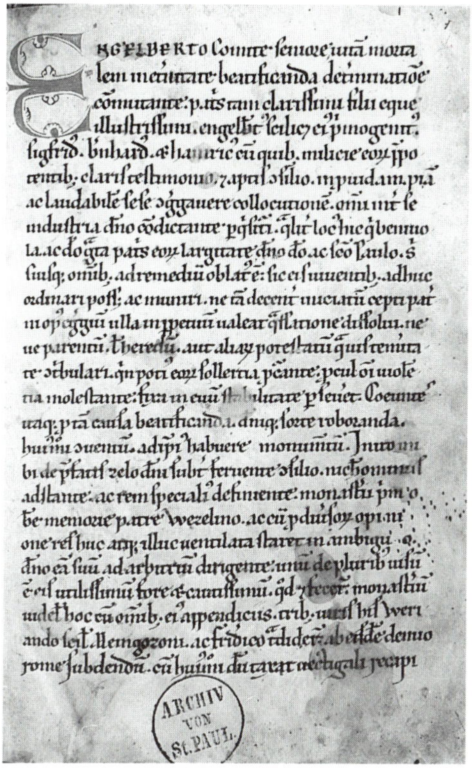

CODEX TRADITIONUM MONASTERII ST. PAULI

nach 1237 vom Priestermönch Wernhard nach älteren Vorlagen geschrieben, Einband von 1622

24 Pergamentbll. (drei Lagen à 8 Bl.), Einband: Holzdeckel, außen mit dunklem, verziertem und gepreßtem Leder bespannt, glatter Rücken mit Wülsten an den Heftstellen, Reste von zwei Messingschließen, weiters papierene Schutzblätter; H 25,1/B 17 cm

Stift St. Paul, Cod. 2/0

Die einzelnen Abschnitte und Schenkungen des Traditionsbuches von St. Paul sind durch rote Initialen hervorgehoben.
Das Buch wurde von Beda Schroll in hundert Kapitel unterteilt und vollständig ediert.

Druck: UB St. Paul

Lit.: MC III, S XXIIIff.- F. PAGITZ, Die Urkundenschreiber der St. Pauler Klosterschule bis zum Jahre 1335, Car. I 149 (1959), S. 389–444 (FG S. 77–132). - H. FICHTENAU, Das Urkundenwesen in Österreich vom 8. bis zum frühen 13. Jahrhundert, MIÖG Erg.-Bd. 23 (1971), S. 186–197. - P.H. PASCHER, Die Privilegierung der Reformklöster Hirsau, St. Blasien und St. Paul durch Papst Urban II. (Diss. Salzburg, 1980).

J. Gr.

3.16

Can. liturg. misc. 575, fol. 2v

JOHANNES DIACONUS: VITA BEATI GREGORII

Herkunft unbekannt, spätes 11. Jahrhundert; Einband: 18. Jahrhundert

I + II + 135 + I + I fol.; H 27,8/B 20 cm; ehemalige Pergament-Vorsatzblätter (Fragmente aus einem Psalter des 12. Jahrhunderts, karolingische Minuskel, 17 Zeilen H 16,2/ B 10,5 cm, ursprüngliches Format ca. H 18,2/B 15,2 cm) freigemacht; Einband: schwarzes Leder mit goldgeprägter Randleiste

Bodleian Library, Oxford, Can.liturg.misc. 575

Auf fol. 2r befinden sich zwei auf St. Paul bezogene Traditionsnotizen des frühen 12. Jahrhunderts. Fol. 2v zeigt ganzseitig das Bild Gregors mit Beischrift in griechischen Kapitalen: *O Agios / O Agios Gregorios / Papa Romae* (der Heilige Gregor, Papst von Rom), darüber von späterer Hand in lateinischer Schrift *Sanctus Johannes*, zu Füßen ein Stifterporträt sowie die Worte *misero domine monacus*, beides wieder

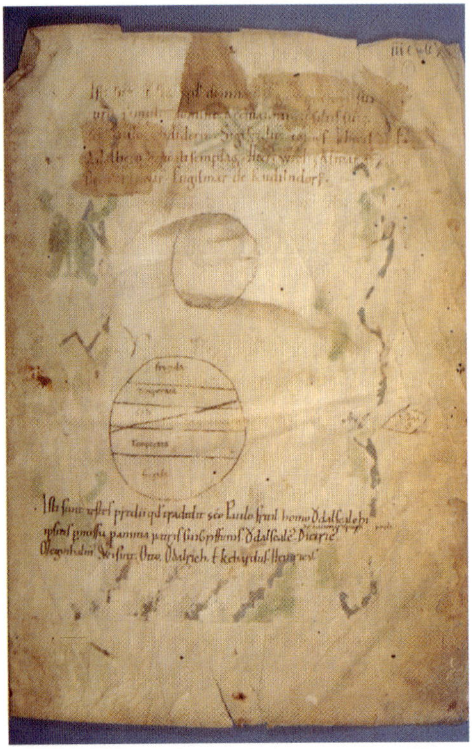

Can. liturg. misc. 575, fol. 2r

getilgt. Fol. 135r stammt von späterer Hand (neumiert) und besitzt die Inschrift: *puer genitur nec mater vlla vremitur angustia / Nicodemius de pomis loco positus perennia* .
Im St. Pauler Bücherverzeichnis von 1782 steht diese Handschrift unter Nr. 171: *Vita S. Gregorii Papae per Joannem Diaconum auf Pergament, Folio.* Die Traditionsnotizen, von denen nur die erste bisher auch anderwärtig bekannt war, und die für die Bindung verwendeten Pergamentfragmente zeigen, daß diese Handschrift aus altem St. Pauler Besitz stammt. Höchstwahrscheinlich gehörte sie sogar zur Grundausstattung des Klosters, zu welcher der Bruder des Stifters, Erzbischof Hartwig von Magdeburg (1079–1102), um 1100 Paramente und Codices beigesteuert hat. Sie kam dann über den Venezianischen Sammler Matteo Luigi Canonici an ihren heutigen Aufenthaltsort. Die Darstellung des hl. Gregor entspricht der des hl. Johannes Chrysostomus in der Wiener Handschrift Cod. Vind. 1007 (ÖNB), was auch die falsche Zusatzumschreibung erklären könnte. Der Unterschied besteht im nicht ausgefüllten Umraum sowie im Rahmen (links und rechts vier larvenartige Gesichter, aus deren Münder wulstartige Ranken fließen, in denen sich Vögel verstrickt haben; oben eine etwas plumpe Blattverschlingung, unten ein einfaches geometrisches Stufenmuster, alles nur zum Teil in den Farben Grün, Gelb und Ziegelrot). In solcher Tradition scheinen auch die Figuren des Paulus und Nikolaus im Komburger Epistolar zu stehen. Nähere Schlüsse zur ursprünglichen Herkunft der Handschrift sind daraus jedoch zur Zeit nicht möglich.

Regest: MC 3, Nr. 775.

Lit.: S.J.P. VAN DIJK, Handlist of the latin liturgical manuscripts in the Bodleian Library Oxford (maschriftl. 1967) vol. VI, S 4. - R. FLOTZINGER, Choralhandschriften österreichischer Provenienz (im Druck). - MENHARDT, Weitere Nachrichten von Kärntner Klosterbibliotheken (1927), S. 602.

R. F.

3.17–3.23

MÜNZEN DER SPANHEIMER HERZÖGE

3.17

PFENNIG MIT HERZOG HEINRICH (1144-1161)

Münzstätte St. Veit

AR., 1,08 g

Landesmuseum für Kärnten, Klagenfurt, Inv.Nr. N 7572

Avers: Der Herzog mit bärtigem Gesicht im Panzerhemd mit Kegelhaube, in den Händen Schwert und Fahne, im Feld neben seinem nach links gewendeten Kopf vier Ringel mit Punkt.
Revers: Kirchengiebel mit drei schlanken Türmen, die als Bekrönung eine Kugel tragen, dazwischen zwei einander zugekehrte Köpfe, darunter große Ringel.

Lit.: G. PROBSZT-OHSTORFF, Die St. Veiter Münzstätte in Mittelalter und Neuzeit (1981), S. 12 ff. - A. LUSCHIN-EBENGREUTH, Friesacher Pfennige (1923), S. 83 (Lu. 179) u. Taf. XII, n. 178.

F. L.

3.18

PFENNIG MIT HERZOG HERMANN (1161–1181)?

Münzstätte St. Veit

AR., 1,28 g

Landesmuseum für Kärnten, Klagenfurt, Inv.Nr. N 6510

Avers: Der Herzog im Panzerhemd, in den Händen Schwert und Fahne, von zwei glatten Ringen eingefaßt.
Revers: Krückenkreuz mit Kugeln in den Balkenfeldern, umschlossen von zwei geperlten Kreisen.

Lit.: A.LUSCHIN-EBENGREUTH, Friesacher Pfennige (1923), S. 84 (Lu. 183) u. Taf. XIII, n. 183.

F. L.

3.19

PFENNIG MIT HERZOG ULRICH (1181–1202)

Münzstätte St. Veit

AR., 1,21 g

Landesmuseum für Kärnten, Klagenfurt, Inv.Nr. N 6070

Avers: Der Herzog im Panzerhemd, in den Händen Schwert und Fahne, von zwei glatten Ringen eingefaßt.
Revers: Zinnenmauer mit offenem Tor, bewehrt mit zwei Zinnentürmen, die von einem Stern oben begleitet werden; umschlossen von zwei geperlten Kreisen.

Lit.: A.LUSCHIN-EBENGREUTH, Friesacher Pfennige (1923), S. 84 (Lu. 184) u. Taf. XIII, n. 184.

F. L.

3.20

PFENNIG MIT HERZOG BERNHARD (1202–1256)

Münzstätte St. Veit

AR., 1,11 g

Landesmuseum für Kärnten, Klagenfurt, Inv.Nr.N 6793

Avers: Sitzender Herzog mit verschränkten Füßen und geschultertem Schwert, bekleidet mit einem langen faltigen Gewand.
Revers: Vier in Kreuzform angelegte Tatzenkreuze, in der Mitte durch ein Fadenkreuz verbunden; Reste der Inschrift *SANCTUS* zu erkennen.

Lit.: A.LUSCHIN-EBENGREUTH, Friesacher Pfennige (1923), S. 85 (Lu. 191) u. Taf. XIII, n. 191.

F. L.

3.21

PFENNIG MIT HERZOG BERNHARD (1202–1256)

Münzstätte St. Veit

AR., 1,26 g

Landesmuseum für Kärnten, Klagenfurt, Inv.Nr. 6797

Avers: Geharnischtes Hüftbild des Herzogs von vorne, mit Sturmhaube; in der Rechten ein Schwert (?), die Linke mit erhobenem Finger. Zwischen glatten Reifen Reste der Inschrift *DVX CARINTHIE*.
Revers: Im glatten und geperlten Doppelreifen der Kopf des hl. Vitus von vorne, bedeckt mit einem Fürstenhut; im Feld daneben von oben nach unten Reste der Inschrift *SANT* (links) und *VEIT* (rechts).

Lit.: A. LUSCHIN-EBENGREUTH, Friesacher Pfennige (1923), S. 86 (Lu. 199) u. Taf. XIII, n. 199.

F. L.

3.22

PFENNIG MIT HERZOG ULRICH III. (1256–1269)

Münzstätte St. Veit

AR., 0,75 g

Landesmuseum für Kärnten, Klagenfurt, Inv.Nr. N 6804

Avers: Nach links schreitender geflügelter (?) Löwe (Greif ?).
Revers: Hüftbild des Herzogs mit Schwert (oder Fahne) in der Rechten, die Linke in die Hüfte gestützt.

Lit.: A.LUSCHIN-EBENGREUTH, Friesacher Pfennige (1923), S. 89 (Lu. 222) u. Taf. XIV, n. 222.

F. L.

3.23

BRAKTEAT MIT HERZOG ULRICH III. (1256–1269)

AR., 0,85 g

Landesmuseum für Kärnten, Klagenfurt, Inv.Nr. N 6147

Einseitige Prägung: ein aufgerichteter, linksblickender Panther, im Feld dahinter ein Turm.

Lit.: A. LUSCHIN-EBENGREUTH, Friesacher Pfennige (1923), S. 94 (Lu. 255) u. Taf. XV, n. 255.

F. L

3.24

URKUNDE HERZOG BERNHARDS FÜR DAS ZISTERZIENSERKLOSTER VIKTRING

1253, Februar 17

Pergament, H 27/B 15,4 cm, an roten und gelben Fäden hängen je ein Siegel Herzog Bernhards und ein Siegel seines Sohnes und Nachfolgers Ulrich III.

Kärntner Landesarchiv, Klagenfurt, Inv.Nr. II/17

Diese Urkunde ist in erster Linie wegen der beiden anhängenden Siegel für die Entwicklung des heutigen Kärntner Landeswappens von besonderer Bedeutung: der Stempel des Reitersiegels von Herzog Bernhard zeigt im Schild das Pantherwappen der Spanheimer Herzöge und trägt die Umschrift *BERNHARDVS. DEI.GRACIA.DUX.KARINTHIE.* Dieses Reitersiegel mit dem Panther läßt sich als herzogliches Wappen bis zu Herzog Hermann (1161–1181) zurückverfolgen. Davon abweichend verwendete der Herzogssohn Ulrich – ab 1256 als Ulrich III. Kärntner Herzog – während seiner Zeit als Mitregent (ab 1247) einen neuen Stempel: ins glatte Siegelfeld ist ein gespaltener Dreieckschild gestellt, vorne belegt mit drei leopardierten Löwen übereinander, hinten ein Balken. Ein historisches Argument für die Verwendung eines neuen Siegelbildes durch Ulrich III. kann in der Erbfolgefrage der babenbergischen Länder Österreich und Steiermark gesehen werden. Mit dem Tode Herzog Friedrichs II. 1264 konnten auch die Kärntner Spanheimer auf Grund verwandtschaftlicher Beziehungen – Agnes, die Tochter des ersten Babenberger Herzogs, Heinrich II., in zweiter Ehe mit Kärntens Herzog Hermann von Spanheim verheiratet, war seine Großmutter; Ulrich III. vermählte sich in erster Ehe mit der Witwe Herzog Friedrichs II., in zweiter mit Agnes, der Tochter der Babenbergerin Gertrude – Besitzansprüche geltend machen. Wohl nicht zufällig erscheinen im neuen Spanheimer Siegelbild der „österreichische Bindenschild" und die Löwen als Hinweis auf das ursprüngliche „babenbergische Stammwappen". Die enge Verwandtschaft mit dem böhmischen König Přemysl Ottokar II. hat die „Österreich-Politik" der Spanheimer sichtlich beeinflußt, und als Ulrich III. 1256 Kärntner Herzog wurde, hat er ausschließlich wieder das Spanheimer Reitersiegel mit der Pantherdarstellung verwendet, fügte der Helmzier allerdings den österreichischen Pfauenstoß als Kleinod bei. Erst König Přemysl Ottokar II. von Böhmen griff nach dem Tode Herzog Ulrichs III. 1269 als Erbe des Kärntner Herzogtums wiederum auf das kurz vor der Jahrhundertmitte neugeschaffene Kärntner Wappen zurück, sehr wahrscheinlich auch deshalb, um das Herzogtum Kärnten von der seit 1260 ebenfalls in böhmischem Besitz befindlichen Steiermark auch heraldisch zu unterscheiden.

Lit.: A.R. SIEGENFELD v., Das Landeswappen der Steiermark (1903).

F. L

4

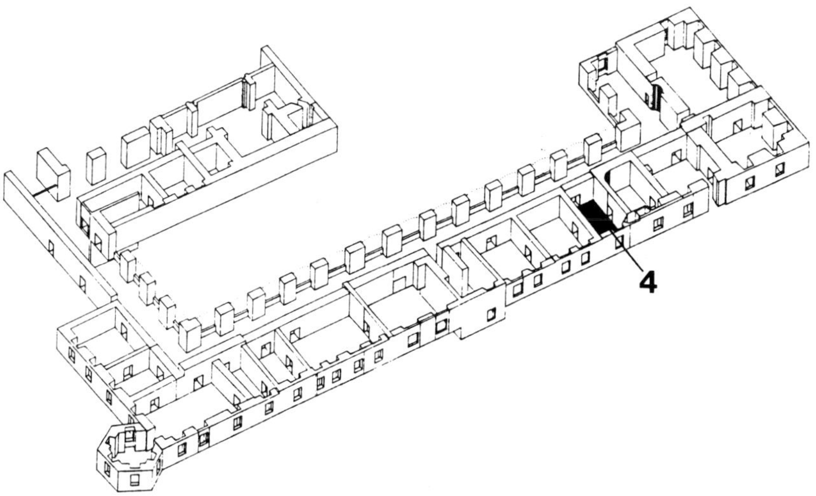

Die Stiftskirche – ein bedeutendes Beispiel romanischer Baukunst

Durch die Illusion des Westportals mit Blick auf das von allen späteren Veränderungen rekonstruierend befreite Kircheninnere betritt der Besucher den Raum 4, der zur Gänze der hochromanischen Stiftskirche gewidmet ist. Der weitgehend in einem Guß zwischen etwa 1180 und 1220 errichtete Bau gilt schon wegen seiner vorzüglichen Erhaltung als eines der bedeutendsten Denkmale dieses Stils in Österreich. Die vornehmlich bildliche Dokumentation – aufgelockert durch ein ideales Kirchenmodell der Bauzeit und Abgüsse der motivreichen Kapitellplastik – soll helfen, die überaus komplizierte typologische Herkunft, inhaltliche Bedeutung und stilistische Entwicklung der einzelnen Raumteile und ihrer bauplastischen Ausschmückung zu erschließen und den Stellenwert des Gebäudes innerhalb Kärntens und des Ostalpenraumes zu bestimmen. Cluniazenser und Hirsauer Ordensreform, aber auch lokale Kirchenpolitik und Einflüsse weltlicher und geistlicher Auftraggeber verbinden sich in der St. Pauler Stiftskirche mit eigenen kunstlandschaftlichen Traditionen und Entwicklungen zu einer gelungenen Synthese. Aber auch die späteren Veränderungen des Gebäudes werden dokumentiert, und abschließend wird anhand von Gegenüberstellungen der bedeutendsten Reformklöster eine Rekonstruktion der mittelalterlichen Klosteranlage versucht.

4.1 s. II, S. 499, Abb. 133

ST. PAUL: WESTPORTAL

spätromanisch/frühgotisch, um 1260; Tympanon um 1240

Reproduktion nach: ÖKT 37 (1969), Abb. 53

Das in einem Guß gearbeitete, sich trichterförmig verjüngende Tor mit dem etwa 20 Jahre älteren Tympanonrelief befindet sich an der Westfassade der Stiftskirche. Der grundsätzliche Aufbau mit seiner siebenfachen Abtreppung, die attischen Basen mit Eckknollen, aber auch die spröden Knospenkapitelle mit den einfach gekehlten Kämpferplatten darüber stehen noch deutlich in romanischer Tradition. Doch schon hier zeigen zunehmend inhaltsärmere, verflachte Formen den Übergang zu einem neuen Stil, wie er auch in den drei eingestellten achteckigen Säulenpaaren zu spüren ist. Die spitzbogige Archivolte schließlich erweist das St. Pauler Westportal als echten Übergang von der Romanik zur Gotik.
Zwei profilierte Viertelkreiskonsolen tragen das Tympanonrelief mit dem von zwei Engeln begleiteten segnenden Christus, dem links ein unbekannter Abt und rechts wohl der Kirchenpatron Paulus zu Füßen liegen. Die durchaus konservativ in ungebrochen romanischer Tradition arbeitende Werkstätte hat auch das Südportaltympanon verfertigt.
Während sich in den ostalpinen Stiftskirchen der Hochromanik das meist eindrucksvoll dimensionierte und bedeutungsschwere Westportal erst in einer Vorhalle zum Langhaus öffnete (Gurk, Seckau, St. Lambrecht, Millstatt), rückte es seit dem 13. Jahrhundert in der Regel an die Fassade (Völkermarkt). Auch für St. Paul ist zu vermuten, daß sich das ursprüngliche Westportal am Ostabschluß einer vom Turmpaar eingefaßten Vorhalle befand.

Lit.: ÖKT 37 (1969), S. 67f.

W. D.

4.2 s. II, S. 405, Abb. 74

ST. PAUL: INNERES GEGEN OSTEN

Rekonstruktion der hochromanischen Raumwirkung

Entwurf: W. Deuer, Ausführung: M. Katzenberger

Trotz der ausgezeichneten Erhaltung des hochromanischen Kirchenbaues ist das ursprüngliche Raumerlebnis durch Umbauten und zahlreiche Einrichtungsgegenstände nicht unwesentlich verändert worden. Die vorliegende Rekonstruktionsskizze ersetzt vor allem die gotischen Gewölbe mit ihren Wanddiensten durch die für die Reformordensarchitektur charakteristischen flachen Holzbalkendecken mit Tramunterzügen (s. Kat.Nr. 4.24). Die Betbänke des 18. und 20. Jahrhunderts im Mittelschiff wurden ebenso wie die Kanzel, die gotischen und barocken Pfeileraltäre und Heiligenfiguren sowie der Altaraufsatz und Tabernakel des Hochaltares weggelassen. Zumindest Teile des Kircheninneren muß man sich freskiert vorstellen (s. Kat.Nr. 27.1), doch sind die heute gesicherten Reste für eine Rekonstruktion zu gering. Auf eine Einzeichnung des Lettners (s. Kat.Nr. 4.41) wurde verzichtet, da einerseits auch sein nur annäherndes Aussehen nicht eruiert werden kann, und er überdies möglicherweise erst einige Jahr(zehnt)e nach Fertigstellung der Kirche (um 1240?) eingebaut wurde.

Lit.: ÖKT 37 (1969), Abb. 61.

W. D.

4.3–4.4

ÄLTESTE BAURESTE UND SPUREN VON VORGÄNGERBAUTEN

4.3 s. II, S. 492, Abb. 128

ST. PAUL: SÄULCHEN MIT KAPITELL IM FENSTER DES 6. SÜDTURMGESCHOSSES

romanisch, 11. Jahrhundert (?)

Reproduktion nach: ÖKT 37 (1969), Abb. 24

Das schwere Kelchblockkapitell besteht aus einem dickwulstigen Schaftring, stilisierten eingerollten Blättern zwischen derben Eckknollen sowie aus einem quadratischen Aufsatz mit eingearbeiteten Kreisen und Rosetten. Oben werden sie durch ein Band mit Schrägrillen abgeschlossen. Das Kapitell unterscheidet sich insbesondere in seiner groben Ausarbeitung völlig von anderen Steinmetzarbeiten der Stiftskirche; K. GINHART datiert es noch ins 11. Jahrhundert und denkt an eine Übernahme aus einem älteren Bau. Ob es aus dem Vorgängerbau (geweiht 1093 bzw. 1102/03) oder einer benachbarten Kirche (etwa der 1618 abgetragenen alten Pfarrkirche im Klosterhof) stammt, und welche Motive den Ausschlag für diese singuläre Übertragung gaben (Pietät oder Kontinuitätsdenken), muß offen bleiben.

Lit.: ÖKT 37 (1969), S. 52, S. 92f.

W. D.

4.4

HIRSAU, ST. AURELIUS: GRUNDRISS

1059–1071, 1077

nach A. Kottmann

Zur Zeit der Errichtung der neuen St. Pauler

Stiftskirche (ab ca. 1180 bis ca. 1220) gehörten weder das vorspringende Querhaus noch die Staffelung der drei Ostapsiden zum Stammrepertoire der regionalen Sakralbaukunst (s. Kat.Nr. 4.14–4.23). Eine Ausnahme stellt lediglich die in Typ und Stil stark burgundisch geprägte Zisterzienserstiftskirche von Viktring bei Klagenfurt (3. Viertel oder 2. Hälfte des 12. Jahrhunderts) dar. Hingegen zeigt der St. Pauler Kirchengrundriß enge Verwandtschaft mit älteren Ordenskirchen der Hirsauer Kongregation (s. Kat.Nr. 4. 22), insbesondere mit der ersten Hirsauer Stiftskirche St. Aurelius. Die dreischiffige Säulenbasilika (mit merkwürdigerweise kreuzgewölbten Seitenschiffen!) mit stark vorspringendem Querschiff, eigenem Altarhaus und dadurch gestaffeltem Dreiapsidenschluß entstand zwischen 1050 und 1071, doch scheinen die beiden Seitenapsiden schon 1077 abgetragen und durch längsrechteckige Nebenchöre ersetzt worden zu sein. Die Verwandtschaften von St. Aurelius und St. Paul haben bei R. PÜHRINGER zur Vermutung geführt, im hochromanischen Neubau könnten zumindest noch die Fundamente des ersten monumentalen Baues des späten 11. Jahrhunderts stecken, eine von K. GINHART abgelehnte Ansicht. Bemerkenswert ist jedenfalls für St. Paul das Anknüpfen an ältere Hirsauer Kult- und Liturgiegepflogenheiten zu einem Zeitpunkt, als die Reformbewegung selbst schon an Kraft verloren hatte.

Lit.: E. SCHMIDT, Baugeschichte der St. Aureliuskirche in Hirsau (Darstellungen aus der Württembergischen Geschichte 35, 1950). – W. HOFFMANN, Hirsau und die Hirsauer Bauschule (1950). – A. KOTTMANN, H. SCHLOSS, Hirsau im Schwarzwald (Schnell Kunstführer Nr. 706, 8. Aufl. 1982). – H. JAKOBS, Die Hirsauer (Kölner Historische Abhandlungen 4, 1961). – ÖKT 37 (1969), S. 45. – R. PÜHRINGER (s. Kat.Nr. 4.5), S. 41f.

W. D.

DER HOCHROMANISCHE NEUBAU: FORMEN UND MOTIVE

4.5–4.9

DAS WESTTURMPAAR

4.5

Schautafel: TURMTYPEN DER ROMANISCHEN STIFTSKIRCHEN KÄRNTENS UND DER STEIERMARK

Entwurf: W. Deuer

Die Kirchtürme, die im ostalpinen Raum erst nach dem Ende des Investiturstreits, insbesondere unter Erzbischof Konrad I. (1106–1147) und seinem Gurker Suffragan und Mitadministrator Roman I. (1131–1167), rasche Verbreitung fanden, waren und sind ein wichtiges symbolisches Element am Außenbau. Selbst die Stellung des Turmes bzw. der Türme scheint kulturpolitischen Gesetzmäßigkeiten gefolgt zu sein: im erzbischöflich-salzburgischen Einflußbereich Kärntens und der Steiermark übernahmen die Benediktiner und Augustiner-Chorherren bevorzugt das Westturmpaar; auch die Kollegiatkapitel an bedeutenden Orten gingen diesen Weg. Südlich der Drau, im Diözesansprengel Aquileias, überwog hingegen der einzelne West- oder auch freistehende Seitenturm, der von den oberitalienischen Campanili abzuleiten ist. Die Zisterzienser, Prämonstratenser und besonders die Kartäuser begnügten sich aufgrund ihrer Ordensregel oder eigener Ordensbaugewohnheiten mit einfachen Dachreitern. Noch bis weit ins 13. Jahrhundert sind die fallweisen Ausnahmen meist ordenspolitisch oder im einzelnen begründbar; danach verschwimmen zusehends die Grenzen – im 15. Jahrhundert auch wegen des Nachlassens der Klosterdisziplin.

Lit.: R. PÜHRINGER, Denkmäler der früh- und hochromanischen Baukunst in Österreich (Österreichische Akademie der Wissenschaften, Philosophisch-historische Klasse, Denkschriften 70/1, 1931). – W. DEUER, Die romanischen Klosterkirchen der Steiermark (Staatsprüfungsarbeit am Institut für Österreichische Geschichtsforschung Wien, 1980). – DERS., Die romanische Sakralarchitektur Kärntens unter besonderer Berücksichtigung des Gurker Domes, Kat. Hemma von Gurk (1988), S. 230ff.

W. D.

4.6

SALZBURGER DOM VON NORDWEST

1553

Reproduktion einer kolorierten Federzeichnung (Erzabtei St. Peter/Salzburg) aus: R. Pühringer (s. Kat. Nr. 4.5)

4.7

GURKER DOM

14. Jahrhundert

Reproduktion einer Federzeichnung aus dem *Officium rhythmicum beatae Hemmae,* Kärntner Landesarchiv, Klagenfurt, GV HS 1/29: Hemma widmet der Kirchenpatronin ein Modell des Gurker Domes.

4.8

ST. LAMBRECHT: STIFTSKIRCHE

um 1680

Reproduktion eines Kupferstichs (Ausschnitt) von A. Trost, in: G.M. Vischer, Topographia Ducatus Stiriae (1681; Neued. A. L. Schuller 1975)

Nach gegenwärtigem Forschungsstand ist das Motiv der Doppelwesttürme während der Reformen Erzbischof Konrads I. (1106–1147) nach dem Investiturstreit in Kärnten und der Steiermark heimisch geworden. Als Prototyp sind die Türme des Salzburger Domes (ab 1127) anzusehen, die nicht nur am Gurker Dom (begonnen unter Bischof Roman I., 1131–1167), sondern sehr schnell auch an den regionalen Stiftskirchen übernommen wurden. Ein frühes Beispiel stellt die Westturmfront des der Hirsauer Reformbewegung sehr nahestehenden Klosters St. Lambrecht im steirisch-kärntnerischen Grenzgebiet dar (nach unsicherer Überlieferung wurde mit dem Kirchenbau 1129 begonnen). Ob das Motiv über Cluny und die Reformorden in das Salzburger Erzbistum gelangte oder durch Erzbischof Konrad aus Thüringen oder Sachsen übernommen wurde, ist nicht schlüssig beweisbar. Jedenfalls handelte es sich dabei um einen regelrechten „Import" eines baulichen Motivs mit großer symbolischer Aussagekraft zu einem Zeitpunkt der Wiedererstarkung kirchlicher Macht.

Lit.: s. Kat.Nr. 4.5.

W. D.

4.9

ST. PAUL: WESTTURMPAAR

die beiden unteren Geschosse romanisch, 4. Viertel des 12. Jahrhunderts; die drei obersten nach dem Brand von 1367 gotisiert bzw. neu aufgesetzt.

Das Motiv der doppeltürmigen Westfassade hat bereits vor der Jahrtausendwende durch die cluniazensische Reformbewegung von Frankreich ausgehend weite Verbreitung erfahren. In Hirsau wurde es bei beiden Stiftskirchen noch im 11. Jahrhundert angewandt (s. Kat. Nr. 4.4 u. 4.28) und anschließend von vielen Kirchen dieser Kongregation übernommen. Beim Baubeginn der hochromanischen St. Pauler Stiftskirche (um 1180) gehörten Doppelwesttürme innerhalb Kärntens und der Steiermark schon zum allgemeinen Typenschatz der feudalen (grundherrschaftlich strukturierten) Stifte: Das St. Pauler Turmpaar entstand zeitlich nach denen von St. Lambrecht, Gurk, Admont, Millstatt u.a. Mit Ausnahme von Millstatt wiederholen alle dasselbe Schema: relativ wuchtige und geschlossene Turmkörper zwängen eine Vorhalle ein, über der man eine (in St. Paul erst 1375 urkundlich gesicherte) Michaelskapelle einrichtete. Sie geht entwicklungsgeschichtlich auf das karolingische Westwerk zurück und vereinigt apotropäische Symbolik mit der Vorstellung, daß dieser Kirchenteil dem Kirchenherrn (Patron) gewidmet sei. Nur mehr die beiden untersten Turmgeschosse gehen in St. Paul auf den Neubau des späten 12. Jahrhunderts zurück: Die (ursprünglich zwei ?) darüberliegenden wurden nach dem Brand von 1367 abgetragen und durch drei neue Geschosse in Bruchsteinmauerwerk mit gotisch profilierten Fensterumrahmungen ersetzt. Zwar trugen auch die romanischen Türme zweifellos Pyramidenhelme, doch müssen sie beträchtlich flacher als die heutigen Turmabschlüsse gewesen sein.

Lit.: ÖKT 37 (1969), S. 91–93. – s. auch Kat.Nr. 4.5.

W. D.

4.10–4.12

DIE OSTAPSIDEN

4.10

GURK: OSTAPSIDEN

2. Hälfte des 12. Jahrhunderts

Reproduktion (Bundesdenkmalamt/ Landeskonservator für Kärnten)

Die Sorgfalt, die man in der Romanik der bauplastischen Ausschmückung der Ostapsiden widmete, resultiert daraus, daß man die Apsis als symbolischen Rest einer Grab- bzw. Memorialkirche des Kirchenpatrons oder eines anderen Märtyrers, von dem Reliquien vorhanden waren, ansah. Der vielteilig profilierte Apsissockel und die hohen Blendbögen mit vorgelegten Halbsäulen erweisen die drei gleichfluchtigen Ostapsiden des Gurker Domes als reife Leistung der Hochromanik, die eindrucksvoll den Anschluß des Ostalpenraumes an die großen europäischen Kunstzentren dokumentiert. Die Mittelapsis als liturgisch höchstrangiger Ort ist zusätzlich mit einem nach der Art der Trichterportale umrahmten vergrößerten Ostfenster sowie mit einem sorgfältig ausgeführten Würfelfries über profilierten Rundbögen als Abschluß gegen das Dach versehen. Da die Vorbilder für solche Wand- und Apsidengestaltungen am ehesten im lombardischen Raum zu suchen sind, hat man an eine von dort zugewanderte Werkstätte zu denken. Die Gurker Apsidengestaltung hat in St. Paul direkte Nachfolge gefunden (s. Kat.Nr. 4.11–4.12).

Lit.: S. HARTWAGNER, Der Dom zu Gurk (2. Aufl. 1969). – W. DEUER, Sakralarchitektur (s. Kat.Nr. 4.5).

W. D.

4.11–4.12

ST. PAUL: OSTAPSIDEN

um 1200

4.11

Fenster der Hauptapsis:
Detail mit säulchengeschmückten Blendbögen und Rundbogenfries

4.12 s. II, S 501, Abb. 135

Nordapsis mit Blendbögen und Friesen

Reproduktion nach: ÖKT 37 (1969), Abb. 35 u. 39

Auch an den St. Pauler Ostapsiden finden sich die für Gurk charakteristischen Formen und Strukturen: die hohen Blendbögen mit Halbsäulenvorlagen über einem vielfach profilierten Sockel sowie reich gegliederte Rundbogen-, Zickzack- und Würfel(Schachbrett-)friese als obere Abschlüsse. Waren in Gurk die Umrahmungen der Apsidenfenster zwar mehrfach profiliert, aber nur die der Mittelapsis mit eigenem Säulchenpaar hervorgehoben, so weist in St. Paul bereits jedes der Apsidenfenster zwei Säulenpaare auf (eines davon aus der Halbsäulenvorlage der Apsiswand gebildet). Die formalen Übereinstimmungen zwischen den Apsiden von Gurk und St. Paul sind so eng, daß man über eine zweifellos vorhandene allgemeine Vorbildhaftigkeit hinaus annehmen kann, Gurker Werkleute (Lombarden oder von ihnen geschulte Künstler) hätten nach der Fertigstellung ihrer dortigen Arbeit in St. Paul weitergearbeitet. Dafür spricht auch das urkundliche Auftreten des Gurker Malers Heinrich in St. Paul 1218.

Lit.: ÖKT 37 (1969), S. 57–61. W. D.

4.13

DAS SYMBOL ALS WESENSZUG ROMANISCHER SAKRALARCHITEKTUR

St. Paul: Relief an der Südostecke des Altarhauses (zwei Drachen bedrängen eine menschliche Figur), um 1200

Reproduktion nach: ÖKT 37 (1969), Abb. 37

Das vorherrschende Ausdrucksmittel des Früh- und Hochmittelalters ist das *Symbol*: Kein Ding steht für sich selbst, sondern besteht nur im Widerschein des Göttlichen und ist dessen leibhaftige Aussage. Die Erscheinungen der Umwelt werden nicht denkend physikalisch-biologisch *erfaßt*, sondern in vieldeutigen Sinnbildern *erschaut*, wobei alles Sichtbare aber letztendlich Ausdruck der Schöpfermacht Gottes ist. Eine besondere Bedeutung nimmt in der mittelalterlichen Symbolik die Tierwelt ein: Sind schon dem Löwen als König der Tierwelt vielfältige Deutungsmöglichkeiten eigen, so gilt das auch für den *Drachen*, ein Gebilde menschlicher Phantasie. Während ihm in anderen Kulturkreisen – etwa als Wächter heiliger Stätten – auch positive Bedeutung unterlegt wurde, gilt der Drache in der bildlichen Überlieferung des Mittelalters als Symbol des Teufels und seiner Macht. Das abgebildete Relief an der Südostecke des St. Pauler Altarhauses zeigt zwei einander zugewandte Drachen, die an der Baukante in einen großen menschlichen Kopf münden. Ob es sich bei der sehr derben Werkstattarbeit um den „schreckerfüllten Kopf eines Sünders" handelt, den die Drachen „gierig beschnuppern" (K. GINHART), oder um eine der zahllosen Umsetzungen des Topos vom durch die Macht des Bösen bedrohten Menschen, oder einfach um ein originelles, zweiseitig projiziertes Mischwesen, kann wie für viele gleichartige mittelalterliche Bildwerke nicht zweifelsfrei geklärt werden.

Lit.: D. FORSTNER, Die Welt der christlichen Symbole (5. Aufl. 1986). – ÖKT 37 (1969), S. 56.

W. D.

4.14–4.23

QUERHAUS UND STAFFELCHOR

4.14–4.16

Grundrisse ostalpiner romanischer Stiftskirchen des 11. bis 13. Jahrhunderts ohne (vorspringende) Querhäuser und mit gleichfluchtigen Ostapsiden (z. T. rekonstruiert)

4.14

OSSIACH

11. Jahrhundert; Vierungsturm sicher, Querschiff wahrscheinlich 12. Jahrhundert

nach Dehio-Kärnten (2. Aufl. 1981)

4.15

SECKAU (AUGUSTINER-CHORHERREN)

2. Hälfte des 12. Jahrhunderts

nach R. Pühringer

4.16

KREMSMÜNSTER

ab 1232 – 14. Jahrhundert

nach P. Th. Dorn aus R. Pühringer

Die traditionellste und am weitesten verbreitete Raumform für kultisch und repräsentativ anspruchsvollere Kirchenbauten war für Bayern und den Ostalpenraum von der Karolingerzeit bis zum Ende der Romanik (8.–13. Jahrhundert) die querschifflose Pfeilerbasilika mit gleichfluchtigem Dreiapsidenschluß. Allerdings haben Ausgrabungsergebnisse der letzten Zeit das lange vorherrschende Bild einer klaren, einfachen Typologie immer mehr zugunsten differenzierter Raumlösungen verschoben. Die ausgewählten Beispiele sollen zeigen, daß ungeachtet aller Einflüsse der Reformorden (Cluniazenser, Hirsauer, aber auch Zisterzienser) während der gesamten Epoche romanischer Baukunst im ostalpinen Raum diese Tradition lebendig blieb. Die später mehrfach umgebaute Ossiacher Stiftskirche, deren Apsiden vor allem im Außenbau aber noch gut den ursprünglichen Zustand widerspiegeln, steht für die Frühromanik. Ihr zur Seite könnte man die nur mehr aufgrund ihrer Krypta rekonstruierbare erste Stiftskirche von Göß (frühes 11. Jahrhundert) stellen. In einer Zeit großartiger kulturpolitischer Aufbauarbeit entstand die Augustiner-Stiftskirche von Seckau. Übernimmt sie auch sehr bewußt fremde Einflüsse (z. B. den Stützenwechsel), so verzichtet sie im Gegensatz zum annähernd gleichzeitigen Gurker Dom doch auf das Querhaus. Die Kremsmünsterer Stiftskirche schließlich ist ein ungewöhnlich spätes, aufgrund ihrer langen Bauzeit in die Frühzeit der Gotik reichendes Beispiel der Basilika mit drei gleichfluchtigen Apsiden, deren mittlere bereits polygonal umgedeutet wird.

Lit.: R. PÜHRINGER (s. Kat.Nr. 4.5). – W. DEUER (s. Kat.Nr. 4.5).

W. D.

4.17

GURKER DOM: QUERHAUS

4. Viertel des 12. Jahrhunderts

Reproduktion (Bundesdenkmalamt/Landeskonservator für Kärnten)

4.18

GURKER DOM: GRUNDRISS

2. Viertel des 12. Jahrhunderts

nach Dehio-Kärnten (2. Aufl. 1981)

Die gleichfluchtigen Baulinien, der vom südlichen Seitenschiff über die Querhausmauer durchlaufende Rundbogenfries und die kleinen Fenster im unteren Abschnitt des Querhauses belegen hinlänglich, daß der wohl von Bischof Roman I. konzipierte Gurker Dom ursprünglich in bayrisch-ostalpiner Tradition ohne Querschiff geplant war. Daß es nach einer längeren Bauunterbrechung um 1180, der blutige Auseinandersetzungen zwischen dem Gurker Bischof und seinem Metropoliten zugrundelagen (letzterer wollte seinen Suffragan in enger Abhängigkeit halten), zur Änderung des ursprünglichen Bauplans kam, muß nicht unbedingt aus einer Art Trotzreaktion erklärt werden, sondern war in erster Linie eine schon im Außenbau sichtbare Kennzeichnung des bischöflichen Ranges der Kirche (der Salzburger Dom, der Repräsentationsbau des „Widersachers", erhielt praktisch gleichzeitig – ab 1181 – einen Trikonchos, einen Kleeblattchor, als Ostlösung). Der hervorgehobenen Funktion des Gurker Domes entsprach damit auch im Innenraum ein besonderes Raumerlebnis. Am Grundriß sind auch der gleichfluchtige Dreiapsidenschluß und die wuchtige Doppelturmanlage mit der Vorhalle als Beispiele für die Durchmischung bodenständiger und importierter Formen zu beachten.

Lit.: S. HARTWAGNER (s. Kat.Nr. 4.10). – W. DEUER (s. Kat.Nr. 4.5).

W. D.

4.19

ST. PAUL: QUERHAUS UND ALTARHAUS

spätes 12. Jahrhundert – nach 1200; Giebel nach 1367 erhöht, die romanischen Fenster später vermauert oder vergrößert.

Reproduktion nach: ÖKT 37 (1969), Abb. 21

4.20

ST. PAUL: GRUNDRISS

nach ÖKT 37 u. Dehio-Kärnten (2. Aufl. 1981)

Mit Ausnahme des Gurker Domes, dessen bischöfliche Funktion einer repräsentativen und optisch wirksamen Kennzeichnung bedurfte, und der Zisterzienserstiftskirche von Viktring, in der aus burgundischen Ordensgewohnheiten resultierende Bauformen direkt und übergangslos in eine andere Kunstlandschaft verpflanzt wurden, war das Querhaus zum Zeitpunkt der Errichtung der hochromanischen Stiftskirche von St. Paul außer Mode gekommen. Seine demonstrative Verwendung bot Anlaß zur Vermutung, der heutige St. Pauler Grundriß reflektiere noch einen Vorgängerbau, der von St. Aurelius in Hirsau beeinflußt sei (s. Kat.Nr. 4.4), eine Ansicht, die weder durch Grabungen, noch durch Spuren am Bau selbst bislang zweifelsfrei bestätigt werden konnte. An den Kirchen der Hirsauer war das Querhaus im 11. und 12. Jahrhundert Usus; Kult und Liturgie verlangten zwar einen Vorraum zum Mönchschor (*chorus maior* = Vierung), nicht ausdrücklich aber ein derart vortretendes Querhaus . Eine in den Kirchen der Hirsauer immer wieder auftretende Besonderheit, zwei das Altarhaus begleitene, östlich an das Querhaus anschließende Seitenräume (St. Peter und Paul/Hirsau: s. Kat.Nr. 4.28; Alpirsbach: s. Kat.Nr. 4.22), fehlt in St. Paul (nach PÜHRINGER ein weiteres Indiz für die Widerspiegelung eines älteren, noch auf St. Aurelius bezugnehmenden Grundrisses). Das um ein Joch nach Osten vorspringende, in seinen Abmessungen den Querhausseitenarmen weitgehend entsprechende Altarhaus wurde in St. Lambrecht bei Murau schon beträchtlich früher „importiert". Die Reproduktion zeigt außerdem deutlich die nach dem Brand von 1367 erfolgte Aufsteilung des Daches um etwa zwei Meter.

Lit.: R. PÜHRINGER (s. Kat.Nr. 4.5). – W. HOFFMANN (s. Kat.Nr. 4.4). – ÖKT 37 (1969), S. 45–48, S. 52–56.

W. D.

4.21–4.23

Grundrisse hochromanischer Stiftskirchen mit vortretendem Querhaus und gestaffeltem Ostabschluß

4.21

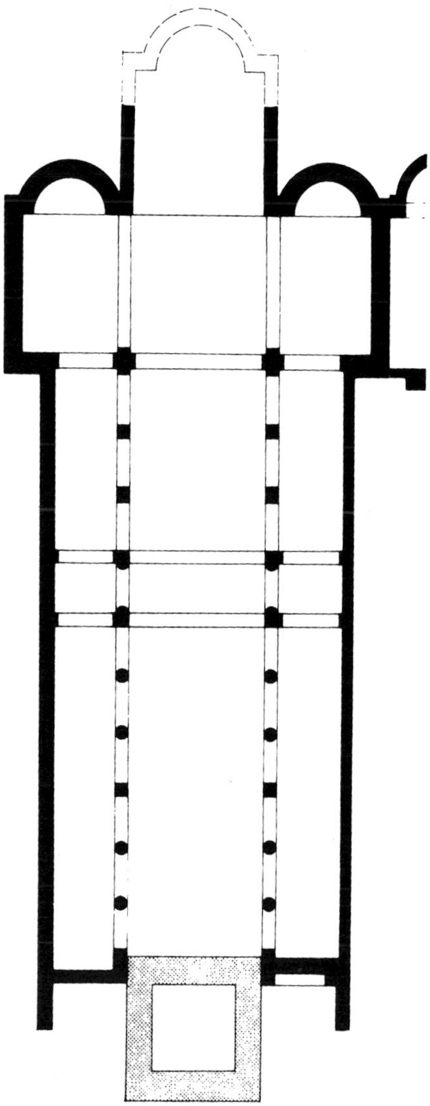

Grau: 9. Jahrhundert
Schwarz: 2. Viertel 12. Jahrhundert

SALZBURG, ST. PETER

2. Viertel des 12. Jahrhunderts, Turm im Kern 9. Jahrhundert

Umzeichnung einer Rekonstruktion von R. Pühringer unter Einbeziehung der Grabungsergebnisse von St. Karwiese

4.22

ALPIRSBACH IM SCHWARZWALD

1095–um 1125

Umzeichnung nach R. Oursel

4.23

KLOSTERNEUBURG (AUGUSTINER-CHORHERREN)

1114–1136

Umzeichnung aus R. Pühringer nach Plan von F.v. Schmidt im STA Klosterneuburg

Das vortretende Querhaus und der Staffelchor, d.h. das Einschieben eines Presbyteriums oder Altarhauses zwischen Querhaus (oder zumindest Langhausabschluß) und Hauptapsis sind im ostalpinen Raum erstmals während der Baublüte zur Zeit des Reformerzbischofs Konrad I. (1106–1147) in nennenswerter Dichte feststellbar (z. B. St. Peter in Salzburg, ab 1127). Es ist kaum zu bezweifeln, daß diese bauliche Differenzierung der Kirchenostteile in ihren Wurzeln auf kultisch-liturgische Forderungen der Reformorden (Cluniazenser, Hirsauer, aber auch Zisterzienser) zurückgeht, wenn auch die Übernahme keinesfalls immer direkt erfolgen mußte, sondern durchaus den Umweg über andere Kunstlandschaften (Thüringen, Sachsen) gehen konnte. Während zu diesem Zeitpunkt im schwäbischen Kernraum die Hirsauer ihre Raumvorstellungen längst typenbildend entwickelt hatten (z. B. die Säulenbasilika Alpirsbach mit Vorhalle, Querhaus und differenzierten Chorseitenräumen), neigte man im Bereich der Erzdiözese Salzburg – wo die Augustiner-Chorherren parallel zu den Benediktinern Träger der Reformen waren – eher zur punktuellen Übernahme einzelner Zitate (St. Zeno in Reichenhall: Querhaus ohne Staffelchor; St. Lambrecht: Staffelchor ohne Querhaus). St. Peter in Salzburg verkörpert hierzulande für das zweite Viertel des 12. Jahrhunderts den reinsten Ausdruck klösterlicher Reformordensarchitektur; der sehr ähnliche Grundriß der Augustiner-Chorherrenstiftskirche Klosterneuburg (ab 1114) dürfte auf ähnliche Wurzeln zurückgehen, spiegelt hier aber die Situation innerhalb der Erzdiözese Passau wider. Daß man in St. Paul mindestens zwei Generationen später auf diese Formen zurückgreift, ist sehr auffallend.

Lit.: R. PÜHRINGER (s. Kat.Nr. 4.5). – W. HOFFMANN (s. Kat.Nr. 4.4). – Beiträge von ST. KARWIESE, F. FUHRMANN, Kat. St. Peter in Salzburg (1982). – R. OURSEL, Romanik (Architektur der Welt, 1966). – R. SCHMIDT, Kloster Alpirsbach (Langewiesche-Bücherei, o.J.).

W. D.

4.24

DIE URSPRÜNGLICH HÖLZERNE FLACHDECKE

Alpirsbach, ehem. Klosterkirche: Inneres gegen Osten, 1095–um 1125

Reproduktion aus: R. Schmidt (s. Kat. Nr. 4.23)

Ein Wesenszug der romanischen Sakralarchitektur großer Teile Europas, darunter aller deutschsprachigen Gebiete, war die Vorliebe für flache Holzdecken (in der Regel Balken mit Tramunterzügen). Im südostalpinen Raum hat sich diese Bauform, für deren Beharrlichkeit gleichermaßen praktische (Holzreichtum) wie ästhetische Gründe (klare kubische Raumerlebnisse) entscheidend waren, bis weit ins 13. Jahrhundert (Vordringen des gotischen Stils), bei Bettelorden und in Rückzugsgebieten (Landkirchen) zuweilen auch darüberhinaus, halten können. In diesem Punkt gingen lokale Bautraditionen und Hirsauer Reform weitgehend konform, wenn sich auch in den Reformordenskirchen die Gewohnheit durchsetzte, das Presbyterium zu wölben (in der Regel mit einer Tonne).

4.25

VERBREITUNGSKARTE

Das Motiv der an die Laibungen von Langhauspfeilern angearbeiteten Halbsäulen vom 11. bis zum 13. Jahrhundert; Auswahl in breiter geographischer Streuung

Entwurf: W. Deuer nach Vorarbeiten von K. Ginhart (ergänzt); hinterlegt von Kat. Nr. 4.26)

Nirgends sonst in Österreich finden sich an romanischen Langhauspfeilern in der Laibung angearbeitete Halbsäulen, doch war das Motiv in diesem Zeitraum sehr weit verbreitet und ist ungeachtet aller kunstlandschaftlichen Einschränkungen ein gutes Beispiel für die Internationalität des romanischen Stils. Entwicklungsgeschichtlich ist das Motiv aus dem Stützenwechsel entstanden: Folgte auf ein Pfeiler- ein Säulen(Rundpfeiler-)paar, so schuf die angearbeitete Halbsäule einen organischen Übergang, wie etwa in der Kathedrale von Le Mans (1060–1093). Am häufigsten war das Motiv in Frankreich verbreitet, am frühesten finden wir es in Spanien (S. Miguel de Escalada, geweiht 913). Auch in England (Kathedrale von Durham, ab 1093) und Italien (Modena, Dom, ca. 1120) ist es nicht selten festzustellen. Nur vereinzelt wurde es in Deutschland angewandt, wobei in Knechtsteden eine gründungsgeschichtlich bemerkenswerte Parallele zu St. Paul beobachtet werden kann (vgl. 4.26). Auffallenderweise haben die niedersächsischen Kirchen mit Stützenwechsel (Gernrode, St. Michael in Hildesheim) das Motiv nicht übernommen, desgleichen die Stiftskirche von St. Peter in Salzburg (vgl. 4.21).

4.26

ST. PAUL: SÄULE MIT ANGEARBEITETER HALBSÄULE

Westseite, zwischen *chorus minor* und Querhaussüdarm; um 1200/1220

Reproduktion nach: ÖKT 37 (1969), Abb. 67 (Ausschnitt)

In St. Paul hat sich das Motiv der an die Pfeilerlaibung angearbeiteten Halbsäulen von der Bindung an den Stützenwechsel gelöst und als eigenständiges Motiv durchgehend in Lang- und Querhaus Anwendung gefunden. Es ist Ausdruck einer handwerklichen Perfektion und erfolgreicher Suche nach neuen Raumgestaltungsmöglichkeiten. Über einer Bodenplatte erheben sich auf attischen Basen mit Eckknollen die Halbsäulen mit ihrem vielfältigen und reichen Kapitellschmuck, darüber sitzen profilierte Kämpfer auf. Das Vokabular differenzierter Wandgliederung, wie es schon außen an den Apsiden beherrscht wurde, hat man damit konsequent auf den Innenraum übertragen können.

Lit.: ÖKT 37 (1969), S. 73–84.

W. D.

4.27

KNECHTSTEDEN, EHEM. ABTEIKIRCHE: INNERES GEGEN WESTEN

1138–1162

Reproduktion nach: H. Fillitz

Das Kloster ist eine Familienstiftung des Kölner Domdechants Hugo von Spanheim und wurde 1132 den Prämonstratensern übergeben. 1138–1151 wurde die als Stiftschor dienende Ostpartie der doppelchörigen Anlage errichtet, 1151–1162 ließ Albert von Spanheim das als Pfarrkirche dienende dreischiffige Langhaus mit Westapsis erbauen. An diesem Beispiel ist sehr gut die Verknüpfung der an die Pfeilerlaibung angearbeiteten Halbsäule mit dem (hier einfachen) Langhausstützenwechsel zu sehen: Durch die Halbsäulen wird ein harmonischer Übergang von der Säule zum Pfeiler geschaffen; gleichzeitig entsteht der Eindruck einer rhythmisierenden Säulenfolge. Ob es einen Zusammenhang zwischen den Spanheimergründungen Knechtsteden und St. Paul gibt, ist nicht geklärt und weder ordens- noch kulturpolitisch besonders wahrscheinlich, doch zeigt das Beispiel schön die vielfältigen und weiträumigen genealogischen Verflechtungen im Hochmittelalter.

Lit.: P. CLEMEN, Die Kunstdenkmäler der Rheinprovinz 3/2: Kreiß Neuß (1895). – W. JUNG, Die ehemalige Prämonstratenser-Stiftskirche Knechtsteden (1956). – H. FILLITZ, Das Mittelalter I (Propyläen-Kunstgeschichte 5, Nd. 1984).

W. D.

4.28–4.29

DER *CHORUS MINOR*

4.28

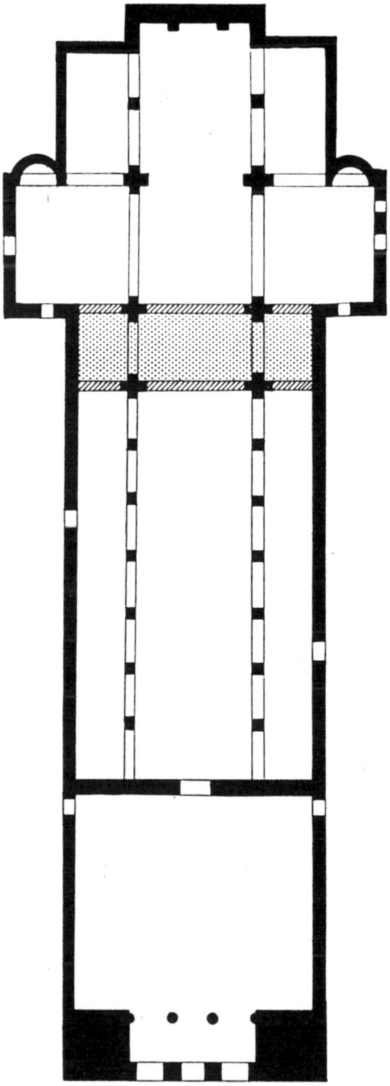

HIRSAU, EHEM. STIFTSKIRCHE ST. PETER UND PAUL

1082–1091, Grundriß mit Hervorhebung des *chorus minor*

nach A. Metter aus R. Pühringer (s. Kat. Nr. 4.5)

4.29

ST. PAUL

Grundriß mit Hervorhebung des *chorus minor*

nach ÖKT 37 (1969) und Dehio-Kärnten (2. Aufl. 1981)

Eine sehr charakteristische Raumschöpfung der Hirsauer Ordensreform war der *chorus minor*, der sich im östlichsten Langhausjoch vor dem Querhaus *(chorus maior)* befand. Dieser in Mittel- und Seitenschiffen nach beiden Richtungen entweder durch Scheidbögen, vortretende Pfeilervorlagen oder Zungenmauern und/oder Stufen im Boden deutlich abgesetzte Bauteil sollte jene Gruppe der Mönchsgemeinschaft aufnehmen, die sich am Chorgesang nicht aktiv beteiligen konnte, die Laienbrüder oder Konversen *(fratres conversi)*. In Thüringen erhob sich über den Seitenschiffsteilen dieses Joches oftmals ein Turmpaar. Obwohl eigentlich dem Langhaus zugehörig, markiert dieses Joch den Beginn der Klosterkirche, während die westlich anschließenden Joche der Bevölkerung zugänglich waren. Spätestens seit dem 13. Jahrhundert hat man an dieser Stelle den Lettner und davor meist einen Kreuzaltar errichtet, so auch in St. Paul.
Der *chorus minor* tritt erstmals in der neuen Hirsauer Stiftskirche St. Peter und Paul (1082–1091) auf: Schwibbögen auf Pfeilern setzen einen deutlich abriegelnden Akzent in der ansonsten mit Säulen versehenen Basilika. In St. Paul erfolgt die Abtrennung dieses Joches durch Scheidbögen auf Mauerzungen, die aus den ansonsten gleichgestalteten Mittelschiffpfeilern herauswachsen. Die Seitenschiffabschnitte dieses Joches scheinen in St. Paul von Anfang an kreuzgewölbt gewesen zu sein, eine merkwürdige Affinität zu den thüringischen Kirchen der Hirsauer, die aufgrund der Überhöhung mit Türmen an dieser Stelle gleichfalls gewölbt waren. In den *chorus minor* mündete in St. Paul auch der Kreuzgangosttrakt, weswegen sich an dieser Stelle sicher ein Portal befunden haben muß.

Lit.: s. Kat.Nr. 4.4. – ÖKT 37 (1969), S. 45.

W. D.

4.30

ST. PAUL: BOGENFELDRELIEF DES SÜDPORTALS

Anbetung durch die Heiligen Drei Könige, 2. Viertel des 13. Jahrhunderts

Diaschaubild nach: ÖKT 37 (1969), Abb. 48

Das Relief stellt auf hellblauem Grund die thronende Muttergottes mit übergroßem gekrönten Jesus am Schoß dar. Während von links die drei in verkleinertem Maßstab wiedergegebenen Könige mit ihren Geschenken nahen, sitzt rechts der hl. Josef; darüber schwingt ein Engel ein Tuch. Für die konservativen, in ungebrochen romanischer Manier arbeitenden Bildhauer, die wohl auch das Tympanon des Westportals (s. Kat.Nr. 4.1) schufen, ist eine voluminöse, geradezu behäbige Formensprache charakteristisch, die K. GINHART als bayrisch ansieht. Lediglich die Gesichter von Maria und Josef verraten einen individuelleren Stil. Beachtenswert schließlich ist die unvollständige, das Relief umlaufende Schrift in Kapitalbuchstaben.
Das spitzbogige Tympanon ist unharmonisch und zweifellos in sekundärer Verwendung in das heutige Südportal eingepaßt worden (s. Kat.Nr. 4.42). Ob es von einem ehemaligen Kreuzgangportal, einer Marienkapelle, insbesondere im Osttrakt der Klausur (etwa im Bereich des Kapitelsaales oder der heutigen Rabensteinerkapelle), oder von der alten Pfarrkirche im Klosterhof stammt, muß hier offen bleiben.

Lit.: ÖKT 37 (1969), S. 62–67. – E. DOBERER, Studien zum Südportal der Kärntner Stiftskirche St. Paul, Wiener Jb. für Kunstgeschichte 23 (1970), S. 232–238.

W. D.

4.31

MODELL DER ROMANISCHEN STIFTSKIRCHE

Schnitt durch die romanische Stiftskirche von St. Paul aus dem späten 12. und frühen 13. Jahrhundert; Modellbau: Uwe Michel, Karlsruhe

Holz, Maßstab 1:50; H 53/B 51/L 110 cm

Stift St. Paul

Der Schnitt durch den zweiten Bau der Stiftskirche von St. Paul, gefertigt an Hand des heutigen Befundes, soll einen allgemeinen Eindruck von den architektonischen, insbesondere räumlichen Besonderheiten einer der bedeutendsten romanischen Kirchen Österreichs aus der Zeit vor dem Brand von 1367 geben. Die Bauplastik ist weitgehend nur angedeutet; auf die Wiedergabe von Inneneinrichtung und Bemalung der Wände wurde verzichtet. Die Farbgebung ist neutral gewählt. Die Eingangssituation der Westseite ist nicht mehr eindeutig rekonstruierbar. Die spätestens im frühen 17. Jahrhundert verschwundene Michaelskapelle zwischen den mächtigen Westtürmen ist als Emporenkapelle in Anlehnung an Formen ähnlicher Kirchen ausgeführt.
Die im wesentlichen flachgedeckte, dreischiffige Pfeilerbasilika mit ausladendem Querhaus

und großem Altarraum läßt deutlich die Trennung des sogenannten *Chorus minor* von den westlichen Jochen des Langhauses erkennen. Neben der Vielfalt der prächtigen Kapitelle dürfen die den Pfeilern vorgelagerten Halbsäulen in den Laibungen als Besonderheiten der Stiftskirche von St. Paul gelten. Auffallend auch die drei im Äußeren reich instrumentierten Apsiden der Ostseite.

J. G.

4.32

ST. PAUL: ARCHITEKTONISCH-FUNKTIONALE RAUMGLIEDERUNG DER MITTELALTERLICHEN STIFTSKIRCHE

Entwurf: W. Deuer

Eine mittelalterliche Klosterkirche war sowohl kultisch-liturgischer Mittelpunkt der Mönchsgemeinschaft als auch sorgfältig durchdachtes Gefüge heilsgeschichtlicher Symbolik. Auch die St. Pauler Stiftskirche vereinigte zunächst stärker als heute erkennbar unter einer gleichsam gemeinsamen architektonischen Hülle in streng hierarchischer Ordnung Raumteile durchaus unterschiedlicher Funktion. Zwischen den stark symbolisch motivierten Polen – Westturmanlage (mit apotropäischer Funktion, vgl. die ehem. Michaelskapelle über der Vorhalle) und Apsisfront (als symbolischer Rest von Märtyrergrablegen zu interpretieren und daher heiligster Bereich) – reihten sich unterschiedlich stark (durch den Lettner oder auch nur durch Scheidbögen) voneinander getrennte Versammlungsräume für das Laienvolk (Langhaus mit Kreuzaltar) und Klostergemeinschaft (*chorus minor*, Vierung, Vorräume *ante chorum* etc.), Sanktuarien für Meßfeiern und andere Räumlichkeiten. Die Cluniazenser und, auf ihnen aufbauend, die Hirsauer bevorzugten und verbreiteten aufgrund liturgischer Erfordernisse bestimmte Raumformen und -typen, doch prägten in der Regel – jedenfalls stärker als etwa bei den zentralistisch strukturierten Zisterziensern – auch die Kunstlandschaft sowie geistliche und weltliche Auftraggeber die Raumtypen und -formen an jedem repräsentativen Kirchenneubau.

s. II, S. 491–504.

W. D.

4.33–4.38

DER REICHTUM DER KAPITELLE

4.33 s. II, S. 496, Abb. 129

ST. PAUL: ROMANISCHES KAPITELL

1. Pfeiler der Nordarkaden, Ostseite; um 1170/80

Gipsabguß in natürlicher Größe

Abguß: W. Campidell

An den St. Pauler Halbsäulen, die den Pfeilerlaibungen des Langhauses vorgelegt sind, finden sich zehn Würfelkapitelle aus der Hauptbauzeit, deren Schildflächen mit abwechlungsreichen, sich nie wiederholenden Mustern wie (Halb-)Rosetten, Palmetten, Drei- und Fünfblättern verziert sind. In den Kapitellanläufen wiederholen sich manchmal die Motive der Schildflächen. Das vorliegende Beispiel von der dem Hochaltar zugewandten Seite des ersten nördlichen Schiffpfeilers zeigt in der Schildfläche ein aufsteigendes Dreiblatt, das seitlich von zwei durch ein halbkreisförmiges Band verbundenen Rosetten begleitet wird. Aus dem Wulst, der das Kapitell von der Halbsäule trennt, wachsen zwei Dreiblätter in die Kapitellzwickel. Trotz der unschwer erkennbaren Beibehaltung der Grundform des Würfelkapitells (gleichgültig, ob sie in St. Paul bewußt aus dem Formenschatz der Hirsauer Reformbewegung entnommen wurde oder von anderen Überlieferungen abzuleiten ist) hat hier doch reichhaltige, lombardisch beeinflußte Ornamentik von einem ursprünglich asketische Strenge ausstrahlenden Bauelement Besitz genommen.

Lit.: ÖKT 37 (1969), S. 76–84.

W. D.

4.34 s. II, S. 496, Abb. 130

ST. PAUL: ROMANISCHES KAPITELL

Westseite des südwestlichen Vierungspfeilers, um 1220; 1936 überarbeitet

Gipsabguß in natürlicher Größe

Abguß: W. Campidell

Von den Wandvorlagen der St. Pauler Vierungspfeiler, die einen liturgisch höherrangigen Bereich der Kirche markieren, sind drei mit besonders reichen „Prachtkapitellen" aus rundlappigen, stilisierten Maulbeerblättern mit löffelartigen Rillen zwischen scharfgratigen Rippen ausgestattet. Während die pflanzliche Vorlage an der Bauplastik des Gurker Domes wie auch in St. Paul selbst mehrfach zu finden ist, gibt es für die handwerklich perfekte Ausbalancierung von Naturnähe und Stilisierung an diesen Kapitellen keine lokalen Parallelen. Die Kapitelle der inneren Gurker Vorhalle (um 1200) wirken im Vergleich dazu leblos und trocken. Der buschige Reichtum der Komposition wie auch das großartig gemeisterte Tiefendunkel des Grundes sind neue Stileigenschaften, wie sie nur z. T. an den spätromanischen Kapitellen der Bündelpfeiler der Wiener Michaelerkirche (um 1220/30) und des Stephansdomes (um 1230/40) zu finden sind. Allem Anschein nach ist zumindest das dargestellte Kapitell bei der Renovierung von 1936 nicht unwesentlich überarbeitet worden, zumal bis dahin an dieser Stelle ein Altar stand.

Lit.: s. Kat.Nr. 4.33.

W. D.

4.35

HIRSAU, ST. AURELIUS: MITTELSCHIFFSÄULE

3. Viertel des 11. Jahrhunderts

Zeichnung nach R. Pühringer

Das Würfelkapitell geht in seiner Grundform auf eine auf einem Säulenschaft aufruhende Halbkugel zurück, von der ein eingeschriebenes Quadrat vier gleiche Segmente mit halbkreisförmigen Ansichtsflächen abschneidet. Diese im süddeutschen Raum bereits im 11. Jahrhundert weitverbreitete, einfache Kapitellform ist in Hirsau an beiden Stiftskirchen übernommen worden und hat von hier aus im 12. Jahrhundert einen Siegeszug über alle Gebiete angetreten, in denen die Ordensreform Fuß faßte. Die einfache Halbkreisfläche des Kapitells konnte dabei auch an den Rändern konzentrisch profiliert und oben abgestuft werden („Hirsauer Nase"). Mit ausgehendem 12. Jahrhundert ist das Würfelkapitell, nachdem man seine Schildfläche – wie in St. Paul – immer reicher mit Ornamentik versehen hat, zunehmend durch Korb-, Blatt- und Knospenkapitelle abgelöst worden.

Lit.: s. Kat.Nr. 4.4. – R. PÜHRINGER (s. Kat.Nr. 4.5).

W. D.

4.36

ST. PAUL: DREI ROMANISCHE KAPITELLE

von den Halbsäulen der Langhaus- und Vierungspfeiler, 1170/80–nach 1200

Zeichnung: J. Lippert. Stahlstich: Bültemayer, aus: G.v. Ankershofen, Fig. 10, 13, 14

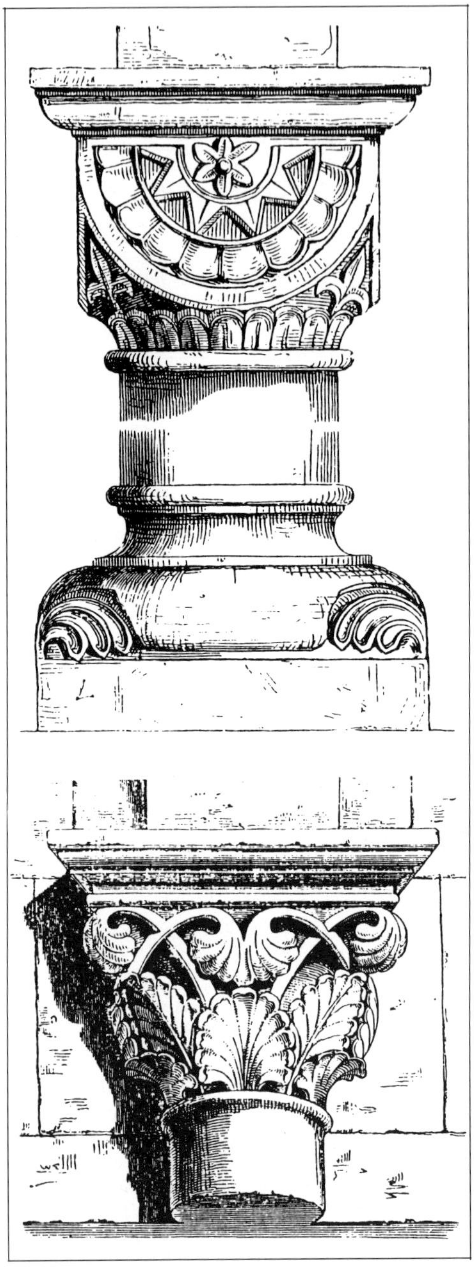

Für die St. Pauler Stiftskirche ist neben dem allgemeinen Reichtum ihrer Kapitellornamentik auch das zeitlich weitgehend parallele Nebeneinander verschiedener Kapitellgrundformen charakteristisch. Die vorliegenden Beispiele, die der Architekt J. Lippert im Rahmen einer ersten wissenschaftlichen Bestandsaufnahme 1857 zeichnete, zeigen oben ein Würfelkapitell, dessen „klassische" Grundform durch reiche Ornamentik (Löffelblatt, Lilien, Rosetten und ein sternförmiges Ornament) bereichert wird; mitaufgenommen wurde die entsprechende attische Basis mit palmettenförmigen Eckknollen. Das mittlere Kelchblockkapitell lombardischer Herkunft weist eine untere Reihe breiter geometrisierter Rillenblätter, darüber aber kleinere, fächerförmig gelappte Blätter auf sich überkreuzenden Stielen auf. Beide sind ins

letzte Viertel des 12. Jahrhunderts zu datieren und haben zu diesem Zeitpunkt bereits längere ostalpine Traditionen. Etwas jünger (um oder nach 1200) ist das untere Kelchknospenkapitell anzusetzen, das aus westfranzösischen Kunstlandschaften übernommen wurde.

Lit.: G. ANKERSHOFEN v., Kärntens älteste kirchliche Denkmalbauten (1859), S. 23 – 44.

W. D.

4.37–4.38

ST. PAUL: 2 ROMANISCHE LISENENKAPITELLE AN DEN AUSSENSEITEN DER OSTAPSIDEN

4.37

Kapitell mit Flechtwerk an der südlichen Seitenapsis, 2. Hälfte des 12. Jahrhunderts

4.38

Kapitell mit Maulbeerblättern am Südanlauf der Hauptapsis, 2. Viertel des 13. Jahrhunderts

Reproduktionen nach: ÖKT 37 (1969), Abb. 42–43

Beide Objekte, in unmittelbarer Nachbarschaft an den Apsiden der Ostfassade zu finden, dokumentieren eindrucksvoll sowohl die stilistische Vielfalt als auch zwei entwicklungsgeschichtlich sehr unterschiedliche Stufen der Bauplastik in St. Paul: Das überdies recht grob gearbeitete Kapitell am nördlichen Anlauf der Südapsis zeigt dreisträhniges Flechtwerk in charakteristischer Verknotung, das man in Typ und Stil als karolingisch ansehen könnte. Da auch die Westfassade der Millstätter Stiftskirche (ab ca. 1170 – gegen 1200) der Karolingerzeit nachempfundenes Flechtwerk aufweist und das St. Pauler Kapitell für die hochromanische Apsis geschaffen worden sein muß, ist an einer Datierung in die zweite Hälfte des 12. Jahrhunderts kaum zu zweifeln. Ob der Formenrückgriff bewußt historisierend erfolgte, kann nicht geklärt werden. Das Lisenenkapitell am südlichen Anlauf der Hauptapsis hingegen zeigt in seinen vier Maulbeerranken eine sehr große Naturnähe, die sogar noch über die Prachtkapitelle an den Vierungspfeilern (vgl. 4.34) hinausgeht. K.GINHART nimmt eine Datierung um 1230/40 an; das Kapitell ist demnach wohl erst nach Fertigstellung der Stiftskirche eingefügt worden.

Lit.: ÖKT 37 (1969), S. 57–61.

W. D.

4.39 – 4.46

VON DER SPÄTROMANIK BIS ZUR GEGENWART

4.39

ST. PAUL: KAPITELLZONE DES WESTPORTALS, LINKES GEWÄNDE

um 1260

Reproduktion nach:
ÖKT 37 (1969), Abb. 54

Zum grundsätzlichen Aufbau des heutigen Westportales, seiner Zwischenstellung zwischen Romanik und Gotik und zur Standortproblematik des hochromanischen Trichterportales s. Kat.Nr. 4.1. Die stilistische Untersuchung des Tympanons spricht für die Möglichkeit, daß das ursprüngliche Westportal erst um 1230/40 fertiggestellt worden sein könnte. Diese Annahme scheint plausibler als eine Neueinfügung eines Tympanons in ein um 1220, also nur wenige Jahre zuvor gleichzeitig mit der Kirche fertiggestelltes Portal. Das heutige Portal muß mit Ausnahme des Tympanons um 1260 geschaffen worden sein, doch zeigen die ausgesprochen spröden und trockenen Kapitelle Formen, wie sie schon in der ersten Jahrhunderthälfte üblich waren (vgl. dazu die Langhauskapitelle im Kircheninneren). Ob man die Kapitelle des alten Westportales bewußt nachempfinden wollte oder ob es sich dabei um ein allgemeines Stilbeharrungsphänomen handelt, kann hier nicht entschieden werden. Auch die Frage nach dem Grund der Neuerrichtung des Portals nach so kurzer Zeit muß offen bleiben.

Lit.: ÖKT 37 (1969), S. 67– 68

W. D.

4.40 s. II, S. 497, Abb. 132

ST. PAUL: TORSO EINER STATUE

2. Viertel des 13. Jahrhunderts; vom 1617 abgetragenen Lettner ?

Reproduktion nach:
ÖKT 37 (1969), Abb. 58

Bei dem 195 cm großen Bildwerk aus Marmor scheint es sich um die einzig erhaltene von drei Statuen (Petrus, Paulus und ein Klostergründer) zu handeln, die nach einem Visitationsbericht von 1616 die Stirnwand des Lettners schmückten. Der Visitator ordnete zwar die Abtragung desselben an – eine Maßnahme, die im folgenden Jahr durchgeführt wurde –, regte aber an, auf die Statuen achtzugeben und sie beim Kircheneingang aufzustellen. Als Prellstein an einer Mauerecke beim Meierhof wurde das Bildwerk 1922 wiederentdeckt und 1935 im Laubengang des Stiftwesttraktes aufgestellt, wo sie seit wenigen Jahren in einem freigelegten spätgotischen Portalgewände einen neuen Platz gefunden hat. Die hervorragend gearbeitete und sicher proportionierte Plastik, deren Kopf leider weitgehend verstümmelt ist, stellt einen der Apostel schreitend und mit überkreuzten Beinen dar. Die Faltenbahnen überziehen in straffen Wülsten die organisch erfaßten Gliedmaßen. Eine eingehende kunsthistorische Würdigung der Statue steht noch aus, doch sind französische Einflüsse anzunehmen. Ein Kopffragment einer weiteren Lettnerfigur ist seit 1935 verschollen, aber bildlich dokumentiert.

Lit.: ÖKT 37 (1969), S. 68–70. – E. DOBERER (s. Kat.Nr. 4.30)

W. D.

4.41

NAUMBURGER DOM: OSTLETTNER

um 1240

Reproduktion aus: Baukunst der Romanik in Europa (Monumente des Abendlandes, 1981)

Die Lettner, die in der Spätromanik aufkamen, bis ins 16. Jahrhundert europaweite Verbreitung fanden und im Gefolge der Gegenreformation wieder abgetragen wurden, sollten die klösterliche Gemeinschaft in der Kirche vor der Laiengemeinde abschirmen. Das Wort leitet sich vom lateinischen *lectorium* (Lesepult) ab; dieses hat sich aus den frühchristlichen Chorschranken und dem Ambo entwickelt. Der Lettner war im einfachsten Fall eine Trennmauer zwischen Mönchschor und Langhaus, konnte aber auch mit Kreuzgewölben gangartig verbreitert sein, so daß sein oberer Abschluß raumbühnenartige Ausdehnung erfuhr. Vom 1617 abgetragenen Lettner von St. Paul haben wir durch einen Visitationsbericht unvollständige Kenntnis. Fest scheint zu stehen, daß er mit einem Portikus versehen und gewölbt war (demnach eine gewisse Raumtiefe besaß) sowie an seiner Stirnseite drei Statuen aufwies. Eine der Statuen blieb als Torso erhalten (s. Kat. Nr. 4.40); einzelne Bauteile könnten bei der Neuzusammenstellung des Südportales 1617/18 weiterverwendet worden sein. Der um 1240 errichtete, gegen das Langhaus in einer Arkadenstellung offene, aber figurenlose Ostlettner des Naumburger Domes wird hier gezeigt, um eine Vorstellung von der mächtigen, abriegelnden Wirkung eines solchen Bauteiles zu geben; zudem dürfte der Lettner von St. Paul annähernd gleichzeitg entstanden sein.

Lit.: E. KIRCHNER-DOBERER, Die deutschen Lettner bis 1300 (Diss. Wien, 1946). – DIES. (s. Kat.Nr. 4.30).

W. D.

ST. PAUL: SÜDPORTAL, ANSICHT UND GRUNDRISS

romanisch (1. Hälfte des 13. Jahrhunderts) und romanisierend (1617/18)

Zeichnung: J. Lippert. Stahlstich: Bültemayer, aus: G. Ankershofen v. (s. Kat.Nr. 4.36), Taf. III

Das Südportal ragt ädikulaartig aus der Fassa-

de vor und ist über eine vorgelegte ansteigende Treppenanlage erreichbar. In das Trichterportal sind drei Säulchenpaare unterschiedlicher Stärke mit Blatt- und Kelchknospenkapitellen auf flachen Tellerbasen sehr unharmonisch eingefügt; auf einem Würfelfries liegt die Archivolte auf, über der sich wiederum ein Würfelfries befindet. Ein Rundbogenfries leitet zur Verdachung über. Zum Tympanon s. Kat.Nr. 4.30. Eine Reihe von Indizien spricht dagegen, daß sich vor dem 17. Jahrhundert an dieser Stelle schon ein Portal befunden hat. Allem Anschein nach hat Abt Hieronymus Marchstaller 1617/18 aus einzelnen Werkstücken vom ehemaligen Lettner und einem Kreuzgangportal (?) in einem Akt bemerkenswerten, für das 17. Jahrhundert unüblichen historischen Empfindens das Kirchensüdportal neu zusammenstellen lassen.
Der hier gezeigte, zeittypisch etwas idealisierte Stahlstich basiert auf einer Bauaufnahme des Architekten J. Lippert im Auftrag der k.k. Central-Commission zur Erforschung und Erhaltung der Kunst- und historischen Denkmale im Einvernehmen mit dem Konservator und Direktor des Geschichtsvereines für Kärnten, Gottlieb Frh. von Ankershofen (1857), der zwei Jahre später der St. Pauler Stiftskirche erstmals eine umfassende quellenkritisch-wissenschaftliche Würdigung zuteil werden ließ.

Lit.: G. ANKERSHOFEN v. (s. Kat.Nr. 4.36). – E. DOBERER (s. Kat.Nr. 4.36).

W. D.

4.43

ST. PAUL: SÜDANSICHT UND LÄNGSSCHNITT

Zeichnungen: J. Lippert. Stahlstiche: Bültemayer, aus: G.v.Ankershofen (s. Kat.Nr. 4.36), Taf. I u. II

Während die Stiftskirche von St. Paul im Außenbau ihren hochromanischen Charakter weitgehend bewahrt hat und insbesondere vor einer Barockisierung der Fassade verschont blieb (obere Bildhälfte), zeigt der Längsschnitt die schwerer ins Gewicht fallenden Veränderungen durch die schrittweise Einwölbung des Gebäudes in der Gotik: Nach dem Brand von 1367 wurden zunächst das Mitteljoch des *chorus minor*, die Vierung und die Querhausarme sowie das Altarhaus gewölbt und dabei auch die Giebelmauern in steilerem Winkel erhöht. 1468 gab Abt Johann II. Eßlinger die Langhauswölbung in Auftrag, die innerhalb von acht Monaten vollendet werden konnte. Dabei entstand eine Art Musterkatalog zeittypischer Wölberippenvariationen. Die hier abgebildeten Stahlstiche entstanden infolge der Bauaufnahme von J. Lippert 1857 (s. Kat.Nr. 4.42).

W. D.

4.44 – 4.45

STIFTSKIRCHE ST. PAUL: 2 INNENANSICHTEN DER SÜDLICHEN SEITENAPSIS

4.44

Zustand 1931

Reproduktion (Bundesdenkmalamt/Landeskonservator für Kärnten)

4.45 s. II, S. 497, Abb. 13

Zustand nach der Renovierung und Reromanisierung von 1935/36

Reproduktion nach: ÖKT 37 (1969), Abb. 70

Die Stiftskirche von St. Paul ist im Zeitalter des Barock in mehreren Schüben mit kostbarer Einrichtung versehen worden. Schmerzlich ist der Verlust des frühbarocken Hochaltares von Michael Hönel (1628 aufgestellt), dessen großartige Wirkung man am Gurker Hochaltar ermessen kann. Im dritten Viertel des 18. Jahrhunderts hat man im nördlichen Querhausarm den Stifter- oder Dreifaltigkeitsaltar und im südlichen den Marienaltar raumfüllend vor die Seitenapsiden gestellt, so daß – bei aller Würdigung der qualitätsvollen Rokokoaltäre – das romanische Raumerlebnis entscheidend gestört wurde. Bei der umfassenden Kirchenrestaurierung 1935/36 wurden diese Altäre aus den Apsiden entfernt und in der Nordwest- bzw. Südwestecke des jeweiligen Querhausabschnittes wiederaufgestellt. Dabei verloren die Altäre zwar an Fernwirkung, doch wurden die romanischen Apsiden wieder sichtbar. Die beiden Fotos zeigen den Zustand vor und nach der Restaurierung.

Lit.: K. GINHART, Die Restaurierung der Stiftskirche von St. Paul i. L., Deutsche Kunst und Denkmalpflege XIV (1941), S. 1ff. – ÖKT 37 (1969), S. 99, S. 133f.

W. D.

4.46

ST. PAUL: GRUFTKAPELLE UNTER DEM PRESBYTERIUM

4. Viertel des 12. Jahrhunderts oder frühes 13. Jahrhundert, 1935 freigelegt

Grundriß von F. Stanzel

Die Klöster der Hirsauer Kongregation verzichteten weitgehend auf den Bau von Krypten und konzentrierten stattdessen die Heiligenverehrung auf die Hauptapsis, die fallweise in mehreren Nischen über- oder nebeneinander Altäre mit Reliquien enthielt (z.B. Alpirsbach). Als im Rahmen der umfassenden Kirchenrestaurierung 1935/36 das neuromanische Fußbodenpflaster im Presbyterium der St. Pauler Stiftskirche entfernt wurde, stieß man auf einen Rechteckraum mit gestelzter Apsis, der sich bei einer lichten Breite von etwa 3,5 m als zu klein für eine Krypta erwies. Seine Abstimmung auf Größe und Form des hochromanischen Altarhauses schloß von vornherein einen Vorgängerbau aus und legte die Vermutung eines mit dem Kirchenbau gleichzeitigen Gruftraumes nahe. Ob der Raum als erste Stiftergrablege diente und ob er mit einem Altar versehen war, konnte nicht geklärt werden.

Lit.: F. STANZEL, Die Gruftkapelle im Münster zu St. Paul i. L., ZDVK 5 (1938), S. 51ff.

W. D.

4.47 – 4.49

ZUR REKONSTRUKTION DER MITTELALTERLICHEN STIFTSANLAGE

4.47

CLUNY II

um 1043

Rekonstruktion der Klosteranlage, Umzeichnung nach K.J. Conant

4.48

HIRSAU: KLOSTER ST. PETER UND PAUL

ab 1082, hier: Zustand des 17. Jahrhunderts

Umzeichnung nach P. Weizäcker

Das im St. Gallener Klosterplan bereits um 820 voll ausgebildete Schema einer Klosteranlage sollte für das ganze abendländische Mittelalter vorherrschend bleiben. Vom 910 nördlich von Lyon in Burgund gegründeten Benediktinerkloster Cluny ging noch vor der Jahrtausendwende eine Reformbewegung aus, die große Teile Europas erreichte und eine Verinnerlichung des Klosterlebens sowie eine weitgehende Loslösung von weltlichen Einflußnahmen zum Ziel hatte. Unter seinem Abt Odilo kam es um 1043 zur Verwirklichung einer zukunftsweisenden neuen (heute zerstörten und nur mehr in Schriftquellen überlieferten) Klosteranlage, die den geänderten Bedürfnissen einer reformierten monastischen Gemeinschaft Rechnung trug. Das Bauschema dieses zweiten Klosters von Cluny hat, jeweils den lokalen und wirtschaftlichen Bedürfnissen angepaßt, starke Verbreitung gefunden, so auch in St. Peter und St. Paul in Hirsau, dem schwäbischen Mutterkloster der für Deutschland und Österreich bedeutsamen Hirsauer Reform. Zwar wurde auch dieses Kloster im 17. Jahrhundert zerstört, doch ist es durch Schriftquellen, Grundmauern und aufgrund von Vergleichen mit anderen Klöstern weitgehend rekonstruierbar.

Lit.: K.J. CONANT, Cluny. Les églises et la maison du chef d'ordre (1968). – W. BRAUNFELS, Abendländische Klosterbaukunst (5. Aufl. 1985). – P. WEIZÄCKER, Urgeschichte des Klosters Hirsau, Württembergische Vierteljahreshefte für Landesgeschichte (1914). – W. IRTENKAUF, Hirsau. Geschichte und Kultur (1978).

W. D.

4.49 s. II, S. 514

ST. PAUL: REKONSTRUIERTER LAGEPLAN DER RÄUMLICHKEITEN INNERHALB DER MITTELALTERLICHEN KLOSTERANLAGE

Entwurf: W. Deuer

Obwohl geländebedingt nach Norden umgeklappt, scheint sich – unter Berücksichtigung der Schriftquellen und der spärlichen Baureste – der mittelalterliche Bauplan von St. Paul an das von Cluny und Hirsau vorgegebene Schema gehalten zu haben. An den nördlich der Kirche angebauten Kreuzgang schlossen westlich im Uhrzeigersinn die Pforte, das Cellarium (der Vorratsraum = Keller) und an der Nordwestecke die Küche an. Der Nordtrakt bestand im wesentlichen aus dem Refektorium (Speiseraum), worauf im Osttrakt die Wärmestube, der Sprechraum und der Bruderraum (Fraterie) folgten. Darüber lag wohl der gemeinsame Schlafsaal, das Dormitorium. Wo sich in St. Paul heute eine geräumige Sakristei befindet, lag ursprünglich der für das gemeinsame Ordensleben bedeutsame Kapitelsaal. Die östlich daran anschließende, einst der Gottesmutter geweihte Rabensteinerkapelle hat verblüffende Parallelen in Cluny und Hirsau.
Die außerhalb des Kreuzganggevierts gelegenen Räumlichkeiten sind schwerer erschließbar: Die Gäste- und/oder Novizentrakte lagen wohl im Nordwesten des heutigen Klosters, das Wohnhaus des Abtes wird man westlich der Stiftskirche zu vermuten haben. Den Gepflogenheiten der Reformorden zufolge hätte man den Krankentrakt östlich an den Kreuzgangnordtrakt anschließend zu suchen. Die Lage der zahlreichen Wirtschaftsgebäude, deren ein weitgehend autarkes Kloster bedurfte, richtete sich nach dem Gelände; in St. Paul lagen sie wohl südlich der Kirche.

Lit.: W. DEUER (s. Kat.Nr. 4.32).

W. D.

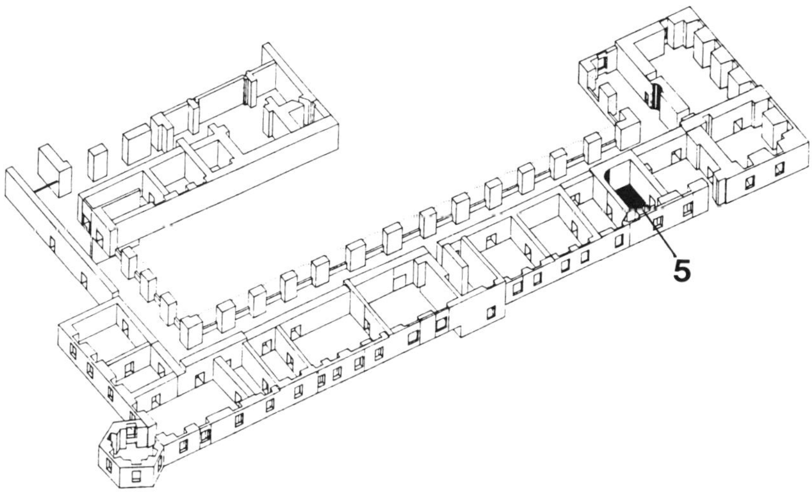

5

Kunstschätze der Romanik

Die romanische Kunst wurde in den Klöstern geboren. Es kommt nicht von ungefähr, daß der romanische Stil die Zeit der Hochblüte mittelalterlicher Klosterkultur von etwa der Mitte des 11. bis in die erste Hälfte des 13. Jahrhunderts umfaßt. St. Paul verwahrt einige hervorragende Kunstgegenstände dieser Epoche, bereichert noch durch ein der späten Karolingerzeit zugehöriges Relief.

Das große romanische Reliquienkreuz der Königin Adelheid von Ungarn (gest. 1090), eine Stiftung an St. Blasien im Schwarzwald, steht in Typus und Größe dem Reichskreuz der Reichskleinodien nahe. Adelheid war die Tochter des Gegenkönigs Rudolf von Rheinfelden und Gemahlin König Ladislaus I. von Ungarn. Das Kreuz, mit dessen Herstellung vielleicht schon unter Abt Giselbert begonnen, das aber erst unter dessen Nachfolger Abt Uto (1086–1108) vollendet wurde, sollte offensichtlich einen Ersatz für das dem Gegenkönig nicht zur Verfügung stehende Reichskleinod bilden.

Den Einband eines aus dem 10. Jahrhundert stammenden Sakramentars aus dem Kloster auf der Insel Reichenau (Bodensee) schmückt ein spätkarolingisches Elfenbeinrelief aus der berühmten jüngeren Metzer Schule im 3. Viertel des 9. Jahrhunderts. Es ist dieses Stück ebenso einzigartig wie das aus Limoges in Südwestfrankreich stammende Emailkruzifix als Mittelstück eines Vortrage- oder Altarkreuzes.

Limoges war ein wichtiges Zentrum hochmittelalterlicher Kunst, von wo aus seit dem späten 12. Jahrhundert in Kupfer gearbeitete und mit grobem Email geschmückte Gegenstände im ganzen Abendland verbreitet wurden. Das bedeutende Emailkruzifix aus der ersten Hälfte des 13. Jahrhunderts ist spanischer Provenienz. Die Figur des Gekreuzigten war ursprünglich wohl auf einem Altar- oder einem Vortragekreuz montiert.

ALOIS BRANDSTETTER

Schätze – Gedanken über die Exponate in den Räumen 5 und 6

St. Paul birgt Schätze. Während der Ausstellung nicht nur jene, die ihm gehören und zu ihm gehören, sondern auch andere, die mit ihm zu tun haben, mit ihm in historischer Verbindung und Beziehung stehen und das Jubiläum des 900jährigen Bestandes feierlich und festlich begehen helfen: Leihgaben. Was dabei etwa für die Abtei Kremsmünster der Kelch des Herzogs Tassilo, ist für St. Paul das Adelheid-Kreuz, ein Reliquienkreuz der Königin Adelheid von Ungarn, dessen Vorderseite im 11. Jahrhundert und dessen Rückseite unter Abt Gunther (1141–1170) gestaltet wurde. So gesehen befinden Sie sich im Raum 5, der außerdem noch weitere Kruzifixe, Vortrage- und Altarkreuze und den berühmten Buchdeckel mit Elfenbeinrelief der Jüngeren Metzer Schule aus dem 3. Viertel des 9. Jahrhunderts, das die Himmelfahrt Christi und den erhöhten Christus in der Herrlichkeit zeigt, dessen Silberrahmen mit den Evangelistenmedaillons aus der Mitte des 15. Jahrhunderts stammt, zur andächtigen Schau stellt, bereits im Mittelpunkt des „Schatzhauses".
Das andere bedeutende Juwel der St. Pauler Sammlung, ein aus St. Blasien im Schwarzwald stammendes liturgisches Gewand, die romanische Glockenkasel aus dem 12. Jahrhundert mit Stickereien, die Szenen aus dem Alten und Neuen Testament darstellen, die im Sinne der Typologie des Mittelalters, von Verheißung und Erfüllung, Ankündigung und Vollendung gegenübergestellt werden, diese europaweit einmalige textile Kostbarkeit in Raum 2 ist Ihnen sicher nicht entgangen. Sie wurde deshalb dort exponiert, weil sie in einer Darstellung auch das gewissermaßen heilsgeschichtliche Wirken Benedikts würdigt. Man nimmt an, daß diese Arbeit in einem süddeutschen Frauenkloster entstanden sein wird. Ähnliche Leistungen, wie sie von den Mönchen in den Skriptorien bei der Ausgestaltung der Handschriften und Bücher er-

bracht wurden, wurden von Ordensfrauen bei der Herstellung von liturgischen Gewändern, von Tapisserien und Stickereien vollbracht. Die Frauen vom Benediktinerinnenstift auf dem Nonnberg in Salzburg grüßen und segnen sozusagen Kärnten... Bekanntlich haben auch an Ort und Stelle, in St. Paul, fromme Frauen eine wichtige Rolle gespielt.
Kreuze, Kelche, Monstranzen aus der Romanik, wie in Raum 5, aus der nachfolgenden Gotik, wie in Raum 6, bringen in stilistischer Vielfalt und in traditioneller Weise zugleich ein hymnisches Lob auf den Kreuzestod Christi und seine Auferstehung dar. Eucharistie bedeutet Danksagung. Im Verständnis des mittelalterlichen Menschen wird durch die Kunst des Handwerks und in der Kostbarkeit des Materials für die Erlösung Dank gesagt. Ad maiorem Dei gloriam, ,,zur größeren Ehre Gottes", sind die Kelche aus Gold, die Formen ästhetisch, die Zeremonien und Riten kostbar und erlesen. Sie singen in ihrer glänzenden und funkelnden Weise ein ,,Laus sanctae crucis", ein Lob des Kreuzes, wie es der Abt Hrabanus Maurus in Fulda, später Erzbischof in Mainz, der ,,Primus Praeceptor Germaniae", der erste Lehrer Deutschlands, dem wir auch den Hymnus ,,Veni creator spiritus" verdanken, literarisch und poetisch angestimmt hat. Es ist somit der geistig-geistliche Wert der ,,Schätze", der uns beschäftigen soll, es ist die spirituelle Bedeutung der Wert-vollen Gegenstände, die uns zu denken geben und in die wir uns versenken, hineindenken und hineinfühlen sollen, – der bloße ,,Schätzwert" und der Versicherungswert, nach dem sich oft Besucher von Landesausstellungen erkundigen, *macht* sicher noch *keinen Sinn.* Eine solche, ein wenig fürwitzige Neugier darauf zeugt eher von einem verkürzten Verständnis mittelalterlicher Kunst, ja schon von Mißverständnis ... Solche Schätze aber gehören dem, der sich inhaltlich mit ihnen *vertraut* macht, sie *stehen* dem *zu,* der sie sich betrachtend und ,,lesend" aneignet.

GROSSES RELIQUIENKREUZ: sog. ADELHEIDKREUZ

süddeutsch; Vorderseite zwischen 1077 und 1108 mit jüngeren Ergänzungen, Rückseite zwischen 1141 und 1170, Fassung der Kreuzreliquie zwischen 1672 und 1695/96.

Originaler Holzkern: Rüster oder Ulme (seit der Restaurierung 1959/60 gesondert verwahrt); Kreuzfassung: Gold und Silber, Filigran, 24 antike Gemmen, 3 Skarabäen, 147 Edel- und Halbedelsteine, Glasflüsse, Perlen, 1 Brakteat, Reliquien in Seidenstoffen, beschriftete Pergamentstreifchen; Fassung der Kreuzreliquie: vergoldetes Kupfer; H 82,9/B 65,4/T 7,4–7,8 cm.

Stift St. Paul

Gemäß der Inschrift auf der Kreuzrückseite und Aufzeichnungen im *Liber constructionis* machte Königin Adelheid von Ungarn, Tochter Rudolfs von Rheinfelden und (seit 1077) Gemahlin König Ladislaus I. von Ungarn, Abt Giselbert von St. Blasien (1068–86) eine große Kreuzreliquie und gleichzeitig 70 Goldstücke für die Herstellung einer würdigen Fassung zum Geschenk. Die Schenkung der Kreuzpartikel und die mittelbare Stiftung des Reliquienkreuzes dürfte mit der politischen Situation, in der sich Adelheids Familie in den späten 70er Jahren des 11. Jahrhunderts befand, in Beziehung stehen: Rudolf von Rheinfelden war 1077 von der kirchlichen Partei zum Gegenkönig Heinrichs IV. gewählt worden. Rudolf war aber nicht im Besitz der Reichskleinodien, damit war ihm auch das Reichskreuz nicht zugänglich. Das Adelheidkreuz sollte offensichtlich für eben dieses Reichskleinod einen Ersatz bilden, ihr steht das Adelheidkreuz in Größe und Typus nahe. Zudem weist die von Adelheid geschenkte Reliquie wie die Kreuzreliquie im Reichskreuz ein Loch auf, was bei beiden Partikeln übereinstimmend damit erklärt wird, daß es sich bei der Reliquie um jenes Stück vom Kreuz Jesu handelt, an dem eine Hand des Herrn angenagelt war. Wie N. WIBIRAL jüngst betonte, ließ sich Rudolf auch einen Ersatz für die Reichskrone schaffen, die seinem Zugriff ja gleichfalls entzogen war; mit dem im elsässischen Kloster Ebersheimmünster heimlich für den Gegenkönig hergestellten Insigne dürfte dieser 1077 gekrönt worden sein. (Auf seiner Grabplatte im Merseburger Dom ist Rudolf mit einer doppelbügeligen Krone sowie mit Zepter und Reichsapfel dargestellt.)

Möglicherweise wurde das Adelheidkreuz schon unter Abt Giselbert begonnen, die Vollendung des Kreuzes erfolgte aber erst unter Giselberts Nachfolger, Abt Uto (1086–1108), denn dieser war auf dem – im 19. Jahrhundert verlorengegangenen – Kreuzfuß als Auftraggeber genannt.

Nach dem Tod Rudolfs (1080 in der Schlacht an der Elster gegen Heinrich), dem Tod Adelheids (1090) und dem darauffolgenden Sturz des Geschlechts scheint die Kreuzreliquie ihre Bedeutung verloren zu haben. Es kamen sogar Zweifel an ihrer Echtheit auf. Möglicherweise wurde die Partikel damals aus dem Kreuz entfernt. Erst Abt Gunther (1141–1170) konnte mittels eines Gottesurteils die Authentizität der Reliquie nachweisen. Er ließ in der Folge die Kreuzrückseite erneuern (Abt Gunther ist dort als Stifter des Kreuzes genannt und dargestellt). Damals mag auch die Partikel wieder in das Kreuz eingesetzt worden sein, jedenfalls scheint die Mittelplatte der Kreuzvorderseite neu gestaltet worden zu sein (Hinzufügung der vier Steine in glatten Pyramidenfassungen). Im folgenden ist zwischen der eigentlichen Fassung der Partikel (eingelassen in die Vierung der Kreuzvorderseite) und dem Reliquienkreuz als solchem zu unterscheiden. Die originale Fassung der Partikel ist verloren, aber in etwa rekonstruierbar: Die länglichen Ausnehmungen in den auf den Kreuzbalken aufgesetzten Stegen lassen darauf schließen, daß die ursprüngliche Fassung „mobil" war, also aus dem großen Kreuz gelöst und in dieser Form liturgisch (z.B. in Prozessionen) verwendet werden konnte. Im großen Kreuz wurde sie offensichtlich durch vier Riegel fixiert. Die ursprüngliche Fassung wird die Partikel zur Gänze verhüllt haben; lediglich in der Vierung mag sich ein Bergkristallcabochon befunden haben, der einen Blick auf die Reliquie zuließ. In formaler Hinsicht wird diese Fassung die erhabenen Stege der Kreuzbalken bis zum Zentrum hin fortgesetzt, der Cabochon im Zentrum mit den Steinen an den Balkenenden korrespondiert haben. Ob die verlorene Originalfassung unter Abt Gunther fix in das große Kreuz eingelassen wurde (was

die Riegel überflüssig machte), ist nicht mehr klärbar.
In der 2. Hälfte des 13. Jahrhunderts könnte die Partikel eine neue Fassung erhalten haben. Auch diese ist verloren, doch mag die erhaltene Fassung eine Kopie der zweiten Fassung sein: Demnach könnte die Stärke der Partikel im 13. Jahrhundert mit einem Metallstreifen eingefaßt, ihre Vorderseite mit Bergkristallplatten bedeckt und somit die Reliquie in toto sichtbar gemacht worden sein.
Ab 1688 entstand im Auftrag von Abt Roman Vogler (1672–95) eine Kopie des Adelheidkreuzes. In diese wurde die Partikel 1696 unter Abt Romans Nachfolger, Abt Augustin Fink, übertragen, allerdings ohne ihre mittelalterliche Fassung. Diese ist verloren. Beim barocken Adelheidkreuz dürfte die Partikel wiederum eine eigene, aus dem Kreuz herauslösbare Fassung besessen haben.
In das alte Adelheidkreuz wurde eine „Ersatzreliquie" eingesetzt: kreuzförmig montierte Holzstücke, in welche zwei Späne – von der originalen Reliquie ? – eingelassen worden waren. Die einfache Fassung dieser „Ersatzreliquie" könnte eine Kopie der verlorenen Fassung des 13. Jahrhunderts (?) (s.o.) sein. 1809 kamen das alte und das neue Adelheidkreuz nach St. Paul. Seit 1810 ist die Barockkopie verschollen; wahrscheinlich wurde sie in diesem Jahr nach Wien abgeliefert und dort eingeschmolzen (Kriegskontributionen an Napoleon). Auf das Aussehen des barocken Adelheidkreuzes läßt ein Kupferstich von 1734 schließen. Vor der zu vermutenden Abgabe des Barockkreuzes wurde die Kreuzpartikel samt ihrer Barockfassung eingesetzt. Das dritte Adelheidkreuz steht noch in liturgischer Verwendung.
Das hochmittelalterliche Adelheidkreuz erfuhr im Laufe seiner Geschichte zahlreiche Beschädigungen; 1958–60 erfolgte eine durchgreifende Restaurierung durch O. NEDBAL (Übertragung der Metallplatten auf einen neuen Holzkern, Fixierung aller Teile der Rückseiten- und Schmalseitenverkleidung auf neuen Trägerplatten, Festigung der Steinfassungen, teilweise Erneuerung der Reliquienfassung).

Lit.: ÖKT 37 (1969), S. 217–224, Abb. 300–305. – H. FILLITZ, Das Adelheid-Kreuz aus St. Blasien, in: Kat. St. Blasien 1983, Bd. II, S. 213–228. – H. FILLITZ, M. PIPPAL, Schatzkunst. Die Goldschmiede- und Elfenbeinarbeiten aus Österreichischen Schatzkammern des Hochmittelalters (1987), Nr. 112 (mit der älteren Literatur). – N. WIBIRAL, Bemerkungen zum neuen Werk über früh- und hochmittelalterliche Schatzkunst aus Österreichischen Kirchen und Klöstern, ÖZKD 41 (1987), S. 149 f.

M. P.

5.2

CHRISTKÖNIG

Verkleidungsteil von einem Vortrage- oder Altarkreuz

Limoges, 1. Hälfte (2. Viertel ?) des 13. Jahrhunderts

Kupfer, Guß (Körper Christi), Vergoldung, Email (Grubenschmelz in Hellgrün, Hellblau, Dunkelblau, Gelb, Weiß und Rot), Glasstein; H 30,8/B 16,4 cm; Christusfigur: H 18 cm.

Stift St. Paul

Die kreuzförmige Platte mit dem Cruzifixus wird ursprünglich zur Verkleidung eines Vortrage- oder Altarkreuzes gehört haben, dessen Holzkern und übrige Beschlagstücke verloren sind. Das Email des erhaltenen Stücks ist stellenweise ausgebrochen, die Vergoldung der Kupferteile partiell abgerieben.
Das Kreuz ist eine limousiner Arbeit der 1. Hälfte des 13. Jahrhunderts und könnte schon in mittelalterlicher Zeit nach St. Blasien gelangt sein.
Die Kupferplatte hat die Form eines Kreuzes mit kurzem Querbalken, das in der Vierung mit einer hochovalen Ausweitung versehen ist. Die plastisch gearbeitete Figur des Herrn ist auf die Grundplatte genietet. Beim Cruzifixus

beschränkt sich das Email auf das Lendentuch; der Knoten ist mit einem türkisfarbenen Glasstein betont. Der Körper Christi war ursprünglich zur Gänze vergoldet. Christus ist mit horizontal ausgebreiteten Armen dargestellt, er hat die Augen geöffnet und trägt eine Krone: das Insigne des Christkönigs.
Die vollständig mit Email überzogene Grundplatte zeigt ein schmales Kreuz, das von zwei breiten, mit Kreismotiven versehenen Bändern flankiert und von einem schmalen Rahmenstreifen eingefaßt ist. Hinter dem Haupt Christi befindet sich ein kreisrunder Nimbus, darüber die *Tabula Ansata* mit dem „IHS" (= Christusmonogramm) und darüber die Hand Gottvaters; unterhalb der Fußplatte sind der Schädel Adams sowie Erdschollen, aus denen das Kreuz aufwächst, dargestellt.

ÖKT 37 (1969), S. 250f., Abb. 358. – H. FILLITZ, M. PIPPAL, Schatzkunst. Die Goldschmiede- und Elfenbeinarbeiten aus Österreichischen Schatzkammern des Hochmittelalters (1987), Nr. 113 (mit der älteren Literatur).

M.P.

5.3

CHRISTKÖNIG

Crucifixus von einem Vortrage- oder Altarkreuz

spanisch, 1. Hälfte des 13. Jahrhunderts

Bronze, gegossen, graviert, ziseliert; H 26,5/B 20 cm

Stift St. Paul

Die Figur des Gekreuzigten war wohl auf einem Vortrage- oder Altarkreuz montiert; dessen Holzkern und übrige Beschlagstücke sowie die Glasflüsse, die die Augen und den Besatz der Krone gebildet haben, sind verloren. Von der linken Hand fehlen sämtliche Finger, die Zacken der Krone sind verbogen. Das Lendentuch und das Suppedaneum waren möglicherweise ursprünglich mit Email geschmückt (dieses ist nicht erhalten).
Der Körper des Gekreuzigten ist leicht nach links gebogen, sein Haupt stark zur selben Seite geneigt. Die Bewegung des Kopfes wird durch die breite, nach oben hin weit ausladende Krone, die den Herrn als Christkönig ausweist, unterstrichen, seine Augen waren geöffnet. Die Füße Christi stehen auf einem schaufelförmigen Suppedaneum.
Im Typus folgt die Figur des Gekreuzigten den in Limoges hergestellten Stücken, doch setzt sich das St. Pauler Exemplar von diesen durch die große Krone, das Punktornament auf dem seitlich weit herabzipfelnden Lendentuch und die weiche Körperlichkeit ab. Wie schon von K. GINHART erwogen, lassen diese stilistischen Charakteristika an eine Entstehung des St. Pauler Stückes in Spanien denken. Als Entstehungszeit kommt die 1. Hälfte des 13. Jahrhunderts in Frage.

Lit.: ÖKT 37 (1969), S. 249f., Abb. 349. – H. FILLITZ, M. PIPPAL, Schatzkunst. Die Goldschmiede- und Elfenbeinarbeiten aus Österreichischen Schatzkammern des Hochmittelalters (1987), Nr. 114 (mit der älteren Literatur).

M. P.

5.4

BUCHEINBAND

Sakramentar (Kodex 20/1), Elfenbeinrelief: Lothringen („Jüngere Metzer Schule"), 3. Viertel des 9. Jahrhunderts; Einband: süddeutsch, um 1500.

Relief: Elfenbein; H 22,8/B 11,7 cm; Einband: Holzkern, Silber, Guß (Evangelisten und ihre Symbole), Gravur (Ranken, Vögel), Ziselierung (Evangelisten und ihre Symbole); H 27,8/B 20,6 cm.

Stift St. Paul

Der spätgotische Bucheinband wurde für einen wesentlich älteren Kodex, ein auf der Reichenau Ende des 10. Jahrhunderts geschriebenes Sakramentar, hergestellt. Die Vorderseite des Deckels ist als Rahmen gestaltet, der ein spätkarolingisches Elfenbeinrelief einfaßt. Dieses war sicher schon ursprünglich auf einem Bucheinband montiert, wohl auf dessen Rückseite, während die Vorderseite des Einbandes eine Elfenbeinplatte mit einer Kreuzigungsdarstellung getragen haben wird.
Die Themata des erhaltenen Reliefs sind die Himmelfahrt Christi, die *Maiestas Domini* und der *Secundus Adventus:* In der mittleren Zone schwebt Christus der Hand Gottvaters entge-

gen, zwei Engel rechts vom Auffahrenden adorieren diesen und beugen sich zugleich zu den in der untersten Zone stehenden Zeugen der Himmelfahrt hinab; ihnen (den Aposteln und der Gottesmutter) erklären sie das Geschehen (vgl. Apg. 1, 10–11). In der obersten Zone thront der Herr in der Mandorla (in seiner Linken den Kodex haltend, die Rechte im Segensgestus vor seiner Brust erhoben), Sol und Luna erscheinen neben der Gloriole und definieren die Herrschaft Gottes als eine unendliche. Das Engelspaar, das die Mandorla flankiert, trägt diese und darin den *Christus Iudex* zum Endgericht hinab. Die Himmelfahrt des Herrn ist hier also bloß Vorstufe zu den eschatologischen Ereignissen, beides wiederum in der ewigen

Herrschaft Gottes aufgehoben. Diese anagogische Konzeption teilt die St. Pauler Platte mit den Kreuzigungsdarstellungen der Jüngeren Metzer Schule (3. Viertel des 9. Jahrhunderts), der unser Relief auch aus Gründen der stilistischen Evidenz zuzuzählen ist. Die inhaltliche Komplexität des St. Pauler Reliefs wurde mittels der Synthetisierung zweier ikonographischer Traditionen erreicht: Die Zeugen, die die Mandorla tragen, sowie die verkündigenden Engel und der auffahrende Christus waren in der Jüngeren Metzer Schule geläufig. Das belegt eine Elfenbeinplatte aus dem Kloster Gan dersheim, heute auf der Veste Coburg. Auf dem Coburger Relief befindet sich der auffahrende Christus allerdings in der obersten Zone und wird dort von der Mandorla umschlossen. In St. Paul ist dagegen die Figur des auffahrenden Herrn aus der Gloriole herausgelöst und in die mittlere Zone versetzt. Die Mandorla verbleibt hingegen in der obersten Zone, in der Gloriole erscheint nun der thronende Herr. Der oberste Ausschnitt ist damit dem byzantinischen Himmelfahrtsschema angeglichen. Dadurch kommt es in St. Paul scheinbar zu einer doppelten Wiedergabe der Himmelfahrt Christi. In Byzanz klingt aber in dem usuellen Schema der Auffahrt Christi in den Himmel oft auch die *Maiestas Domini* und dessen Wiederkunft mit an. Eben diese konnotierten Themata bilden in St. Paul den Inhalt des obersten Reliefstreifens. Das belegt die Präsenz von Sol und Luna. Diese stammen aus dem Motivrepertoire der Jüngeren Metzer Schule, kommen dort aber in der Regel nur auf Kreuzigungsdarstellungen vor, wo sie die kosmologische Bedeutung des Erlösungstodes Jesu betonen. Beispiele hierfür sind die Elfenbeinreliefs auf den Codices lat. 9383 und Fonds lat. 9453 der Bibliothèque Nationale, Paris, resp. Inv. Nr. 250, 67 des Victoria and Albert Museum, London. Nimmt man an, eine derartige Platte hätte sich auf der Vorderseite des verlorenen Einbandes, auf dem das St. Pauler Relief originaliter montiert war, befunden, so ergibt das ein ausgereiftes theologisches Programm: Der Erlösungstod Jesu als zentrales Ereignis der Heilsgeschichte ist mit der ewigen Herrschaft Gottes konfrontiert, ja in diese eingebunden.

Ob der originale Einband in toto oder bloß die erhaltene Platte nach St. Blasien gelangte, ist unbekannt, ebenso, wann das in Rede stehende Relief mit der Reichenauer Handschrift in Verbindung gebracht wurde.

Die Elfenbeinplatte wird jetzt von einem betont schlichten Metallrahmen eingefaßt. In dessen Ecken sind Tondi aufgenietet, welche die Evangelisten und deren Symbole zeigen; seine restlichen Flächen sind mit graviertem Flammenwerk und Vögeln (u.a. zwei Eulen) gefüllt. Die vier Medaillons verweisen stilistisch auf die Mitte des 15. Jahrhunderts, die Ranken schließen hingegen eng an die Kupferstiche Martin Schongauers an, was auf eine Entstehung des Deckels erst um 1500, und zwar im süddeutschen Raum hinweist. Für die Herstellung der Tondi dürften ältere Gußformen verwendet worden sein.

Lit.: ÖKT 37 (1969), S. 205, Abb. 280 und 281. – H. FILLITZ, M. PIPPAL. Schatzkunst, Die Goldschmiede- und Elfenbeinarbeiten aus Österreichischen Schatzkammern des Hochmittelalters (1987), Nr. 111 (mit der älteren Literatur).

M. P.

LIBER SACRAMENTORUM

Sakramentar von St. Blasien; Reichenau (?), 10. Jahrhundert

278 Bll., H 26,3/B 20,1 cm

Stift St. Paul, Cod. 20/1

Das Sakramentar ist eine der wertvollsten Handschriften des St. Pauler Bestandes und zählt auch insgesamt zu den schönsten Beispielen dieser Zeit. Als Entstehungsort kommen nach neuesten Forschungen neben der Reichenau auch St. Gallen oder Einsiedeln in Frage. Die Handschrift lag bereits im 12. Jahrhundert in St. Blasien, wie verschiedene Einträge aus dieser Zeit zeigen.

Lit.: ÖKT 37 (1969), S. 363f (mit Literatur).

P. P.

6

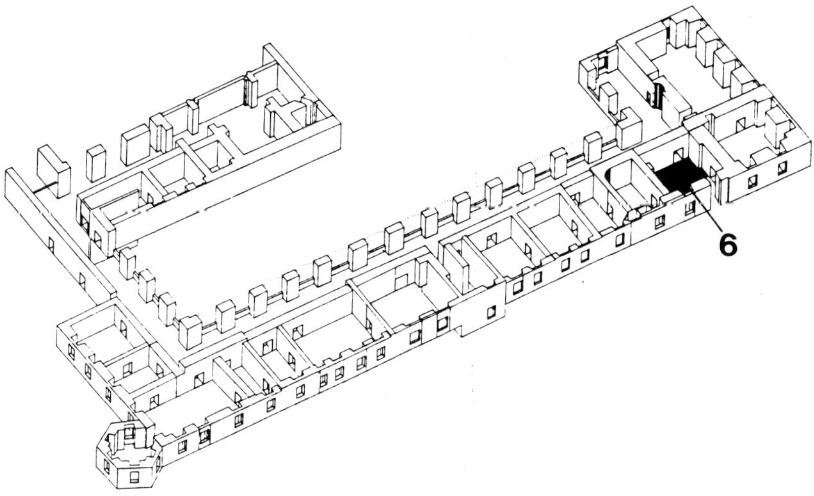

Kunstschätze der Gotik

Der gotische Kunstschatz des Stiftes St. Paul ist ein repräsentativer und kunstgeschichtlich bedeutender Querschnitt durch das künstlerische Schaffen dieser gemeineuropäischen Stilepoche, wobei der gotischen Tafelmalerei Kärntens besonderes Augenmerk geschenkt wird, daneben aber auch hervorragenden Objekten gotischer Goldschmiedekunst.
Seit Beginn des 12. Jahrhunderts kann man das Aufkommen gotischer Stilelemente und ihre allmählich Vervollkommnung über etwas mehr als ein Jahrhundert feststellen. Bald nach dem Jahr 1200 bestand eine völlig einheitliche gotische Kunst, die besonders durch die Erfindung von Maßwerkfenstern gekennzeichnet ist. Es folgt ein Jahrhundert des klassischen Gleichgewichts, in dem die internationale gotische Kunst ihren Höhepunkt erreichte und vollendete Formen der Kathedrale, der Burg und des Palastes schuf, die mit Malereien, bemaltem Glas, gemusterten Fliesen und figürlichen Plastiken ausgeschmückt waren.

6.1

DECKEL EINES BUCHKASTENS
Straßburg (?), um 1260/70
Silber, Vergoldung, Steine, antike Gemmen, Email (opakes und transluzides), Niello, Glas, Eiche (Holzkern), H 38,7/B 27,3/T 4,5 cm
Stift St. Paul

Der erhaltene Deckel bildete ursprünglich die Schauseite eines Buchkastens, dessen Inhalt ein Evangelistar gewesen sein dürfte. Derartig durch Kassetten geschützte Evangelistare und Evangeliare wurden während der Messe auf dem Altar aufgestellt und in Prozessionen mitgetragen; die Kassette aus St. Blasien ist sicherlich in der selben Weise verwendet worden.

Die Buchkassette wird in den - auf mittelalterliche Quellen zurückgehenden - Historien St. Blasiens aus dem 16. und 18. Jahrhundert (als *Capsa libri Evangeliarum, Theca argenta* bzw. *Libri theca*) angeführt und dort als Stiftung des Abtes Arnold II. (1247-1276) von St. Blasien bezeichnet. Abt Arnold II. ist auf dem Deckel auch dargestellt (in der unteren Zone, rechts neben der Madonna), was zur Gewißheit werden läßt, daß das Stück über Auftrag von Abt Arnold II. hergestellt wurde, und zwar für sein Kloster; letzteres ist durch die Wiedergabe der Heiligen Blasius (Patron des Klosters) und Nikolaus (Titelheiliger der ersten Kapelle der mönchischen Gemeinschaft, aus der sich St. Blasien entwickelte und von dem diese auch seit jeher Reliquien besaß) auf dem Deckel (in der oberen Zone, links bzw. rechts der Marienkrönung) belegt.

Die Rückseite der Buchkassette ist verloren, in den genannten Historien aber noch beschrieben. Demnach zeigte sie das *Agnus Dei*, umgeben von den vier Evangelistensymbolen. Vergleichbar gestaltet ist schon die Rückseite des Mitte des 11. Jahrhunderts datierbaren Einbandes, der das Essener Theophanu-Evangeliar schützt. D. LÜDKE erwog daher, daß unter Abt Arnold II. die Rückseite einer viel älteren Buchkassette wiederverwendet worden wäre; dieser Buchkasten mag schon ursprünglich für jenen Kodex hergestellt worden sein, der Mitte des 13. Jahrhunderts erstmals quellenmäßig als Inhalt der Kassette faßbar werden dürfte: ein Evangelistar vom Ende des 11. Jahrhunderts. Die Identifizierung der Handschrift wird erschwert durch die Tatsache, daß der von dem Kasten umschlossene Kodex in den Quellen immer bloß als „der Text" bezeichnet wird. Man kann sich demnach vorstellen, daß zum Schutz des Evangelistars, vielleicht in zeitlicher Nähe zu diesem, also bereits im 11. Jahrhundert, eine Buchkassette hergestellt worden war; diese könnte auf der Rückseite das von den apokalyptischen Wesen umgebene Lamm Gottes gezeigt haben. Das Programm der Kastenvorderseite ist unbekannt; wahrscheinlich war auch dieses christologisch. Die originale Vorderseite könnte dann unter Abt Arnold II. durch die erhaltene Schauseite ersetzt worden sein. Damit geschah, so die Geschichte des Objektes richtig konstruiert ist, eine „Modernisierung" der alten *Theca*. Gleichzeitig wurde diese zum Träger eines neuen Inhalts, denn das zu vermutende christologische Programm wich einem marianischen: Auf dem Rahmen ist nun die Verkündigung an Maria, im Binnenfeld sind die Gottesmutter mit dem Jesuskind und die Marienkrönung dargestellt. Diese Hervorhebung Mariae ist eingebettet in eine generelle Tendenz - in die seit dem 12. Jahrhundert stetig anwachsende Marienfrömmigkeit, die im 13. Jahrhundert einen bis dahin unbekannten Höhepunkt erreichte. Zugleich ließ Abt Arnold II. sich selbst, noch dazu an herausragender Stelle, nämlich unmittelbar neben der Gottesmutter und nur wenig kleiner als diese, darstellen. Damit erscheint er gleichrangig wie der selige Reginbert (in der linken Nische). Dieser legendäre Wohltäter des Klosters aus dessen Frühzeit (10. bzw. 11. Jahrhundert) wurde in St. Blasien wie ein Klostergründer verehrt. Abt Arnold II. läßt sich also auf dem Deckel als eine Art zweiter Klostergründer wiedergeben.

Das konvergiert mit dem Faktum, daß Abt Arnold II. in den Historien des Klosters (s.o.) gerühmt wird, den Kirchenschatz durch kostbare Geräte und Reliquiare vermehrt zu haben.

Als das bedeutendste Stück ist dort eben die *Theca* genannt, von der sich der ausgestellte Deckel erhalten hat; alle übrigen Werke dürften verlorengegangen sein. Der Deckel besteht aus einem mit Weinlaub dicht belegten, flachen Rahmen. Dessen Ecken sind durch dreipaßförmige Medaillons, welche die vier an ihren Schreibpulten sitzenden Evangelisten zeigen, betont. In der Mitte des oberen Querbalkens ist der sitzende, seine Wundmale vorweisende Christus vor einem vierpaßförmigen Medaillon dargestellt. Die Senkrechtleisten tragen je zwei vierpaßförmige Medaillons: Die Figuren der oberen Felder sind verloren, unten ist der Erzengel Gabriel mit der Maria der Verkündigung konfrontiert. Sämtliche Figuren sind annähernd vollplastisch und werden von einem emaillierten Grund hinterfangen. Der untere Querbalken des Rahmens trägt in der Mitte einen großen Rauchtopas (in erneuerter Fassung). Zwischen den genannten Medaillons befindet sich jeweils ein trapezförmiges Feld, das ein Fabeltier zeigt (Email). Eine nach innen gewölbte, mit Steinen besetzte Leiste leitet vom Rahmen zum hochrechteckigen Binnenfeld über. In dieses ist eine zweizonige, jeweils dreijochige Miniaturarchitektur eingestellt. Das untere Geschoß ist durch drei Nischen gegliedert, die voneinander durch Strebepfeiler mit Fialen getrennt und durch Wimperge überdacht werden. Vor der mittleren, etwas größeren Öffnung steht die Gottesmutter mit dem Kind, vor den flankierenden Nischen Reginbert und Abt Arnold II. (durch die eingravierte Namensinschrift *ABAS. ARNOLDUS. S. BLASII* bezeichnet). In die sich hinter den Giebeln und Fialen ausspannende „Obergadenwand" sind Rundfenster mit Maßwerk eingeschnitten. Das obere Geschoß besitzt drei übergiebelte Nischen: eine breite Mittelnische, die eine Darstellung der Krönung Mariae umschließt, und zwei schmale seitliche, welche die Figuren der heiligen Bischöfe Blasius und Nikolaus beherbergen. Hinter dem mittleren Giebel steigt ein quergelagertes Satteldach, hinter den seitlichen Giebeln wächst je ein achtseitiger, zinnenbekrönter Turm auf. Sämtliche Figuren des Binnenfeldes sind vollplastisch gegossen.

Stilistisch ist die Kassettenschauseite primär mit nordfranzösischen Werken und solchen der Ile-de-France aus dem 3. Viertel des 13. Jahrhunderts vergleichbar. Der Goldschmied muß also mit den dort eben aktuellen Tendenzen vertraut gewesen sein, wobei eine Kenntnis der neuesten Errungenschaften der Architektur, der Monumental- und Kleinplastik (letztere in Stein, Holz, Elfenbein), besonders aber auch der gleichzeitigen Goldschmiedekunst vorausgesetzt werden kann. Eine Entstehung des st. blasier Deckels in einem der genannten Gebiete anzunehmen, wäre somit naheliegend. In der rezenten Literatur herrscht indes die Meinung vor, das Stück sei in Straßburg entstanden.

Lit.: ÖKT 37 (1969), S. 226-230. – Kat.St. Blasien 1983, Bd.I, Nr. 158,(J.-M. Fritz); Bd.II, S. 270f. (D. Lüdke) und Abb.77.

M. P.

6.2

Innenseite

MINNEKÄSTCHENDECKEL

südwestdeutsch (Freiburg im Breisgau ?); um 1340-50

Verschlußdeckel eines verlorenen hölzernen Kistchens; Nadelholz, Eisenbeschlag mit Haltering; beidseitige Bemalung in zwei Schichten über Kreidegrundierung: außen gefirniste Tempera, innen matte ungefirnißte Leinmalerei (hoher Anteil an Bergblau); H 15,2/B 17,2/T 0,6–7 cm

Landesmuseum für Kärnten, Inv. Nr. K 68

Inschrift (alemannisch– schwäbisch):
V I „[F]ROWE. IR. SVLENT. TR/VWE. HAN. IEHWILVEH. D/VR. NIEM(A)N. LAIN.“ (Frau ihr sollt Treue haben - ich will euch durch niemand lassen.)

Auf der Innenfläche des Deckels begegnen sich auf einer frisch blühenden Wiese ein Jüngling und eine Nonne und geben einander - wie aus der Wechselrede der Umschrift hervorgeht - das Treueversprechen. Der Mann und die Frau stehen sich in einer nur leicht aus der Frontaldarstellung herausgewendeten Haltung in der Darstellungsform des Gesprächsbildes gegenüber. Die wichtigsten Ausdrucksträger dieser Szenerie sind dabei die Gebärden der die beiden Figuren verbindenden Arme und die Farbsymbolik (Blau für Treue, Grün und Rot für die entzündete Liebe, Grau für hohen Liebesdienst).

Versteckte profane Züge im Antlitz der dargestellten Zisterzienserin wie ihre herzförmig gebildeten roten Lippen und die deutlich sichtbare blonde Haarlocke verstärken den weltlichen Aspekt des Themas. Den Ort der Handlung bildet ein Stück freie Natur: blauer Himmel, hohe Gräser und langstielige, weiße Kleeblätter stehen als Chiffren für den mittelalterlichen *locus amoenus* (Liebesgarten). Die auf moosgrünem Grund diagonalgestellten Papageienpaare auf der Deckelaußenseite tragen die nicht näher auflösbare Devise „h k h k“ im Schnabel und sind damit in doppeltem Sinne allegorische Wesen mit hohem moralischen Stellenwert. Der Papagei kann sowohl eine erotisch-

Außenseite

lustbetonte als auch eine der Treue entsprechende Eigenschaft verkörpern. Einzigartig ist die Zusammenstellung einer Nonne mit einem Sittich, der die christlichen Tugenden der Keuschheit und Jungfräulichkeit vertritt. Im übertragenen Sinne fungierte der exotische Vogel als Metapher für das höfische Leben. So war der kleine grüne Papagei *(Psittacus Torquatus)* das Abzeichen der Basler Rittergesellschaft zum Sittich, zu der auch der Besteller unseres Kästchens oder der Maler desselben in einer gewissen Beziehung gestanden haben könnte. Minneallegorisch deutbar sind auch die Rosen und Lilienblüten am Eisenbeschlag des Kästchens: Sie gelten als „Waffen der Liebe" und versinnbildlichen die Leidenschaft.

Stilistisch gehört das Klagenfurter Minnekästchen wohl in die oberrheinische Region. Die berühmte Manesse und Weingartner Liederhandschrift dürften im weitesten Sinne für das Kompositionsschema vorbildlich gewirkt haben. Gewisse Entsprechungen in Figurenstil und Gewandauffassung finden sich in Weltchroniken des südwestdeutschen Raumes, insbesonders zu der um 1350 entstandenen Stuttgarter Handschrift HB XIII, 6.

Der Einsatz von kräftigen, schwarzen Konturlinien auch innerhalb der Figuren bewirkt eine lasierend-transluzide Farbwirkung und verstärkt den sehr flächenhaften, heraldisch-dekorativen Aufbau der Bildstruktur, was formalgeschichtlich an Methoden und Wirkungen der Glasmalerei erinnert. Die Stilheimat des Minnekästchendeckels liegt vermutlich in Freiburg i. Br., wo sich ähnlich langgezogene Physiognomien mit extrem hoher Stirn, eng geschlitzten Augen und großer Nase etwa am Fresko in der Peter- und Pauluskapelle und an diversen Skulpturen des Münsters vorgebildet finden.

Lit.: K. HAUSER, Kleine Mitteilungen. Alterthümer und Funde, welche im Jahre 1897 für den Geschichtsverein von Kärnten erworben wurden, Car. I 88 (1898), S. 28, Nr. 5. – Führer durch das Landesmuseum für Kärnten (1953), S. 38. – J. SAUER, Reste alter Wandmalereien im Freiburger Münster, 1: Die St. Peter- und Paulskapelle und ihre Wandgemälde, Freiburger Münsterblätter 7 (1911), S. 1–19. – H. KOHLHAUSEN, Minnekästchen im Mittelalter (1928), S. 23–25, S. 78–79, Nr. 33, Nr. 38 besonders Nr. 33 d. Taf. 32. – DERS., Unveröffentlichte frühe deutsche Schmuck- und Minnekästchen, ZS für Kunstwissenschaft III (1949), S. 8–10, Abb. 14. – A. RIETH, Papageiendarstellungen in der mittelalterlichen Kunst Südwestdeutschlands, Nachrichtenblatt der Denkmalpflege in Baden-Württemberg VII (1964), S. 53–55. – W. MAYER-HOFMANN, Psitticher und Sterner. Ein Beitrag zur Geschichte des unstaatlichen Kriegertums, Basler Zeitschrift 67 (1967), S. 5–21. – L. KALMAR, Der intellektuelle Hintergrund der Vogeldarstellungen der Victorinus Corvina, Acta Hist. Artium XIX (1973), S. 36ff. – J. EISENGARTEN, Mittelalterliche Textilien aus Kloster Adelhausen im Augustinermuseum Freiburg (1985), S. 31ff. – T. ZAUNSCHIRM, Affe und Papagei-Mimesis und Sprache in der Kunst, Kunsthistoriker I (1984), S. 14–17. – V. KESSEL, Die süddeutschen Weltchroniken aus der Mitte des 14. Jahrhunderts (1984). – Kat. Das ritterliche Basel. Zum 700. Todestag Konrads von Würzburg, Stadt–u. Münstermuseum Basel und Festung Marienburg (1987), S. 23ff., S. 129ff., S. 138ff. – Kat. Codex Manesse, Universitätsbibliothek Heidelberg (1988), S. 281ff, H 3, G 3.

R. W.

6.3

AQUARELLKOPIE DES MINNEKÄSTCHENDECKELS

Alfred Schnerich (Tarvis 1859–Wien 1944), dat. und sign. rechts oben mit Monogramm: AS, 1889; handschriftlich: *Copie eines Dekels im Stifte St. Paul in Kärnten/nat. Größe*

Loses Blatt gelb-grauen Papiers aus einem Reiseskizzenbuch, Mischtechnik (Aquarell mit Deckfarben, Bleistift, Tusche), Blattgröße H 15/B 24 cm, Bildausschnitt H 15/B 17 cm

Landesmuseum für Kärnten, Inv. Nr. K 68 a.

Der Begriff *Minnekästchen* stammt aus der Romantik. Derartige Gegenstände wurden im Zuge der Mittelalterrezeption des 19. Jahrhunderts oftmals in natürlicher Größe kopiert und sind gelegentlich auch mit Absicht gefälscht worden. Ein besonderes Interesse galt dabei den auf Minnedarstellungen häufig überlieferten Inschriften. Sprachwissenschaftliche und ikonographische Vorlieben dürften den in Wien lebenden Kunsthistoriker Alfred Schnerich dazu bewogen haben, den St. Pauler Minnekästchendeckel zu kopieren. Ob er die Papageien der Deckelaußenseite ebenfalls in seinem Skizzenbuch festgehalten hat, läßt sich heute nicht mehr verifizieren. Auch wie das vorhandene Blatt in den Besitz des Geschichtsvereins kam, ist ungeklärt. Der Erwerb des Minnekästchendeckels 1896/97 für das Museum in Klagenfurt könnte über Vermittlung durch Alfred Schnerich erfolgt sein. Die Aquarellkopie hat einen besonderen Wert als Beleg für die frühe Rezeptionsgeschichte und für die denkmalpflegerischen und dokumentarischen Belange des originalen Deckels. Wenn wir dem im Aquarell überlieferten Zustand der Malerei trauen können, zeigt er heute am Original schon ganz oder teilweise verloren gegangene Details, wie die zart aufgesetzten Gräser und Kleeblätter und die rechte Schuhspitze der Nonne.

R. W.

6.4

Passionsseite

Evangelienseite

VORTRAGEKREUZ

Aus der Filialkirche Hll. Ulrich und Martin in Podlanig bei St. Lorenzen im Lesachtal/Kärnten. Friaul Ende des 14.–Anfang des 15. Jahrhunderts.

Holzkern, Messing und Kupfer getrieben, ziseliert und feuervergoldet; der ursprüngliche Schaftteil mit Übergangsstück, Knauf und Tülle für die Tragstange fehlen seit der letzten Restaurierung 1943, bei der alte Verdrückungen an den Reliefs, einzelne Nagellöcher, die Vergoldung und zur Gänze das Seitenband erneuert wurden. Kreuz: H 31,3/B 25,2/T 3,5 cm; Kruzifix: H 13,3/B 14,3 cm

Landesmuseum für Kärnten, Inv. Nr. K 10

Die Grundform besteht aus einem lateinischen Kreuz mit einer viereckigen Verbreiterung am Kreuzungspunkt der Balken und mit an den Ecken eingeschriebenen Quadraten an den Dreipaßenden. Das zweiseitig halbplastisch in Relief gearbeitete Kreuz wird von einer glatten ornamentlosen Grundfläche gebildet und von einem vertieften Linienzug umrahmt, wobei die Figurenreliefstärke häufig variiert.

Prozessionskreuze mit dieser Grundform sind sowohl an der Alpennordseite (Oberrhein- und Bodenseegebiet) als auch in Oberitalien (Venedig und Friaul) seit dem Ende des 13. Jahrhunderts weit verbreitet. Das Zusammenwirken von spezifisch Italienischem und transalpin Gotischem findet sich häufig in Metallarbeiten des südlichen Alpenvorlandes und in den adriatischen Kunstlandschaften Jugoslawiens.

Das ikonographische Programm des Vortragekreuzes steht ganz im Zeichen der älteren, aus dem Venezianischen vermittelten italo-byzantischen Tradition und zeigt zwei Aspekte: 1. Die Kruzifixus-Seite mit dem gekreuzigten Heiland flankiert von den Halbfiguren der trauernden Heiligen Maria und Johannes. Im oberen und unteren Dreipaß die Brustbilder zweier Engel in priesterlicher Gewandung mit Rauchfaß und Sphära oder Weltenkugel. 2. Die Rückseite mit Christus als Salvator und jeweils am Kreuzbalkenende gegenüberliegend die Symbole für die Evangelisten. Die Zusammenstellung einer Passions-Seite und Evangelien-Seite versinnbildlicht die mittelalterliche Heilswahrheit, nach der der Gläubige nur durch die Versenkung in die Leiden Christi - quasi durch das

Kreuz hindurch - zur triumphierenden Kirche gelangen kann. Das veranschaulicht auch die liturgische Funktion des Vortragekreuzes und seine Aufstellung am oder neben dem Altartisch zwischen Laienkirche und Chor. Solche meist in Edelmetall ausgeführten Goldschmiedearbeiten standen jahrhundertelang in Gebrauch und sind auch aufgrund ihres Materialwertes nur sehr selten unbeschädigt erhalten geblieben. Wahrscheinlich noch im Mittelalter wurde die ursprüngliche Christusfigur der Passionsseite des Kreuzes durch ein für die Kreuzbalken maßstäblich zu großes und so heute an den Beinen fragmentiertes Kruzifixus ersetzt. Dabei handelt es sich um ein sehr qualitätsvolles, im Oberkörper und der Physiognomie ungemein fein ausgearbeitetes Fragment eines nordisch inspirierten Kreuzes, vielleicht aus der Zeit um 1360/80. Eine stilistische Vergleichsmöglichkeit bietet das Vortragekreuz aus Aquileia im Domschatz der Metropolitan-Kirche zu Görz.

Die übrigen figuralen Darstellungen sind stilistisch relativ einheitlich und entsprechen dem in Oberitalien weit verbreiteten Darstellungstypus aus dem 2. Viertel des 15. Jahrhunderts. Namentlich in Friaul haben sich in den Orten Zuglio, Gemona, Tricesimo, und Cormons stilistisch verwandte Goldschmiedearbeiten mit bis ins Detail übereinstimmenden Modeln erhalten. Es handelt sich wahrscheinlich um Produkte retrospektiv arbeitender Goldschmiedewerkstätten in Udine und Cividale, die unter Verwendung von alten Stempelformen des 14. Jahrhunderts aus weniger kostbarem Material verkleinerte Repliken typologisch und stilistisch älterer Vortragekreuze herstellten.

Über den Fernhandel gelangten solche friulanischen Quattrocentokreuze bis ins benachbarte Ausland (vgl. das Prozessionskreuz von Obrh bei Drugatus in Slowenien; sowie jene zwei Vortragekreuze in Solothurn und im Augsburger Dom aus Südtiroler Provenienz). Auch in Österreich haben sich noch drei weitere Werke derselben Fabrikation im Besitz der Pfarrkirche Irschen in Kärnten, auf der Burg Finstergrün in Salzburg und im Diözesanmuseum in Wien erhalten. Das Anregungszentrum im italienisch-kärntnerischen Grenzgebiet war in den Jahrzehnten vor und nach 1400 zweifelsohne Friaul. Daß sich in Kärnten mit den Vortragekreuzen aus Podlanig und in Irschen gleich zwei künstlerisch wertvolle und qualitativ hochrangige Exemplare dieser friulanischen Stilgruppe erhalten haben, unterstreicht die Bedeutung der benachbarten italienischen Provinzkunst für die Kärntner Kunstlandschaft während der Gotik.

Lit.: K. HAUSER, Kleine Mitteilungen. Alterthümer und Funde, welche im Jahre 1897 für den Geschichtsverein von Kärnten erworben wurden, Car. I 88 (1898), S. 28, Nr. 1. – DERS., Neuer Katalog für das Historische Museum und die Monumentenhalle des Rudolfinums in Klagenfurt (1897), S. 36f., Saal IV, Kasten 21 bzw. Führer 1927, S. 47, Kasten 20. – MZK VIII (1881), CXXXIV, Nr. 81. – ÖKT 22 (1929), S. 163, Abb. 193 d.– O. DEMUS, Kunstgeschichtliche Wechselbeziehungen im italienisch-kärntnerischen Grenzgebiet während der Gotik, in: FS Martin Wutte (1936), S. 180–190. – M. MAYER, Das Vortragekreuz von Reith bei Kitzbühel, Tiroler Heimatblätter XXXII, H. 10–12 (1957), S .109–115. – G. MARCHETTI, L'oreficeria medioevale in Friuli e i reliquari di Pordenone, in: Il noncello II (1958), S. 3-40, Abb. 12, 13, 27, 29. - Kat. Oreficeria sacra in Friuli (1963), Nr. 71–74. – G. CUSCITO, Due croci astili dei Civici Musei di Storia ed Arte, Atti dei Civici Musei di Storia ed Arte di Trieste VI (1969–1970), S. 169–176, Fig. 39–44. – Kat. Oreficeria sacra del Friuli Occidentale Sec. XI–XIX (1975), S. 18, Nr. 20. - J. ZIEGLER, Vortragekreuz - vermutlich 14. Jh. - im Besitz des Diözesanmuseums (Inv. Nr. 67) in Wien (Diplomarbeit an der Hochschule für angewandte Kunst in Wien 1975). – Kat. Sakrales Kunsthandwerk. Restaurierung/Forschung. Sonderausstellung des Erzbischöflichen Diözesanmuseums in Wien vom 28. 11. 1975–15. 02. 1976, Kat. Nr. A 3 (Inv. Nr. 67). – Kat. Friaul lebt. 2000 Jahre Kultur im Herzen Europas (1977), S. 172, Abb. 85. - N. MAY, Gedanken zur Restaurierung von Werken der Goldschmiedekunst, Unsere Kunstdenkmäler XXXVII (1986), S. 396–405, Abb. S. 403. – Kat. La Collezione Garzolini a Trieste (1986), Nr. 2.63; 2.64, 2.65.

R. W.

6.5

KELCH

östliches Mitteleuropa (Krakau?), um 1470/80

Silber, vergoldet, Email, Rubine, Glassteine, Perlen; Durchmesser d. Fußes 14,8 cm; Durchmesser d. Kuppa 11 cm; H 24,9 cm

Stift St. Paul

Der sechspässige Fuß besitzt eine stark profilierte und mit einer Maßwerkstufe versehene Zarge, die in den Zwickeln je ein Flammenblatt trägt. Der Ständer geht kontinuierlich in den Schaft über. Die so gebildeten zungenförmigen Flächen sind durch je eine Drahtschleife konturiert und tragen vor alternierend blauem und grünem Emailgrund (stark beschädigt) die Brustbilder von Heiligen und eine szenische Darstellung (gegossene Reliefs): hl. Kaiser Heinrich II. (mit Zepter und Kirchenmodell), dessen Gemahlin, die hl. Kunigunde (mit Patene ? und Pflugschar?), Marienkrönung (Gott-Vater und Christus sowie Maria mit Kaiserkronen), hl. Katharina von Alexandrien (mit zerbrochenem Rad und Schwert), hl. Bischof mit Buch und Prozessionskreuz (hl. Blasius ?) und hl. Nikolaus (mit Kodex, 3 Goldkugeln und Pedum). Die verbleibenden Flächen der Lappen sind mit floralen Motiven gefüllt. Aus dem flachgedrückten Knauf mit Äquator wachsen sechs rhombenförmige Zapfen, deren Stirnseiten mit Glasflüssen besetzt sind. Auf der oberen wie auf der unteren Hälfte des Nodus sind mittels eines Perlstabs je sechs tropfenförmige Felder eingegrenzt. Diese tragen, wiederum über blauem und grünem Emailgrund, Engelsköpfe und Weinlaub (gegossene Reliefs). Die plastische Verzierung des Schaftes und jene des Nodus sind nach oben zu jeweils mit einer architektonisch strukturierten Zone (Wimpergen und Fialen alternierend) abgeschlossen. Die glatte hohe Kuppa ruht in einem Unterfang, dessen unterster Teil mit Drahtemail gestaltet ist (untere Zone: grün; obere Zone: grüne Blüten, teilweise mit roten Staubgefäßen, vor blauem Grund). Der Korb ist durch einen Perlenring nach oben hin abgeschlossen, auf diesem sitzt ein Blattkranz (alternierend hoch und niedriggestielte Blätter, zwischen diesen Rubine und Perlen, einige verloren) auf.

J. M. FRITZ hat – u.a. aufgrund der Kelchform und der am Unterfang der Kuppa verwendeten Technik des Drahtemails – an eine Entstehung des Kelches in Krakau, um 1470/80, gedacht. Diesen Entstehungsort sieht FRITZ allerdings als unvereinbar mit der Haustradition an, wonach der Kelch (gemeinsam mit einer Monstranz, s. Kat. Nr. 6.6) von den Mönchen aus St. Blasien nach St. Paul gebracht worden wäre.Dieser Ansicht ist allerdings entgegenzuhalten, daß die Wiedergabe der Hll. Heinrich und Kunigunde auf dem Kelch eher mit St. Blasien als mit dem erst 1091 gegründeten Kloster im Lavanttal vereinbar ist, und daß auch die Betonung des imperialen Moments (faßbar in der Wiedergabe des heiliggesprochenen Kaiserpaares wie in dem ikonographischen Spezifikum, daß Gott-Vater, Gott-Sohn und Maria bei der Marienkrönung Kaiserkronen tragen) eher auf St. Blasien (habsburgische Grablege) denn auf St. Paul verweist. Diese Vermutung wird unterstützt durch die Wiedergabe des hl. Nikolaus: Er war der Titelheilige der ersten Kapelle jener Mönchsgemeinschaft, aus der sich St. Blasien entwickelte, und die zudem von jeher Reliquien des hl. Bischofs besaß (der hl. Nikolaus ist auch dargestellt auf dem Buchkasten, s. Kat. Nr. 5.4). Somit ist es auch legitim, den zweiten auf dem Kelchfuß dargestellten hl. Bischof, der ja mittels seines Attributes (einer Art Vortragekreuz) nicht eindeutig identifizierbar ist, als hl. Blasius zu deuten.

Lit.: ÖKT 37 (1969), S. 232, S. 234, Abb. 319-321 (mit der älteren Literatur). – J. M. FRITZ, Goldschmiedekunst der Gotik in Mitteleuropa (1982), Nr. 819. – Kat. 900 Jahre Stift Göttweig (1983), Nr. 31 (mit der älteren Literatur).

M. P.

6.6

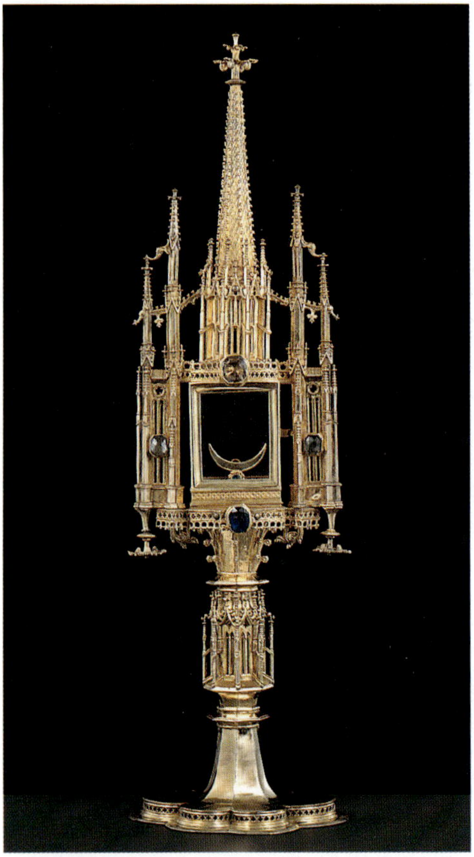

HOSTIENMONSTRANZ

östliches Mitteleuropa, 2. Viertel des 15. Jahrhunderts

Silber, vergoldet, Topas, Saphir, 2 Turmaline, Glas; H 66 cm

Stift St. Paul

Die Turmmonstranz ist zur Gänze aus architektonischen Formen aufgebaut: Aus einem sechspässigen Fuß mit profilierter Zarge, die eine durchbrochen gearbeitete Maßwerkzone aufweist, steigt der gegratete Schaft auf. Er durchdringt einen tabernakelförmigen Knauf über achteckigem Grundriß und eine achtseitige, profilierte Platte. Der Trichter besitzt die Form eines Knospenkapitells. Die polygonale Sockelplatte (gedrücktes Achteck mit je drei eingezogenen Seiten an der Vorder- und Rückseite, an den beiden Schmalseiten durch zwei kreuzförmige Flächen erweitert) bereitet den weiteren Aufbau der Monstranz vor: Auf dem mittleren Teil der Fundamentplatte sitzt das hochreckteckige Schaugefäß auf, die kreuzförmigen Ausweitungen tragen je einen Strebepfeiler. Dieser ist jeweils flankiert von einem zweiten Strebepfeiler, der mit dem Inneren durch eine architektonisch gegliederte Wand (Maßwerkfenster) und darüberliegendem Satteldach verbunden ist. Der jeweils äußere Pfeiler kragt über die Sockelplatte vor und wird nach unten zu von einer dreiblättrigen, hängenden Kreuzblume abgeschlossen. Eine polygonale, auf dem Schaugehäuse aufruhende Deckplatte (gedrücktes Achteck, vorne und hinten je drei eingezogene Seiten) trägt einen achtseitigen Turm. In seine Wände sind Maßwerkfenster eingeschnitten, den Graten Strebepfeilerpaare vorgelagert, die Fenster durch Wimperge bedacht. Strebebögen schaffen den Übergang von dem das Schaugehäuse flankierenden Strebewerk zur Traufenzone des Turms. Eine Kreuzblume bekrönt den krabbenbesetzten Helm. Bei den vier auf der Vorderseite der Monstranz montierten Steinen (in einfacher Kastenfassung) und der Lunula handelt es sich wohl um spätere Zutaten. Am Fuß zwei kleine Stempel mit undeutlicher Wiener Repunze CA. J. M. FRITZ datiert die Monstranz in das 2. Viertel des 15. Jahrhunderts und denkt (u. a. wegen des hochrechteckigen Schaugefäßes) an eine Entstehung im östlichen Mitteleuropa. Dieses von ihm erwogene Entstehungsgebiet paßt nicht zur Haustradition, derzufolge die Monstranz Teil des von den Mönchen aus St. Blasien nach St. Paul mitgebrachten Schatzes war. Dem ist allerdings entgegenzuhalten, daß der spätgotische Kelch (s. Kat. Nr. 6.5.), der gleichfalls in das östliche Mitteleuropa zu lokalisieren ist, doch mit großer Wahrscheinlichkeit aus St. Blasien stammt.

Lit.: ÖKT 37 (1969), S.230f.,Abb. 314. - J.M. FRITZ, Goldschmiedekunst der Gotik in Mitteleuropa (1982), Nr. 532, (Nr. 819).

M. P.

6.7

HOSTIENMONSTRANZ

süddeutsch (?), 1. Viertel (?) des 15. Jahrhunderts

Silber, vergoldet, Bergkristall (?), Glassteine, Perlen ; H 52 cm

Stift St.Paul

Die Monstranz besitzt einen achtseitigen, sternförmigen Fuß mit nach innen geschwungenen Seiten. Die hohe, reich profilierte Zarge weist eine durchbrochen gearbeitete Zone auf. Der aus dem Ständer herauswachsende Schaft ist noch im Wölbungsansatz gekappt, die kreisrunde „Schnittfläche" von einer Bergkristallplatte (?) verschlossen; sie läßt einen Blick auf das Innere des Fußes zu. Acht Äste (gerippt, mit zahlreichen ornamental verteilten Astansätzen) liegen auf den Graten des Ständers auf und wachsen von da – quasi den fehlenden Schaft begrenzend – nach oben zu auf; sie treffen unterhalb einer kleinen profilierten Platte zusammen. Der obere Teil des Schaftes samt dem breiten und gedrückten Nodus wird von einem Gewinde aus gerippten und glatten Ästen gebildet. Die Sockelplatte besitzt die

Form eines liegenden „X“ mit einer rechteckig ausgeweiteten Vierung. Von einem Ring, der den Schaft knapp oberhalb des Knaufes umläuft, steigen vier mit Krabben besetzte Voluten auf und unterstützen die im Grundriß schräg auseinanderstrebenden Partien der Sockelplatte. Auf ihrer Vierung liegt das zylinderförmige Schaugefäß. Seine kreisrunden Öffnungen sind mit Gläsern verschlosssen, die breiten, ringförmigen Fassungen mit je fünf Perlen und fünf Glassteinen (teilweise verloren) besetzt. Je zwei Strebepfeiler mit vorgelagerten Fialen, die über den divergierenden Teilen der Fundamentplatte aufwachsen, flankieren den Behälter. Strebebögen leiten vom Strebewerk zur Sockelzone des sechsseitigen Turmes über. In die Turmwände sind Maßwerkfenster eingeschnitten, diese von Wimpergen überdacht, den Graten Strebepfeiler und diesen Fialen vorgelagert. Der krabbenbesetzte Turmhelm ist mit einem Krautkopf (?) und einem Kreuz bekrönt. An den Außenseiten des Zylinders, zwischen den beiden Strebepfeilern, kniet je ein vollplastisch gegossener Engel auf einer weit vorkragenden, stark profilierten Konsole. Die Flügel der Engel greifen weit aus, ihre Arme sind in einem nicht näher bestimmbaren Gestus vor der Brust erhoben.
Die Lokalisierung der Monstranz ist schwierig. Die Mischung von floralen und architektonisch strukturierten Formen, besonders aber das Fehlen der unteren Schafthälfte – was bedingt, daß der obere Teil der Monstranz zu schweben scheint – ist ungewöhnlich. Die Engel (Flügel) weisen eine gewisse Verwandtschaft mit jenen auf der Klosterneuburger Kreuzpartikel-Monstranz auf, was an eine Entstehung des in St. Paul verwahrten Stücks im süddeutschen Raum denken läßt, wohl noch im 1. Viertel des 15. Jahrhunderts

Lit.: ÖKT 37 (1969), S. 231f., Abb. 315f.

M. P.

6.8

TRUHE

süddeutsch, 2. Hälfte des 15. Jahrhunderts

Holz, Leder, gepreßt, vergoldet, Messing; H 6,5/B 7,8/T 10,8 cm

Stift St. Paul

Der kofferförmige, mit einem flachen Deckel verschlossene Behälter ist mit gepreßtem, ehemals vergoldetem Leder überzogen. Auf dem Deckel wird ein mit vegetabilen Motiven gefülltes Binnenfeld von einer Inschriftleiste gerahmt; die übrigen Seiten sind zur Gänze mit Blattmotiven (Ahorn- und Eichenblätter) überzogen. Darüberhinaus ist das Köfferchen reich mit Messingbeschlägen versehen: Am Deckel sitzt mittig ein Griff, das in die Vorderseite eingelassene Schloß ist durch eine querrechteckige Platte (mit eingezogenen Seiten) geschützt, Scharniere führen vom Deckel zur Rückseite des Trühchens, Schienen schützen seine Kanten. Der Behälter mag ursprünglich einem profanen Zweck gedient haben und erst später in den Schatz des Klosters (St. Blasien ?) gelangt sein, wo er als Reliquienbehälter Verwendung gefunden haben könnte.

Lit.: ÖKT 37 (1969), S. 204, Abb. 275.

M. P.

6.9

WAPPENSCHEIBE (BILHAM SCHRETL)

Unbekannter Glasmaler aus dem südlichen Schwarzwald; um 1500

Glasmalerei, teilweise ergänzt, Verbleiung neu; H 27,5/B 21,2 cm

Stift St. Paul

Der weiße Streifen unterhalb des Wappenschildes nennt den Namen „Bilham Schretl“: Obwohl der Familienname Schretl auch in Kärnten vorkommt, dürfte es sich doch um ein Werk aus dem südlichen Schwarzwald handeln. Der schräg tingierte Wappenschild zeigt in der oberen Hälfte einen Hund als Wappentier, der in der Helmzier zwischen den beiden Büffelhörnern des Stechelhelms wieder auftaucht. Eine konkrete Zuweisung des Wappens an ein bestimmtes Geschlecht oder gar an eine bestimmte Person ist bislang nicht geglückt.

Lit.: ÖKT 37 (1969), S.217, Nr. 1, Abb. 298.

W. H.

6.10

VERKÜNDIGUNGSENGEL

Unbekannter Kärntner Bildschnitzer; spätes 15. Jahrhundert

Lindenholz, spärliche rötliche Polychromierungsreste im Gesicht; H 54 cm

Stift St. Paul

Vermutlich stammt dieses Relief mit der Darstellung eines Verkündigungsengels von einem der ehemaligen spätgotischen Flügelaltäre aus der Stiftskirche selbst oder aus einer der dem Stift inkorporierten Kirchen. Die zahlreichen Wurmlöcher deuten auf einen einstigen intensiven Anobienbefall hin, wie auch die nahezu vollkommene Entfernung alter Fassungsspuren auf mehrfache Nachbehandlungen schließen lassen. Die seitwärts gewendete, fragmentierte Engelsgestalt mit der zum Redegestus erhobenen rechten Hand und mit dem fragmentierten Spruchband in der linken Hand ist Teil einer ursprünglichen Szene der Verkündigung an Maria. Neben diesem charakteristischen Gestus und dem Attribut des Spruchbandes ist die Figur auch durch die in sich bildhauerisch nicht differenziert behandelten Flügel als Engel ausgewiesen. Die „glatte“ Oberfläche der geschnitzten Engelsflügel signalisiert die ursprüngliche Bedeutung für die Polychromierung des Reliefs zugunsten seiner künstlerischen Wirkung.
Die Figur präsentiert eine Frühform des „Kärntner Parallelfaltenstils“ um die Wende vom 15. zum 16. Jahrhundert. Genuin spätgotische Formenauffächerung wird in motivischer Reduktion in den Dienst einer geschlossenen, körperliche Kompaktheit betonenden, ausdrucksgetragenen Figurenauffassung gestellt, die ohne die Infiltration genuin italienischer Darstellungsmodi nicht denkbar ist.

Lit.: ÖKT 37 (1969), S. 201, Nr. 1, Abb. 271.

W. H.

6.11

STATUETTE EINES MÖNCHSHEILIGEN

Unbekannter Kärntner Bildschnitzer; frühes 16. Jahrhundert.

Lindenholz, stark beschädigt, ohne Polychromierungsreste; H 72,5 cm

Stift St. Paul

Wie aus zahlreichen Rißstellen im vertikalen Verlauf des Lindenholzes dieser, vor allem unten stark fragmentierten Skulptur zu entnehmen ist, befand sie sich lange Zeit im Freien. Witterungseinflüsse haben die vorauszusetzende Polychromierung gänzlich zerstört und schließlich auch Rißbildungen im Holz selbst verursacht. Außerdem fehlt die rechte Hand. Diese Skulptur stellt einen bärtigen, langmähnigen Mann mit Stirnglatze und Stirnlocke dar und zeigt ihn im langen, gegürteten Untergewand und von einem togaartigen Mantel umgeben, wobei die Schulterpartie der Cuculla eines Mönches ähnelt. In der linken, abgewinkelten Hand hält er ein aufgeschlagenes Buch. Diese Skulptur läßt an einen Mönchsheiligen, wie

etwa Antonius Abbas oder Ägidius, denken. Die einschlägigen Tierattribute – das Wildschwein für ersteren, das Reh für letzteren – wie sie traditionellerweise seitlich zu Füßen dargestellt sind, wären ursprünglich durchaus an den ihnen zukommenden Stellen denkbar.

Lit.: ÖKT 37 (1969), S.202, Nr. 2, Abb. 272. - K. GINHART, Eine spätgotische Kreuzgruppe in St. Veit a. d. Glan, Car. I 148 (1958), S. 506, Abb. 30.

W. H.

6.12 s. II, S. 421, Abb. 90

DER REICHE PRASSER UND DER ARME LAZARUS

oberrheinisch (?); letztes Viertel bis Ende des 15. Jahrhunderts

Öl auf Holz; jeweils H 30,5/B 24,5 cm

Stift St. Paul

Die Tafel stellt die bekannte Gleichnisrede Jesu vom reichen Prasser und dem armen Lazarus (Lk 16, 19–41) dar. Ein reicher Mann hatte dem armen und kranken Lazarus sogar die Abfälle seines Mahles verweigert und mußte deshalb nach seinem Tod Höllenqualen leiden, während Lazarus ins Reich der Seligen aufgenommen wurde. Die Bildfläche ist zu zwei Drittel mit dem zweigeschossigen Haus des Prassers, das als offene Säulenarchitektur wiedergegeben ist,gefüllt: unten ist die Szene des Mahls (davor der von einem Diener abgewiesene Lazarus), oben das Schlafgemach mit dem sterbenden Reichen und seinen Ärzten, dargestellt. Das Schicksal der Seelen der beiden Protagonisten wird rechts oben geschildert: Die Seele des Prassers wird durch den Höllenrachen verschluckt, die des Lazarus von Engeln himmelwärts getragen.

Lit.: ÖKT 37 (1969), S. 287, Nr. 2. – Kat. St. Blasien, 1983, Bd. I, S. 257ff., Nr. 203.

J. H.

6.13

BEWEINUNG CHRISTI

oberrheinisch (?); letztes Viertel bis Ende des 15. Jahrhunderts

Öl auf Holz; jeweils H 30,5/B 24,5 cm

Stift St. Paul

Die Szene der Beweinung Christi entfaltet sich vor einer hügeligen Landschaft mit Ausblick auf die Stadt Jerusalem. Die in leichter Diagonale konzipierte Komposition enthält niederländische Elemente, die auf unterschiedliche Lösungen des Themas bei Rogier van der Weyden zurückgehen. Maria, die ihr Gesicht liebevoll an das ihres toten Sohnes schmiegt und ihre Hand behutsam an sein Kinn legt sowie der ihr zur Hilfe heraneilende Johannes im auffällig gebauschten Mantel, erinnern an das Beweinungsblatt von Veit Stoß (Ende des 15. Jahrhunderts ?, München, Graphische Sammlung). Ferner wäre auf die expressive Gestalt

Maria Magdalenas mit den hochringenden Händen und auf die beiden an ihren Kreuzen sich krümmenden Schächer aufmerksam zu machen, die die Komposition formal und inhaltlich abrunden.
Obwohl die beiden Tafeln „Beweinung Christi" und „Der reiche Prasser und der arme Lazarus" (s. Kat. Nr. 6.12) inhaltlich nicht zusammenpassen, bildeten sie offensichtlich Flügel eines kleinen Altars. Die Spuren von Scharnieren – an der rechten Rahmenleiste der Grablegung und an der linken Rahmenleiste des Lazarusbildes – lassen sogar an ein Diptychon denken. Die Rückseiten sind schwarz bemalt. Die szenische Anordnung der Lazarusgeschichte in einer dazu entsprechend konzipierten Architektur ist charakteristisch für die französische und niederländische Buchmalerei des 15. Jahrhunderts. Dort kommt auch das Gleichnis vom reichen Mann und armen Lazarus in ikonographischer Verbindung mit der sogenannten *Ars moriendi* oft vor. Unser Bild verrät tatsächlich Reminiszenzen dieses Repertoires, überträgt aber die Formen eher ins südwestdeutsche Milieu. Ob für die Grablegung Christi wirklich der entsprechende Kupferstich von Veit Stoß benutzt wurde, muß trotz großer Ähnlichkeiten offenbleiben, da die graphische Tätigkeit dieses Künstlers erst in seine Nürnberger Jahre ab 1499 gesetzt wird (s. F. KORENY, Die Kupferstiche des Veit Stoß, in: Veit Stoß, Die Vorträge des Nürnberger Symposions 1985, S. 141–168). Die oben angeführten Verbindungen und die kleinliche, aber ungebundene Malweise sprechen dafür, daß der Autor dieser Täfelchen in der Buchmalerei zuhause war. Sein eventueller niederländischer Ursprung scheidet wohl aus.

Lit.: ÖKT 37 (1969), S. 278, Nr. 3. – Kat. St. Blasien, 1983, Bd. I, S. 257f., Nr. 204.

J. H.

6.14

ANBETUNG DES KINDES

Werkstatt oder Nachfolge des Ulrich Apt d. Ä. (Augsburg um 1460–1532), bez.: 1511 auf der Stufe rechts unten; darunter falsches Monogramm H. H. für Hans Holbein d. Ä. 1511

Öl auf Holz, neu gerahmt, H 43/B 36,5 cm

Stift St. Paul

Die Tafel, die aus dem Besitz des Klosters St. Blasien nach St. Paul gelangt ist, stellt die Geburt Christi dar. Maria kniet betend vor dem Jesuskind, das vor einem Ochsen und einem Esel auf dem ausgebreiteten Stück ihres Mantels liegt. Mit einem Gefäß in der Hand nähert sich Joseph der Gruppe. Die Architektur mit romanischen Formen und die im Kontrast dazu

auffallend plazierte Renaissance-Säule versinnbildlichen Alten (Judentum) und Neuen Bund (Christentum).
Die Szene wird ergänzt durch die Verkündigung an die Hirten im Landschaftshintergrund. Das Bild ist mit Ausnahme des rosigen Inkarnats, der braunen Haare und des dunkelblauen Himmels in Grisaille-Technik ausgeführt. Da die Grisaille-Technik nach niederländischen Mustern auch in der deutschen Malerei der Spätgotik oft für die Außenseiten der Altarretablen verwendet wurde, ist anzunehmen, daß dieses Bild das Äußere eines kleinen Klappaltars schmückte. Auch wenn das Bild nicht von Hans Holbein d. Ä. stammt, so ist es doch in einer augsburgischen Werkstatt entstanden. Die Figurentypen und ihre Draperie weisen in die Richtung der Ulrich Apt d. Ä. - Nachfolge. Vergleichbar wäre der für die Augsburger Familie Rehlinger 1517 hergestellte Kreuzigungsaltar (Staatsgalerie Stuttgart), v. a. dessen Flügelaußenseiten in Grisaille, die allerdings in Figuren- und Raumauffassung fortgeschrittener sind.

Lit.: ÖKT 37 (1969), S. 287, Nr. 4. – Kat. St. Blasien 1983, Bd. I, S. 260, Nr. 205.

J. H.

6.15

HL. ANDREAS UND HL. DOROTHEA

Meister der St. Stephaner Außenwand, um 1445

Öl auf Holz, H 74/B 42,5 cm

Stift St. Paul

Die Tafel bildete vermutlich den linken Flügel eines verschollenenen Flügelaltars und zeigt

vor einem Goldgrund zwei nebeneinander stehende Heilige. Links ist Andreas als rüstiger Greis, der sich leicht zur Mitte des Bildes wendet, mit seinem über die ganze Bildhöhe ragenden Kreuz in der Rechten dargestellt. Neben ihm steht Dorothea mit einem Palmzweig in ihrer Rechten und einem Blumenkorb in der Linken. Der Kopf ist dem Betrachter zugewendet.
Die Tafel ist ein gutes einheimisches Werk des späten weichen Stils, wie die Körperlichkeit der Figuren und die souverän geführten Linien der Gewandfalten, v. a. des Andreas, zeigen. Die Kopftypen und die merkwürdig „kontrapunktisch" verlaufenden Gewandfalten des Andreas lassen auf eine Arbeit des Meisters Friedrich aus der Villacher Werkstatt schließen. In Frage käme auch ein Maler, der unter Einfluß dieser Werkstatt stand und der die einstige, heute zugemauerte Südaußenwand der Kirche in St. Stephan bei Niedertrixen bemalt hat. (Als ein spätes Werk dieses Malers sind die Fresken im Chor der Kirche von St. Peter bei Grafenstein, schon um 1460, anzusehen.)

Lit.: J. HÖFLER, Die gotische Malerei Villachs 2 (1982), S. 98 und passim. – ÖKT 37 (1969), S. 142ff. – O. BENESCH, Eine österreichische Stiftsgalerie (St. Paul), Belvedere 8 (1929), S. 31. – DERS., Der Meister von Gerlamoos 2 (1938), S. 98f. – K. GINHART, Das Stift St. Paul im Lavanttal (1953), S. 18. – O. DEMUS, Zwei neuentdeckte Wandmalereien des Thomas von Villach (1955), S. 13ff.

J. H.

6.16

HLL. ERHARD UND BARBARA, JOHANNES DER TÄUFER UND KATHARINA, GNADENSTUHL („GNADENSTUHLTRIPTYCHON")

Meister des St. Pauler Gnadenstuhltriptychons; um 1460

Tempera auf Holz; jeweils H 102/B 58 cm (hll. Erhard und Barbara; hll. Johannes d. T. und Katharina) bzw. H. 93/B 49 cm (Gnadenstuhl); in Zusammensetzung H 109/B 182 cm

Stift St. Paul

Von dem nachträglich zusammengestellten Triptychon stimmen die jetzigen seitlichen Tafeln mit den stehenden Heiligen überein. Sie sind beide auf blauem Hintergrund gemalt und haben die gleichen Maße, wogegen die mittlere Gnadenstuhltafel auf punzierendem Goldgrund eher zur St. Pauler Marienkrönung (Kat. Nr. 6.17) gehört. Die Heiligen an den Seitentafeln (hll. Erhard und Barbara links, hll. Johannes d. T. und Katharina rechts) sind etwas überproportioniert dargestellt. Ihre Grundauffassung wurzelt im einheimischen verspäteten weichen Stil („knochenlose" Gliedmaßen, sowie naive und ausdrucklose Gesichter), verbunden aber mit einem Faltenstil, dem man zu dieser Zeit in Kärnten kaum begegnet. Die reichen Gewänder der Figuren weisen lange energische Linien auf, die sich unten in einem Faltenspiel, in der Art des salzburgischen „Schweren Stils" der vierziger Jahre (Konrad Laib), auflösen. Einen direkten Einfluß Konrad Laibs erblickt man im ungewöhnlich markanten Gesicht des hl. Erhard. Der Gnadenstuhl folgt dem in der Jahrhundertmitte weit verbreiteten Muster (vgl. vor allem den steirisch gekennzeichneten, 1449 durch Kaiser Friedrich III. gestifteten hl. Dreifaltigkeitsaltar in Bad Aussee). Die Thronarchitektur der Gnadenstuhltafel korrespondiert mit der St. Pauler Marienkrönung, die oben ähnlich durch kleine Engelsgestalten (die inneren zwei musizieren ebenfalls mit einer Fiedel bzw. Laute) belebt ist. Stilistisch stimmt dieses Bild mit den Seitentafeln überein. Da aber die Originalrahmen nicht mehr vorhanden sind, ist ihre ursprüngliche Anordnung nicht einwandfrei zu bestimmen. Die beiden Heiligentafeln könnte man sich wohl gut als Flügel eines Flügelaltars mit einem Schrein in der Mitte vorstellen, wogegen das Gnadenstuhlbild zusammen mit der erwähnten Marienkrönung

ein Diptychon gebildet haben dürfte. Es stört nur, daß die Tafeln des jetzigen Triptychons alle auf der Rückseite dasselbe gotische Rankenmuster tragen, wogegen die Rückseite der Marienkrönung heute nur bloßes Holz aufweist. Die Anwesenheit des hl. Erhard auf der linken Tafel läßt daran denken, daß sich die beiden Heiligentafeln früher auf einem Seitenaltar in der Erhardikirche im Markt St. Paul befunden haben könnten.
Das besprochene Werk ist eine Arbeit eines wohl in Völkermarkt bald nach der Mitte des 15. Jahrhunderts tätigen Malers, dem man noch einige Wandmalereien in Mittelostkärnten zuschreiben kann (das mit 1460 bezeichnete Votivfresko des Konradus Ernst in der Magdalenkirche zu Völkermarkt, Weltgericht im Chor der Georgskirche in Wabelsdorf).

Lit.: J. HÖFLER, Die gotische Malerei Villachs 2 (1982), S. 111. – ÖKT 37 (1969), S. 138ff.

J. H

6.17 s. II, S. 420, Abb. 89

MARIENKRÖNUNG

Meister des St. Pauler Gnadenstuhltriptychons, um 1460

Tempera auf Holz, H 92/B 49 cm

Stift St. Paul

Die Darstellung einer Marienkrönung durch die drei göttlichen Personen ist eine ikonographische Lösung, die sich erst um 1460 durchsetzte. Das weitgehend symmetrisch komponierte Bild auf punziertem Goldgrund zeigt vorne in der Mitte, kniend und betend, Maria. Der Bildraum wird wie bei der dazugehörenden Gnadenstuhltafel durch den mächtigen gotischen Thron Gottvaters bestimmt, der hinter Maria sitzend, seine Hände zum Segen erhebt. Im Einklang mit der Braut-Christi-Symbolik der Marienkrönung berührt Christus mit der linken Hand das Kinn Mariens. Auf den beiden seitlichen Fialen des Throns steht je ein musizierender Engel mit Fiedel bzw. Laute. Stil und Maße der Tafel lassen darauf schließen, daß es sich bei der „Marienkrönung" um ein Pendant zum oben erwähnten St. Pauler Gnadenstuhl handelt, mit dem sie einmal ein Diptychon gebildet haben könnte.

Lit.: ÖKT 37 (1969), S. 139, S. 287, Abb. 180.

J. H.

6.18

SECHS STEHENDE HEILIGE

Thomas Artula (gen. Thomas von Villach) (um 1435/40 – nach 1520), um 1480; sign. am Kragen des hl. Nikolaus: *t(o)man*

Tempera auf Holz, H 111 / B 166 cm

Stadtmuseum, Villach, Leihgabe der Pfarre St.Martin in Villach

Auf der breitformatigen Tafel sind vor dunklem graugrünem Hintergrund sechs Heilige mit gewöhnlichen Attributen dargestellt: hll. Lucia, Leonhard, Kaiserin Kunigunde (das Modell des Bamberger Domes tragend), Nikolaus, Bartholomäus und Briccius. Da der Rahmen noch original ist und keine Scharniere aufweist

(auch die Rückseite ist unbemalt geblieben), muß es sich um ein selbständiges Altarbild gehandelt haben.

Die Aufreihung von mehreren Heiligen war im Ostalpenraum sowohl in der Wand- wie auch in der Tafelmalerei im 15. Jahrhundert nicht unbekannt. Hier scheint es sich jedoch um eine Anknüpfung von Thomas an seinen Villacher Vorgänger Meister Friedrich (Tafel mit Maria und vier Heiligen, Stadtmuseum Villach, um 1435) zu handeln, wobei er aber das Vorbild durch eine geistige Korrespondenz zwischen den Figuren erweitert und seelisch belebt hat. Die Ponderationsart der Figuren, ihre Gesichtstypen und die Faltengebung lassen das Werk (nach bisheriger Chronologie) in die Mittelperiode von Thomas' Schaffen einstufen. Aufgrund der Darstellung der Kaiserin Kunigunde ist zu vermuten, daß sich die Tafel ursprünglich in der Villacher Chorkapelle befand, die damals noch im Sprengel der St.Martinspfarre lag. Aufgefunden wurde sie in der Filialkirche in der Oberen Fellach.

Lit.: J. HÖFLER, Die gotische Malerei Villachs 2 (1982), S.43f., Abb.142 (mit der älteren Literatur).

J.H.

6.19

ZWEI PREDELLENTAFELN: HL. PETRUS UND HL. PAULUS

Friedrich Pacher, Bruneck; Mitte oder 2. Hälfte der 80er Jahre des 15. Jahrhunderts.

Ölmalerei auf Holz, H 46/B44, H 47/B44,5 cm

Friesach, Deutschordenskirche

Die beiden heute aus ihrem urspünglichen Zusammenhang gelösten Tafeln mit den Halbfiguren der Apostelfürsten Petrus und Paulus waren ehemals die Feiertagsseiten eines Predellenflügelpaares. Die zugehörigen Rückseiten, die vermutlich im 19. Jahrhundert abgetrennt worden sind, zeigen die hll. Katharina und Barbara.

Die Darstellung der Büsten der hll. Petrus und Paulus findet man im Oeuvre der Pacher bereits in den späten 60er Jahren; unter anderem an prominenter Stelle im Rahmen der Schlußsteinfresken der Stiftskirche von St. Paul. Das unmittelbare Vorbild für Friedrichs Tafeln waren aber die sogenannten „Wiltener Predellenflügel" Michael Pachers, was ein Vergleich der Katharinentafeln am deutlichsten demonstriert. Im Falle der Figur des hl. Paulus folgt Friedrich jedoch stärker als Michael dem traditionellen Typus der Paulusdarstellungen (mit dem schmalen Schädel, der hohen Stirn, den hervortretenden Backenknochen und der gebogenen Nase), den er bereits um 1468 auf einem Schlußsteinfresko der Filialkirche St. Korbinian bei Thal in Osttirol in ähnlicher Weise gestaltet hat und der auch verwandt auf den St. Pauler Fresken – hier nur frontal gesehen – erscheint. Diese asketischen, scharf geschnittenen Gesichtszüge entsprachen auch eher dem spätgotischen, an der Kunst des Meisters ES orientierten Linienmanierismus Friedrichs.

Die Darstellung der hll. Petrus und Paulus spielt im Werk Friedrich Pachers noch einmal eine besondere Rolle: Der Peter- und Paulsaltar aus Jöchlsthurn bei Sterzing, der als reine Bilderwand ohne Skulpturenschrein konzipiert ist, zeigt auf der Mitteltafel die monumentalen

Hl. Petrus

Hl. Paulus

Gestalten der beiden Apostelfürsten in ganzer Figur unter einem reichen Baldachin stehend. Die Flügel sind mit Szenen aus dem Leben der beiden Heiligen – der *Legenda aurea* folgend – geschmückt. Die Bilder der Feiertagsseite weisen einen mit Brokatmuster verzierten Goldgrund auf, der nahezu identisch ist mit der Musterung der Goldhintergründe der Friesacher Petrus- und Paulustafeln. Aufgrund der unterschiedlichen Höhe dieser Tafeln und der Predella des Jöchlsthurner Altares kann es sich aber nicht um die zugehörigen Predellenflügel handeln. Ein stilistischer Vergleich erbringt jedoch, daß die Friesacher Bilder einem etwa zeitgleichen Werk aus den Jahren nach der gemeinsamen Arbeit Michael und Friedrich Pachers am Wolfgangsaltar, also nach 1481, zuzuordnen sind. Sie gehören jener Phase in Friedrichs Schaffen an, die durch das Prinzip der Verstrebung der Formen im Bildganzen gekennzeichnet ist. Petrus hält z. B. sein Attribut so vor sich, daß es zwischen dem unteren und dem rechten Bildrand verspreizt ist. Das betonte Hintereinander von Attributen und Figuren wird zu einem Verspannen der Musterform auf dem Grund. Der Schlüsselgriff öffnet gewissermaßen den Mantel des Apostels, der dadurch locker seine Form nachzeichnet und in den sich die Raute wie ein Verschluß einpaßt. Die Bildgrenze darf dabei möglichst nicht überschnitten werden, was dazu führt, daß Paulus die Spitze seines Schwertes (dessen Griff optisch zwischen dem Kopf des Apostels und dem linken Bildrand eingespannt ist) in das Gewand stecken muß, noch ehe sie an den unteren Bildrand gelangt. Dies illustriert, daß dem Künstler dieses Prinzip sogar wichtiger war, als die inhaltliche Logik.

Lit.: E. OBERHAIDACHER-HERZIG, Die Rekonstruktion zweier Predellenflügel Friedrich Pachers, ÖZKD 33 (1979), S. 19–26. – M. KOLLER, Die Friesacher Peter- und Paul-Tafeln, Untersuchung und Restaurierung, ÖZKD 33 (1979), S. 26f. – J. HÖFLER, Die Tafelmalerei der Gotik in Kärnten 1420–1500 (1987), S. 90f., Abb. 141f.

E. O

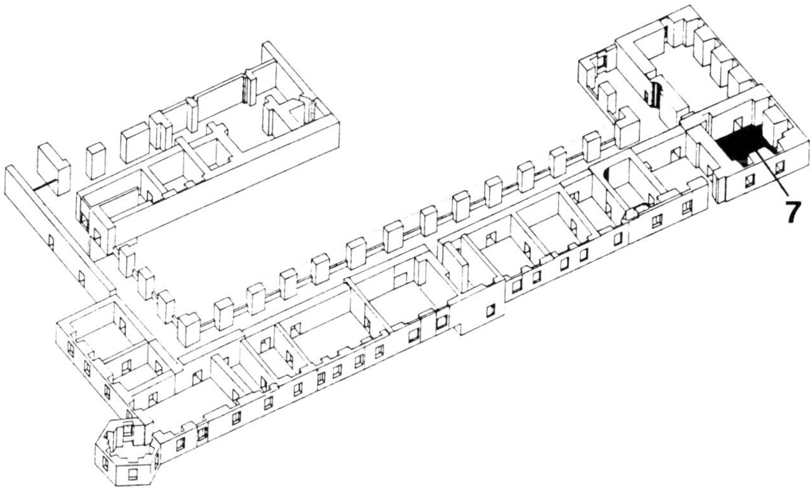

7

Buchwesen und Skriptorien

Zwischen dem 2. und dem 4. Jahrhundert n. Chr. löste der meist in weißgegerbtes Wildleder gebundene Pergamentkodex die bis dahin vorherrschende Papyrusrolle ab und blieb während des ganzen Mittelalters die vorherrschende Erscheinungsform von Büchern, mit deren Seiten nun in sich geschlossene Flächen zur Verfügung standen, die zur Aufnahme von Miniaturen, Illustrationen, Ornamenten und Initialen besonders gut geeignet waren, was zu künstlerischen Hochleistungen im Buchschmuck, aber auch in der Kalligraphie (der kanonischen Schönschrift) führte. Bis zum 13. Jahrhundert ist die große Masse der an der Buchproduktion Beteiligten, also der eigentlichen Schreiber (der zumeist lateinischen Texte), der Miniatoren, Rubrikatoren, Illuminatoren, der Kalligraphen und der Korrektoren anonym. Erst dann kommt mit dem Kolophon (Schlußschrift) eine Gelegenheit auf, Namen, Zeit und Ort ihrer anspruchsvollen und schwierigen Tätigkeit zu nennen.

Die mittelalterlichen Kodices – am kostbarsten wurden meist liturgische Bücher illuminiert – haben vorzugsweise hochrechteckiges Format. Die Größe variiert von der winzigen Taschenbibel bis zu den sogenannten Riesenbibeln. Im Aufbau eines Kodex bildete das Doppelblatt die Grundeinheit, die zu Lagen von meist vier Doppelblättern gefügt wurden, auf deren oberstes man häufig

mit dem Griffel (stilus), der auch für das Beschreiben von Wachstafeln diente, die Linierung für die ganze Lage durchdrückte, wodurch konvexe und konkave Blindlinien entstanden.
Seit dem 12. Jahrhundert linierte man häufig auch mit Blei oder Tinte, seither ist auch die Blattzählung (Foliierung) anzutreffen, ab dem 13. Jahrhundert auch die Seitenzählung (Paginierung). Der Blattspiegel war im Mittelalter sehr oft nur ein- oder zweispaltig. Vielfach wurden die Seitenränder für die Aufnahme von Randglossen oder Kommentaren breiter angelegt und manchmal auch besonders liniert. Mit den Kodices wurde höchst sorgfältig umgegangen, die besonders kostbaren waren Bestandteil des (Kirchen-)Schatzes. Dennoch ist das heute Erhaltene nur noch ein bescheidener Teil der ehemals vorhandenen Produktion der klösterlichen Schreibstuben (Skriptorien).

Dort schrieb man am schrägen Pult – und nicht mehr, wie in der Antike, auf Knien – mit drei gestreckten oder leicht gekrümmten Fingern, die die Feder halten, und zwei eingeschlagenen, die Hand nur auf dem kleinen Finger ruhend, – ohne Aufstützen des Unterarms. Das blieb bis zu den Schreibmeistern des 16. Jahrhunderts so, gewechselt haben, nach den Zeiten und den großen Schriftgebieten, die Armhaltung, die Handhabung (z.B. Drehung) der Feder, außerdem das Instrument selbst (Rohr, Vogelfeder) und der Federschnitt.
Der Schreibunterricht war hart, sein Ergebnis eine meist unpersönliche kanonische Schulschrift. Die Schreibvorgänge reichen bei originären literarischen Werken von Notizen und Konzepten auf Wachstafeln und Pergamentresten bis zur Reinschrift des Verfassers oder seiner Sekretäre. Manche Autoren haben aus ihren Notizen, Skizzen oder Konzepten diktiert, was die Möglichkeit der gleichzeitigen Herstellung mehrerer Texte bot.

Bis zum 13. Jahrhundert hat die Vervielfältigung der Literatur ebenso wie die Herstellung der liturgischen Handschriften und Buchproduktion überhaupt größtenteils in Klöstern stattgefunden. Zur Anlage eines wohlausgestatteten Klosters gehörte das Skriptorium. Hier spielte sich ein wichtiger Teil des monastischen Lebens ab. Wenn ein Kloster eine große Bibliothek aufbaute, oder in bedeutendem Umfang Bücher für auswärtige Empfänger geschrieben wurden, konnte die Gemeinschaft der Schreibermönche und bisweilen auch schreibender Nonnen geradezu eine Art lebendigen Organismus bilden, der über viele Jahre bestand und den Schriftstil der Schule trug. Die Abschrift eines Buches wurde nicht selten von mehreren Schreibern durchgeführt (entweder im regellosen Wechsel oder planmäßig nach Lagen oder Gruppen von Lagen). Das Erkennen des Handwechsels ist mitunter wegen der oft zu einheitlichen „kanonischen“ Prägung der individuellen Schriften schwierig.
Überlieferungs- wie literaturgeschichtlich von großer Bedeutung sind die „Abfallprodukte“ der Skriptorien, die Handschriftenfragmente, wie sie auch in St. Paul zahlreich vertreten sind. Pergament war ein sehr teurer Beschreibstoff. Unbeschriebene Reste oder durch Löschen der ursprünglichen Beschriftung palimpse-

stierte Blätter wurden jedenfalls für Notizen oder kurze Texte verwendet; nicht mehr benötigte Handschriften oft auch zerlegt und als Umschläge anderer benutzt. Fragmente wurden häufig auf die Innenseite von Bucheinbänden geklebt oder als Einbandmakulatur gebraucht, bei Papierhandschriften auch als Pergamentfalze, die die Heftung sicherten. Schon manches Stück verloren geglaubter Literatur hat sich auf diese Weise erhalten.

ALOIS BRANDSTETTER

Schätze – Gedanken über die Exponate in den Räumen 7 bis 9

Kunsthandwerkliche Kultgegenstände sind oft nur schwer „lesbar" und nur dem Fachmann zugänglich, der Symbole entziffern und entschlüsseln kann, *buchstäblich* lesbar aber sind die Schätze der Bibliothek und des Skriptoriums, die Bücher und Inkunabeln jedermann, die alten Handschriften sicher dem paläographisch Geschulten. Die Räume 7 mit den illuminierten Handschriften, der Raum 8, die Bibliothek mit den rund 55.000 Bänden, und die rund 2.200 Handschriften des Archivs, der Raum 9, der der Darstellung der Entwicklung der Schrift dient, bergen so viele pergamentene und papierene Schätze, daß es wirklich schwerfällt, wo mit dem Aufzählen anfangen und wo aufhören. Ganz freudig aber soll ein Rückkehrer oder Heimkehrer nach St. Paul aus Anlaß der Landesausstellung herausgehoben und besonders begrüßt werden, ein verlorener Sohn sozusagen:
Das ist das „Stuttgarter Missale". Ein Missale ist, nach der Definition des „Lexikons für Theologie und Kirche", „im lateinischen Ritus das liturgische Buch für den zelebrierenden Priester, das neben den Rubriken die veränderlichen und die unveränderlichen Teile, d.h. die gesamten Texte der Gebete, Lesungen und Gesänge für die Meßfeier enthält". Für das 12. Jahrhundert bedeutet dies, daß jene Missalia, wie auch Sakramentare, von Hand geschrieben und – da es sich um heilige Texte handelt – besonders sorgfältig ausgeführt und kalligraphisch und graphisch gestaltet werden mußten. Ist also jedes Missale aus jener Zeit ein Unikat, so ist das Stuttgarter Missale aufgrund der Entstehungszeit und seiner formalen Einmaligkeit eine ganz besondere „singuläre Erscheinung", unendlich schön geschrieben. Das Buch ist sozusagen wie gedruckt...
Nicht nur *wie* gedruckt, sondern wirklich gedruckt war jenes Exemplar der Gutenberg-Bibel, das das Stift St. Paul in der Notzeit der

20er Jahre des 20. Jahrhunderts nach Amerika verkauft hat (Library of Congress, Washington). Es gibt von der Gutenberg-Bibel 47 Exemplare, 12 davon sind Pergamentdrucke (wie das St. Pauler Exemplar!). Gutenbergs Leistung bestand bekanntlich darin, daß er bewegliche Lettern verwendete. Sieht man auf seine 42-zeilige lateinische Bibel, so erscheint der Unterschied zu den alten handgeschriebenen Büchern optisch gar nicht so groß. Denn von der technischen Innovation abgesehen, hat sich der Frühdrucker kalligraphisch, bei der Gestaltung der Buchstaben, natürlich an der Schrifttradition seiner Zeit orientiert und ,,die Hand imitiert'', im besonderen die gotische Missalschrift (Textura). Wirkt das Stuttgarter Missale ,,wie gedruckt'', so die Gutenberg-Bibel ,,wie gestochen''...

Um das ganze Ausmaß der Entwicklung zu erfahren und sich des technischen Fortschritts bewußt zu werden, halten Sie am besten neben das geschriebene Missale und eine Inkunabel, ,,einen Wiegendruck'', jenes ,,Buch'', das sie jetzt in Händen haben, den im Lichtsatz und nach allen Regeln der elektronischen Kunst hergestellten Katalog der Landesausstellung ,,Schatzhaus Kärntens''... Erst so kann man den Wert und den Stellenwert der alten Schätze ganz ermessen und abschätzen ... Und auf dem Hintergrund der Vergangenheit auch den Fortschritt richtig einschätzen!

7.1

Cod. 1/1, fol. 72v

AMBROSIUS: DE FIDE CATHOLICA

Italien, 2. Hälfte des 5. Jahrhunderts

155 Bll., 2 Sp., 21 Z., H 24,7/B 22,5 cm

Stift St. Paul, Cod. 1/1

Die am Schluß unvollständige Handschrift gehört zu den ältesten mit Buchschmuck versehenen Stücken, die von der Reichenau stammen und von Abt Martin Gerbert für St. Blasien erworben wurden.
Die Schrift ist eine breite Unziale aus der 2. Hälfte des 5. Jahrhunderts, wobei von der einst mit Gold versehenen Rotschrift bei den Überschriften nicht mehr viel zu sehen ist. Die Miniatur auf Bl. 72v ist ebenfalls nicht mehr sehr gut erkennbar. Die Darstellung zeigt Christus mit Petrus und Paulus(?) in einem kreisförmigen Rahmen.
Die ursprünglich beigebundenen Lukasglossen befinden sich jetzt in der Fragmentenreihe.

Lit.: ÖKT 37 (1969), S. 359.

P. P.

7.2

CANONES APOSTOLORUM ET DUODECIM CONCILIORUM

Reichenau (?), Anfang des 9. Jahrhunderts

190 Bll., 1 Sp., 23 Z., H 29,5/B 20,5 cm

Stift St. Paul, Cod. 6/1

Cod. 6/1, fol. 1v

Bl. 1 zeigt in der Form einer Titelseite die Überschrift in farbigen Hohlbuchstaben. Die Schrift ist eine überaus sorgfältige karolingische Minuskel, die vermutlich auf der Reichenau zu Beginn des 9. Jahrhunderts geschrieben wurde. Die Handschrift wird in Schrift und Ausstattung im letzten Teil etwas flüchtiger.

P. P.

7.3

Cod. 4/1, fol. 1v

KAPITULARIEN UND VOLKSRECHTE

Oberitalien, Anfang des 9. Jahrhunderts

184 Bll., 2 Sp., Zeilenzahl wechselnd, H 30,4/B 19,5 cm

Stift St. Paul, Cod. 4/1

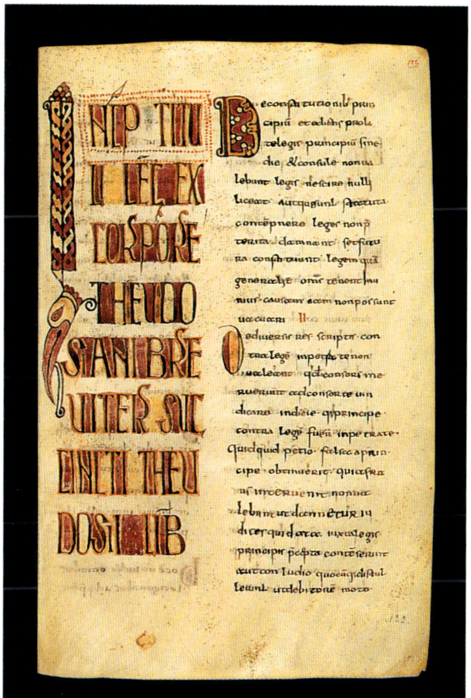

Cod. 4/1, fol. 122r

Die Handschrift wurde aus Privatbesitz für St. Blasien erworben, vermutlich in Wien. Während die Texte durch ihre Zusammenstellung als Rechtssammlung für die Völker des karolingischen Reiches bei der Beurteilung kaum Schwierigkeiten bieten und bereits mehrfach untersucht sind, wurde die Zeichnung auf Bl. 1v immer wieder recht verschieden gedeutet. Von Karl dem Großen, dem Erzengel Gabriel bis zu einem Recht sprechenden Richter reichen die Deutungen.

Lit.: ÖKT 37 (1969), S. 360.

P. P.

7.4

SEQUENTIARFRAGMENT

St. Paul (?), 12. Jahrhundert

2 Bll., 2 Sp., 30 Z., H 40, 7/B 36 cm

Stift St. Paul, 15/8

Sowohl Schrift wie Ausstattung, die mit großer Wahrscheinlichkeit aus St. Paul stammen und als Beleg für das Skriptorium des Klosters gelten dürfen, sind von hervorragender Qualität. Leider sind uns nur wenige so sichere Stücke bekannt, weil die alten St. Pauler Handschriften als verschollen gelten müssen.

Lit.: Armarium 1, S. 75ff.

P. P.

Cod. bibl. fol. 20, fol. 80v

GRADUALE

Salzburg oder Kremsmünster (?), 1136; Nachträge bis ins 15. Jahrhundert

I + 291 + I fol.; Pergament mittelmäßiger Qualität; Vorsatz: grobes Papier, ältere Foliierung (ab fol. 14r) unvollständig, neuere Bleistift-Foliierung rechts oben, reichlich Rubrizierungen; Initialen: in allen Teilen fallweise Gold- oder Silberranken auf blau-grünem Grund, sonst rot; brauner Ledereinband des 18. Jahrhunderts, Rückentitel auf grünlichem Lederschild: *Liber Chor(alis) ac Miss(alis) MS Saec: X:*;

fol. 1 – 4: etwas kleineres Format, später dazugebunden, Kirchenweihnotizen und liturgische Nachträge des 13./14. Jahrhunderts;
fol. 5v – 11r: Kalender
fol. 11v – 12r: Tafeln für Sonnen- und Mondzyklen 1063–1568, 12v: Ostertafeln 1136–68;
fol. 13r: liturgische Nachträge des 13. Jahrhunderts;

fol. 14r – 61v: Graduale, 24 Zeilen, neumiert;
fol. 62r – 72v: Sequentiar, zweispaltig, ohne Neumen;
fol. 72v – 74r: *Ordinarium missae*;
fol. 74r – 76r: Tropar;
fol. 76v – 83v: Präfationen und div. Nachträge, fol. 82r: Kanonbild, fol. 82r und 83v: oben jeweils getilgte Schmähungen durch Protestanten, für die Reparatur dieser Seiten wurden später Fragmente eines Antiphonale mit einer 4-Linien-Notation des 13. Jahrhunderts verwendet;
fol. 84r – 87v: Kanon;
fol. 88r – 160v: Sakramentar, 24 Zeilen;
fol. 161r – 291v: Lektionar, 28 Zeilen, ohne Neumen

Württembergische Landes- und Hochschulbibliothek Stuttgart, Cod. bibl. fol. 20

Cod. bibl. fol. 20, fol. 14r

Dieser Codex ist seit SWARZENSKI wegen seiner 66 Initialen, den vier prächtigen Miniaturen, den zwei Initialzierseiten sowie dem ganzseitigen Kanonbild viel beachtet worden. Seine Entstehung im Salzburger Umkreis ist unbestritten; kaum angezweifelt wird auch die Datierung aufgrund der Ostertafel. Da es sich um eine Gebrauchshandschrift handelt, finden sich Nachträge von verschiedenen Händen bis ins 15. Jahrhundert. Die These von A. KELLNER, die Handschrift sei in Kremsmünster für St. Paul hergestellt worden, ist nicht unumstritten; sie basiert im wesentlichen auf der Tatsache, daß das Fest des Kremsmünster'schen Stifts-Patrons Agapitus ebenso stark hervorgehoben ist wie die Feste des hl. Paulus (wobei die ebenfalls ventilierte Möglichkeit, diese Miniaturen könnten von verschiedenen Künstlern stammen und nicht gleich alt sein, nach neuesten Untersuchungen auszuschließen ist). Nicht mehr bezweifelt werden kann die Bestimmung für St. Paul, da ihr Inhalt weitestgehend mit dem gleich angelegten und bis auf die dort fehlenden Miniaturen auch ganz ähnlich ausgestatteten Missale Oxford, Bodleian Library Canon. liturg. 354 (um 1160, s. Kat.Nr. 7.19) übereinstimmt und das dortige Gebet für den Stifter sich hier, wenn auch ohne Namensnennung, ebenfalls findet (fol. 158r). Da beide Handschriften zudem ähnliche Umschläge besitzen, ist zu vermuten, daß auch der Stuttgarter Kodex über die Sammlung des Venezianer Ex-Jesuiten Matteo Luigi Canonici (1727–1805) an seinen heutigen Aufbewahrungsort gekommen ist.

Lit.: G. SWARZENSKI, Die Salzburger Malerei, 2 Bde. (1908–13), S. 104–107, Abb. 381–388. – H. MENHARDT, Weitere Nachrichten aus Kärntner Klosterbibliotheken, Zentralblatt für Bibliothekswesen 44 (1927), S. 596, S. 599. – A. KELLNER, Über die Heimat des Cod.Bibl.fol.20 der Stuttgarter Landesbibliothek, SMGB 57 (1939), S. 233–240. – W. IRTENKAUF, Eine St. Pauler Handschrift aus dem Jahre 1136, Car. I 145 (1955), S. 248–274. – DERS., Stuttgarter Zimelien, Württembergische Landesbibliothek, Aus den Schätzen ihrer Handschriftenabteilung (1985), S. 28f. – A. BUTZ, Die romanischen Handschriften der Württembergischen Landesbibliothek Stuttgart 2: verschiedene Provenienzen (1987), S. 29–31, Abb. 100–116. – R. FLOTZINGER, Choralhandschriften österreichischer Provenienz in der Bodleian Library Oxford, Veröff. der Kommission für Musikforschung der Österreichischen Akademie der Wissenschaften (1991).

R. F.

7.6

Cod. 53/3, fol. 1r

LEKTIONAR

Oberösterreich, 11. Jahrhundert

229 Bll., H 26/B 20,5 cm

Stift St. Paul, Cod. 53/3

Cod. 53/3, fol. 95v und 96r

Schon HOLTER hat vermutet, daß die für eine Entstehung in Spital am Pyhrn zu frühe Handschrift wahrscheinlich in Kremsmünster entstanden ist. Das sehr qualitätvolle Bl. 1 zeigt viele Ähnlichkeiten mit gleichzeitigen Handschriften dieses Klosters. Allerdings ist die Ausstattung nicht vollständig.

Lit.: ÖKT 37 (1969), S. 402.

P. P.

7.7

Cod. 60/1, fol. 55r

MISSALE AUS BERNAU

St. Blasien, Anfang des 12. Jahrhunderts

266 Bll., H 30/B 22 cm

Stift St. Paul, Cod. 60/1

Durch die Untersuchungen des st.blasianischen Skriptoriums (von HOUBEN) konnte diese Handschrift mit ziemlicher Sicherheit diesem zugewiesen werden. Auch der gotische Einband entspricht diesem Befund. Das Kanonblatt ist von hervorragender Qualität. Eine Ähnlichkeit mit älteren Vorbildern des südwestdeutschen Raumes ist klar zu erkennen.

Lit.: ÖKT 37 (1969), S. 376.

P. P.

7.8

Cod. 82/3, fol. 1r

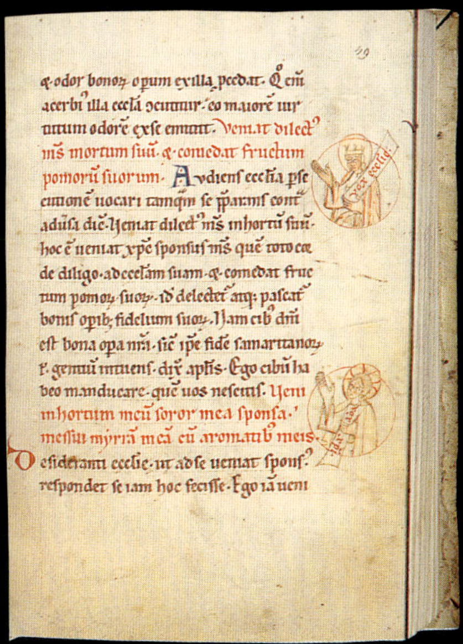

Cod. 82/3, fol. 49r

CANTICA CANTICORUM

süddeutsch, 13. Jahrhundert

141 Bll., H 22/B 15 cm

Stift St. Paul, Cod. 82/3

Eine Miniatur auf Bl. 1 kann auf Vorbilder aus der ottonischen Buchmalerei zurückgeführt werden. Eine Entstehung in Österreich wäre möglich, doch gibt es keine weiteren Beispiele. Der Schenkungsvermerk und der Spitaler Einband könnten Hinweise darauf sein.

Lit.: ÖKT 37 (1969), S. 406.

P. P.

s. II, S. 416, Abb. 85

Cod. 58/1, fol. 17r

RAMSEY-PSALTER

Ost-England, nach 1285; Ergänzungen des 14. Jahrhunderts

173 Bll., H 27,5/B 16,3 cm

Stift St. Paul, Cod. 58/1

Eine der schönsten Handschriften der St. Pauler Bibliothek liegt mit diesem Beispiel vor. Der Psalter ist wahrscheinlich in Ramsey entstanden und hat eine bewegte Geschichte hinter sich. Fünf Miniaturenseiten, die der Hand-

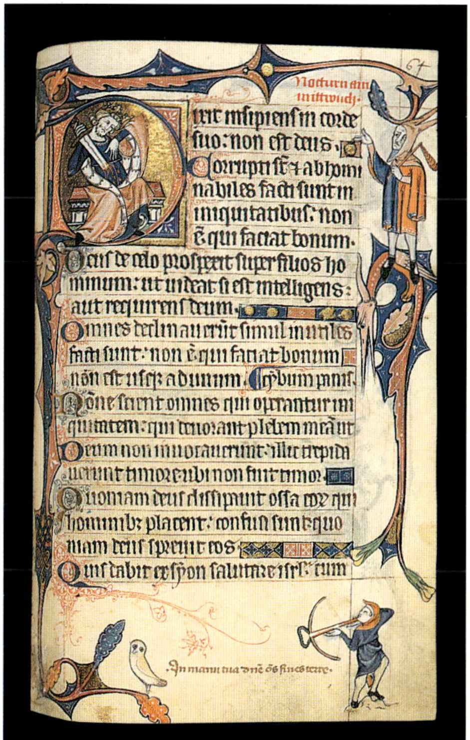

Cod. 58/1, fol. 64r

schrift schon in älterer Zeit entnommen wurden, befinden sich heute in der Pierpont Morgan Library in New York.

Lit.: ÖKT 37 (1969), S. 372.

P. P.

7.10

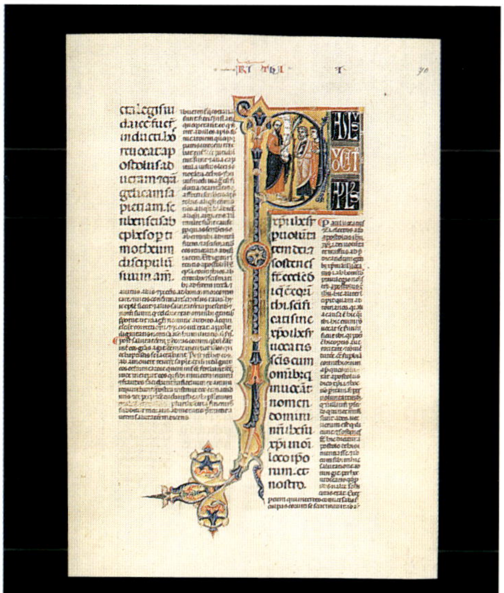

Cod. 2/3, fol. 70r

EPISTOLAE S. PAULI MIT POSTILLA DES PETRUS LOMBARDUS

Giovanni da Gaibana, Padua, zw. 1260 und 1280

268 Bll., H 45/B 27,5 cm

Stift St. Paul, Cod. 2/3

Andreas Sackauer hat diese Handschrift 1492 in Wien um zwei ungarische Gulden gekauft und in Spital am Pyhrn binden lassen. Sackauer war zwischen 1496 und 1513 Dechant in Spital und hinterließ der Bibliothek zahlreiche Inkunabeln und einige Handschriften.
Die Ausstattung dieser Handschriften gehört zu den bedeutendsten Beispielen des Paduaner Miniators und ist hervorragend erhalten. Am Beginn jedes Paulusbriefes ist im Buchstaben P der Apostel eingemalt, wie er einen Brief an die jeweilige Gemeinde abschickt.

Lit.: ÖKT 37 (1969), S. 390.

P. P.

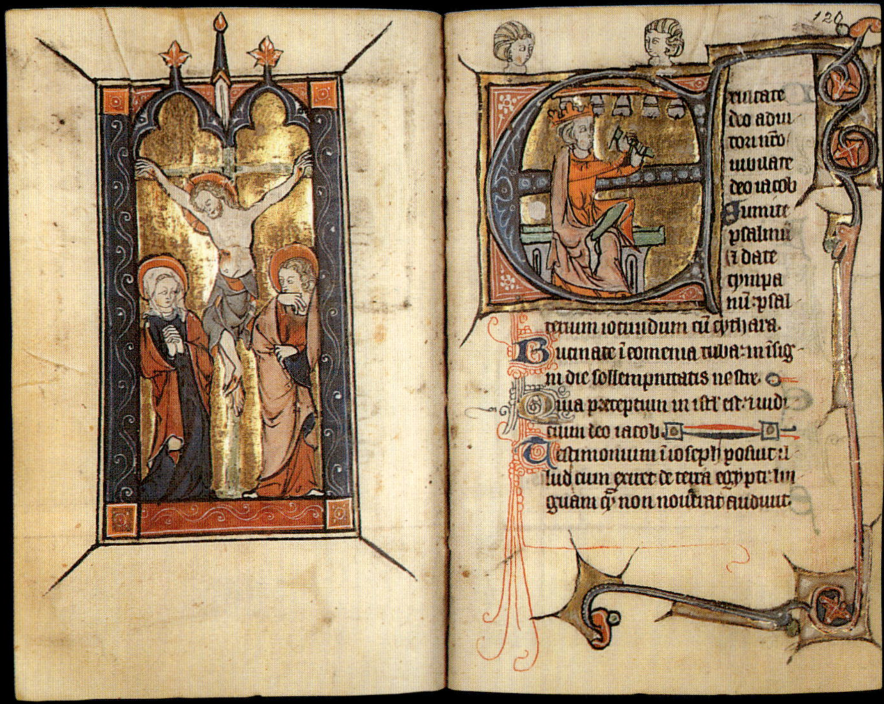

Cod. 41/1, fol. 119v und 120r

Cod. 41/1, fol. 34r

PSALTERIUM UND BREVIERAUSZUG

St. Blasier Provenienzgruppe (Frankreich bzw. elsässisches Wilhelmitenkloster), 14. und 15. Jahrhundert

Pergament, 4 (leere) + 304 Bll., H 11,5/B 7,5 cm

Stift St. Paul, Cod. 41/1

Das Psalterium ist mit reichem Buchschmuck ausgestattet: 7 Vollbilder (34r, 54r, 74r, 119v, 139r, 161r), Kalender mit 12 Monatsbildern (Bl. 1–6), große farbige Initialen mit Miniaturen auf Goldgrund, kleinere Goldinitialen mit Köpfen (bes. Frauenköpfe) im Inneren, Zierranken.
Der Kodex ist schon vor 1768 in St. Blasien nachweisbar.

Lit.: ÖKT 37 (1969), S. 370. – Kat. St. Blasien 1983, Bd. I, S. 146f.

P. P.

7.12

Cod. 29/1, fol. 203r

BIBLIA

Nordfrankreich, 14. Jahrhundert

535 Bll., 2 Sp., H 17,2/B 11,3 cm

Stift St. Paul, Cod. 29/1

Die Bibel in Perlschrift auf ganz feinem Pergament gehört zu den zahlreich vorhandenen Vertretern der kleinformatigen Vollbibeln mit sehr feinen Miniaturen, wie sie ursprünglich wohl die Zisterzienser hergestellt haben. Später wurden solche Bibeln in großer Zahl gewerbsmäßig hergestellt, wie die zahlreichen heute noch vorhandenen Exemplare zeigen. Auch aus dem Spitaler Bestand ist ein ähnliches Stück vorhanden (Cod. 107/3).

Lit.: ÖKT 37 (1969), S. 366.

P. P.

7.13

Cod. 32/1, fol. 157r

PSALTERIUM

Frankreich, 13. Jahrhundert

207 Bll., 2 Sp. mit Kommentar, H 32,5/B 24,5 cm

Stift St. Paul, Cod. 32/1

Die aus dem Familienbesitz Zurlaubens stammende Handschrift gelangte als Geschenk nach St. Blasien, war aber vermutlich schon vorher ihrer Initialminiatur beraubt worden.

Lit.: ÖKT 37 (1969), S. 366.

P. P.

7.14

Cod. 34/1, fol. 1r

VALERIUS MAXIMUS: DICTA ET FACTA MEMORABILIA

Lombardei, 15. Jahrhundert

81 Bll., H 36/B 25 cm

Stift St. Paul, Cod. 34/1

Das Manuskript ist ein schönes Beispiel einer im lombardischen Raum entstandenen Humanistenhandschrift. Es gehört zu den wenigen, vor dem großen Brand St. Blasiens geretteten, Stücken.

Lit.: ÖKT 37 (1969), S. 366.

P. P.

7.15

Cod. 44/1, fol. 1v

Cod. 44/1, fol. 53r

HONORIUS AUGUSTODUNENSIS: SUPER CANTICA CANTICORUM

Oberrhein (?), Anfang des 14. Jahrhunderts

90 Bll., H 33,2/B 32,2 cm

Stift St. Paul, Cod. 44/1

Vermutlich wurde diese Handschrift nach einem älteren Vorbild nachgemalt, wie die altertümlichen Zeichnungen zeigen.

Lit.: ÖKT 37 (1969), S. 370.

P. P.

7.16

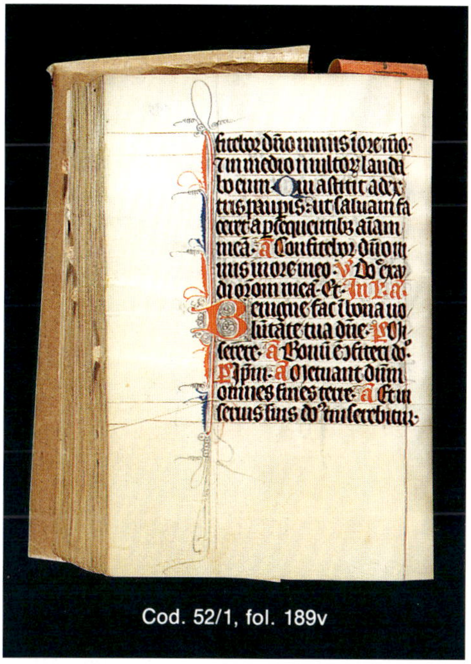

Cod. 52/1, fol. 189v

PSALTERIUM

Oberrhein, Anfang des 14. Jahrhunderts

283 Bll., H 14/B 10 cm

Stift St. Paul, Cod. 52/1

Dieser Psalter gehört zu den besten Beispielen fleuronnierter Handschriften in St. Paul und stammt vermutlich aus einem in Straßburg ansässigen Skriptorium.

Lit.: ÖKT 37 (1969), S. 372.

P. P.

7.17

MISSALE

St. Paul, 2. Hälfte des 15. Jahrhunderts

Papier unbekannter Herkunft (Wasserzeichen: Waage in Kreis, ähnlich Piccard V,391, belegt Graz 1469), I + 144 + I fol., gotische Kursive, moderne Bleistift-Foliierung rechts oben;
fol. 1r–5v: Kalender (Jänner– Februar fehlt);
fol. 6r–144r: Graduale ohne Notation, Rubrizierungen, Gesangstexte in kleinerer Schrift, die einzelnen Feste durch rote Anfangsbuchstaben hervorgehoben, sonst weitgehend schmucklos;
fol. 95r–100v: Kanon, eingeklebtes Kanonbild von fol. 94v fehlt;
fol. 101r–123v: *Proprium de Sanctis* zweispaltig, ohne Notation;
fol. 124r–144r: *Commune Sanctorum;*
nicht originaler, teilweise defekter brauner Ledereinband des 16. Jahrhunderts mit Diagonal- und Rahmenstrichleisten über Holz, 2 Schließen, Metallteile z.T. verloren

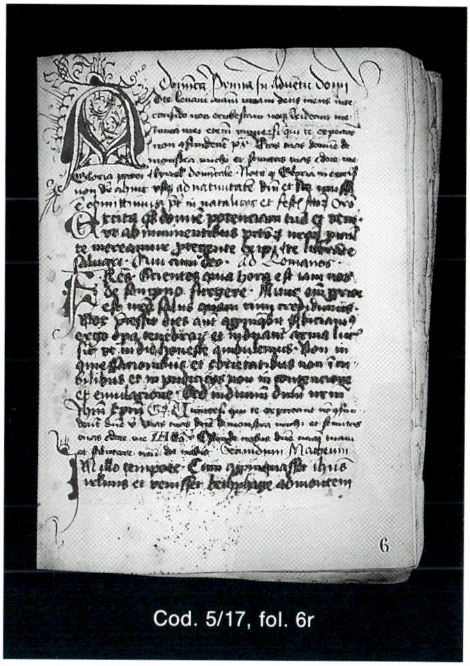

Cod. 5/17, fol. 6r

Landesarchiv Klagenfurt, Bestand Geschichtsverein für Kärnten, Sign. 5/17

Die gesamte Anlage des Buches ist der der Handschrift Universitätsbibliothek Klagenfurt, Pap. Hs. 23 (s. Kat.Nr. 7.20) sehr ähnlich. Daher ist, obwohl ein direkter Besitzhinweis fehlt, die Herkunft aus St. Paul als gegeben anzusehen. In beiden Fällen handelt es sich zwar um Zeugen einer gewissen „Wertschätzung der Handschriften" um 1470 (H. MENHARDT), doch dürfte dies mit geänderten Gebrauchsverhältnissen zusammenhängen und ist mit der alten Tradition (beide Schriften nicht mehr allzu geübt, nur mehr bescheidene Versuche der Schrift-Verzierung) nicht mehr vergleichbar.

Lit.: H. MENHARDT, Neue Forschungen über die Herkunft der Handschriften aus alten Bibliotheken Kärntens, Zentralblatt für Bibliothekswesen 41 (1924), S. 225, S. 230. – DERS., Handschriftenverzeichnis Kärntner Bibliotheken I (1927), S. 202.

R. F.

7.18

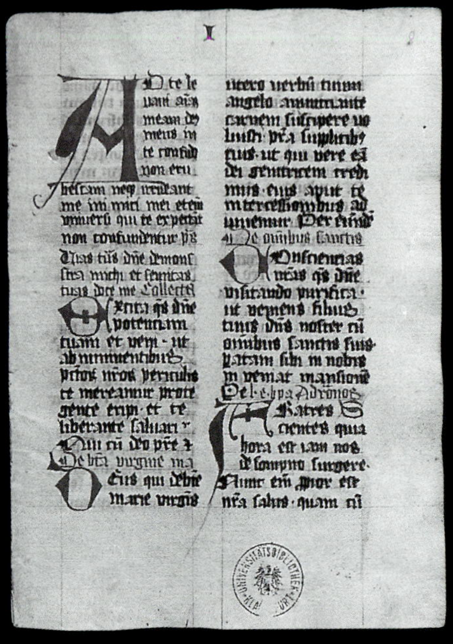

Pap. Hs. 23, fol. 8r

MISSALE

St. Paul, 1476

Papier unbekannter Herkunft (Wasserzeichen: fol. 78–85 Posthorn, ähnlich Piccard C,103, sonst Anker in Kreis, ähnlich Piccard IV,247), I + 221 + I fol., H 29,4/B 21,2 cm, gotische Kursivschrift, *Proprium de Tempore* und *de Sanctis* getrennte originale Foliierungen Mitte oben, moderne Bleistift-Foliierung rechts oben;
fol. 2r–7v: Kalender;
fol. 8r–219r: *Proprium de tempore* zweispaltig ohne Notation, Gesangstexte jedoch durch Verwendung einer feineren Feder kenntlich gemacht, Rubrizierungen, die einzelnen Feste durch rote Anfangsbuchstaben hervorgehoben, sonst aber weitgehend schmucklos;
fol. 97: rechter Teil weggerissen;
fol. 98r–100: Kanon einspaltig, fol. 98r eingeklebte Initiale T fehlt, fol. 100 unten ein ca. 4 x 4 cm großes Stück herausgeschnitten;
fol. 101r–167v: *Proprium de Sanctis* zweispaltig, ohne Notation;
fol. 168r–203r: *Commune Sanctorum* (178–181 fehlen);
fol. 203v–214v: Votivmessen;
fol. 214v–219r: div. Gebete, u.a. *Pro fundatore loci*;
brauner Ledereinband des 16. Jahrhunderts mit Diagonal- und Rahmenstrichleisten über Holz, Buckelbeschläge fehlen, Schließen sowie Deckelbeklebungen ergänzt, mit Ausnahme des Anfangs Sexternionen

Universitätsbibliothek Klagenfurt, Pap. Hs. 23

Durch die alte Signatur *Cod. chart. LI* am Rücken, gewisse Eigenheiten des Kalenders (Hervorhebung bestimmter Feste) und das Gebet für den Stifter, ähnlich der alten Tradition, steht die Herkunft aus St. Paul fest. Aus Falzen wurden Pergamentfragmente aus dem „Lanzelet" des Ulrich von Zazikhoven herausgelöst, aus dem Innendeckel Pergamentfragmente eines Orationale des 15. Jahrhunderts.

Lit.: H. MENHARDT, Neue Forschungen über die Herkunft der Handschriften aus alten Bibliotheken Kärntens, Zentralblatt für Bibliothekswesen 41 (1924), S. 225, S. 230.– DERS., Handschriftenverzeichnis der Kärntner Bibliotheken I (1927), S. 107.

R. F.

7.19

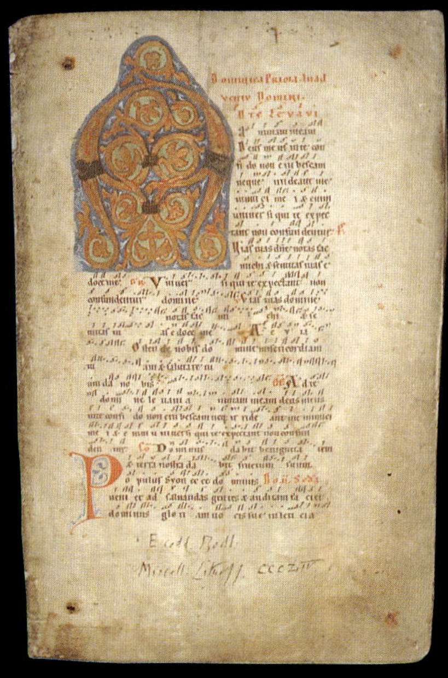

Canon. liturg. 354, fol. 1r

MISSALE

St. Paul, um 1160; Nachträge des 13. und 14. Jahrhunderts

Pergament mittelmäßiger bis schlechter Qualität, Vorsatzblätter aus grobem Papier, I + 287 + I fol., H 28,5/B 19,5 cm, alte Foliierung oben Mitte, starke Gebrauchsspuren (besonders im Sakramentar- und Kanonteil), Rubrizierungen; in allen Teilen sind einzelne Feste durch Initialen (zumindest abwechselnd rot mit blauen Verzierungen und umgekehrt, einige aber durch Ausführung in Gold- oder Silberranken und Deckweiß auf blauem und – besonders unter den Blattenden – grünem Grund) hervorgehoben; die Haupthand ist eine schöne frühgotische Minuskel, doch finden sich ebenfalls in allen Teilen (wenn auch unterschiedlich stark) Nachträge verschiedener Hände des 13. und 14. Jahrhunderts;
fol. 1r–44r: Graduale (Temporale und Sanctorale ineinander, kein Commune Sanctorum), 27 Zeilen, adiastematische süddeutsche Neumen;
fol. 44v–46r: Alleluja-Reihe;
fol. 47r–56v: Sequentiar;
fol. 57r–63r: Kalender, davon nur mehr Jänner erhalten, das übrige nach und nach getilgt, um Raum für Nachträge zu schaffen;
fol. 63v–69v: Ordo und Canon missae;

Canon. liturg. 354, fol. 15v und 16r

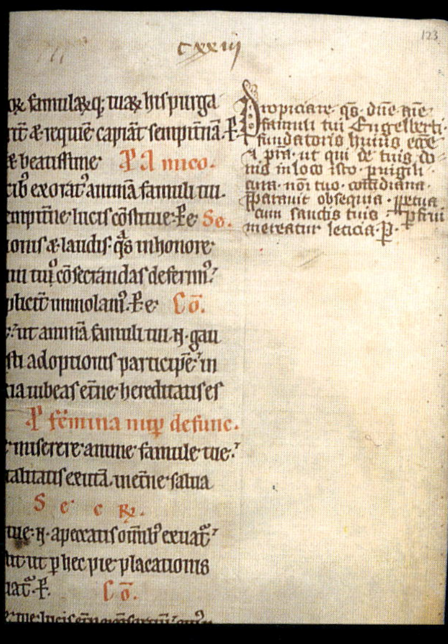

Canon. liturg. 354, fol. 123r

fol. 70r–140v: Sakramentar (Temporale und Sanctorale ineinander), 28 Zeilen ohne Neumen;
fol. 141r–280v: Lektionar;
fol. 281r–287v: Votivmessen;
brauner Ledereinband über Holz mit Rollenstempel des 18. Jahrhunderts, Schließen fehlen

Bodleian Library Oxford, Canon. liturg. 354

Graduale und Sakramentar (mit Nachtragsfaszikel fol. 126–140) sowie das von der selben Hand stammende Lektionar waren ursprünglich selbständig und wurden erst später zusammengebunden. Die vielen Nachträge sind ein Zeichen der Benutzung der Handschrift bis ins 15. Jahrhundert hinein; zum größten Teil sind sie eindeutig in St. Paul eingetragen worden. Daß die Handschrift bereits ursprünglich für St. Paul bestimmt war, ist durch die Erwähnung der *congregatio sancti pavli ac familia eius* im *Suscipe* (fol. 115v, Haupthand) erwiesen und durch ein auf fol. 123r als Randglosse nachgetragenes Gebet für den Stifter Engelbert von Spanheim bestätigt.
Wegen der außerordentlich großen Übereinstimmung mit dem Stuttgarter Kodex (hier fehlen nur die großen Miniaturen, s. Kat.Nr. 7.5) kann mit einiger Sicherheit gesagt werden, daß auch das vorliegende Stück aus derselben Schreibstube stammt. Daß dies Kremsmünster gewesen oder der Schreiber allenfalls von dort

nach St. Paul gekommen sein könnte, läßt sich u.a. anhand der dortigen Handschrift CC 28 stützen. Jedenfalls gehören diese Handschriften zu den wichtigsten österreichischen Quellen für Liturgie und Choral des 12. Jahrhunderts.

Lit.: R. FLOTZINGER, Choralhandschriften österreichischer Provenienz in der Bodleian Library Oxford (Veröff. d. Kommission für Musikforschung der Österreichischen Akademie der Wissenschaften, im Druck).

R. F.

7.20

Cod. 2/2, fol. 163v und 164r

DEUTSCHES GEBETSBUCH
(Der ewig ursprung alles gůtes)

St. Blasier Provenienzgruppe, vermutlich aus dem Freiburger Klarissenkloster, Anfang des 16. Jahrhunderts

Papier, 272 Bll., H 9,5/B 7 cm

Stift St. Paul, Cod. 2/2

Das Gebetsbuch fällt besonders durch seine Kleinheit auf. Es kam vermutlich erst nach 1768 nach St. Blasien. Die als Besitzerin eingetragene Schwester Apollonia Cabelisin (1618) war Dominikanerin zu St. Agnes in Freiburg i. Br.
Die Handschrift enthält 17 Vollbilder, eine Reihe von blauroten Fleuronneeinitialen sowie derb gemalte Zierleisten. Der braune, blindgeprägte Ledereinband datiert aus dem Jahr 1596.

Lit.: ÖKT 37 (1969), S. 382. – Kat. St. Blasien 1983, Bd. I, S. 160f.

H. G.

Cod. 2/2, fol. 104v

7.21

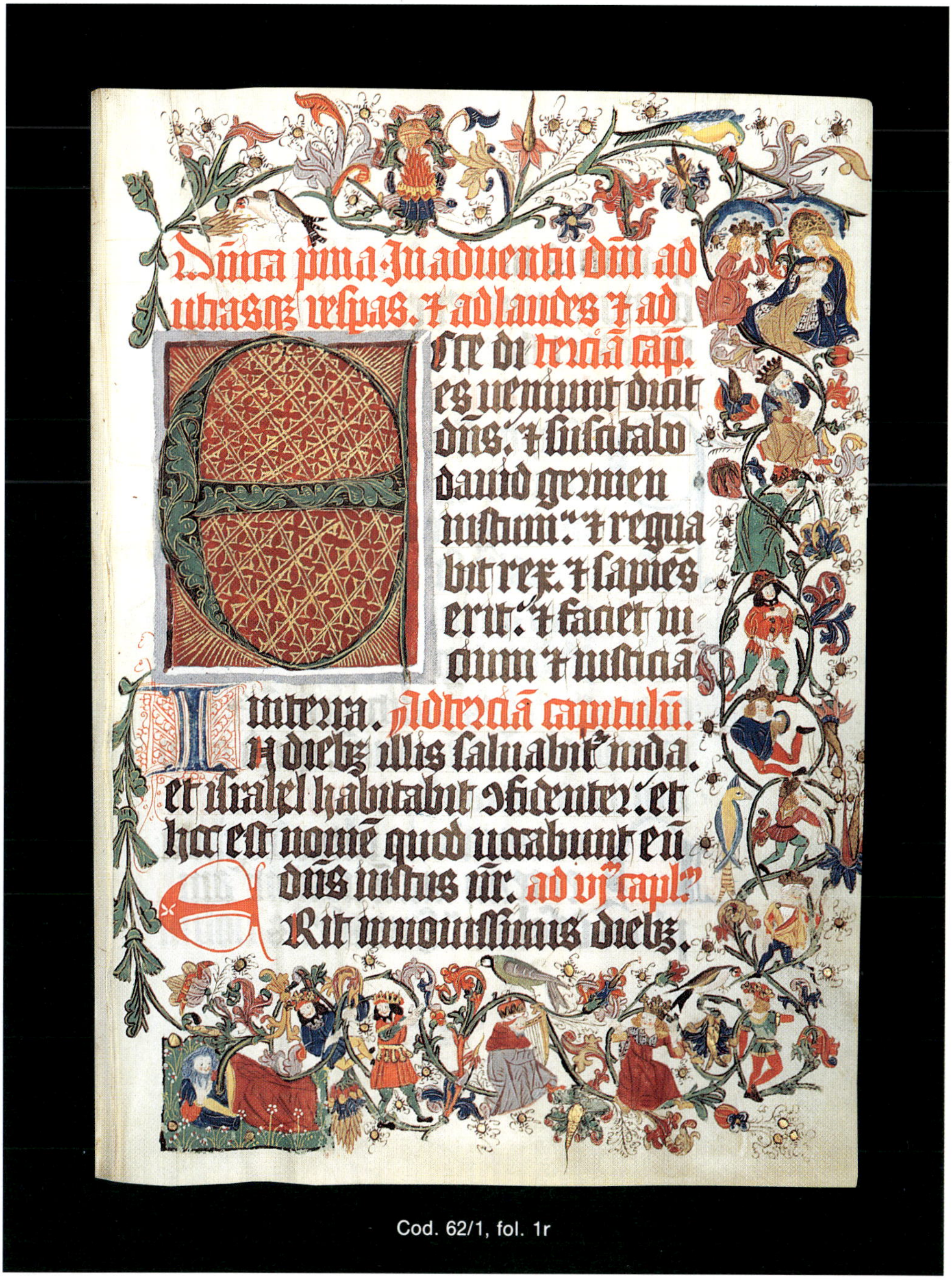

Cod. 62/1, fol. 1r

CHORBUCH

Kirchheim unter Teck, um 1500

145 Bll., H 34,1/B 25 cm

Stift St. Paul, Cod. 62/1

Die vermutlich im Dominikanerinnenkloster entstandene Handschrift war für den Gebrauch durch Nonnen bestimmt und zeigt eine sehr volkstümliche Ausstattung, deren Entstehung vielfach auch in Straßburg angenommen wird.

Lit.: ÖKT 37 (1969), S. 376.

P. P.

7.22

Cod. 59/1, fol. 33r

MISSALE DES WOLFGANG VORCHTENAUER

Wien, 1466

198 Bll., H 22,8/B 16,4 cm

Stift St. Paul, Cod. 59/1

Durch die Devise *O D(omine) S(alvum) M(e) F(ac)* konnte diese Handschrift eindeutig als ehemaliger Besitz des Wiener Domherrn Wolfgang Vorchtenauer identifiziert werden. Die prachtvolle Ausstattung stammt von drei Künstlern, und zwar von Ulrich Schreier, vom Lehrbüchermeister und von einem dritten, namentlich nicht bekannten Miniator.
Von Vorchtenauer sind etliche sehr schöne Handschriften und vor allem Lederschnittbände aus der Werkstätte des Ulrich Schreier bekannt.

Lit.: ÖKT 37 (1969), S. 372.

P. P.

7.23

Cod. 81/1, fol. 25r

LIVRE D'HEURES

Nordfrankreich, 15. Jahrhundert

170 Bll., H 20,8/B 14,7 cm

Stift St. Paul, Cod. 81/1

Die arg spoliierte Handschrift (alle Miniaturen sind herausgeschnitten) kommt aus St. Blasien und wurde dem Abt Berthold Rottler von einem Blasianer Beamten übergeben.

Lit.: ÖKT 37 (1969), S. 382.

P. P.

7.24

Cod. 99/3, fol. 26r

Cod. 99/3, fol. 44v

LIVRE D'HEURES

Frankreich, 15. Jahrhundert

161 Bll., H 16,4/B 11,3 cm

Stift St. Paul, Cod. 99/3

Nur mehr vier ganzseitige Miniaturen sind vorhanden, die übrigen sind alle herausgeschnitten. Die Handschrift stammt aus Spital am Pyhrn.

Lit.: ÖKT 37 (1969), S. 406.

P. P.

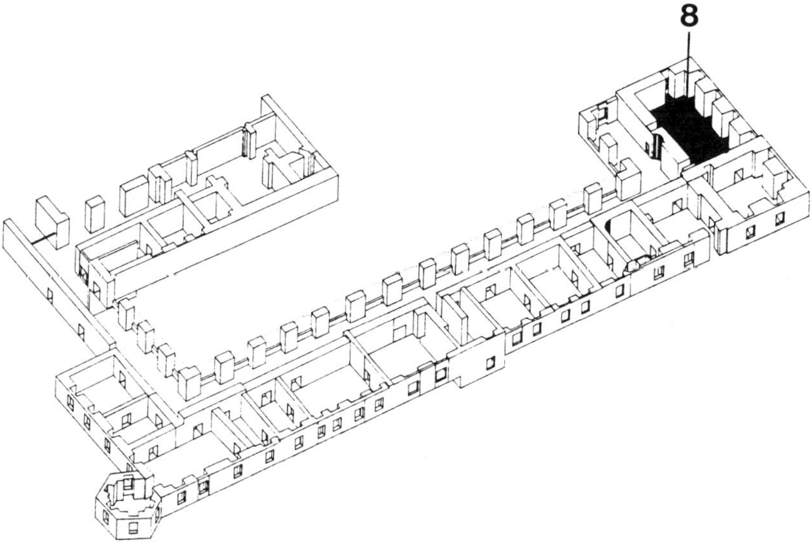

Die Bibliothek

Von den Beständen der alten St. Pauler Bibliothek – aus der Zeit vor der Aufhebung des Stiftes 1782/87 – ist kaum etwas überliefert. Die josephinische Klosteraufhebung entschied auch das Schicksal ihrer wertvollen Handschriften und Bücher, die nach Klagenfurt, Graz und Wien sowie an andere Orte gebracht wurden und sich seither nicht wieder zusammenfügen ließen. Nur vereinzelt finden sich in den Beständen der Bibliothek Handschriften und Druckwerke, die dem alten St. Paul zuordenbar sind. Die überwiegende Mehrzahl der Bücher, die heute in der Bibliothek, aber auch im Archiv verwahrt werden, stammt aus St. Blasien im Schwarzwald und aus dem Chorherrenstift Spital am Pyhrn, wo die St. Blasier Mönche, ehe sie nach St. Paul kamen, kurzzeitig Aufenthalt genommen hatten. Als sie Spital verließen, wurde ihnen erlaubt, die dortige Bibliothek mit sich zu nehmen. Die Bibliothek des Stiftes St. Paul enthält überdies die Neuzugänge seit 1809, die zumeist aus der Hinterlassenschaft verstorbener Konventsmitglieder stammen.

Die Zahl der Bücher beträgt heute rund 55.000 Einheiten. Mit seinen 2.200 Handschriften gehört St. Paul – nach der Österreichischen Nationalbibliothek in Wien – zu den bedeutendsten österreichischen Sammlungen.

s. II, S. 415, 545–548, Abb. 84, 143–145

BIBLIOTHEK

Die Bibliothek von St. Paul wird im Rahmen der Landesausstellung nach Jahrzehnten wieder einer größeren Öffentlichkeit zugänglich gemacht.
Den Saal selbst ließ Abt Reichart 1683 zeitgemäß als Bücherraum einrichten und mit einem Deckenfresko künstlerisch ausgestalten. Die heute fast bis zur Decke reichenden Büchergestellagen wurden erst nachträglich im 19. Jahrhundert aufgestellt.

8.1.

BIBLIOTHEKSDECKE

Wolfgang Bernard Veldner (1652– Wolfsberg 1726)
sign. im südöstlichen Zwickel mit dem Tierkreiszeichen Waage: *Wolff: Bernard Veldner Pictoris Wolfbergis,* dat. 1683

Fresko; Decke: L 15/B 8 m

Das Deckenfresko bildet den Sternenhimmel mit einem astronomischen Programm ab, das sich in mehrere Teilgebiete gliedert: zwei große Kreisflächen und sechs Zwickelfelder zwischen den Kreisen und der Deckenbegrenzung. Die plastisch-kräftigen, weißen Stuckrahmen um die Fresken ließ Abt Reichart vom Stukkateur Gabriel Wittini ausführen.
In den vier Eckzwickeln sind Tierkreiszeichen dargestellt, die mit den vier Jahreszeiten in Verbindung stehen. Am Beginn tritt jeweils die

Sonne in das entsprechende Tierkreiszeichen ein: Nord-West-Zwickel mit Widder (Frühlingsanfang), Nord-Ost-Zwickel mit Krebs (Sommeranfang-Sonnenwende), Süd-Ost-Zwickel mit Waage (Herbstanfang), Süd-West-Zwickel mit Steinbock (Winteranfang-Sonnenwende)
Unterschiedlich gestaltet sind die beiden größeren Zwickel zwischen den Kreisflächen. Im Nord-Zwickel gruppieren sich um einen gemalten Kreis sechzehn Puttiköpfe, welche die blasenden Winde aus allen Weltrichtungen symbolisieren; ein Pfeil gibt die Nord-Süd-Richtung an. Im Süd-Zwickel erscheint das Wappen von Abt Reichart. Die Inschrift verweist auf die Türkenbelagerung Wiens, wobei die Großbuchstaben in römischen Ziffern das Jahr der Türkenbelagerung 1683, gleichzeitig aber auch die Datierung des Freskos angeben.
Die zwei gleich großen Kreisflächen (Durchmesser ohne Rahmen ca. 6 m) bilden die östliche und die westliche Hemisphäre des Sternenhimmels derart ab, daß die gold-gelb eingemalten Punkte der Sterne mit den entsprechenden traditionellen Tierkreiszeichen und Sternbildern figuriert sind.
Veldner hat in beide Hemisphären entlang der grün-weißen Ekliptik die zwölf Tierkreiszeichen und 54 Sternbilder eingemalt.

8.2

ÖSTLICHE HEMISPHÄRE
Tierkreiszeichen: I. Fische (teils), II. Wassermann, III. Steinbock, IV Schütze, V. Skorpion, VI. Waage, VII. Jungfrau (teils)
Sternbilder (vorwiegend von Norden nach Sü-

den verfolgt): 1. Ursa Minor (kleiner Bär), 2. Draco (Drachen), 3. Cepheus, 4. Cassiopeia (teils), 5. Andromeda (teils), 6. Pegasus (Geflügelte Rosse), 7. Delphin, 8. Cygnus (Schwan), 9. Sagitta (Pfeil), 10. Aquila (Adler), 11. Antinous (kein Sternbild), 12. Piscis Austrinus (Südlicher Fisch), 13. Phönix (teils, anschließend 53. Cetus, teils), 14. Tucana (Tukan), 15. Grus (Kranich), 16. Indus (Inder), 17. Pavo (Pfau), 18. Hydrus (Südliche Wasserschlange, teils), 19. Herkules mit Keule und Löwenfell, 20. Lyra (Leier mit fallendem Adler), 21. Corona Borealis (Nördliche Krone), 22. Bootes (Bärenhüter), 23. Canes Venatici (Jagdhunde), 24. Coma Berenices (Haar der Berenice), 25. Ophiuchus (Schlangenträger), 26. Hydra (Nördliche Wasserschlange), 27. Corvus (Rabe, teils), 28. Ara (Altar), 29. Centaurus, 30. Lupus (Wolf), 31. Apus (Paradiesvogel), 32. Triangulum Australe (Südliches Dreieck), 33. Musca (Fliege), 34. Crux (Kreuz des Südens), 35. Milchstraße (kein Sternbild).

8.3

WESTLICHE HEMISPHÄRE

Tierkreiszeichen: VII. Jungfrau (teils), VIII. Löwe, IX. Krebs, X. Zwillinge, XI. Stier, XII. Widder, I. Fische (teils).

Sternbilder: 36. Ursa Major (Großer Bär), (anschließend 26. Hydra, teils; 27. Corvus, teils), 37. Crater (Becher), 38. Canis Minor (Kleiner Hund), 39. Canis Major (Großer Hund), 40. Columba (Taube mit Palmzweig), 41. Puppis (Achterschiff), 42. Carina (Kiel des Schiffes), 43. Canopus Sohel (kein Sternbild, hellster Stern der Carina), 44. Dorado (Schwertfisch), 45. Hirundo Marino (See-Schwalbe, kein Sternbild), 46. Vela (Segel), 47. Chamaeleon (anschließend 4. Cassiopeia, teils; 5. Andromeda, teils), 48. Perseus (mit Flügeln an den Fersen, Schwert und Medusenhaupt), 49. Triangulum (Nördliches Dreieck), 50. Auriga (Fuhrmann), 51. Orion (mit Schild, Keule und gegürtetem Schwert), 52. Lepus (Hase), 53. Cetus (Walfisch, teils), (anschließend 13. Phönix, teils), 54. Eridanus (Bernsteinfluß), (anschließend 18. Hydrus, teils, 35. Milchstraße).

Die Motive Antinous (11.), Canopus Sohel (43) und Hirundo Marino (45) sind keine Sternbilder, werden aber in der zeitgenössischen astronomischen Literatur in den Stern-Hemisphären als solche abgebildet. Veldner hält sich also genau an mögliche Vorbilder, denn wahrscheinlich benutzte er einen Himmelsglobus oder einen Himmelsatlas als Vorlage. Puppis (41.), das Achterschiff, dürfte eine Zusammenfassung mehrerer Sternbilder sein: Carina, Vela und Canopus Sohel. Vielleicht ist mit letzterem „Kanobos“ (Steuermann) gemeint, denn abgebildet ist eine männliche Figur, die ein lotähnliches Instrument in das Wasser gleiten läßt. Möglicherweise sollte mit dieser Figur das Sternbild Pyxis (Schiffskompaß) abgebildet werden.

Lit.: Harmoniam Macrocosmia seu Atlas Universalis et Novus Universi Creati Cosmographiam Generalem et Novam Exhibus (1680), Abb. 24, 27, 28.

M.A. Z.

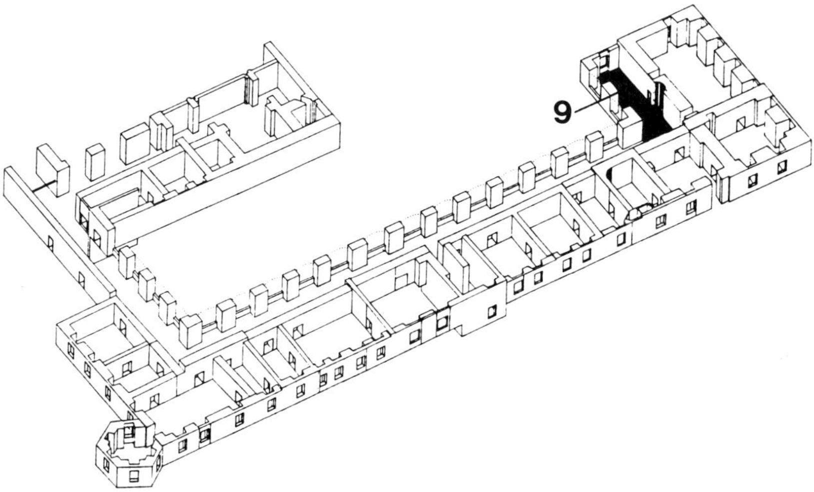

9

Schriftentwicklung und Handschriften

Grundlage des gesamten abendländischen Schriftwesens, das bis zum ausgehenden Mittelalter ausschließlich aus Handschriften besteht, ist die lateinische Schrift, die – abgeleitet aus griechisch-vorderasiatischen Vorgängern – über die antiken Monumentalschriften in der Buchschrift (Textualis) wie in der Bedarfsschrift (Kursive) eine eigenständige Entwicklung nimmt, die nicht verschiedene Schriften betrifft, sondern nur verschiedene Ausformungen ein und desselben „lateinischen" Alphabets.
Die Buchschrift ist die ältere, sie legt keinen Wert auf schnelles, zügiges Schreiben und ist daher schöner, regelmäßiger, lesbarer. Jeder Buchstabe erhält seine schulmäßig vorgeschriebene Form (man spricht von Schriftkanon), die Schrift wird mehr gezeichnet (bzw. gemalt) als geschrieben. Der Buchschrift entspricht seit Beginn der Neuzeit die Druckschrift. Die Bedarfsschrift (Geschäftsschrift), die alle vorhandenen Elemente der Buchschrift aufnimmt, entsteht erst, als ein gewisser Grad von allgemeiner Schriftlichkeit erreicht wird, d. h. wenn auch für Zwecke alltäglichen Bedarfs der Mitteilung und Notiz, des Geschäftslebens und der Verwaltung geschrieben wird.

Aus dem Wunsch, schneller und bequemer zu schreiben, ergibt sich eine vielfältige Veränderung der Buchstaben zum Zwecke flüssigerer Federführung (Kursive). In den anderthalb Jahrtausenden der lateinischen Schriftgeschichte beeinflussen sich Buch- und Bedarfsschrift ständig. Erst das Aufkommen des Buchdrucks läßt die Buchschrift auf dem damals erreichten Stand fast erstarren.

Höhepunkt der abendländischen Schriftgeschichte ist wohl die von Kaiser Karl dem Großen selbst veranlaßte Formung einer aus verschiedenen Vorgängerschriften neu gebildeten Einheitsschrift, der „Karolingischen Minuskel", die in der Folge wie kaum etwas anderes der geistigen Einheit des Abendlandes Ausdruck verleiht. Um 1200 bildet sich diese Minuskelschrift (im Vierlinienschema) auf dem Weg über jene Brechung der Rundungen, Verengung und Betonung der Senkrechten sowie der Aufspaltung der Buchstabenelemente, die den etwa gleichzeitigen Vorgängen in der Architektur entsprechen, zur „Gotischen Minuskel" um. Gleichzeitig und gemeinsam mit der „Verschriftlichung" der Volkssprachen setzt eine gewaltige Steigerung der Schriftlichkeit ein, die zuvor vorwiegend in den Klöstern beheimatet gewesen war, nun aber auch breite Laienkreise ergreift, vor allem im aufsteigenden städtischen Bürgertum. Dies bedeutet zugleich das Ende der seit dem 9. Jahrhundert so einheitlich verlaufenen Entwicklung. Wie zweckbedingte, aber auch regional bestimmte Sonderformen der gotischen Minuskel auftreten, so löst sich auch die Buchschrift in eine ganze Reihe verschiedener Formen auf. Daneben stehen seit der Mitte des 13. Jahrhunderts mehrere Varianten von Bedarfsschriften (Bastarden), die, ihrerseits in bereinigter und regelmäßiger Form die Buchschrift beeinflussend, im Augenblick der Erfindung des Buchdrucks mit beweglichen Lettern durch Johannes Gutenberg den Höhepunkt spätmittelalterlicher Schriftentwicklung darstellten. Einige dieser Schriften (beispielsweise die Fraktur der kaiserlichen Kanzlei) werden als Druckschriften, die „Kanzlei" und die „Kurrent" als neuzeitliche Ausbildungen der Kursive bis ins 20. Jahrhundert in ungebrochener Kontinuität fortgeführt, allerdings unter fortschreitender Einengung ihres Anwendungsbereichs auf den mitteleuropäisch-deutschsprachigen Raum, so daß schließlich die Vorstellung von einer besonderen „deutschen" Schrift gegenüber der im übrigen Europa verwendeten „lateinischen" aufkommen konnte.

Diese „lateinische" Schrift (Antiqua) ist das Ergebnis eines Irrtums der italienischen Humanisten, die jene Schrift, in der die meisten antiken Schriftsteller überliefert waren, für ihre gelehrte und literarische Renaissance heranzogen. Sie stießen dabei naturgemäß auf die karolingische Minuskel und hielten diese nur um fünf Jahrhunderte ältere Entwicklungsstufe ihrer eigenen Schrift für die der Antike. Seit Beginn des 15. Jahrhunderts erscheint die Antiqua zunächst als Buchschrift, dann auch als Kursive (überwiegend im romanischen Kulturbereich, allmählich – außerhalb Deutschlands und einiger seiner Nachbarländer – auch in den anderen europäischen Ländern) und blieb dank der Tätigkeit bedeutender Drucker und Formschneider viel lebendiger als die

im Buchdruck erstarrte „gotische“ Buchschrift, zumal hier neben lateinischer Schreib- und Druckschrift seit dem 16. Jahrhundert auch die Kursive in die Buch- (Druck-) Schrift eindrang und seither als „Antiquakursive“ gern (besonders für Hervorhebungen) verwendet wird.
Der Buchdruck hat, so sehr er sich anfangs an die Schreibschriften anlehnte, doch zu einer völligen Umstellung des Verhältnisses zum geschriebenen Wort geführt. Er zog den strengen Kanon der Buchschrift an sich und drängte die Kalligraphie (die handgeschriebene Schönschrift) auf Nebengebiete. Wohl schon um 1450 war der Mainzer Johannes Gutenberg imstande, „künstlich zu schreiben“, d. h. Texte mit beweglichen und auswechselbaren Lettern (Typen), die nach dem Abdruck abgelegt und für einen neuen Satz verwendet werden konnten, mechanisch zu vervielfältigen, sie also zu „drucken“, und zwar zunächst durchaus noch auf Pergament, später fast ausschließlich auf Papier. Die ältesten, mit Hilfe des Ausgabedatums sicher zu datierenden Druckerzeugnisse, die Mainzer Ablaßbriefe, stammen von Ende 1454. Das bekannteste Frühwerk (Inkunabel) aus der Gutenbergischen Druckerei ist die „42zeilige Bibel“, die spätestens im Juli/August 1456 vollendet wurde und von der als dem ersten großen Erzeugnis der Buchdruckerkunst St. Paul bis 1930 ein Exemplar aus den Beständen St. Blasiens besaß.

9.1

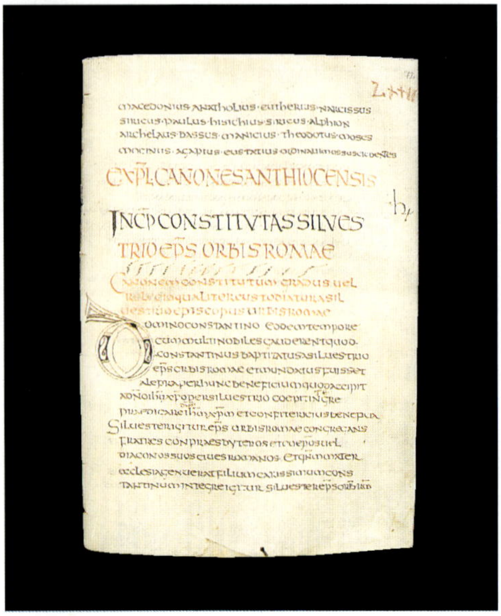

Cod. 7/1, fol. 72r

STATUTA CONCILIORUM ET SUMMORUM PONTIFICUM

Oberitalien und Reichenau (?), 8./9. Jahrhundert

195 Bll., 1 Sp., H 26/B 18,5 cm

Stift St. Paul, Cod. 7/1

Die Handschrift stammt von der Reichenau und wurde von Abt Gerbert für St. Blasien erworben. Die Schrift zeigt im ersten Teil eine sehr sorgfältige späte *Unziale*, wie sie für Bücher wichtigen Inhalts bis in die Karolingerzeit gebraucht wurde. Meist wurde die *Unziale* allerdings nur mehr als Zierschrift verwendet.

P. P.

9.2

GRAMMATIKERTEXTE

Traktate antiker Grammatiker; England, 8. Jahrhundert

75 Bll., 2 Sp., 39 – 60 Z., H 33/B 23,5 cm

Stift St. Paul, Cod. 2/1

Die drei hier aneinandergereihten Texte sind alle aus dem Bereich der Grammatik und waren für den Schulgebrauch bestimmt. Die Schrift zeigt Züge der angelsächsischen *Halbunziale* und reicht bis zu einer sehr kleinen *Minuskel*. Die Handschrift lag seit 800 im Kloster Murbach und kam im 18. Jahrhundert nach St. Blasien, wo sie vermutlich auch gebunden wurde. Ursprünglich war sie nicht gebunden und gilt als Beispiel für eine gefaltet aufbewahrte Handschrift.

P. P.

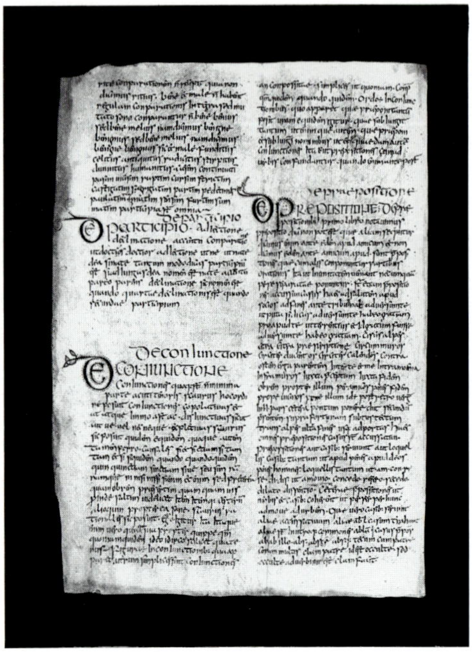

Cod. 2/1, fol. 69v

9.3

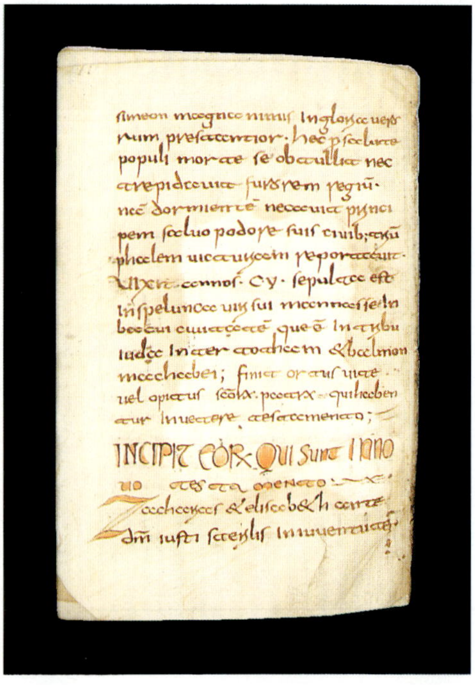

Cod. 9/1, fol. 54v

ISIDOR HISPANUS: DE ORIGINE ET GENERIBUS OFFICIORUM

Reichenau, 9. Jahrhundert; teilweise von Reginbert geschrieben und verbessert

169 Bll., 1. Sp., H 17,5/B 11 cm

Stift St. Paul, Cod. 9/1

Die Handschrift wurde von mehreren Händen geschrieben und von Reginbert, dem Leiter des Reichenauer Skriptoriums, verbessert bzw. selbst geschrieben. Die anderen Hände sind stark insular beeinflußt, was auch auf den spärlichen Buchschmuck zutrifft. Das könnte bedeuten, daß die Vorlage eine insulare Handschrift gewesen ist. Die Hand Reginberts zeigt eine überaus sorgfältige und geübte *Minuskel*, die den Reichenauer Schreibern sicher als Vorbild gedient hat.

Lit.: ÖKT 37 (1969), S. 360.

P. P.

9.4

KALENDERFRAGMENT

Kalendarium; St. Paul (?), 13. Jahrhundert

1 Bl., H 22,8/B 21 cm

Stift St. Paul, Cod. 14/8

Die Schrift zeigt alle Merkmale einer Übergangsschrift von der Romanik zur Gotik und stammt aus der Mitte des 13. Jahrhunderts. Vermutlich gehörte das Kalendarium zu einem Missale oder Breviarium und war sehr sorgfältig ausgestattet, wie die hier gezeigte Miniatur beweist. Es ist jedenfalls eines der wenigen Beispiele für das ältere St. Pauler Skriptorium.

P. P.

9.5

REICHENAUER SCHULHEFT

Reichenau (?), 9. Jahrhundert

Sammelhandschrift; 8 Bll., Zeilenzahl wechselnd, H 30,2/B 20,3 cm

Stift St. Paul, Cod. 86b/1

Cod. 86b/1, fol. 2r

Die Schrift dieses kleinen Heftes zeigt eine insulare Schrift in ihrer letzten Entwicklungsstufe, wie sie vor allem von Mönchen aus dem insularen Bereich auf das Festland gebracht wurde. Die Handschrift ist vor allem durch die Zusammenstellung ihrer Texte von Bedeutung und enthält auch irische Gedichte.

Lit.: Armarium 1, S. 49ff.

P. P.

9.6

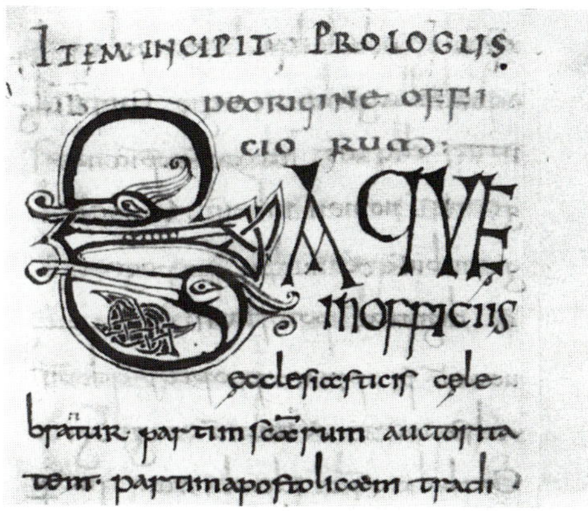

Cod. 5/1, fol. 3r

ISIDORUS HISPANUS: LIBER PREMIORUM

Schweiz, 8./9. Jahrhundert

79 Bll., 1 Sp., 19 Z., H 22/B 11,5 cm

Stift St. Paul, Cod. 5/1

Diese von der Reichenau stammende Handschrift ist vermutlich im Churrhätischen Raum entstanden. Die Schrift zeigt die Merkmale dieser Gegend, in der etliche sehr leistungsfähige Skriptorien bestanden haben, wie die vorhandenen Beispiele beweisen.

Lit.: ÖKT 37 (1969), S. 361.

P. P.

9.7

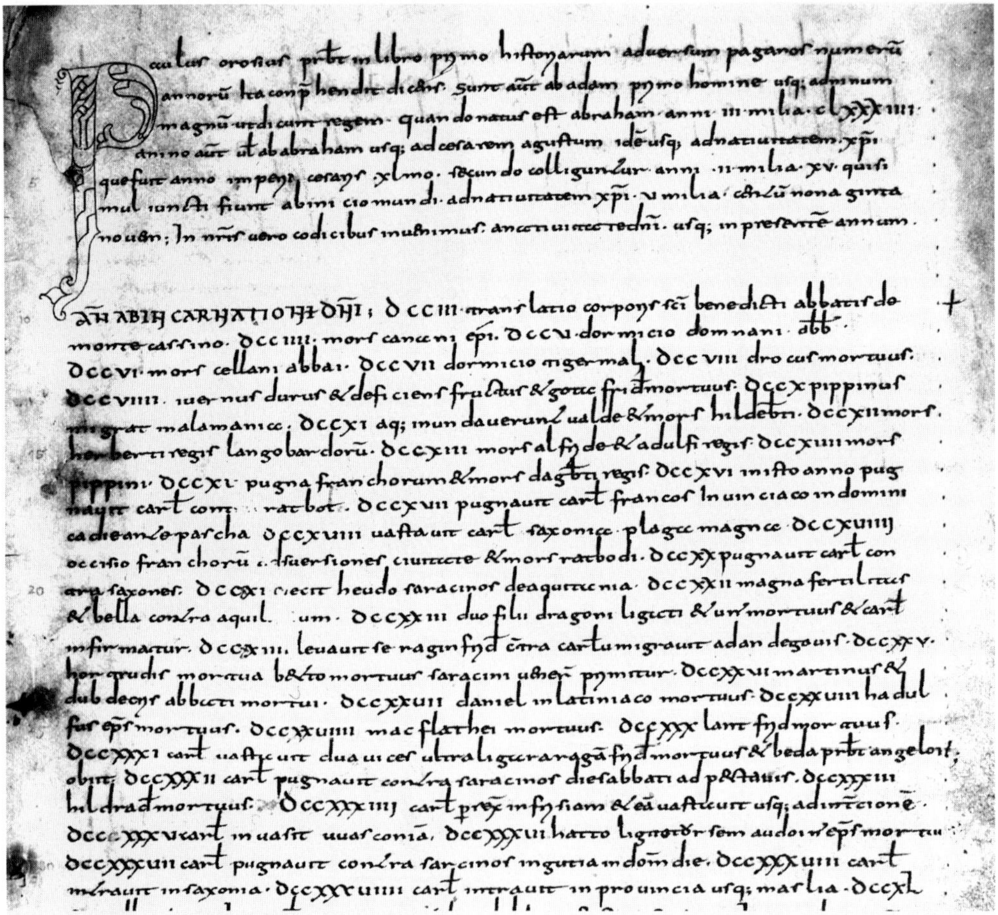

Cod. 8/1, fol. 1r

ANNALES LAURESHAMENSES

Reichenau, 835

8 Bll., Zeilenzahl wechselnd, H 30,5/B 22,6 cm

Stift St. Paul, Cod. 8/1

Die von Abt Gerbert erworbene Handschriftenlage war ursprünglich vielleicht Teil einer größeren Handschrift und ist durch den Text, in dem eine größere Rasur besonders auffällt, bedeutungsvoll. Das Reichenauer Skriptorium, aus dem die Handschrift stammt, hat hervorragende Beispiele für die Schrift des 9. Jahrhunderts zu bieten; die zahlreichen dort nachweisbaren Schreiben zeugen von seiner Leistungsfähigkeit und Klarheit der Schrift.

P. P.

9.8

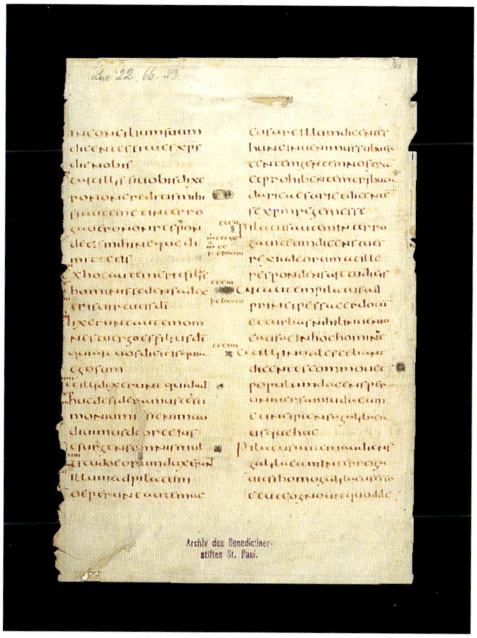

BIBELFRAGMENT

Lukas 22,66 – 23,17 und Matthäus 22,34 – 23,5; Italien, 1. Hälfte des 5. Jahrhunderts

2 Bll., 2 Sp., 24 Z., H 21,2/B 14,8 cm

Stift St. Paul, Cod. 4/8

Die vermutlich aus St. Gallen stammende Handschrift, die eines der frühesten Beispiele der Vulgataversion des Neuen Testaments enthält, wurde dort zerlegt und zum Buchbinden verwendet. Die beiden St. Pauler Blätter wurden von Abt Gerbert für St. Blasien erworben. Die Schrift ist eine *Halbunziale* des frühen 5. Jahrhunderts.
Die *Halbunziale* entwickelte sich aus den Kursivschriften und wurde nach der Spätantike vor allem im insularen Bereich oft verwendet. Später hat sie beispielgebend für die Formung der karolingischen *Minuskel* gewirkt.

Lit.: Armarium 1, S. 19 – 24.

P. P.

9.9

OROSIUSFRAGMENT

Paulus Orosius: Historiae adversum paganos; Monte Cassino (?), 9. Jahrhundert

4 Bll., 3 Sp., 27 – 29 Z., H 21,2/B 14,8 cm

Stift St. Paul, Cod. 3/8

Die *Beneventana* ist eine der regionalen Schriften, die sich, wie die merowingische, aus der antiken Kursive entwickelt haben. Alle diese Schriften zeigen eine sehr eigenständige Form. Mit der Ausbildung der karolingischen Minuskel sind die meisten langsam verschwunden, aber die insularen und die *Beneventana* konnten sich bis ins 11. Jahrhundert halten.

Lit.: Armarium 1, S. 29ff.

P. P.

9.10

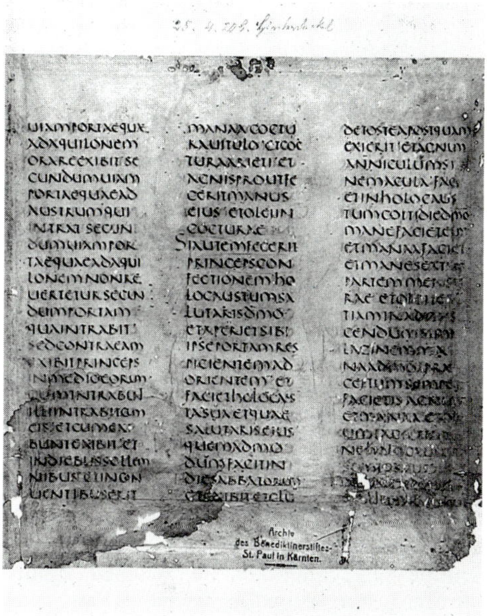

Cod. 5/8, fol. 3r

EZECHIELFRAGMENT

Ezechiel 47,2 – 47,8; Oberitalien, 5. Jahrhundert

4 Bll., 2 Sp., 23 Z., H 19/B 23 cm

Stift St. Paul, Cod. 5/8

Die zu den sogenannten *Konstanzer Prophetenbruchstücken* gehörenden Blätter entstammen den Spiegeln zweier aus Konstanz stammender Handschriften aus St. Blasien. Die Schrift zeigt eine sorgfältig und deutlich geformte *Unziale*, die in der ersten Hälfte des fünften Jahrhunderts in Oberitalien geschrieben wurde.

Lit.: Armarium 1, S. 15 – 18.

P. P.

9.11

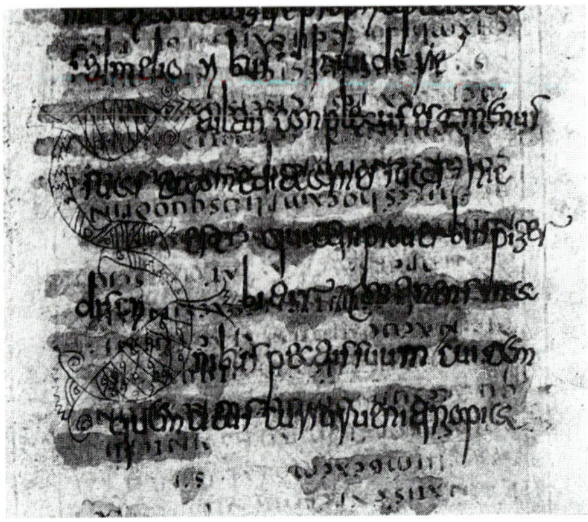

Cod. 3/1, fol. 89

PLINIUSPALIMPSEST

Hieronymus: In Ecclesiasten; 7./8. Jahrhundert

138 Bll., 1 Sp., H 21,5/B 13,5 cm

Stift St. Paul, Cod. 3/1

Unter dem Hieronymus-Text sind aus der Naturgeschichte des Plinius die Bücher XI bis XV in einer Unziale des 5. Jahrhunderts geschrieben. Damit ist diese Handschrift für zwei Schriften als Beispiel heranzuziehen: einmal für die *Unziale* des 5. Jahrhunderts, die hier in einem sehr sorgfältigen Duktus vorliegt und zur Gruppe der spätantiken literarischen Handschriften gehört; dann für eine der im Merowingerreich gebrauchten Schriften, der *Luxeuil-Minuskel.* Diese Schrift entwickelte sich, wie auch andere vorkarolingische Schriften, aus der antiken Kursive und zeigt wie diese zahlreiche Ligaturen und einen sehr flüssigen Duktus. Die Handschrift stammt von der Reichenau und wurde von Abt Martin Gerbert für St. Blasien erworben.
MONE hat die Handschrift mit Chemikalien behandelt und dadurch stark verdorben, so daß heute auf vielen Blättern keiner der beiden Texte mehr lesbar ist.

P. P.

9.12 s. II, S. 417, Abb. 86

Cod. 51/1, fol. 65r

GEERT GROOTE (1340–25.8.1384): GETIJDENBOEK (STUNDENBUCH)

St. Blasier Provenienzgruppe, 15. Jahrhundert

Pergament, 138 Bll., H 17/B 12 cm

Stift St. Paul, Cod. 51/1

Die bisher unter dem Titel *Niederdeutsches Gebetsbuch* geführte Handschrift konnte von mir als Stundenbuch Geert Grootes identifiziert werden. Der Text ist nicht vollständig, die Tagzeiten *Getijden der Eeuwige Wijsheid* und *Lange Getijden van het Heilige Kruis* fehlen. Der Text ist mittelniederländisch verfaßt. Die Handschrift ist sehr schön geschmückt, ganzseitige Miniaturen finden sich am Beginn der folgenden Tagzeiten: *Getijden der Heilige Maagd* (13v: Verkündigung), *Getijden van de Heilige Geest* (64v: Gnadenstuhl) und *Seven Boetpsalmen* (85v: Weltgericht).

s. II, S. 611.

Lit.: ÖKT 37 (1969), S. 372. – Zu Geert Groote vgl. C.C. DE BRUIN, Verfasserlexikon, Bd. 3 (1981), Sp. 263–272.

H. G.

9.13

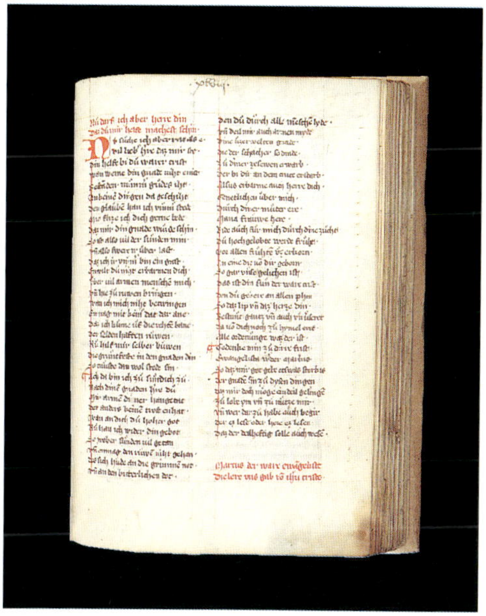

Cod. 53/1, fol. 18r

ST. PAULER EVANGELIENREIMWERK

St. Blasier Provenienzgruppe, 1. Hälfte des 14. Jahrhunderts

Pergament, 110 Bll., H 21,5/B 15 cm

Stift St. Paul, Cod. 53/1

Es handelt sich um eine fragmentarisch überlieferte Abschrift einer mitteldeutschen Übersetzung der vier Evangelien in 14.821 Paarreimen. Am Beginn der Handschrift fehlen etwa 2.720 Verse, so daß der Text heute mit Mt. 17,4 beginnt. Am Beginn jedes Evangeliums findet sich ein Eingangsgebet des Dichters.

s. II, S. 610.

Lit.: H. REINITZER, Verfasserlexikon, Bd. 7 (1988), Sp. 364–366.

H. G.

9.14

ST. PAULER PREDIGTEN

Spitaler Provenienzgruppe, vor 1230

Pergament, 160 Bll., H 15/B 10,5 cm

Stift St. Paul, Cod. 109/3

Die Predigtsammlung enthält 54 Predigten, die Erklärungen von Texten aus dem Neuen Testament oder Nacherzählungen von Heiligenlegenden gewidmet sind. Die Sammlung war nach Meinung WHISNANTS für die in den Neunzigerjahren des 12. Jahrhunderts erbaute und eingeweihte Kapelle des Pilgerhospitals am Pyhrn bestimmt. Die auffallend häufige Erwähnung des hl. Michael könnte darauf verweisen, daß die Vorlage unserer Sammlung aus dem Benediktinerkloster Michaelsberg in Bamberg stammt.

s. II, S. 610.

Lit.: N. E. WHISNANT, Verfasserlexikon, Bd. 7 (1988), Sp. 366–369. – Altdeutsche Predigten aus dem Benediktinerstift St. Paul, hrsg. von A. JEITTELES (1878).

H. G.

9.15

THOMAS PEUNTNER (um 1390–20. 3. 1439): BÜCHLEIN VON DER LIEBHABUNG GOTTES

Spitaler Provenienzgruppe, Mitte des 15. Jahrhunderts

Papier, 154 Bll., H 22/B 14,5 cm

Stift St. Paul, Cod. 256/4

Das *Büchlein von der Liebhabung Gottes* war eines der am meisten verbreiteten katechetischen Erbauungsbücher des Spätmittelalters. Vom Text existieren drei Fassungen. Unser Text gehört der 1428 entstandenen ersten Fassung an.

s. II, S. 611.

Lit.: B. SCHNELL, Thomas Peuntner. Büchlein von der Liebhabung Gottes. Edition und Untersuchung (1984).

H. G.

9.16

LATEINISCH-ALTHOCHDEUTSCHES GLOSSAR

St. Blasier Provenienzgruppe, 10. Jahrhundert

Pergament, 248 Bll., H 15/B 15,5 cm

Stift St. Paul, Cod. 82/1

Die Handschrift enthält lateinisch-althochdeutsche Glossen zu verschiedenen biblischen Büchern. Wie die Handschrift nach St. Blasien kam, ist nicht geklärt. Nach einem Besitzeintrag des 16. Jahrhunderts befand sie sich auch in der Bibliothek von St. Ulrich und Afra/Augsburg.

s. II, S. 609.

Lit.: E. STEINMEYER, E. SIEVERS, Die althochdeutschen Glossen, Bd. 4 (1969).

H. G.

Cod. 158/4, fol. 112v

SIGISMUND MEISTERLIN OSB (um 1435 – nach 1479): AUGSBURGER CHRONIK

Spitaler Provenienzgruppe (Geschenk des Johann Stephan Krakowitzer an Propst Joseph Xaver Grundtner, 1764), Mitte des 15. Jahrhunderts (der deutsche Text wurde im April 1457 vom Schreiber Johann Layder vollendet)

Papier, 215 Bll., H 29/B 21,5 cm

Stift St. Paul, Cod. 158/4

Meisterlin hat seine deutsche Chronik am 20. April 1456 beendet. Die darauffolgende lateinische Übersetzung wurde am 4. Jänner 1457 abgeschlossen. Die vorliegende Handschrift enthält in ihrem ersten Teil die lateinische, in ihrem zweiten Teil die deutsche Fassung von Meisterlins Chronik. Obwohl der deutsche Text nahe an die Entstehungszeit heranreicht, wurde der vorliegende Textzeuge in der Fachwelt nicht beachtet; so wird er beispielsweise im Verfasserlexikonartikel von K. COLBERG nicht erwähnt.

Im lateinischen Text finden sich auch vier Initialen, deren ansprechendste auf Bl. 4r die Ansicht von Augsburg zeigt.

s. II, S. 611.

Lit.: ÖKT 37 (1969), S. 412.

H. G.

9.18

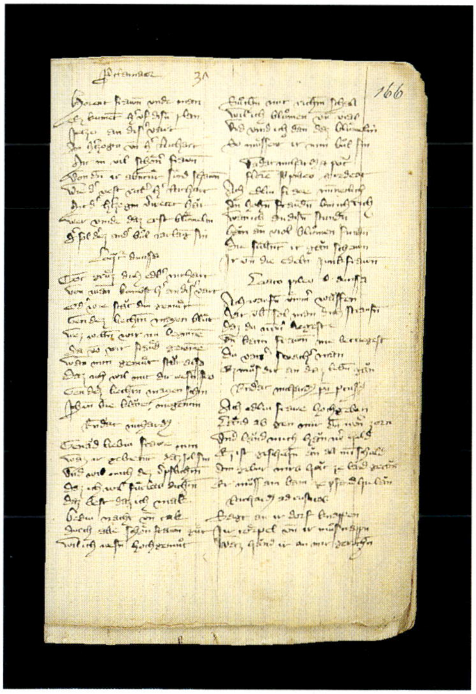

Cod. 261/4, fol. 166r

ST. PAULER NEIDHARTSPIEL

Spitaler Provenienzgruppe, um 1360

Papier, Bll. 166r–166v, H 21/B 15 cm

Stift St. Paul, Cod. 261/4

Der Text des Neidhartspieles findet sich in einer Brief- und Urkundensammlung von insgesamt 273 Blättern. Das Spiel besteht lediglich aus 66 Zeilen/Versen in schwäbischer Sprachform. Es handelt sich dabei um das älteste weltliche deutsche Schauspiel.

s. II, S. 611.

Lit.: E. SIMON, Verfasserlexikon, Bd. 6, Sp. 893–898. – Neidhartspiele, hrsg. von J. MARGETTS (1982). – Die mittelalterlichen Neidhart-Spiele, hrsg. von J. MARGETTS (1986).

H. G.

9.19

DEUTSCHE BIBEL IN HEBRÄISCHER SCHRIFT

St. Blasier Provenienzgruppe

Papier, 146 Bll., H 29/B 20 cm

Stift St. Paul, Cod. 3/2

Die deutsche Bibel in hebräischen Schriftzeichen zählt zu den noch gänzlich unerforschten

Cod. 3/2, fol. 29r

Besonderheiten der St. Pauler Bibliothek. Eine Übersetzungsprobe von P. Placidus STEININGER OSB aus Admont vom 11. Juni 1901 ist dem Kodex beigegeben.

H. G.

9.20

JEAN DE MANDEVILLE (14. JAHRHUNDERT): REISEBESCHREIBUNG

Spitaler Provenienzgruppe, Mitte des 15. Jahrhunderts

Papier, 190 Bll., H 21,2/B 14,7 cm

Stift St. Paul, Cod. 210/4

Die Identität Mandevilles ist bis heute nicht geklärt. Es handelt sich dabei vermutlich um einen Engländer, der – in seiner Heimat wegen Totschlags gesucht – in Lüttich unter dem Namen Jean de Bourgogne als Naturforscher, Philosoph, Astrologe und Arzt lebte. Er soll am 12. November 1372 gestorben sein.
Unter den deutschen Textzeugen mittelalterlicher Reiseliteratur war Mandevilles Reisebeschreibung die am häufigsten überlieferte. Der Grund für die große Beliebtheit des Textes ist wohl im Umstand begründet, daß Mandeville sowohl die Reise ins Heilige Land als auch nach China beschreibt. Mandeville hat seine von ihm beschriebenen Reisen nicht selbst unternommen; er kompiliert vielmehr die vorhandenen, einschlägigen Vorlagen (z.B. Marco Polo, Odorico von Pordenone u.a.).
Der französische Urtext wurde sowohl von

Cod. 210/4, fol. 118v und 119r

Michael Velser als auch von Otto von Diemringen ins Deutsche übertragen. Unser Textzeuge enthält die Übersetzungsversion Michael Velsers.

Die Reisebeschreibung befindet sich auf den Blättern 107r–190v. Der Schluß des Textes fehlt.

s. II, S. 611.

Lit.: E. BREMER, Verfasserlexikon, Bd. 5, Sp. 1201–1214. – Sir John Mandevilles Reisebeschreibung, hrsg. von E. J. MORRAL (1974), S. CIX f.

H. G.

9.21 s. II, S. 615, Abb. 180

ODORICO VON PORDENONE (1260/70–1331): REISE NACH CHINA (deutsche Übersetzung)

Zweite Hälfte des 14. Jahrhunderts; gefunden im Einband der Handschrift 125/4 der Spitaler Provenienzgruppe

Pergament, Teile von 2 Bll., H 6,5/B 8,5 cm

Stift St. Paul, Cod. 36/8

Odorico von Pordenone kehrte 1330 von seiner Chinareise zurück. In Padua diktierte er seinem Mitbruder Wilhelm von Solagna seinen Reisebericht. 1331 ist Odorico in Udine gestorben. Eine lateinische Textvorlage aus der Redaktion Wilhelms von Solagna wurde 1359 in Wien vom Tegernseer Weltgeistlichen Konrad Steckel ins Deutsche übertragen. Von dieser Übersetzung existieren vier Handschriften des 15. Jahrhunderts.

Unser vorliegendes Textfragment bietet ebenfalls eine Übersetzung von Odoricos Reisebericht, die aber aus der Mitte des 14. Jahrhunderts stammt. Somit ist unser Fragment einer der ältesten Belege deutscher Reiseliteratur überhaupt. Ob unser Fragment der Übersetzung Konrad Steckels zugeordnet werden kann, ist nicht klar, da doch einige Unterschiede im Vergleich zu den Handschriften des 15. Jahrhunderts bestehen.

s. II, S. 614 f.

Lit.: H. GRÖCHENIG, Ein Fragment einer deutschen Übersetzung des Chinareiseberichtes von Odorico de Pordenone, FS Ingo Reiffenstein (1988), S. 565–572.

H. G.

9.22

HARTMANN VON AUE (ca. 1160 – ca.1210): IWEIN

Aus der Handschrift 22/4 der Spitaler Provenienzgruppe, 13. Jahrhundert

Pergament, 2 Doppelbll., H 20/B 17 cm

Stift St. Paul, Cod. 7/8

Die beiden nicht ganz vollständig erhaltenen Pergamentdoppelblätter konnten aus 14 Falzen und zwei breiteren Streifen, welche beim Binden der Handschrift 22/4 als Makulatur verwendet wurden, zusammengesetzt werden. Der in einer frühgotischen Minuskel des 13. Jahrhunderts geschriebene Text umfaßt (mit Lücken) die Verse 4097 – 4300 bzw. 4526 – 4725 aus Hartmanns Artusroman *Iwein*. Innerhalb der Überlieferung von Hartmanns *Iwein* zählt unser Textfragment zu den älteren Textzeugen.

s. II, S. 612.

Lit.: P. PASCHER, H. GRÖCHENIG, FS für Adalbert Schmidt, Stuttgart 1976, S. 87 – 105.

H. G.

9.23

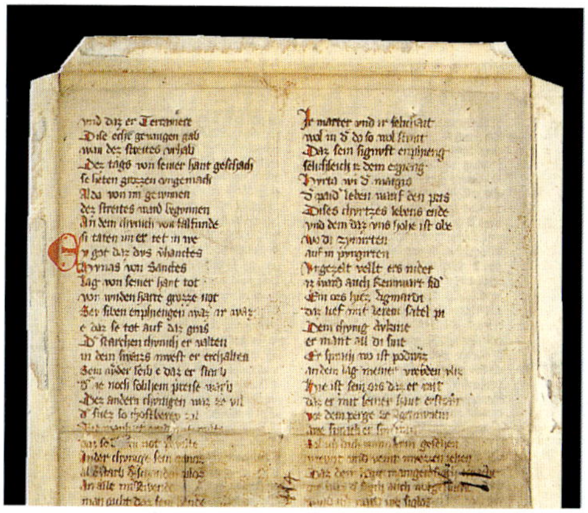

WOLFRAM VON ESCHENBACH (ca. 1170 – 1220): WILLEHALM

14. Jahrhundert

Pergament, 1 Bl., H 34,7/B 22,3 cm

Stift St. Paul, Cod. 11/8

Das vom ehemaligen Bibliothekar des Stiftes P. PASCHER entdeckte Fragment diente als Bucheinband. Weitere Einzelheiten zur Herkunft des Blattes sind nicht bekannt.
Der in einer Textualis des 14. Jahrhunderts geschriebene Text enthält den Abschnitt 415,26 – 421,25 aus Wolframs unvollendet gebliebenem Werk (Entscheidungsschlacht zwischen dem Heer der Christen unter der Führung Willehalms und der zahlenmäßig weit überlegenen heidnischen Heerschar unter der Führung Terramers).

s. II, S. 612.

Lit.: E. PASCHER, H. GRÖCHENIG, Ein neues Neidhart- und Willehalmfragment aus St. Paul im Lavanttal/Kärnten, in: Litterae Ignotae, hrsg. von U. MÜLLER (1977), S. 1 – 9.

H. G.

9.24 s. II, S. 613, Abb. 179

ULRICH VON TÜRHEIM (13. Jh.): KLIGES

Aus der Inkunabel 4. 7. 11 der Spitaler Provenienzgruppe, um 1320

Pergament, 1 Bl. aus zwei Streifen zusammengesetzt; H 25,5/B 17,6 cm

Stift St. Paul, Cod. 27/8

Ulrich von Türheims Übersetzung des *Cliges* von Chrestien de Troyes ist überhaupt nur durch insgesamt drei Textfragmente, die alle aus derselben Handschrift stammen, belegt. Neben dem vorliegenden Fragment gibt es noch Fragmente in Zürich und Kalocsa/Ungarn.

s. II, S. 612 f.

Lit.: H. GRÖCHENIG, P. PASCHER, Ulrich von Türheim. Cliges (1984).

H. G.

9.25

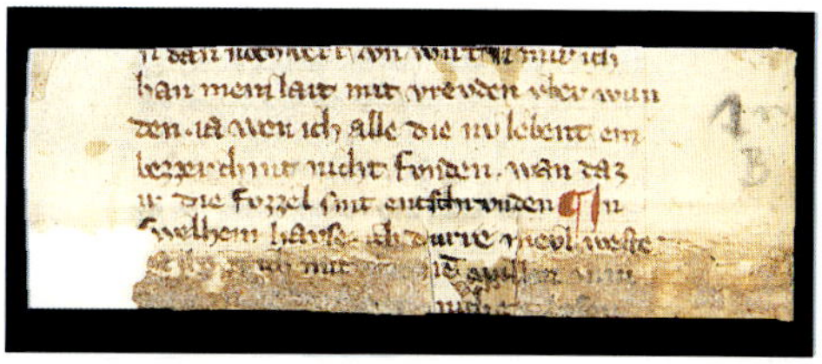

NEIDHART VON REUENTAL (1180/90 – ca. 1237): LIEDER

Anfang 14. Jahrhundert

Pergament, Teile von 3 Bll., H 9/B 8 cm

Stift St. Paul, Cod. 10/8

Der Text stammt aus der St. Pauler Inkunabel 50.1.2, die sich einem Besitzeintrag nach ursprünglich im Kapuzinerkloster zu Wolfsberg befunden hat. Der Einband der Inkunabel entstand in Augsburg, wo auch die vorliegenden Fragmente beim Binden als Makulatur verwendet wurden.
Der Textzeuge bietet Teile aus Neidharts Winterliedern 9, 13 und 16 und aus dem Sommerlied 13. Darüberhinaus sind auch Teile des bis-

her nur aus der Papierhandschrift c bekannten (und daher auch nicht als echt anerkannten) Liedes c 58 enthalten, womit die Sinnhaftigkeit der in der Neidhartforschung unternommenen Arbeiten hinsichtlich einer grundsätzlichen Neubewertung der gesamten Neidhartüberlieferung unterstrichen wird.

s. II, S. 614.

Lit.: E. PASCHER, H. GRÖCHENIG, Ein neues Neidhart- und Willehalmfragment aus St. Paul im Lavanttal/Kärnten, Litterae Ignotae, hrsg. von U. MÜLLER (1977), S. 1 – 4.

H. G.

9.26

HEINRICH VON MEISSEN (FRAUENLOB)(um 1270–1318): KREUZLEICH

Aus der Handschrift 125/4 der Spitaler Provenienzgruppe, Mitte des 14. Jahrhunderts

Pergament, 1 Doppelbl. aus 20 Pergamentfalzen zusammengesetzt; H 24/B 17 cm

Stift St. Paul, Cod. 24/8

Der Text umfaßt die Abschnitte II,12 – II,18 aus Frauenlobs *Kreuzleich,* wobei neben dem Text auch die Melodie mitüberliefert wird.

s. II, S. 614.

Lit.: H. GRÖCHENIG, P. PASCHER u.a., Ein neues Fragment aus Frauenlobs Kreuzleich, ZS für deutsches Altertum 113 (1984), S. 246–286.

H. G.

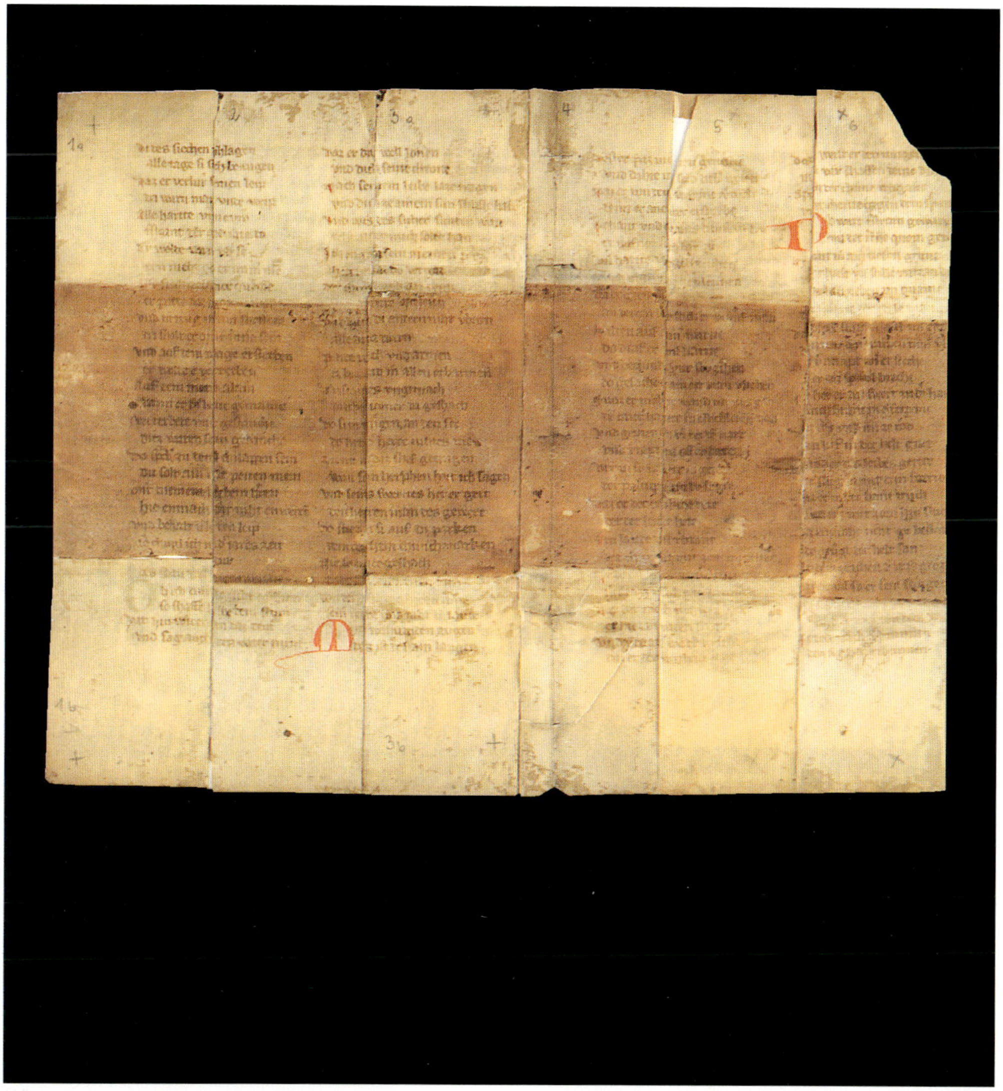

EILHART VON OBERGE (belegt zwischen 1189 u. 1209): TRISTRANT

Aus der Inkunabel 1.2.2/1 der Spitaler Provenienzgruppe, um 1300

Pergament, ein nahezu vollständiges Doppelbl. aus 6 Perg.streifen, H 17/B 13 cm

Stift St. Paul, Cod. 9/8

Der Text umfaßt die Verse 1029–1146 und 1615–1730 aus Eilharts Tristrant-Roman, der im Gegensatz zum berühmteren Tristan-Roman Gottfrieds von Straßburg vollendet wurde. Unser Fragment ist überlieferungsgeschichtlich von besonderer Bedeutung, weil es ein wichtiges Bindeglied zwischen den fragmentarisch überlieferten ältesten Textzeugen des Romans (R) und den beiden jüngeren, vollständigen Textzeugen D und H (15. Jahrhundert) darstellt. Unser Textfragment ist somit der älteste Textzeuge für die jüngere Fassung von Eilharts Roman.

s. II, S. 612.

Lit.: H. GRÖCHENIG, P. PASCHER, Eilhart von Oberge. Tristrant. Neufund eines Pergamentfragmentes einer Handschrift des 13. Jahrhunderts, Buchkunde 1 (1984), S. 11–30. – A.BRANDSTETTER, Über den Stellenwert des neugefundenen St. Pauler Fragments in der Überlieferung von Eilharts Tristrant, FS Ingo Reiffenstein (1988), S. 339–352.

H. G.

9.28

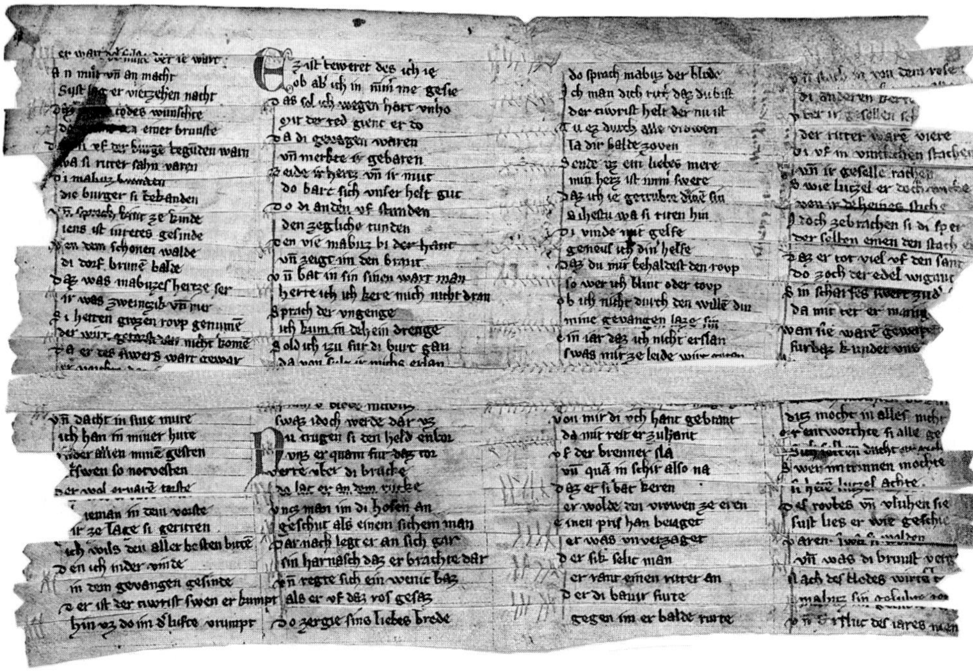

ULRICH VON ZATZIKHOVEN: LANZELET (entst. ca. 1194–1205)

14. Jahrhundert; aus den Falzen der Handschrift Pap. 23 der Universitätsbibliothek Klagenfurt

Pergament, 1 Doppelbl., H 21/B 14 cm

UB Klagenfurt, Cod. Perg. HS 47

Nach H. MENHARDT stammt die Trägerhandschrift unseres Fragments aus St. Paul und ist nach der Aufhebung durch Joseph II. nach Klagenfurt gelangt. Eine Überprüfung der Handschrift Pap. 23 läßt aber Zweifel an MENHARDTS Ansicht aufkommen; ein direkter Besitzvermerk fehlt, und das der Handschrift vorangestellte Kalendarium läßt das Entstehen der Handschrift in einem benediktinischen Männerkloster unwahrscheinlich erscheinen. Die Vermutung, daß diese Handschrift aus dem St. Pauler Frauenkloster stammen könnte, müßte durch genauere Forschungen noch untermauert werden.
Der Text selbst umfaßt (mit Lücken) die Verse 3628–3891 aus Ulrichs *Lanzelet.*

Lit.: H. MENHARDT, Das neue Klagenfurter Lanzelet-Bruchstück Gk, ZS für deutsches Altertum 59 (1929), S. 257–267.

H. G.

9.29

PRIESTER ADELBRECHT: JOHANNES BAPTISTA

12. Jahrhundert

Pergament, 1 Doppelbl., H 20,8/B 13,8 cm

Stift St. Paul, Cod. 25/8

Der einspaltig geschriebene Text, der neben Priester Adelbrechts *Johannes Baptista* auch noch Bruchstücke eines *St. Veit* enthält, wurde vom Pfarrer Urban Zarnigg/Maria Saal im heute in St. Paul verwahrten Kodex 371/4 entdeckt, der nach MENHARDTS Meinung aus einem Zisterzienserstift im niederbairischen Sprachraum stammen muß.
Der Text ist in einer frühgotischen Minuskel des 12. Jahrhunderts geschrieben. Die genauere Datierung schwankt zwischen 1120 und 1170.

s. II, S. 610.

Lit.: F. MAURER, Die religiösen Dichtungen des 11. und 12. Jahrhunderts, 3 Bde. (1964–1970). – Zu Priester Adelbrecht vgl. Bd. 2, S. 328–341. – Zu St. Veit vgl. Bd. 3, S. 615–619.

H. G.

9.30

VON DER BABYLONISCHEN GEFANGENSCHAFT

12. Jahrhundert

Pergament, 1 Bl., H 20,2/13,2 cm

Stift St. Paul, Cod. 26/8

Die Fragmente 25/8 (s.o.) und 26/8 werden gerne unter dem Sammelbegriff Maria Saaler Bruchstücke zusammengefaßt (zur Herkunft s.o.). Trotzdem unterscheiden sich die beiden Fragmente schon äußerlich von ihrer Anlage her: 26/8 ist zweispaltig geschrieben, 25/8 hingegen einspaltig. Sprachlich ist 25/8 dem Bairischen zuzuordnen, 26/8 gehört jedoch dem Moselfränkischen an.

s. II, S. 610.

Lit.: F. MAURER, Die religiösen Dichtungen des 11. und 12. Jahrhunderts, 3 Bde. (1964–1970). Zum vorliegenden Fragment vgl. Bd. 1, S. 418–425.

H. G.

9.31

REIMBIBEL

15. Jahrhundert

Pergament, 1 Doppelbl., H 28/B 23,7 cm

Stift St. Paul, Cod. 20/8 (ex 37/6)

Die Schrift dieses Fragmentes ist ein schönes Beispiel für eine *Bastarda* des 15. Jahrhunderts. Inhaltlich bietet das Fragment die Geschichte von Joachim und Anna, den Eltern Marias. Es bedarf noch einer weiteren Klärung, ob dieses Fragment der *Weltchronik* des Heinrich von München zuordenbar ist.

s. II, S. 611.

Lit.: Armarium 1 (1977), Nr. 38.

H. G.

9.32

ST. PAULER LUKASGLOSSEN

Lukas 1,64–2,51 mit althochdeutschen Glossen; St. Blasier Provenienzgruppe, 6./7. Jahrhundert; die althochdeutschen Glossen stammen aus der Zeit um 800

Pergament, 1 Doppelbl., H 25,5/B 20,8 cm

Stift St. Paul, Cod. 1/8

Der Text aus dem Lukasevangelium wird in der Form der Vetus Latina dargeboten. Die Schrift ist eine Unziale aus der Wende vom 6. zum 7. Jahrhundert. Um 800 wurde vermutlich auf der Reichenau die Eintragung der althochdeutschen Glossen vorgenommen, womit wir eines der ältesten deutschen Schriftdenkmäler überhaupt vor uns haben.

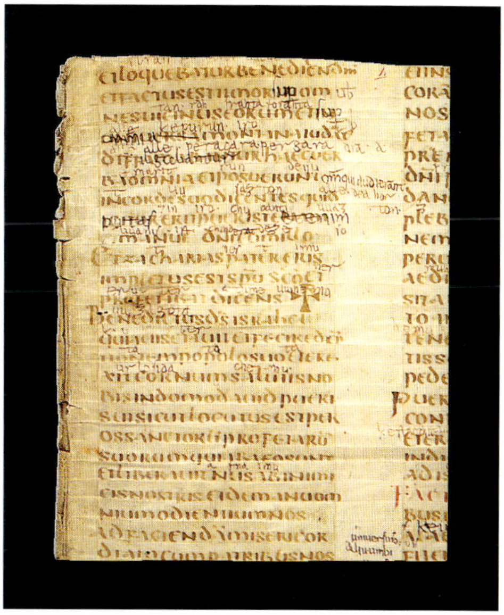

Das Pergamentblatt wurde im 14. Jahrhundert dem Ambrosiuscodex 1/1 als Vorsatzblatt beigebunden. Erst im Zuge der Neukatalogisierung der St. Pauler Handschriften wurde es wiederum herausgelöst und unter der oben zitierten Signatur in der Fragmentenreihe aufgestellt.

s. II, S. 610.

Lit.: E. STEINMEYER, E. SIEVERS, Die althochdeutschen Glossen, Bd. 1 (1968). – L. VOETZ, Die St. Pauler Lukasglossen. Untersuchungen, Edition, Faksimile (1985).

H.G.

9.33

Cod. 37/6, fol. 1r

Cod. 37/6, fol. 2r

GENESISGLOSSEN

St. Blasier Provenienzgruppe, 9. Jahrhundert

Pergament, 3 Bll., H 28,3/22 cm

Stift St. Paul, Cod. 37/6

Das Fragment stammt von der Reichenau. Bei der Schrift handelt es sich um eine karolingische Minuskel des 9. Jahrhunderts. Das Fragment ist ein Palimpsest, die Rasur des ursprünglichen Textes ist aber so gründlich ausgefallen, daß auch unter der Quarzlampe nur mehr einige Worte auf Bl. 1v lesbar sind – ein in Unzialschrift geschriebener Bibeltext, der vermutlich dem 6. Jahrhundert zuzuordnen ist.
Die ursprüngliche Abfolge der drei Blätter ist vertauscht, so daß das ursprüngliche Blatt 3 heute Blatt 1 ist.

s. II, S. 610.

Lit.: E. STEINMEYER, E. SIEVERS, Die althochdeutschen Glossen, Bd. 1 (1968), Nr 12.

H. G.

9.34

NOTKER DER DEUTSCHE (gest. 29. 6. 1022): PSALMENÜBERSETZUNG

St. Blasier Provenienzgruppe (wohl von St. Gallen nach St. Blasien gelangt), 12. Jahrhundert

Pergament, 3 Bll., H 24,3/B 16,3 cm

Stift St. Paul, Cod. 905/0

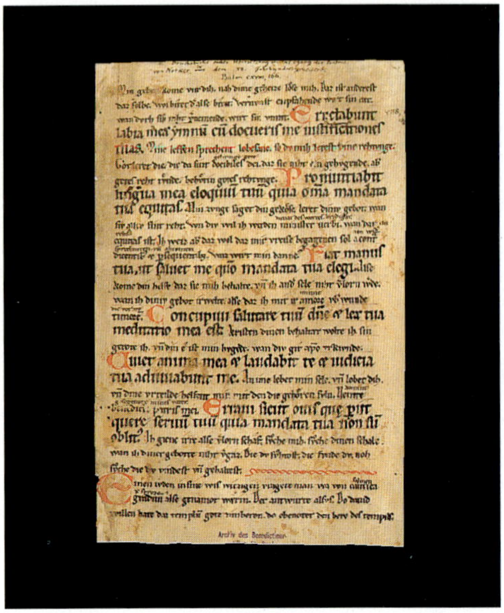

Cod. 905/0, fol. 2r

Die frühgotische Minuskel, in welcher der Text abgefaßt ist, belegt eine Übergangsschrift von der karolingischen Minuskel zu den gotischen Schriften. Dieser Übergang setzt in den westlichen Skriptorien früher (im 12. Jahrhundert) ein.

s. II, S. 610.

Lit.: Armarium 1 (1977), Nr. 19.

H. G.

9.35

REIMBIBEL

um 1400

Pergament, 1 Doppelbl., H 28,6/B 26,4 cm

Stift St. Paul, Cod. 2/5

Bei dem Fragment handelt es sich um Teile aus dem 16. Kapitel des *Liber Numeri* aus dem Alten Testament. Das Fragment diente als Einband eines Buches aus Spital am Pyhrn.

s. II, S. 610.

Lit.: E. SCHRÖDER, Aus einer unbekannten Reimbibel, ZS für deutsches Altertum 39 (1895), S. 251–256.

H. G.

9.36

SCHULSAMMLUNG

9. Jahrhundert; es ist nicht sicher zu klären, ob dieses Fragment der Gruppe der Reichenauer Handschriften innerhalb der St. Blasier Provenienzgruppe angehört

Pergament, 10 Bll., H 27,5/B 20 cm

Stift St. Paul, Cod. 903/0

Der in einer karolingischen Minuskel aus dem

späten 9. Jahrhundert geschriebene Text ist eine Mustersammlung aus karolingischer Zeit, die in der Art eines Schulheftes vorbildliche Texte für den täglichen Gebrauch in Rechtsgeschäften enthält. Neben dem Formular einer Urkunde über die Freilassung eines leibeigenen Knechtes außerhalb der Kirche findet sich noch das Formular einer Güterschenkung an ein Kloster.

s. II, S. 609

Lit.: Armarium 1 (1977), Nr. 11.

H. G.

9.37 s. II, S. 602, Abb. 177

ALTDEUTSCHER PHYSIOLOGUS

Fragment des Cod. Vindobonensis 223; die HS gilt nach H. MENHARDT als eine Hirsauer Gemeinschaftsarbeit von vier verschiedenen Händen; aus der dritten Hand stammt der Physiologus; Ende des 11. Jahrhunderts

Pergament; Pergamenteinband von 1753, karolingische Buchschrift, größere Buchstaben manchmal ausgespart oder marginal ergänzt, H 21,5–23/B 15,5 cm

ÖNB, Cod. 223

Die Handschrift kam wohl 1091 von Hirsau in das neugegründete Stift St. Paul, wo sie nach einer Signatur von 1470 nachgewiesen ist. Die Handschrift wurde 1549 von Wolfgang Lazius nach Wien gebracht.
Die Sammelhandschrift enthält einen lateinischen Kommentar zu Horaz, Alkuins *Disputatio de dialectica*, den Anfang des *Heptameron de Primordio Mundi* des Eugenius von Toledo, unseren ältesten deutschen Physiologus in Pro sa, einen Kommentar des Servius zu Vergils *Aeneis* und *Bukolika*, sowie verschiedene theologische, lateinische Texte.
Die *naturwissenschaftlichen* Grundlagen der Physiologusdichtungen sind antik und von den klassischen Autoritäten (Aristoteles u.a.) bestimmt. Sie enthalten viele Mystifikationen, wenn etwa von der Löwin behauptet wird, daß ihre Jungen tot zur Welt kommen und erst unter dem Anhauch des Löwen lebendig werden. Die *Natur* der Tiere wird nach der Methode der mittelalterlichen Exegese in geistlicher Hinsicht ausgedeutet, also mit der Heiligen Schrift in Zusammenhang gebracht. Die Tiere werden nicht als das genommen, was sie vordergründig sind, sondern was sie *sub tegumine*, also unter der Oberfläche, *letztlich*, also religiös, *bedeuten*.

s. II, S. 602–605.

Lit.: H. MENHARDT, Verzeichnis der altdeutschen literarischen Handschriften der Österreichischen Nationalbibliothek, Bd. 1 (Deutsche Akademie der Wissenschaften zu Berlin, Veröffentlichungen des Institutes für deutsche Sprache und Literatur 13, 1960), S. 36f. – DERS., Wanderungen des ältesten Physiologus, ZS für deutsches Altertum 74 (1937). – N. HENKEL, Studien zum Physiologus im Mittelalter (1976).

A. B.

9.38 s. II, S. 606, Abb. 178

JOHANN HECHTL: DIE LATEINISCH–DEUTSCHE SPRUCHSAMMLUNG

Nachweislich aus St. Paul, wo die Handschrift als mittelalterliches Schulbuch entstand; von zwei Schreibern, von denen der erste 1463 von Bl. 29r bis 38v schrieb, der zweite 1468 von 39r bis 83r; 1r bis 28r und 83v bis 89v wurden 1472 hinzugefügt. Auf 28r nennt sich der Verfasser *Johannes monachus et professus*, nach B. SCHROLL Johann III., Hechtl von Landau, Pfarrer zu St. Lorenzen in der Wüste, später 28. Abt (1483–1488) in St. Paul.

Papier, 89 Bll., H 21,2/B 13,8 – 14,2 cm

ÖNB, Cod. 12.840

Die Handschrift enthält außer Hechtls Sprichwörtersammlung lateinische Hexameter über Tiere mit deutschen Glossen, Auszüge aus Konrad von Megenbergs *Buch der Natur*, den *Cornutus* (Grammatik und Moralunterricht anhand ausgewählter lateinischer Vokabeln in Hexametern) von Johann von Garlandia, den *Novus Cornutus* des Otto von Lüneburg und eine Sammlung lateinischer Sentenzen.
Hechtl geht von bekannten lateinischen Sprichwörtern und Redensarten aus, die er möglicherweise aus dem Gedächtnis schöpft. Die deutschen Übertragungen erinnern an ähnliche Sprichwörtersammlungen, teilweise niederdeutscher Provenienz (Otto von Lüneburg). Auch Freidanks *Bescheidenheit* kommt als Quelle in Frage.
Das Interesse an den Sprichwörtern betraf das Sprachliche (Einübung ins Latein, Vokabellernen, Tropen und Figuren-Unterricht) und das Inhaltliche (Tugendlehre). Das eine oder andere Sprichwort fügt sich auch gut in das moralische Programm des Benediktinertums.

s. II, S. 605–608.

Lit.: H. MENHARDT, Eine lateinisch–deutsche Spruchsammlung aus St. Paul vom Jahre 1468, Car. I 120 (1930), S. 10–19. – H. MAURER, E. ZIMMERMANN, Eine lateinisch–deutsche Spruchsammlung aus St. Paul vom Jahre 1468, JbSP 1979/80, S. 32–37.

A. B.

9.39

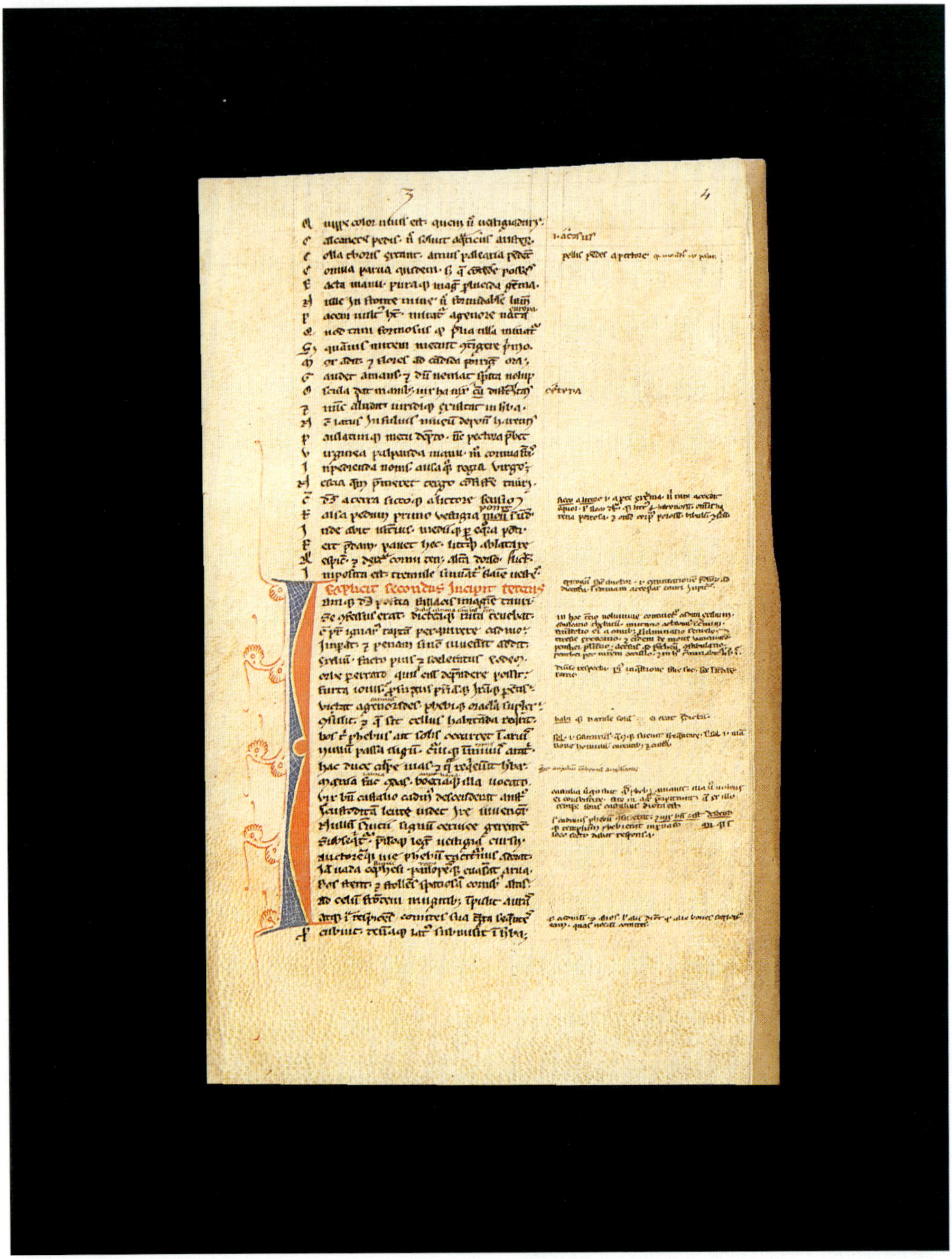

Cod. 61/3, fol. 4r

OVID (43 v. Chr. – ca. 17 n. Chr.): METAMORPHOSEN

Spitaler Provenienzgruppe, 13. Jahrhundert

Pergament, 39 Bll., zwischen Bl. 7 und Bl. 8 wurde eine ganze Lage herausgeschnitten, H 25/B 14,5 cm

Stift St. Paul, Cod. 61/3

H. G.

9.40

SALLUST (86 v. Chr. – 34 v. Chr.): LIBRI CATILINAE. BELLUM JUGURTHINUM

Spitaler Provenienzgruppe, 12. Jahrhundert

Pergament, Bll. 123v – 157r (Codex: 191 Bll.), H 17,6/B 12,5 cm

Stift St. Paul, Cod. 126/3

H. G.

9.41

Cod. 35/1, fol. 69v

TITUS LIVIUS (59 v. Chr. – 17 n. Chr.): HISTORIA

St. Blasier Provenienzgruppe, 2. Hälfte des 15. Jahrhunderts

Pergament, 108 Bll., H 33,5/B 24,5 cm

Stift St. Paul, Cod. 35/1

Die Handschrift weist als Vorbesitzer Joh. Scheicher, Volmar (16. Jahrhundert) und Macharius Spretter aus Rottweil auf; aus dem Nachlaß Spretters kam sie 1599 nach St. Blasien. Der Schmuck der Handschrift (Initialen am Beginn der einzelnen Bücher, Randleisten und Flechtbandornamente am Textanfang) ist nach HOLTERS Meinung florentinisch oder umbrisch. Der weiße Ledereinband stammt aus dem 17. Jahrhundert.

Lit.: ÖKT 37 (1969), S. 366.

H. G.

9.42

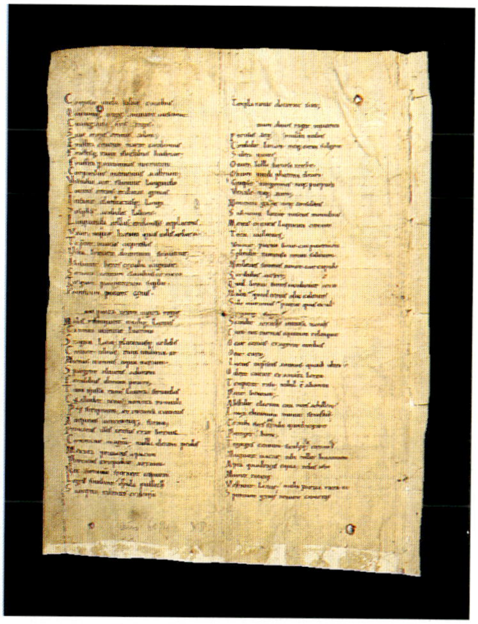

HORAZ (8. 12. 65 v. Chr. – 27. 11. 8 v. Chr.): ODEN 2,14 – 16

Von Bernhard BISCHOFF an den Innendeckeln der HS 60/4 der Spitaler Provenienzgruppe entdeckt und bestimmt; zehntes Jahrhundert

Pergament, 2 Bll., H 29/B 22,2 cm

Stift St. Paul, Cod. 21/8

Der Text ist in einer karolingischen Minuskel des zehnten Jahrhunderts vermutlich in St. Emmeram/Regensburg geschrieben worden.

Lit.: Armarium 1 (1977), Nr. 27.

H. G.

9.43

VERGIL (15. 10. 70 v. Chr. – 21. 9. 19 v. Chr.): AENEIS X, 448–489

Aus der Inkunabel 4.6.17 und anderen Handschriften der Spitaler Provenienzgruppe; 11. Jahrhundert

Pergament, Teile eines Doppelbl., H 31/B 25 cm

Stift St. Paul, Cod. 22/8

Der Text ist in einer karolingischen Minuskel des 11. Jahrhunderts geschrieben. Format, sorgfältige Linierung und geübte Schrift lassen auf Regensburg als Entstehungsort schließen.

Lit.: Armarium 1 (1977), Nr. 28.

H. G.

9.44

OVID (43 v. Chr. – ca. 17. n. Chr.): ARS AMATORIA II, 393 – 746: III, 1 – 16

Vermutlich eine Handschrift aus dem Besitz des Bischofs Friedrich von Aufseß, die in Spital später beim Buchbinden als Makulatur Verwendung fand; 13. Jahrhundert

Pergament, 6 Bll., H 16/B 10,6 cm

Stift St. Paul, Cod. 23/8

Die Schrift ist eine frühgotische Minuskel des 13. Jahrhunderts. Der Text selbst ist zum Teil fehlerhaft abgeschrieben.

Lit.: Armarium 1 (1977), Nr. 29.

H. G.

BUCHDRUCK

9.45

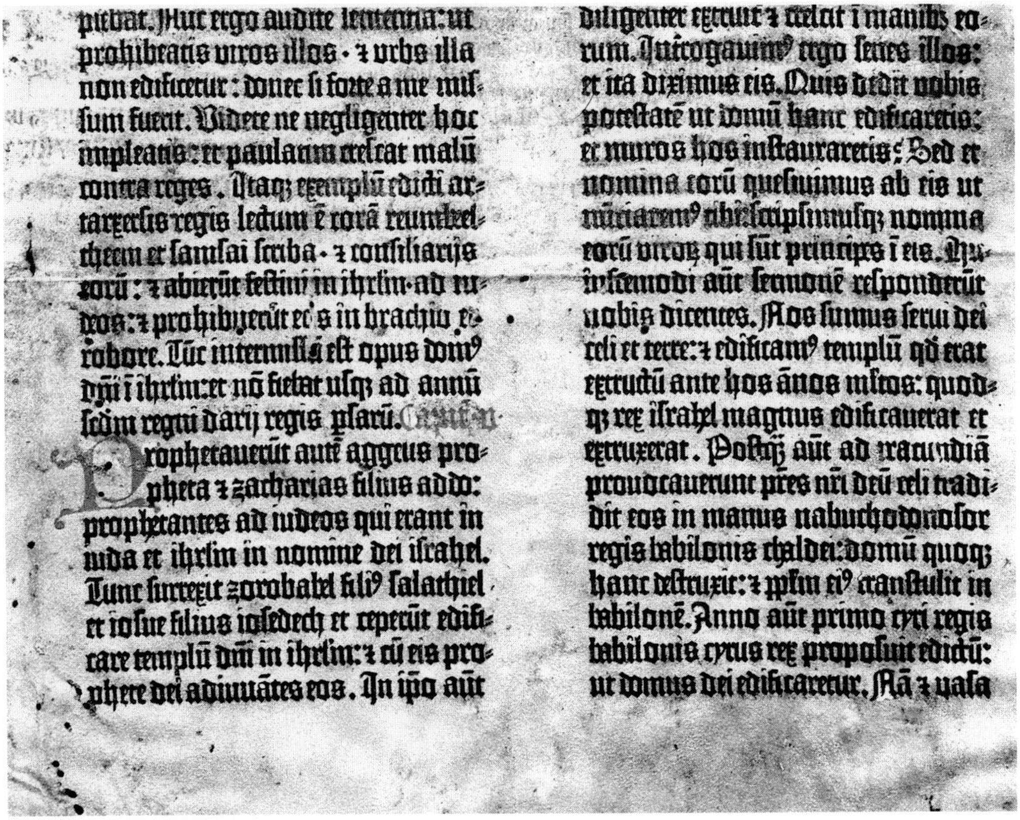
picbat. Nūc ergo audite sententiā: ut
prohibeatis viros illos · ⁊ urbs illa
non edificetur: donec si forte a me iuſ-
ſum fuerit. Videte ne negligenter hoc
impleatis: et paulatim creſcat malū
contra reges. Itaq; exemplū edicti ar-
tarxerſis regis lectum ē corā reumbeel-
theem et ſamſai ſcriba · ⁊ conſiliariis
eorū: ⁊ abierūt feſtini in ihrlm· ad iu-
deos: ⁊ prohibuerūt eos in brachio et
robore. Tūc intermiſſū eſt opus domꝰ
dn̄i i ihrlm: et nō fiebat uſq; ad annū
ſcd̄m regni darij regis pſarū. Capitl̄m v
Prophetauerūt autē aggeus pro-
pheta ⁊ zacharias filius addo:
prophetantes ad iudeos qui erant in
iuda et ihrlm in nomine dei iſrahel.
Tunc ſurrexit zorobabel filꝰ ſalathiel
et ioſue filius ioſedech et ceperūt edifi-
care templū dn̄i in ihrlm: ⁊ cū eis pro-
phete dei adiuuātes eos. In ipſo aūt

diligenter extruit ⁊ creſcit i manibꝰ eo-
rum. Interrogauimꝰ ergo ſenes illos:
et ita diximus eis. Quis dedit vobis
poteſtatē ut domū hanc edificaretis:
et muros hos inſtauraretis? Sed et
nomina eorū queſiuimus ab eis ut
nūciaremꝰ tibi: ſcripſimuſq; nomina
eorū viroꝝ qui ſūt principes i eis. Hu-
iuſcemodi aūt ſermonē reſponderūt
nobis dicentes. Nos ſumus ſerui dei
celi et terre: ⁊ edificamꝰ templū qđ erat
extructū ante hos ānos multos: quod-
q; rex iſrahel magnus edificauerat et
extruxerat. Poſtq̄ aūt ad iracūdiā
prouocauerunt pr̄es nr̄i deū celi tradi-
dit eos in manus nabuchodonoſor
regis babilonis chaldei: domū quoq;
hanc deſtruxit: ⁊ pp̄lm eiꝰ tranſtulit in
babilonē. Anno aūt primo cyri regis
babilonis cyrus rex propoſuit edictū:
ut domus dei edificaretur. Nā ⁊ vaſa

BIBLIA

Johannes Gutenberg; Fragment der 42-zeiligen Gutenbergbibel; Mainz, um 1454/55

Pergament, 324 u. 319 Bll., 2 Sp., 40 – 42 Z., Type 1:140G.

Universitätsbibliothek Klagenfurt

Das Pergamentblatt wurde als Umschlag für einen Druck des 17. Jahrhunderts verwendet. Die Majuskeln sind in diesem Exemplar gelb ausgemalt.

P. P.

Ink. 4.7.18, fol. 20v und 20r

MISSALE SPECIALE ABBREVIATUM

Basel (?), um 1473 (?)

72 Bll., 18 Z., Type: 1, schwarz und rot gedruckt

Stift St. Paul, Ink. 4.7.18

Die Frage, ob es sich bei diesem Druck um das älteste Erzeugnis Gutenbergs handelt, ist auch heute noch nicht eindeutig geklärt. Die Wasserzeichenforschung legte zwar Belege vor, die für eine spätere Zeit und für Basel sprechen, doch scheinen nicht alle Aspekte genügend berücksichtigt zu sein. Vor allem die Kunstgeschichte, die sich mit dem Kanonholzschnitt noch nicht ausreichend beschäftigt hat, könnte neue Aspekte in die als abgeschlossen geltende Diskussion einbringen. Vieles in dem Druck spricht für den Versuchscharakter, aber nicht für Unbeholfenheit, wie dies verschiedentlich aufgezeigt wurde.

P. P.

9.47

PAPST BONIFAZ VIII: LIBER SEXTUS DECRETALIUM (MIT DER GLOSSE DES JOHANNES ANDREAE)

Peter Schöffer; Mainz, 5. April 1473

Pergament, 162 Bll., 2 Sp., 51 bzw. 66 Z., Type: 5:118 G, schwarz und rot gedruckt, H 41/B 30,5 cm

Stift St. Paul

Insgesamt sechs Blätter waren als Umschläge für ebensoviele Bände eines Musikdruckes des 16. Jahrhunderts verwendet gewesen und wurden 1974 abgelöst. Sie sind auf Pergament gedruckt und größtenteils sehr gut erhalten.

P. P.

9.48

DURANTI, GUILLELMUS: RATIONALE DIVINORUM OFFICIORUM

Johann Fust und Peter Schöffer; Mainz, 6. Oktober 1459

Pergament, 160 Bll., 2 Sp., 63 Z., Typen: 3:91 G, 5: 118 G, schwarz, rot und blau gedruckt, H 20,7/B 17,5 cm

Stift St. Paul

Das nicht ganz vollständige Blatt 1, auf Pergament gedruckt, war in den Spiegel einer Handschrift geklebt. Der Druck des Durandus gehört zu den schönsten und hervorragendsten Erzeugnissen der Nachfolger Gutenbergs, und es ist wohl mit Sicherheit anzunehmen, daß schon Gutenberg sich mit dem mehrfarbigen Druck beschäftigte. Doch die aufwendige Technik wurde nur für wenige liturgische Drucke verwendet und fand auch bei anderen Druckern keine Nachahmung.

P. P.

9.49

BIBLIA

Johann Fust und Peter Schöffer; Mainz, 14. August 1462

Pergament, 242 u. 239 Bll., 2. Sp., 48 Z., Type 5:118 G, schwarz und rot gedruckt, H 30/B 20 cm

Stift St. Paul

Dieses nicht ganz vollständige Doppelblatt war als Umschlag einer Handschrift des 18. Jahrhunderts verwendet gewesen und wurde 1974 entdeckt und abgelöst. Diese Bibel wird nach der Zeilenzahl auch *48-zeilige Bibel* genannt und wurde hauptsächlich auf Pergament gedruckt. Sie muß nach der Zahl der vorhandenen Fragmente weit verbreitet gewesen sein (im Kärntner Landesarchiv in Klagenfurt sind ebenfalls einige Blätter als Bucheinbände erhalten).

P. P.

9.50

DAS MANNSBILD AUF DER SÄULE

1468

Blockdruck, H 41/B 28 cm

Stift St. Paul

Es ist nur die Textseite des ursprünglich doppelt so großen Blattes erhalten, der Holzschnitt ist uns nur aus der Beschreibung bekannt. Das Blatt wurde als Vorsatz einer Inkunabel verwendet und auf ein Pergamentblatt mit einem hebräischen Text aufgezogen. Nach Herkunft und Sprache scheint das Blatt in Bayern oder Österreich entstanden zu sein.

P. P.

9.51

HENRICUS HERPH: SPECULUM AUREUM DECEM PRAECEPTORUM DEI

Peter Schöffer; Mainz, 10. September 1474

408 Bll., 2 Sp., 49 Z., Typen: 3:88G, 6: 92G, schwarz und rot gedruck, H 32/B 48 cm

Stift St. Paul, Ink. 5.4.7

P. P.

9.52

BÜCHERANZEIGE DES ANTON SORG

Anton Sorg; Augsburg, um 1483/84

1 Bl., einseitig bedruckt, 2 Sp., 43 Z., Typen: 2:118G, 3:140G

Stift St. Paul

Die deutschen Bücheranzeigen einiger Augsburger Drucker gehören zu den interessantesten Druckerzeugnissen des 15. Jahrhunderts, weil sie uns einen Überblick über den Lesestoff der Zeit geben und die Beliebtheit mancher Bücher zeigen. Diese Bücheranzeigen wurden von den Buchführern, den Vorgängern der Buchhändler, in den besuchten Städten verteilt oder aufgehängt, damit man in den Gasthäusern, wo sie dann angeboten wurden, Bücher kaufen sollte.

Lit.: Armarium 7, Nr. 37, Einblattdrucke 1393.

P. P.

9.53 – 9.57

ALMANACHE

Almanache sind Kalenderblätter, die von den Inkunabeldruckern seit 1470 regelmäßig hergestellt wurden. Sie wurden verkauft, dienten zugleich aber auch der Werbung. Die große Menge der verschiedenen Ausgaben zeigt die Beliebtheit und die große Nachfrage. Diese Art konnte auch von kleineren Druckereien ohne großen Kostenaufwand hergestellt werden und so stammen auch die meisten von den sogenannten Kleindruckern.
Da diese Kalender, die neben astronomischen Angaben vor allem Hinweise auf das Aderlassen enthalten, nur für ein Jahr bestimmt waren, sind sie tatsächlich „verbraucht" worden, was ihre große Seltenheit bedingt. Von den hier ausgestellten Blättern ist die Kat.Nr.9.54 ein Unikat, die anderen Blätter sind nur in wenigen (zwei bis vier) Exemplaren vorhanden.
Manche Drucker gaben für die einzelnen Jahre lateinische und deutsche Kalender heraus. Das zeigt uns die breite Streuung durch alle Gesellschaftsschichten. Die Verbreitung dieser *Laßtafeln*, wie die Almanache auch genannt werden, bleibt mit wenigen Ausnahmen auf den deutschen Kulturbereich beschränkt. Die Ausstattung ist meist recht auffällig mit Initialen und Neujahrsspruchbändern, häufig wurden die Blätter auch noch mit der Hand koloriert.
Der allgemeine meist kritiklose Gebrauch dieser Blätter hat auch Widerspruch hervorgerufen, in der Form von Spottblättern. Viele Almanache sind uns nur zufällig überliefert, weil sie als Einbandspiegel (wegen ihrer Größe) verwendet wurden. Zahlreiche Blätter wurden, wie die meisten der in St. Paul vorhandenen, erst in den letzten Jahrzehnten gefunden.

P. P.

9.53

ALMANACH FÜR PASSAU AUF DAS JAHR 1481

Benedikt Mayr; Passau, 1480

1 Bl., einseitig bedruckt, 67 Z., Type: 3:71G, Initiale, H 27,5/B 18,1 cm

Stift St. Paul, GW 1353

Lit.: Armarium 2, Nr. 2.

P. P.

9.54

ALMANACH AUF DAS JAHR 1482

Christmann Hayny; Augsburg, 1481

1 Bl., einseitig bedruckt, 51 Z., Type: 1:121G, Randleiste, H 30,9/B 20 cm

Stift St. Paul, GW 1356/20

Lit.: Armarium 2, Nr. 5.

P. P.

9.55

ALMANACH AUF DAS JAHR 1484

Anton Sorg; Augsburg, 1483

1 Bl., einseitig bedruckt, 59 Z., Type: 4:109G, Spruchband, H 35/B 25,5 cm

Stift St. Paul, GW 1372/10

Lit.: Armarium 2, Nr. 6.

P. P.

9.56

ALMANACH AUF DAS JAHR 1487

Johann Petri; Passau, 1486

1 Bl., einseitig bedruckt, 62 Z., Typen: 1:92G, 2:150G, Spruchband, Finsternisscheiben, H 29,8/B 25,2 cm

Stift St. Paul, GW 1415

Lit.: Armarium 2, Nr. 12.

P. P.

9.57

ALMANACH AUF DAS JAHR 1499 (dt.)

Friedrich Creussner; Nürnberg, 1498

1 Bl., einseitig bedruckt, 68 Z., Typen: 4:87G, 5:136G, Holzschnitte und Druckermarke, H 35,6/B 23,7 cm

Stift St. Paul, GW 1541

P. P.

9.58

GEDRUCKTER ABLASSBRIEF FÜR ALBERTUS ADELSHAUSER

Raymundus Peyraudi, päpstlicher Legat für Deutschland u.a., verleiht dem Albertus Adelshawser und seiner Frau den von Papst Innozenz VIII. für den Kampf gegen die Türken gewährten Ablaß; 1490 Februar 4, o.O.

Orig. Pergament, starke Beschädigung durch Mäusefraß, das ursprünglich in der Plica eingehängte Siegel fehlt, H 17,5/B 25 cm

Archiv der Diözese Gurk, Urk. 599

Raimund Peraudi, 1491–1505 Bischof von

Gurk, seit 1493 Kardinal, 1493–1497 österreichischer Kanzler, erwarb sich Berühmtheit durch seine Tätigkeit als Ablaßprediger, vor allem seit er als päpstlicher Legat für Deutschland und die nördlichen Länder Europas mit dem Ablaß für den Kreuzzug gegen die Türken warb. Wie das vorliegende Beispiel zeigt, verwendete Peraudi auch vorgedruckte Ablaßformulare, in die nur der Name des Empfängers und das Datum eingesetzt zu werden brauchten. Neben dem hier gezeigten ausgefüllten Stück sind mehrere leere Formulare erhalten. Sie sind sämtlich in Nürnberg bei Friedrich Creussner 1489 gedruckt. Innerhalb der Inkunabeln bilden diese Einblattdrucke auf Pergament eine interessante Sondergruppe.

Lit.: Zu Bischof Peraudi vgl. J. OBERSTEINER, Die Bischöfe von Gurk (1072–1822) (Aus Forschung und Kunst 5, 1969) S. 261–271, und die dort genannte Literatur.– Zum Druck vgl. P. PASCHER, Die Wiegendrucke der bischöflichen Mensalbibliothek im Archiv der Diözese Gurk, Manuskript o.O., o.J.

Ch. T.

9.59 – 9.62

VORLESUNGSANZEIGEN:

Die vier Vorlesungsanzeigen wurden von Johannes Honorius Cubitensis in sein persönliches Exemplar einer Horazausgabe eingeklebt. Die Inkunabel zeigt weitere handschriftliche Einträge von seiner Hand. Ein Kaufeintrag könnte darauf hinweisen, daß er dieses Buch bei Landsberg in Leipzig gekauft hat.
Die Vorlesungsanzeigen wurden vermutlich an Studenten verteilt und sollten zugleich Werbung für den Buchdrucker machen, der ausdrücklich preisgünstige Textausgaben für die entsprechende Vorlesung anpries.

P. P.

9.59

JOHANNES HONORIUS CUBITENSIS: VORLESUNGSANZEIGE ÜBER HORAZ: EPISTOLAE

Martin Landsberg; Leipzig, um 1496

1 Bl., einseitig bedruckt, 15 Z., Type: 1:88G, H 7,4/B 9,6 cm

Stift St. Paul

P. P.

9.60

JOHANNES HONORIUS CUBITENSIS: VORLESUNGSANZEIGE ÜBER HORAZ: ARS POETICA

Martin Landsberg; Leipzig, um 1497

1 Bl., einseitig bedruckt, 17 Z., Type: 1:88G, rot gedruckt, H 7,8/B 10,4 cm

Stift St. Paul

P. P.

9.61

JOHANNES HONORIUS CUBITENSIS: VORLESUNGSANZEIGE ÜBER HORAZ: SERMONES

Martin Landsberg; Leipzig, um 1498

1 Bl., einseitig bedruckt, 16 Z., Type: 1: 88G, H 8,4/B9,6 cm

Stift St. Paul

P. P.

9.62

JOHANNES HONORIUS CUBITENSIS: VORLESUNGSANZEIGE ÜBER HORAZ: CARMINA

Jakob Thanner; Leipzig, um 1498

1 Bl., einseitig bedruckt, 17 Z., Type: 1:88G, H 8,9/B 9 cm

Stift St. Paul

P. P.

EINBÄNDE

9.63 – 9.65

EINBÄNDE ST. PAUL

Die gotischen Einbände aus der Einbandwerkstätte des Stiftes St. Paul entstammen zwei verschiedenen Meistern, deren Stempelmaterial zuerst nicht vermischt vorkommt. Beide sind zwischen 1465 und etwa 1485 tätig; einen davon möchten wir mit Vinzenz Sittich, der auch als Schreiber und Buchausstatter tätig war, identifizieren. Auf die Zuweisung durch einen Namensstempel wird weiter unten hingewiesen.
Um oder nach 1500 war eine weitere Werkstätte tätig, die nun beide Stempelgruppen vermischt gebraucht, mit einigen weiteren Stempeln. Allerdings sind von dieser Gruppe nur zwei Einbände, beide in sehr schlechtem Zustand, bekannt.

P. P.

9.63

EINBAND DER 1. ST. PAULER GRUPPE

Einband mit einem Spruchbandstempel, der möglicherweise *vincencii* bedeuten könnte; das wäre ein eindeutiger Hinweis darauf, daß hier eine Arbeit des Vinzenz Sittich vorliegen könnte (diesen Hinweis verdanke ich Herrn Prof. Dr. Kurt Holter).

Stift St. Paul, 284/0

Für diese Gruppe sind noch Beispiele in der Universitätsbibliothek Klagenfurt nachweisbar.

P. P.

9.64

EINBAND DER 2. ST. PAULER GRUPPE

Einband mit einem Spruchbandstempel *maria* und einer überaus sorgfältigen Bearbeitung.

Stift St. Paul, 285/0

Von dieser Gruppe sind mehr Einbände bekannt als von der ersten Gruppe, was auf einen längeren Zeitraum der Werkstätte schließen läßt. Die Verwendung von Kalbsleder ist typisch für diese Gruppe.

P. P.

9.65

EINBAND XXII A 6

Klagenfurter Domkapitel, XXII A 6

Der schönste Einband dieser Gruppe muß bald nach 1466 entstanden sein und umschließt eine Inkunabel des Straßburger Druckers Johann Mentelin.

P. P.

9.66 – 9.69 s. II, S. 617–639 und Abb. 181–185

EINBÄNDE SPITAL/PYHRN

Über die Spitaler Einbände hat bereits K. HOLTER mehrmals genau berichtet. Es lassen sich grundsätzlich zwei Werkstätten unterscheiden, die sich im Stempelmaterial und in der Bearbeitung des Leders erkennen lassen. Beide Gruppen sind hauptsächlich im 15. Jahrhundert tätig, zeitlich überschneiden sie sich etwas. Einbände der zweiten Gruppe sind weit verbreitet, es finden sich solche in Admont und Kremsmünster; in der Bibliothek des Klagenfurter Kapuzinerklosters sind ebenfalls Beispiele dafür zu finden. Die Einbände umschließen gleicherweise Handschriften und Inkunabeln und geben Zeugnis für die Hochblüte der Buchkultur in Spital in der zweiten Hälfte des 15. Jahrhunderts.

P. P.

9.66

EINBAND DER ÄLTEREN SPITALER GRUPPE

Stift St. Paul, 3.5.11

9.67

EINBAND DER SPITALER HAUPTGRUPPE

Stift St. Paul, 1.1.5

9.68

EINBAND DER SPITALER HAUPTGRUPPE

Stift St. Paul, 1.2.1

9.69 s. II, S. 632–633, Stempeltab. 1–5 (S. 635–639)

EINBAND DER SPITALER HAUPTGRUPPE MIT NEUEN STEMPELN

Stift St. Paul, 5.2.3

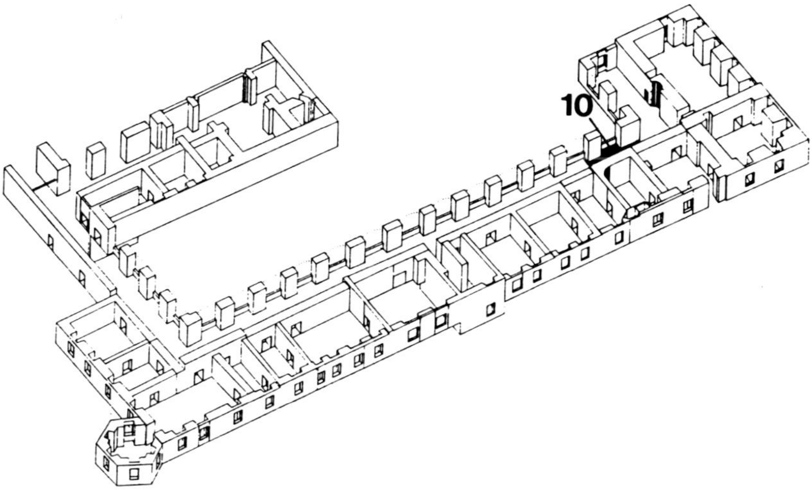

10

Schwierige Zeiten im Spätmittelalter

Seit der Mitte des 13. Jahrhunderts wurde das Stift immer wieder von schweren Schicksalsschlägen heimgesucht. Zu Zeiten der ungarischen Herrschaft in der Steiermark (1254–1260) brachte ein Feldzug König Stephans von Ungarn dessen Truppen bis vor die Tore des Stiftes. 1367 vernichtete ein Brand die Holzdecke im östlichen Teil der Kirche, es wurden hierauf gotische Rippengewölbe eingezogen, die Kirche wurde 1375 neu geweiht.
1399 setzte der Bischof von Lavant über Auftrag des Salzburger Erzbischofs wegen wiederholter Klagen des Konvents Abt Hermann II. ab, gegen den als Gegenabt Kaspar Fürholzer aufgestellt wurde. Die Wirren beendete Herzog Wilhelm von Österreich (1395–1406), indem er 1401 beide Äbte absetzte.
1439 und 1442 zerstörten Soldaten des Grafen von Cilli den Markt St. Paul und etliche Dörfer und Besitzungen des Klosters. 1476 und 1480 drangen türkische Horden ins Lavanttal ein und belagerten das Stift. Auch in der Zeit der ungarischen Besatzung Kärntens (1480–1490) unter König Matthias Corvinus hatte das Lavanttal unter den Söldnern schwer zu leiden. 1482 mußte der St. Pauler Abt den Ungarn sogar huldigen.

Zuvor hatte der vom Salzburger Erzbischof eingesetzte Abt Peter 1446 eine neue Reformzeit eingeleitet (im Sinne der Melker Benediktinerreform), das Eigenvermögen der Mönche wurde aufgehoben, die bestehenden Spannungen zwischen Abt und Kapitel beigelegt, Gebet und Arbeit wieder in den Mittelpunkt gestellt. In der Folgezeit konnte unter Abt Sigismund das neue Sternrippengewölbe der Kirche fertiggestellt und mit Fresken der Brüder Michael und Friedrich Pacher geschmückt werden. Auch das großartige Stifterfresko des Meisters Thomas von Villach stammt aus dieser Zeit.

BRUNO RADER, ABT

Harte Zeiten! Auch diese wurden durchgestanden

Das ist typisch, möchte ich sagen. Das Kloster ist gegründet und hat seine erste Blütezeit erlebt. Ausdruck dafür sind die Schätze der Romanik, der Gotik und der Bibliothek. Sie haben, verehrter Besucher, einige dieser Kostbarkeiten in den ersten Räumen der Ausstellung betrachtet. Nun kommen harte Zeiten für das Stift. Da muß der Abt zur Feder greifen. Es wird wohl so recht sein, daß ein hervorragender Literat und ausgezeichneter Kenner benediktinischen Lebens, Alois Brandstetter – ich erinnere an seinen Roman „Die Abtei" – , den Beginn der Ausstellung beschreibt, ein „Weltlicher" den hl. Benedikt, ein „Laie" die Anfänge des benediktinischen Lebens in St. Paul. Es ist ja bei Gott nicht in erster Linie Aufgabe der Äbte, Kunstschätze der alten Zeiten zu beschreiben; vielmehr gehört es zu den Pflichten eines Abtes, die Probleme der Gegenwart zu bewältigen. Und die sind ja auch nicht ohne!

Aber kurz zurück in die Geschichte: Im Spätmittelalter hatte unser Stift schwierige Zeiten zu bestehen. Ungarische Soldaten rückten bis vor die Mauern des Klosters. Ein Brand richtete in der Stiftskirche große Schäden an. Die Äbte waren teils auch nicht das, was sie sein sollten. Einige mußten abgesetzt werden. Die Klosterdisziplin lag zum Teil ganz schön darnieder. Dann zerstörten die Soldaten des Grafen von Cilli den Markt St. Paul und die umliegenden Besitzungen des Klosters. Es folgten die Türken, die das Stift belagerten und arg schädigten. Das waren Zeiten! Und doch, es ging wieder weiter und aufwärts! Abt Peter führte die Melker Reform ein. Gebet und Arbeit fanden wieder das edle benediktinische Gleichgewicht. Und Abt Siegmund Jöbstl von Jöbstlberg – ihn zeichneten große Frömmigkeit und Lebenserfahrung aus – beauftragte Meister Thomas von Villach mit der Ausführung des Stifterfreskos.

Die Äbte von heute – so sagte es mir jemand – sollten auch wieder mehr Auftraggeber für Künstler sein. Natürlich, sollen sie!

10.1

SÄULENRESTE

Fragmente, Stift St. Paul, vor 1367 (?).

Im Jahre 1367 wurde die Stiftskirche durch einen Brand teilweise zerstört. In den folgenden Jahrzehnten wurden die Brandschäden behoben, gotische Rippengewölbe eingezogen und u. a. auch die spätromanischen Fenster an den Westtürmen erneuert. Säulenreste aus der Umbauzeit befanden sich in den obersten Geschoßen der Türme und wurden im Rahmen der Kirchenrestaurierung 1989 gesichert.

H. P.

10.2

ABT JOHANN BEKLAGT SICH ÜBER DEN SCHADEN DURCH DIE GRAFEN VON CILLI 1442

Urkundenabschrift, fol. 47r in Cod. 17/0 (Archivum des Abtes Hieronymus Marchstaller, s. Kat.Nr. 13.15)

Reproduktion

Sigmund von Weißpriach – Pfleger der Grafen von Cilli zu Mautenberg – erklärt dem St. Pauler Abt (Johann I. Poschenbeuter, 1432–1446) die Fehde, belagert das Kloster, plündert den Markt samt Erhardikirche und brennt ihn nieder. Anschließend verwüstet er den Besitz des Klosters im Lavanttal bei Möchling und Eis sowie bei Unterdrauburg und Mahrenberg in der Untersteiermark (heute Slowenien).
Das Kloster St. Paul war in einen Zwist zwischen dem habsburgischen Herzog Friedrich V. (seit 1440 auch deutscher König) und den Grafen von Cilli geraten. Die Ursache dafür war eine Fehde zwischen dem Bistum Gurk und Friedrich von Cilli, die seit 1437 in Krain und in der Untersteiermark geführt wurde.
Im Oktober 1436 hatte der Salzburger Erzbischof Johann II. im Auftrag des Papstes den langjährigen „Gurker Bistumstreit" zugunsten des vom Papst providierten Johann Schallermann entschieden. Dessen Widersacher, der von den Cilliern unterstützte Lorenz II. von Lichtenberg, wurde auf sein Bistum Lavant zurückversetzt. Die Folge war eine heftige Fehde zwischen den Cilliern und Bischof Johann von Gurk. Friedrich V. eilte als Erbvogt Gurks dem Bischof zu Hilfe. Dennoch konnte die Fehde erst 1443 beendet und ein Ausgleich vereinbart werden.

Teildruck: UB St. Paul, Nr. 447.
Lit.: E. WEINZIERL-FISCHER, Der Gurker Bistumsstreit 1432–1436 im Lichte neuer Quellen, MÖSTA 3 (1950), S. 306–337. – H. DOPSCH, Die Grafen von Cilli – ein Forschungsproblem?, Südostdeutsches Archiv 57/58 (1974/75), S. 9–49.

J. Gr.

10.3

JAKOB UNREST: ÖSTERREICHISCHE CHRONIK

in: Simon Friedrich HAHN, Collectio monumentorum veterum et recentium ineditorum (...), Tom. I, Braunschweig 1724, p. 537–803

Papier, 1048 p.; H 20/B 11,5 cm

Studienbibliothek Klagenfurt (heute Universitätsbibliothek Klagenfurt), Sign. I 17200

Die *Österreichische Chronik* des bekannten Pfarrers und Historiographen von St. Martin am Techelsberg (gest. 1500) wurde bald nach 1466 begonnen und enthält eine „Geschichte des Kaisers Friedrich III." bis zu dessen Tod 1493 sowie einen Nachtrag bis 1499.
Sie ist eine der wichtigsten erzählenden Quellen des Spätmittelalters und setzt sich aus meist selbständigen, weitgehend chronologisch aneinandergereihten Teilen zusammen.
Die *Österreichische Chronik* ist in zwei Handschriften erhalten: Hannover, Cod. Hannov. XIII 783, Niedersächsische Landesbibliothek bzw. Wien, ÖNB Cod. Lat. 8007 und wurde von Simon Friedrich Hahn in seinem Werk *COLLECTIO MONUMENTORUM, VETERUM ET RECENTIUM, INEDITORUM, AD CODICUM FIDEM RESTITUTORUM, SELECITIORUM, ET RARIORUM, DIPLOMATUM NEMPE, SIGINIORUM, LITTERARUM, CHRONICORUM, ALLIORUMQUE INSIGNIUM SCRIPTORUM, ANTIQUITATES, GEOGRAPHIAM, HISTORIAM OMNEM, AC NOBILIORES IURES PARTES*, Tom. I, S. 537–803 nach der Hannoveraner Handschrift erstmals herausgegeben.
Die aufgeschlagene Textstelle (p. 654) handelt vom Einfall der Türken nach Kärnten 1480, wobei auch das Lavanttal von den türkischen Reitern heimgesucht, gebrandschatzt und geplündert wurde.

Lit.: J. UNREST, Österreichische Chronik, hrsg. von Karl Großmann (MG SS NS XI) Weimar 1957 (mit Angabe der Drucke und weiterführender Literatur). – A. LHOTSKY, Quellenkunde zur mittelalterlichen Geschichte Österreichs (MIÖG, Erg.-Bd. 19, 1963), S. 405–407. – W. NEUMANN, Die Türkeneinfälle nach Kärnten. Wahrheit und Dichtung in der Kärntner Geschichtsschreibung von Jakob Unrest bis zur Gegenwart, Südost-Forschungen 14 (1955), S. 84–109.

J. Gr.

10.4

KIRCHWEIH- UND ABLASSURKUNDE FÜR ST. EGID IN DELLACH

1485 Oktober 31, Schloß Khünegg

Original, Pergament, H 19,5/B 28,7 cm; in der Plica eingehängt das fast zur Gänze ausgebrochene Siegel des Marco Barbo, Patriarch von Aquileja; auf der Plica die Unterschrift: *P(aolo) Sanctoninus p(rae)libati R(everendissi)mi d(omi)ni d(omi)ni pat(riar)che aquileien(sis) Cancellarius d(e) mandato scripsi.*

Archiv der Diözese Gurk, P 1192

Bischof Petrus von Caorle, Vikar und Suffragan des Patriarchen Marcus von Aquileia, weiht den neuen Chor der Kirche St. Egid in Dellach, Pfarre St. Michael in Egg (heute Pfarre St. Gertraud in Mellweg), und darin den Hauptaltar zu Ehren des hl. Egidius und des Apostels Andreas sowie einen weiteren Altar zu Ehren der Jungfrau Maria und des hl. Sebastian. Er schließt in den Altären genannte Reliquien ein und verleiht für genannte Festtage einen 40tägigen Ablaß.

Bei der Urkunde handelt es sich um ein Autograph des Paolo Santonino. Er begleitete als Sekretär Bischof Pietro von Caorle auf einer Visitationsreise, die dieser im Auftrag des Patriarchen von Aquileia, Marco Barbo, im Gailtal, im Rosental und in Saunien in den Jahren 1485–87 unternahm. Berühmt geworden sind die tagebuchartigen Aufzeichnungen, die Santonino anläßlich dieser Reise verfaßte. Erhalten haben sich aber auch einige Originalurkunden, die Santonino eigenhändig über Weihehandlungen und Ablaßgewährungen des Bischofs ausstellte.

Beim Türkeneinfall des Jahres 1476 war das Gailtal schwer in Mitleidenschaft gezogen worden. Auch zahlreiche beschädigte Kirchen mußten in der Folge erneuert werden. Bischof Petrus gab sie durch die Weihe von Altären und das Niederlegen von Reliquien dem Gottesdienst zurück. Gleichzeitig verlieh er Ablässe, um durch den erhofften Zustrom von Gläubigen den Unterhalt der Kirchen zu sichern.

Über die Kirchweihe in Dellach gibt es neben der Urkunde einen Bericht in Santoninos Tagebuch: „Von Schloß Khünegg in Egg aus ritt der Bischof mit Gefolge nach Dellach, weihte Chor und Altäre der Kirche, spendete mehr als 200 Personen die Firmung und kehrte zur Einnahme der Mahlzeit wieder nach Khünegg zurück.“ Es folgt eine jener Schilderungen eines Mahles, für die Santoninos Tagebuch berühmt ist.

Bei der Beschreibung des Schlosses Khünegg erzählt Santonino auch von dessen erfolgreicher Verteidigung gegen die Türken und der Verwüstung der Umgebung. Es ist also wahrscheinlich, daß der Neubau des Chores von St. Egid in Dellach die Folge einer Beschädigung der Kirche durch die Türken war.

Lit.: G. VALE, Itinerario di Paolo Santonino in Carintia, Stiria e Carniola, Stiria e Carniola negli anni 1485–1487 (Codice Vaticano Latino 3795). (Studi e Testi 103, 1943) und die hier gen. Literatur. – Die Reisetagebücher des Paolo Santonino 1485 – 1487, aus dem Lateinischen übertragen von Rudolf Egger (1947). – W. NEUMANN, Die Türkeneinfälle nach Kärnten. Wahrheit und Dichtung in der Kärntner Geschichtsschreibung von Jakob Unrest bis zur Gegenwart, Südost-Forschungen 14 (1955), S. 84 – 109, wiederabgedruckt in: Bausteine zur Geschichte Kärntens, FG für Wilhelm Neumann zum 70. Geburtstag (Das Kärntner Landesarchiv 12, 1985), S. 170–190.

CH. T.

10.5

VOTIVBILD AUS WAITSCHACH

Öl auf Leinen; H 51,5/B 54,5 cm

Diözesanmuseum Klagenfurt

Aus der Inschrift geht hervor, daß Peter Latnecker, ein Bürger aus Hüttenberg, 1537 als Dank für seine Befreiung aus türkischer Gefangenschaft, dieses Bild gestiftet hat. Die Darstellung zeigt den Gefangenen, der an das Streitroß eines Türken gekettet ist. In einem Wolkenkranz erscheinen Maria und der hl. Leonhard, die Peter Latnecker in seiner Not angerufen hat. Leonhard, ein v. a. in den Alpenländern beliebter und verehrter Nothelfer, gilt als Schutzpatron der Gefangenen und wird auch hl. Bandlöser genannt. Von seinem französischen Namen „Lienard“ läßt sich das Wort „lien“ für Band ableiten. Meist wird er im Pontifikalornat und mit einer Kette in der Hand dargestellt. Zur Zeit der Türkeneinfälle im 15. und 16. Jahrhundert erlebte das Patronat des hl. Leonhard noch einmal eine Blüte, v. a. in Niederösterreich, in der Steiermark und in Kärnten. Auch von Maria, der Gottesmutter, erflehte man sich Hilfe in dieser Bedrängnis.

B. Wi.

10.6

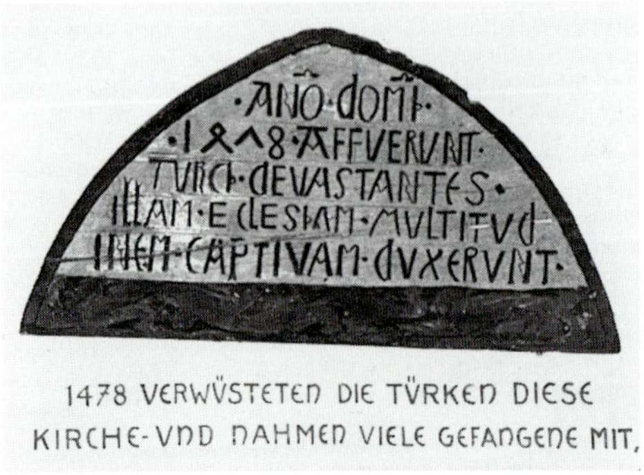

VOTIVTAFEL AUS ST. DANIEL

1478

Holz; H 45/B 65 cm

Pfarrkirche St. Daniel im Gailtal

Die Votivtafel aus St. Daniel, mit der lateinischen Inschrift *an(n)o domi(ni) 1478 affuerunt Turci devastantes hanc ecclesiam et multitudinem captivorum duxerunt* am hölzernen Tympanonfeld, erinnert an die Verwüstung der Kirche durch die Türken.

B. Wi.

10.7

VOTIVBILD AUS MARIA ROJACH

1819

Öl auf Holz; H 77/B 232 cm

Pfarrkirche Maria Rojach

Das Votivbild aus Maria Rojach zeigt die Pfarrkirche Maria Himmelfahrt, die von einer mächtigen Wehrmauer umgeben ist. Über einer Wolke schwebt Maria, die als Himmelskönigin mit Krone und Zepter dargestellt ist, mit dem göttlichen Kind am Schoß, flankiert von zwei Engeln. Der Anlaß für diese Votivtafel war ein Türkenangriff im Jahr 1480. Türkische Reiter kamen damals über den Obdacher Sattel in das Lavanttal und verwüsteten dieses bis auf die beiden Alpenhänge. Die Bevölkerung von Maria Rojach konnte sich – bei der von festen Mauern umschlossenen Kirche – erfolgreich zur Wehr setzten. Zwei gemalte Tafeln, die den seitlichen Abschluß des Gemäldes bilden, halten dieses Ereignis schriftlich fest: *Im Jahr 1480 am 11ten August sind die feindlichen Türken von der Pfarre St. Marein im Lavantthale mit vielen alda abgenommenen Raube nacher Maria Rojach erschienen. Die Pfarrgemeinden haben sich mit andern benachbarten Leuten im dem Gottesacker fest eingeschlossen sich der Fürbitte Maria bitterlich anempfohlen und danach sich den bewafneten Türken muthig entgegen gesetzt. Mit der Gnade Gottes haben sie dieselben ohne Raube glücklich davon vertrieben. O heilige Mutter Maria! Sey du für uns bei deinem göttlichen Sohn die stete Fürbitterin. Im Jahr 1819 am letzten November.*

B. Wi.

10.8

JATAGAN

türkische Blankwaffe (Handschar) in Säbelform, mit Scheide, 18./19. Jahrhundert

L 72 cm

Landesmuseum für Kärnten, Klagenfurt, Inv.Nr. LG-4309

Gelber Beingriff mit größerem eingeschnittenen, zweiklappigen Ohrenknauf, mit einem aus goldenem Metall montierten Verbindungsbügel, der mit sieben Korallenbeeren und dazwischengereihten Filigranrosetten verziert ist. Eine über den Griff hinausgehende Zwinge, seitlich besetzt mit je einem grünen Schmuckstein, verbindet die einschneidige, leicht geschwungene Klinge, die längs des Rückens mit einer Doppelrille ausgestattet ist. Die Scheide ist aus Holz, das mit schwarzem Leder überzogen bzw. beim Griff und im Bereich der Scheidenspitze mit Blech verstärkt wurde.

Lit.: W. BOEHEIM, Handbuch der Waffenkunde, unveränd. Nd. der 1890 in Leipzig erschienenen Ausgabe (1966), S. 279ff.

F. L.

10.9

JATAGAN

türkische Blankwaffe (Handschar), ohne Scheide, 18./19. Jahrhundert

L 72 cm

Landesmuseum für Kärnten, Klagenfurt, Inv.Nr. LG-4308

Gelber Beingriff mit größerem eingeschnittenen, zweilappigen Ohrenknauf, mit einem aus goldenem Metall montierten Verbindungsbügel, der mit acht Korallenbeeren und dazwischengereihten Filigranrosetten verziert ist. Eine über den Griff hinausgehende Zwinge, seitlich besetzt mit je einem roten Schmuckstein (eine Wange ist allerdings abgebrochen und verlorengegangen), verbindet die einschneidige, leicht geschwungene Klinge, die auf beiden Seiten mit silbertauschierten Ornamenten geschmückt und längs des Rückens mit einer tieferen Rille ausgestattet ist.

Lit.: s. Kat.Nr. 10.8.

F. L.

10.10

JATAGAN

türkische Blankwaffe (Handschar), ohne Scheide, 18./19. Jahrhundert

L 67 cm

Landesmuseum für Kärnten, Klagenfurt, Inv.Nr. LG-4310

Einfacher gelber Beingriff mit mittlerem eingeschnittenen, zweilappigen Ohrenknauf, mit einem silberbeschlagenen und ornamentierten Verbindungsbügel, der schon leicht brüchig ist. Der Griff ist durch eine kurze Zwinge mit der einschneidigen Klinge verbunden, die auf einer Seite mit eingeätzten Blattrankenornamenten und einer Inschrift verziert ist.

Lit.: s. Kat.Nr.10.8.

F. L.

HERZOG WILHELM VON ÖSTERREICH FÄLLT IM STREIT DER ST. PAULER GEGENÄBTE HERMANN UND KASPAR EINEN SCHIEDSSPRUCH

1401 März 8, Graz

Original, Pergament, Siegel des Herzogs Wilhelm an Pergamentstreifen; H 24,5/B 45 cm, Plica: 5,5 cm

Österreichisches Staatsarchiv Wien (HHSTA)

In einer Streitsache – 1399 war Abt Hermann II. von Schwanberg gegen seinen Willen vom Bischof von Lavant, auf Veranlassung des Erzbischofs von Salzburg, wegen weltlicher Lebensführung und schlechter Verwaltung abgesetzt worden; seither nahm Kaspar Fürholzer *(dictus Smucker de Sonnegg)* die Abtwürde in Anspruch – hatten sich die Parteien an Herzog Wilhelm von Österreich (1345–1406), gleichzeitig Vogt des Stiftes, gewandt und versprochen, dessen Spruch anzuerkennen. Wilhelm setzte beide ab und erklärte sie aller Rechte für verlustig. Gleichzeitig befahl er ihnen und dem Konvent, aus ihrer Mitte einen neuen Abt zu wählen. Kaspar solle überdies alle dem Stift entfremdeten Güter, Wertgegenstände und Schlüssel zurückstellen. Hermann von Schwanberg solle mit der Kirche zu St. Lorenzen, Kaspar aber mit der Pfarrkirche St. Martin im Lavanttal unter Rabenstein (die er am 26. April dann auch erhielt, s. UB St. Paul, Nr. 325) oder mit der Pfarrkirche zu Fresen im Drauwald abgefunden werden.

Druck: UB St. Paul, Nr. 324.
Lit.: B. RADER, Die Geschichte der Äbte von St. Paul, JbSP 1981/82, S. 19.

J. Gr.

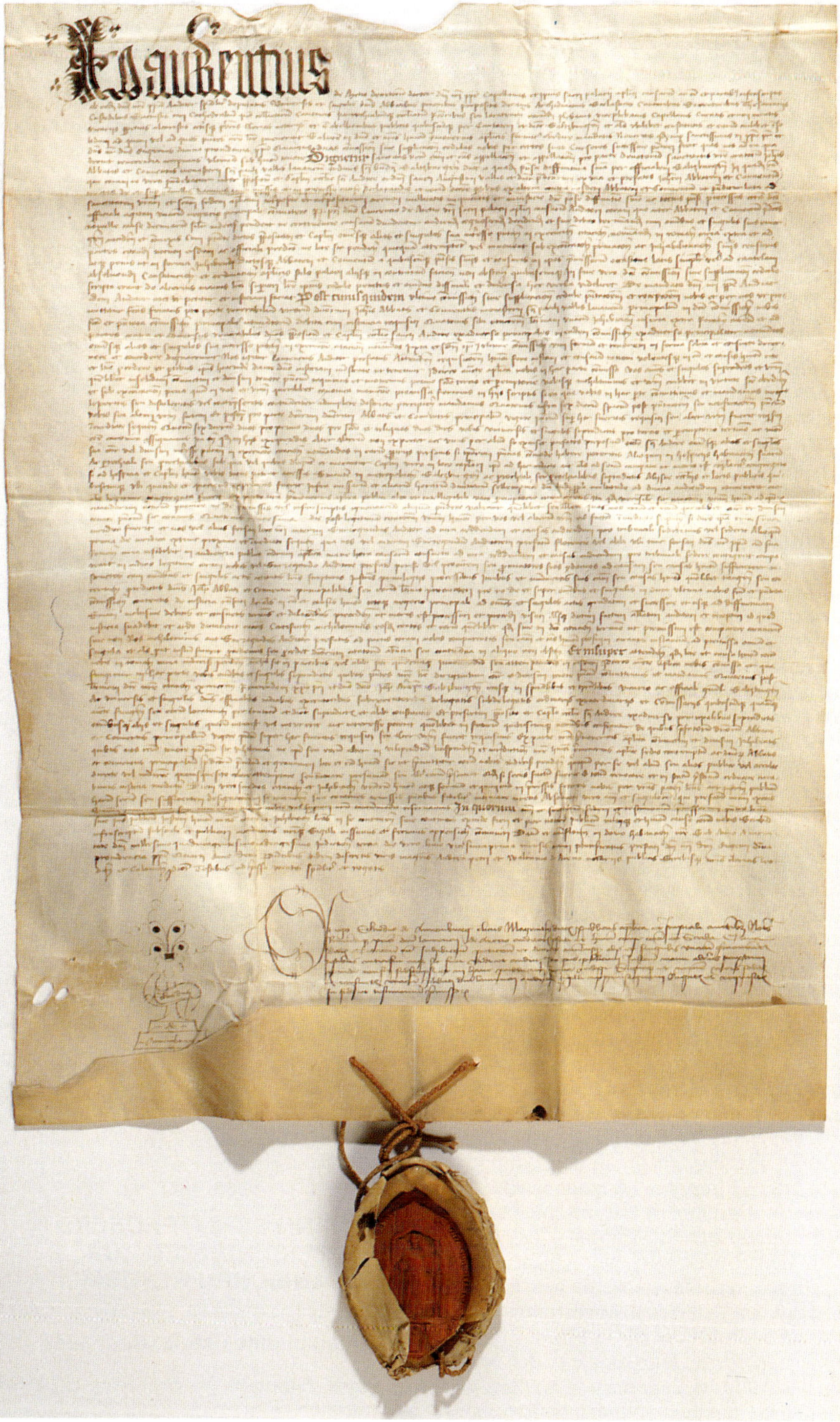

NOTARIATSINSTRUMENT, DEN ZEHENTSTREIT DES STIFTES ST. PAUL MIT DEM DOMKAPITEL VON ST. ANDRÄ BETREFFEND

1440 März 21, Florenz; ausgestellt vom päpstlichen und kaiserlichen Notar und Schreiber des Laurenz von Arezzo, Eckhard von Amoeneburg; ovales, rotes Wachssiegel des Laurenz von Arezzo an roten Hanfschnüren; Signet des ausstellenden Notars; neuzeitliche Rückvermerke.

Original, Pergament, Notariatsinstrument, H 35,5/B 46,5–47 cm, Plica: 1,5-4,5 cm

Stift St. Paul, UK 275

Der päpstliche Kaplan und Auditor Dr. Laurenz von Arezzo teilt dem Salzburger Klerus mit, daß ihm Papst Eugen IV. befohlen habe, die Appellation des Abtes Johann und des Konventes von St. Paul gegen den Spruch des Salzburger Offizials (Georg Lembucher) im Zehentstreit St. Pauls mit dem Propst (Johann) und dem Kapitel von St. Andrä im Lavanttal zu entscheiden, und er daher den Propst sechs Tage nach dem Erhalt dieses Schreibens, während des feierlichen Gottesdienstes und in Gegenwart des Volkes, auf Verlangen des Abtes von St. Paul öffentlich vorlade, woraufhin der Propst oder dessen Prokuratoren bei dem auf den dreißigsten Tag nach dieser Vorladung folgenden Gerichtstag vor ihm, Laurenz, oder einem anderen inzwischen ernannten Auditor in Florenz, oder wo der päpstliche Hof sich gerade befinde, zu erscheinen haben, damit der Prozeß, in dem zwischenzeitlich keinerlei weitere Schritte gesetzt werden dürfen, von ihm bis zum endgültigen Spruch fortgeführt werden könne. Schon zu Jahresbeginn hatte Propst Johann von St. Andrä beim Salzburger Offizial Georg Lembucher, nach vergeblichen Bemühungen bei Herzog Friedrich V. von Österreich, etliche Zehentanteile beim Schloß Kollnitz in Stadlern und in Bach sowie vom großen Weingarten am Hart eingeklagt, die ihm und dem Kapitel von St. Andrä von Abt Johann und dem Konvent von St. Paul vorenthalten wurden, und deswegen auch am 4. Februar 1439 beim Basler Konzil appelliert. Beim Herzog angesetzte Tagsatzungen wurden immer wieder verschoben, der Abt kam wegen der auch dem Erzbistum Salzburg vorenthaltenen Zehente in den Bann, der aber auf Intervention des Herzogs wieder gelöst wurde. Im Dezember 1439 entschied Georg Lembucher zugunsten St. Andräs, wogegen St. Paul, das den Prozeß auch vor einem kanonisch-rechtlich verbotenen weltlichen Gericht (des Herzogs von Österreich) angestrengt hatte, abermals an das (mittlerweile in Florenz tagende) Konzil appellierte. Dies führte zu den Maßnahmen des Auditors Laurenz von Arezzo, wie er sie im hier gezeigten Notariatsinstrument niederlegen ließ. Im Mai 1441 einigte man sich auf ein Schiedsgericht (da der Prozeß beim päpstlichen Auditor offensichtlich erfolglos blieb oder nicht zustande kam), woraufhin mit Notariatsinstrument des Urban Peilsteiner Propst und Archidiakon Johann, Dekan Johann und das Kapitel von Lavant zu St. Andrä im Lavanttal am 9. Juni 1441 in den zwischen ihnen und dem Abt Johann, dem Prior Petrus und dem Konvent zu St. Paul bestehenden Zehentstreit, welcher von der Salzburger Kurie zu ihren Gunsten entschieden wurde, wogegen aber der Abt stritt, im Wege des freundlichen Ausgleichs auch auf die strittigen Zehente, allen Schaden und alle Ausgaben verzichten, weil ihnen die Gegenpartei eine bestimmte, bereits bezahlte Geldsumme dafür gab.

s. II, S. 749.

Vgl. dazu die Urkunden und Regesten im UB St. Paul Nr. 419, 423–425, 428, 430, 432, 435, 439, 441, 442, 444, 446, 453, 454.
Druck: UB St. Paul, Nr. 444.

J. Gr.

10.13

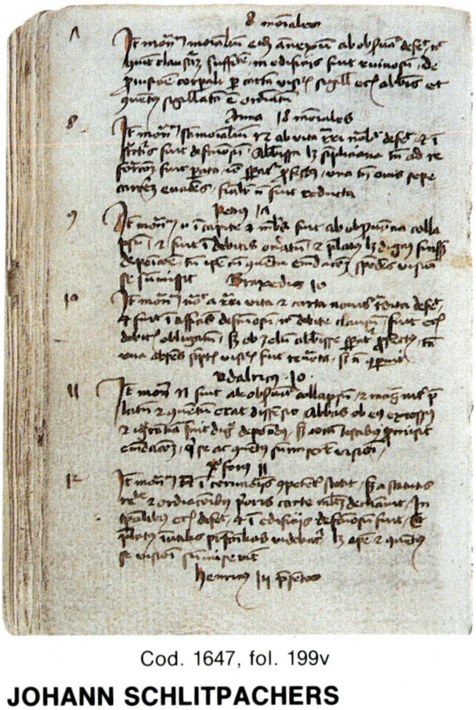

Cod. 1647, fol. 199v

JOHANN SCHLITPACHERS AUFZEICHNUNGEN ZUR CUSANISCHEN REFORM

Sammelhandschrift, fol. 199r–202v; H 10,8/B 7,8 cm

Stiftsbibliothek Melk, Cod. 1647

Papst Nikolaus V. beauftragte 1450 den berühmten Kurienkardinal Nikolaus Cusanus mit der Reform der Benediktiner- und Zisterzienserabteien in Deutschland. Die Durchführung wurde dem Abt Martin Leibitz vom Wiener Schottenstift, Abt Laurenz von Mariazell und dem Melker Prior Johann Schlitpacher aufgetragen. Von dieser Reform, die auch in St. Paul vorgenommen wurde, haben sich im Stift keine direkten Spuren erhalten. Die wichtigste Quelle dazu sind, neben den Memoiren des Schottenabtes, die Aufzeichnungen Schlitpachers aus Melk. Aus ihnen geht hervor, daß St. Paul damals an Haupt und Gliedern reformbedürftig war. Der Abt Peter, dessen Absetzung erwogen wurde, versprach feierlich, sich der Reform zu unterwerfen. In der Tat besserte sich das spirituelle und geistige Leben in den nächsten Jahrzehnten allmählich. Die Visitation zeigte, daß das Stift von den konziliaristischen Reformbestrebungen noch keineswegs erfaßt war und eher zum unteren Durchschnitt der österreichischen Benediktinerstifte gehörte. Auch eine Rezeption von neuen theologischen und philosophischen Strömungen ist kaum feststellbar. Das Bild St. Pauls am Ende des Mittelalters ist daher symptomatisch für den Verfall der Ordensdisziplin am Vorabend der Reformation.

Lit.: I. ZIBERMAYR, Johann Schlitpachers Aufzeichnungen als Visitator der Benediktinerklöster in der Salzburger Kirchenprovinz, MIÖG 30 (1909), S. 258–279. – W. BAUM, Nikolaus Cusanus in Tirol (= Schriftenreihe des Südtiroler Kulturinstitutes 10, 1983).

W. B.

10.14

MARTIN LEIBITZ (gest. 1464): Senatorium sive Dialogus historicus

vor 1464, gedruckt 1725

H 32,7/B 27,5 cm

Landesmuseum für Kärnten, Klagenfurt, Inv.Nr. III 14010/Bd. 2

Der Übergang der österreichischen Benediktiner vom Basler Konzil zu Papst Nikolaus V. läßt sich deutlich an zwei Daten aufzeigen. Der aus der Zips stammende Abt des Wiener Schottenstiftes Martin Leibitz erhielt 1449 vom Konzil den Auftrag zur Visitation des Stiftes Melk. Zwei Jahre später wurde der gleiche Abt vom Kurienkardinal Nikolaus Cusanus, der bei der österreichischen Konziliaristenpartei äußerst unbeliebt war, vom Papst zum Visitator der Benediktiner und Augustinerchorherren der Salzburger Kirchenprovinz bestellt. Gemeinsam mit dem Abt Lorenz von Mariazell und dem Melker Prior Johann Schlitpacher visitierte er 52 Klöster. Neben den Aufzeichnungen Schlitpachers ist sein Dialog *Senatorium* die Hauptquelle über diese Visitation, die im Oktober 1451 auch in St. Paul vorgenommen wurde, wo z. T. katastrophale Verhältnisse herrschten, man aber andererseits auch zur Reform bereit war. In St. Paul selbst haben sich über diese wichtige Visitation keinerlei Quellen erhalten. In der Literatur zur Geschichte von St. Paul wurde die 1725 im 2. Bd. der *Scriptores Rerum Austriacarum* des Melker Benediktiners Hieronymus Pez (gest. 1762) herausgegebene Quelle bisher übersehen. Pez bemühte sich gemeinsam mit seinem Bruder Bernhard (gest. 1735), im Anschluß an die Editionstätigkeit der französischen Mauriner, um die Herausgabe einer *Bibliotheca Benedictina*. Für die Kulturgeschichte Kärntens um 1450 ist das *Senatorium* von Martin von Leibitz von besonderem Wert, da es nur wenige Quellen zu dieser Thematik gibt.

Titelbild

Lit.: Senatorium sive Dialogus historicus Martini Abbatis Scotorum Viennae Austriae, in: Scriptores Rerum Austriacarum, hrsg. von H. PEZ, Tom. II, Lipsiae MDCCXXV. – I. ZIBERMAYR, Johann Schlitpachers Aufzeichnungen als Visitator der Benediktinerklöster in der Salzburger Kirchenprovinz, MIÖG 30 (1909), S. 258–279. – DERS., Die Legation des Kardinals Nikolaus Cusanus und die Ordensreform in der Kirchenprovinz Salzburg (= Reformationsgeschichtliche Studien und Texte 29, 1914). – A. LHOTSKY, Quellenkunde zur mittelalterlichen Geschichte Österreichs (= MIÖG Erg.-Bd. 19, 1963), S. 373f. – W. BAUM, Nikolaus Cusanus in Tirol. (= Schriftenreihe des Südtiroler Kulturinstitutes 10, 1983).

W. B.

10.15

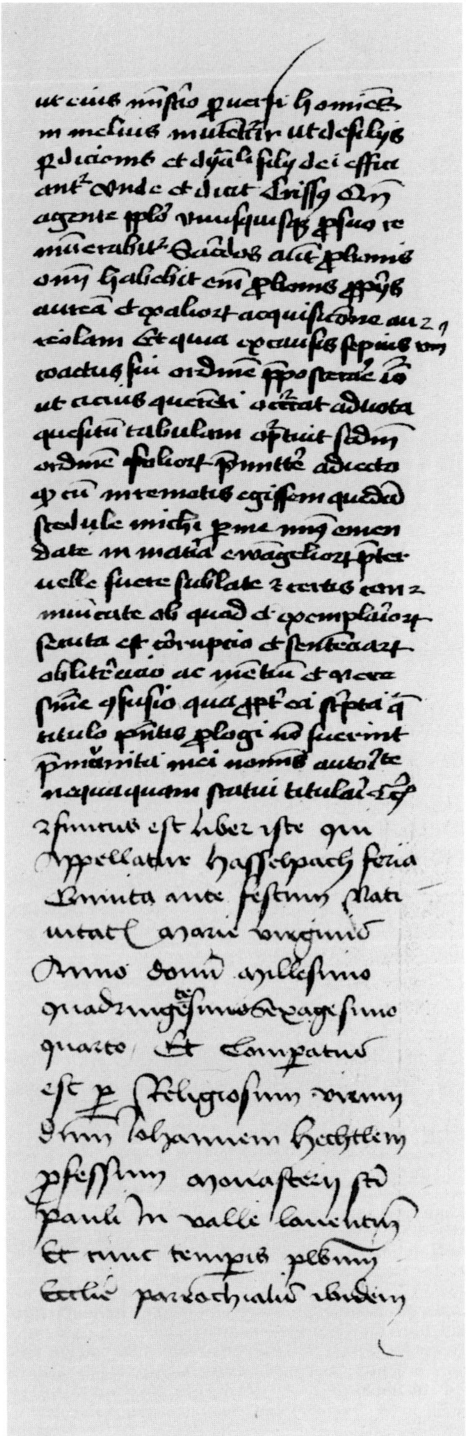

HS 46, fol. 379r

THOMAS EBENDORFER VON HASELBACH: Sermones de evangeliis de tempore, 1. Teil: Pars hyemalis

1464

Papierhandschrift, 398 Bll. (fol. 2–379 enthalten die Predigten Ebendorfers, fol. 386–390 eine Katharinenpassion und fol. 1 u. 398 einen Index alphabeticus); H 29/B 21,5 cm

Universitätsbibliothek Klagenfurt, HS 46

Die Handschrift stammt aus der alten St. Pauler Stiftsbibliothek und wurde vom Mönch Johannes Hechtlein, Pfarrer von St. Paul, geschrieben. Der Schreiber ist möglicherweise mit dem 1488 gestorbenen Prior Johannes identisch. Die Handschrift, die nur den Predigtteil des Winterhalbjahres enthält, wird im Bibliothekskatalog von 1684 erwähnt; demnach gab es noch einen zweiten Predigtband für das Sommerhalbjahr. Möglicherweise ist sie mit den im Bibliothekskatalog von 1789 genannten *Sermones Dominicales* identisch. Dem von MENHARDT rekonstruierten und nur fragmentarisch erhaltenen Katalog von 1470 läßt sie sich nicht zuordnen. Dennoch stammt sie aus St. Paul und dokumentiert die Rezeption der Werke Thomas Ebendorfers im Stift.

Lit.: R. EISLER, Die illuminierten Handschriften in Kärnten, Beschreibendes Verzeichnis der illuminierten Handschriften in Österreich 3 (1907). – H. MENHARDT, Neue Forschungen über die Herkunft der Handschriften aus den alten Bibliotheken Kärntens, Zentralblatt für Bibliothekswesen 41 (1924), S. 225–234. – DERS., Weitere Nachrichten von Kärntner Klosterbibliotheken, Zentralblatt für Bibliothekswesen 44 (1927), S. 593–609. – DERS., Handschriftenverzeichnis der Kärntner Bibliotheken, in: Handschriftenverzeichnisse österreichischer Bibliotheken, Kärnten, Bd.1: Klagenfurt, Maria Saal, Friesach (1927). – A. LHOTSKY, Thomas Ebendorfer. Ein österreichischer Geschichtsschreiber, Theologe und Diplomat des 15. Jahrhunderts (= Schriften der MG 15, 1957), S. 75, Nr. 38.

W. B.

10.16

NIKOLAUS VON DINKELSBÜHL: Tractatus de tribus partibus poenitentiae, Speculum conscientiae und Predigten

1462/63

Papierhandschrift, 398 Bll. (Sammelhandschrift, auch mit anderen Texten); H 29,5/B 22 cm

Universitätsbibliothek Klagenfurt, HS 19

Die Handschrift stammt aus der alten St. Pauler Stiftsbibliothek und wurde vom Mönch Vinzenz Sittich geschrieben, der von 1462 bis 1492 als Stiftsschreiber wirkte und über den mehr bekannt ist als über jeden anderen Kärntner Schreiber des 15. Jahrhunderts. Am Ende des Beichttraktates vermerkte er auf fol. 382v:

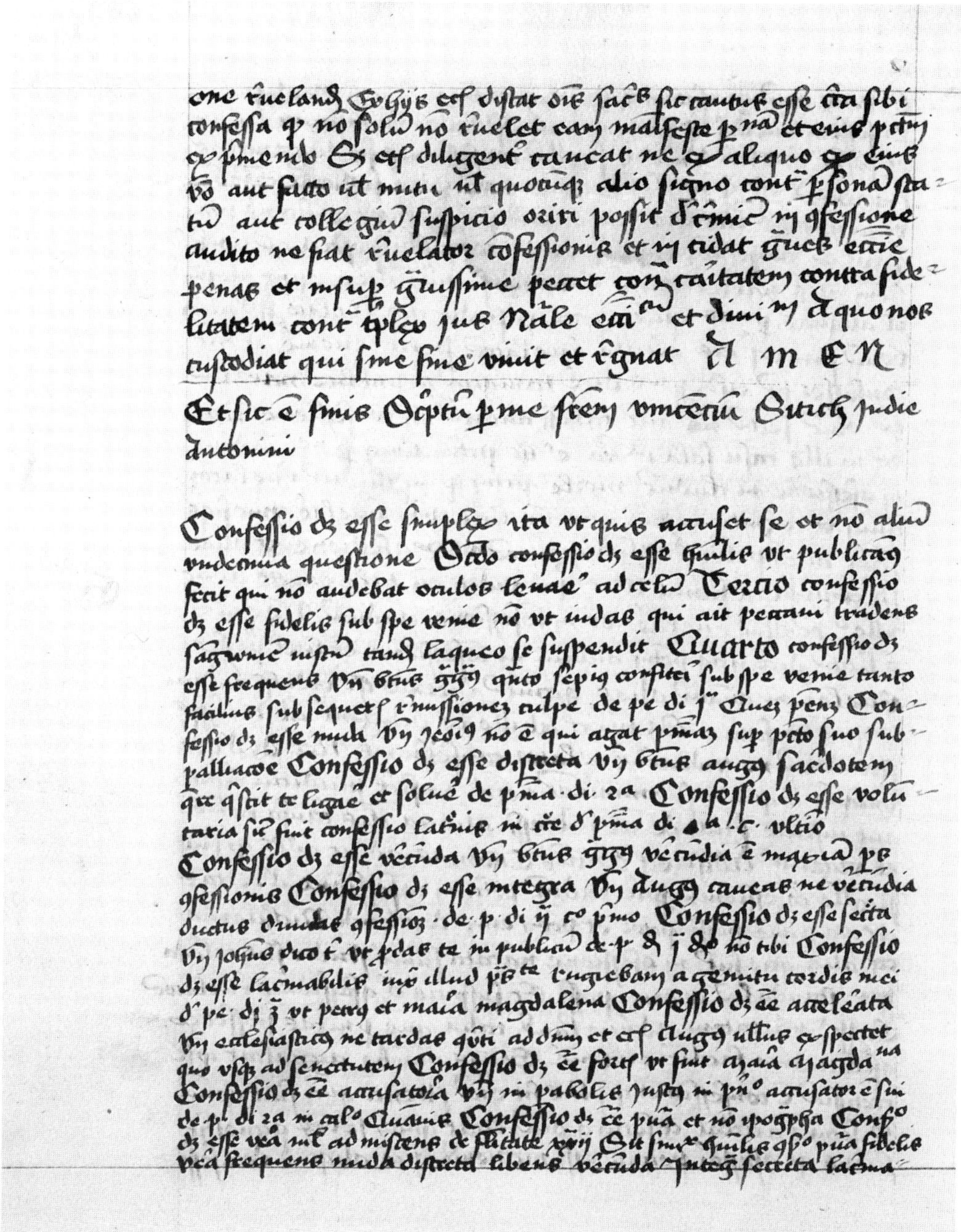

HS 19, fol. 382v

Et sic est finis. Scriptum per me fratrem Vicentium Sitich in die Antonini. Die Handschrift läßt sich in den beiden St. Pauler Bibliothekskatalogen von 1684 und 1789 nicht identifizieren und auch dem von MENHARDT rekonstruierten und nur fragmentarisch erhaltenen Katalog von 1470 nicht zuordnen. Dennoch stammt sie zweifellos aus St. Paul und dokumentiert die Rezeption der spätmittelalterlichen Theologie im Stift vor dem Beginn der Türkeneinfälle.

Lit.: R. EISLER, Die illuminierten Handschriften in Kärnten, Beschreibendes Verzeichnis der illuminierten Handschriften in Österreich 3 (1907). – H. MENHARDT, Neue Forschungen über die Herkunft der Handschriften aus den alten Bibliotheken Kärntens, Zentralblatt für Bibliothekswesen 41 (1924), S. 225–234. – DERS., Weitere Nachrichten von Kärntner Klosterbibliotheken, Zentralblatt für Bibliothekswesen 44 (1927), S. 593–609. – DERS., Handschriftenverzeichnis der Kärntner Bibliotheken, in: Handschriftenverzeichnisse österreichischer Bibliotheken, Kärnten, Bd. 1: Klagenfurt, Maria Saal, Friesach (1927).

W. B.

BEWEINUNG CHRISTI

Thomas Artula, gen. Thomas von Villach (um 1435/40 – nach 1520), nach 1490

Tempera auf Holz, H 195/B 123 cm

Kopie aus der Leonhardkirche in Abtei, Original im Landesmuseum für Kärnten, Klagenfurt, Inv.Nr. 20

Die Holztafel entstand im Auftrag des St. Pauler Abtes Sigmund Jöbstl von Jöbstlberg (1488–1498). Der Stifter ist im unteren linken

Teil des Bildes als kleine, kniende Figur im Gebet und mit seinem Wappen daneben dargestellt.

Die Tafel zeigt eine für die alpenländische Spätgotik ungewöhnliche Kombination einer Beweinungsszene mit Elementen aus der Kreuzabnahme und der Grablegung. Diese Verbindung von byzantinischen und mittelalterlichen Darstellungsformen erscheint hier in einer sehr ausgewogenen Komposition. Den oberen Bildteil füllt auf goldenem Grund das leere Kreuz mit angelehnter Leiter, flankiert von den beiden Schächern. Dynamik erhält das Bild nicht nur durch die starke Gestik der Figuren, sondern auch durch deren Anordnung. Die Hauptdiagonale zieht sich von links oben nach rechts unten durch den gebückten Nikodemus, den Leichnam Christi und endet im Salbgefäß der Maria Magdalena. Die Diagonale wiederholt sich in den Köpfen der Frauengruppe und in den dahinter stehenden Figuren des Johannes und des Joseph von Arimathea.

Die Idee, die Beweinung Christi mit einem auf den Schößen der drei Marien liegenden Leichnam darzustellen, stammt aus dem italienischen Trecento; ebenso trecentesk wirkt Johannes mit seinen erhobenen Armen und dem verzweifelt verzerrten Gesicht. Als Ergänzung des Formengutes, das Thomas in der Auseinandersetzung mit der italienischen Trecento-Malerei gewonnen hatte, ist auch die Liebkosung der Hände Jesu durch die Frauen anzusehen.

Neben diesen in Italien vorgebildeten und hier umgeformten Motiven sind aber auch Einflüsse aus dem niederländischen Westen erkennbar: so die kompositorische Achse Christus, Nikodemus und Joseph (der letzte in auffallend vornehmer Kleidung). Auch die Frau mit Turban, die sich mit einem Tuch die Tränen abwischt, sowie das weiße Kopftuch unter dem dunkelblauen Mantel der Mutter Jesu erinnern an Bildelemente niederländischer Meisterwerke, im besonderen an Bilder des Rogier van der Weyden.

Eine anzunehmende Verwendung als Epitaph belegt die bildliche Verbindung von Christus und dem Stifter. Der Kopf des toten Herrn ist nach links zu Sigmund gedreht und zusätzlich blickt er ihn durch nur halbgeschlossene Lider an. Damit werden die realen Grenzen des dargestellten Ereignisses durchbrochen und dem Stifter ein ummittelbarer Weg zum Gegenstand seiner Frömmigkeit gebahnt.

Die „Beweinung Christi" des Thomas Artula ist eines seiner besten Werke und charakteristisch für seine Bildgestaltung. Thomas hat hier verschieden alte Bildmotive mit neuen verbunden und damit ein aus europäischer Sicht längst überholtes, jedoch höchst individuelles Formengeflecht geschaffen.

Die Tafel befand sich ursprünglich in der St. Pauler Stiftskirche, wahrscheinlich in der Nähe des Stiftergrabes im nördlichen Querhaus. 1561 wurde sie anläßlich der Neuweihe der dortigen, von St.Paul betreuten St.Leonhard-Kirche nach Abtei übersiedelt. Von dort gelangte sie 1940/42 in das Fürstbischöfliche Diözesanmuseum und danach ins Landesmuseum für Kärnten, welches das Bild 1958 angekauft hat. Für Abtei wurde eine gute Kopie des Originals angefertigt.

s.II, S. 695.

Lit.: J. HÖFLER, Die gotische Malerei Villachs (1981/82), Bd.1, S.174f, Bd.2, S.45f, Abb.164; dort die ältere Literatur.

J. H.

10.18 s. II, S. 694, Abb. 209

SELBSTPORTRÄT DES THOMAS VON VILLACH

Detail des Stifterfreskos im Nord-Querhaus der Stiftskirche, 1492/93 (s. Kat.Nr. 27.5)

Reproduktion

Das Selbstporträt zeigt uns in einem quadratischen Feld den verschmitzt lächelnden Meister mit braungelockten Haaren und roter Mütze. Im Jahre 1486 hat Paolo Santonino, Sekretär des Bischofs von Caorle, Meister Thomas von Villach kennengelernt und ihn wie folgt beschrieben: *Der Maler ist Villacher Bürger, hat dort seine Kunst gelernt und ist mit ihr alt geworden. Von Statur ist er ein kleingewachsener Mann, von ruhigem Gesichtsausdruck und aufrechtem Sinne, er ist arm, weil er öfter, wie erzählt wird, seine Arbeiten umsonst hergibt, weil er die nicht gerichtlich belangt, welche sich glatt weigern, ihre Schuld zu bezahlen.*

Lit.: Paolo Santonino, Reisetagebücher 1485–1487, aus dem Lateinischen übertragen von R. Egger (1947), S. 96f. – ÖKT 37 (1969), S. 116.

D. P.

10.19 s. II, S. 692, Abb. 206

STIFTERFRESKO-HAUPTWAND

Nord-Querhaus der Stiftskirche; Thomas von Villach, 1492/93 (s. Kat.Nr. 27.5)

Reproduktion

10.20

ABT SIGMUND JÖBSTL VON JÖBSTLBERG (1488–1498)

wohl der Werkstätte des Jakob Lorenz Glaber zuzuschreiben; vor 1629

Öl auf Leinwand; Brustbild: H 73/B 53 cm, ohne Rahmen; Inschriftfeld: H 29/B 53 cm

Stift St. Paul

Um 1620 gab Abt Hieronymus Marchstaller seinem „Hofmaler" Jakob Lorenz Glaber den Auftrag zu einer Serie von „historischen Bildern", die sich vorerst mit der Stifterfamilie und der Klostergründung beschäftigten. Diesen „Idealbildnissen" von Angehörigen der Spanheimer Stifterfamilie lassen sich stilistisch und nach dem Schriftbild noch vier erhaltene Bildnisse der St. Pauler Äbte hinzufügen, die wohl von einer kompletten Serie übriggeblieben sind, die mit dem 1629 gemalten Bildnis des Auftraggebers, Abt Marchstaller, beschlossen wurde. „Restauratorische" Eingriffe haben im 18. Jahrhundert zur sichtlichen Verstümmelung und wohl auch teilweisen Zerstörung dieser Äbtebilder geführt. Auch das Gemälde des Abtes Sigmund Jöbstl von Jöbstlberg wurde auseinandergeschnitten, Bild- und Schriftfeld in einem geteilten Rahmen wieder zusammengestellt. Dabei hat nicht nur die Qualität der Malerei eine arge Beeinträchtigung erfahren, auch die Inschrift wurde – wie beim Bildnis des Abtes Marchstaller (s. Kat.Nr. 13.12) – übermalt und neu geschrieben.

Abt Jöbstl, der sowohl den Auftrag für das Stifterfresko (s. Kat.Nr. 27.5) als auch für das Tafelbild mit der Beweinung Christi (s. Kat. Nr. 10.17) an Meister Thomas von Villach gegeben hat, ist in Halbfigur dargestellt, mit einem heute stark verschliffenen Ornat bekleidet, mit Infel und Stab. Die überlieferte Inschrift lautet: *29. SIGISMUNDUS, / Nobili Iöbstelpergiorum Sanguine ortus, / patrimonialiu(m) suoru(m) filius Patronu(m) suu(m) S. Paulu(m) e(t) / S. Patre(m) Benedictu(m) haeredes scripsit, ornato templo, ex/structis aedificijs, vallem Lavantina(m) Montibus sacro / foedere iunxit, penes Abbatialia onera etia(m) admi-nistrando / Episcopatui Lavantino /: quamdiu vacabat :/ humeros / subcollavit; cum curis Sarcinam carnis deposuit A(nno) C(hristi) 1498.* In der rechten oberen Ecke des Bildfeldes ist das persönliche Wappen des Abtes abgebildet: geviert, 1 und 4 von Silber und Schwarz gespalten, belegt mit einem farbgewechselten gestürzten Sparren; 2 und 3 in Rot drei silberne Halbmonde (1 oben waagrecht, 2 und 3 voneinandergekehrt). Die Werkstätte des Jakob Lorenz Glaber ist bei diesem Bild heute weder stilistisch noch archivalisch nachzuweisen.

Lit.: ÖKT 37 (1969), S. 320ff.

F. L.

10.21

MITGLIEDERVERZEICHNIS DER DREIFALTIGKEITSBRUDERSCHAFT VON MARIA SAAL

1507 – 17. Jahrhundert, fortlaufende Eintragungen von mehreren Händen; Maria Saal

Papierhandschrift, 278 Bll., Rindsledereinband über Holzdeckel mit Blindstempel, Metallbeschläge und -schließen nur z.T. vorhanden; am Rücken Aufschrift des 18. Jahrhunderts „HH. Dreyfaltigkeit bruderschaft Album" sowie Signatur des 20. Jahrhunderts MS 45.

HS aus der Propstei Maria Saal, dzt. als Depositum im Archiv der Diözese Gurk; H 31/B 21 cm

Archiv der Diözese Gurk, Bibliothek Maria Saal, HS 45

Auf fol. 23r unter der Überschrift *Sant Jacob Villach* von der ersten Hand (1507 – vor 1511) die Eintragungen *Maister thomas maler von villach und dorothea se(in) hausfraw* und *Thoman maler von villa und dorothea sein hausfraw*. Laut W. NEUMANN sind beide Eintragungen auf ein und denselben Maler, Thomas von Villach, zu beziehen. Er nimmt jedoch nicht wie die ältere Literatur an, daß die zweimalige Eintragung durch die Abschrift von älteren Listen, in denen der Name in verschiedener Schreibung stand, zustande kam, sondern erklärt sie aus der Funktion des Bruderschaftsbuches: Durch die Leistung eines finanziellen Beitrages konnte man der Ablässe, Verdienste, Gebete und Fürbitten der Bruderschaft teilhaft werden. Diese Beitragsleistung, aufgrund derer die Eintragung ins Bruderschaftsbuch erfolgte, war für ein Jahr, aber auch im voraus für mehrere Jahre möglich. Der Maler Thomas aus Villach hätte während der Jahre 1507 – 1511 zweimal für sich und seine Frau eine Zahlung geleistet. Aus dieser Interpretation ergibt sich, daß Thomas von Villach zwischen 1507 und 1511 noch am Leben war.

Lit.: W. NEUMANN, Der bedeutendste Maler der Kärntner Spätgotik – Thomas Artula von Villach. Neue Funde zu seiner Lebensgeschichte, Neues aus Alt-Villach 20 (1983), S. 59 – 98 und die dort zitierte ältere Literatur.

Ch. T.

10.22

SCHLUSSSTEIN MIT DEM WAPPEN DES ABTES JÖBSTL VON JÖBSTLBERG (1488–1498)

Nachbildung

Der Schlußstein mit dem persönlichen Wappen des Abtes Sigmund Jöbstl von Jöbstlberg befindet sich im Gewölbe des Nordquerhauses der Stiftskirche, über dem von ihm in Auftrag gegebenen Stifterfresko (s. Kat.Nr. 27.5).

D. P.

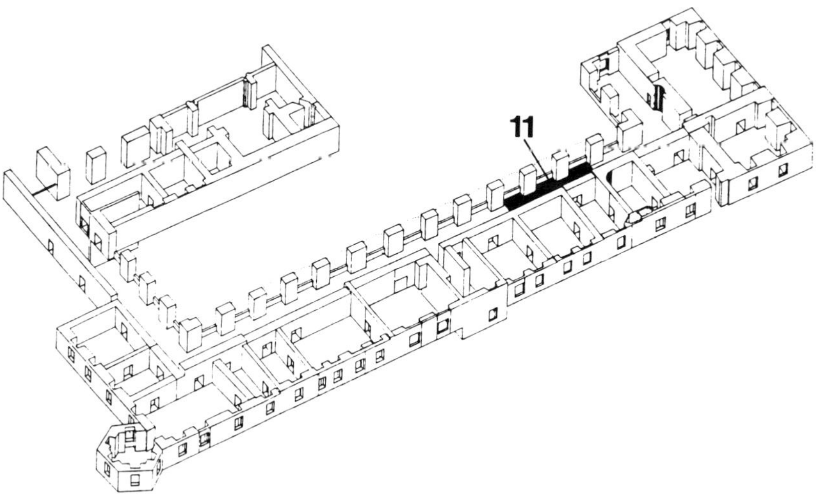

Auswärtige geistliche Herrschaften im Lavanttal

Seit dem 9. Jahrhundert ist das Erzbistum Salzburg in Kärnten reich begütert. Im Lavanttal war es im Besitz der „Urpfarre" St. Andrä, des Ortes Lavamünd und großer Teile des südlichen Talabschnittes. Der Herrschaftsbereich wurde durch die Besitzungen des Benediktinerstiftes St. Paul in zwei ungleiche Teile getrennt. Mit päpstlicher und kaiserlicher Erlaubnis gründete Erzbischof Eberhard II. von Salzburg 1212 in St. Andrä ein Augustiner Chorherrenstift, das bis ins 18. Jahrhundert existierte. Um seine Position im Lavanttal aber noch zu stärken, schuf Erzbischof Eberhard II. nach dem Muster von Gurk (1072, gegründet durch Erzbischof Gebhard von Salzburg) das Bistum Lavant (1225/28). Es hatte seinen Sitz in St. Andrä und war in seiner Rechtsstellung ähnlich stark eingeschränkt wie Gurk: So oblag die Wahl des Bischofs allein dem Salzburger Erzbischof, der Dompropst mußte aus den Reihen des Salzburger Domkapitels stammen. Die Bischöfe von Lavant residierten zunächst in Friesach, das auch Sitz des Salzburger Vizedoms war. Später führten sie ihre Geschäfte von der Festung Twimberg im oberen Lavanttal aus oder hielten sich in der Sommerresidenz Burg Stein bei St. Georgen auf. In St. Andrä, dem eigentlichen Bischofssitz, waren sie bis ins 17. Jahrhundert hinein nicht beheimatet.

Entscheidenden Einfluß auf die Geschicke der Kärntner Landesgeschichte und damit auch des Lavanttales nahm das seit dem 11. Jahrhundert in Kärnten begüterte fränkische Bistum Bamberg, das von seinem Zentrum Villach aus Besitzungen verwaltete, die über Arnoldstein bis hin ins Kanaltal reichten. Im Lavanttal verfügten die Bamberger Bischöfe über den montanindustriell wichtigen oberen Talabschnitt mit den Zentren St. Leonhard und Wolfsberg. Im 12. Jahrhundert erwarb das Bistum außerdem die Burg Griffen und hat später unweit davon ein Prämonstratenserstift errichtet. Der Bamberger Vizedom residierte zunächst in Villach, seit dem 14. Jahrhundert aber in Wolfsberg, wodurch der bambergische Einfluß im Lavanttal bis weit in die Neuzeit bestehen blieb.

BRUNO RADER, ABT

Die „lieben“ Nachbarn des Stiftes St. Paul

Im Lavanttal waren die Herschaftsverhältnisse und somit die Macht klar aufgeteilt. Daß es deshalb einfach gewesen wäre, ist wohl kaum anzunehmen. Jeder wird so seine Interessen gehabt haben; das im oberen Tal begüterte Bistum Bamberg ebenso wie das Erzbistum Salzburg im Süden des Lavanttales. So waren das Stift St. Paul und der kleine Ort – ursprünglich hieß er „brugga“ – um den Stiftshügel herum von großen Herrschaften umgeben. Wie sie wohl alle miteinander ausgekommen sind? Ich bin kein Historiker und weiß nicht viel. Ich bin aber auch kein Hysteriker, der meint, es ginge immer alles drunter und drüber. Aber ich kann es mir gut vorstellen, daß es doch öfter zu Grenzstreitigkeiten und Reibereien gekommen ist. Wie dem auch sei. Heute – und ich wage zu behaupten, daß ich nicht lüge – gibt es ein gutes Verhältnis zwischen Stift und Marktgemeinde St. Paul und der ganzen Umgebung. So ändern sich die Zeiten. War z.B. mit den Rittern von Rabenstein nicht immer gut Kirschen essen, kann sich heute der St. Pauler Abt beim „Rabensteiner“ einer „Brettl-Jause“ erfreuen, ohne Angst zu haben, vergiftet zu werden.

11.1

Schautafel:

MACHTAUFTEILUNG IM LAVANTTAL

11.2

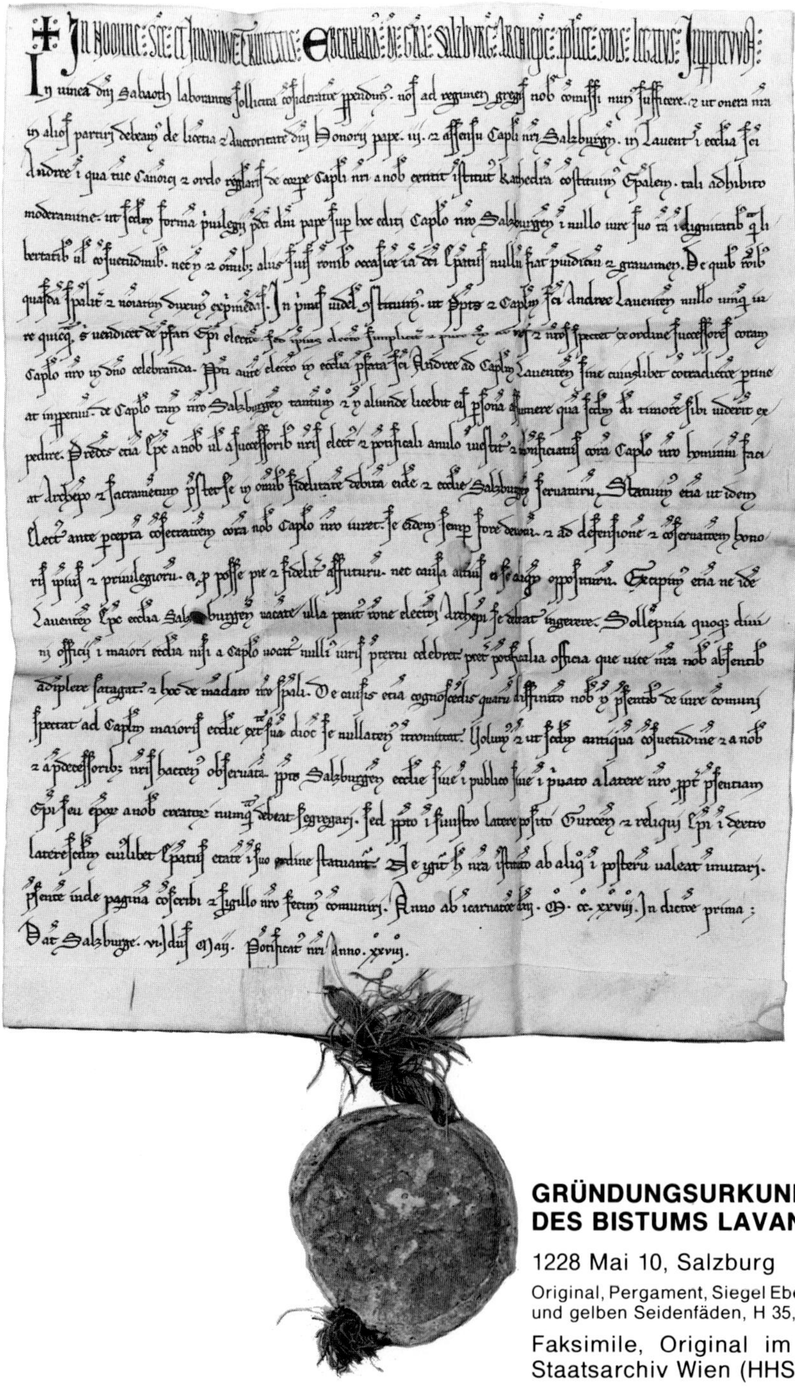

GRÜNDUNGSURKUNDE DES BISTUMS LAVANT

1228 Mai 10, Salzburg

Original, Pergament, Siegel Eberhards II. an purpurnen und gelben Seidenfäden, H 35,8/B 28,5 cm

Faksimile, Original im Österreichischen Staatsarchiv Wien (HHSTA)

Erzbischof Eberhard errichtet mit Zustimmung des Papstes Honorius III. und seines Domkapitels einen Bischofssitz an der Kirche St. Andrä im Lavanttal. Der Bischof soll ausschließlich vom Erzbischof in Gegenwart des Domkapitels erwählt werden und der Propst, der Mitglied des Salzburger Domkapitels sein soll, vom Lavanttaler Kapitel.

Der neugewählte Bischof hat dem Erzbischof in Gegenwart des Domkapitels den Treueeid zu leisten, er darf bei der Wahl des Erzbischofs nicht mitreden und in der Salzburger Domkirche den Gottesdienst nur auf Einladung des Domkapitels halten.

Außerhalb seiner Diözese darf sich der Bischof in die Rechtsprechung, welche bei Abwesenheit des Erzbischofs dem Domkapitel zukommt, nicht einmischen. Der Platz zur Linken des Erzbischofs soll dem Salzburger Dompropst vorbehalten sein, zur Rechten den Bischöfen, zuerst dem von Gurk, dann den übrigen nach dem Alter der Bistümer.

Das 1212 errichtete Chorherrenstift St. Andrä wandelt sich unter Beibehaltung seiner Rechte zum Domkapitel, die Stiftskirche zur Bischofskirche. Weiters regelt die Urkunde die Rechtsverhältnisse des schon 1226 gegründeten Bistums Lavant dahingehend, daß sich der Salzburger Erzbischof die Wahl des Lavanter Bischofs vorbehält und die Kompetenzbereiche des Salzburger Domkapitels gegenüber etwaigen Eingriffen des neuen Bischofs abgesichert werden.

Drucke: SUB 3, Nr. 827. – MC 4/1, Nr. 1947.
Lit.: H. DOPSCH, H. SPATZENEGGER, Geschichte Salzburgs. Stadt und Land, 3 Tle. (1981/1984), Tl. I, S. 326. – I. OROZEN, Das Bistum und die Diözese Lavant, 5 Bde. (1875/1884), Bd. I, S. V ff. – FS 750 Jahre Bistum Lavant, red. von A. JÄGER, J. PÖTSCH (1978).

J. Gr.

11.3

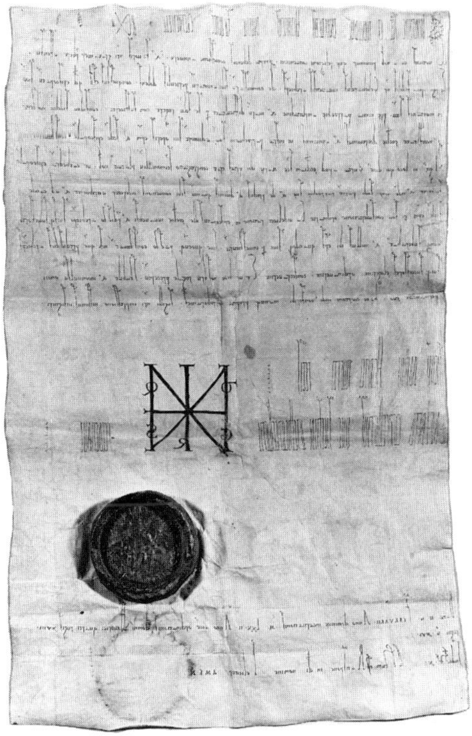

KÖNIG HEINRICH IV. GESTATTET ERZBISCHOF GEBHARD VON SALZBURG, EIN VON SEINER KIRCHE ABHÄNGIGES BISTUM IN GURK ZU ERRICHTEN

1072 Februar 4, Regensburg; die Urkunde entspricht in ihrem äußeren Erscheinungsbild und ihrem inhaltlichen Aufbau den damals üblichen Gebräuchen der Reichskanzlei.

Originaldiplom mit aufgedrücktem (gefälschtem) Siegel; Pergament, H 41/B 64 cm

Sepiakopie, Original im Österreichischen Staatsarchiv Wien (HHSTA)

Die Errichtung des Bistums Gurk, der bereits am 27. März 1070 auch Papst Alexander II. zugestimmt hatte, war ein bis dahin in dieser Form ohne Vorbild dastehender Rechtsakt und ist in höchst außergewöhnlicher Form so erfolgt, daß das Bistum zu einem Eigenbistum des Salzburger Erzbischofs wurde. Es sollte in geistlichen wie in weltlichen Belangen vollkommen vom Salzburger Erzbischof abhängig sein. Wahl, Ordination und Weihe des Bischofs, der als bloßer pastoraler Helfer vorgesehen ist, waren allein dem Salzburger Erzbischof vorbehalten. Außerdem wurde gesichert, daß das Bistum dem Erzstift Salzburg nie entzogen

werden sollte, und daß das Reichsoberhaupt auf das ihm zustehende Recht der Investitur mit Ring und Stab verzichtete. Die Ausstattung des Bistums lag im Belieben des Salzburger Metropoliten.
Das Diplom wurde unter weitgehender Benutzung des in gleicher Angelegenheit von Papst Alexander II. schon 1070 verliehenen Privilegs wohl vom Empfänger verfaßt, doch in der Reichskanzlei geschrieben.
Wie die Bulle an der Papsturkunde ist auch hier das Siegel gefälscht, ohne daß man weiß, aus welchem Grunde. Möglicherweise mußte das ursprünglich wohl echte Siegel für die Schenkung einer nicht erhaltenen Urkundenfälschung dienen. Das späterhin von den Kaisern Friedrich I. Barbarossa und Friedrich II. bestätigte Diplom wurde während des vom Erzbischof Gebhard am 6. Mai 1072 am ersten Gurker Bischof Gunther von Krappfeld vollzogenen Weiheaktes ebenso wie das Papstprivileg von 1070 öffentlich verlesen.

Drucke: MG. Die Urkunden Kg. Heinrichs IV., Bd. 1 (1977), Nr. 253. – MC I, Nr. 30. – SUB II, Nr. 103. – SCHWIND-DOPSCH, Ausgewählte Urkunden zur Verfassungsgeschichte der deutsch-österreichischen Erblande, Nr. 2.
Lit.: Geschichte Salzburgs (s. Kat. Nr. 11.2), Bd. I, S. 237, S. 1256 (A 71). – G. HÖDL, Vom Kloster zum Salzburger „Eigenbistum". Die Gründung des Bistums Gurk 1072, in: Kat. Hemma von Gurk (1988), S. 39–47.

J. Gr.

11.4

RUINE STEIN

Markus Pernhart (1824–1871), um 1860

Bleistiftzeichnung

Faksimile (H 28/B 40 cm), hrsg. vom Geschichtsverein für Kärnten, Klagenfurt

Das Blatt stammt aus der Reihe von Bleistiftzeichnungen „Burgen und Schlösser in Kärnten" (198 Bll. in 4 Mappen), die Pernhart ab 1852 im Auftrag Max von Moros geschaffen hat.
Das Salzburger Erzbistum, das 860 von König Ludwig dem Deutschen weite Teile des Lavanttales geschenkt erhalten hatte, ließ am Steinberg unter der Koralpe eine Burg errichten. Diese Burg Stein wird 1214 erstmals erwähnt, die frühromanische Südfront spricht jedoch für ein älteres Baudatum. 1276 wurde die Burg dem Bistum Lavant übergeben und diente bis zum Beginn des 18. Jahrhunderts als Sommerresidenz der Lavanter Bischöfe. Die Anlage mit Zugbrücke, massiven Pfeilern und eigener Burgkapelle hatte Festungscharakter und mußte mehrmals gegen feindliche Angriffe von umliegenden Herrschaften verteidigt werden. Bei einem Streit (um 1280) zwischen dem Grafen Heinrich von Pfannberg-Lavamünd und dem Bischof Gerhard von Lavant, der 1258–1278 auch Abt von St. Paul war, wurde ein Teil der Anlage zerstört.
Als 1803 der ausgedehnte Landbesitz der salzburgischen Erzbischöfe säkularisiert und unter Staatsverwaltung gestellt wurde, begann die Burg zu verfallen. Sie ist heute eine Ruine. Der jetzige private Eigentümer, Baumeister Ernst Knauder, bemüht sich um eine Revitalisierung der mittelalterlichen Festung.

B. M.

11.5

FIGURALE GRABPLATTE DES LAVANTER BISCHOFS LORENZ II. VON LICHTENBERG

unbekannter Künstler im Umfeld von Hans Eybenstock bzw. Hans Valkenauer, um/nach 1446

roter Mamor (Adneter Marmor), H 248/B 131 cm

Reproduktion

Zu den besten Beispielen der geistlichen Grabmalplastik in Kärnten gehört die figurale Grabplatte des Lavanter Bischofs Lorenz II. von Lichtenberg an der Nordwand des Chores in der Stadtpfarr- und ehemaligen Domkirche in St. Andrä. Er war schon 1432 als Gurker Bischof anerkannt, von 1424 bis 1434 erstmals, dann neuerlich von 1438 bis 1444 Bischof von Lavant und, nach seinem Verzicht, von 1444 bis 1446 Administrator dieses Bistums. Lorenz von Lichtenberg, bekleidet mit den Pontifikalgewändern, ist nicht als Bischof, sondern als Patriarch von Aquileia – seit 1444 vom Gegenpapst Felix V. mit dieser Würde ausgestattet – dargestellt, in der rechten Hand den Stab mit dem Patriarchenkreuz, den Kopf auf dem Totenkissen, die Figur in Dreiviertelprofil leicht gedreht. Bemerkenswert sind die weißen und schwarzen Marmoreinlagen beim Pallium und die in Steinguß ausgeführten, ursprünglich polychromierten drei Wappenschilde, von denen sich nur ein Wappen in der rechten oberen Ecke (Bistum Lavant) erhalten hat. Bischof Lorenz II. (auch Laurenz) ist 1446 gestorben. Seine Grabplatte kann als Vorbild für den Doppelgrabstein der beiden Gurker Bischöfe Johann V. Schallermann (1433– 1453) und Ulrich Sonnenberger (1453– 1469) in der Stadtpfarrkirche St. Nikolaus in Straßburg gewirkt haben. Die umlaufende Beschriftung auf der Rahmenleiste in gotischen Minuskeln mit Majuskel-Versalien lautet:
Anno d(omi)ni mo cccco / Obiit Reue(re)ndissi(mus) in chr(ist)o p(ate)r (et) d(omi)n(u)s d(omi)n(u)s Laure(n)ci(us) / Liechte(n)berger p(at)riarcha Aq(ui)legie(nsi)s. / [a]dmi(ni)strator Eccl(es)ie Lave(n)tine(n)sis. xlvio. vjo. id(us). nou(em)bris.

Lit.: R. MILESI, Romanische und ritterliche Grabplastik Kärntens (1963), S. 15. – W. CZERNY, Hans Valkenauer und die spätgotische Grabmalplastik in der Diözese Salzburg (Diss. Wien, 1982), S. 28 ff.

F. L.

11.6

VOTIVTAFEL AUS JAKLING

18. Jahrhundert

Öl auf Leinwand, Vorder- und Rückseite bemalt; H 87/B 109 cm

Jakling, Filialkirche hl. Johannes und hl. Paulus

Die Rückseite der Votivtafel trägt eine Ansicht der Stadt St. Andrä, dem Sitz des ehemaligen Bistums Lavant. Im Vordergrund sind rechts Tachent(ton-)gräber, links die Kirche von Jakling dargestellt. Auf der Anhöhe dahinter erscheint die mittelalterlich befestigte Stadt mit der Stadtpfarr- und ehemaligen Domkirche zum hl. Andreas aus dem 14. und 15. Jahrhundert mit dem südlich anschließenden Propsteihof. Als Augustinerchorherrenstift um 1212 gegründet, wurde es durch die Errichtung des Bistums Lavant 1226 zum Domstift erhoben und bestand bis zu seiner Aufhebung im Jahre 1798. Das Bistum Lavant wurde 1859 nach Marburg verlegt.
Etwas abseits liegt die Wallfahrtskirche Maria Loreto, die zwischen 1683 und 1687 erbaut wurde. Nordwestlich erblickt man auf einem Ausläufer der Saualpe das Schloß Kollegg, ein Bau aus dem 16. Jahrhundert mit vorspringenden Ecktürmen, der 1693 vom Domstift St. Andrä erworben wurde. Im Wolkenkranz darüber erscheinen die hll. Patrone Phillip und Jakob, in der Mitte der hl. Blasius.
Die Vorderseite zeigt eine Ansicht des Dorfes Jakling und die Inschrift: *Zu Lob und ehr deren Heiligen. Blasii. Jacobi. und Filipe, hat eine Ganze nachbarschaft. In dem dorff Jägling machen. Lassen diße Tafl. umb verhiesung. weil .. zteres unglick. und erhaltung unsers von Gott Gegebenes pergwerk errichtet auff. ein neues in Jar. des Herrn. Anno 1775.* Die Bezeichnung mit 1775 gibt wohl auch das Entstehungsjahr der Tafel an.

D. P.

11.7

ALTE ANSICHT VON ST. ANDRÄ

bez. 1767

Öl auf Leinwand, H 60/B 81,5 cm

Pfarrkirche Pustritz

Im Zentrum der oberen Bildzone der Votivtafel thront die Muttergottes mit Kind auf Wolken; Krone und Zepter charakterisieren sie als Himmelskönigin. Sie wird von zwei Nothelfern flankiert: rechts schüttet Florian, der Schutzheilige gegen die Feuergefahr, Wasser auf St. Andrä und links sitzt Sebastian mit zwei Pfeilen, der aufgrund seines Pfeilmartyriums als wichtiger Schutzheiliger gegen die Pest bzw. die von Gott zur Strafe gesandten Pestpfeile verehrt wurde.
Darunter ist in Aufsicht die Stadt St. Andrä zu sehen. Rechts, am Südende des Stadtplatzes steht die Stadtpfarrkirche. Durch das rechte Tor der Stadtmauer schreiten Wallfahrer mit Fahnen in die Stadt, im Bildvordergrund knien drei fürstlich gekleidete Personen. Links, außerhalb der Stadtmauer, ist die von Bischof Kaspar Graf von Stadion erbaute Wallfahrtskirche Maria Loreto wiedergegeben.
Die Inschrift am unteren Bildrand berichtet folgendes über die Wallfahrt: *DIESE KÜRCHFAHRT WARE BEREITS VOR 100 JAHREN, VON DER HOCHFÜRST SALZBURG STATT ST.ANDRÄ ZU DER GNADENREI-*

CHEN HIMMELSKÖNIGIN MARIA VON HOCHEN FEISTRITZ UMB BEFREUUNG PESTILENZ, SEUCHE, UND FEUERSGNADEN VERLOBT: ANO 1767 ABER VON SR.FÜRSTGNADEN NACHER PUSTRITZ ABGEÄ. UND VON GESAMBTER STATT GEMEIN ZUM LOB UND DANK OPFER DIE TAFFL MIT EINER GEMAHLTEN KÖRZEN ANHERO GEBRACHT WORDEN.

B. S.

11.8

MONSTRANZ

gotische Inschrift: *MAYST MATHES HAT DAS MACHT*; frühes 16. Jahrhundert

Silber, Lunula und Engel vergoldet; H 72/B max. 21 cm

Bad St. Leonhard

Die gotische Turmmonstranz kündet vom reichen Gold- und Silberbergbau, der bis ins 16. Jahrhundert in der Umgebung von Bad St. Leonhard, v.a. in Kliening betrieben worden ist.

Am sechspaßförmigen, geschweiften Fuß sind die Initialen IHS für *Iesus Hominus Salvator* oder „Jesus Heiland Seligmacher" sowie die Figuren der Heiligen Leonhard, Laurentius und Barbara eingraviert. Der gegratete Schaft mit dem sechsteiligen Maßwerknodus führt, in krabbenbesetzten Voluten auslaufend, zur polygonalen Sockelplatte des Gehäuses. An der Vorder- und Rückseite des oberen Schaftendes ist das bischöfliche bambergische Wappen, ein steigender Löwe mit Schrägbalken, eingraviert. Ein Hinweis auf den Künstler selbst findet sich auf beiden Seiten am unteren Rand des Schaugehäuses. Dort steht in gotischer Schrift *mayst mathes hat das macht*.

Im verglasten Schaugehäuse befindet sich die vergoldete, von zwei Engeln gehaltene Lunula. Im unteren Geschoß der filigranen seitlichen Strebepfeileraufbauten mit gotischen Maßwerkfenstern und Baldachinen mit zwei kleineren Figuren sind die Statuetten der beiden Kirchenpatrone angebracht: links St. Leonhard im bischöflichen Ornat mit seinem Attribut, einer Kette, rechts St. Laurentius mit einem Rost als Attribut, auf dem er sein Martyrium erlitten hat. Die zwei seitlichen Geschosse aus übereinandergesetzten Wandkompartimenten sind mit Fialtürmchen bekrönt, die den Mittelbaldachin flankieren; dort sind Christus als Schmerzensmann und ein Engel, der das Kreuz hält, dargestellt.

Wie bei gotischen Kirchenfassaden ist die Monstranz mit zahlreichen Wasserspeiern geschmückt. Sie haben apotropäische Bedeutung, d.h., dem bösen Geist wird sein eigenes Bild gezeigt, um ihn zu bannen. Den Abschluß bildet der steile Mittelturm mit einem Kreuz als Bekrönung.

Der Gebrauch von Monstranzen als Schaubehälter für Hostien hat sich mit dem Fronleichnamsfest, das 1264 von Papst Urban IV. eingeführt wurde, durchgesetzt. Bereits die frühesten Beispiele folgen dem Typus der gotischen Turmmonstranz, der bis zum Ausgang der Gotik verbindlich blieb.

Lit.: J. UNTERLUGGAUER, St. Leonhard und das obere Lavanttal (1925), S. 68.

B. Wi.

11.9

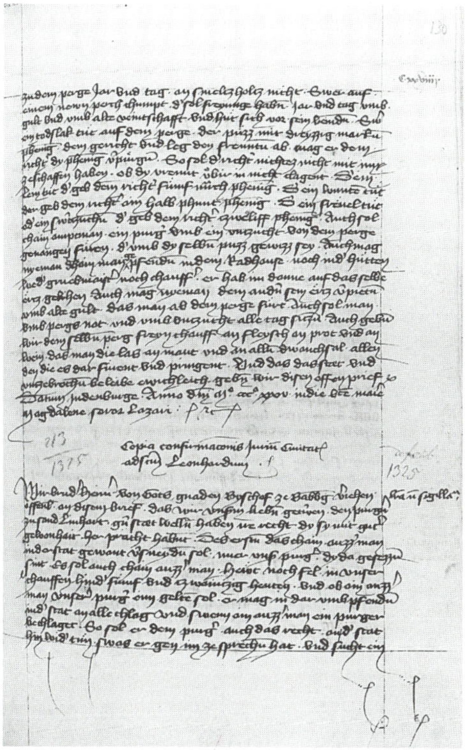

STADTRECHT FÜR ST. LEONHARD

Bischof Heinrich von Bamberg bestätigt

den Bürgern von St. Leonhard ihr Stadtrecht; Judenburg (?), 1325 Juli 22

Pergament, H 30/B 25 cm, mit Hängesiegel des Bischofs.

Sepiakopie, Original im Österreichischen Staatsarchiv Wien (HHSTA), Bamberger „Manuskripte", Cod. 1049, fol. 130.

Die schon im Jahre 1311 als *Stadt* bezeichnete ehemalige Bergknappensiedlung St. Leonhard im bambergischen Teil des Lavanttales erhielt am *Sand Marie Magdalenetag* des Jahres 1325 (22. Juli) von Bischof Heinrich II. von Bamberg, der gerade in Judenburg weilte, ihr Stadtrecht.
Die Urkunde unterscheidet sich im Umfang der den Bürgern von St. Leonhard zugesicherten Rechte von den meisten anderen Stadtrechten in Kärnten. In seiner Kürze (12 Punkte) läßt das St. Leonharder Stadtrecht Verfassung und Verwaltung weitgehend außer Acht und beschränkt sich darauf, den Bürgern relativ umfassende Freiheiten zuzugestehen. Das dürfte mit dem Bestreben Bambergs zusammenhängen, den Bergbau in der betroffenen Region noch weiter auszubauen.
Die Stadt erhielt ihren eigenen Burgfried, das Recht der Selbstverwaltung unter Aufsicht des bambergischen Vizedoms und wurde unabhängig vom Landgericht. Die freie Wahl des Stadtrichters, Markt- und Handelsfreiheiten und das Recht der Bürger, die Stadt jederzeit zu verlassen, heben das St. Leonharder Stadtrecht von vielen ähnlichen verbrieften Rechten ab.
In den Jahren 1438 und 1589 folgten ausführliche Stadtordnungen, die von der einmal eingeschlagenen liberalen Einstellung Bambergs nicht mehr abwichen.

Druck: MC 8, S. 229f., Nr. 797.
Lit.: J. UNTERLUGGAUER, St. Leonhard und das obere Lavanttal (1925), S. 21ff. – O. KLEEWEIN, Ein geschichtlicher Überblick, in: FS 650 Jahre Stadt Bad St. Leonhard i. Lav. 1325–1975 (1975), S. 33f. – C. FRÄSS-EHRFELD, Geschichte Kärntens, Bd.1: Das Mittelalter (1984), S. 458f.

W.M. T.

11.10

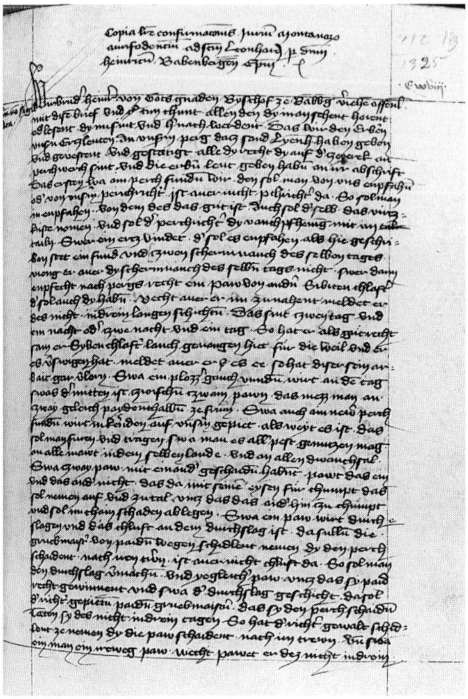

BERGWERKSORDNUNG VON ST. LEONHARD

Judenburg, 1325 Juli 22

Pergament, H 30/B 25 cm

Sepiakopie, Original im Österr. Staatsarchiv Wien (HHSTA), Bamberger „Manuskripte", Cod. 1049, fol. 129.

Bischof Heinrich II. von Bamberg verlieh am 22. Juli 1325 von Judenburg aus den Bergleuten von St. Leonhard auch (s. Kat.Nr. 11.9) ihre Bergwerksordnung. Rechte und Pflichten der Bergleute werden in 29 Punkten genau geregelt, was die Wichtigkeit v.a. des Eisenerzabbaues im oberen Lavanttal für das Bistum Bamberg beweist.

Druck: MC 8, S. 230ff., Nr. 798.

W.M. T.

GEISSELUNG CHRISTI

Glasgemälde aus der Pfarrkirche St. Leonhard im Lavanttal, Fenster nord X/1b; um 1330/40

H 91/B 49 cm

Die zu Beginn des 14. Jahrhunderts errichtete Pfarrkirche St. Leonhard bewahrt den umfangreichsten Bestand gotischer Glasgemälde in Kärnten aus der Zeit von 1330/40 bis zum Anfang des 15. Jahrhunderts. Es ist nur ein Teil der ursprünglichen Ausstattung; naturgegebene Verluste haben die Verglasung ebenso dezimiert wie Verkäufe in der Zwischenkriegszeit (die heute die gotische Kapelle in Cloisters, Metropolitan Museum, New York schmücken). Dennoch vermitteln die Fenster der Kirche eine Vorstellung von der thematischen Vielfalt sowie vom künstlerischen Reichtum und der farbigen Intensität solcher Bildwände.

Glasgemälde vor der Restaurierung

Der größte Teil der Glasgemälde entstand im zweiten Viertel des 14. Jahrhunderts. Stifterbilder des Heinrich Croph und seiner Frau Kunigunde bieten nähere Anhaltspunkte für die Datierung, denn die Croph sind 1334 als begüterte Familie in Judenburg archivalisch nachweisbar. Die Werkstätte, die diese Zyklen schuf, muß sehr groß und leistungsfähig gewesen sein. Ihre Produktion ist durch ihre charakteristische Formensprache leicht erkennbar, so daß es möglich ist, eine ganze Reihe von Verglasungen in der Obersteiermark und insbesondere in Kärnten dafür in Anspruch zu nehmen. Die Bezeichnung „Judenburger Werkstätte" geht auf den Wohnort der Stifterfamilie Croph zurück; den Sitz der Werkstätte dort anzunehmen ist aber nicht zwingend. Die geographische Verteilung der erhaltenen Scheiben dieses Ateliers lassen im Zusammenhang greifbarer künstlerischer Aktivitäten im zweiten Viertel des 14. Jahrhunderts eher an den Raum Friesach denken.

Die „Geißelung Christi" stammt aus einem heute neun Scheiben umfassenden Passionszyklus im Ostfenster des nördlichen Seitenschiffes. Gleichartige Langpässe (das sind spätgotische Medaillonformen) auf einem Teppichgrund bilden Bildrahmen und Aktionsraum für die wirkungsvoll in Szene gesetzten Passionsbilder: Christus im Zentrum an die Martersäule

gebunden, auf jeder Seite ein aggressiv attackierender Scherge.
In der Nacht vom 10. zum 11. Juli 1987 wurde in die Pfarrkirche St. Leonhard eingebrochen. Der Dieb zerschlug in der untersten Zeile des Nordfensters die Geißelungsscheibe und stieg durch das zerrissene Bleinetz in die Kirche ein. Sein Versuch, Kunstwerke zu stehlen, schlug fehl; zurück blieb ein zertrümmertes Glasgemälde. In langwieriger Restaurierungsarbeit konnte dieses aus unzähligen Scherben wiederhergestellt werden; die Aufmerksamkeit des Pfarramtes, alle Splitter aufzusammeln und zu sichern, und die Kunst der Restauratoren (Mag. Thomas HUSS und Karl FERTL) haben dies möglich gemacht.

Lit.: F. KIESLINGER, Gotische Glasgemälde in Österreich bis 1450 (1928), S. 74ff. – W. FRODL, Glasmalerei in Kärnten 1150–1500 (1950), S. 33ff., S. 61ff. (mit älterer Literatur). – E. FRODL-KRAFT, Monumenta Deperdita. Die Geschichte eines Glasgemäldeverkaufs, ÖZKD XIX (1965), S. 186ff. – E. FRODL-KRAFT, Problems of Gothic Workshop Practices in Light of a Group of Mid-Fourteenth-Century Austrian Stained-Glass Panels, Selected Papers from the XIth International Colloquium of the Corpus Vitrearum, in: Corpus Vitrearum, United States, Occasional Papers I (1985), S. 107–123.

E. B.

11.12

SIEBEN SCHMERZEN MARIAE

dat. 1696

Öl auf Leinwand, H 206/B 135 cm

Pfarrkirche Pustritz

Das großflächige Bild aus der Schmerzenskapelle der von St. Paul betreuten Pfarrkirche Pustritz zeigt eine Beweinung Christi in Form einer *mater dolorosa*. Die weinende Muttergottes mit sieben Schwertern in der Brust hält Arm und Kopf des toten Sohnes, der auf ihrem Schoß liegt. Die rechts davon kniende Maria Magdalena reinigt die Wunden seiner linken Hand. Eine phantastische Landschaft mit zwei Stiftsanlagen und neun Kirchen bildet den Hintergrund der Szene. In der Größe hervorgehoben sind die Pustritzer Kirche und das Stift St. Paul. Bei den weiteren dargestellten Kirchen dürfte es sich entweder um damalige Pfarr- und Filialkirchen St. Pauls oder um Maria geweihte Kirchen aus der umliegenden Gegend handeln. Der Auftraggeber des Bildes war der St. Pauler Abt Albert Reichart (1677–1727), dessen Wappen auf einem Sockel, der als Stütze für Marias linken Fuß dient, abgebildet ist.
Vermutlich vom selben Künstler, der auch die Benedikt- und Scholastikabilder in St. Paul (s. Kat.Nr. 13.3 u. 13.4) geschaffen hat. Ein Steinblock am linken unteren Bildteil trägt die Inschrift: *HIS PLAGATVS SUM IN DOMO EORUM, QUI DILIGEBANT ME. Zack.13.*

Lit.: S. HARTWAGNER, Pfarrkirche Pustritz (Kirchenführer, o. J.), o. S.

B. M.

11.13

HL. ANDREAS

Ende des 15. Jahrhunderts

Holz, vergoldet, H 120/B 75 cm

Pfarrkirche Pustritz

Die spätgotische Schnitzstatue eines einheimischen Künstlers zeigt den Märtyrertod des hl. Andreas. Der in Griechenland missionarisch tätige Apostel soll auf ein X-förmiges Kreuz („Andreaskreuz") gebunden worden sein, von dem er noch tagelang predigte. Der hier dargestellte Andreas mit langem gelockten Haar und Bart hat die Augen geöffnet und blickt nach unten.

B. M.

11.14–11.15

HLL. NIKOLAUS UND BISCHOF

Ende des 15. Jahrhunderts

Holz, goldene Fassung; H je 104 cm

Pfarrkirche St. Martin im Granitztal

Die beiden spätgotischen Figuren stehen in leichter S-Schwingung mit gestrecktem Stand- und etwas vorgebeugtem Spielbein auf einer Sockelplatte. Beide Figuren tragen Bischofstracht und halten den Krummstab in der einen, das Buch in der anderen Hand. Während sich die rechte Statue nicht eindeutig identifizieren läßt, ist die linke durch die drei Goldkugeln auf dem Evangelienbuch als hl.Nikolaus ausgewiesen. Dieses Attribut bezieht sich auf die Legende des Heiligen, der drei armen Mädchen, die ihr Vater in ein Bordell verkaufen wollte, drei Goldkugeln zugeworfen haben soll.

B. Wi.

11.16

MADONNA AUF DER MONDSICHEL

um 1520

Holz, dreiviertelansichtig; barocke Fassung: Mantel, Mondsichel und Krone gold; Kind und Gesicht Marias inkarnatfarben, Haare braun; einfache Plinthe; H 130 cm

Dreifaltigkeitskapelle Wolfsberg

Maria steht in S-förmig geschwungener Haltung auf der Mondsichel. Sie hält mit beiden Armen das nackte Kind vor ihrer Brust, das mit seinen Händen den Schleier Marias vor den Leib zieht und rafft. Maria trägt eine Kreuzblumenkrone und neigt ihr Haupt leicht nach rechts zum Kind. Der vergoldete Mantel ist in langgezogene Parallelfalten und unterhalb des Kindes in Schüsselfalten gelegt. Die auf der Plinthe und der Sichel aufliegenden Falten wellen sich blattförmig.
Die Schnitzstatue ist eine vermutlich lokale Arbeit der ausgehenden Gotik.

Lit.: Dehio-Kärnten (2. Aufl. 1981), S. 795. B. M.

11.17

KOLLNITZER TOTENSCHILD

nach 1587

Lindenholz, matte Bemalung; Dm 108 cm

Pfarrkirche St. Martin im Granitztal

In St. Martin befindet sich die Grabstätte der Herren von Kollnitz, deren Burg nördlich von St. Paul liegt. Die Begräbnisstätte wird schon erwähnt, als Amelbert von Kollnitz ab dem Jahre 1140 die Martinskirche errichten ließ.
In der Gruft von St. Martin wurde auch der am 23. September 1587 verstorbene Leonhard von Kollnitz beigesetzt. Wie aus der Inschrift am Grabdenkmal an der inneren Nordwand hervorgeht, war er der letzte seines Namens und Stammes, über dessen Sarg nach altem Brauch der Schild gebrochen und in die Gruft versenkt wurde. Das Wappen wurde als sog. Totenschild in der Kirche angebracht.
Im allgemeinen lassen sich zwei Arten von Totenschilden unterscheiden: gemalte und geschnitzte, wobei letztere meist auch bemalt waren. Diesem zweiten Typus gehört auch der Totenschild des letzten Herrn von Kollnitz an. Auf einer kreisförmigen, von einer Blumengirlande umrandeten Holzscheibe prangt das Kollnitzer Wappen. Es ist aus Lindenholz geschnitzt und tritt im Vergleich zu den detailliert ausgeführten Turnierhelmen und den kunstvoll geschlungenen Helmdecken zurück. Diese Helmdecken bilden akanthusartige Bänder, die den Raum zu Seiten des Wappens dekorativ ausfüllen. Der vom mittleren Helm gezierte, typische Renaissance-Schild ist geviert mit einem Herzschild. Dieser ist gespalten und zeigt rechts in Schwarz einen facettierten weißen Spickel, links ein in Rot und pfahlweise gestelltes gelbes Fischgerippe. Im ersten und vierten

Feld erscheint in Rot ein mit weißen Lindenblättern an der Oberseite bestückter, silberner Schrägbalken, im zweiten und dritten roten Feld ein schreitender Panther.
Die Helmzier des größeren Mittelhelms besteht aus einer Krone, einer rot-gelben Decke und sieben roten Straußenfedern, die mit einem gelben Fischgerippe belegt sind. Die seitlichen Turnierhelme werden mit rot-weißen Decken und Kronen, der rechts mit einem Brackenkopf, der linke mit dem natürlichen Pardel (Panther) geziert.

Lit.: Z. BARTSCH, Steiermärkisches Wappen-Buch, 1567, Faksimile-Ausgabe mit historischen u. heraldischen Anmerkungen von J. v. Zahn u. A.R. v. Siegenfeld (1893). – J. SIBMACHER, New Wappenbuch (1605). – H. HENCKEL-DONNERSMARCK, Der Kollnitzer Totenschild in St. Martin im Granitztal, Car. I 149 (1959), S. 732ff.

D. P.

11.18

HL. FLORIAN

unbekannter Maler, um/nach 1683

Öl auf Leinwand, H 120/B 70 cm

Filialkirche St. Johann am Johannesberg, südl. Seitenaltar

Das Altarbild zeigt eine alte Ansicht des Marktes St. Paul, darüber den hl. Florian, der Wasser auf ein im linken Vordergrund brennendes Gebäude, wohl Kollnitz, schüttet (s. Kat.Nr. 13.24).

Lit.: ÖKT 37 (1969), S. 36, Nr. 4, S. 466. – Dehio Kärnten (2. Aufl. 1981), S. 248.

F. L.

11.19

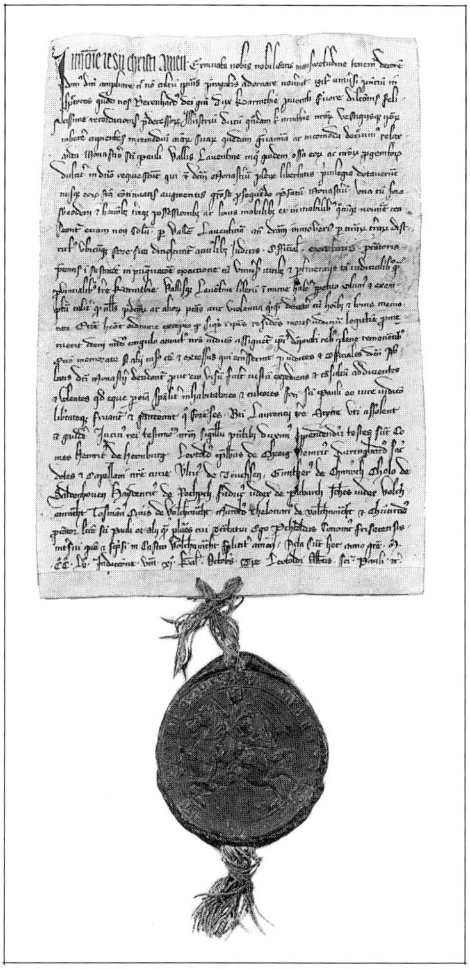

HERZOG BERNHARD VON SPANHEIM EXIMIERT DAS KLOSTER ST. PAUL SAMT DEM MARKT ETC. VON DER GEWALT SEINER RICHTER

1255 September 21, Völkermarkt; laut August von Jaksch (MC 4/1, Nr. 2605) Fälschung von ca. 1335

Pergament, echtes Wachssiegel des Herzogs an grünen Seidenfäden, H 26,8/B 18,1 cm

Faksimile der Urkunde im Österreichischen Staatsarchiv Wien (HHSTA)

Herzog Bernhard befreit das Kloster St. Paul, den darunter liegenden Markt, die Leute und

Besitzungen im Lavanttal und in allen seinen übrigen Gebieten von der Gewalt seiner Richter, mit Ausnahme des Gerichtes über Leben und Tod. Die mit dem Tode zu bestrafenden Übeltäter sollen unter Einziehung ihres Besitzes an das herzogliche Gericht ausgeliefert werden. Weiters verfügt der Landesfürst, daß die Bewohner des Marktes St. Paul (*inhabitatores et cultores fori sancti Pauli*) der selben Rechte teilhaftig werden sollten, wie jene des Marktes St. Lorenzen in der Untersteiermark (heute Slowenien).
Mittels dieser Fälschung versuchte das Kloster St. Paul, die offensichtlich schon geübte Niedere Gerichtsbarkeit gegenüber den neuen habsburgischen Landesherren urkundlich zu belegen.

Drucke: UB St. Paul, Nr. 90. – MC 4/1, Nr. 2605.
Lit.: W. FRESACHER, Geschichte des Marktes St. Paul im Lavanttal (1961), S. 15.

J. Gr.

11.20

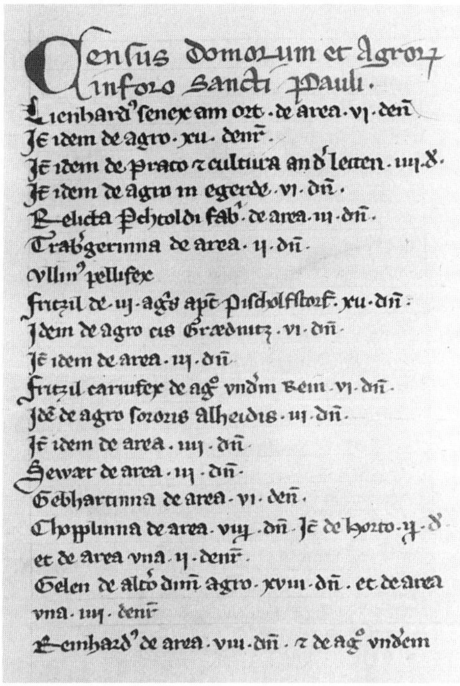
Census domorum et agrorum in foro sancti Pauli.
Lienhardus senex am ort. de area. vi. den.
Item idem de agro. xii. denr.
Item idem de prato et cultura an der leiten. iiii. d.
Item idem de agro in egerde. vi. den.
Relicta Pehtoldi fabri. de area. iii. den.
Trabgerinna de area. ii. den.
Ullinus pellifex
Fritzil de iii. agris apud Pischolfsdorf. xii. den.
Idem de agro cis Graednitz. vi. den.
Item idem de area. iii. den.
Fritzil carnifex de agro under dem Rein. vi. den.
Idem de agro sororis Alheidis. iii. den.
Item idem de area. iiii. den.
Sewart de area. iii. den.
Gebhartinna de area. vi. den.
Choppinna de area. viii. den. Item de horto. ii. d.
et de area una. ii. denr.
Gelen de alio dimidio agro. xviii. den. et de area
una. iiii. denr.
Leinhardus de area. viii. den. et de agro under dem

URBAR DES STIFTES ST. PAUL

1289/90

Original, Pergament, 55 Bll. in 8 Lagen, um 1305 geheftet; Seitenspiegel mit dünner Bleistiftlinierung; Blätternumerierung mit Bleistift aus dem 19. Jahrhundert; Text durchgehend mit brauner Tinte verfaßt, Überschriften sowie mehrere an den Rand gerückte Namen und Initialen rot, auch einzelne Buchstaben rot verziert; Einband: Holzdeckel mit fünf ca. 5 cm hohen Messingnägeln, Deckel außen mit dunklem, verziertem und gepreßtem, tw. beschädigtem Leder bespannt; glatter, heller Rücken mit Wülsten an den Heftstellen, Messingschließe mit kurzem Lederband beweglich gemacht.

Stift St. Paul, Cod. 284/0

Große Teile des Urbares wurden 1289/90 von mehreren Händen in Minuskelschrift verfaßt, Nachträge teils als Randglossen, teils über bzw. unter der Zeile oder in Zwischenräumen. Auch hier mehrere Hände des ausgehenden 13. und 14. Jahrhunderts. Einzelne Blätter wurden herausgerissen, manche sind löchrig, teilweise von Nadelstichen eingesäumt (Deckblatt), manche wurmstichig.
Von den hier aufgeschlagenen Seiten (fol. 19v, 20r) enthält die rechte (fol. 20r) in der Überschrift die definitiv älteste Nennung des Marktes St. Paul (*in foro sancti Pauli*). Der auf der linken Seite (fol. 19v) unten erfolgte Nachtrag der Abgaben im Amt Framrach ist ein Beleg dafür, daß dieses Verzeichnis länger in Gebrauch war.

Druck u. Lit.: W. FRESACHER, Die mittelalterlichen Stiftsurbare Kärntens, 2.Tl.: Die mittelalterlichen Urbare des Benediktinerstiftes St. Paul in Kärnten 1289/90 und 1371/72 (Österreichische Urbare. 3.3,2, 1968, mit detaillierter Beschreibung).

J. Gr.

WEITERE NENNUNGEN DES MARKTES ST. PAUL

In territorio lauentino curiam ipsam que dicitur ad sanctum Paulum cum adiacenti uillula que uocatur Brugga in Cod. 2/0, Anfang Mai 1091 (s. Kat.Nr. 3.15)
. . . *in loco qui uulgariter dicitur ad s. Paulum* in der Urkunde von Urban II., 26. März 1099, Lateran (s. Kat.Nr. 3.3)
. . . *villam quod forum dicitur* in der Urkunde von Lucius III., 21. September 1184, Verona (s. Kat.Nr. 3.5)

REVERS ÜBER EINE GÜTERSCHENKUNG ST. PAULS AN DIE BRUDERSCHAFT BEI DER PFARRKIRCHE ST. ERHARD

1459 September 9, St. Paul

Original, Pergament, H 39,5/B 21, Plica 5 cm; runde Wachssiegel der Edlen Veit von Las und Ruprecht Linzer an Pergament-Streifen; zeitgenössischer Rückvermerk: „Von gotshausen Stifftbrief gen. S.Erhartt umb die zway Guetter an der rieding. Von Lochner."

Stift St. Paul, UK 341 (b)

Der St. Pauler Marktrichter Kunz Weiß und die St. Pauler Bürger Hans Schrott und Asem Schmid, Zechmeister der Pfarrkirche St. Erhard und ihrer Bruderschaft, bekennen, daß der Abt Johann und der Konvent von St. Paul der Pfarrkirche, der Bruderschaft und ihnen zwei Güter an der Rieding gegen Abhaltung eines Jahrtages für Georg Lochner von Velldorf und dessen Vorfahren und Nachkommen mit Vorbehalt der Vogtei überlassen haben. Die Urkunde St. Pauls vom selben Tag (UB St. Paul, Nr. 524) nennt überdies eine für die Überlassung der Güter bereits bezahlte Geldsumme (ohne deren Höhe anzugeben) und den Vorbehalt, daß der Abt, sollten die Zechmeister die Bedingungen nicht erfüllen, die Güter wieder in seine Hand nehmen könne. Marktrichter und Bürger verfügten nicht über Siegel, weswegen der Revers durch die genannten Herren und mit deren Siegel beglaubigt werden mußte.

Regest: UB St. Paul, Nr. 525.

J. Gr.

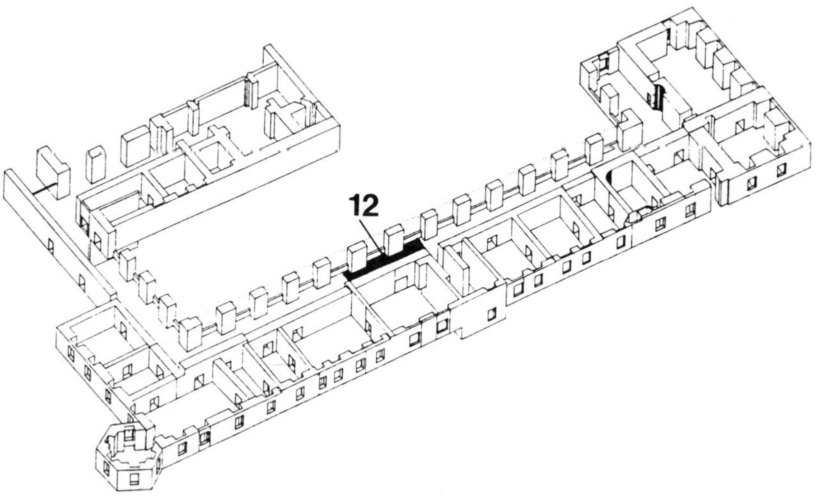

Aus der Krise zum barocken Höhepunkt

Im 16. Jahrhundert ist die Geschichte des Benediktinerstiftes St. Paul durch zahlreiche innere und äußere Schwierigkeiten gekennzeichnet. Als Kaiser Maximilian I. seinen Günstling, den Nürnberger Patriziersohn Ulrich von Pfinzing zum Abt einsetzte, begann damit einer der schwierigsten Abschnitte der Stiftsgeschichte. Abt Ulrich führte einen höchst aufwendigen Lebenswandel im Stile eines Renaissancefürsten und hat durch den Verkauf klösterlicher Güter das Vermögen des Stifts innerhalb seiner fünfzehnjährigen Amtszeit stark verringert (1515–1530). Dazu kamen die hohen Belastungen durch Sondersteuern, die vom Landesfürsten zur Finanzierung der Türkenabwehr verlangt wurden. Die Amtszeit des Abtes Matthias Furtner (1530–1550) ist von argen Spannungen mit dem damals ohnehin sehr kleinen Konvent gekennzeichnet, erst Abt Jakob Pachler (1550–1558) erreichte eine vorübergehende Verbesserung der geistlichen wie wirtschaftlichen Verhältnisse, sein Nachfolger Abt Thomas Mur (1558–1576) wurde dagegen wegen Mißwirtschaft und Verfall der geistlichen Disziplin (offenbar auch wegen protestantischer Neigungen etlicher Konventualen, die das Kloster verließen) seines Amtes enthoben. Er hatte das Kloster an den Rand des finanziellen Ruins gebracht.

12

Nicht viel besser ging es dem Kloster unter dem sehr weltlich gesinnten Abt Andreas Schaffer (1576–1583), erst unter dem umfassend gebildeten Abt Vinzenz Lechner (1583–1616) setzte ein leichter Aufschwung ein, wenngleich die wirtschaftliche Lage sehr trist blieb. Aus ihr konnte sich das Kloster erst durch den aus Schwaben stammenden tatkräftigen Abt Hieronymus Marchstaller (1616–1638) befreien. Mit ihm erreichte die Stiftsgeschichte ihren barocken Höhepunkt.

Auch solche Äbte hat es gegeben

Im 16. Jahrhundert gab es im St. Pauler Kloster Schwierigkeiten zur Genüge. Unter Abt Ulrich Pfinzing (1515–1530) – einem Günstling Kaiser Maximilians I. – erleidet das Stift einen gewaltigen geistlichen und materiellen Tiefschlag. Abt Ulrich führte ein verschwenderisches, weltliches Leben. So ein Leben kostet Geld, viel Geld. Darum veräußerte dieser Abt so viele Kostbarkeiten des Klosters, wie Pektoralien, Kelche, Bilder usw. In Innsbruck soll er sogar einmal wegen seiner (Spiel?)-Schulden seine eigenen Kleider – wohl nicht alle – verkauft haben. Das Kloster war am Aussterben. Ich habe den Eindruck – immerhin habe ich mich doch etwas intensiver in der St. Pauler Abt-Geschichte umgesehen – die Hauptbeschäftigung der Äbte des 16. Jahrhunderts war das Kaufen, Verkaufen und Tauschen von irdischen Gütern. So verfiel immer mehr die geistliche Klosterdisziplin. Etliche Konventualen verließen wegen protestantischer Neigungen das Kloster. Schließlich gab es unter Abt Matthias Furtner (1530–1550) nur mehr zwei Patres im Haus. Einige wenige Mitbrüder waren noch in den inkorporierten Pfarren tätig. Von einem Kloster als Gebets- und Tischgemeinschaft konnte wohl nicht mehr die Rede sein. Erst unter dem umfassend gebildeten und frommen Abt Vinzenz Lechner (1583–1616) setzte ein leichter Aufschwung ein, der erst unter seinem Nachfolger Hieronymus Marchstaller (1616–1638) zur vollen Blüte kam. Nun ja, Äbte gab es – solche und solche! Verlassen Sie diesen Raum, lieber Besucher der Ausstellung, und treten Sie durch das herrliche Tor von Thürn ein in eine neue Blütezeit des St. Pauler Stiftes!

12.1

ABT ULRICH PFINZING (1515–1530)

Kupferstich, H 13,8/B 9,5 cm

Stift St. Paul, Inv.Nr. 2731

Der Text der Schriftleiste am unteren Rand lautet: *ULRICH PFINTZING, Kegl: Maximil: I Pfennig: meister. und Abt. zu S Paul in Kärnden. Nat. 1484. den: 1530. c.f:*
Ulrich Pfinzing, der 1484 geborene Nürnberger Patriziersohn wurde von seinem Gönner Maximillian I. zum Schatzmeister und 1515 zum Abt von St. Paul ernannt. In Mönchstracht mit Buch, Rosenkranz und tonsuriertem Haar zeigt ihn auch das in Kupfer gestochene Porträt.

D. P.

12.2

PORTRÄT KAISER MAXIMILIANS I.

Stecher unbekannt

Kupferstich, H 16/B 13 cm

Stift St. Paul, Inv. 2577

Kaiser Maximilian I. (1493–1519) ist mit seinen Krönungsinsignien Reichsapfel, Zepter und Krone dargestellt. In seinem Harnisch – Maximilian wird „der letzte Ritter" genannt – nimmt er eine selbstbewußte herrschaftliche Pose ein.

B. Wi.

12.3

GLASMALEREI MIT ZWEI STIFTERINNEN (GEMAHLINNEN VON ULRICH HALLER)

unbekannter Nürnberger Maler; zwischen 1476 und 1480

Großteils schwarze Glasmalerei auf neutralem Grund; H 14,3/B 18,5 cm

Stift St. Paul

Diese nur in nuancierten Schwarztönen auf den Glasgrund gemalten Darstellungen zweier hintereinander zum Gebet kniender Frauen (mit Wappen) gehören zum Typus der Stifterscheibe. Nach den Untersuchungen der Nürnberger G. FRENZEL und F. SCHELBÖGL ist die im Vordergrund kniende Frau die erste Gemahlin des Nürnberger Bürgers Ulrich Haller (eine geborene Brigitta Groland, gest. 1473), die zweite Frau ist dessen zweite Gemahlin (eine geborene Magdalena Imhof, gest. 1497), die Haller, der mit Abt Ulrich Pfinzing verwandt war, 1476 ehelichte.

Lit.:ÖKT 37 (1969), S. 217, Nr. 2, Abb. 299.

W. H.

12.4

SIEGEL DES ABTES ULRICH PFINZING (1515–1530)

Original an der Urkunde von 1529 September 2

Wachs, Dm. 4,9 cm,

Stift St. Paul , UK 505

Das Siegelbild stellt eine fast unveränderte Weiterführung des Siegels von Abt Johann IV. Parenpichler (1500–1515) dar und zeigt in einer fein ziselierten Baldachinarchitektur aus reichem gotischen Maßwerk den thronenden Abt. In das Maßwerk ist zu beiden Seiten der Abtfigur je ein Wappen eingearbeitet, rechts das geschachte Stiftswappen, links ein geteilter Schild (das persönliche Wappen der Pfinzings). Daran schließen sich zu beiden Seiten außen dem gotischen Rollwerk nachempfundene, verschlungene Schriftbänder mit einer Inschrift in gotischer Minuskel an: *s(igillvm) vdal/ricvs ab/batis mo/nanaste/rii s(ancti) / pauli v/al(l) is l/aventin(ae).* In den Zwickeln der Schriftbänder links und rechts des Maßwerkes sind die Ziffern der Jahreszahl 1516 eingefügt. Die Datierung dieses Siegelbildes bestätigt, daß Abt Ulrich Pfinzing von seiner Benediktion im Feber 1516 bis zu seiner Resignation als St. Pauler Abt im Jahre 1530 immer den gleichen Siegelstempel verwendet hat.

Lit.: ÖKT 37 (1969), S. 492 u. Taf. II/32.

F. L.

12.5

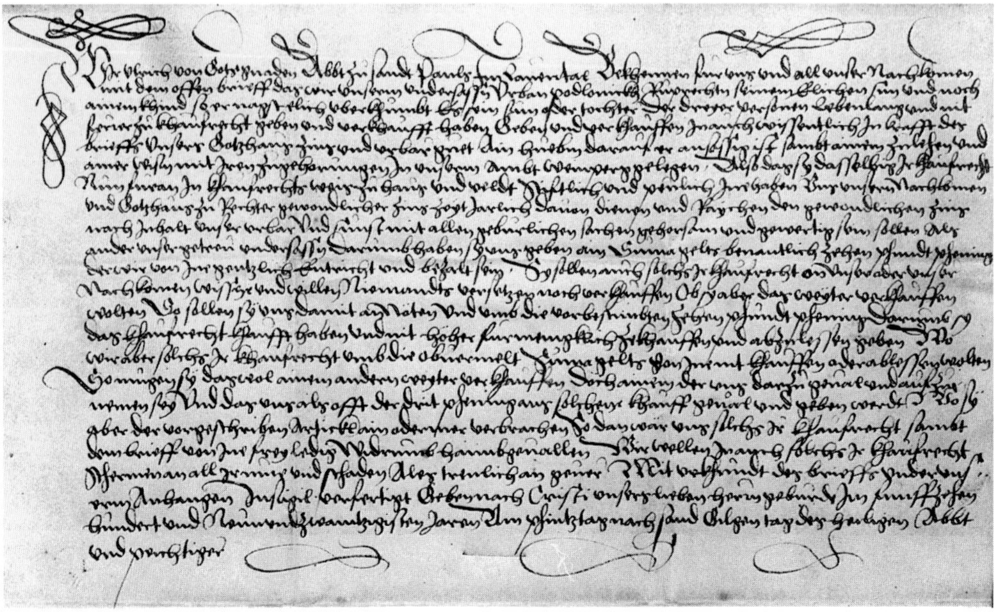

URKUNDE DES ABTES ULRICH PFINZING

St. Paul, 1529 September 2

Pergament, H 17,1/B 29,4 cm; Einschnitt für ein abgegangenes Abtsiegel

Stift St. Paul, UK 504

Abt Ulrich Pfinzing (1615–1630) verkauft dem Urban Podlonickh zu Kaufrecht eine Hube im Amt Weinberg um zehn Pfund Pfennige.
Ulrich Pfinzing benützte das Stift St. Paul mit seinen Besitzungen zur Finanzierung seiner kostspieligen Lebenshaltung. Da diese Ausgaben die Einnahmen des Klosters bald überstiegen, kam es zu Schuldverschreibungen und Güterverkäufen. Es zeichnen sich zwei Perioden ab, in denen der Geldbedarf auffallend groß war: einmal in den Jahren von 1521 bis 1523 und dann nochmals 1529/1530. Die Belastung der Jahre 1529 und 1530 hing nicht zuletzt auch mit den Steuern Ferdinands I. zusammen, der zur Finanzierung der Türkenkriege den vierten Teil der Klostereinkünfte – die sogenannte Quart – eingefordert hatte. Diese landesfürstlichen Steuern suchte Pfinzing durch den Verkauf stiftseigener Güter aufzubringen. So fielen in das Jahr 1529 eine ganze Reihe von Besitzveräußerungen; allein 41 Urkunden betreffen diesen kurzen Zeitraum (UK 488 bis 528).

Lit.: Verzeichnis von Urkunden, Handschriften und Akten von St. Paul i. L., Eberndorf, St. Blasien u. Spital am Pyhrn. Maschschriftl. (um 1950), S. 36ff.

F. L

12.6

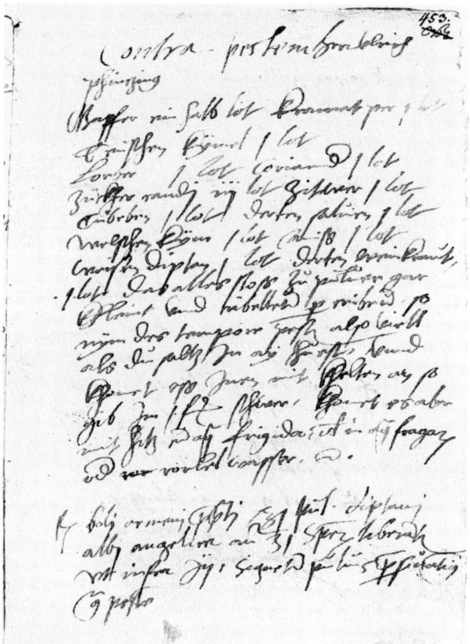

PESTREZEPT DES ABTES ULRICH PFINZING

16. Jahrhundert

Papier, 518 Bl.

Österreichische Nationalbibliothek, Wien, Cod.11.548, fol. 453r

In einer medizinischen Sammelhandschrift der Österreichischen Nationalbibliothek sind auf fol. 414r bis 469r eine ganze Reihe von Pestrezepten verzeichnet, unter ihnen eines mit der Überschrift *Contra pestem Herr Ulrich Pfintzing,* Abt von St. Paul (1515–1530).
Dieses Rezept für ein Pestmittel steht in der langen Reihe unzähliger (erfolgloser) Versuche, die Pest mit einer Mischung von Kräutern und ähnlichen Mitteln zu bekämpfen und zu heilen. Als Hintergrund dafür dient der alte Gedanke des Königs Mithridates VI. Eupator von Pontus (120–63 v. Chr.), mit einer Mischung von „Gegenmitteln" – Mithridaticum genannt – Krankheiten (und Vergiftungen) bekämpfen zu können. Späterhin wurden solche Mittel auch Theriak genannt. Abt Ulrich verwendet in seinem Rezept – vielfach waren diese „Privatrezepte" nach Tradition oder sogar nach eigener „Erfahrung" – gängige pflanzliche Mittel gegen die Pest wie Pfeffer, Lorbeer, Coriander und ähnliche mit Kandiszucker versetzt, zu Pulver gestoßen. Viele Kräuter-Bestandteile waren in Klöstergärten gezüchtet, also Heilmittel der alten Klostermedizin. Die Gewichtsangabe des Rezeptes ist in Lot, etwa 17 Gramm, angegeben. Diese Mixturen wurden bis in die Barockzeit verwendet, man denke an die Pestepidemien von 1679 und 1713.

Lit.: W. McNEILL, Seuchen machen Geschichte (1978). – H. SCHIPPERGES, Die Kranken im Mittelalter (1990). – Medizingeschichtliche Hinweise von K. SABLIK.

J. Gr.

12.7

KAISER MAXIMILIAN I. (1459–1519): THEUERDANK

Die geverlicheiten und eins teils der geschichten des loebliche(n) streitbaren und hochberümbten helds und Ritters Tewrdannckhs; Schönsperger, Augsburg 1519, 2. Aufl.

Druck, 293 Bll., H 36/B 25 cm

Stift St. Paul, Ink. 14.3.4

Das umfangreiche Rittergedicht in Reimpaarversen, das in allegorischer Einkleidung von der Brautwerbung Kaiser Maximilians I. um Maria von Burgund erzählt, gehört zumindest mit der privaten Luxusausgabe von 1517 zu den großen buchkünstlerischen Meisterwerken des 16. Jahrhunderts in Deutschland.
Nach R. NEWALD stammen von Maximilian selbst zwar Idee, Inhalt und Anlage, nicht aber die endgültige Textgestalt. Die blieb seinem Kaplan und Vertrauten Melchior Pfinzing, dem Bruder des St. Pauler Abtes Ulrich Pfinzing, überlassen, der auch Vor- und Nachwort zum Werk verfaßte. Neben Melchior Pfinzing haben v.a. Marcus Treitzsauerwein, Sigmund

Wolt weyter fahen mit dem Held
Dardurch Er ein mal würd gefelt
Fand gar bald einen anndern list
Wie der hernach geschriben ist.
Wie der Edel Tewrdannck durch anweysung des valschen Unfalo auf ainem Gembsen iayd abermalen ain geferlichait überstund dann Im ein ain stain nach überab geschlagen het.
55

Ink. 14.3.4., Bl. 125v

von Dietrichstein und Konrad Peutinger mitgearbeitet. Die 118 Holzschnitte stammen von Hans Burgkmair d.Ä., Hans Schäuffelein und Leonhard Beck.
Während der private Luxusdruck von 1517 nur für den engsten Kreis des Kaisers bestimmt war, erschien die erste für den Verkauf bestimmte Auflage 1519, nach Maximilians Tod. Die von Hans Schönsperger und Jost de Negker nach Vorlagen geschaffenen *Theuerdank-Typen* erinnern mit ihrer geschwungenen Schrift und den stark hervorgehobenen Großbuchstaben ganz bewußt an hochmittelalterliche Handschriften.

Lit.: G. MISCH, Die Stilisierung des eigenen Lebens in dem Ruhmeswerk Kaiser Maximilians, des letzten Ritters, Nachrichten von der Gesellschaft der Wissenschaften zu Göttingen (1930), S. 435–439. – H. APPUHN, Nachwort, Kaiser Maximilian I., Theuerdank, 1517 (1979), S. 589–602 (mit Literatur).

W.M. T.

12.8

MEDAILLE MIT DEN BILDNISSEN VON FÜNF BRÜDERN AUS DER FAMILIE PFINZING

nach Hans Schwarz (Augsburg um 1492 – nach 1521), Nürnberg 1519

Silber, gegossen, Dm 4,2 cm

Germanisches Nationalmuseum Nürnberg, Med 428

Vorderseite: Die Brustbilder der fünf Brüder, dem Alter nach gestaffelt. Umschrift: *CONCORDIAE. FRATERNAE.* (Gewidmet der brüderlichen Eintracht). Rückseite: Elfzeilige Inschrift: *EFFIGIES SIGISMVNDI MELCHIORIS PREPOSITI ECCLESIE SANCTI ALBANI MOGVNTINENSIS VDALRICI ABBATIS SANCTI PAVLI VALLIS LAVINII SEYFRIDI ET MARTINI PFINCZING: FRATRVM ANN M CCCCC XIX.* (Bildnisse der Brüder Sigismund; Melchior, Propst der Kirche von St. Alban in Mainz; Ulrich, Abt von St. Paul im Lavanttal; Seifried und Martin Pfinzing).

Der Anlaß für die Herstellung dieser Medaille, mit der zu brüderlicher Einheit aufgefordert wird – möglicherweise hatte sie bereits ihre Bewährungsprobe bestanden – ist nicht bekannt. Sigismund, der älteste der Brüder, war 1519 vierzig Jahre alt, Martin, der jüngste, neunundzwanzig Jahre. Nur die beiden dem geistlichen Stand angehörigen Brüder führen ihre Titel auf, wobei Melchior auf den Titel eines Propstes von St. Sebald in Nürnberg verzichtet, was mit dem Auftrag zusammenhängen könnte. Melchior (1481–1535) war unter den Brüdern der bedeutendste; während seines Studiums in Wien nahm er Kontakt zum Hof Kaiser Maximilians auf, wurde Kaiserlicher Geheimsekretär und war maßgeblich an der Abfassung des „Theuerdank" beteiligt (s. Kat. Nr. 12.7). Er war es auch, der den 1518 zunächst in Augsburg tätigen Medailleur Hans Schwarz, der 1519 nach Nürnberg übersiedelte, mit der Herstellung mehrerer Bildnismedaillen beauftragte. Die Bildnisse der Brüder Pfinzing zeigen unzweifelhaft die Hand des Hans Schwarz, ohne Parallele in dessen Werk ist jedoch der sehr dünne, technisch vorzügliche Silberguß mit einer Begrenzung aus einzelnen Punkten.

Kürzlich wurde eine fast identische, bislang unpublizierte Medaille bekannt, die ohne jeden Zweifel von Hans Schwarz stammt. Sie ist einseitig, aus Bronze gegossen und hat nicht den Punktreif. Die Inschrift lautet: *CONCORDIA FRATRVM.* Offensichtlich hat nach diesem Vorbild ein Nürnberger Goldschmied die Inschrift der Vorderseite geändert, eine Schriftrückseite hinzugefügt und mehrere, heute noch erhaltene Exemplare in Silber gegossen.

Lit.: G.HABICH, Die deutschen Schaumünzen des XVI. Jahrhunderts, Mitteilungen der Bayerischen Numismatischen Gesellschaft 54 (1936), S. 14f. – J. SMITH, Nuremberg a Renaissance City, 1500–1618. (1983), Nr. 141. – Nürnberg 1300–1550. Kunst der Gotik und Renaissance. Kat. des Germanischen Nationalmuseums (1986), Nr. 217.

H. M.

12.9 s. II, S. 728, Abb. 230

BRETTSTEIN MIT PORTRÄT KAISER KARLS V. (1519 – 1556)

Hans Kels (Kaufbeuren und Augsburg 1537 – 1566)

Einseitig gedrechselter Brettstein, Buchsholz, Dm 5 cm

Stift St. Paul

Avers: Bärtiges Brustbild, Dreiviertelansicht mit Barrett und Vlieskette.

Aus den Jahren 1530–1549 stammt eine ganze

Reihe von Brettsteinen, zu denen auch der vorliegende zu zählen ist. Die in der Literatur abgebildeten Stücke sind zumeist deutlich kleiner. Vom selben Künstler stammt auch das berühmte Brettspiel Kaiser Ferdinands I. im Wiener Kunsthistorischen Museum.

Lit.: ÖKT 37 (1969), S. 286, Nr. 1. – G. HABICH, Die deutschen Medailleure des XVI. Jahrhunderts (1960), S. 60. – M. BERNHART, Die Bildnismedaillen Karls des Fünften (1919), Nr. 45–49.

W. S.

12.10 s. II, S. 721, Abb. 223

PRÄGEMEDAILLE MIT KAISER KARL V. (1519–1556)

Hans Krafft (Nürnberg 1481–1542), nach einem Entwurf von Albrecht Dürer

Silber, Dm 7,2 cm

Stift St. Paul

Avers: *CAROLVS V RO IMP*
Gekröntes Brustbild nach rechts in Harnisch mit Collane; umgeben von den 14 Wappen der habsburgischen Erblande zwischen zwei schmalen Blattkränzen, oben durch die Säulen des Herakles mit der Devise *PLUS VLTRA* getrennt.
Revers: Doppelköpfiger Adler mit aufgelegtem Herzschild mit den Wappen von Österreich und Burgund; umgeben von 13 Wappen der spanischen Erblande, zwischen zwei schmalen Blattkränzen getrennt durch den Buchstaben *N* in Kranz.
Nach dem Tode Kaiser Maximilians I. im Jahr 1519 hatten die Nürnberger erwartet, daß der nächste Reichstag in ihrer Stadt stattfinden würde. Als Ehrengabe für den jungen Kaiser gab man die Anfertigung eines Schaupfennigs in Auftrag. Albrecht Dürer wurde dafür gewonnen, einen Entwurf herzustellen. Aus erhaltenen Korrespondenzen geht hervor, daß die schließlich ausgeprägten Schaustücke auf dem – wegen der in Nürnberg bestehenden Pestgefahr – nach Worms einberufenen Reichstag doch nicht dem Kaiser überreicht wurden. Der Anlaß für diese Änderung ist nicht überliefert. Zwei Erklärungen bieten sich dafür an: 1. der Kaiser war nicht mehr unbärtig, wie auf dem Schaustück, oder 2. der Kaiser, der wie sein Vorgänger in ärgsten Geldschwierigkeiten steckte, ließ verlauten, Geldgeschenke wären willkommener. Welche Ehrengabe der Stadt dann dem Kaiser überreicht wurde, ist nicht mehr überliefert.

Lit.: K. DOMANIG, Porträtmedaillen des Erzhauses Österreich von Kaiser Friedrich III. bis Kaiser Franz II. (1896), Nr. 36. – M. MENDE, Dürer-Medaillen, Münzen, Medaillen, Plaketten von Dürer, auf Dürer, nach Dürer (1983), S. 50–57.

W. S.

12.11 s. II, S. 729, Abb. 231

ORPHEUS UND EURYDIKE

Peter Vischer d. J. (Nürnberg 1487 – 1528); Signatur rechts unten (zwei von einem Pfeil durchbohrte Fische); um 1514/1515

Bronzeplakette (Probeguß), oben gelocht, Flachrelief; H 14,5/B 11,2 cm

Stift St. Paul

In diesem flachreliefhaften, mit einer „sprechenden“ Signatur (d. h. Illustration des Namens) bezeichneten Plakette in Bronzeguß ist die mythologische Szene des nach Eurydike sich eben umwendenden Orpheus als Gegenüberstellung zweier exemplarischer Aktfiguren dargestellt: Der schreitende männliche Akt in der muskulösen Gestalt des Orpheus und der stehend in Torsion befindliche weibliche Akt der en face gegebenen Eurydike. Zwei weitere, nach derselben Form gegossene Plaketten befinden sich in Berlin-Dahlem (Skulpturenabteilung der Staatl. Museen Preußischer Kulturbesitz) und Hamburg (Museum für Kunst und Gewerbe). Im oberen Teil sind bei diesen Exemplaren zwei lateinische Distichen angebracht, darunter die Signatur. Als direkte Anregung für diese Komposition Vischers ist Dürers Stich „Adam und Eva“ von 1504 anzunehmen; weitere Zusammenhänge bestehen mit einer Plakette Modernos und mit einem Stich Jacopo de'Barbaris (nackte Frau im Spiegel). Aufgrund der Vorlagen ist die Entstehung 1514/1515 anzunehmen.

Lit.: ÖKT 37 (1969), S. 283, Abb. S. 285. – Kat. St. Blasien 1983, Bd. I, S. 332, Nr. 286, Abb.: S. 333.

W. H.

12.12

MUSIZIERENDE GENIEN IN WALDLANDSCHAFT

Umkreis des Johann Silber, Nürnberg um 1580

Blei-Plakette, einseitig, oval, gerahmt; H 10,5/B 7,8 cm

Stift St. Paul

Das in der Ausarbeitung feine und flache Relief zeigt zwei Dreiergruppen von musizierenden und singenden Genien, die um eine „leere Mitte“ flankierend arrangiert sind. In dieser steht ein Kentaur (Chiron ?) in manierierter Pose. Das in allen Details genau ausgearbeitete Relief ist in der Art der Giambologna-Nachfolge gestaltet.

Lit.: ÖKT 37 (1969), S. 285, Nr. 2, Abb. 413. – R. MILESI, Manierismus in Kärnten (1973), S. 16.

W. H.

12.13

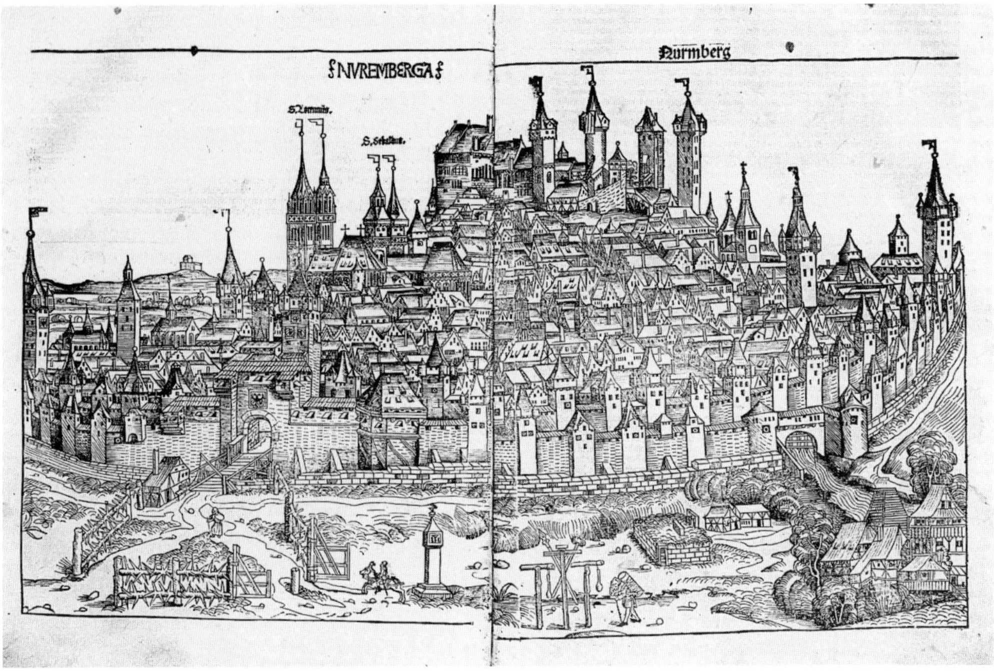

HARTMANN SCHEDEL: LIBER CHRONICARUM. DEUTSCH VON GEORG ALT

Anton Koberger, Nürnberg, 23. Dezember 1493

Universitätsbibliothek Klagenfurt, Ink. III 12724

Diese in lateinischer Sprache verfaßte und gleichzeitig übersetzte Weltchronik ist mit mehr als 2000 Holzschnitten versehen. Sie ist zugleich einer der umfangreichsten Drucke des 15. Jahrhunderts. Als Künstler der Holzschnitte sind Michael Wolgemut (Lehrer des jungen Albrecht Dürer) und Wilhelm Pleydenwurff bekannt.

Die Chronik des Hartmann Schedel ist ein Kompendium aus den verschiedensten Schriftstellern mit Einschluß der Bibel und geht über das Wissen des Mittelalters nicht hinaus. Es ist auch nicht der Text, der diese Chronik so bekannt gemacht hat, sondern der Druck und die Ausstattung. Die beiden Nachdrucke des Hans Schönsperger in Augsburg beeinträchtigten den erwarteten Geschäftserfolg der Originalausgabe schwer.

Lit.: H. KUNZE: Geschichte der Buchillustration in Deutschland. Das 15. Jahrhundert (1975).

P. P.

12.14

Schautafel:
REFORMATION IN KÄRNTEN

Die angemerkten Orte wurden auf Grund des im Jahre 1566 von 26 Kärntnern evangelischen Predigern verfaßten *Christlichen einfeltigen bekendtnus*...auf eine Grundrißkarte Kärntens übertragen. Das *Christliche einfeltige bekenndtnus*... (ÖNB Wien, Sign. 79 R 98) ist ein Druck unbekannten Ursprunges aus dem Jahr 1566. Es ist ersichtlich, daß die evangelische Kirchenbildung Kärntens nach der Absage der Reformation durch das Tridentinum vorwiegend in den Städten und größeren Orten Oberkärntens beginnt und sich später (1582) auch in den kleineren Orten sowie im Osten des Landes, weniger aber im gemischtsprachigen Gebiet durchsetzt. Im Jahr 1580 war neben dem geistlichen Stand der einzige katholische Landstand das Haus Ortenburg in Spittal an der Drau. In den Städten und größeren Orten waren neben den evangelischen Geistlichen evangelische Schulen eingerichtet, in Klagenfurt sogar eine landständische Schule und ein Gymnasium, das *Collegium sapientiae et pietatis*, das als Hochschule ausgebaut werden sollte.
In Ostkärnten waren es neben Völkermarkt die adeligen Sitze Waldenstein, Wiesenau und Bayerhofen, die in der zweiten Hälfte des 16. Jahrhunderts überwiegend evangelisch waren und sich als solche bis in das 17. Jahrhundert (1628) halten konnten. Auf Waldenstein an der Packstraße lebte der evangelische Landes- und Feldhauptmann Hans Ungnad von Sonneck (1483–1564), der seinen Dienst bei Kaiser Ferdinand I. aus Glaubensgründen quittierte und sein Vermögen dem Bibelübersetzungswerk Urach bei Tübingen widmete, in welchem der slowenische Reformator und Schöpfer der slowenischen Schriftsprache Primož Trubar (Primus Truber) als Übersetzer der Bibel und evangelischer Literatur arbeitete. Sein Schüler Georg Dalmatin vollendete das Übersetzungswerk im Jahre 1584. Nach Auflassung der Anstalt in Urach kamen die glagolitischen, cyrillischen und lateinischen Lettern nach Waldenstein. Ungeklärt ist bis heute, was mit dem Ungnadischen Letternmaterial geschehen ist.

s. II, S. 153ff.

Lit.:Ostmitteleuropas Bekenntnisschriften der evangelischen Kirchen A. und H.B des Reformationszeitalters 1564–1576 (1987).

O. S.

12.15

Schautafel: GEGENREFORMATION (70– TÄGIGER FELDZUG) DES BISCHOFS BRENNER IN KÄRNTEN

6. September 1600 – 15. November 1600

Die Reformation Martin Luthers hatte sowohl die österreichischen wie auch die innerösterreichischen Länder erfaßt und entwickelte hier ein eigenes Kirchen- und Schulwesen. Die evangelischen Landstände als eifrigste Förderer dieses Kirchenwesens, welches keine Machtstrukturen entwickelte, entschieden sich dafür, dem katholischen Habsburger im Kampf um das Bekenntnis nicht mit Gewalt entgegenzutreten, sondern wanderten aus. Die evangelische Bürger- und Bauernschaft wurde ebenfalls vor die Entscheidung gestellt, katholisch zu werden oder auszuwandern. Ein solcher Zwang zur Entscheidung wurde im Jahre 1600 vom Landesfürsten Ferdinand (II.) veranlaßt, indem er den Bischof Brenner von Seckau beauftragte, mit 300 Söldnern nach Kärnten zu ziehen, um die Bevölkerung zu rekatholisieren. Die Karte Kärntens zeigt die Reisebewegung des Bischofs während der 70 Tage dauernden Bekehrungsaktion. An den angegebenen Orten mußten die versammelten Bewohner nach einer mehrstündigen Predigt des Bischofs und nach Ablieferung ihrer „ketzerischen" Bücher einen katholischen Eid schwören, von ihrem „falschen" Glauben zu lassen oder auszuwandern. Im gleichen Jahr wanderten 300 Oberkärntner Bergleute mit ihren Familien aus und zogen im Winter über die Tauern nach Freudenstadt im Schwarzwald, wo sie Herzog Ludwig von Württemberg für seine geplanten Bergbauten ansiedeln wollte. Viele der protestantischen Bewohner schworen zwar den geforderten Eid, blieben aber als Geheimprotestanten in ihrer Heimat Kärnten. Erst 1781 konnten deren Nachkommen evangelische „Toleranzgemeinden" nach dem Willen Josephs II. gründen.

Lit.: J. ROSOLENZ, Gründlicher Gegenbericht, „Auf den falschen Bericht..." Grätz bei Georg Widmannstätter, anno 1607. – D. RUNGIUS, Bericht und Erinnerung von der tyrannischen Baptistischen Verfolgung des H. Evangelli in Steyermarkt, Kärndten und Krayn, Wittenberg s. a. – Weitere Literatur bei F. PICHLER, Ein siebzigtägiger Feldzug, Jb. der Gesellschaft für die Geschichte des Protestantismus in Österreich 14 (1893), S. 1–44.

O. S.

12.16

BILDNIS DES REFORMATORS MARTIN LUTHER (1483–1546) ALS AUGUSTINERMÖNCH

Nachfolge des Lukas Cranach d. Ä. (1472–1553); Mitte des 16. Jahrhunderts

Holzschnitt, H 15,4/B 12,2 cm

Göttweig, Graphisches Kabinett, Inv. Nr. D-XIX-I, 35, Nr. 35.

Inschrift: *Martin Lutherus,/ Augustiner Mönch.// Kurtzer/ jedoch wahrhafftiger/ Lebens-Lauff/ des theuren und in Gott seligen Mannes/ Doctoris Martini Lutheri,/ wie solcher in seiner Cellen im Augustiner Closter/ in Erffurt neben seinem Bildnuß ange-/schrieben, Zu finden./...*
Schrift des ausgehenden 17. Jahrhunderts, auch über die Bildrückseite sich erstreckend. Übernommene Datierung: Rechts über dem Gesims zum Bogenansatz der Luther hinterfangenden Nische mit *1520*. Seltenes Büstenporträt Martin Luthers als Augustinereremit im Ordenshabit, nach rechts gewandt und mit offener Bibel als Attribut in der unteren rechten Bildecke. Der Holzschnitt verwendet Cranachs Porträtvorlage und Datierung und schafft so um die Mitte des 16. Jahrhunderts ein vereinfachtes Lutherporträt unter Hinzunahme von Hans Baldungs (genannt Grien, 1484/85–1545) Luther- und Heiligenporträt. Dieses „Heiligenporträt" ist ausgestattet mit Strahlennimbus und Hl. Geist-Taube, aus dem Jahre 1521 und entstammt als Titelblattillustration den *Acta et Res gestae D. Martini Lutheri*, erschienen 1521 bei Schott zu Straßburg. Die Bibel hat attributive Bedeutung. Cranachs Kupferstichvorlage von 1520 mit Martin Luther als Augustinermönch predigend und lehrend vor einer Nische, ist seitenverkehrt und sehr frei im gezeigten Holzschnitt wiedergegeben, wobei die Rundbogennische, die im ersten Cranach-Stich fehlt, im zweiten Porträtstich jedoch vorhanden ist, abgewandelt wiederkehrt. Die Jahreszahl *1520* wurde einfach historisierend übernommen, vermutlich wegen der für Luther so wichtigen Bedeutung dieses Jahres; 1520 erschienen seine drei Hauptschriften *An den christlichen Adel deutscher Nation, Von der babylonischen Gefangenschaft der Kirche* und *Von der Freiheit eines Christenmenschen.* Am 10. Dezember 1520 verbrannte Luther auch die Bannandrohungsbulle des Paptes Leo X. Der handgeschrieben hinzugefügte Vitentext aus dem 17. Jahrhundert dürfte von einer Textvorlage des beginnenden 17. Jahrhunderts stammen, vielleicht nach einem Jubiläumstext zur Feier des 100-jährigen Thesenanschlags im Jahre 1617.

Lit.: Kat. Göttweig, Albrecht Dürer, sein Kreis und seine Zeit, Graphisches Kabinett (1964), S. 19, Nr. 105. – Kat. Göttweig, Albrecht Dürer, sein Kreis und seine Zeit, Galerie Haas Vaduz, Fürstentum Liechtenstein 1969, S. 22, Nr. 81. – Lucas Cranach d. Ä. 1472–1553, Das gesamte graphische Werk mit Exempeln aus dem graphischen Werk Lucas Cranach d. J. und der Cranachwerkstatt (1972), S. 207, S. 210. – Kat. Reformation in Nürnberg, Umbruch und Bewahrung (1979), S. 128, Nr. 131. – W. HOFMANN (Hrsg.), Köpfe der Lutherzeit (1983), S. 64f., Nr. 14, 14a; S. 110–113, Nr. 40–41. – Kat. Kunst der Reformationszeit, (1983), S. 134, Nr. B 73. – W. HOFMANN (Hrsg.), Luther und die Folgen für die Kunst, Hamburg Kunsthalle (1983), S. 152, S. 154, Nr. 27a–d. – Kat. Göttweig, Heiligenporträts, eine Auswahl aus der Göttweiger Sammlung (1988), S. 123, Nr. 134f.

G.M. L.

MARTIN LUTHER, CATHARINA LUTHER

nach Lucas Cranach 1525, Stecher J. E. Haid 1782, sign. u. dat.

Zwei Schabkunstblätter, H 20/B 13cm

Stift St. Paul, Inv.Nr. 2858–2859

Das erste Blatt zeigt das Brustbild Martin Luthers in einem Medaillon mit der Inschrift *1525* und darunter eine Tafel mit dem Text *D. MARTIN LUTHER, / gebohren zu Eißleben d 10. November 1483. / gestorben ebendaselbst d. 18. Februas 1546.*

Das zweite Blatt stellt seine Frau, *CATHARINA LUTHER, / gebohrne von Bore. / gebohren d. 29. Januar 1499. / gestorben zu Torgau d. 20. December 1552*, dar.
Sie wurde 1515 Zisterzienser-Nonne im Kloster Nimbischen, floh jedoch heimlich in der Osternacht 1523 mit elf weiteren Nonnen. Luther, der diesen Fluchtplan gekannt und unterstützt hat, heiratete Catharina am 13. Juli 1525.

Lit.: P. MANNS, Martin Luther (1982), S. 134f, Nr. 50f.

B. Wi.

12.18

DIE LUTHERBIBEL IN DER SLOWENISCHEN ÜBERSETZUNG DES GEORG DALMATIN

1584 gedruckt in der Churfürstlichen Sächsichen Stadt Wittenberg / durch Hans Kraffts Erben – Anno M. D. LXXXIIII

Druck, H 40/B 28 cm

Evangelisches Diözesanmuseum Fresach

Diese slowenische Bibelübersetzung durch den evangelischen Prediger Jurij Dalmatin in Laibach (Georg Dalmatin) ist das Hauptwerk der slowenischen Reformationsliteratur, welches nicht nur die glaubensmäßige und theologische Grundlage der slowenischen Kirche des 16. Jahrhunderts darstellt, sondern auch das Fundament der Schriftsprache überhaupt und damit den Anfang der kulturellen, schriftsprachlichen und auch politischen Eigenentwicklung des slowenischen Volkes. Dieser Übersetzung geht der Anfangsversuch des slowenischen Reformators Primož Trubar (Primus Truber, 1508–1586) voraus, der als Glaubensflüchtling aus Laibach (1547) in Rothenburg ob der Tauber einen lutherischen Katechismus nach Johannes Brenz in slowenischer – windischer – Sprache drucken ließ, um seinen Landsleuten, die arg unter den Türkenangriffen litten, die Tröstungen und Segnungen des Evangeliums zu vermitteln. Hans Ungnad von Sonneck auf Waldenstein griff diesen Gedanken auf und finanzierte die weiteren Übersetzungen evangelischer Literatur in der Hoffnung, daß die Türken, die vielfach Kroatisch und Slowenisch verstanden, sich zum Evangelium bekehren und somit ihre verheerenden Angriffe auf die christliche Welt des Westens einstellen würden. In Krain (Slowenien) entstand so eine slowenisch-sprachige evangelische Kirche mit einem Superintendenten und einer landschaftlichen Schule. An etwa 18 Orten des Landes entstanden evangelische Gemeinden, die im Jahre 1598 radikal ausgemerzt wurden. Die in Tübingen und in Laibach gedruckte Literatur, wie auch die slowenische Bibel, wurden zum größten Teil vernichtet, so daß die wenigen Exemplare dieser Glaubensliteratur zu den seltensten Druckwerken der Zeit zählen. Das vorliegende Exemplar kam als Kontrebande nach Kärnten, ohne Deckel und Schließen und wurde von einem geheimprotestantischen Sattler oder Schuster mit beidem versehen und an den ehemaligen Besitzer des Zwanzgerbauern (oberhalb Latschach) geliefert. Dort wurde es zufällig bei Renovierungsarbeiten vom dem jetzigen Besitzer gefunden, wobei es bei diesen Arbeiten mit der Picke verletzt wurde. Es ist samt Titelblatt vollständig.

Lit.: J. DALMATIN, Biblia 1584, Geschichte und Kultur und Geisteswelt der Slowenen, II. Teil, Abhandlungen bei Rudolf Trofeik (1976) (dort weitere Literatur).

O. S.

12.19

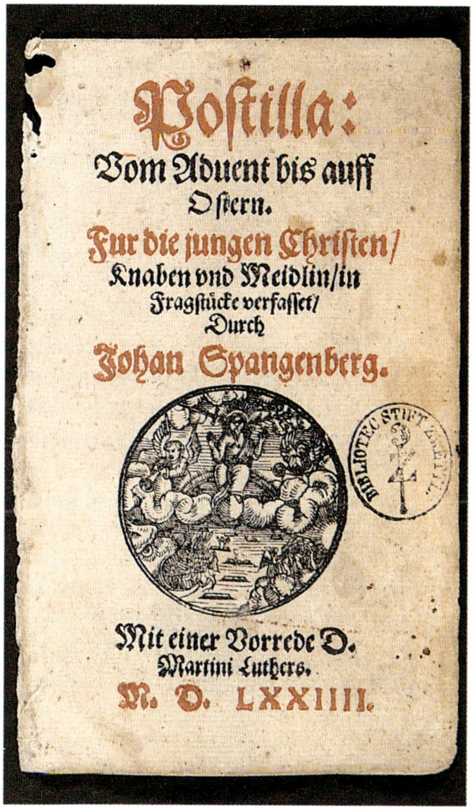

POSTILLE DES JOHANNES SPANGENBERG

1574

Druck des 16. Jahrhunderts mit Originalbuchdeckel; Klein–Oktav

Evangelisches Diözesanmuseum Fresach

Die *Postille für die jungen Christen...in Fragstücken verfaßt – post illa verba scripturae* – ist ein Predigtbuch, nach den altkirchlichen Evangelien- und Episteltexten des Kirchenjahres in drei bzw. vier Teilen verfaßt. Die Postille ist eingeteilt nach den Predigten über die Evangelien oder Episteln von Advent bis Ostern (I.), von Ostern bis Advent (II.), die Fest- und Feiertage (III.). Johannes Spangenberg, lutherischer Theologe, geboren in Hardegen bei Göttingen im Jahre 1484, hat diese Kirchenpostille als Pfarrer von Nordhausen in den Jahren 1542–1564 herausgegeben. Neben Luthers Postillen war dieses Predigtbuch das am meisten gelesene Andachtsbuch und wurde nicht nur vielemale aufgelegt, sondern auch in die slowenische, tschechische und ungarische Sprache übersetzt. Sie wurde besonders von den geheimen Bekennern des Luthertums in den österreichischen Ländern verwendet. Ihre Verbreitung verdankt sie der Methode des Dialogs, mit welcher der Sinn des Schrifttextes mit Fragen und Antworten erhoben wird.

Lit.: Lebensskizze in der Allgemeinen evangelischen–lutherischen Kirchenzeitung 1884, Nr. 13. – Allgemeine Deutsche Biographie 35 (1893) S. 43–46. – Realenzyklopädie für protestantische Theologie und Kirche, Bd. 18, S. 563–567. J. SPANGENBERG 1484–1546, in: Realenzyklopädie für protestantische Theologie und Kirche, Bd. 14, S.467.

O. S.

12.20

SPANGENBERG–POSTILLE

slowenisch, Laibach 1578

Druck aus dem 16. Jahrhundert mit selbstgefertigten Buckdeckeln; Quart

Evangelisches Diözesanmuseum in Fresach

Die Reformation hat das „Wort Gottes" in den Mittelpunkt des christlichen Glaubens gestellt. Nicht das Sakrament, nicht die priesterliche Hierarchie, sondern die Verkündigung des Gesetzes Gottes und des begnadigenden Evangeliums ist Trost, Stärke und Hoffnung des Menschen, der der Zusage Gottes in seinem Wort vertraut. Darum muß diese Zusage Gottes dem Menschen als Zeugnis, als Anrede, als Verkündigung gepredigt werden. Wer Gottes Zusage nicht hören kann, weil der reformatorische Glaube verboten ist, oder weil es keinen Prediger gibt, oder weil der Mensch nicht zur Predigt gehen kann, der soll das Wort Gottes lesen. Und so haben die Reformatoren und ihre Mitarbeiter ihre Predigten nach den altkirchlichen Episteln oder Evangelien aufgeschrieben und drucken lassen, damit die Menschen öffentlich oder geheim die Predigten lesen können. Die Postille, das Predigtbuch nach den Texten der Heiligen Schrift, ist das religiöse Instrument des allgemeinen Priestertums, wie es im Geheimprotestantismus und in der Diaspora unentbehrlich war.
Schon das große Werk des slowenischen Reformators Primož Trubar, das Neue Testament aus dem Jahr 1557, wurde mit einer kurzen Postille ausgestattet, und von Anfang an sprachen die evangelischen Slowenen den Wunsch aus, es möge ihnen die Postille des Johannes Spangenberg in ihre Sprache übersetzt werden. Diesem Wunsche kam 1567 Sebastian Krell nach und, nach seinem Tode, der Prediger Georg Juritschitsch aus Laibach im Jahre 1578. Der Drucker Hanns Mannel besorgte in Laibach den Druck für alle drei Teile (zur Einteilung s. Kat. Nr. 12.19). Das vorliegende Exemplar ist erst später gebunden und z. T. zeilenmäßig-gerecht vervollständigt worden, da es beschädigt war. Zwei Titelblätter und das Schlußblatt sind dennoch vorhanden. Es sind von dieser Postille nur etwa sechs Exemplare bekannt.

Zwei in der National- bzw. Universitätsbibliothek in Laibach, eines in der Seminarbibliothek in Görz, eines im Britischen Museum in London, eines in der Württembergischen Landesbibliothek und eines im Evangelischen Diözesanmuseum in Fresach, welches hier aufliegt.

Lit.: O. SAKRAUSKY, Die deutschen Vorreden zur slowenischen und kroatischen Reformation (1989), S. 498.

O. S.

12.21

DAS NEUE TESTAMENT TEUTSCH – MARTIN LUTHER

nach Martin Luther (1523 ?)

Oktav-Druckwerk, H 25/B 10 cm

Evangelisches Diözesanmuseum Fresach

Das Neue Testament teutsch – Martin Luther, gedruckt zwischen 1523 und 1525 als oberdeutscher Nachdruck der Wittenberger Drucke in Oktav. Titelblatt, Vorrede Luthers zum Neuen Testament sowie Aufzählung der Bücher des Neuen Testamentes fehlen. Glossar und Register der sonntäglichen Episteln und Evangelien sind vorhanden. Das Exemplar ist beschnitten und – wie aus handschriftlichen Anmerkungen ersichtlich – von einem Gelehrten gebraucht worden. Es ist mit einem Pergament-Missale, verstärkt durch Makulatur, eingebunden. Angeblich stammt dieses höchst seltene Exemplar aus Tirol.

Lit.: M. LUTHER, Kritische Gesamtausgabe. Die Deutsche Bibel, 2. Bde. (1909), Bibliographie 1522–1546, verfaßt von P. PIETSCH. – D. M. LUTHER, Die Ganze Heilige Schrift deudsch, Anhang und Dokumente (1972). – A. SCHÜTT, A. PETRIS, Bibelglossar, Ein wortgeschichtlicher Kommentar (1908).

O. S.

12.22

KATECHISMUS *(CATECHISMUS IN DER WINDISCHEN SPRACH)*

Primož Trubar (1508–1586), Neudruck (1935) eines 1550 erschienenen ersten Buches in slowenischer Sprache.

Oktav

Evangelisches Diözesanmuseum Fresach

Trubar wurde in Raščica (Raschtzitza, südlich von Laibach) geboren. Als katholischer Priester und Domherr wurde er zum Reformator des slowenischen Volkes, indem er nicht nur reformatorisch predigte und deshalb außer Landes fliehen mußte, sondern das erste slowenische Buch verfaßte und so zum Schöpfer der slowenischen Schriftsprache wurde. Er wollte seinen „lieben Slowenen" in ihrer Not unter dem Türkensturm mit der Kraft des Evangeliums helfen und schrieb deshalb seinen 144 Seiten starken Katechismus, der auch eine kurze Glaubenslehre, eine Predigt des Matthias Flacius Illyricus, den Katechismus nach Johannes Brenz und etliche evangelische Lieder enthielt. Gebete und die Litanei machten es auch für einen protestantischen Gottesdienst tauglich. Das vorliegende Exemplar ist das erste Faksimile nach dem einzig vorhandenen Original in der Österreichischen Nationalbibliothek.

Lit.: M. RUPEL, Primož Trubar, Zivljenje in delo (1962); ins Deutsche übersetzt von Balduin Saria (1965).

O. S.

12.23 s. II, S. 147, Abb. 12

GRABDENKMAL DES ABTES ULRICH PFINZING (1515–1530)

s. Kat.Nr. 27.7

Reproduktion

Das Kenotaph des Abtes Ulrich V. Pfinzing (1515–1530) war wohl das prächtigste Grabdenkmal der Renaissancezeit in der St. Pauler Stiftskirche. Im Zuge der Umbauten durch Abt Hieronymus Marchstaller (1616–1638) wurde es von seinem ursprünglichen Standort – möglicherweise in der nun abgetragenen Jakobskapelle – entfernt und offensichtlich dabei seiner prunkvollen Architektur eines künstlerisch aufwendig gestalteten Grabdenkmals beraubt. Einzelne Werkstücke finden wir in dem 1619 neu geschaffenen Sakristeiportal wieder (s. Kat. Nr. 27.8). Die eigentliche Reliefplatte aus rosagrauem Marmor mit der typischen dunkelroten Äderung wurde in der Ecke der Südwand des südlichen Querhauses aufgestellt und anläßlich der Restaurierung der Stiftskirche im Jahre 1937 neuerlich verlegt, diesmal weiter östlich an die Südwand des Querhauses. Bemerkenswert ist der dreigeschossige Aufbau, der das Grabmal – in der überlieferten Form wohl als Fragment des Kenotaphs anzusprechen – sehr stark überlängt und eigentlich nach einer konzeptiven Nachkonstruktion der ursprünglich prunkvollen Grablege verlangt. Der Mittelteil beeindruckt durch seine feine reliefhafte Bildung und Architekturgestaltung: in eine Portalhalle, gebildet seitlich aus typischen Renaissancepilastern mit darübergestelltem kassettiertem Bogen, ist die lebensgroße Standfigur des gut vierzigjährigen Abtes eingestellt. Das mit der reich verzierten Mitra bedeckte Haupt teilt die mit Rosetten geschmückte Decke des Bogengewölbes und ist unterlegt von einem vegetabilen Fruchtgewinde, letzteres gleichsam symbolhaft als lebensfreudig-dekorative Auflösung des sonst üblichen Totenkissens. Die Gewandung gibt die Musterung des aus Damaststoff geschnittenen Pluviale wieder, aber auch Infel, Pektorale, Pedum und Gebetbuch überzeugen als besonders dekorative Gestaltungselemente.

Die Sockelzone erinnert an eine Predella und erfüllt im Zusammenhang mit der heraldischen zugleich auch eine genealogische Aussage: hier finden sich die Wappen Pfinzings, Gruntherrs, Hallers und Ropffs. Über dem diesen Mittelteil des Grabdenkmals bekrönenden Gesims ist in das Halbrund des Lünettenbogens mit Muscheldekor das Wappen des Benediktinerstiftes eingefügt. Die unterhalb des predellaartigen Sockels beigefügte achtzeilige Inschrifttafel wirkt trotz der seitlichen Dekorabschlüsse beim Anblick des Gesamtwerkes unpassend und scheint in der ursprünglichen Konzeption an anderer Stelle eingeplant gewesen zu sein. Ihr Text lautet:

REVERENDVS VLRICVS PATRICIA APVD NOREMBERGAM / PHINZI(N) GORVM FAMILIA NATVS DIVI IMPERATORIS / MAXIMILIANI CONSILIARIVS ET THESAVRARIVS OB / SPECTATE FIDEI MERITA HVIC SACRO CENOBIO / ABBAS CONSTITVTVS POST BENE ADMINISTRATA(M) / PRELATVRAM PIE IN CHR(IST)O OBNORMIENS HOC / TVMVLO CONTEGITVR ANNO DOMI(NI) MILLESIMO / QVINGENTESIMO.

Lit.: R. MILESI, Loy Hering und das Grabmal des Abtes Ulrich Pfinzing, Car. I 149 (1959), S. 133 ff. – ÖKT 37 (1969), S. 160 ff., Abb. 211, 213 u. 214. – Dehio-Kärnten (1981), S. 588.

F. L.

12.24

WAPPENGRABSTEIN DES ABTES ULRICH PFINZING (1515–1530)

unbekannter Künstler, 1530

Grabplatte aus weißem Marmor, H 172, B 82 cm

Reproduktion, Original in der nördlichen Seitenkapelle der Stadtpfarrkirche Maria Magdalena in Völkermarkt

Abt Ulrich V. Pfinzing (1515–1530) resignierte 1530 als 32. Abt von St. Paul, zog sich in sein Schloß Haimburg bei Völkermarkt zurück und ist hier am 30. Dezember 1530 gestorben. Er wurde in der Marienkapelle der Stadtpfarrkirche Maria Magdalena zu Völkermarkt beigesetzt. In dieser Kirche erinnert, verglichen mit dem Prunkgrabmal in St. Paul, nur ein recht einfacher Wappengrabstein an ihn: oben ist in eine Rundbogenarchitektur ein sechszeiliges Schriftfeld eingestellt, begleitet von dekorativem Muschelornament, darunter findet sich das persönliche Wappen des Abtes (geteilt).

Der Erwirdig / unnd Edl herr ulrich phinzing / Ist aus willen des almechtigen / gestorben an freitag nach dem / heilige(n) Cristag im 1530. iar / Gott sei unns allen genedig.

Lit.: R. STRELLI, Das Stift St. Paul in Kärnten unter Abt Ulrich Pfinzing, SMGB NF 5 (1915), S. 95ff.

F. L.

12.25

GRABDENKMAL DES ABTES THOMAS MUR (1558–1576)

unbekannter Künstler, 1575

Grabplatte aus hellgrauem Marmor, H 214/B 105 cm

Reproduktion, Original am ersten nordwestlichen Pfeiler der Stiftskirche St. Paul

Eine in die Blattkapitelle eingearbeitete Jahreszahl *1575* weist dieses Grabdenkmal als eine Arbeit aus, die noch zu Lebzeiten des Abtes in Auftrag gegeben wurde. Abt Thomas Mur ist in vollem Ornat, in etwas gedrungener Ganzfigur in eine Nischenarchitektur gestellt, mit

Mitra, Pektorale, aufgeschlagenem Gebetbuch und dem Pedum in der Linken. Auf überlängten Pfeilerpostamenten stehen gedrungene Balustersäulen mit zu kleinen Blattkapitellen. Der sich darüberspannende schmale Bogen drückt mit dem eingestellten Muschelornament der Bogennische zu stark auf die Figur des Geistlichen. Die Deckplatten der Kapitelle bekrönt je ein Wappenschild, links mit dem Stiftswappen (geschacht), rechts dem seitenverkehrt gearbeiteten Kärntner Landeswappen; zu Füßen des Abtes ist ein dritter Schild mit seinem persönlichen Wappen (gespalten, belegt mit zwei Brotwecken übereinander) gestellt.
Abt Thomas Mur galt als Anhänger der Lehre Luthers. 1567 wurde er vom Salzburger Erzbischof exkommuniziert und abgesetzt, dann wieder als Abt anerkannt. 1576 erfolgte seine endgültige Absetzung durch Erzherzog Karl. Am 8. Juni des selben Jahres ist er verstorben.

Lit.: ÖKT 37 (1969), S. 164f., Abb. 216.

F. L.

12.26 s. II, S. 369, Abb. 56

EPITAPH DES SEYFRIED VON DIETRICHSTEIN AUF RABENSTEIN

unbekannter Künstler, 1583

weißer Marmor, H 85/B 153 cm

Reproduktion, Original in St. Paul, am Gang des westlichen Stiftsgebäudes

Das Epitaph des Seyfried von Dietrichstein auf Rabenstein zählt zu den besten Beispielen protestantischer Grabmalplastik des 16. Jahrhunderts in Kärnten. Von beachtlicher Qualität ist der Mittelteil des dreigeschossigen Grabmalaufbaues. Der gerüstete Ritter mit der Lehensfahne kniet betend vor dem Gekreuzigten; vor ihm der Helm, unter dem Kruzifix das Wappen der Dietrichstein: schrägrechts geteilt, belegt mit zwei Winzermessern. In der Mitte des Bildfeldes zeigen zwei Schrifttafeln mit Bibelstellen die protestantische Tradition des geschriebenen Wortes gegenüber der bildlichen Darstellung. Seitlich begrenzen zwei Pilaster mit Karyatidhermen mit jonischen Kapitellen den Mittelteil. Am abschließenden Gesims finden sich drei Wappen: links Frau(e)nberg, in der Mitte Neuhaus, rechts Leisser. Der gestelzte Halbkreisbogen des Aufsatzes zeigt die Erlösung von Adam und Eva aus der Vorhölle durch Jesus. Der Bogenrand trägt eine Inschrift, der Aufsatz wird von weiblichen Statuetten flankiert. Eine dritte findet sich am Scheitel des Bogenfeldes.
Kaiser Maximilian belehnte Siegmund von Dietrichstein 1514 mit der Feste Rabenstein, deren Verwaltung an dessen Bruder Franz überging, der hier die Linie „Dietrichstein auf Rabenstein" gründete. Der Sohn Franz' von Dietrichstein, Seyfried, war kaiserlicher Rat und hatte das Erbschenkenamt im Herzogtum Kärnten inne. Er war dreimal verheiratet: in erster Ehe mit Margarethe von Frauenberg, dann mit Katharina von Neuhaus, die 1570 verstorben ist. Seine dritte Ehefrau Anna Leisser (Leysser) dürfte schließlich nach dem Tode Seyfrieds von Dietrichstein am 21. Jänner 1583 das Grabdenkmal in Auftrag gegeben haben. Inschrift in gotischer Minuskel mit Frakturversalien:
Hie ligt begraben der Edl und Gestreng Herr Seyfridt vo(n) / Dietrichstain auf Rabenstain Erbschenkh In Karndten / Weiland Röm(isch) Kay(serlicher) und Künig(licher) May(estät) Ferdinandi / Hochseligister gedechtniß gewester Kriegs Rath auf der / Windischen Grenitzen: und neben Im sein ander eelich / Gemahel fraw Khaterina geborne von Neuhauß welche / Baide: Sy Anno Lxx. Er aber Hernach als er seines / Alters Lxvii Jar alt worden den xxi tag January An(n)o Domi(ni) / M.D.Lxxxiii seligtlich in Christo dem Herrn entschlaffen. / Gott verleihe Inen baiden ein fröliche aufferstheung Ame(n).

Lit.: R. MILESI, Manierismus in Kärnten (1973), S. 52, Abb. 78–79. – ÖKT 37 (1969), S. 165ff.

F. L.

12.27

„BISCHOFSSTEIN" MIT WAPPENSTEIN AUF SCHLOSS REIDEBEN

unbekannter Künstler, 1581; ursprünglicher Standort war die bambergische Bischofsresidenz (sog. Bischofshöhe beim Schloß) in Wolfsberg

Tischarchitektur aus grauem Marmor, H (ohne Sockel und Aufsatz) 66/ B 88 cm

Reproduktion, Original vor dem Osttor des Schlosses Reideben

Auf einer kreisrunden Sockelplatte trägt ein zylindrischer Aufbau eine dreieckige Tischplatte mit abgeflachten Ecken und einer am Plattenrand umlaufenden Inschrift in gotischer Minuskel mit Versalien. Der tragende Steinzylindersockel wird von drei hochovalen, konkav eingewölbten Wappenschilden mit oben abschließendem Rollwerk unterstützt: ein Schild zeigt die Darstellung des guten Hirten mit dem Lamm, ein zweiter drei Reliefwappen [Bischof Johann-Georg Zobel von Giebelstatt (1577 - 1580), Bischof Martin von Eyb (1580–1588) und Vizedom Johann-Friedrich Hoffmann Freiherr von Grienpichl (1581–1584)], ein dritter schließlich die nachfolgende Inschrift: *Er ist umb unser / Sund und missetat / Zerschlagen unnd / Verwundet / Und umb unser ge/rechtigtkheit willen Widerumb Auff / erweckht.* Eine auf die Tischplatte gestellte Plastik eines steinernen Dreikopfes stellt eine eigenwillige Zusammenfügung von drei barhäuptigen Gesichtern dar, die in ihrer unterschiedlichen Zeichnung „drei Lebensalter" personifizieren können. Die Plastik ist durch die Stifter, die beiden dem Protestantismus durchaus wohlgesinnten Bamberger Bischöfen Zobel von Giebelstatt und Eyb so wie den Vizedom Hoffmann, und die darauf angebrachten Bibelzitate als „Denkmal protestantischer Kunst" anzusprechen. Die am Tischrand umlaufende Inschrift lautet:
Ich bin der weg die warheit und das leben[.]Niemand kombt zum Vatter denn durch mich ich bin die tür so iemand durch mich Eingehet [Amen]

Lit.: R. MILESI, Manierismus in Kärnten (1973), S. 48ff. – Dehio-Kärnten (1981), S. 493.

F. L.

12.28

ERSTE UND LETZTE SEITE DES KÄRNTNER BEKENNTNISSES VON 1566

Reproduktion

Nach der Verwerfung der reformatorischen Bewegung durch das Konzil zu Trient (1562) mußte von reformatorischer Seite eine bekenntnismäßige Grundlage zur Bildung und Konsolidierung des entstehenden evangelischen Kirchenwesens geschaffen werden. Das bereits 1530 Karl V. in Augsburg vorgelegte evangelische Bekenntnis verstand sich noch als Reformbekenntnis innerhalb des katholischen Kirchenwesens, das aber in der Auseinandersetzung mit dem Katholizismus hinsichtlich der unterschiedlichen Auffassungen gegenüber diesem nicht abgrenzend genug formuliert war. Auf Grund verschiedener Unterstellungen seitens des Landesfürsten Karl fühlten sich die evangelischen Geistlichen, die ehemals römisch-katholische Priester waren, verpflichtet, die Unterstellungen abzuwehren und vereinigten sich so zu einem *Christlichen einfeltigen bekendtnus der evanglischen Prediger Kerndtens* im Jahre 1566. Dieses Bekenntnis ist auf dem Augsburgischen Bekenntnis aufgebaut, enthält aber viel mehr Abweisungen römisch-katholischer Lehre und Brauchtums. Ein ähnlicher Vorgang ist auch in den österreichischen Ländern (Ober- und Niederösterreich) wie auch in den Böhmischen Ländern (*Confessio bohemica* 1575) festzustellen.
Das Bekenntnis hat eine Einleitung, in welcher sich die Geistlichen an den Landesfürsten Karl wenden, dann sieben Artikel und einen Beschluß, in dem die Herren dem Fürsten gegenüber ihren weltlichen Gehorsam bezeugen. Die sieben Artikel sind: *Vom Gesetz / Rew oder Buß; vom Evangelio / Glaub oder gnediger vergebung der Sünden; von den Sacramenten; von der Meß; von dem neuen Gehorsam oder guten Wercken der Kinder Gottes; von dem Haubt der Kirchen; von dem Beruff vnd Wandel der Kirchdiener.*
Das Bekenntnis wurde dann von 26 Geistlichen der angegebenen Orte unterschrieben. Es galt bis zum Jahre 1578, nachdem das Kärntner Kirchenwesen seine Regelung durch das Brucker Libell erhalten hatte.

Lit.: s. Kat.Nr. 12.14.

O. S.

12.29

GRABPLATTE DES FÜRSTBISCHOFS MARTIN BRENNER (1548–1615)

Marmor, H 240/B 128 cm

Reproduktion, Original in Seckau an der Nordwand der Bischofskapelle

Martin Brenner wurde 1548 in Dietenheim geboren. Er studierte in Dillingen, Ingolstadt, Padua und Pavia. Dem Salzburger Erzbischof Johann Jakob von Kuen-Belasy als tüchtiger Theologe empfohlen, wurde Brenner Rektor des neugegründeten Priesterseminars und Stadtpfarrer in Salzburg. Bald darauf avancierte er zum Fürstbischof von Seckau (1585–1615) und wurde damit zugleich Salzburger Generalvikar für die Steiermark. Als Leiter der Reformationskomission führte er in der Steiermark die Gegenreformation durch und wirkte auch durch Predigt, Visitation und Klerusreform am Aufbau neuen kirchlichen Lebens mit. Auch in Kärnten reformierte er – hier gemeinsam mit dem Landeshauptmann Graf Hans Ortenburg (1600) –, vermochte es aber vorerst nicht, die protestantische Bevölkerung, die passiven Widerstand leistete, dem katholischen Glauben wieder zuzuführen. Erst eine zweite Visitation 1604 war erfolgreicher.

In den Annalen des Stiftes St. Paul mit (Erläuterungen von G. Freiherr v. Ankershofen) ist zu lesen:- *1600 - in diesem Jahr nimmt Erzherzog Ferdinand die Rel. Reformation vor in Steiermark, Kärnten und Krain...und weil bei St. Paul auch viele Unterthanen mit dem leidigen Lutheranismus infiziert, hätte der Bischof (Brenner von Seckau) auch auf St. Paul kommen sollen und alldort reformieren. Er befahl aber solches dem Abte Vinzenz und gab ihm folgende Instruktion: Erstlich soll der Abt alle Bürger und Untertanen für sich fordern und ihnen folgendes Jurament vorhalten: Ihr werdet hiemit schwören einen leidlichen Eid, daß ihr dem Duchlautigen Fürsten und Herrn, Herrn Ferdinand, Erzherzog zu Österreich, unsern gnädigsten Herrn und Erblandts–Fürsten und deroselben nachgesetzten Obrifkeiten zu jeder Zeit, bei Tag und Nacht getreu, gehorsam und gewärtig, wollet dem Gebot und Verbot in Allem wirklich nachleben, euch aller sektischen Prädikanten und derselben verführlich und verdammlicher Lehren und Exerzitien gänzlich zu enthalten, entgegen aber der alten katholischen und alleinseligmachenden Religion immer mehr zugetan verbleiben und in Summa auch also erweisen, wie es ehrlichen Leuten zusteht und ihr gegen Gott verantworten könnet. Darauf sollen sie mit aufgehobenen Fingern nachsprechen: Wie mir jetzt vorgehalten ist, und ich zu tun beschieden bin, dem will ich also nachkommen als wahr mir Gott helfe und sein heiliges Evangelium.*

Diejenigen aber, die sich des Juraments weigern mit der Beicht und Kommunion unter einerlei Gestalt sich innerhalb sechs Wochen und drei Tagen nicht einstellen und Gehorsam leisten werden, soll der Abt aus allen fürstlichen Landen in den bestimmten Termin, bei Verlierung des Leibs, Guts und Hab neben Abziehung des zehnten Pfennings ausschaffen.

Am Ende soll der Abt allen seinen Bürgern und Untertanen und Pfarrleuten alle sektischen Bücher undverzüglich abfordern und öffentlich verbrennen. Schließlich soll der Abt die Communion beiderlei Gestalt sowohl bei Priesterschaft und allen Pfarren und Pfarrleuten abstellen, die vierzigtägigen Fasten und andere Fasttage wiederum anstellen und von Öffentlicher Kanzel verkünden lassen, und hierüber ausführlich berichten. Auf diese Reformations–Exekution sind zu Klagenfurt und im Land gar viel Einwohner vom Adel und sonst aus dem Land hinweg gezogen.

Lit.: G. FREIHERR VON ANKERSHOFEN, Ungedruckte Materialien zur Geschichte Kärntens im 16. Jahrhundert, AVGT 3 (1856), S. 20–37. – J. WODKA, Kirche in Österreich (1959), S. 221ff.

J. Gr./O. S.

12.30

INTARSIENTÜR AUF SCHLOSS THÜRN

unbekannter Künstler, 1589

Holz mit reicher Intarsienarbeit, H 350/B 295 cm

Privatbesitz

Portalartiger Türaufbau in architektonischer Nachbildung renaissancezeitlicher Stadttore, mit Diamantquadermotiven, Rollwerkornamenten und kunstvoll gestalteten intarsierten Füllungen. Unter dem Dreiecksgiebel der eigentlichen Eingangstüre findet sich die Jahreszahl 1589, im Aufsatz über dem Kärntner Wappen eine Inschrift in goldfarbenen, kapitalen Buchstaben: *CAROLVS.ARCHIDVX. CARINTHIAE REGNANS.AN(N)O.M. D.X[..]*
1989 wurde die Tür als Dauerleihgabe von Frau Ilse Knoch dem Stift überlassen.

Lit.: R. MILESI, Manierismus in Kärnten (1973), S. 73.

F. L.

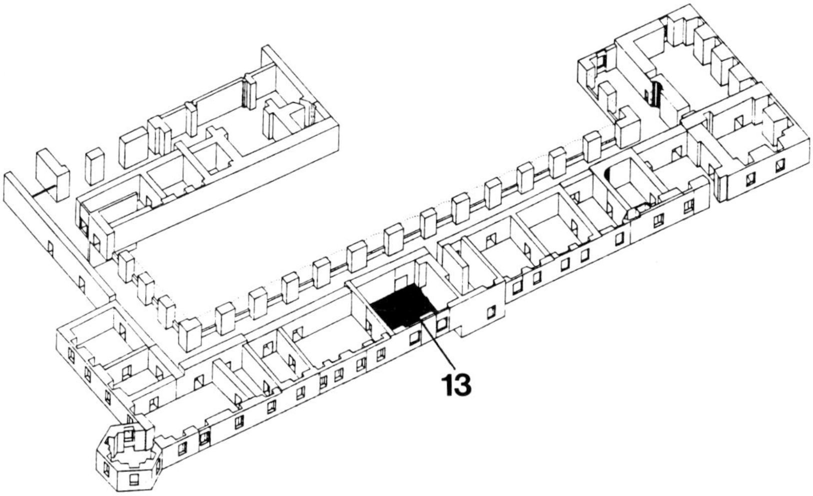

13

Die Blütezeit des 17. Jahrhunderts

Diese in der Klostergeschichte herausragende Epoche wird durch das ausgestellte Modell der Idealanlage des Klosters dokumentiert. Die ersten Um- und Ausbauarbeiten, die der Rettung und Erneuerung des Stiftes dienen sollten, setzten unter Abt Hieronymus Marchstaller (1616–1638) ein. Das Urbar der Herrschaft Kollnitz (1651) veranschaulicht den Stand der Bauarbeiten während der Amtszeit Marchstallers. 1625 gab Marchstaller den Auftrag zur Errichtung eines neuen Hochaltars in der Stiftskirche an Michael Hönel, den Meister des Gurker Altars. Marchstaller galt schon zu seinen Lebzeiten als der zweite Gründer St. Pauls, nicht nur wegen seiner umfassenden Bautätigkeit, sondern auch wegen seiner religiösen Reformen und seiner positiven Wirtschaftsführung. Auch als Archivar und Historiograph machte sich Marchstaller verdient.

Den Schlußpunkt der Blütezeit des 17. Jahrhunderts setzte der kaiserliche Rat und Lehrer an der Benediktineruniversität Salzburg Abt Albert Reichart. Reichart war auch Berater der Bischöfe von Salzburg und Bamberg und Mitglied des Kärntner Landtages ab 1691.

Zu Johann Freiherr von Valvasor, dem Schöpfer der "Topographia ducatus Carinthiae" (1688), unterhielt er freundschaftliche Kontakte und ließ sich von ihm ermuntern, „eine kurze Deskription denkwürdiger Geschichten zur Kärntner Topographie“ zu schreiben und alle Kupferstiche zu beschreiben. 1681 erschienen die in Kupfer gestochenen Klosteransichten Valvasors, die nach den Angaben Reicharts zu einem Idealplan ergänzt worden waren, ein Plan, der den Typus des spanischen Escorial mit vier mächtigen Ecktürmen und einem kleinen Torturm über dem eigentlichen Klostereingang aufnimmt. Reichart ließ unter anderem auch die Bibliothek ausgestalten und den Paulusbrunnen errichten und hat an den Ausbauarbeiten der Klosteranlage einen umfangreicheren Anteil genommen, als man bisher angenommen hat.

Neue Blüte im 17. Jahrhundert

Vier Äbte in hundert Jahren! Sie regierten lang und gut: Hieronymus Marchstaller (1616–1638), Paul Memminger (1638–1660), Philipp Rottenhäusler (1661–1677) und Albert Reichart (1677–1627) mit der längsten Regierungszeit der 900-jährigen St. Pauler Geschichte. Hieronymus Marchstaller wurde schon zu seiner Lebzeit als „zweiter Stifter" St. Pauls verehrt. Unter ihm begann die innere und äußere Erneuerung des Klosters. Sehr viel wüßte ich über ihn zu berichten. Aber ich fasse nur zusammen, und somit kurz: er hob die Klosterdisziplin – und viele junge Menschen traten ein. Dem Abt von St. Peter in Salzburg schrieb er einmal, es fehle ihm schon an „Bett-Stätten, Kleidern und Tüchern". Er war ein hervorragender Wirtschafter und unter ihm begann eine rege Bautätigkeit, die ich mir als Abt von heute kaum mehr vorstellen kann. Sein Traum war, eine Klosteranlage nach dem Vorbild des Escorials zu errichten. Dieser Traum aber ging unter ihm und seinen Nachfolgern nur zum Teil in Erfüllung. Als Kirchen- und Landes-„Politiker" spielte Hieronymus eine gewichtige Rolle. Auch als Archivar und Kirchenhistoriker machte sich Hieronymus verdient. Ich muß mich ja kurz fassen; trotzdem will ich eine kleine Begebenheit von seiner Romreise – seine Reisenotizen lesen sich wie ein Krimi! – erzählen: Mit drei Begleitern reiste er 1625 hoch zu Roß nach Rom. Dort wollte er neben Reliquien, Meßgewändern und Kirchengeräten auch einen „vollkommenen Ablaß" gewinnen. Dazu mußte er die vier Hauptkirchen Roms 15 mal (!) aufsuchen. Zunächst ging der fromme Abt einmal beichten. Er suchte dazu einen Jesuitenpater auf. Im Beichtgespräch wollte er wegen seines Alters und seiner schwachen Beine die Erlaubnis erhalten, die vier Kirchen nicht 15 mal, sondern nur 4 mal zu besuchen. Doch – streng wie die Jesuiten einmal sind – es blieb dabei: er mußte die Kirchen 15 mal besuchen.

Am Ende der Blütezeit des 17. Jahrhunderts stand Abt Albert Reichart. Er war freigebig, wohltuend und kauffreudig. Als er 1727 starb, hinterließ er einen großen Schuldenberg. (Wer frei gibt, Gutes tut und viel baut und kein Geld hat, hat Schulden; welche Binsenweisheit!) Von diesen Schulden spricht heute keiner mehr; doch auf

Schritt und Tritt begegnen wir heute noch dem Wirken dieses Mannes, der am längsten im Laufe unserer Stiftsgeschichte die Würde und Bürde eines Abtes getragen hat. Zum nächsten Raum der Ausstellung wird Ihnen, lieber Besucher, wieder Alois Brandstetter in seiner feinen literarischen Art etwas über die barocke Malerei sagen. Ich ziehe mich zurück und erwarte Sie dort, wo es in unserer Hausgeschichte wieder schwere Zeiten gegeben hat.

13.1

MODELL: IDEALPLAN DES STIFTES ST. PAUL

Modellbau Uwe Michel, Karlsruhe

Sperrholz und Spezialsperrholz. Das Modell folgt wegen des Fehlens alter Pläne weitgehend vier zeitgenössischen Abbildungen (zwei Stahlstichen des Andreas Trost aus Valvasors Topographia Archiducatus Carinthiae von 1688 – s. Kat. Nr. 13.8 und 9 – und zwei Ölgemälden aus der Zeit Abt Albert Reicharts, 1677–1727, die den hl. Benedikt und die hl. Scholastika darstellen (vgl. dazu Kat. Nr. 13.3 und 4), ergänzt durch den heutigen Baubestand. Die Farbgebung gehorcht den Gepflogenheiten des ausgehenden 17. Jh.s (vgl. auch Kat. Nr. 13.24).
Maßstab 1 : 150; L 190/B 145 cm

Von der Spanheimer Stiftung St. Paul hat sich die Stiftskirche als bleibendes Kulturdenkmal erhalten, die mit ihrer schönen und durchwegs unverbauten romanischen Architektur zu den besten Beispielen dieser Epoche in Kärnten zählt. Dazu kommen gotische und barocke Zu- und Einbauten, die in ihrer Eigenwirkung ebenfalls ein überregionales Kunstschaffen repräsentieren. Der mittelalterliche Klosterbau fand unter den Äbten Hieronymus Marchstaller (1616–1638), Paul Memminger (1638–1660), Phillip Rottenhäusler (1660–1667) und dann vor allem Albert Reichart (1677–1727) jene neuzeitliche Umgestaltung, die in einer historischen Vision den Vergleich zum habsburgischen El Escorial bei Madrid entstehen ließ und heute die Stiftsanlage mit der Auszeichnung „Kärntner Escorial" schmückt.
Abt Hieronymus Marchstaller wird mit Recht als zweiter „Gründer" des Benediktinerklosters St. Paul bezeichnet. Die bauliche Sanierung des Klosters wurde zu einem Hauptanliegen von Abt und Konvent, nachdem im 16. Jahrhundert weder eine merkbare Vermehrung noch eine Verbesserung der Bausubstanz vorgenommen worden war. Marchstaller hatte keinen Gesamtplan des Klosters im Sinne eines „Idealmodells" anlegen lassen, sondern war in seinen Baumaßnahmen von den dringenden Notwendigkeiten ausgegangen. Während seiner Regierungszeit wurde die Klosterkirche renoviert, die neue Sakristei und eine Marienkapelle erbaut, das „Mittlere Tor" mit den inneren Stiftsmauern saniert und, als neuer Zugang zum Kloster, in den ebenfalls in diesen Jahren errichteten Hofrichterbau eine prunkvolle Portalanlage eingefügt. Der barocke Umbau bzw. großteils auch Neubau der zu klein gewordenen gotischen Klosteranlage erstreckte sich unter Abt Marchstaller im wesentlichen auf den Nord- und Westflügel. Die Baumaßnahmen reichten hier vom Kellergeschoß bis zum Obergeschoß. Eine genaue Abgrenzung der unter Abt Marchstaller errichteten Klosteranlage ist ohne baugeschichtliche Untersuchung schwer möglich; sicherlich war der Bau im Erdgeschoß am weitesten gediehen und reichte im Norden zumindest bis zum Stiegenaufgang im östlichen Kirchenvorhof, im Westtrakt sehr wahrscheinlich bis zur Baunaht des später hier angefügten Bibliotheksbaues. Im Obergeschoß ermöglichen mehrere eingemauerte Wappen- und Inschriftsteine eine zeitliche Differenzierung. So wird im Nord- und Osttrakt ab 1640 die Bauführung von Paul Memminger (1638–1660) sichtbar, im Nordtrakt um 1661/62 die des Abtes Philipp Rottenhäusler (1660–1667). Erst unter Abt Albert Reichart (1677–1727) erhielt das Klostergebäude weitgehend die heute überlieferte Gestalt. Das sichtlich in spätmittelalterliche Zeit zurückgehende „Mittlere Tor" wurde wohl erst Ende des 18. oder gar erst zu Beginn des 19. Jahrhunderts abgetragen. Der im Osten daran anschließende Wirtschaftstrakt blieb bis 1845 in Verwendung und fiel dem in den Jahren 1846 bis 1848 erfolgten Zubau beim Ostflügel des Konventsbaues zum Opfer.
Abt Marchstaller ist die bauliche Planung eines Klosterbaues nach dem Vorbild des spanischen Escorial, die Vision eines „Kärntner Escorials", wohl nicht zuzuschreiben, wenngleich er noch ein Jahr vor seinem Tode an eine beachtliche Erweiterung des Konventsbaues – angeführt werden vierundzwanzig neue Zimmer und Kammern, eine Bibliothek, Krankenzimmer, ein Laboratorium u.v.a. – dachte. Diese Zuweisung trifft eher auf Abt Albert Reichart (1677–1727) zu, der mit dem Bibliothekszubau eine Schließung der Stiftsanlage auch im Süden geplant haben könnte. Einschlägige Baupläne und archivalische Nachrichten zur Bestätigung dieser Annahme fehlen. Andererseits übermitteln zeitgenössische Ansichten des Stiftes mehrfach eine der tatsächlichen Bauausführung widersprechende Darstellung, so daß wir durchaus von einer „Vision im Sinne eines Baumodells" sprechen können.

Lit.: ÖKT 37 (1969), S. 35ff., S. 180ff. – R. MILESI, Manierismus in Kärnten (1973), S. 15ff.

F. L.

13.2

HL. HIERONYMUS

Michael Hönel, 1628

Holz, H 154 cm

Filialkirche St. Josef

Der aus Pirna in Sachsen zugewanderte Michael Hönel war der bedeutendste Bildhauer des beginnenden 17. Jahrhunderts in Kärnten. Er wurde mit zwei der prominentesten Aufträge dieser Zeit, den Hochaltären der ehemaligen Domkirche in Gurk und der Stiftskirche von St. Paul, betraut. Während der Gurker Hochaltar noch heute das beeindruckende Glanzstück der barocken Ausstattung darstellt, wurde der

Hochaltar in St. Paul Anfang des 18. Jahrhunderts im Zuge der geplanten Neuausstattung entfernt.
Michael Hönel erhielt 1625 von Abt Hieronymus Marchstaller den Auftrag zur Herstellung des Hochaltares in der Stiftskirche. Für die Arbeiten an diesem Altar, der 1628 fertiggestellt und 1629 geweiht wurde, erhielt der Meister in Teilzahlungen insgesamt 1230 Gulden. Wie den Gedingbüchern zu entnehmen ist, beschäftigte Hönel zu dieser Zeit bereits zwei Gesellen und einen Lehrjungen, betrieb also eine, für Kärntner Verhältnisse, größere Werkstatt. Vermutlich im Jahr 1705 wurde der Hochaltar aber unter Abt Albert Reichart, der einen neuen Altar aufstellen ließ, abgetragen. Teile des plastischen Schmuckes haben sich glücklicherweise erhalten, da sie bei der Errichtung des Hochaltares in der Filialkirche St. Josef auf dem Josefsberg, der 1720 geweiht wurde, Verwendung fanden. So zeigt der durch Säulen gegliederte Altar im Hauptgeschoß die vier lebensgroßen Statuen der Hll. Johannes Baptist und Johannes Evangelist sowie Joachim und Hieronymus.
Der in seiner „kraftvollen körperlichen Haltung“ und den ausdrucksvollen Zügen den Hochaltarfiguren von Gurk engstens verwandte hl. Hieronymus ist glatzköpfig und bärtig, mit einem um die Schultern und Hüften drapierten Tuch, in der Linken einen Stein, in der Rechten das Buch mit dem Totenkopf haltend, dargestellt. Zu den Füßen des als büßender Einsiedler gezeigten Kirchenvaters erscheint der Löwe.
Schon GINHART wies in seiner umfassenden Studie über Michael Hönel auf die nur diesem Meister eigene Formenbildung der Hände, Arme, Beine und Füße sowie auf den Zusammenhang vor allem der Heiligenfigur mit dem Greisenkopf des Evangelisten Matthäus in Gurk hin.

Lit.: ÖKT 37 (1969), S. 461, Abb. 734. – K. GINHART, Michael Hönel und seine Beziehung zum Stifte St. Paul i. Lav., Car. I 149 (1959), 464ff.

B. K.

13.3

HL. BENEDIKT

unbekannter Künstler, um/nach 1688

Öl auf Leinwand, barocke profilierte Nußholzrahmung; H 178/B 102 cm

Stift St. Paul

Der mittelalterliche Klosterbau fand unter den Äbten Hieronymus Marchstaller (1616–1638)

und Albert Reichart (1677–1727) jene neuzeitliche Umgestaltung, die in einer kunsthistorischen Vision den Vergleich zum habsburgischen El Escorial bei Madrid entstehen ließ und heute die Stiftsanlage mit der Auszeichnung „Kärntner Escorial" schmückt. Die in der kunsthistorischen Literatur bislang vertretene Ansicht, daß Abt Marchstaller die Gesamtplanung des Klosters St. Paul nach dem Vorbild der damals zahlreich vorhandenen Stiche des Escorials im Sinne eines „Idealmodells" vorgenommen hätte, beruhte auf einer falschen Zuweisung der Gemälde des hl. Benedikt und der hl. Scholastika (s. Kat.Nr. 13.4): beide gleichformatigen Bilder wurden irrtümlich dem „Hofmaler" Jakob Lorenz Glaber zugeschrieben und um/nach 1633 datiert. Beide Gemälde sind wohl zur selben Zeit und vom selben Künstler gemalt worden, aber nicht im Auftrag des Abtes Marchstaller, sondern gehen auf Abt Albert Reichart (1677–1727) zurück, dessen persönliches Wappen auf beiden Gemälden zu finden ist. Sie entstanden sichtlich nach dem Baubeginn des Bibliothekstraktes.
Die lebensgroße Ganzfigur des hl. Benedikt, des Ordensgründers mit schwarzem Habit, ist nach rechts gewendet, in der rechten Hand den Abtstab, mit der Linken ein Buch haltend, das folgende Beschriftung trägt: *IN OMNIBVS OMNES MAGISTRAM SEQVANTUR REGVLAM.* Auf der linken Bildseite ist im Hintergrund die Höhle bei Subiaco abgebildet, darüber ein Engel mit der Medaille des hl. Benedikt, vor der Höhle der Rabe, dem er befohlen hat, das Giftbrot wegzutragen. Seitlich ist das Wappen des Abtes Albert Reichart als Stifter des Gemäldes angebracht, in der rechten unteren Ecke eine Mitra, daneben ein zerbrochener Krug mit einer daraus aufsteigenden Schlange. Die für die Baugeschichte interessante Abbildung der Stiftsanlage darüber gibt eine nie vollendete „Idealansicht" wieder: der Klosterbau ist auf der Südseite geschlossen und bindet im Zentrum der Anlage die Klosterkirche ein. Diese Darstellung erinnert sehr stark an den Kupferstich bei Johann Weichard Valvasor (s. Kat. Nr. 13.8, 13.9) und könnte diesen auch als Vorlage verwendet haben. Ein wesentlicher Unterschied ist bei der Bildung der Kirchtürme gegeben, die hier nicht in Form barocker Zwiebelhelme gemalt sind, sondern richtig mit den gotischen Spitzhelmen.

Lit.: R. MILESI, Manierismus in Kärnten (1973), S. 63. – ÖKT 37 (1969), S. 154, Abb. 203.

F. L.

13.4

HL. SCHOLASTIKA

unbekannter Künstler, um/nach 1688

Öl auf Leinwand, barocke profilierte Nußholzrahmung; H 178/B 102 cm

Stift St. Paul

Das Gemälde gehört, wie das gleichformatige Bildnis des hl. Benedikt, zu den wichtigsten Dokumenten für die Darstellung der neuzeitlichen Baugeschichte des Stiftes (s. Kat.Nr. 13.3) und ist unter Abt Albert Reichart entstanden. Das Bild zeigt die lebensgroße Ganzfigur der hl. Scholastika, nach links schreitend, den Äbtissinnenstab in der rechten Hand. In der linken oberen Ecke steigt eine weiße Taube himmelwärts zur Dreifaltigkeit; in der unteren Bildhälfte der linken Seite findet sich die für die Baugeschichte wichtige Darstellung der Klosteranlage, mit Blickrichtung auf den Nordtrakt und den bereits bestehenden Eckturm. Diese Darstellung erinnert stark an den Kupferstich bei Johann Weichard Valvasor (s.Kat. Nr. 13.8, 13.9), ist aber durch das Weglassen der äußeren Ecktürme originalgetreuer. Darunter ist das Wappen des Stifters, Abt Albert Reichart, gemalt.

Lit.: R. MILESI, Manierismus in Kärnten (1973), S. 63. – ÖKT 37 (1969), S. 154, Abb. 204.

F. L.

13.5

GRUNDRISS DER KLOSTERANLAGE

Die graphische Darstellung des Grundrisses der Gesamtanlage des Stiftes St. Paul gibt hier den heutigen Bauzustand, bezogen allerdings nur auf das Erdgeschoß, wieder, wobei auch in diesem Bereich die einzelnen Baustufen nur „ungefähr" voneinander abgegrenzt werden können:

1) Romanische Stiftskirche, ausgehendes 12./Anfang des 13. Jahrhunderts, später Zu- und Umbauten (siehe etwa Abt Hieronymus Marchstaller 1616–1638).

2) Gotische Rabensteinerkapelle, Ende 14./Anfang 15. Jahrhundert.

3) Ausbauphase des Nord- und Westflügels unter Abt Hieronymus Marchstaller (1616–1638), Neubau der Sakristei und der Kapelle der Schmerzhaften Muttergottes unter teilweiser Einbeziehung vor allem des ostseitigen Kreuzgangbereiches; Neubau des Hofrichterbaues mit dem neuen Eingangsportal (bis 1633), Renovierung des „Mittleren Tores" und der inneren Klostermauer.

4) Ausbauphase des ostseitigen Teiles des Nordtraktes und des Ostflügels des Konventsbaues unter Abt Paul Memminger (um 1640).

5) Wichtige Erweiterungs- und Ausbauphase unter Abt Albert Reichart (1677–1727); Zubau des Bibliothekstraktes und vermutlich Fertigstellung der alten Prälatur.

6) Abtragung des „Mittleren Torturmes" und der inneren Klostermauern Ende des 18./Anfang des 19. Jahrhunderts, Abtragung des wohl aus spätmittelalterlicher Zeit stammenden Wirtschaftsbaues östlich des ehemaligen „Mittleren Tores" nach 1845.

7) Zubauten an dem östlichen Flügel zwischen 1845 und 1848.

Lit.: ÖKT 37 (1969), S. 180ff.

F. L.

13.6 s. II, S. 410, Abb. 79, S. 575, Abb. 154

DETAIL STIFTERALTAR

Diaschaubild

Der Stifter- oder Dreifaltigkeitsaltar stammt aus der 2. Hälfte des 18. Jahrhunderts und befindet sich im nördlichen Querhaus der Stiftskirche. Der fotografische Ausschnitt zeigt die Stifter mit dem Idealplan der Klosteranlage.

13.7

DER ESCORIAL: KÖNIGSSCHLOSS UND AUGUSTINER-KLOSTER

Darstellung des *ESCVRIACVM, sive Palatium Regium et Monasterium D. Lavrentii*, in: GEOGRAPHIAE BLAVIANAE VOLVMEN NONVM QVO EUROPAE LIBER XVII, ET AFRICA, CONTINENTVR. HISPANIA, QVAE EST EUROPAE. LIBER XVII. AMSTELAEDAMI, Labore (et) Sumtus IOANNIS BLAEV. MDCLXII. pag. 34.

kolorierter Stich, H 58/B 84 cm

Stift St. Paul

Eingebettet in das Granitgebirge der Sierra Guardarrama, entstand hier in der entlegenen Einsamkeit – nahe der späteren Hauptstadt Madrid – eine Schloß- und Klosteranlage als Grablege für die spanischen Könige, welche als „Real Monasterio de San Lorenzo del Escorial" zu d e m spanischen Baudenkmal wurde. Auf Grund seiner besonderen architektonischen Konzeption – durch Stiche und zeitgenössische Darstellungen vor allem auch dem habsburgischen Mitteleuropa bekannt – wurde es zum Vorbild für zahlreiche barocke Klosterbauten bzw. fand in verkleinerter Form mehrfache Nachahmung. Von Phillip II. in Auftrag gegeben, entstand hier ab 1563 durch Juan Bautista de Toledo und dann Juan de Herrera eine dem hl. Laurentius geweihte königliche Klosterresidenz, die durch eine strenge Regelmäßigkeit ausgezeichnet war. Die rechteckige Anlage (106 x 161 m) besteht aus dem gitterförmigen Grundriß des Palastes, schließt mehrere Innenhöfe ein, besticht durch eine monumentale Fassade mit vier Ecktürmen und stellt die Klosterkirche, die am Vorbild der Peterskirche in Rom orientiert wurde, als Zentralbau genau in die Mittelachse der Gesamtanlage. In der Krypta unter der Kirche liegt Philipps Vater, Kaiser Karl V. (gest. 1558), begraben; er selbst wählte in bescheidener Selbsteinschätzung eine Oratorienkammer „seiner" Kirche für sich als Grablege.

Lit.: F. TORRES, Der neue Führer durch den Escorial (1956).

F. L.

13.8

STIFTSANSICHT AUS DEM JAHRE 1688

gestochen von Andreas Trost als Nr. 135 in Johann Weichard Valvasor, TOPOGRAPHIA ARCHIDUCATUS CARINTHIAE antiquae & modernae completa: Das ist Vollkommne und gruendliche Land=-Beschrei-bung des berühmten Erz-Herzogthums Kaerndten ... Nürnberg, 1688

Kupferstich, H 11,8/B 20,6 cm

Stift St. Paul

Johann Weichard Valvasor erweist sich in der von A. Trost gestochenen Gesamtansicht der Klosteranlage als kein zuverlässiger Topograph. Die Abweichungen zwischen dem Klosterbau des Jahres 1688 – Valvasor hatte nachweislich Kontakt mit Abt Reichart (1677–1727) – und dem Kupferstich sind derart auffallend, daß man hier nur von einer „Idealansicht" sprechen kann. Die geschlossene Umbauung im Quadrat mit vier Ecktürmen ist reine Fiktion, ebenso die Skizzierung einer durchgehenden Südfassade mit einem „Mittleren Turmbau". Störend, weil auch im Bereich der Kirchtürme nie verwirklicht, sind die überall gezeigten barocken Zwiebelhelme. Bei der Stiftskirche ist die Wiedergabe des Querhauses sowie der Apsiden gänzlich unzutreffend, auch der Zugang in den ehemaligen Kreuzgang entspricht nicht der Realität. Der Verbindungsbau zwischen Konventsgebäude im Osten und der Stiftskirche entstand erst kurz vor 1848 und läßt auch die Innenhofgliederung mehr als fragwürdig erscheinen. Der Hofrichterbau Marchstallers ist bis auf die Portalanlage recht gut ausgeführt. Insgesamt läßt sich die Theorie einer „historischen Vision", im Zusammenhang mit einer doch wahrscheinlich geplanten kleinen Nachbildung eines „Kärntner Escorial", am Beispiel des Kupferstiches von Valvasor nicht zufriedenstellend artikulieren. Trotzdem scheint dieser „Idealplan" Valvasors, mit oder ohne Absprache mit dem regierenden Abt angelegt und in die Topographie des Herzogtums Kärnten aufgenommen, die Vorlage für weitere derartige Abbildungen der Stiftsanlage im ausgehenden 18. Jahrhundert gewesen zu sein.

Lit.: ÖKT 37 (1969), S. 37.

F. L.

13.9 s. II, S. 411, Abb. 80

STIFTSANSICHT AUS DEM JAHRE 1688

gestochen von Andreas Trost als Nr. 136 in Johann Weichard Valvasors, TOPOGRAPHIA ARCHIDUCATUS CARINTHIAE ... (wie Kat. Nr. 13.8) ... Nürnberg, 1688.

Kupferstich, H 12/B 20,9 cm

Stift St. Paul

Der Kupferstich mit Blickrichtung von Norden bringt eine durchaus brauchbare Abbildung des Bauzustandes. Der Nord- und Westtrakt entsprechen weitgehend dem Bauzustand der Zeit um 1688. Auch der von Abt Marchstaller errichtete Turmbau an der Nordwestecke der Anlage ist korrekt gebildet, nicht zutreffend sind wiederum die barocken Zwiebelhelme und die beiden äußeren Ecktürme. Im Hintergrund ist neben der zerstörten Burgruine Rabenstein die von Marchstaller renovierte Burgkapelle gezeichnet (1636 verbrannt), in der Bildmitte die Filialkirche St. Johann auf dem Johannesberg und links davon die Burgruine Loschental, wo nach deren Zerstörung 1590 die Filialkirche St. Josef auf dem Josefsberg unter Abt Albert Reichart um 1687 errichtet worden war.

Lit.: ÖKT 37 (1969), S. 37, Abb. 6.

F. L.

13.10

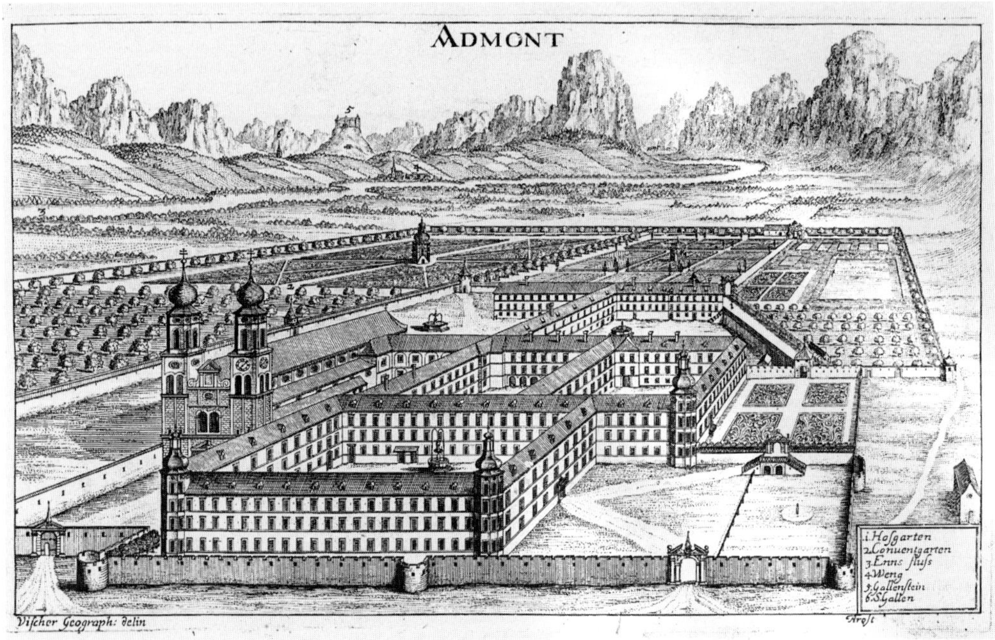

STIFT ADMONT IN DER STEIERMARK

gestochen von Andreas Trost als Bl. 1 in Georgius Matheus Vischer, TOPOGRAPHIA DUCATUS STIRIAE... 1681

Kupferstich, H 19,3/B 30 cm

Stift St. Paul

Im 17. Jahrhundert erfuhren viele innerösterreichische Klöster eine bauliche Umgestaltung und Erweiterung. Nahezu zeitgleich mit dem Ausbau der Klosteranlage in St. Paul durch Abt Hieronymus Marchstaller erfolgte auch die Barockisierung des Klosters Admont durch Abt Matthias Preininger (1615–1628). Durch Zubauten, wie einer neuen Prälatur und eines Gastgebäudes, entstand eine für diese Zeit übliche netzartige Gliederung in Trakte und Höfe, die am Beispiel Admont zwar an das spanische Kloster Escorial erinnert, ohne diesen Prachtbau aber direkt als Vorbild zu nehmen.

Lit.: R. LIST, Stift Admont 1074–1974 (1974).

F. L.

Cod. 303/0, fol. 5v, Schloß Kollnitz

STIFTSANLAGE IM URBAR DER HERRSCHAFT KOLLNITZ

1651

93 Bl., weißer Ledereinband, auf drei Blättern Aquarelle mit Darstellungen der Stiftsanlage (fol. 5), der Wirtschaftsbauten mit der Erhardikirche, der Schlösser Kollnitz und Faal; H 21,5/B 13,3 cm

Stift St. Paul, Cod. 303/0

Das Urbar der „Herrschaft Kollnitz" aus dem Jahre 1651 vermittelt den ältesten überlieferten bildlichen Anhaltspunkt hinsichtlich der Bauausführung des Stiftes nach der Regierungszeit des Abtes Hieronymus Marchstaller: hier ist auf fol. 5 in Aquarell die Stiftsanlage von Süden her dargestellt. Der westseitige Nordtrakt zeigt sich zumindest im Obergeschoß noch nicht fertig durchgebildet, wie etwa im ostseitigen Bereich. Der sechseckige Turmbau an der Nordwestecke war bereits in Dachhöhe aufgeführt. Der Westtrakt hat nur bis zur ehemaligen Prälatur gereicht und wurde im Obergeschoß unter Abt Albert Reichart (1677–1727) in den heute erhaltenen Bauzustand gebracht. Auch der Südtrakt mit der Bibliothek bestand noch nicht und kann wohl als erster Bauabschnitt einer von Abt Albert beabsichtigten „Idealanlage eines Kärntner Escorials" angesehen werden. Zu den auffallenden Bauten der Ära des Abtes Marchstaller zählte das „Mittlere Tor", welches in den „Gedingbüchern" mehrfach erwähnt wird. Ein eingeschossiger einfacher Bau mit vorgelagerter Wehrmauer verband es mit dem Westflügel, ein vermutlich aus spätgotisch-frühneuzeitlicher Epoche stammendes mehrgeschossiges Wirtschaftsgebäude mit dem Osttrakt. Unterhalb dieser wehrhaften Bauten entstand auf der Südseite des Klosters der sogenannte Hofrichterbau mit dem 1633 fertiggestellten „Neuen Stiftstor", ein mit doppelter Säulenädikula und manieristischen Rustikafassungen der Portaleingänge ausgezeichnetes Einfahrtstor in das Kloster.

Lit.: ÖKT 37 (1969), S. 37, Nr. 2a, Abb. 5 u. S. 359, Abb. 670f.

F. L.

ABT HIERONYMUS MARCHSTALLER (1616–1638)

Lorenz Glaber, 1629

Öl auf Leinwand, H 106/B 84 cm

Stift St. Paul

Nachdem der „Hofmaler" des Abtes Hieronymus Marchstaller, Jakob Lorenz Glaber, schon im Jahre 1622 ein erstes Bild des Prälaten gemalt hatte, das sich aber nicht erhalten hat, entstand dann 1629 jenes Bildnis, das uns den Abt in seinem 54. Lebensjahr als Brustbild im vollen Ornat mit Mitra, Stab und Brustkreuz zeigt. Abt Marchstaller ist mit dem anläßlich seiner Reise nach Rom in Venedig erworbenen

prächtigen Brokatornat bekleidet. Das Gemälde ordnet sich in die Reihe der frühbarocken Gurker Bischofsporträts des 17. Jahrhunderts ein. Die ursprünglich siebenzeilige Beschriftung wurde – wohl anläßlich einer späteren „Restaurierung" im 18. Jahrhundert – übermalt und auch inhaltlich verändert. Von der Originalbeschriftung läßt sich noch feststellen: *HIERONYMUS ABBAS QVA[DR]AGESIMU[S A(BBAS)] / PROFESSVS MON(ASTE)RY OCHSENHAVSEN [......].* Die später „veränderte" Inschrift ist heute wie folgt zu lesen: *40. HIERONYMUS MARCHSTALLER, / Professus Ochsenhusan(us), Prior S(anctus) Lamberti, Abbas ad S(anctum) Paulum / Archidiaconus inferioris Carinthiae, Religionis in nostra Provincia Refor/mator, Episcopatus Lavantini Administrator, Caesaris Consiliarius; post/ quam domi forisq(uae), aucto(.) bonis Mon(aste)rio sui nominis mensura(m) adimplevisset, / et Ecclesiam Beatiss(imae) Virginis in E(xt) remo Styriae prim(us) errexisset, omnia reliquet, ut e/tiam Caeli fieret sivis. A(nno) C(hristi) 1638.*
In der rechten oberen Ecke ist das persönliche Wappen des Abtes angebracht, zusammen mit einer zweizeiligen Inschrift, die zugleich auch zur Datierung des Bildes herangezogen werden kann: *AETATIS SVAE.LIIII. / A(NN)O M. DCXXIX.* Eine weitere Darstellung der bäuerlich-energisch wirkenden Physiognomie des Abtes, wohl ebenfalls von Glaber, erkannte R. MILESI „in der rechten Assistenzfigur des Vordergrundes" am Altarbild mit dem Pfingstwunder in der Heiligengeist-Kirche in Klagenfurt. Aus dem Jahre 1631 ist schließlich noch ein drittes Bildnis des Abtes überliefert.

Lit.: ÖKT 37 (1969), S. 185ff., S. 321. – R. MILESI, Manierismus in Kärnten (1973), S. 16.

F. L.

13.13

GEDINGBUCH DER BEAMTEN, DIENER, HANDWERKER

1617–1621

Papier, gebunden, fol. 1–280, brauner Ledereinband; H 31,4/B 22,5 cm

Stift St. Paul, Cod. 81a/0

Abt Hieronymus Marchstaller (1616–1638) fand bei seinem Amtsantritt nicht nur die Klosterkassen leer vor, sondern mußte sich zusätzlich mit einer außerordentlichen Verschuldung des Stiftes befassen. Dazu existierten zahlreiche Schulden bei Handwerkern aus der Zeit seines Vorgängers, Abt Vinzenz Lechner (1583–1616), die ebenfalls befriedigt werden mußten. Marchstallers Möglichkeiten einer großzügigen baulichen Revitalisierung des Klosters waren daher von Anbeginn stark eingeschränkt, und er konnte den Ausbau nur in kleineren Baustufen vorantreiben. Um eine genaue Buchführung hinsichtlich der Ausgaben, aber auch eine handschriftliche Auftragsunterlage zu haben, ließ Abt Marchstaller eigene „Gedingbücher" (Gedingbuch der Beamten, Diener, Handwerker. Tom. I: 1617–1621, Tom. II: 1621–1626, Tom. III: 1627–1637) anlegen, in denen die Arbeiten und Baukosten detailliert aufgelistet wurden. Von Interesse sind hier auch die vielen beigefügten handschriftlichen Notizen und Anmerkungen des Abtes.

Lit.: B. SCHROLL, Hieronymus Marchstaller, Abt des Benedictiner-Stiftes St. Paul im Lavantthale (...) 1616–1638 (1891), S. VII. – Verzeichnis von Urkunden, Handschriften und Akten von St. Paul, St. Blasien und Spital am Pyhrn, maschriftl. (St. Paul, um 1950), S. 8.

F. L.

13.14 s. II, S. 183, Abb. 15

URBAR AUS DEM JAHRE 1620

Papier, gebunden, fol. 1–421; H 40/B 28 cm

Stift St. Paul, Cod. 292a/0

Ein wichtiges Instrumentarium zur Erfassung der grundherrschaftlichen Eindienungen der Stiftsuntertanen waren die Urbare. Diese Urbare verzeichneten nicht nur die zum Stift gehörenden Grundstücke, sondern auch die darauf festgelegten Lasten, Einkünfte und Rechtsverbindlichkeiten. Sie waren vor dem Amtsantritt des Abtes Hieronymus Marchstaller recht mangelhaft geführt worden, so daß dem Kloster und der Pfarre St. Paul ein genauer Überblick über die Urbar- und Dominikalabgaben weitgehend fehlte. Unter Marchstallers Wirtschaftsführung wurden bestehende Urbare verbessert und auf den neuesten Stand gebracht, zahlreiche neue kamen dazu. Im Jahre 1620 ließ er ein neues Urbar anlegen, dessen koloriertes Titelblatt in einer Portalarchitektur auf Postamenten die heiligen Petrus und Paulus abbildet, darunter die Wappen des Herzogtumes Kärnten, des Abtes und des Stiftes zeigt und die Beschriftung *Urbarium: / Inn Khärndten / Des Loblichen Gotts/haus St: Paul Im / Lauenthal (et) c(etera) / Aufgericht, Ernewert uund / Gebessert/ Durch den Hochwürdig In Gott / Geistlichen und Edlen Herrn / Herrn Hieronymo Abbten des / Loblichen Stiffts St. Paulus Im / Lauentthal. / Erster Theil: Anno 1620* trägt. Insgesamt besteht das Urbar von 1620 aus vier Teilbänden (Cod. 292a–d/0).

Lit.: B. SCHROLL, Hieronymus Marchstaller, Abt des Benedictiner-Stiftes St. Paul im Lavantthale (...) 1616–1638 (1891), S. 104ff.

F. L.

13.15

ARCHIVUM DES ABTES HIERONYMUS MARCHSTALLER

1618

Papier, gebunden, fol. 1–106; Holzdeckel mit zwei Metallschließen, Rücken mit Pergament verstärkt; H 30,8/B 20,5 cm

Stift St. Paul, Cod 17/0

Abt Hieronymus Marchstaller hat im Zuge der Neuordnung des St. Pauler Archivbestandes nicht nur neue Register des Urkunden- und Aktenbestandes anlegen lassen, sondern sich auch mit der Stiftsgeschichte mehrfach ausführlich befaßt. In dem 1618 aufgezeichneten *Archivu(m) Mon(aste)ry S(ancti) Pauli / Vallis Lavantinae / Registratu(m) / Per / R(everen) diss(imum) D(ominum) D(ominum) Hieronymu(m) Abbatem / S(ancti) Pauli / Anno 1618* sind neben einer Darstellung der Gründungsgeschichte (fol. 4–78r) ein *Cathalogus Summorum Pontificorum* (fol. 82–88), ein *Cathalogus Sororum et Conversaru(m)* (fol. 90) sowie als vierter Teil ein *CATHALOGVS Patrum ac fratrum Professorum Monastery S. Pauli Vallis Lavantinae, quorum Nomina inveniri Potverunt* (fol. 91–100r) aufgenommen.

Lit.: Verzeichnis von Urkunden, Handschriften und Akten von St. Paul i.L., Eberndorf, St. Blasien u. Spital am Pyhrn, maschriftl. (St. Paul, um 1950), S. 2.

F. L.

13.16

s. II, S. 465f., Abb. 117f.

GRÜNDUNGSGESCHICHTE DES STIFTES ST. PAUL

1619

Papier, gebunden, fol. 1–224; Holzdeckel mit zwei Metallschließen, Ledereinband; H 30,5/B 20,5 cm

Stift St. Paul, Cod. 1/0

Diese für die St. Pauler Geschichtsdarstellung so wichtige Handschrift zeigt auf dem Titelblatt in einer späten manieristischen Säulenarchitektur im Dreiecksgiebel das persönliche Wappen Marchstallers, trägt im Feld zwischen den Pilastern die Inschrift *Nasci Pati Mori / Hoc est / De Fundatione / Rerum statu / Prospero Adverso / Vita et Morte / Fundatorum et Benefactoru(m) / Abbatum et Monachorum / Monasterij S(ancti) Pauli vallis Lauantinae / Auctore / R(everendissi)mo D(omi)no Hieronymo Abbate / Monasterij eiusdem / Anno D(omi)ni.M.DC.XIX* und in der Sockelzone die Beschriftung *Die anime meae / Salus tua ego sum.* Die Handschrift enthält eine einleitende Ansprache an die Konventualen und fügt daran eine kurze geographische Beschreibung des Landes Kärnten sowie des Lavanttales und des

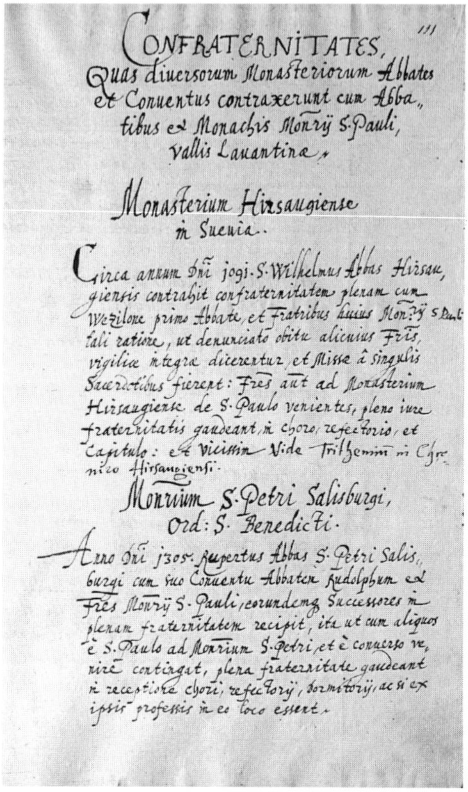

111

Confraternitates, Quas diversorum Monasteriorum Abbates et Conventus contraxerunt cum Abbatibus et Monachis Monrij S. Pauli, vallis Lavantinae.

Monasterium Hirsaugiense in Suevia.

Circa annum Dni 1091. S. Wilhelmus Abbas Hirsaugiensis contraxit confraternitatem plenam cum Wezilone primo Abbate, et Fratribus huius Monrij S. Pauli tali ratione, ut denunciato obitu alicuius Fris, vigiliae integrae dicerentur, et Missae a singulis Sacerdotibus fierent: Fres aut ad Monasterium Hirsaugiense de S. Paulo venientes, pleno iure fraternitatis gaudeant, in choro, refectorio, et capitulo: et vicissim. Vide Trithemium in Chronico Hirsaugiensi.

Monrium S. Petri Salisburgi, Ord: S. Benedicti.

Anno Dni 1305. Rupertus Abbas S. Petri Salisburgi cum suo Conventu Abbatem Rudolphum et Fres Monrij S. Pauli, eorundemq Successores in plenam fraternitatem recipit, ita ut cum aliquis e S. Paulo ad Monrium S. Petri, et e converso venire contingat, plena fraternitate gaudeant in receptione chori, refectorij, dormitorij, ac si ex ipsis professis in eo loco essent.

Cod. 1/0, fol. 111r

Stiftes. Von besonderem Interesse ist die folgende, erste zeitgeschichtliche Darstellung der Stiftungsgeschichte und die genealogische Skizzierung der Stifterfamilie. Es folgen die Stiftungen, Schenkungen und Anniversarien. Daran schließt ein *Catalogus abbatum* von Abt Wezilo bis zum Auftraggeber der „Stiftungsgeschichte", Abt Marchstaller; ferner ein *Catalogus patrum, fratorum, sororum et conversorum*, dann die Auflistung der *Confraternitates* und ein *Necrologium*. Zwei Gedichte beschließen diese Darstellungen, eines zum Thema *Von dem Mirakel deren drei heiligen Hostien zu Wolfsberg* und ein lateinisches Gedicht *Christus a Judaeis cultris fixus*.

Lit.: B. SCHROLL, Hieronymus Marchstaller, Abt des Benedictiner-Stiftes St. Paul im Lavantthale (...) 1616–1638 (1891), S. VIff.

F. L.

13.17

ITINERARIUM

1625

Papierhandschrift, fol. 1–12, ohne Einband; H 21/B 16,2 cm

Stift St. Paul, Pack 8/Fasz. 61

Für die im Jahre 1625 unternommene Romreise ließ sich Abt Hieronymus Marchstaller vom Stiftsarzt Dr. Steiner einen entsprechenden Reiseplan zusammenstellen, ein handschriftliches Straßen- und Stationenverzeichnis, ein *Itinerarium / Ex Mon(aste)rio S(ancti) Pauli Vallis Lauantinae in / Carinthia, Romam versus / 14. February, Anno 1625*, in dem die Straßen und Orte von Friaul nach Venedig, weiter über die Lombardei, Umbrien und die Romangna bis nach Rom aufgezeichnet waren. Abt Marchstaller hielt sich nach eigenen Aussagen aber nicht genau an diese Route, sondern wählte dann tatsächlich den Weg über Ferrara, Bologna, Florenz und Siena.

Lit.: B. SCHROLL, Eine Reise nach Rom, unternommen im Jahre 1625 von Hieronymus Marchstaller, Abt des Benedictiner-Stiftes St. Paul in Kärnten (1881), S. 13.

F. L.

13.18

NOS INCLVTI ARCHIDVCATVS CArinthiæ APOLECTI &c. Vniuersis ac singulis cuiuscunque Status, gradus, dignitatis et præeminentiæ hominibus, præsentes has nostras visuris, lecturis aut legi audituris, salutem officiorum ac beneuolentiæ nostræ oblationem, quibus verò competit fauorem. Posteaquàm præsentium Exhibitor, Reuerendus antistes Dominus Hieronÿmus Abbas Cænobÿ Sancti Pauli Lauantini ordinis Diui Benedicti, et pro tempore Collega noster peramandus in Italiam primò ad Ædes Sacras beatæ virginis Genetricis Lauretanas, postmodum ad limina diuorum Petri et Pauli, præsertim uerò iam Romæ ad institutam festiuitatis Iubilææ celebrationem iter ingredi sibi proposuit: Vniuersos ac singulos, ad quos Eundem Abbatem Dominum Hieronÿmum uenire contigerit, amicè ac maiorem in modum rogamus, Ipsi ut liberum in ditionibus suis itum ac reditum ubique concedere per suosque concedi facere, simulac fauore et beneuolentia humaniter excipere atque officijs suis complecti haud grauentur. Pro quo officiorum genere, Ipse vicissim sua in seruiendi promptitudine, ea, quæ in se extare sentiet beneficia, gratus referre studebit: Nosque pariter nostra in Illos Studia promptissima pollicemur ac deferimus. In cuius fidem, Nos supradicti Apolecti, Sigillis hoc nostris ac chÿrographis munire et confirmare Voluimus. Claudiæ Archiducatus Carinthiæ metropoli Nono Calend. Martÿ anno recuperatæ per Christum salutis humanæ, supra millesimum Sexcentesimum Vigesimo quinto.

Martinus Strasser Burggravius

Paulus Khevenhuller L. Baro

Johannes de et in Manndorff

Constantinus à Lamberg L. Baro

Victor Welzer

EMPFEHLUNGSSCHREIBEN DER KÄRNTNER LANDSTÄNDE

1625, Feber 21

Papierhandschrift, 5 Siegel; H 27,6/B 39 cm

Stift St. Paul, Pack 8/Fasz. 61

Im Zusammenhang mit der Erneuerung des geistlichen und wirtschaftlichen Lebens im Kloster St. Paul unternahm Abt Hieronymus Marchstaller auch den erfolgreichen Versuch, teilweise in Vergessenheit geratene landesfürstliche bzw. kaiserliche Privilegien wieder bestätigen zu lassen. Dazu kamen auch Stift und Kirche betreffende päpstliche Privilegien. Im Bemühen um eine Bestätigung der alten päpstlichen Bullen entschloß sich der Abt in dem von Papst Urban VIII. zum päpstlichen „Jubiläumsjahr" erklärten Jahr 1625 zu einer persönlichen Reise nach Rom. Die Reise dauerte vom 14. Feber bis 8. Mai 1625.

Auf Grund seiner allgemeinen Wertschätzung und großen Erfahrung sowohl in wirtschaftlichen Angelegenheiten wie auch bei diplomatischen Geschäften war Abt Marchstaller auch als Vertreter der geistlichen Landstände in Klagenfurt in das Gremium der Ständisch-Verordneten beim Klagenfurter Landtag gewählt worden, wo er zeitweise auch Mitglied des Großen Ausschusses war. Aus Anlaß seiner Romreise ließ er sich daher vom Landtag beurlauben und erhielt einen damals üblichen „Paßbrief", ausgestellt vom Kollegium des Ständischen Ausschusses – unterzeichnet vom Burggrafen Martin Straßer und den Ständisch-Verordneten Freiherr Paul Khevenhüller, Johann von und zu Manndorff, Freiherr Constantin von Lamberg und Viktor Welzer – und datiert mit 21. Feber 1625.

Lit.: B. SCHROLL, Eine Reise nach Rom, unternommen im Jahre 1625 von Hieronymus Marchstaller, Abt des Benedictiner-Stiftes St. Paul in Kärnten (1881), S. 6ff.

F. L.

13.19

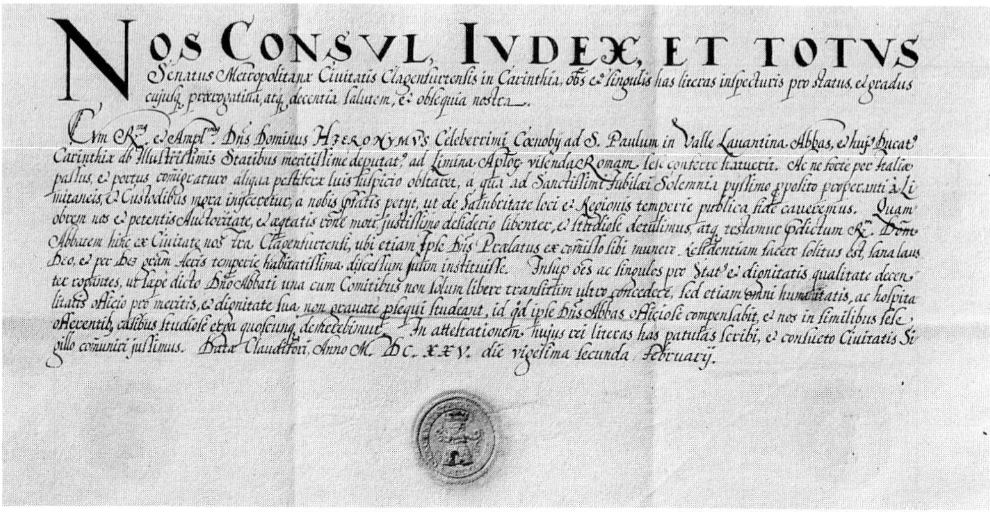
NOS CONSVL, IVDEX, ET TOTVS Senatus Metropolitanæ Ciuitatis Clagenfurtensis in Carinthia, õbs et singulis has literas inspecturis pro status et gradus cujusq. prærogatiua, atq. decentia salutem, et obsequia nostra.

EMPFEHLUNGSSCHREIBEN DER LANDESHAUPTSTADT KLAGENFURT

1625, Feber 22

Papierhandschrift, 1 Siegel; H 27,7/B 42,4 cm

Stift St. Paul, Pack 8/Fasz. 61

Für die 1625 unternommene Romreise ließ sich Abt Hieronymus Marchstaller auch vom Magistrat der Landeshauptstadt Klagenfurt (*Consul, Iudex, et totus Senatus Metropolitanae Civitatis Clagenfurtensis in Carinthia*) einen „Paßbrief", ein Empfehlungsschreiben, ausstellen, besiegelt mit dem Stadtsiegel. Dieses Schreiben galt auch als Vorsorge für die Einreise in Italien bzw. den leichteren Zugang in italienische Städte. Abt Marchstaller vermerkte jedoch, daß die Stadt Klagenfurt in Italien wenig bekannt war und es wichtiger schien, ein derartiges Schreiben der Handelsstadt Villach mitzuführen.

Lit.: B. SCHROLL, Eine Reise nach Rom, unternommen im Jahre 1625 von Hieronymus Marchstaller, Abt des Benedictiner-Stiftes St. Paul in Kärnten (1881), S. 12ff.

F. L.

13.20

EMPFEHLUNGSSCHREIBEN DER STADT VILLACH

1625, Feber 24

Papierhandschrift, 1 Siegel; H 20,4/B 31 cm

Stift St. Paul, Pack 8/Fasz. 61

Um für einen reibungsloseren Ablauf seiner 1625 unternommenen Romreise zu sorgen, ließ sich Abt Hieronymus Marchstaller auch vom Stadtpräfekten der Stadt Villach, Jakob Lagler, ein entsprechendes Empfehlungsschreiben für Italien ausstellen. Dieser „Paßbrief" der Handelsstadt Villach war nach Aussage des Abtes in Italien weit wirkungsvoller als jener der Landeshauptstadt Klagenfurt, die damals im italienischen Raum noch wenig bekannt war.

Lit.: B. SCHROLL, Eine Reise nach Rom, unternommen im Jahre 1625 von Hieronymus Marchstaller, Abt des Benedictiner-Stiftes St. Paul in Kärnten (1881), S. 13.

F. L.

13.21

INFORMATIO MONETE ITALIANA

1625

Papierhandschrift, großes Faltblatt ohne Einband; H 57,7/B 14 cm

Stift St. Paul, Pack 8/Fasz. 61

Vom 14. Feber bis 8. Mai 1625 unternahm Abt Hieronymus Marchstaller eine Reise nach Rom, die als ein interessantes Itinerar des frühen 17. Jahrhunderts in einem persönlichen „Reisebericht" des Abtes an den Konvent ihren literarischen Niederschlag fand. Zur leichteren Umrechnung der verschiedenen Münzwährungen auf dieser Reise erstellte der Stiftsarzt Dr. Steiner dem Abt eine *Informatio monate Italiae* oder *Information der wälisch Münz sorten wie sye hayssen, was sye gelten.*
Diese Tabelle listet auf:
Venediger Münz von Kupfer
Venedigsche Münz von Silber
Venedigsche Münz von Goldt
Bolognisische Münz von Kupfer
Münz von Silber zu Bononia (Bologna)
Moneta Romana Papale von Kupfer
Römische Münz von Goldt.

Lit.: B. SCHROLL, Eine Reise nach Rom, unternommen im Jahre 1625 von Hieronymus Marchstaller, Abt des Benedictiner-Stiftes St. Paul in Kärnten (1881), S. 13.

F. L.

13.22

Schautafel:

MIT ST. PAUL VERBRÜDERTE KLÖSTER

s. II, S. 463ff.

13.23

ALBERT REICHART: BREVIARIUM HISTORIAE CARINTHIACAE

um 1700

Papier, 18 + 364 + 9 Seiten; H 16/B 10,5 cm

Stift St. Paul, Cod. 887

Die vorliegende Handschrift stellt eine weitestgehend wortgetreue Abschrift des *Breviarium/Historiae/Carinthiacae/res memoratu dignas/continens,/a/Salvatore/Mvndi nato/vsque ad/Nostrae aetatis Annum/M.DC. LXXV./Ex variis avctoribus/In pauca folia coactum,/Collectore/P. Alberto Reichart,/.../Clagenfvrti,/Typis Georgii Dettelbacher, Archidu-/catus Carinthia Typographi, anno/M. DC. LXXV.* dar.
Autor dieses Buches war der Mönch von St. Paul und damalige Pfarrer von St. Martin im Granitztal, Albert Reichart, der am 11. Oktober 1640 in Klagenfurt als Georg Christian Reichart die Taufe empfangen hatte. 1660 war er in das Stift St. Paul eingetreten, wo er den Ordensnamen Albert angenommen hatte und 1667 zum Priester geweiht worden war. Im Jahr 1677 wurde er zum Abt von St. Paul gewählt und starb nach einer 50jährigen Regierung am 27. März 1727.
Das „Breviarium" ist neben Megisers *Annales Carinthiae* (1612) ein bedeutsames Werk der barocken Kärntner Landesgeschichtsschreibung. Wenngleich es sich in erster Linie als weitgehend unkritisch zusammengefaßte Darstellung aus Megiser ohne Anspruch auf Vollständigkeit entpuppt, muß es doch als Versuch, Landesgeschichte zu betreiben, gewürdigt und als Beitrag benediktinischer Geschichtswissenschaft dazu angesehen werden. Zu berücksichtigen bleibt, daß sich in der Ära Reicharts die historisch-kritische Methode erst entwickelte und der Geist der Mauriner, jener um die Pflege und den Fortschritt der historischen Wissenschaften so bedeutenden Benediktinerkongregation, St. Paul im Lavanttal zu diesem Zeitpunkt noch nicht erreicht hatte.
Von Christi Geburt, nach Reichart im 4052. Jahr seit der Erschaffung der Welt, bis zum Jahr 1675 reicht die chronologische Kompilation, wobei naturgemäß den Angaben zur Geschichte Kärntens im 17. Jahrhundert erhöhte Aufmerksamkeit zukommt. Die Listen der Äbte und Bischöfe der einzelnen Kärntner Klö-

ster und Bistümer sind in der Handschrift, die, einem Vermerk nach, im Jahr 1700 durch Reichart selbst fertiggestellt worden ist, bis zum Beginn des 18. Jahrhunderts geführt. Nicht weiter behandelt dagegen sind im Manuskript die Ereignisse seit der Drucklegung des Buches, also die Jahre 1675 bis 1700. Zur Erarbeitung hat sich Reichart wohl auf die St. Pauler Hausgeschichtsschreibung, die seit Abt Marchstaller stark gefördert wurde (*Archivum Monasterii St. Pauli* s. Kat.Nr. 13.15), gestützt, weniger dagegen auf die archivalische Überlieferung. Reichart hat auch das von Marchstaller begonnene *Archivum*, die offiziöse Hausgeschichte, fortgesetzt und auf 12 handschriftliche Bände erweitert. Als Dokumentensammlung wurde dieses Opus später noch bis 1784 weitergeführt.
Einzigartig ist die dem Werk, sowohl der gedruckten Ausgabe als auch der vorliegenden Handschrift, vorangestellte Karte Kärntens:
Der unsignierte und undatierte Kupferstich in der Größe von 15,5 x 20 cm zeigt das Kärntner Territorium in Form eines in West-Ost-Richtung liegenden Löwen, bezeichnet durch das von einem Engel gehaltene Spruchband *LEO CARINTHIACUS*. Die Topographie des Landes ist durch die Flüsse vorgegeben, die Legende weist Symbole für Bischofssitz, Kloster, Stadt, Markt und Schloß auf. Im linken oberen Teil des Stiches ist auf dem von drei Löwen gezogenen und mit dem Wappen Kärntens dekorierten Sonnenwagen der einstige Kärntner Schutzpatron, Herzog Domitian, dargestellt, der die Attribute geistlicher (Mitra und Pastorale) und weltlicher Macht (Feldzeichen und Kanonenrohre) mit sich führt. Er hält das Füllhorn, Symbol für göttlichen Segen, Reichtum und Überfluß, in Händen. Ihm begegnet die Beschützerin von Dichtung und Wissenschaft, Pallas Athene, deren Schild die Aufschrift *Bre via/rium Hi/storiae Ca/rinthia/cae* trägt, somit den Titel von Reicharts Werk.
Unter der Regierung Abt Reicharts sind auch das *Album Benedictino San-Paulense* (STA, Cod. 32), eine Sammlung historischer Notizen bis zum Jahr 1712, sowie die *Historische Lobred auf die Äbte von St. Paul* (STA, Cod. 42) entstanden.
Reichart wurde ob seiner Gelehrsamkeit und Wissenschaftsförderung hoch geschätzt, zahlreiche literarische Werke wurden ihm gewidmet. Unter seiner Regierung wurden Kleriker an die Universitäten nach Salzburg und Graz gesandt, das Stift selbst unterhielt ein gut besuchtes Gymnasium. Neubauten und Kriegssteuern forderten zur Zeit dieses Abtes, der auf einem Holzrelief dargestellt ist (s. Kat.Nr.

13.25) ihren Tribut, so daß bei seinem Tod Schulden in der Höhe von 358.000 Gulden hinterlassen worden sind.

s. II, S. 275ff.

Lit.: P.A. BUDIK, Albert Reichart, Abt des Stifts St. Paul. Ein Beitrag zur kärntnerischen Literaturgeschichte, Car. 43 (1853), Nr. 22, S. 85f. – T. NEUGART, Historia monasterii ord.S.Benedicti ad S. Paulum II (1854), S. 114–120. – B. SCHROLL, Das Benediktiner-Stift St. Paul, Car. 66 (1876), Nr. 7f., S. 184 und Nr. 9f., S. 217–221. – S. BRUNNER, Ein Benediktinerbuch (1880), S. 316f. – C. WURZBACH v., Biographisches Lexikon des Kaiserthums Oesterreich, Bd. 25, S. 163. – M. ORTNER, Zur Geschichte des Buchdrucks und der Geisteskultur in Kärnten, Car. I 104 (1914), S. 12–33, bes. S. 22f. – A. CORETH, Österreichische Geschichtsschreibung in der Barockzeit (Diss. Wien, 1950) (= Veröffentlichung der Kommission für Neuere Geschichte Österreichs 37), S. 150. – D. JANDL, Kärntens Geschichtsschreibung in der Barockzeit (Diss. Wien 1964), S. 46–48, S. 74–78 u. S. 213. – Kat. Der Buchdruck seit dem 15. Jahrhundert bis Ende des 18.Jahrhunderts Zeugen der Kultur Friaul-Julisch Venetiens, Kärntens und Sloweniens (1978), S. 71, Nr. 12.

P.G.T.

13.24

s. Abb. S. 211

ALTARBILD MIT DER DARSTELLUNG DER „IDEALANLAGE" DES KLOSTERS

Reproduktion

Das Altarbild des südlichen Seitenaltares der Filialkirche St. Johann am Johannesberg (s. Kat.Nr. 11.18) zeigt den hl. Florian, darunter in guter topographischer Nachbildung die Ansicht des Marktes St. Paul und vor allem eine ganz ausgezeichnete Baubestandsdarstellung aus der Zeit nach dem Bibliothekszubau durch Abt Albert Reichart (1677–1727). Das Kloster wird von Südwest her betrachtet, wobei die Projektionsebene von einem Standort erfolgte, der den vorgebauten Hofrichterbau mit dem prächtigen Eingangsportal wesentlich erhöht und die dahinterliegende Stiftsanlage teilweise verdeckt. Bemerkenswert ist die relativ genaue Wiedergabe der Anlage: der Bibliotheksbau ist bereits fertiggestellt, die Türme der Stiftskirche mit den originalen Dachungen versehen. Auch der „Mittlere Torturm", den Abt Marchstaller renoviert und verbessert hatte, ist in guter Architektur vorhanden, ebenso der hier angebaute alte Wirtschaftstrakt in Verbindung zum Ostflügel des Konventsbaues. Diese Darstellung am Altarbild gibt die Klosteranlage des ausgehenden 18. Jahrhunderts von allen zeitgenössischen Darstellungen am besten und getreuesten wieder und zeigt keine Affinität zur „Idealansicht", wie sie Johann Weichard Valvasor (s. Kat.Nr. 13.8, 13.9) 1688 stechen hat lassen.

Lit.: ÖKT 37 (1969), S. 37. – Dehio Kärnten (2. Aufl. 1981), S. 248.

F. L.

13.25

ABT ALBERT REICHART, DEM IN WOLKEN DIE HL. DREIFALTIGKEIT ERSCHEINT

um 1700

Holzrelief, H ca. 80 cm

Stift St. Paul

Der kniende Abt ist im Ordenshabit in Orantenstellung gegeben, sein Stab lehnt am rechten Oberarm. Mitra und Bücher liegen vor ihm auf einem Tisch. Ein Ausblick durch ein Fenster zeigt das Klostergebäude von St. Paul. Dem Abt erscheint soeben die in Wolken thronende hl. Dreifaltigkeit mit Christus als Salvator und Gott-Vater mit Weltkugel. Der Himmelsglobus in den Wolken beleuchtet mit einem Strahlenbündel das Gesicht des Abtes. Die Darstellung wird von einem geschnitzten Rosenkranz als Rahmen umgeben, in den auch Lilienzweige integriert sind und den eine Krone abschließt. Die bunte Fassung mit Vergoldungen (Krone, Fransen des Tischtuches und des Vorhanges) und Silber (Lilien) ist gut erhalten.

Lit.: ÖKT 37 (1969), S. 203, Nr. 6, Abb. 273.

W. H.

14

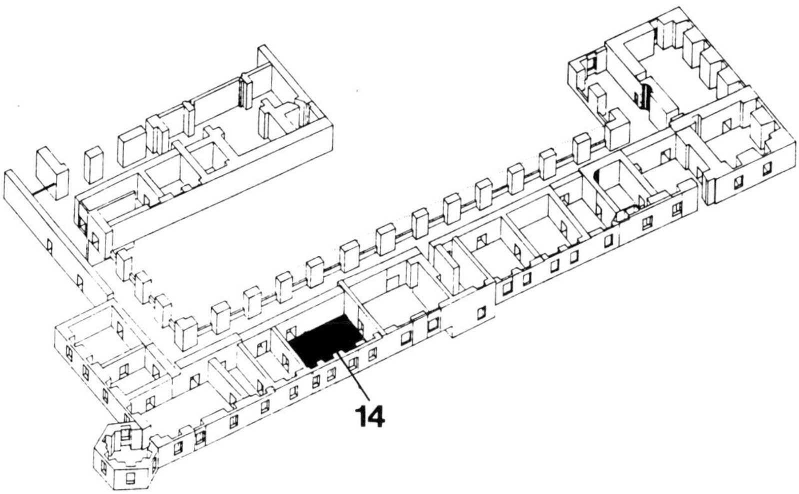

Barockkunst

Das barocke Kunstschaffen läßt sich für St. Paul durch die vorhandenen Bilder des großen Barockmalers Martin Johann Schmidt (1718–1801, wegen seiner Herkunft „Kremser-Schmidt“ genannt) und durch Exponate aus dem Kirchenschatz vorzüglich dokumentieren.
Das Stift besitzt fünfzehn Gemälde des Kremser-Schmidt, die alle aus dem ehemaligen Kollegiatsstift Spital am Pyhrn, der Zwischenstation der St. Blasier Mönchen auf ihrem Weg nach St. Paul, mitgebracht wurden. Das bedeutendste Gemälde aus dieser Reihe ist „Das letzte Abendmahl“.
Die barocken Kunstgegenstände des Kirchenschatzes stammen vorwiegend aus Augsburger Produktion. Sie wurden in reger Sammeltätigkeit von den St. Pauler und St. Blasier Äbten der Barockzeit zusammengetragen. Augsburg war während der ganzen Barockzeit die bedeutendste deutsche Produktionsstätte von Goldschmiedearbeiten. Die dort hergestellten Gegenstände (vor allem Monstranzen, Kelche, Ziborien etc.) zeichnen sich durch ihre reiche Ornamentik aus, die in der Kombination von Treibarbeit, Silberfiligran, Edelsteinbesatz und Emailmalerei beispielgebend war.

ALOIS BRANDSTETTER

Glanz und Gloria I
Zum barocken Teil der Ausstellung, vor allem zu den Bildern Martin Johann Schmidts in Raum 14

Das Vor- und Leitbild aller neueren Abendmahlsdarstellungen ist Leonardo da Vincis ,,Abendmahl'' in der Kirche Santa Maria delle Grazie in Mailand: An einer langen Tafel sitzen Christus und die Apostel, Christus allein in der Mitte, die Apostel in Gruppen zu je dreien, mit einander sprechend und gestikulierend. Auch der Abendmahlsaal ist eine streng symmetrische Architektur mit drei Fenstern, einem mittleren größeren, gegen dessen Licht sich die Christusgestalt abzeichnet, zwei kleineren seitlich. Die Abendmahlgesellschaft sitzt nur an einer, dem Besucher zugewandten Seite der Tafel. Die Kunst verlangt diese Sitzordnung. Wer mit der Erinnerung an Leonardos exemplarisches Renaissance-Fresko, das der Menschheit aus chemischen Gründen seit Jahrhunderten zu entschwinden droht, auf ,,Das letzte Abendmahl'' (1766) des bedeutendsten österreichischen Malers der Barockzeit, Martin Johann Schmidts, des ,,Kremser Schmidts'', blickt, sieht und erkennt wohl schlagartig den Unterschied der Zeiten und Stile: Licht, Leben und Erregung haben sich der Apostel bemächtigt. Engel des Himmels, die unwirklich, wie von innen heraus, glühen und strahlen, sind in die irdische Welt eingebrochen. Alles ist Aktion, Dramatik und Ergriffenheit, Schwung und ekstatische Berauschtheit. Das Bild hat Farbe, es ist auf eine gebändigte und beherrschte Weise bunt. Es geht sozusagen rund. Barock heißt ,,rund, geschwungen'', auch ,,unregelmäßig''...

Über Lichtregie und Farbgebung eines anderen Bildes, des Bildes ,,Die Fußwaschung'', von M. J. Schmidt schreibt Rupert Feuchtmüller in seiner großen Monographie ,,Der Kremser Schmidt'', Innsbruck 1988:

,,Das schräg von rechts oben einfallende Licht interpretiert das außerordentliche Ereignis. Hell leuchtet das Antlitz Christi, Hand und Fuß des Apostels sind ebenso herausgehoben, der Kopf des Petrus ist nur mehr im Streiflicht. Der nächstwichtigste Akzent liegt am Tisch des Abendmahles. Die Apostelköpfe sind nur im schwachen Streiflicht; Judas ist ganz im Schatten, Johannes schaut zum Licht. Dieses Herausheben der entscheidenden Ereignisse wird durch die Farben instrumentiert: das leuchtende Gelb des Inkarnats dominiert und verbindet Christus mit Petrus; das Weiß am Abendmahlstisch findet sich am Tuch wieder, mit dem Christus Petrus die Füße trocknet. Rot ist die dominante Farbe nach Weiß; ihr antwortet Blau. Das Rot geht rechts in den Gewändern der Apostel in Braun, Lachsrot und ein helles Grün über. In der Mitte über dem Tisch klingt das Blau nun in gebrochenen Tönungen noch einmal an, um dann zum grünen Gewand des Judas, zu seinen rötlichen Haaren zu führen. Das Blaugrün am knieenden Johannes leitet über das leuchtende Gelb wieder ins helle Zentrum der Szene."

Es ist ein bezeichnender Umstand, daß St. Paul auf dem Umweg über die Erbschaft aus dem 1807 aufgehobenen Chorherrenstift Spital am Pyhrn, also aus Oberösterreich, in den Besitz der großartigen Bilder des Niederösterreichers Schmidt gekommen ist. Kärnten heißt es, sei damals für grandiose Bauten oder Umbauten, Fresken oder Tafelbilder im barocken Stil und Format zu arm gewesen. Daran ist etwas Wahres, wenn auch die Hinterlassenschaft der Äbte Hieronymus Marchstaller und Albert Reichart (wie in Raum 13 der Ausstellung ersichtlich!) diese Meinung stark relativiert. Sicher aber darf man nicht an Melk oder Wilhering denken... So hängen die barocken Meisterwerke in Kärnten sozusagen etwas luftiger und geräumiger, nicht so gedrängt und Rahmen an Rahmen vom Boden bis zur Decke, wie es in der Barockzeit an sich üblich war und in Barockgalerien heute wieder „nachgemacht" wird, überzeugend, wie man etwa in Kremsmünster sehen kann.

Es ist sicher nicht verwunderlich, daß sich die barocke Kunst in ihrem Triumphalismus, dem „Schwulst", wie ein populäres Schlagwort lautet, ihrer Inbrunst und ihrem Manierismus und was eine nüchterne und desillusionierte Zeit nicht noch alles einwendet, nicht nur Freunde gemacht hat. Jedem Rausch folgt gewissermaßen ein Kater. Doch ist die „Ausnüchterung" nun doch auch lange vorbei. Sie hat einem neuen Verständnis für Lebenslust und Daseinsfreude Platz gemacht. Und es braucht nicht die Erotik, die freilich viele Liebhaber hat, um jene Kunst *anziehend* zu finden.

14.1

MESSKELCH

Elias Jäger (1654–1709), Meistermarke *EI* mit Hifthorn im Oval (Seling 1755) am Rahmen des an der Fußinnenseite eingesetzten Porträtmedaillons des Papstes Innozenz XI., Augsburger Beschauzeichen und Wiener Freiheitsstempel von 1809/10; Augsburg, um 1680/90

Silber, teilweise vergoldet, gegossen und getrieben; H 27,5 cm

Stift St. Paul

Der Kelch entstand wahrscheinlich 1680/90 im Auftrag von Abt Romanus Vogler von St. Blasien (1672–1695). Er ist ein besonders schönes Beispiel hochbarocker Goldschmiedekunst. Er gilt aufgrund einer in die Basiswölbung eingesetzten Medaille traditionell als Geschenk des Papstes Innozenz XI. (1672–1689). Wann die runde Platte aus Silberblech mit dem päpstlichen Reliefbild und der Inschrift INNOCEN. XI.PONT.OPT.MAX.DOMINATOR ET REKTOR auf die Kelchinnenseite genietet wurde, ist jedoch unbekannt. Möglicherweise befindet sich unterhalb der Plakette das Wappen des eigentlichen Stifters, vermutlich des Abtes Romanus Vogler, der zahlreiche Goldschmiedearbeiten bei Elias Jäger, dem *argentarius celebrissimus*, in Auftrag gab. Das Hauptwerk dieses Goldschmieds, die monumentale silberne Votivtafel für die St. Blasien zugeordnete Wallfahrtskirche Todtmoos, die sich heute im Kunsthistorischen Museum in Wien befindet, war ebenfalls eine gemeinsam mit Herzog Karl V. von Lothringen getätigte Stiftung von Abt Vogler.

Der Kelch ist mit zahlreichen Reliefmedaillons geschmückt, die ovale Lorbeerkränze mit Inschriften umrahmen. Szenen aus dem Marienleben (Basis), 4 Engelsbilder (Nodus) und 3 Darstellungen, die auf die Meßfeier hinweisen (Kuppa), ergeben ein dichtes Bildprogramm, das durch fast vollplastische Putti aufgelockert wird. Im Unterschied zur Mehrheit der zeitgleichen Altargeräte wird das Ornament hier auf ein Minimum reduziert. In der Präzision der Treib- und Ziselierarbeit zeigt sich das hohe Niveau der Augsburger Goldschmiedeproduktion, in der Elias Jäger eine herausragende Rolle spielt.

Quellen: Ph. GLÜCKER, Custoria San-Blasiana (1720), STA 197b/2, p. 275.
Lit.: F.X. KRAUS, Der Kirchenschatz von Sanct Blasien, jetzt zu St. Paul in Kärnten (1892), S. 67. – Die Kunstdenkmäler des Kreises Waldshut (1892), S. 97. – ÖKT 37 (1969), S. 234, Nr. 2, Abb. 323. –H. SELING, die Kunst der Augsburger Goldschmiede 1529–1868 (1980). – Kat. St. Blasien 1983, Bd.I, S. 191, Nr. 161.

B. W.

14.2

BENEDIKTUSKELCH UND MESSGARNITUR

Johann Jakob I. Frings (Meister ab 1694, gest. 1744), Meistermarke *IF* im Herz (Seling 1883) am Fußrand des Kelches und am

Kännchen der Garnitur, Augsburger Beschauzeichen und Wiener Repunze von 1806/07; Augsburg, um 1700

Silber, vergoldet, Silberfiligran, Emailmalerei, Steinbesatz; Kelch: H 28,7 cm, Kännchen: H 14,5 cm, Platte max. H 28/B 36 cm

Stift St. Paul

Im Schatzkammer-Verzeichnis des Philipp Glückner von 1720 werden ein Kelch und eine Garnitur erwähnt, die die Geschichte des hl. Benedikt erzählen. Tatsächlich erscheinen auf dem Kelch und der Lavaboplatte jeweils 6 ovale Emailbilder mit Szenen aus dem Leben des Heiligen. Die knappen Darstellungen basieren offensichtlich auf graphischen Vorlagen. Die schwarzen Kutten der Benediktiner verleihen den Bildern eine strenge Note, die mit dem überreichen Gespinst aus Silberfiligran, das die glatten, einfachen Gefäßformen überzieht, und mit den darauf verstreuten bunten Steinen in auffallendem Kontrast steht.
Die beiden Kännchen sind zum Großteil ebenfalls in Silberfiligran eingebettet. Ihre Deckel zieren ein großes A und V, je nach ihrer Bestimmung für Wasser und Wein *(aqua, vinum)*.
Die Entstehungszeit der undatierten Altargefäße liegt wohl am Beginn des 18. Jahrhunderts; demnach wurden sie unter Abt Augustinus Fink (1695-1720) für St. Blasien in Augsburg bestellt.

Quellen: Ph. GLÜCKER, Custoria San-Blasiana (1720), STA 197b/2, p. 279.
Lit.: F. X. KRAUS, Der Kirchenschatz (s. Kat.Nr. 14.1), S. 67. – Die Kunstdenkmäler des Kreises Waldshut (1892), S.97. – ÖKT 37 (1969), S. 236, Nr. 3, Abb. 322,325,326. – Kat. 1500 Jahre St. Benedikt, Patron Europas (1980), S. 36, Nr. 148,149. – H. SELING, Die Kunst der Augsburger Goldschmiede 1529–1868 (1980). – Kat. St. Blasien 1983, Bd.I, S. 202, Nr. 167.

B. W.

14.3

MESSKELCH

Joseph Wolfgang Fesenmayr (1680–1721), Meistermarke *IFW* (Seling 1992), Augsburger Beschauzeichen, Inschrift am Fuß: *R. P.BLASIO BENDER IN MEMORIAM et GratiANIMI signum dono dedit PerII.D.FideLIS a Thurn supr.Min.S.GaLLI MDCCXIII;* Augsburg, um 1713

Silber, vergoldet, H 30,2 cm

Stift St. Paul

Eine Inschrift im Inneren des Kelchfußes berichtet, daß Pater Blasius Bender, der spätere

Abt Blasius III. (1720–1727), diesen Kelch 1713 zusammen mit einer leider nicht mehr erhaltenen Meßgarnitur als Geschenk bekam, gewidmet als Zeichen des Dankes und zur Erinnerung an Fidelis von Thurn, Minister der Abtei St. Gallen, dessen Wappen in Allianz mit demjenigen seiner Frau auch die Kelchbasis schmückt. Pater Blasius Bender war zum damaligen Zeitpunkt Gesandter am Kaiserhof in Wien, wo er eine entscheidende Rolle in der Reichspolitik spielte. Sein großzügiger Gönner Fidelis von Thurn war ebenfalls Empfänger zahlreicher kaiserlicher Auszeichnungen und wurde von Kaiser Leopold I. in den Freiherrnstand erhoben.

Der schlichte, elegante Kelch ist mit dem damals aktuellen Bandelwerk überzogen, in dem ganzfigurige Putti spielen. Der Aufbau des Kelches ist klar in voneinander abgesetzte Segmente gegliedert, die durch ihre Schmuckformen miteinander korrespondieren.

Quellen: Ph. GLÜCKER, Custoria San-Blasiana (1720), STA 197b/2, p. 281.
Lit.: ÖKT 37 (1969), S. 238, Nr. 7, Abb. 331. – H. SELING, Die Kunst der Augsburger Goldschmiede 1529–1868 (1980). – Kat. St. Blasien 1983, Bd.I, S. 209, Nr. 171.

B. W.

14.4

MESSKELCH

wahrscheinlich Augsburg, 1715; keine Marken; Inschrift auf einer runden Platte auf der Innenseite des Fußes: *Frantz Joseph Antoni Freyherr von Roll zu Bernau Scholast.Sumus Custos und Senior etc. Ecl.ae. Frising*

Silber, vergoldet, H 25,5 cm

Stift St. Paul

Der Kelch wurde 1715 von Franz Joseph Freiherr von Roll zu Bernau, Domkapitular des Freisinger Domes (1655–1717), in das Kloster St. Blasien gestiftet. Die Widmungsinschrift, das Wappen des Stifters und das Jahr sind auf einer Platte an der Innenseite der Basis eingraviert. Der Freisinger Domherr wird in den Quellen einige Male als großzügiger Gönner des Schwarzwälder Stiftes erwähnt, so auch als Stifter einer nicht mehr erhaltenen Meßgarnitur.

Während die Kuppa Szenen aus dem Leben Christi, die in engem Zusammenhang mit der Eucharistie stehen, schmücken, sind an der Basis Reliefbilder der Heiligen Petrus und Andreas und eines unbestimmbaren dritten Heiligen eingelassen.

Entgegen der bisherigen Meinung, daß der Kelch aus stilistischen Gründen wesentlich vor dem Widmungsdatum entstanden sein müsse, erscheint mir seine Herstellung im Stiftungsjahr 1715 durchaus nicht unmöglich zu sein.

Quellen: Ph. GLÜCKER, Custoria San-Blasiania (1720), STA 197b/2, p. 281.
Lit.: ÖKT 37 (1969), S. 236, Nr. 4, Abb. 329. – Kat. St. Blasien 1983, Bd. I, S. 206, Nr. 168.

B. W.

14.5

MESSKELCH UND MESSGARNITUR

Paul Solanier (1635–1724), Meistermarke *PS* im Oval (Seling 1669), Augsburger Be-

schauzeichen; eine Inschrift, sowohl auf einer an der Innenseite des Kelchfußes angebrachten Plakette als auch unter Lavaboplatte, gibt Auskunft über den Stifter: IO.FRANC.S.R.I.PRINCEPS EP.CONSTANT.DNS.AUG.MAY.ET.OEHNINGAE IN SUI MEMORIAM DONO DEDIT P.BLASIO BENDER MON.S.BLASY.CELL.MAG.VIENAE XX NOVEMB.MDCCXX.; Augsburg, um 1720

Kelch: Silber, vergoldet, H 27,7 cm; Lavaboplatte: Silber, H 42,3/B 32,7 cm; Kännchen: Silber, H 18 cm

Stift St. Paul

Wie bei Katalognummer 14.3 berichtet wird, wurden P. Blasius Bender, dem Gesandten am Kaiserhof in Wien, zum Dank für seine erfolgreichen Vermittlungsbemühungen im Streit zwischen den Fürstbischöfen von Augsburg und Konstanz wertvolle Geschenke in Form von Meßgeräten gemacht.
Der Fürstbischof von Konstanz, Johann Franz Schenck von Stauffenberg, drückte seine Dankbarkeit mit einem Kelch und einer dazupassenden Meßgarnitur aus, die jeweils mit seinem Wappen geschmückt sind. Über dem mattierten Untergrund des Gefäßes rankt sich das glänzend polierte Bandelwerk-Ornament, das am Kelch von Putti mit den Leidenswerkzeugen unterbrochen wird. Den Rand der Lavaboplatte hingegen zieren Reliefmedaillons: Die Mitte nimmt die Auferstehung Christi ein; typologisch dazu passend, werden seitlich Szenen aus dem Leben Samsons, seines alttestamentarischen Vorläufers, dargestellt. Dazwischen erscheinen die Büsten der vier Evangelisten. Die beiden Kännchen für Wein und Wasser stehen auf Aussparungen in der Mitte der Platte, in denen kunstvoll verschlungen die Monogramme für Christus und Maria eingeschrieben sind. Sie sind sehr einfach gestaltet und weisen nur am Fuß, dem Überfang und dem Deckel sparsamen Schmuck aus Bandelwerk auf.

Lit.: M. GERBERT, Historia Nigrae Silvae II, S. 532. – ÖKT 37 (1969), S. 238, Nr. 9, Abb. 335, S. 243, Nr. 2, Abb. 346. – H. SELING, Die Kunst der Augsburger Goldschmiede 1529–1568 (1980). – Kat. St. Blasien, 1983, Bd. I, S. 216, Nr. 175.

B. W.

14.6 s. II, S. 429, Abb. 98

HAUSALTAR

ursprüngl. Uhrgehäuse; keine Marken; Augsburg, um 1690–1700

Eichenholzkern; furniert mit Schildpatt-Platten und teilweise vergoldeten Silberfolien; silberne, teilweise vergoldete Beschläge; vereinzelte Türkise; H 86/B 104 cm; restauriert und teilweise ergänzt 1982/83 in den Werkstätten des Badischen Landesmuseums Karlsruhe

Stift St. Paul

Das prächtige Uhrgehäuse befand sich wahrscheinlich ursprünglich im Besitz der Markgrafen von Baden-Baden, die es vermutlich zur Ausstattung des Schlosses zu Rastatt verwendet hatten. Einige Aufzeichnungen in Inventaren und Tagebüchern ermöglichen uns, die Provenienz des Stückes bis zu dessen Erwerbung durch das Stift St. Blasien im Jahre 1780 recht gut nachzuverfolgen.
1733 wurde die Uhr in einem Inventar der „costbahrkeiten“ der Markgräfin Sibylla Augusta, der Gattin des Markgrafen Ludwig Wilhelm von Baden-Baden, des sogenannten „Türkenlouis“, erwähnt. Dieser hatte sie 1704 nach der erfolgreich geschlagenen Schlacht bei Hochstädt als Geschenk der Stadt Augsburg bekommen.

Nach dem Aussterben der baden-badischen Linie wurde die Uhr noch einmal in den Gemächern des Fürsten gesichtet und dabei am ausführlichsten in dem 1772 erstellten Verzeichnis beschrieben: „1 grosse Uhre auf einem Kasten-Tisch ... das zweytere Postament/samt dem ganzen Uhren Gehäuse mit Schildkrott durchaus eingelegt, und mit nemlichen Silber-Figuren und Laubwerck besezt und Vielen grosen und kleinen Säulen theils Von silber, Theils Von Messing Vergoldt versehen, ... Die Uhr schlägt Viertel und Stunden, zeigt Planeten und Monats-Täge, und ist das Zifferblatt von durchbrochenem Silber ..."
1775 wurde die Uhr schließlich in Offenburg für 1100 Gulden an den Pariser Juwelier Charles versteigert und kam 1780 für den selben Betrag nach St. Blasien, was im Tagebuch folgendermaßen festgehalten wurde: „... eine kostbare Uhr ..., welche der gdgste Herr um 100 Louis d'or, das ist um 1100 fl an sich gekaufet und zu einem Altar in die Hauskapelle für sich bestimmt hatten."
Abt Martin Gerbert nahm sicherlich einige Änderungen an der Uhr vor, um sie für den sakralen Zweck zu rüsten. So entfernte er vor allem das Uhrwerk und das Zifferblatt, an dessen Stelle nun die ehemals bekrönende Silberfigur des Apollo angebracht ist. Was sich dort zur Zeit von Abt Martin befand, ist ebenso ungeklärt wie die Frage, was mit dem Unterbau der Uhr, in dem ein Orgelpositiv eingebaut war, sowie mit der kleinen Apotheke seitlich an der Uhr geschehen ist.

Quellen: Diarium 1770–1780, STA 2/165, p. 181. – GLA Karlsruhe, 46/4464, Nr. 14, Bl. 138.
Lit.: ÖKT 37 (1969), Nr. 2, Abb. 352. – A.M. RENNER, Die Kunstinventare der Markgrafen von Baden-Baden (1941), S. 112, S. 147, S. 222, Nr. 1, S. 266, Nr. 61. – Kat. St. Blasien 1983, Bd. I, S. 196, Nr. 164.

B. W.

14.7

MESSKELCH

Johann Caspar Lutz (seit 1716 Meister, gest. 1748), Meistermarke *ICL* im Dreipaß, Augsburger Beschauzeichen; Wappen des Fürstbischofs von Augsburg, Alexander Sigmund von Pfalz–Neuburg, mit Mitra und Fürstenhut, den Buchstaben A.S.E.A.C. P.R. und der Jahreszahl 1720; Augsburg, um 1720

Silber, vergoldet; H 31,5 cm

Stift St. Paul

Der Anlaß für die Bestellung dieses ungewöhnlich großen Kelches war die Schlichtung eines beschämenden, jedoch hochbrisanten Streites zwischen zwei ehrgeizigen kirchenpolitischen Parteien. Bei der Beilegung der Differenzen spielte P. Blasius Bender aus St. Blasien eine vermittelnde Rolle. Er erhielt deshalb von beiden gegnerischen Seiten kostbare Geschenke zum Zeichen des Dankes .
Die eine Streitpartei stand für den Fürstbischof von Augsburg, Alexander Sigmund Herzog von Pfalz-Neuburg, dem sich 1714 wegen dessen angeblicher Geisteskrankheit der Fürstbischof von Konstanz, Johann Schenck von Stauffenberg, zur Seite stellte. Gegen diese Bevormundung, die vom Kaiser befürwortet worden war, protestierten die Verwandten des Augsburger Fürstbischofs mit Erfolg beim Papst. Auf kaiserlichen Befehl hin gab der Fürstbischof von Konstanz seine widerrechtlich angeeigneten Funktionen in Augsburg wieder auf und einigte sich mit seinem Gegner.
Im Diarium von St. Blasien liest man unter dem 10. August 1720, daß P. Blasius „auch noch einen grossen Kelch mit sich brachte a 300 fl., welchen ihm Ihre Dchlt. der Bischof von Augsburg, Herzog von Neuburg verehret wegen geleisteten Diensten in der Differenz mit Konstanz." Das Wappen des Augsburger Fürstbischofs prangt dementsprechend in bunter Emailmalerei auf dem Fuß des Kelches, der auch sonst überaus prächtig mit Bandelwerk-Ornamenten und anmutigen Engelsfiguren geschmückt ist.

Quellen: Diarium St. Blasien, 10. August 1720, STA. – Ph. GLÜCKER, Custoria San-Blasiana (1720), STA 197 b/2, p. 281.
Lit.: ÖKT 37 (1969), S. 240, Nr. 10, Abb. 336. – H. SELING, Die Kunst der Augsburger Goldschmiede (1980). – Kat. St. Blasien 1983, Bd. I, S. 214, Nr. 174.

B. W.

14.8

MONSTRANZ

keine Marken; um 1760

Silber, vergoldet, Edelsteine, Glaspasten; H 78 cm

Stift St. Paul

Die Monstranz ist – dem klassischen Typus einer Monstranz entsprechend – aus drei Bauteilen zusammengesetzt: die ziemlich stark gewölbte Basis, deren Umrißlinie leicht geschweift ist, wird von langgezogenen Schwüngen in 4 Abschnitte geteilt. Diese von Blumenranken begleiteten Profillinien setzen sich in einem balusterartigen Nodus fort. Über einem Verbindungsstück mit auskragenden Blättern öffnet sich das längsovale Schaugehäuse, der dritte und wesentlichste Teil der Monstranz. Hinterfangen von einem dichten Kranz aus verschieden langen Strahlen rankt sich ein Gespinst aus Rocaillen, Voluten, Blüten und Blättchen um das Hostienfenster, in dem sich die steingeschmückte Lunula befindet. Kornähren und Weintrauben als Hinweis auf das eucharistische Geheimnis und zahlreiche bunte Steine bilden den zusätzlichen Schmuck des Ostensoriums. Die Monstranz wird von einem kleinen, ebenfalls mit Steinen besetzten Strahlenkreuz bekrönt.

Sie stellt sowohl im formalen Aufbau als auch in der Wahl der Einzelmotive ein typisches Beispiel einer barocken Sonnen- oder Strahlenmonstranz dar. In der barocken Liturgie steigerte sich der Ablauf der Meßfeier kunstvoll bis zum Augenblick der Präsentation der Monstranz in der Wandlung, in der sich Christus den Gläubigen in mystischer Gestalt zeigte. Die Hostie war demnach der Kristallisationspunkt des heiligen Geschehens und die Monstranz das „Zelt“, in dem sich der Sohn Gottes präsentierte. Aufgrund dieser zentralen Rolle in der Barockliturgie kam der Gestaltung und Ausschmückung der Monstranz besonders große Bedeutung zu. Im Laufe der Barockzeit entwickelte sich deshalb ein eigenes Formenrepertoire aus verschiedenen Symbolen und Motiven, die auf die Funktion der Monstranz als Erscheinungsort Christi hinwiesen.

Da die Monstranz keine Markierungspunzen trägt, die den Meisternamen oder das Entstehungsjahr verraten könnten, ist die Datierung nur aus stilistischen Gründen möglich. Die Form der Ornamentik, die von fließenden Schwüngen bestimmt wird, weist eindeutig auf die Blütezeit des Rokoko um 1760 hin.

Lit.: ÖKT 37 (1969), S. 232, Nr. 3, Abb. 317.

B. W.

14.9

RELIQUIENMONSTRANZ

keine Marken; um 1779

Silber vergoldet, Klosterarbeit; H 33,5 cm

Stift St. Paul

Der Behälter für die Reliquie des hl. Nepomuk wurde in Form einer kleinen Monstranz gestaltet, in deren Schaurahmen eine ovale Öffnung die in Klosterarbeit eingebetteten Knochensplitter des Märtyrers präsentiert. Ein Spruch-

band mit den Buchstaben *S.Joann.Nep.* bezeichnet die Reliquie. Ein kleines weißes Lamm mit einem Kreuz weist auf den Opfertod Christi und auf das Martyrium des Heiligen hin.
In der Basis des Ostensoriums ist eine Pergamenturkunde eingeschlossen, die den Stifter des Reliquienbehälters und das Stiftungsdatum bezeichnet: *Edmund Maria episcopus Tejensis Comes ab Artz et Vasseg, 1779, Feb.21.*
Da das Reliquiar keine Punzen aufweist, läßt sich die Entstehungszeit nicht eindeutig feststellen. Trotz der typischen rokokohaften Schmuckformen, besonders der großzügig geschwungenen Rocaillen im Hostienrahmen, könnte die Reliquienmonstranz doch im Jahr der Urkunde, also 1779 entstanden sein. Das war zu jener Zeit zwar nicht mehr modern, aber noch durchaus gebräuchlich; die streng konturierten Felder am Fuß bereits auf den kommenden klassizistischen Stil hin.

Lit.: ÖKT 37 (1969), S. 232, Nr. 4, Abb. 318.

B. W.

14.10

PONTIFIKALORNAT („WIENER ORNAT")

Sticker: Johann Gottlieb Heynitschek, Wien, um 1699–1739,
Schnürmacher: Johann Peter Guttenberger, Wien, 1731; Wien, 2. Viertel des 18. Jahrhunderts

Seide, Silberstickerei mit Kartoneinlagen auf goldenem Grund (Goldfäden); Pluviale mit Silberschließen, Beschauzeichen Wien, Meistermarke verschlagen, Silbermetall-Pailetten; Abtspluviale mit neuem roten Futter; Pluviale des Presbyterassistenten und der beiden Ehrendiakone mit altem rosa Futter; das Abtspluviale hat eine anderes Muster als die anderen Pluviale und ist vollständig mit Silberauflagen versehen

Stift St. Paul

Der Pontifikalornat, in den Akten „Wiener Ornat" genannt, war unter Abt Franz II. Schächtelin von St. Blasien (1727–1747) im Jahre 1731 angeschafft worden und besteht aus vier Pluvialen, einer Kasel, zwei Dalmatiken, zwei Stolen, drei Manipeln, einem Kelchvelum, einer Bursa, zwei Behängen für den Abtthron, einem Gremiale (Schoßtuch) und zwei Polstern. Wie aus einer Akte im GLA Karlsruhe hervorgeht, war das Ensemble des Ornates ursprünglich viel umfangreicher. Außer den im Stift St. Paul erhaltenen Stücken bildeten noch eine Mitra, ein Paar Handschuhe, Pontifikalstrümpfe, einige Tunicellen und ein Tabernakelmantel Teile des gesamten Ornates, für den Pater Marquard Herrgott – Historiker in St. Blasien und 1728–1748 Gesandter am Wiener Hof – Vorschläge für die Anfertigung lieferte, wie aus einem von ihm stammenden Briefkonzept mit Datum 4. Juli 1731 in der erwähnten Akte hervorgeht. Auch sind zwei der ursprünglich vier Verträge zwischen Auftraggeber und Wiener Künstler erhalten, wobei umfassend die Ausführung des Ornates und auch die genauen Zahlungsbestimmungen festgehalten sind. In der der Akte beigelegten Kostenaufstellung beläuft sich die Gesamtsumme auf 3.890 Gulden.

Außer den Namen des Stickers, Johann Gottlieb Heynitschek, und des Schnürmachermeisters, Johann Peter Guttenberger, sind keine weiteren Namen in den Verträgen erwähnt. Erstmals sind hier Künstler der Barockzeit in diesem Metier – dem Kunsthandwerk – namentlich genannt, weshalb der Akte besondere Bedeutung zukommt.
Während bei den wichtigen Stücken des Ornates Goldfäden zur Verarbeitung gebracht sind, über denen silberne Ornamente liegen, wurde bei anderen Stücken nur goldfarbene Seide für den Untergrund verwendet.
Der Pontifikalornat wurde im Jahre 1808 durch Abt Berthold Rottler von Wien aus von den badischen Behörden zurückgefordert. Die wichtigsten Stücke tragen die Wappen des Klosters St. Blasien (springender Hirsch in blauem Feld) und des Abtes Franz II. Schächtlin (schwarz-weiß geschachteter Schrägbalken in rotem Feld).

Lit.: ÖKT 37 (1969), S. 170, Nr. 11, Anm. 225,226. – Kat. St. Blasien 1983, Bd.I, S. 221ff, Nr. 178; Bd.II, S. 251, Abb. 78 (mit Nennung der Quellen und weiterer Literatur).

W. H.

14.11

DIE FUSSWASCHUNG

Johann Martin Schmidt, gen. Kremser-Schmidt (Grafenwörth 1714 – Stein an der Donau 1801), um 1766

Öl auf Leinwand, H 225,5/B 256,5 cm

Stift St. Paul

Dargestellt ist, wie Christus den Aposteln als Zeichen ihrer Reinheit die Füße wäscht und dabei (nach Joh. 13, 5–10) seinen Verrat ungenannt ankündigt. Die Komposition des Motivs, ein auf die Spitze gestelltes, nach oben hin offenes Dreieck, bindet Christus zentral in die Personengruppe ein, so daß er als Ausgangspunkt für das weitere Geschehen aufzufassen ist. Ebenso akzentuiert ihn die Beleuchtung, während die Apostel lediglich in unterschiedlich starkem Streiflicht, Judas mit dem Geldbeutel in der Hand sogar im Schatten stehend, wiedergegeben werden.
Eine Auftragsarbeit für das Chorherrenstift Spital am Pyhrn, die bei der Wiederbesiedelung des Stiftes St. Paul 1809 mitgebracht wurde.

Lit.: ÖKT 37 (1969), S. 308, Nr. 91, Abb. 440. – R. FEUCHTMÜLLER, Der Kremser-Schmidt (1989), S. 186f.

M.A. J.

14.12

DER ENGEL ERSCHEINT ELIAS

Johann Martin Schmidt, gen. Kremser-Schmidt (Grafenwörth 1714 – Stein an der Donau 1801), um 1766

Öl auf Leinwand, H 228,5/B 145 cm

Stift St. Paul

Das Motiv dieses Gemäldes entstammt dem Alten Testament und illustriert eine Textstelle aus dem 1. Buch der Könige (Reg. 1; 19, 5–6): „Dann legte er sich unter den Ginsterstrauch und schlief ein. Doch ein Engel rührte ihn an und sprach: Steh auf und iß! Als er um sich blickte, sah er neben seinem Kopf Brot...und einen Krug mit Wasser."

Der Prophet Elias befand sich auf der Flucht, weil man ihm nach dem Leben trachtete. Der Engel führte ihn zum Gottesberg Horeb, wo er vom Herrn seine Aufträge erhielt.
Dieses Werk war eine Auftragsarbeit für das Chorherrenstift Spital am Pyhrn und wurde mit 11 weiteren Bildern des Kremser-Schmidt 1809 nach St. Paul gebracht.

Lit.: ÖKT 37 (1969), S. 308, Nr. 86, Abb. 435. – M.A. JELONEK, Der Maler Johann Martin Schmidt, genannt Kremser-Schmidt, JbSP 1983/84, S. 37ff. – R. FEUCHTMÜLLER, Der Kremser-Schmidt (1989), S. 450.

M.A. J.

14.13

DAS LETZE ABENDMAHL

Johann Martin Schmidt, gen. Kremser-Schmidt (Grafenwörth 1718 – Stein an der Donau 1801), dat. 1766

Öl auf Leinwand, H 227/B 391 cm

Stift St. Paul

Die gedanklich tiefgreifende Bilderfindung dieses Gemäldes beruht auf dem Text des Evangeliums nach Johannes (13, 21–28): „Amen, amen ich sage euch: Einer von euch wird mich verraten. Die Jünger blickten sich fragend an, weil sie nicht wußten, wen er meinte . . . Da lehnte sich . . . (Johannes) zurück an die Brust Jesu und fragte ihn: Herr, wer ist es? Jesus antwortete: Der ist es, dem ich den Bissen Brot, den ich eintauche, geben werde. Dann tauchte er das Brot ein, nahm es und gab es Judas... Jesus sagte zu ihm: Was du tun willst, das tu bald! Aber keiner der Anwesenden verstand, warum er ihm das sagte."
Treffend ist dieser Evangeliumstext in die Bildsprache übersetzt: die Isoliertheit des Verräters Judas, der gerade den Bissen Brot entgegennimmt, der Geldbeutel an seinem Gürtel, der ihn ausweist als den Kassenverwalter der Jünger und vorwegnimmt, daß er das Geld für den Verrat erhalten wird, die verständnislose Ratlosigkeit der Anwesenden. Einzig der Hund, der sich mit einem Knochen unter dem Tischtuch hervorschleicht, scheint das künftige Geschehen vorauszufühlen.
Das Werk entstand als Auftrag für einen Zyklus für das Chorherrenstift Spital am Pyhrn und wurde von den Benediktinern aus St. Blasien bei der Wiederbesiedelung St. Pauls 1809 von dort mitgebracht.

Lit.: ÖKT 37 (1969), S. 308, Nr. 90, Abb. 442. – M.A. JELONEK, Der Maler Johann Martin Schmidt, genannt Kremser-Schmidt, JbSP 1983/84, S. 37f. – R. FEUCHTMÜLLER, Der Kremser-Schmidt (1989), S. 111f.

M.A. J.

14.14

DER AUFERSTANDENE ISST VON DEN DARGEREICHTEN FISCHEN

Johann Martin Schmidt, gen. Kremser-Schmidt (Grafenwörth 1714 – Stein an der Donau 1801), um 1766

Öl auf Leinwand, H 228/B 145 cm

Stift St. Paul

Diese Szene aus dem Neuen Testament entspricht dem Evangeliumstext nach Lukas (24,

41–43). Christus ist hier im Kontrast zu den Aposteln als Akt gemalt, um den Realitätsgrad zu verdeutlichen. Der Auferstandene erscheint den Aposteln zwar wirklich, doch auf einer formal anderen Ebene, die ihn als göttlich-real kennzeichnet.

Das für das Chorherrenstift Spital am Pyhrn gemalte Tafelbild wurde ebenfalls 1809 bei der Wiederbesiedelung nach St. Paul gebracht.

Lit.: ÖKT 37 (1969), S. 308, Nr. 92, Abb. 439. – R. FEUCHTMÜLLER, Der Kremser-Schmidt (1989), S. 111f.

M.A. J.

15

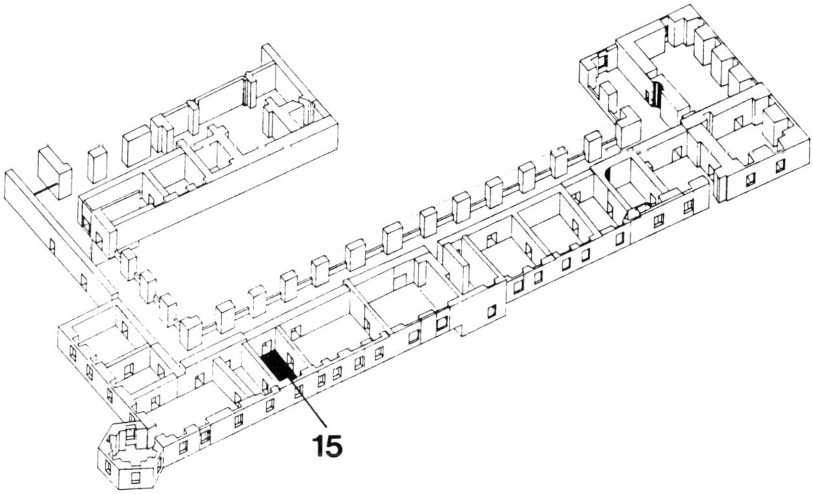

Staatskirchentum und Aufhebung (1782/87)

Im 18. Jahrhundert standen viele österreichische Klöster am Rande des finanziellen Ruins, verursacht durch die ausgedehnte Bautätigkeit der Barockzeit, die ständig ansteigenden Repräsentationskosten und die hohen Steuerlasten. Der Staat des aufgeklärten Absolutismus sah sich veranlaßt, auf Entwicklung und Fortbestand der Klöster immer stärker Einfluß zu nehmen; Kirchen und Klöster wurden zum Kalkül staatspolitischen Interesses (Staatskirchentum). Den Klöstern wird vorgeworfen, ihre eigentlichen religiösen Zielsetzungen zu vernachlässigen. So werden aus wirtschaftlichen und politischen Gründen vor allem unter der Herrschaft Kaiser Josephs II. (1780–1790) in den habsburgischen Ländern von 2163 Klöstern 738 aufgehoben. Die Zahl der Mönche und Nonnen sank damals von 43.260 auf 28.250. Der Klosteraufhebungspolitik Josephs II. fielen in Kärnten zunächst die Benediktinerinnen von St. Georgen am Längsee, die Benediktiner von Ossiach und Arnoldstein, die Dominikanerinnen von Maria Loretto und zuletzt die Benediktiner von St. Paul zum Opfer.

1782 wird die Aufhebung St. Pauls von Kaiser Joseph II. dekretiert und nach einem von Abt Anselm von Edling (1778–1787) bewirkten Aufschub ab 1787 vollzogen. Abt Anselm stand den Reformanliegen der josephinischen Zeit durchaus aufgeschlossen gegenüber. Um den Vorwürfen der Mißwirtschaft zu entgehen, die ihm von seiten seiner Mitbrüder und vorgesetzter kirchlicher Stellen entgegengebracht wurden, hat er sich an die weltliche Behörde gewandt und auf diese Weise, ohne es zu wollen, die Aufhebung des Stiftes schließlich beschleunigt. So wurde aus wirtschaftlichen Gründen 1787 eine kulturell wie geistlich blühende Abtei geschlossen, die durch Jahrhunderte für Bildung, Kultur und Schulwesen des Landes von großer Bedeutung gewesen war. Die Aufhebung vermochte diese Tradition nicht auszulöschen. Zwei Jahrzehnte später wird das Kloster, dessen Fehlen eine schmerzliche Lücke im Schul- und Bildungswesen offenbarte, mit Mönchen des 1806 aufgehobenen Schwarzwald-Klosters St. Blasien wieder belebt.

Aus und vorbei?

Alles aus und vorbei. Es gibt keine Benediktiner mehr in St. Paul. Dabei zählte das Stift bei der Aufhebung 36 Mitglieder; 19 davon lebten im Stift; die anderen waren in den Pfarren oder in der Verwaltung der Stiftsgüter tätig. Jetzt verließen sie den Orden. Abt Anselm wurde Dechant in Wolfsberg, dann Domherr in Leoben und starb in Göß. Viele Handschriften, Bücher und Kunstgegenstände verkamen nach Klagenfurt und Wien. Und so manche Kostbarkeiten sind auch „unter der Hand" verschwunden.
So wurde unsere Abtei letztlich aus politischen Gründen und Interessen geschlossen. Alles aus und vorbei? Zunächst schien es so zu sein. Pläne über die Verwendung der ehemaligen Stiftsgebäude wurden gemacht. Man dachte u.a. an die Errichtung einer Kaserne – Soldaten statt Mönche; Waffen statt Psalmengesänge? Oder ein Siechenhaus für ganz Innerösterreich? Dann wären die Gebäude auch heute noch zu klein! Nun ja, der Mensch denkt, und Gott lenkt! Gott lenkt die Mönche des im Jahre 1806 aufgehobenen Benediktinerstiftes St. Blasien im Schwarzwald nach St. Paul. Über St. Blasien und die Wiederbesiedelung von St. Paul darf ich Ihnen, lieber Besucher, in den nächsten Räumen der Ausstellung etwas erzählen.

15.1

Schautafel:
DIE MONTANINDUSTRIELLEN UNTERNEHMUNGEN DES STIFTES ST. PAUL

15.2

Schautafel:
DIE ENTWICKLUNG DES SCHULDENSTANDES 1616–1782

15.3

Schautafel:
DIE ENTWICKLUNG DES AKTIVVERMÖGENS UND DES SCHULDENSTANDES 1728–1782

15.4

Schautafel:
AKTIVA UND PASSIVA BEI DER AUFHEBUNG DES STIFTES

15.5

Schautafel:
KAUFKRAFT DES GULDENS IM 17. UND 18. JAHRHUNDERT

15.6

s. II, S. 218, Abb. 17

ANSELM VON EDLING (1741–1794)

Porträt des Abtes Anselm von Edling mit Pileolus und Pectorale; Aufschrift: *ANSELMUS AB EDLING/ABBAS AD S.PAULUM/AB A. 1778 – 1782*

Öl auf Leinwand, H 66/B 47,5 cm

Klagenfurt, Konvent der Elisabethinen

Anselm von Edling war Abt des Stiftes St. Paul zur Zeit der Aufhebung durch Kaiser Joseph II. im Jahre 1782. Er verkörperte den Typ des aufgeklärten Geistlichen jener Epoche, dem die Seelsorge, die Pastoral, wesentliches Anliegen war. Als Schriftsteller nicht nur für die Theologie (s.Kat.Nr. 15.9), sondern auch für die Literatur (*Tagsatzung im Olympus, ausgeschrieben In puncto labefactatae Aeneidis contra Blumauer von A.E., Kornet,...*) bedeutsam, gehörte Edling dem Kreis um die Erzherzogin Maria Anna (s.Kat.Nr. 15.7) in Klagenfurt an, die ihm – durch eine Vielzahl gemeinsamer Interessen verbunden – auch persönlich nahestand. Nach der definitiven Aufhebung des Stiftes im Jahr 1787 wirkte Edling als Dechant und Pfarrer von Wolfsberg und wurde 1790 in das Domkapitel der damals neu geschaffenen Diözese Leoben in Göß berufen. Er starb als Domdechant in Göß am 22. April 1794 im Alter von 52 Jahren, hochverdient um die dortige Schule.

P.G.T.

15.7

ERZHERZOGIN MARIA ANNA (1738–1789)

Johann Baptist Lampi d.Ä. (1751 Romano/Südtirol – Wien 1820), bez.: *De Lampi pinxit A. 1781*

Öl auf Leinwand, H 125/B 94 cm

Klagenfurt, Konvent der Elisabethinen

Erzherzogin Maria Anna wurde am 6. Oktober 1738 als zweites Kind des Kaiserpaares Maria Theresia und Franz Stefan in Wien geboren. Schon in der Kindheit kränklich, seit dem sechsten Lebensjahr innerlich verwachsen und dadurch äußerlich verunstaltet, war die Erzherzogin gleich ihrem Vater an Kunst und Wissenschaft, vornehmlich an Gesteinen und Münzen, interessiert. Sie gilt als Autorin eines 1782 in Wien erschienenen Prachtwerks der maria-theresianischen „Schau- und Denkmünzen". Gemeinsam mit Ignaz Born, dem führenden Mineralogen, Montanistiker und Geologen jener Zeit in Österreich, ordnete sie nach dem Tod Franz Stefans dessen Sammlungen. Im Jahr

1766 von ihrer Mutter zur ersten Äbtissin des neuen Damenstifts am Hradschin in Prag ernannt, blieb sie bis zum Tod Maria Theresias in Wien. Bald nach dem Tod der Herrscherin verließ sie den Hof und begab sich nach Klagenfurt, wo bereits ein Residenzgebäude, das heutige Bischofshaus, für sie errichtet worden war. Seit Ende April 1781 in Klagenfurt, wurde sie die große Förderin nicht nur des Elisabethinenkonvents und seines Spitals: Ihre kleine Residenz wurde das gesellschaftliche Zentrum des Landes; selbst eine Freimaurerloge in Klagenfurt wurde *Zur wohltätigen Marianna* nach der Erzherzogin genannt. Ihrem Freundeskreis gehörte der St. Pauler Abt Anselm von Edling (s.Kat.Nr. 15.6) an, mit dem sie eifrige Korrespondenz pflog und der ihr als Schriftsteller zahlreiche literarische Huldigungen dedizierte.
Maria Annas Sinn für Wissenschaft äußerte sich in Klagenfurt überdies durch die ideelle und finanzielle Förderung der Ausgrabungen auf dem Zollfeld. Im Jahr 1789 vermochte sie, schon vom nahen Tod gezeichnet, die über Kärnten hereingebrochene Hungersnot durch Getreidespenden zu lindern. Erzherzogin Maria Anna starb am 19. November 1789 in Klagenfurt. Ihre letzte Ruhestätte fand sie in der Kirche des Elisabethinenkonvents, jener klösterlichen Gemeinschaft, die auch ihr Erbe antrat.
Das präsentierte Bild verfertigte der berühmte Südtiroler Porträtmaler Johann Baptist von Lampi d.Ä., dem ein vorzügliches Porträt der Erzherzogin Maria Elisabeth als Äbtissin des Damenstiftes in Innsbruck diesen Auftrag in Klagenfurt einbrachte. Das Gemälde zeigt die Erzherzogin in Dreiviertelansicht, Maria Anna trägt ein Medaillon mit dem Porträt Maria Theresias. Von diesem Gemälde Lampis existieren mehrere Varianten (Kopien?), zum Teil in Privatbesitz.

Lit.: O. RUDAN, Erzherzogin Maria Anna in Klagenfurt 1781–1789. Palais und Kloster vereint, Car.I 170 (1980), S. 185–260 (mit ausführlicher weiterführender Literatur). – F. LEITNER, Kärnten zur Zeit Kaiser Joseph II., in: Österreich zur Zeit Kaiser Joseph II. Mitregent Kaiserin Maria Theresias, Kaiser und Landesfürst, Kat. Melk (1980), S. 121–124. – Maria Theresia und ihre Zeit, Kat. Schloß Schönbrunn (1980), S. 209, S. 244f. u. S. 341. – Zu Lampi vgl.: P.F. SCHMIDT, in: Thieme-Becker, Allgemeines Lexikon der bildenden Künstler, Bd.22, S. 272–275.

P.G.T.

15.8

ANSELM EDLINGS GEDICHTE VON VERSCHIEDENEN GEGENSTÄNDEN GESAMMELT IM JAHRE MDCCLXXX

Anselm von Edling (1741 Maria Saal/Kärnten – 1794 Göß/Steiermark); 1780, einzelne Gedichte mit 1781 dat.

gebundenes Manuskript, Einband aus rotem Leder, Goldornamentik, Büttenpapier; 356 Seiten, davon 210 handschriftlich; H 21,5/B 17,2 cm

Schloßbibliothek Ebenthal, Inv.Nr. 403 (III F 7)

Der Band Gedichte des Abtes Anselm von Edling gibt einen Einblick in die kulturellen Vergnügungen und Ambitionen des adeligen Landlebens, in dem sich der Geistliche bewegte. Das Verfertigen von Gedichten war dabei eine gesellschaftlich willkommene Kunst, für die sich Personen, Situationen und Anlässe finden ließen, in der verbale Kunst-Stücke „bestellt" oder auch „frey gemacht" werden konnten, wie beides bei Edling der Fall ist. Daß dies eine „Hauptbeschäftigung", ein „Beruf" oder eine Berufung sei, wird in der Vorrede zurückgewiesen: aus Standesrücksichten wohl ebenso wie aus Einschätzung der eigenen Ergebnisse und – ein wenig kokett so formuliert – in Anbetracht des ökonomischen Risikos, durch die brotlose Kunst ein Hungerleider zu werden.
Neben den traditionellen Themen und Formen, wie sie in der deutschen Literatur etwa zur Mitte des 18. Jahrhunderts üblich sind (Anselm nennt auch seine Vorbilder, wie Hagedorn und Gellert) finden sich auch melancholische Verse über die Bedrückungen seines Standes und Amtes (der 1778 gewählte Abt mußte die im Jahre 1782 verfügte Aufhebung des Stifts durchführen) oder moralisch-kritische Anmerkungen zu den damals neuesten und erregendsten literarischen Werken des deutschen Sprachraums, Lessings *Emilia Galotti* und Goethes *Werther*. Als Zeichen eines wachen Geistes und einer weit reichenden literarischen Bildung mögen diese Gedichte den Abt bei der Erzherzogin Maria Anna, der Schwester Josephs II., empfohlen haben, die 1781 nach Klagenfurt übersiedelte und dort für einige Jahre die gesellschaftliche und kulturelle Elite um sich sammelte.

s. II, S. 225ff.

Lit.: E. NUSSBAUMER, Anselm Edlings Lyrik, Car. I 143 (1953), S. 965–987. – DERS., Geistiges Kärnten. Literatur- und Geistesgeschichte des Landes (1956), S. 228ff. – O. RUDAN, Erzherzogin Maria Anna in Klagenfurt 1781–1789, Car. I 170 (1980), S. 185–260.

H. L.

15.9

ANSELM VON EDLING: BRIEFE IN KÄRNTEN. ODER LEHRSÄTZE (!) FÜR ANGEHENDE SEELSORGER.

Klagenfurt und Laibach, Kleinmayer 1786

257 Seiten, H 20/B 11,5 cm

Stift St. Paul

In Form eines Briefwechsels zwischen einem Abt und einem jungen Geistlichen führt dieses

Werk in die Anschauungen des St. Pauler Abtes Edling von einer aufgeklärten Seelsorge ein. Es weist den St. Pauler Abt nicht nur als aufgeklärten Theologen, sondern auch als Praktiker in der Pastoral aus.

P.G.T.

15.10

ANSELM EDLINGS ABBTEN ZU ST. PAUL IN KÄRNTEN ORD.S.BENED. ANREDE AN SEINE GEISTLICHE...

...am Tag nach der Aufhebung am 5. November 1782

Manuskript, Papier, 8 + 4 Bll., H 24/B 19,5 cm

Stift St. Paul, P 17/100

Auszüge dieser Rede werden (nach dem Druck im AVGT 5, 1860, S. 23–31) in der Ausstellung akustisch wiedergegeben: *(...) Es sind 4 Jahre und etwas darüber meine Brüder, da ihr mich nach dem Tod meines Vorfahrers zu Eurem Vater erwählt habt. (...) Es war noch niemals der Zeitpunkt, wo ich Ihnen, meine Herren, für dieses Vertrauen öffentlich danken konnte, und vielleicht würde er noch nicht erschienen sein, wenn ich alle die Fähigkeiten gehabt hätte, die sie mir zugedacht haben. Der allgemeine Ruf verbreitet es wenigst, daß die Grundursach unserer Aufhebung die große Schuldenlast seye, die an unsern Gilten klebt, und die sich vorzüglichst in den 4 letzteren Jahren angehäuft haben soll. (...) Ich bin noch niemal über diese Angelegenheit gehört worden, hoffe aber, daß man mich einmal um so gewisser hören werde, (...). (...) Unmöglich kann es Ihnen bekannt seyn, welche Mühe ich mir gegeben habe, die Lage der Klostergüter kennen zu lernen, welche wiederholte Pläne ich verfassen und größtentheils ausführen ließ. (...) Aber das Schicksal hat mich dazu bestimmt, alle meine Vorsätze zum Wohl meines Klosters auszuführen. (...) Ich danke Ihnen für Ihren jedesmaligen Gehorsam und für die Achtung, mit der sie mir begegneten, und mit der Sie mir, wie ich sicher hoffen kann, auch noch nach unserer Trennung ergeben bleiben werden. Wir sind an dem Standpunkte, da unsere wechselseitigen Verhältnisse aufhören. Wenn ich so reden darf, so liegt in meiner Person ihr gemeinschaftlicher Vater sittlicher Weise in seinen letzten Zügen. Darf er Ihnen noch mit sterbenden Lippen Ermahnungen für die Zukunft ertheilen? (...) In Ihren Händen liegt es jetzt der Welt Beweise zu geben, daß die Klosterverfassung gut war, daß Menschen daselbst nicht verwildert, sondern gebildet wurden, denn aus Ihrem Betragen in der Welt wird man ihre gehabte Erziehung beurtheilen. Wo Ihnen das Kleid, das Sie noch tragen, wo Ihnen die Wohnung, in der wir noch versammelt sind, wo Ihnen die Regul, die wir hier, so viel es die menschliche Schwachheit zuließ, befolgt haben, lieb sind, so bestreben Sie sich, allen Menschen so zu begegnen, daß man nicht vielleicht einst wünschen möchte, unser Kloster soll blos von darum geblieben seyn, damit die übrige Welt unsers Umgangs überhoben gewesen wäre. (...) Die Thränen in den Augen derjenigen, die wir hier verlassen, und ihre Verzweiflung über unsere Entfernung sind nicht allein Bürgen, daß unsere Aufhebung ihrem zeitlichen Vortheil nicht entsprechen, sondern daß wir umgänglich gewesen seyn müssen. (...) Gehen Sie jetzt meine Herrn, und überlassen Sie mich meinen Thränen, die bei dem ersten Schmerz wahre Wohlthat des Himmels sind! (...) Wir wollen zeigen, daß wir Männer sind, und Hofnung haben, so schwer uns auch diese Trennung fällt, uns dort wieder in einer Gemeinde, in einer glücklichen Versammlung zu finden, wo keine Fälle einer Absonderung mehr möglich sind. Amen.*

H. P.

KAISER JOSEPH II.

unbekannter Künstler, um 1770

Öl auf Leinwand, H 92,5/B 71 cm

Klagenfurt, Landesmuseum für Kärnten, Inv.Nr. K 328

Übliche Darstellung Kaiser Josephs II. auf einem künstlerisch besonders hochwertigen Gemälde. Der Kaiser sitzt, den Blick nach rechts gewandt, in weißer Uniform eines „deutschen" Generals an seinem Schreibtisch, vor sich Pläne, dahinter die Reichsinsignien. Der offene Raum des Hintergrundes gibt den Blick auf Wolken frei.

Lit.: Österreich zur Zeit Kaiser Joseph II., Kat. Melk (1980). – Kat. des Niederösterr. Landesmuseums NF 95 (1980), S. 675, Kat.Nr. 1620.

F. L.

15.12

Schautafel: AUFGEHOBENE UND BELASSENE BENEDIKTINISCHE KLÖSTER

15.13

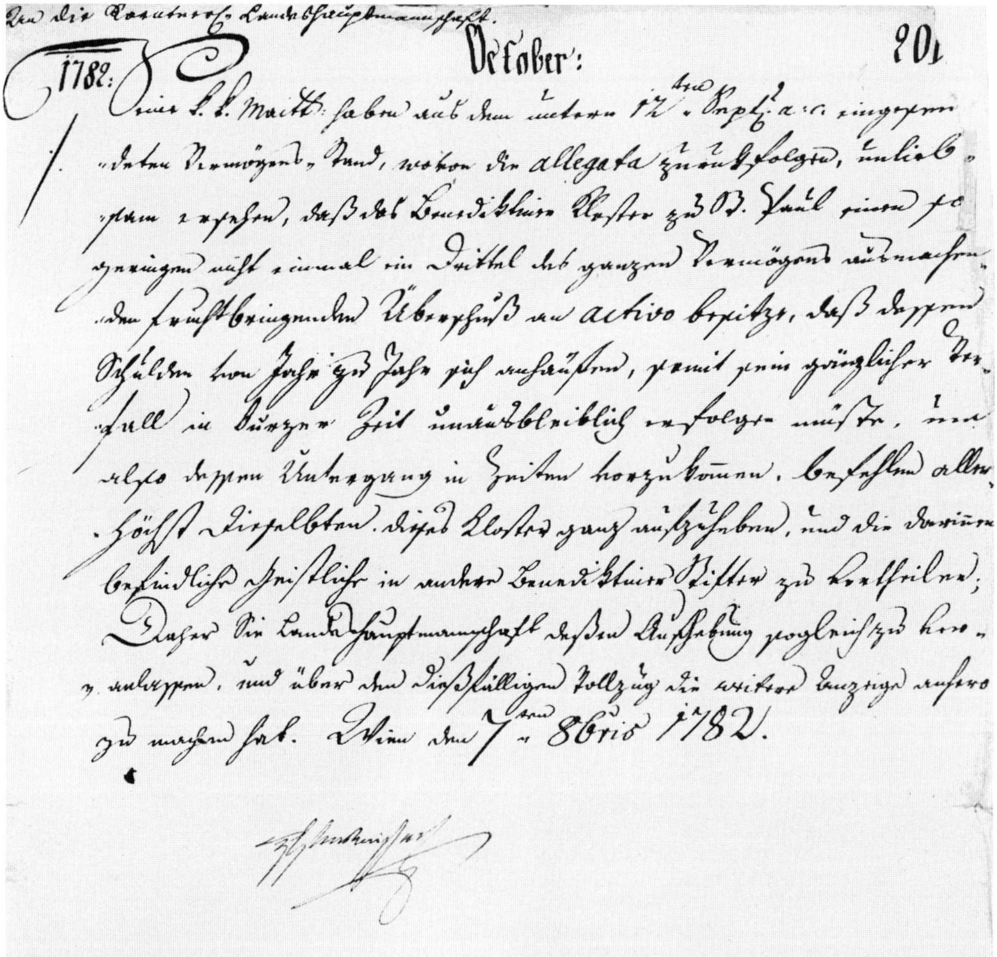

An die Kärntnerische Landeshauptmannschaft.

October: 201

1782:

Seine k.k. Majestät haben aus dem unterm 12ten Sept. a.c. eingegebenen Vermögens Stand, woran die allegata zurückfolgen, mißfällig ersehen, daß das Benediktiner Kloster zu St. Paul einen so geringen nicht einmal ein Drittel des ganzen Vermögens ausmachenden fruchtbringenden Überschuß an activo besitzt, daß dessen Schulden von Jahr zu Jahr sich anhäufen, somit sein gänzlicher Verfall in kurzer Zeit unausbleiblich erfolgen müßte, um also dessen Untergang in Zeiten vorzukommen, befehlen aller höchst dieselben, dieses Kloster ganz aufzuheben, und die darinn befindliche Geistliche in andere Benediktiner Stifter zu vertheilen; Daher die Landeshauptmannschaft dessen Aufhebung sogleich zu veranlassen, und über den dießfälligen Vollzug die weitere Anzeige anhero zu machen hat. Wien den 7ten 8bris 1782.

AUFHEBUNGSDEKRET VOM 7.10.1782

Papier, H 37/B 24 cm

Kärntner Landesarchiv, Regierungsakten (Jesuiten-, Klosteraufhebungs-, Invasionsakten), Fasz.VII, 206

Mit diesem Hofdekret wird die erste Aufhebung St. Pauls verfügt. Der Grund ist das Ergebnis der Vermögensstandsuntersuchung vom 12.9.1782, wonach kaum ein Drittel des Vermögens unbelastet sei. Die Geistlichen sollen in andere Benediktinerstifte versetzt werden. Das Hofdekret traf am 12.10. bei der Kärntner Landeshauptmannschaft ein, die ab 24.10.1782 die Aufhebung in die Wege leitete.

s.II, S. 207ff.

Lit.: A. WOLF, Die Aufhebung der Klöster in Innerösterreich 1782–1790. Ein Beitrag zur Geschichte Joseph's II. (1871, Nd. 1971), S. 95. – Th. RASCHL, Aufhebung und Neubegründung des Stiftes St.Paul (1782–1809), JbSP (1926/27), S. 10.

W. K.

15.14

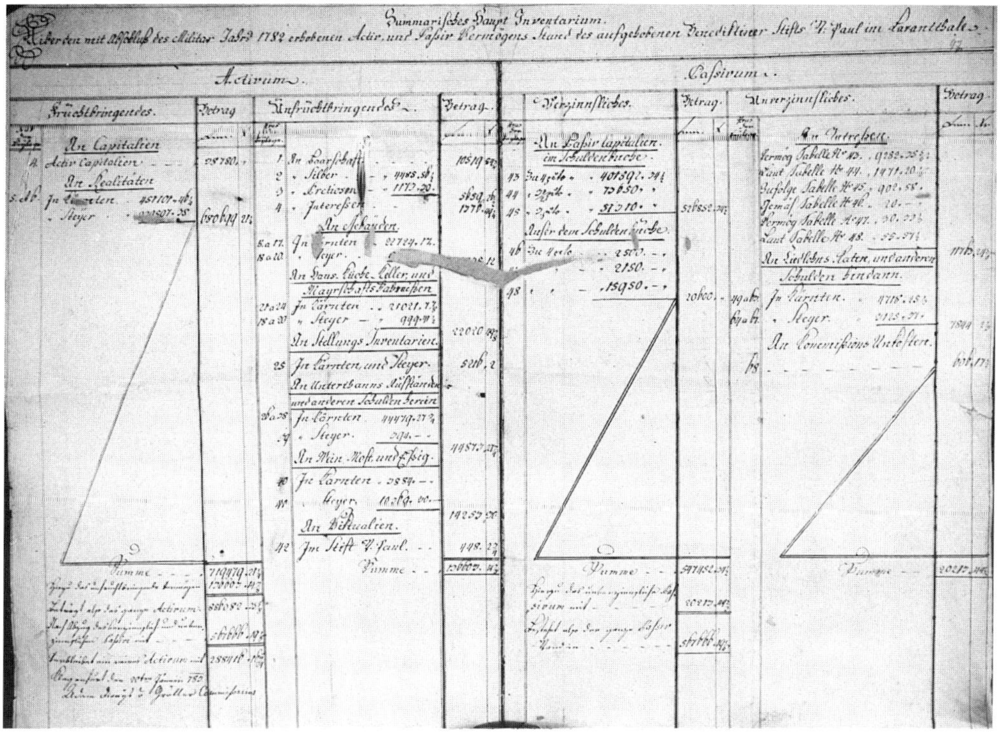

SUMMARISCHES HAUPTINVENTAR DES STIFTES

Sumarisches Haupt Inventarium über den mit Abschluß des Militar Jahrs 1782 erhobenen Activ und Passiv Vermögens Stand des aufgehobenen Benediktiner Stifts St. Paul im Lavantthale, Klagenfurt, 20.1.1783

Papier, Einzelblatt; H 42/B 28,5 cm

Kärntner Landesarchiv, Regierungsakten (Jesuiten-, Klosteraufhebungs-, Invasionsakten), Fasz.II, Nr.V.

Dieses Inventar, gefertigt vom Aufhebungskommissar Adam Dionys von Gröller, weist das Ergebnis der Erhebungen der Kommission gegen Ende des Aufhebungsvorganges aus. Danach betrugen die Aktivkapitalien 38.780 fl, der Realitätenbesitz 680.699 fl 1/4 kr, Bargeld, Wertgegenstände, Gebäude und Vorräte 136.603 fl 14 3/8 kr, an verzinslichen Passiven wurden 547.452 fl 34 1/2 kr festgestellt, an unverzinslichen 20.213 fl 44 2/3 kr. Somit blieben 288.416 fl 16 11/24 kr, was mehr als einem Drittel des Vermögens entsprach, als reines Aktivum. Die Begründung im Aufhebungsdekret war nun nicht mehr gegeben. In der Folge wurde die Aufhebung aufgrund von Bemühungen mehrerer Seiten und aus anderen Gründen sistiert (bis 1787).

s. II, S. 207ff.

Lit.: A. WOLF, Die Aufhebung der Klöster in Innerösterreich 1782–1790. Ein Beitrag zur Geschichte Joseph's II. (1871, Nd. 1971), S. 97. – Th. RASCHL, Aufhebung und Neubegründung des Stiftes St. Paul (1782–1809), JbSP (1926/27), S. 22.

W. K.

15.15

Schautafel: DER BESITZ ST. PAULS BEI DER AUFHEBUNG

16

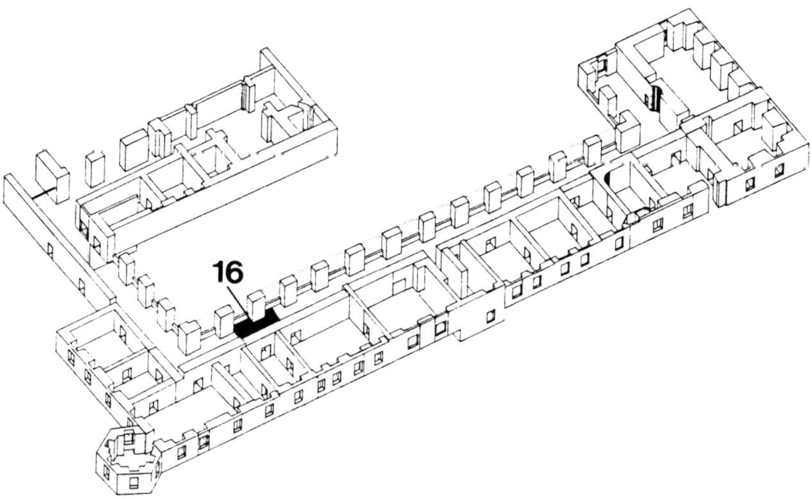

Die Wiederbesiedelung 1809

Die Mönche aus St. Blasien kamen aus Vorderösterreich, jenem Gebiet im Südwesten des alten Reiches, das bis zu den staatlichen Umwälzungen des beginnenden 19. Jahrhunderts fast ein halbes Jahrtausend zum Haus Habsburg gehört hatte. Die Benediktiner aus dem Schwarzwald gaben den entscheidenden Impuls für die Wiederbegründung des Stiftes St. Paul und dessen neuzeitliche Entwicklung. Es entstand damit eine ungemein fruchtbare Verbindung zwischen St. Blasianischem Geist und Kärntner Tradition. Die Herkunft dieser Verbindung wird durch das Modell der nach dem Brand von 1768 wieder erstandenen barocken Klosteranlage von St. Blasien mit seiner gewaltigen frühklassizistischen Kuppelkirche zum Ausdruck gebracht.

BRUNO RADER, ABT

Die Mönche kommen wieder! Die Räume 16 bis 19

Wenn Sie, lieber Besucher, vor dem Modell der barocken St. Blasier Klosteranlage und Kirche stehen, werden Sie vielleicht den Wunsch verspüren, St. Blasien einmal zu besuchen. Das rate ich Ihnen. Ich selbst war schon öfters dort; immer wieder war ich beeindruckt von Kloster und Kirche, vom lieblichen Höhenluftkurort, von den gastfreundlichen Bewohnern und von den Jesuiten, die dort schon über ein halbes Jahrhundert sehr segensreich ein Gymnasium und Internat führen. Die Anfänge des Klosters St. Blasien gehen auf das 9. Jahrhundert zurück. Aus dem Kloster Rheinau kam eine Reliquie des hl. Bischofs und Märtyrers Blasius dorthin. Blasius gehört zu den 14 Nothelfern; besonders ist er der Patron für – oder besser gesagt – gegen Halsleiden (und alle anderen Übel). Der Blasius-Segen mit den zwei gekreuzten Kerzen ist Ihnen wohl bekannt. Im 11. und 12. Jahrhundert kam es zur ersten großen Blüte des Klosters, ganz im Zuge der Reform von Cluny. Fast ein halbes Jahrtausend unterstand das Kloster dem Haus Habsburg. Die letzte Blütezeit erlebte St. Blasien im 18. Jahrhundert. Der Barockabt Franz Schächtelin (1727–1747) entschloß sich für einen totalen Neubau von Kloster und Kirche. Aber schon 20 Jahre später wurde alles ein Raub der Flammen. Fürstabt Martin Gerbert ging gleich daran, Kloster und Kirche wieder aufzubauen. Aber nach den Napoleonischen Kriegen fielen der vorderösterreichische Breisgau und der Schwarzwald mit der Abtei St. Blasien und ihrem glanzvollen Dom an den Herzog von Baden. Fürstabt Berthold Rottler und die gute Hälfte seiner 80 Konventualen suchten einen neuen klösterlichen Anfang. „Herr, wohin mit uns?“ mag er wohl oft gebetet haben. Und wo ein Wille, da ist auch ein Weg! Der Weg führte zunächst nach Spital am Pyhrn. Dort stand das Augustiner Chorherrenstift fast leer. Einige Chorherren lebten noch im Stift, die wenigen anderen draußen auf ihren Pfarren. Für Abt und Konvent war es nicht sehr angenehm, sich dort niederzulassen, denn die Chorherren fühlten sich vertrieben. Genau so unangenehm und problematisch war die Tatsache, daß der Konvent geteilt werden mußte, denn ein Teil mußte ja in Klagenfurt Unterricht erteilen. Schule, Unterricht, Erziehung! Das war ja Bedingung des Kaisers, wenn die Mönche sich hier niederlassen wollten. Nach langen und schwierigen Verhandlungen hieß es dann: wir ziehen weiter in den Süden. St. Paul heißt unsere neue Stätte. Am 15. April 1809 zogen die Mönche in St. Paul ein. Mit Böllerschüssen nahm die St. Pauler Bevölkerung die Benediktiner auf. Die St. Blasier kamen nicht mit leeren Händen. Ein Großteil der wertvollen Bibliothek, ein Teil des Archivs, eine Münzsammlung, eine graphische Sammlung, ein Teil der Gemäldegalerie, kostbare Kirchenparamente und Geräte kamen so nach St. Paul. Als Dankbarkeit dem Hause Habsburg gegenüber brachten sie auch die Gebeine der in St. Blasien bestatteten Habsburger mit. Hier fanden sie ihre hoffentlich letzte Ruhestätte. Die kunstsinnige und literarisch erhebende Betrachtung – nicht der Habsburg-Särge, sie sind in der Gruft unter dem Hochaltar der Stiftskirche – sondern der Kunstschätze, Graphiken, Münzen und Gemälde überlasse ich wieder der Feder von Alois Brandstetter.

16.1

MODELL DER KLOSTERANLAGE ST. BLASIEN ZU ENDE DES 18. JAHRHUNDERTS

Modellbau Uwe Michel, Karlsruhe

Holz, Maßstab ca. 1:150; H (Kuppel) 41/L 190/T 145 cm

Stift St. Paul

St. Blasien, das später zur wohl bedeutendsten und mächtigsten Benediktinerabtei des Schwarzwaldes aufsteigen sollte, erscheint im Jahre 858 als *cella alba* des Klosters Rheinau am Hochrhein erstmals im Licht der Geschichte. Sein Name ist eng verknüpft mit der Übertragung der Blasiusreliquien in das stille Schwarzwaldtal gegen Ende des 9. Jahrhunderts. Eine erste große Blütezeit erlebte die im 10./11. Jahrhundert selbständig gewordene Abtei im 11. und 12. Jahrhundert, als sie zu einem führenden Zentrum der mönchischen Reformbewegung im deutschsprachigen Raum wurde. Zielstrebig baute das Kloster, das sich seit der Mitte des 13. Jahrhunderts immer enger an die Habsburger angelehnt hatte und schließlich fest im österreichischen Staatsverband verankert war, seine weit ausgedehnte Grundherrschaft, als die wirtschaftliche Grundlage seiner Existenz, aus. Hand in Hand damit ging die Seelsorge eines weiten Gebietes. Die Pflege der Wissenschaften stand meist an vorderster Stelle. Berühmt waren Bibliothek, Kirchenschatz und Sammlungen.
Im 16. und 17. Jahrhundert erneut erstarkt, gelangte das Kloster vor allem im 18. Jahrhundert mit seiner glänzenden Gelehrtenakademie und einer eigenen Druckerei zu geradezu europäischer Geltung. Ausdruck dieser hervorragenden, auch politisch bedeutsamen Stellung war nicht nur der Neubau der barocken Klosteranlage 1728–1742, sondern 1746 auch die Erhebung der Äbte in den Reichsfürstenstand als Herren der 1609/14 erworbenen reichsunmittelbaren Herrschaft Bonndorf. Fürstabt Martin II. Gerbert (1764–1793), einer der bedeutendsten Gelehrten seiner Zeit und ausübender Kirchenmusiker, ließ nach einem verheerenden Brand 1768 nicht nur die Klostergebäude wiederaufbauen und die heutige Kuppelkirche errichten, sondern auch die Gebeine der frühen Habsburger von Königsfelden/Aargau und Basel nach St. Blasien überführen.
Nach der Aufhebung des Klosters 1806 wanderte 1807 ein Großteil des Konventes zunächst nach Spital am Pyhrn/Oberösterreich aus, von wo aus er 1809 nach St. Paul im Lavanttal gelangte. Nicht nur umfangreicher Besitz aus der Schwarzwaldheimat, sondern auch st. blasianischer Geist wurden dabei in das Lavanttal gerettet, der vor allem die moderne Geschichtswissenschaft und das Schulwesen in Kärnten nachhaltig beeinflußte. St. Blasien selbst fand nach einer über 100jährigen Fabrikzeit 1933/34 mit dem Einzug des bekannten Jesuitenkollegs in die ehemaligen Klostergebäude wieder den Anschluß an seine klösterliche Vergangenheit.
Das hier präsentierte Baumodell, das als Geschenk Süddeutschlands aus Anlaß des 900jährigen Jubiläums eigens für das Stift St. Paul angefertigt wurde, zeigt den Zustand der nach dem Brand von 1768 wiedererstandenen Klostergebäude mit der frühklassizistischen Kuppelkirche.

s. II, S. 237ff.

Lit.: J. BADER, Das ehemalige Kloster St. Blasien auf dem Schwarzwalde und seine Gelehrten-Academie (1874; Sd. aus FDA 7, 1874). – L. SCHMIEDER, Das Benediktinerkloster St. Blasien. Eine baugeschichtliche Studie (1929). – J. ADAMEK, H.J. WÖRNER, St. Blasien im Schwarzwald (1978). – H. HEIDEGGER, H. OTT (Hrsg.), FS St. Blasien 1983. – Kat. St. Blasien 1983; hier auch die umfangreichste Bibliographie zur Geschichte von St. Blasien. – H. OTT, St. Blasien, in: GB 5 (2. Aufl. 1987), S. 146–160. – H. BROMMER, St. Blasien/Schwarzwald (30. Aufl. 1989).

J. G.

16.2

DIE ÖSTERREICHISCHEN VORLANDE UND ST. BLASIEN

Übersichtskarte

Im nordschweizerischen Aaretal, am Zusammenfluß von Aare und Reuß, befinden sich noch heute die Überreste der 1020 erbauten Habsburg (Habichtsburg), des Stammsitzes der Habsburger. Die, im Endeffekt erfolglosen, Bemühungen dieses mächtigen Hochadelsgeschlechtes der südlichen Oberrheinlande, nach dem Untergang der Staufer Mitte des 13. Jahrhunderts im Südwesten des Reiches das gänzlich zerfallene Herzogtum Schwaben als habsburgisches Herzogtum wiederherzustellen, schufen hier ein eigentümliches staatliches Gebilde, die sogenannten *österreichischen Vorlande* (im wesentlichen bestehend aus *Vorderösterreich, Schwäbisch Österreich* und *Vorarlberg*). Stets zu Österreich gehörig, ließen diese Vorlande in ihrer territorialen Zerrissenheit die eigentliche Grundidee nur erahnen. Nachdem sie endgültig zu Beginn des 15. Jahrhunderts ihre zentrale Bedeutung zugunsten der östlichen habsburgischen Gebiete verloren hatten, wuchs ihnen nach der Heirat Maximilians mit Maria von Burgund 1477 eine erneute Funktion zu, die eines Bindegliedes zwischen Österreich und den burgundisch-niederländischen Besitzungen.
Die Gebiete südlich des Hochrheins konnte Habsburg aufgrund der eidgenössischen Selbständigkeitsbestrebungen auf Dauer fast ausnahmslos nicht halten. Dagegen gewann das

eigentliche *Vorderösterreich*, zu dem auch das *Stift St. Blasien* zählte, besonders dank seiner relativ deutlich ausgeprägten territorialen Geschlossenheit immer mehr an Bedeutung. Es handelte sich hier rechts des Rheins vor allem um die Herrschaften im mittleren Schwarzwald und auf der Baar, um den südlichen Schwarzwald (die Grafschaft Hauenstein mit St. Blasien), die vier „Waldstädte" am Hochrhein (Rheinfelden, Säckingen, Laufenburg und Waldshut), die Herrschaften Rheinfelden und Laufenburg mit dem Fricktal (südlich des Rheins), große Teile des Breisgaues (mit den Städten Freiburg, Breisach, Neuenburg und Staufen) sowie um die Landvogtei Ortenau; ferner – linksrheinisch – um die Landvogtei Oberelsaß, den Sundgau und die Landvogtei Hagenau. Als einziges Gebiet der österreichischen Vorlande gelangte Vorderösterreich auf Dauer zu einer eigenen Verwaltungseinheit; sein Regierungssitz befand sich zunächst im linksrheinischen Ensisheim und ab 1651/53 (nach dem Verlust des Elsaß und des Sundgaus) in Freiburg/Breisgau.

Die Besitzungen in *Vorarlberg* (zwischen Arlberg und Bodensee) erreichten erst verhältnismäßig spät eine gewisse territoriale Einheit; sie bildeten aber insbesondere nach der Erwerbung Tirols durch die Habsburger 1363 die eigentliche Brücke zwischen den östlichen und westlichen habsburgischen Gebieten. – Am zersplittertsten schließlich blieb das aus verschiedenartigsten Herrschaften zusammengesetzte *Schwäbisch Österreich* (zwischen Neckar bzw. Schwarzwald im Westen und der Gegend von Augsburg im Osten).

Verwaltungsmäßig unterstanden die österreichischen Vorlande – Vorderösterreich allerdings nur mittelbar über seine Regierung in Ensisheim bzw. Freiburg, die anderen Gebiete unmittelbar – jahrhundertelang dem Regiment in Innsbruck. 1752 löste jedoch eine einschneidende Verwaltungsreform die gesamten Vorlande (Vorarlberg allerdings nur bis 1782) aus dieser Abhängigkeit von Innsbruck und unterstellte sie eigenen kollegialen Oberbehörden in Freiburg und Konstanz, später nur Freiburg. Infolge der Ereignisse der napoleonischen Zeit 1803/06, bestätigt durch den Wiener Kongreß 1815, gingen diese Gebiete bis auf Vorarlberg für Österreich endgültig verloren.

Lit.: F. KREUTTER, Geschichte der k.k. vorderösterreichischen Staaten 1-2 (1790). – O. STOLZ, Geschichtliche Beschreibung der ober- und vorderösterreichischen Lande. Quellen und Forschungen zur Siedlungs- und Volkstumsgeschichte der Oberrheinlande 4 (1943). – E. HÖLZLE, Der deutsche Südwesten am Ende des alten Reiches. Geschichtliche Karte des reichsdeutschen und benachbarten Gebiets, mit Beiwort (1938). – Th. MAYER, Die Habsburger am Oberrhein im Mittelalter, in: Gesamtdeutsche Vergangenheit. FG für Heinrich Ritter von Srbik (1938), S. 47–54. – A. DOPSCH, Die Weststaatspolitik der Habsburger im Werden ihres Großreiches (1477–1526), in: Gesamtdeutsche Vergangenheit, ebd., S. 55–62. – K.F. WERNET, Die Stellung St. Blasiens und der Grafschaft Hauenstein im vorderösterreichischen Staatsverband, ZGO 99 (1951), S. 621–625. – F. METZ (Hrsg.), Vorderösterreich. Eine geschichtliche Landeskunde (3. Aufl. 1977). – K.S. BADER, Der deutsche Südwesten in seiner territorialstaatlichen Entwicklung (2. Aufl. 1978). – W. MÜLLER, Die staatliche Stellung St. Blasiens, in: Kat. St. Blasien 1983, Bd. II (2. Aufl. 1984), S. 57–66. – H. MAIER, V. PRESS (Hrsg.), Vorderösterreich in der frühen Neuzeit (1989).

J. G.

16.3

s. II, S. 236, Abb. 19

DAS HEUTIGE ST. BLASIEN

Luftaufnahme

Inmitten bewaldeter Berge des südlichen Schwarzwaldes liegt der uralte Kloster- und heutige Kurort St. Blasien. Vor mehr als 1000

Jahren errichteten fromme Einsiedler in der Abgeschiedenheit des Tales der oberen Alb, eines Nebenflüßchens des Hochrheins, ihre ersten Zellen. Die Gebäude des aus dieser Ansiedlung gewachsenen ehemaligen Benediktinerklosters bestimmen noch heute das Ortsbild. Die Luftaufnahme zeigt das St. Blasien unserer Tage in Richtung des 1493 m hohen Feldbergs, der höchsten Erhebung des Schwarzwaldes.

s. auch Kat.Nr. 25.92.

J. G.

16.4

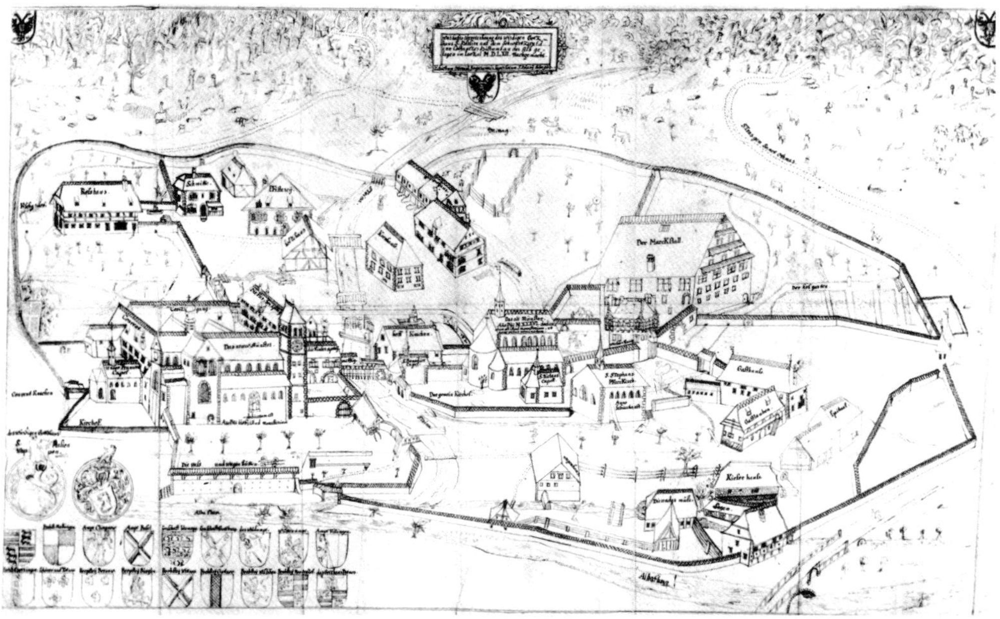

IGNATIUS GUMPP, DER SONNEN AUF- UND NIEDERGANG
Älteste erhaltene Ansicht des Klosters St. Blasien von 1562

St. Blasien, 1736–1756 (Plan nach einer älteren Zeichnung)

Papier, gebunden, in zeitgenössischem Halblederband; Papiertitelschild. 62 Seiten, 10 Falttafeln mit Federzeichnungen (diese in unterschiedlichen Größen). H 33,5/B 20 cm (Buch), H 59/ B 95 cm (Zeichnung)

Stift St. Paul, Cod. 204/2

P. Ignatius Gumpp, einer der führenden Historiker der Abtei St. Blasien im 18. Jahrhundert (1691–1763), verfaßte dieses wichtige Quellenwerk zur Baugeschichte seines Klosters wohl anläßlich der Niederlegung fast der gesamten mittelalterlichen Klosteranlage und ihrer Ersetzung durch einen gewaltigen Barockbau in den Jahren 1728–1742. Er betitelte sein Werk, das einen Überblick über die nunmehr untergegangenen alten Bauten geben sollte, folgendermaßen: *Der Sonnen auff und Nidgang. dis ist: Ortus et occasus Monasterii S. Blasii mit allen seynen gebäuen, zusammengetragen durch P. Ignatius Gumpp, Probsten zu Berau 1756.* Zugleich fügte er seiner Schrift zwei Ansichten und acht Grundrisse der früheren Klosteranlage bei, die zusammen mit dem Text als unschätzbare Dokumente des alten Bauzustandes gelten müssen. Am eindrucksvollsten ist die hier ausgestellte, nach einer älteren Vorlage von 1562 gefertigte Zeichnung mit der ältesten bekannten Ansicht des Klosters St. Blasien. Dieses Blatt trägt den Titel: *Warhafte Abconterfeung des wirdigen Gotzhaus S. Blesien auf dem Schwartzwald im Costantzer Bistumb an der Alb gelegen im Iarzal M.D.LXII. Nachgemacht.* Mit großer Detailtreue wird hier das Bild einer durch Jahrhunderte gewachsenen mittelalterlichen Klosteranlage mit einem bunten Gemisch großer und kleiner Gebäude vermittelt; man erkennt jenseits des Steinabaches deutlich Reste des sogenannten alten Klosters mit dem „Alten Münster“, der Nikolauskapelle und der Pfarrkirche St. Stephan, diesseits des Baches das sogenannte neue Kloster mit dem „Neuen Münster“, dem Kreuzgang, Konvent- und Abteigebäude. In der linken unteren Ecke des Blattes finden sich die Wappen unter anderem der damals zu St. Blasien gehörenden Propsteien, Ämter und Herrschaften.

Bei den ersten Unterkünften der Mönche und ihrem Gotteshaus, zunächst sicherlich der Muttergottes geweiht, wird es sich um hölzerne Gebäude gehandelt haben. Als Ersatz für eine erste steinerne Kirche aus dem 10. Jahrhundert begann man 1013 westlich des Steinabaches mit der Errichtung einer neuen steinernen Kirche (eingeweiht 1036) und im Zusammenhang damit eines ersten steinernen Klosters; daneben schuf man die Pfarrkirche St. Stephan; 1092 wurde die Nikolauskapelle an der Stelle der ersten hölzernen Kapelle zwischen Pfarr- und Klosterkirche eingeweiht; Nebengebäude, wie ein Siechenhaus und zwei Gasthäuser, vervollständigten das klösterliche Gemeinwesen. Nur fünf Jahrzehnte nach jenem Klosterbau erforderte die steigende Bedeutung der Abtei in der mönchischen Reformzeit den Bau einer größeren Klosterkirche (begonnen 1095, eingeweiht 1108) und eines größeren Klosters (vollendet wenige Jahre später) östlich des Steinabaches; beim Infirmeriegebäude errichtete man die Marienkapelle. Jahrhunderte hindurch blieben beide Klosteranlagen mit dem „Alten Münster" und dem „Neuen Münster" nebeneinander bestehen. Nach einem Brand von 1322 und einer Zerstörung im Bauernkrieg 1526 folgte jeweils ein rascher Wiederaufbau. 1548 brach man den größten Teil des alten Klosters westlich des Steinabaches ab, ließ die dort befindlichen Kirchen jedoch bestehen.

Lit.: Kat. St. Blasien 1983, Bd. I, S. 74, Nr. 46. – *Allgemein:* Handschriftliche Auszüge um 1875 von Xaver Weiß in dessen Collectaneen, Bde. 4 und 5, insbesondere Bd. 4, S. 84–116 (GLA 65/494). – G. WEISE, Der Bericht des sog. liber constructionis über die ältesten Klosterbauten in St. Blasien, ZGO 65 (1911), S. 605–620. – L. SCHMIEDER, Das Benediktinerkloster St. Blasien. Eine baugeschichtliche Studie (1929), S. 3–75, Abb. 2–17, Anhang 5–7 a, 7 d. – DERS., Das ehemalige Benediktinerkloster St. Blasien (2. Aufl. 1936). Heimatblätter „Vom Bodensee zum Main" 14, S. 4–22. – J. ADAMEK, H.J. WÖRNER, St. Blasien im Schwarzwald (1978). – P. SCHMIDT-THOMÉ, Überlegungen zum Baubestand des „Neuen Münsters" von St. Blasien aufgrund der archäologischen Sondierung im Jahre 1980, in: FS St. Blasien 1983, S. 292–299. – H.J. WÖRNER, Das Schicksal der Klostergebäude im Laufe der Jahrhunderte, in: Kat. St. Blasien 1983, Bd. II, S. 87–132 (S. 87–91). – DERS., Bemerkungen zur Baugeschichte, in: FS St. Blasien, 1983, S. 195–208.

J. G.

16.5

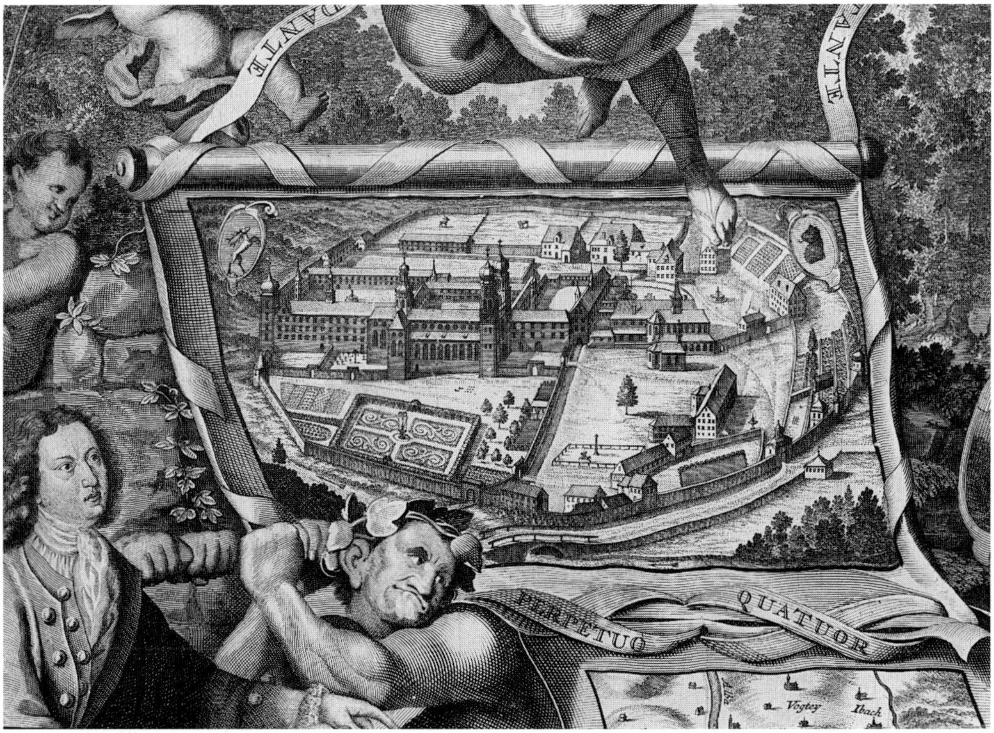

ANSICHT DES KLOSTERS ST. BLASIEN UM 1708

Johann Georg Glückher (Rottweil 1653–1731), Zeichner. Andreas Matthäus Wolfgang (1660 Chemnitz – 1736 Augsburg), Stecher, 1708
(Ausschnitt aus einem Abt Augustinus Fink, 1695–1720, gewidmeten Huldigungsblatt)

Original: Kupferstich auf Papier, H 83/B 56 cm (gesamtes Blatt)

Reproduktion (Detail)

Seit der 2. Hälfte des 16. Jahrhunderts erforderte die steigende Bedeutung des Klosters St. Bla-

sien ständige umfangreiche bauliche Erweiterungen. 1605 errichtete man östlich des alten Kreuzganges um einen beginnenden zweiten Innenhof einen neuen Konventtrakt; 1606 folgte die Verbreiterung des Westflügels der Abtei über dem Steinabach. Nach dem 30jährigen Krieg wurde neben Umbauten im Neuen Münster die noch bestehende Lücke im Geviert um den zweiten östlichen Innenhof geschlossen. Nach 1700 begann eine grundlegende Barockisierung des Alten und Neuen Münsters.
Deutlich sind auf dem Stich die umfangreichen Klostererweiterungen der letzten 100 Jahre zu erkennen, die in ihrer Gesamterscheinung den späteren einheitlichen Barockbau mit zwei großen Innenhöfen vorausahnen lassen. Das Neue Münster erscheint mit zwei, von Zwiebelhauben bekrönten Türmen und einem barocken Vierungsturm. Vor der Nordseite der Klosterkirche findet sich ein kleiner barocker Ziergarten.

Lit.: Kat. St. Blasien 1983,Bd. I, Nr. 48. – F. BETZ, Der Rottweiler Barockmaler Johann Georg Glückher, Rottweiler Heimat-Blätter, Beilage zum „Schwarzwälder Volksfreund" 36 (1975), Nr. 6. – *Allgemein:* L. SCHMIEDER, Das Benediktinerkloster St. Blasien (1929), S. 76–115, Abb. 18–21, 30, Anhang 7 a und b, 7 d. – DERS., Das ehemalige Benediktinerkloster St. Blasien (2. Aufl. 1936), S. 23–27. – J. ADAMEK, H.J. WÖRNER, St. Blasien im Schwarzwald (1978). – H.J. WÖRNER, Das Schicksal der Klostergebäude im Laufe der Jahrhunderte, in: Kat. St. Blasien, Bd. II, S. 87–132 (S. 92–100). – DERS., Bemerkungen zur Baugeschichte, in: FS St. Blasien 1983, S. 195–208.

J. G.

16.6

SCHAUBILD DER BAROCKANLAGE DES KLOSTERS ST. BLASIEN

Nikolaus Millich, 1746

Original: Tuschzeichnung auf Papier, H 63/B 45 cm

Reproduktion

Nicht nur barocke Baulust und Repräsentationsbedürfnis eines angesehenen Prälaten, sondern auch die wachsenden Aufgaben des Klosters ließen Abt Franz II. Schächtelin (1727–1747) das Wagnis eingehen, die gesamte alte Klosteranlage abzubrechen. An ihrer Stelle entstand in den Jahren 1728–1742 durch den Vorarlberger Johann Michael Beer der in seinem Kern heute noch erhaltene gewaltige Barockbau mit zwei verschieden großen Innenhöfen; das Neue Münster, als die Klosterkirche, wurde jedoch nicht angetastet. Zur Gewinnung des nötigen Bauplatzes war eine Verlegung des Steinachbaches um etwa 100 m nach Westen und ein Abriß des Alten Münsters erforderlich geworden. Bedeutende Meister der damaligen Zeit trugen zur Ausstattung bei, so zum Beispiel die Maler Carl Stauder und Franz Joseph Spiegler, als Bildhauer Johann Christian Wentzinger, als Stukkateure Giovanni Battista Clerici, Hans Georg Gigell und Dominikus Zimmermann. Fürstabt Meinrad Troger (1749–1764) und sein Nachfolger Martin II. Gerbert (1764–1793) ließen vor allem durch den Deutschordensbaumeister Johann Caspar Bagnato und dessen Sohn Franz Anton die notwendigen Nebengebäude errichten, so zum Beispiel das Doktorwohnhaus, die Mühle, das Meisterhaus sowie die hufeisenförmig angelegten Verwaltungsgebäude mit dem repräsentativen Torgebäude, das den Hauptzugang zum Kloster eröffnete.
Die Darstellung von Nikolaus Millich zeigt die neue Barockanlage von Westen her aus der Vogelperspektive. Interessante Einzelheiten, wie die kulissenartige Abstufung der verschiedenen Bauteile, die Anlage der Höfe, das schwungvoll gestaltete sogenannte Portal bei Hof (Mittelbau des Abteiflügels) und die barocke Einfassung des im Niveau höhergelegten Platzes vor der Westfront sind ebenso zu erkennen wie der im Abteihof aufgestellte, mit dem Doppeladler bekrönte mächtige Tritonenbrunnen aus dem Beginn des 17. Jahrhunderts.

Lit.: Kat. St. Blasien 1983, Bd. I, Nr. 52. – *Allgemein:* L. SCHMIEDER, Das Benediktinerkloster St. Blasien (1929), S. 115–145, Abb. 31–39, Anhang 9–12. – DERS., Das ehemalige Benediktinerkloster St. Blasien (2. Aufl. 1936), S. 31–37. – J. ADAMEK, H.J.WÖRNER, St. Blasien im Schwarzwald (1978). – H.J.WÖRNER, Das Schicksal der Klostergebäude im Laufe der Jahrhunderte, in: Kat. St. Blasien 1983, Bd. II, S. 87–132 (S. 100–106). – DERS., Bemerkungen zur Baugeschichte, in: FS St. Blasien 1983, S. 195–208. – DERS., Zur Baugeschichte der barocken Klosteranlage und des Domes in St. Blasien, Badische Heimat 63 (1983), S. 487–496.

J. G.

16.7

RUHMESBLATT AUF ABT FRANZ II. SCHÄCHTELIN

Nikolaus Bruno Belau (1684 Magdeburg – 1747 Barby), Zeichner. Andreas und Joseph Schmuzer (um 1700 – 1739/40 Wien), Stecher, um 1735/39, Sign.: *N. B. Belau del: Andreas. et. Ioseph Schmuzer fc: Vienna Austria.*

Kupferstich auf Papier, H 28,5/B 19 cm

Stift St. Paul, S 6963

Dieses Blatt nimmt in typisch barocker Manier Bezug auf die Fertigstellung der mächtigen Barockanlage, das Werk des großen Fürstabtes Franz II. Schächtelin (1727–1747), der von seinem Mitbruder Ignatius Gumpp (1691–1763) posthum überschwenglich als *Alter Salomon aedificans* gerühmt wurde (vgl. Kat. Nr. 16.4). Es zeigt im Mittelpunkt das von Kronos gehaltene ovale Brustbild des Prälaten mit dem von einem Putto getragenen Grundriß des Neubaues; im Vordergrund ein schreibender Mann und zwei weitere Putti mit verschiedenen Ansichten, dahinter die neue Klosteranlage. Zu Füßen der schreibenden männlichen Gestalt – gleichsam zur Erinnerung an das Vergangene – eine Zeichnung des Grabsteins des Ritters Reginbert von Sellenbüren, der in der Klostertradition als *fundator* aus dem 10. Jahrhundert verehrt wurde (vgl. Kat. Nr. 16.16).

J. G.

16.8

ANSICHT DES 1768 ABGEBRANNTEN KLOSTERS ST. BLASIEN VON WESTEN

Urheber unbekannt, 1768 (aus Band 1768 der st. blasianischen Regierungsprotokolle)

Original: Lavierte Zeichnung auf Papier, H 30/B 48 cm

Reproduktion

Am 23. Juli 1768, nur wenige Jahrzehnte nach seiner Vollendung, legte ein verheerender Brand den stolzen Klosterbau zu St. Blasien in Schutt und Asche; im wesentlichen blieben nur die Umfassungsmauern stehen. Der Brand brachte die Abtei derart an den Rand ihrer Existenz, daß man dem Band 1768 der st. blasianischen Regierungsprotokolle, die üblicherweise lediglich der Aufzeichnung von Regierungs- und Verwaltungsangelegenheiten dienten, einen ausführlichen Bericht über dieses Ereignis voranstellte (S. I–XX). Zur Illustrierung fügte man zwei schlichte Zeichnungen der Brandruine von Süden bzw. von Westen bei; vermutlich dienten diese Ansichten später als Vorlagen für entsprechende Kupferstiche in Pierre Michel d'Ixnards *Recueil d'architecture* von 1791 (vgl. Kat. Nr. 16.12).

Lit.: Kat. St. Blasien 1983, Bd. I, Nr. 58.

J. G.

DAS KLOSTER ST. BLASIEN NACH DEM WIEDERAUFBAU UNTER FÜRSTABT MARTIN II. GERBERT

Künstler unbekannt, Ende 18. Jahrhundert

Kolorierte Federzeichnung auf Papier, H 53/B 91 cm

Stift St. Paul

Nach der verheerenden Brandkatastrophe des Jahres 1768 dachte man kurzzeitig auch daran, das Kloster in das eigene Gebiet der Abtei, nämlich die reichsunmittelbare Herrschaft Bonndorf zu verlegen; dieser Plan wurde jedoch vor allem auch mit Rücksicht auf den Wiener Hof schon bald wieder aufgegeben. Statt dessen ließ Fürstabt Martin II. Gerbert (1764–1793) in einer Rekordzeit von nur knapp vier Jahren die Klostergebäude im wesentlichen unter Verwendung der alten Umfassungsmauern durch den französischen Baumeister Pierre Michel d'Ixnard und den fürstlich-fürstenbergischen Baudirektor Franz Joseph Salzmann wiedererrichten. Die Stukkaturen schuf Luigi Bossi, der bedeutendste Stukkateur des Frühklassizismus in Süddeutschland; die figürliche Ausstattung erfolgte unter anderem durch den aus dem nahegelegenen Blasiwald gebürtigen Franz Joseph Hörr. Besondere Sorgfalt widmete Martin Gerbert dem äußeren und inneren Aufbau der durch drei Stockwerke reichenden Bibliothek. An die Stelle des im Kern romanischen, jedoch später vielfach umgestalteten Neuen Münsters trat nunmehr allerdings in den Jahren 1772–1778/79 nach den Plänen d'Ixnards, dem Salzmann dabei zur Seite stand, eine völlig neue Klosterkirche. Es ist dies der vom Pantheon in Rom mitinspirierte und ohne französischen Einfluß nicht denkbare Kuppelbau mit anschließendem längsrechteckigem Mönchschor, der im Kern heute noch erhalten ist. Kuppelkonstruktion und Zierkuppel waren das Werk des kurpfälzischen Baudirektors Nicolas de Pigage; das gewaltige hölzerne Dachstuhlwerk schuf ein einheimischer Zimmermeister. In einer Gruft hinter dem Chorende fanden die bereits 1770 von Königsfelden/Aargau und Basel nach St. Blasien überführten Gebeine früher Habsburger ihre Ruhestätte.

Von der reichen Innenausstattung der Kirche, die sich weit über die im Jahre 1783 erfolgte feierliche Einweihung hinauszog, kann nur einiges erwähnt werden: Stuck von Luigi Bossi und Johann Kaspar Gigell, Marmorierung ebenfalls von Gigell; Deckengemälde, Gemälde über dem Choreingang und Seitenaltäre von Johann Christian Wentzinger; farbige Glasgemälde des 16. Jahrhunderts (jedenfalls zum Teil nach Entwürfen von Hans Baldung Grien), die man aus der 1782 aufgehobenen Kartause bei Freiburg übernommen hatte und nun durch zwei Klosterbrüder umfangreich erweitern ließ; prachtvolle Orgel des Johann Andreas Silbermann; Chorgitter von dem baden-durlachischen Hofschlosser Carl Hugenest; Chorgestühl nach einem Entwurf von Nicolas de Pigage durch einen weiteren Klosterbruder ; Bildhauerarbeiten von Franz Joseph Hörr.

Nur weniges von der alten Herrlichkeit ließ ein erneuter Großbrand von 1874 – in die Klostergebäude waren mittlerweile Fabriken eingezogen – übrig. Bis in unsere Tage dauerten die einfühlsam vorgenommenen Wiederaufbau- und Restaurierungsarbeiten.

Lit.: *Allgemein:* FEYERLICHKEIT des in dem fürstlichen Stift St. Blasien eingeweihten neuen Tempels (1784). – F.X. KRAUS, Die Kunstdenkmäler des Großherzogthums Baden, Bd. III: Kreis Waldshut (1892), S. 68–107. – L. SCHMIEDER, Das Benediktinerkloster St. Blasien (1929), S. 146–219, Abb. 52–79, 105–112, Anhang 9–12. – DERS., Das ehemalige Benediktinerkloster St. Blasien (2. Aufl. 1936), S. 24–37. – L.L. VOSSNACK, Pierre Michel d'Ixnard (1938). – J. ADAMEK, H.J. WÖRNER, St. Blasien im Schwarzwald (1978). – H. J. WÖRNER, Die Architektur des Frühklassizismus in Süddeutschland (1979), S. 79–109, S. 197–201. – H. BROMMER, Bauleute und Künstler am Dombau der Benediktinerabtei St. Blasien, in: FS St. Blasien 1983, S. 209–231. – H.J. WÖRNER, Das Schicksal der Klostergebäude im Laufe der Jahrhunderte, in: Kat. St. Blasien 1983, Bd. II, S. 87–132 (S. 106–122). – DERS., Bemerkungen zur Baugeschichte, in: FS St. Blasien 1983, S. 195–208. – DERS., Zur Baugeschichte der barocken Klosteranlage und des Domes in St. Blasien, Badische Heimat 63 (1983), S. 487–496. – E. FRANZ, Pierre Michel d'Ixnard 1723–1795. Leben und Werk (1985). – J. GUT, Die Farbfenster der frühklassizistischen Klosterkirche St. Blasien, Jb. der Staatlichen Kunstsammlungen in Baden-Württemberg, Bd. XXV, (1988), S. 108–159. – H. BROMMER, St. Blasien/Schwarzwald (30. Aufl., 1989).

J. G.

16.10

GRUNDRISS DER NEUEN, 1783 EINGEWEIHTEN KLOSTERKIRCHE ZU ST. BLASIEN

Pierre Michel d'Ixnard (1723 Nîmes – 1795 Straßburg). Sign.: *D'Ixnard*, um 1772

Kupferstich auf Papier; H 63/45 cm

Stift St. Paul, S 6965

Der von d'Ixnard signierte Grundriß entstammt dem letzten Planungsstadium der Kirche und entspricht im wesentlichen der endgültigen Bauausführung. Türme und Vorhalle erscheinen eng an die Rotunde gebunden, die sich zum Mönchschor öffnet. 20 nahezu 18 m hohe Säulen, 16 von ihnen freistehend, tragen die Kuppel des Rundbaues; am Choreingang rücken je zwei Säulen näher aneinander. Die Rotunde ist von einem Umgang umschlossen; im Obergeschoß der Außenmauer verläuft ein kleinerer Umgang. Die Säulenhöhe bestimmt auch die übrigen Innenmaße: Durchmesser und Höhe der Kuppel sowie lichte Weite des Chores betragen jeweils zwei Säulenlängen. Die Höhe der nach dem späteren Brand von 1874 in moderner Konstruktion wiedererrichteten und etwas erhöhten Außenkuppel beträgt heute einschließlich bekrönendem Kreuz 62 m.

Lit.: Kat. St. Blasien 1983, Bd. I, Nr. 64. – *Allgemein:* wie Kat. Nr. 16.9.

J. G.

16.11 s. II, S. 244f., Abb. 21, 22

IDEALPLAN FÜR DEN WIEDERAUFBAU DES KLOSTERS NEBST GARTENANLAGEN NACH DEM BRAND VON 1768

Künstler unbekannt; wohl nach einem Entwurf von Pierre Michel d'Ixnard (1723 Nîmes – 1795 Straßburg), Ende 18. Jahrhundert

Kolorierte Zeichnung auf Papier, auf Leinen aufgezogen; H 54/B 131 cm

Stift St. Paul, Ü S 6996

Mannigfach gestalteten sich die Planungen zum Wiederaufbau der Klosteranlage nach dem Brandunglück des Jahres 1768. Zunächst stand zur Wahl, bei der Klosterkirche entweder ebenfalls die alten Umfassungsmauern mitzubenützen oder aber die Lösung eines modernen Rundbaues zu wählen, was zugunsten der zweiten Möglichkeit entschieden wurde. Aber auch die Kuppelkirche durchlief verschiedene Planungsstadien, die sich insbesondere mit dem Verhältnis der einzelnen Bauteile – Kuppel, Türme und Vorhalle – untereinander sowie der Gestaltung der Kuppel befaßten.
Die überaus liebevoll und fein durchgearbeitete Zeichnung zeigt einen Idealplan des Klosters nebst Gartenanlagen, dem die Wiederaufbauversion mit der modernen Kuppelkirche zugrunde liegt. Die Gartenanlagen wurden nie ausgeführt. Auch dieses Blatt hängt eng zusammen mit einem entsprechenden Kupferstich aus Pierre Michel d'Ixnards *Recueil d'archictecture* (vgl. Kat. Nr. 16.8 und 12).

Lit.: *Allgemein:* wie Kat. Nr. 9.

J. G.

16.12

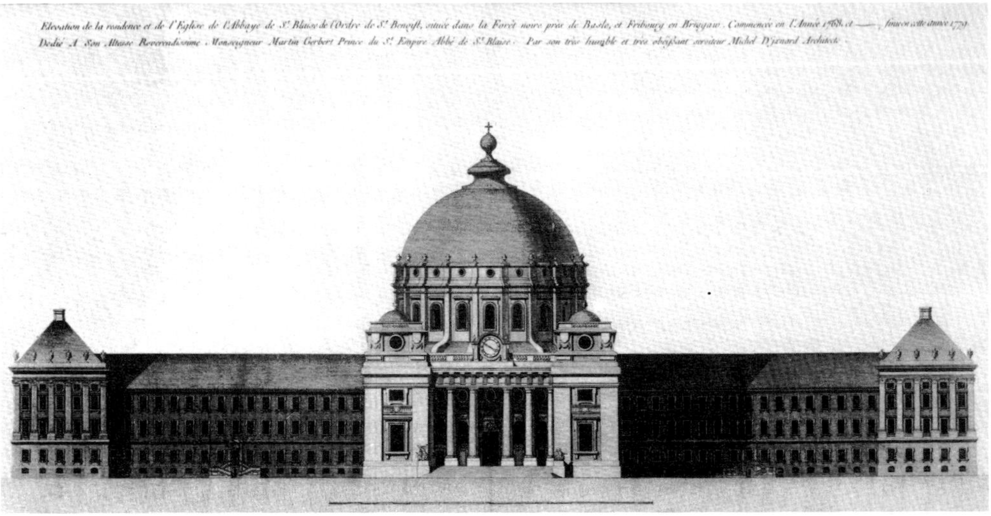

NORDFASSADE DES NEUEN KLOSTERS ZU ST. BLASIEN NEBST KIRCHE, IDEALANSICHT

Pierre Michel d' Ixnard (1723 Nîmes – 1795 Straßburg), Entwurf. Claude R.G. Poulleau (geb. 1749 Paris), Stecher. 1791

Kupferstich auf Papier, H 37/B 69 cm

Stift St. Paul

1791, gegen sein Lebensende, gab der entscheidende Baumeister der frühklassizistischen Klosterkirche von St. Blasien, Pierre Michel d' Ixnard, ein Kupferstichwerk heraus, das den größten Teil seiner geplanten und ausgeführten Bauwerke in Grundrissen, Schnitten und Ansichten enthält. Dessen vollständiger Titel lautet : „Recueil d'architecture, Représentant en 34 planches, palais, châteaux, hôtels, maisons de plaisances, maisons bourgeoises, églises paroissiales & conventuelles, plusieurs jardins à l'angloise, & un nouvel ordre d' architecture; exécutés tant en France qu'en Allemagne, sur les dessins de P.M. d' IXNARD, Archtitecte de S.A.Royale Electorale de Trève. A Strasbourg ... M.DCC.XCI". Trotz eines im Laufe der Zeit getrübten Verhältnisses zwischen Architekt und Bauherrn widmete d' Ixnard dieses Werk mit einer wortreichen Erläuterung seinem bedeutendsten Auftraggeber, Fürstabt Martin II. Gerbert.

Das ausgestellte Blatt zeigt die Idealvorstellung d' Ixnards von der Nordfassade des Klosters mit dem Mittelpunkt der neuen Kirche. Zur Ausführung gelangte davon nur die Kirche. Die Klostergebäude richteten sich nach dem wiederverwendeten früheren Baubestand. Der obere Rand des Blattes enthält neben der Beschreibung eine kurze Wiederholung der verehrungsvollen Widmung an Martin Gerbert: „Elevation de la residence et de l'Eglise de l'-Abbaye de St. Blaise de l'Ordre de St. Benoist, situé dans la Forêt noire près de Basle, et Fribourg en Brisgaw. Commencée en l' Année 1768, et finie en cette année 1779. Dedié A Son Altesse Reverendissime Monseigneur Martin Gerbert Prince du St. Empire Abbé de St. Blaise. Par son très Humble et très obéissant serviteur Michel d'Ixnardi-Architecte".

Lit.: Zu d'Ixnards Recueil d'architectures. Kat. St. Blasien 1983, Bd.I., Nr. 70. – *Allgemein:* s. Kat.Nr. 16.9.

J. G.

16.13

ABT FRANZ II. SCHÄCHTELIN (1727–1747)

Johann Christian Wentzinger (Ehrenstetten 1710 – Freiburg 1797); um 1740

Holzrelief in geschnitztem vergoldeten Holzrahmen; oval: max. H 6,5/max. B 5,2 cm (ohne Rahmen)

Stift St. Paul

Das sehr fein gearbeitete Brustbild zeigt einen der herausragendsten Barockäbte Südwestdeutschlands. Unter ihm entstand nicht nur 1728–1742 die mächtige barocke Klosteranlage von St. Blasien; er wurde auch 1746 in den Reichsfürstenstand erhoben. Allerdings hatte er auch einen Hauptteil der Unruhen der benachbarten Hauensteiner Bauern (Salpetereraufstände) zu tragen, in deren Verlauf er 1738 gegen Entschädigung im dortigen Gebiet auf die Leibeigenschaft verzichtete. 1738 erfolgte durch den Kauf der Herrschaften Staufen und Kirchhofen im Breisgau auch die letzte große Gebietserwerbung der Abtei St. Blasien.
Die genauere Datierung rührt aus einem – wohl nicht unangreifbaren – Vergleich mit der 1740 entstandenen Medaille von Matthäus Donner (s. Kat.Nr. 16.14). Der etwas grobe Rahmen entstand sicherlich erst nach 1746, da er mit dem Fürstenhut geschmückt ist, die Erhebung in den Reichsfürstenstand jedoch in jenem Jahr erfolgte; der Totenschädel als Gegenstück zu dem Reichsfürstenhut muß keinesfalls auf einer posthume Entstehung hinweisen.

Lit.: ÖKT 37 (1969), S. 278, Nr. 2, Abb. 397. – Kat. St. Blasien 1983, Bd.I, Nr. 296. – I. KRUMMER-SCHROTH, Johann Christian Wentzinger. Bildhauer, Maler, Architekt. 1710–1797, S. 27, S. 118 (Abb. 16), S. 295, Nr. 25.

J. G.

16.14–16.15

MEDAILLEN AUF ZWEI GROSSE KLOSTERBAUTEN DES 18. JAHRHUNDERTS IN ST. BLASIEN

Wie anderwärts, so wurden auch in St. Blasien die beiden großen Bauereignisse des 18. Jahrhunderts durch die Prägung von Medaillen in gebührender Weise hervorgehoben und für die Nachwelt festgehalten.

16.14

ABT FRANZ II. SCHÄCHTELIN (1727–1747), NEUBAU DES KLOSTERS

1740; Matthäus Donner (1704 Eßlingen/NÖ – 1756 Wien), sign. auf Kartuschenabschnitt der Rückseite: *MD* (ligiert).

Silber, geprägt; Dm 4,5 cm.

Stift St. Paul

Vorderseite: Brustbild des Abtes mit der Um-

schrift: FRANC.D.G.ABB.CONG.S.BLASII.IN.NIGRA.SYLVA.S.C.R.C.MAI.A. SEC.CONS. – Rückseite: Vor bewaldeten Bergen die neue, 1728–1742 errichtete barocke Klosteranlage von Westen aus der Vogelperspektive. Darüber die Umschrift: OPERIBVS AMPLITATIS RESTITVIT; unter der Ansicht im Kartuschenabschnitt die Jahreszahl MDCCXL, rechts unten die Signatur.
Zur Zeit der Prägung der Medaille war die Klosteranlage noch nicht vollendet; auch findet sich noch kein Hinweis auf die erst 1746 erfolgte Erhebung in den Reichsfürstenstand.

Lit.: ÖKT 37 (1969), S. 278, Nr. 1, Abb. 398f. – BAROCK IN BADEN-WÜRTTEMBERG, Kat. Bruchsal/Karlsruhe 1981, Bd. I, Nr. J 127. – Kat. St. Blasien 1983, Bd. I, Nr. 323.

J. G.

16.15

FÜRSTABT MARTIN II. GERBERT (1764–1793), WIEDERAUFBAU DES KLOSTERS

1783; Anton Guillemard (1778–1796 tätig in Mailand; gest. 1812 Prag); sign. auf Vorderseite unter Porträt: *A.GUILLEMARD F.*

Silber, geprägt; Dm 4,2 cm.

Stift St. Paul

Vorderseite: Das Brustbild des Fürstabtes trägt die Umschrift: MARTINVS.II.S.R.I.PR. ABB.CONG.S.BLASII.IN.NIGRA.SILVA. Unter dem Bild die Signatur. – Rückseite: Die nach dem verheerenden Brand von 1768 wiedererstandene Klosteranlage mit der neuen Kuppelkirche, und zwar von Norden her aus der Vogelperspektive; im Hintergrund bewaldete Berge. Umschrift mit der Widmung: OPTIMO.PATRI.OB.REM.RESTITVTAM; unter der Klosteranlage die Angabe des Widmenden und die Jahreszahl: CAPITV.S.BLASIANVM. MDCCLXXXIII.
An den Wiederaufbau der Klostergebäude schloß sich ab 1772 der Bau der gewaltigen neuen Kuppelkirche an. Die Medaille erinnert an die feierliche Einweihung dieser Kirche im Jahre 1783.

Lit.: ÖKT 37 (1969), S. 278 Nr. 3, Abb. 400f. – BAROCK IN BADEN-WÜRTTEMBERG, Kat. Bruchsal/Karlsruhe 1981, Bd. I, Nr. J 128. – Kat. St. Blasien 1983, Bd. I, Nr. 325.

J. G.

16.16

DER BESITZSTAND DER ABTEI ST. BLASIEN UM 1200

Übersichtskarte

Das einstige Kerngebiet um das Kloster St. Blasien wurde durch planmäßigen Rodungsbau der Mönche selbst erschlossen; die durch *fratres exteriores* betriebenen Mönchs- oder Bruderhöfe spielten, wie später die Erblehenshöfe, hierbei eine große Rolle. Hinzu traten vom 10. Jahrhundert an umfangreiche Schenkungen aus dem Kreis adeliger und hochadeliger Familien; der in der Klostertradition für diese Zeit als Gründer *(fundator)* gefeierte *Reginbert von Sellenbüren/Schweiz* sei ebenso hervorgehoben wie *Herzog Rudolf von Rheinfelden* (gest. 1080). Eine systematische Ankaufspolitik trug zur Abrundung des Besitzes bei. Die dem Albkloster unterstellten Priorate und Frauenklöster erbrachten eine zumindest mittelbare zusätzliche Vergrößerung.
Eine erste Güterbeschreibung des engeren Gebietes um St. Blasien findet sich in dem berühmten *Immunitätsprivileg* König Heinrichs IV. aus dem Jahre 1065. Mit der großen Schenkung von Gebieten im Umkreis des benachbarten Schluchsees im Jahre 1076 und mit dem sogenannten Zwing und Bann des von St. Blasien abhängigen Frauenklosters Berau verfügte die

Abtei in ihrer näheren Umgebung über eine zuverlässige Grundlage für den Landesausbau im südlichen Schwarzwald. Die Schenkung von Ochsenhausen (1093) sowie einiger Güter im Iller-Lech-Gebiet (1105) und im Raum Nellingen/Eßlingen (2. Hälfte des 12. Jahrhunderts) ließ das Schwarzwaldkloster weit nach Osten ausgreifen; Besitz im Bodenseeraum (bei Überlingen) kam hinzu. Zu großen Erwerbungen gelangte St. Blasien seit dem ausgehenden 11. Jahrhundert auch im Breisgau und im Wiesental sowie in der Schweiz. Verhältnismäßig spät, im Jahre 1315, konnte St. Blasien mit der Schenkung der Neuenzelle (Unteribach) auch im nahegelegenen Gebiet der hauensteinischen Freibauern Fuß fassen. Zur Verwaltung seiner weit verstreuten Besitzungen schuf das Kloster seit dem 13. Jahrhundert eine vorbildliche *Ämterverfassung*, die einerseits seine grundherrschaftlichen Rechte wahrte, andererseits aber auch den einzelnen Teilgrundherrschaften weitgehende Autonomie zugestand.

Reiche Erträge für das Kloster warf auch der mittelalterliche *Silbererzbergbau* ab; doch übte die Abtei kein eigenes Münzrecht aus. Nach dem endgültigen Erliegen des Silbererzbergbaues im gesamten Südschwarzwald während des 30jährigen Krieges wandte sich die Abtei St. Blasien verstärkt der *Eisenverhüttung* zu; besonders zu erwähnen ist hier das große Eisenhüttenwerk Albbruck am Hochrhein, an dem das Kloster seit 1755 beteiligt war, bis es 1778 in dessen Alleinbesitz überging.

Parallel mit ihren gebietsmäßigen Erwerbungen vergrößerte die Abtei St. Blasien stets auch ihren pastoralen Einfluß. Neben der zentralen Mutterpfarrei St. Stephan für die unmittelbare Umgebung betreute St. Blasien im Spätmittelalter über 50 Pfarreien in der Umgebung, im Oberrheingebiet, im Bereich Stuttgart und Eßlingen, im Iller- und Mindelgebiet sowie in der Schweiz; verstärkt war man hierbei bestrebt, nicht nur das Patronat, sondern auch eine Inkorporation zu erreichen. Für das Säkularisationsjahr 1806 wird die Zahl der st. blasianischen Pfarreien mit etwa 40 bezeichnet. Einen hervorragenden Platz nahm seit der Schenkung Herzog Leopolds von Österreich (1319) an St. Blasien der durch viele Jahrhunderte blühende und heute noch vielbesuchte Marienwallfahrtsort *Todtmoos* im Südschwarzwald ein.

Lit.: J. ENDERLE, Studien über den Besitz des Klosters St. Blasien von seinen Anfängen bis ins 14. Jahrhundert (1909). – K.F. WERNET, Der Zwing und Bann St. Blasiens, Mein Heimatland 27 (1940), S. 149–177. – H. OTT, Studien zur Geschichte des Klosters St. Blasien im hohen und späten Mittelalter (1963) – DERS., Das Immunitätsprivileg Heinrichs IV. für St. Blasien vom Jahr 1065, ZGO 112 (1964), S. 413–430. – DERS., Die Klostergrundherrschaft St. Blasiens im Mittelalter (1969). – R. METZ, Geologische Landeskunde des Hotzenwaldes (1980). – U. ENGELMANN, Das kirchliche und monastische Leben, in: Kat. St. Blasien 1983, Bd. II, S. 33–55. – R. METZ, Bergbau, Hüttenwesen und gewerbliche Unternehmen, in: Kat. St. Blasien 1983, Bd. II, S. 67–86. – H. OTT, Besitzgeschichte und Verwaltung, in: Kat. St. Blasien 1983, Bd. II, S. 20–32. – DERS., St. Blasien, in: GB 5 ([2]1987), S. 146–160.

J. G.

16.17

s. II, S. 659, Abb. 187

VOTIVTAFEL DES HERZOGS KARL V. VON LOTHRINGEN UND DES ABTES ROMANUS VOGLER VON ST. BLASIEN FÜR DIE WALLFAHRTSKIRCHE VON TODTMOOS/SCHWARZWALD

Johann Georg Glückher (Rottweil 1653–1731), Entwerfer, 1681; Elias Jäger (Augsburg 1653–1709), Goldschmied, 1681–1687, sign.: *Elias Jäger*, darunter ein Jagdhorn, Beschauzeichen Augsburg

Silber, getrieben, H 101,5/B 190 cm

Reproduktion, Original Kunsthistorisches Museum Wien, Sammlung für Plastik und Kunstgewerbe, Inv.Nr. 884

Seit einer Schenkung Herzog Leopolds von Österreich (1319) betreute die Abtei St. Blasien bis zu ihrer Aufhebung den durch viele Jahrhunderte bedeutenden und noch heute vielbesuchten Marienwallfahrtsort Todtmoos im Südschwarzwald. Bei der hier gezeigten Silbertafel handelt es sich um eine der aufwendigsten Votivgaben für diese Wallfahrtskirche.

Während des französisch-holländischen Krieges entschloß sich im Jahre 1678 der kaiserliche Generalissimus, Herzog Karl V. von Lothringen, mit seinem Heer den damals als völlig unwegsam geltenden Schwarzwald zu überschreiten, um von den Höhen der durch die Franzosen belagerten Stadt Rheinfelden am Hochrhein zu Hilfe zu kommen. Während der Übernachtung in Todtmoos gelobte der Herzog, als Dank für die glückliche Schwarzwaldüberquerung der Gottesmutter eine silberne Votivtafel zu verehren; Abt Romanus Vogler von St. Blasien (1672–1695), der bei dem Unternehmen behilflich war, beteiligte sich an der Gabe mit einer erheblichen Summe.

Die ungewöhnlich prächtige Tafel erregte nicht nur bei ihrer Ablieferung in St. Blasien, sondern auch noch das gesamte 18. Jahrhundert hindurch großes Aufsehen. Die Darstellung zeigt – vom feinsten Flachrelief bis in die Vollplastik übergehend – in überaus feiner Beobachtung das kaiserliche Heerlager nach der Übernachtung in Todtmoos. In der Bildmitte schwebt auf Wolken die Gnadenmutter; darunter breitet sich der Ort Todtmoos mit der Wallfahrtskirche aus. Links unten reitet Herzog Karl V. mit Gefolge, der in unnachahmlich ritterlicher Geste mit gezogenem Hut zu Maria grüßt. Rechts oben reitet der Abt mit Begleitern dem Herzog entgegen. Umgeben ist die Szene von einem getriebenen Band mit Putti und Kriegswerkzeugen; über der Gottesmutter erscheint in einem Medaillon das Porträt des Abtes.

Der Herzog selbst, der auf der Stiftungsinschrift in der rechten unteren Ecke für seine Leistung als „zweiter Cäsar" gepriesen wird, hatte intensiven Anteil an der Entstehung seines großzügigen Geschenkes genommen. So war der Rottweiler Maler Johann Georg Glückher im Auftrag des Abtes von St. Blasien schon 1681 zu „acuraten" Studien an Ort und Stelle in Todtmoos verpflichtet worden, die der Herzog zur Begutachtung vorgelegt bekam. Auf einen Wunsch des Heerführers geht auch die Inschrift auf Spruchbändern rechts und links der Gnadenmutter zurück: *Non nobis Domine, non nobis, sed Nomini tuo da gloriam.* Außerdem hatte er die Anbringung eines Porträts des Abtes gewünscht, der seinerseits für das herzogliche Porträt um eine Zeichnung besorgt war.

Nicht lange verblieb die Votivtafel in Todtmoos. Wegen ihres hohen Wertes wurde sie schon bald in die sichere st. blasianische Propstei Klingnau/Schweiz verbracht, später in die Schatzkammer von St. Blasien. Auf noch ungeklärtem Wege gelangte sie im Zusammenhang mit der Auswanderung eines Großteils des St. Blasier Konventes zu Beginn des 19. Jahrhunderts nach St. Paul. Von dort mußte sie mit weiteren Stücken nach Wien abgeliefert werden, entging jedoch 1810, anders als vermutlich die reiche barocke Fassung der Kreuzreliquie, dem Schicksal des Einschmelzens dadurch, daß Kaiser Franz I. an der Stiftung seines Ahnherrn Gefallen gefunden hatte. Über die Ambraser Sammlung schließlich fand das Stück seinen Weg in das Kunsthistorische Museum in Wien. – In der Todtmooser Wallfahrtskirche erinnert eine gemalte Kopie an die einstige große Votivtafel.

Aus konservatorischen Gründen kann in der Ausstellung nur eine photographische Aufnahme präsentiert werden.

Lit.: *Quellen:* STA, Diarien 160/2, 161/2. – PH. GLÜCKER, Custoria San-Blasiana (1720), STA, 197 b/2, S. 276. – GLA Karlsruhe, 229/106139. – Todtmoos, Pfarrarchiv.

C. REBLE, Liber originum monasterii sancti Blasii in Silva Hercynia (1716), S. 301 ff. – P. VON STETTEN, Kunst-, Gewerbe- und Handwerksgeschichte der Reichsstadt Augsburg (1779), S. 474. – H. SANDER, Reise nach St. Blasien um Michaelis 1781, in: Sander, Beschreibung seiner Reisen durch Frankreich, die Niederlande, Holland, Deutschland und Italien II (1784), S. 329–424 (S. 422). – PH.A. GRANDIDIER, Mon voyage en 1784, in: Grandidier, Nouvelles oeuvres inédites I. Eloge, autobiographie, bibliographie, voyages, dissertations historiques (1897), S. 108–210 (S. 149). – M. GERBERT, Historia Nigrae Silvae II (1774), S. 421. – B. SCHROLL, Das Benediktinerstift St. Paul, Car. 66 (1876), S. 269. – F.X. KRAUS, Die Kunstdenkmäler des Großherzogthums Baden. III. Die Kunstdenkmäler des Kreises Waldshut (1892), S. 105–106. – DERS., Der Kirchenschatz von Sanct Blasien, jetzt zu St. Paul in Kärnten, Beigabe zu den Kunstdenkmälern des Großherzogthums Baden III (1892), Taf. IV–VII. – L. SCHMIEDER, Das Benediktinerkloster St. Blasien (1929), S. 84 ff. – E. KRIS, Goldschmiedearbeiten des Mittelalters, der Renaissance und des Barock, Publikationen aus den kunsthistorischen Sammlungen in Wien V (1932), Nr. 124. – P. WENTZKE, Freiburg und der hohe Schwarzwald im ersten Reichskrieg am Rhein (1672–1679), ZGO 104 (1956), S. 105–144 (S.130–132). – P. BOOZ, Pfarr- und Wallfahrtskirche Todtmoos im Schwarzwald (1957), S. 12. – AUGSBURGER BAROCK, Kat. Augsburg 1968, Nr. 463. – R.W. LIGHTBOWN, Ex-votos in gold und silver, a forgotten art, The Burlington Magazine 121 (1979), S. 356. – H. SELING, Die Kunst der Augsburger Goldschmiede 1529–1868 (1980) I, S. 100; II, Abb. 326–328; III, Nr. 1755. – BAROCK IN BADEN-WÜRTTEMBERG, Kat. Bruchsal/Karlsruhe 1981, Bd. I, Nr. L 411. – Kat. St. Blasien 1983, Bd. I, Nr. 160. – *Allgemein* zur

Wallfahrt Todtmoos außerdem: P. RAUBER, Kurtze Historie Unser lieben Frawen in dem Todtmoß zum Schönbühel (1622). – DERS., D. Virgo Todtmosia sive pulchricollis ejus origo miracula confraternitas (1628). – KURTZE BESCHREIBUNG deß gnadenreichen Ohrts Todt-Mos (1698). – J.N. LEHMANN, Kleines Todtmooser Wallfahrtsbuch (1935). – U. ENGELMANN, Das kirchliche und monastische Leben, Kat. St. Blasien 1983, Bd. II, S. 33–55 (S. 42–46). – F. MATT, Todtmoos im Schwarzwald (3. Aufl. 1983), mit weiteren Hinweisen.

J. G.

16.18

MITTELSTÜCK DES ANTEPENDIUMS FÜR DEN HOCHALTAR DER KLOSTERKIRCHE ZU ST. BLASIEN

Elias Jäger (Augsburg 1653–1709), um 1695–1700, Meistermarke *EI* im Rund (ohne Posthorn); Beschauzeichen Augsburg; Österreichischer Befreiungsstempel 1809/10 R_3 7885

Silber, getrieben; H 58/B 86 cm; späterer Holzrahmen

Stift St. Paul

Ein weiteres bedeutendes Stück des barocken Kirchenschatzes von St. Blasien stellte das für den Hochaltar der Klosterkirche gefertigte Antependium dar, das im Jahre 1700 an seinem Bestimmungsort eintraf. Die aus vergoldetem Kupfer gearbeitete rechteckige Tafel mit silbernen Ranken, Früchten und Putti enthielt als ovales Mittelstück die hier gezeigte, allein erhaltene silbergetriebene Darstellung der Opferung Isaaks durch seinen Vater Abraham. Aus einer Zeichnung des späten 18. Jahrhunderts ist zu erkennen, daß dieser barocke Altarvorsatz auch in der nach dem verheerenden Brand von 1768 neuerrichteten und 1783 eingeweihten frühklassizistischen Klosterkirche Verwendung finden sollte.

Die prachtvolle Arbeit reicht, ebenso wie die aus der Hand des gleichen Meisters stammende Todtmooser Votivtafel (Kat. Nr. 16.17), vom zartesten Relief bis zur vorzüglich modellierten Vollplastik (diese Teile angeschraubt). Sie zeigt vor einer üppigen Landschaft den Augenblick, in dem der Engel dem Vater Abraham Einhalt gebietet, der bereits das Schwert gegen seinen auf dem Opferaltar kauernden Sohn erhoben hat.

Die aus St. Blasien erhaltenen Werke des Augsburger Goldschmieds Elias Jäger, außer der Opferung Isaaks und der Todtmooser Votivtafel (Kat. Nr. 16.17) auch der sogenannte Innozenzkelch aus der Zeit um 1680/90 (Kat. Nr. 14.1), dürfen als besondere Glanzstücke des Kirchenschatzes der ehemaligen Schwarzwaldabtei gelten; es ist verständlich, daß die 1806/07 aus ihrer alten Heimat vertriebenen Mönche großen Wert darauf legten, auch diese Stücke an ihren neuen Wirkungsort St. Paul zu bringen.

Lit: *Quellen:* STA, Philipp Glücker, Custoria San-Blasiana (1720), 197b/2, S. 277r. – Stanislaus Wülberz, Epitome (1753), 186 A/2 (abgedruckt bei Schmieder, Anhang S. 34). – GLA Karlsruhe: 99/359.
SANDER, Reise, S. 422, Nr. 4. – ÖKT 37 (1969), S. 244f., Nr. 5, Abb. 349. – BAROCK IN BADEN-WÜRTTEMBERG, Kat. Bruchsal/Karlsruhe 1981, Bd. I, Nr. C 36. – Kat. St. Blasien 1983, Bd. I, Nr. 165.

J. G.

17

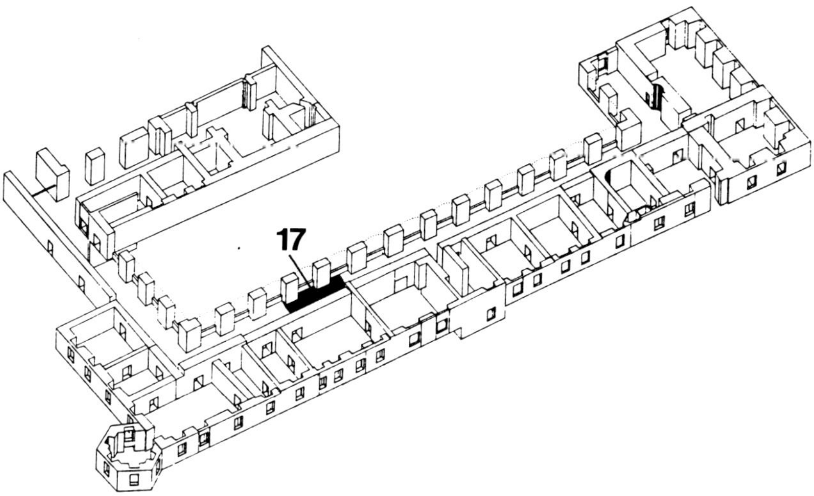

Die Wiederbesiedelung 1809 – St. Blasien als Reformkloster

In der zweiten Hälfte des 11. Jahrhunderts, nur wenig mehr als zwei Jahrhunderte nach seiner Erwähnung (858), schloß sich St. Blasien an führender Stelle der großen monastischen Reformbewegung an, die von der burgundischen Abtei Cluny ihren Ausgang genommen hatte. Es begann damit, direkt beeinflußt durch die Lebensformen des oberitalienischen Fruttuaria, eine der geistigen Hochblüten des Schwarzwaldklosters, das neben Hirsau und Allerheiligen zu Schaffhausen zu einem der bedeutendsten Reformzentren klösterlichen Lebens wurde. Es war jener Geist, der nur wenig später das weit entfernte Stift St. Paul im Lavanttal zu einem der Vorposten der hirsauischen Klosterreform im Südostalpenraum machte. In seiner Spätzeit errang St. Blasien wiederum eine hervorragende Stellung, als hier im 18. Jahrhundert eine Gelehrtenakademie hohen internationalen Ansehens entstand. Die gezeigten romanischen liturgischen Gewänder entstammen der großen Reformzeit des Hochmittelalters und der daran anschließenden Epoche.

17.1

DIE AUSBREITUNG DER REFORM VON ST. BLASIEN

Übersichtskarte

Schon kurze Zeit nach dem Anschluß der Abtei St. Blasien an die mönchische Reformbewegung empfand man ihr Leben als so beispielgebend, daß sich zahlreiche weitere Klöster an ihr und ihren Gewohnheiten orientierten. Die Strahlkraft st. blasianischen Geistes erreichte damals ein solches Ausmaß, daß ein von hier aus reformiertes Kloster wie Göttweig/Niederösterreich seinerseits zu einem eigenen Reformzentrum wurde; von ihm ging als weiteres Unterzentrum St. Lambrecht in der Steiermark aus. Als Priorate an St. Blasien angeschlossen wurden unter anderem: Das alte, früher mit Einsiedeln verbundene habsburgische Kloster Muri/Schweiz (dieses bald jedoch wieder verselbständigt), Ochsenhausen, Weitenau, Wislikofen/Schweiz, Bürgeln, kurze Zeit auch Trub/Schweiz. Mönche aus der Schwarzwaldabtei kamen unter anderem nach Wiblingen/bei Ulm, Alpirsbach, Donauwörth, St. Johanns-Insel bei Erlach/Schweiz, Stein am Rhein, Ensdorf bei Amberg, Ettenheimmünster, St. Walburg am Heiligen Forst/Elsaß, Fultenbach/Bayern, Nienburg an der Saale und Lüneburg. Das Kloster Engelberg/Schweiz stand im 12. Jahrhundert unter dem aus St. Blasien stammenden Abt Frowin in hoher Blüte.

Das von St. Blasien ausgegangene *Frauenkloster Berau,* das weiterhin dem Albkloster unterstellt blieb, schloß sich ebenfalls an führender Stelle der Reformbewegung an; seine Regel wurde von mehreren Frauenklöstern Südwestdeutschlands und der Schweiz übernommen, so etwa von Fahr/Zürich und Sulzburg. Über Bürgeln war das Frauenkloster Sitzenbach an St. Blasien gebunden.

Sichtbare Zeugen jener großen Epoche und der unmittelbar anschließenden Jahre sind noch heute unschätzbare Stücke des einstigen Kirchenschatzes: das berühmte, nach der Königin Adelheid von Ungarn benannte Reliquienkreuz aus dem 11./12. Jahrhundert (s.Kat.-Nr.5.1.), die einmaligen romanischen Gewänder des 12. und 13. Jahrhunderts (s.Kat.Nr.2., 17.2, 17.3), der überaus fein ziselierte hochgotische Deckel einer Buchkassette um 1260/70 zur Aufnahme einer in St. Blasien stets wie ein Heiltum verehrten Evangelienhandschrift (s.Kat.Nr.6.1).

Lit.: A. FUCHS, Das Benediktinerstift Göttweig. Seine Gründung und Rechtsverhältnisse im Mittelalter, SMGB 37 (1916), S. 302–346, S. 510–590; 38 (1917), S. 51–113, S. 235–267. – J. WOLLASCH, Muri und St. Blasien, Deutsches Archiv für Erforschung des Mittelalters 17 (1961), S. 420–446. – H. JAKOBS, Der Adel in der Klosterreform von St. Blasien (1968). – U. ENGELMANN, Das kirchliche und monastische Leben, in: Kat. St. Blasien 1983, Bd.II, S. 33–55. – H. OTT, St. Blasien, in: GB 5 (²1987), S. 146–160. – K. SCHREINER, Benediktinisches Mönchtum in der Geschichte Südwestdeutschlands, in: GB 5 (²1987), S. 23–114 (33–48).

J. G.

17.2–17.3

ZWEI BESTICKTE LITURGISCHE GEWÄNDER AUS ST. BLASIEN

Diese beiden Gewänder können nur in engem Zusammenhang mit einer um etwa 100 Jahre älteren Kasel (s.Kat.Nr.2.1) gesehen werden. Die clunyazensische bzw. „jungclunyazensische" Bewegung (Fruttuaria, St. Benigne, Siegburg, Hirsau), der sich auch St. Blasien angeschlossen hatte, war eng mit dem Adel und lokalen Dynastenfamilien verbunden. Die Klöster wurden dadurch zu Mitträgern der aristokratischen Kultur des Hochmittelalters, was unter anderem auch in der Pflege der visuellen Künste zum Ausdruck kam. Dabei handelte es sich nicht nur um Architektur, Plastik und Malerei (z.B. St. Benigne in Dijon, Moissac und Berzé la Ville stellvertretend für unzählige weitere Beispiele), sondern auch und ganz besonders um die damaligen Luxuskünste, wie Elfenbeinschnitzerei, Goldschmiede- und Textilkunst – jene Künste, die wir heute als *artes minores* bezeichnen. Die von Rudolf von Rheinfelden, seiner Tochter Adelheid und seinen Söhnen unterstützte Abtei St. Blasien paßt durchaus in dieses Bild. Der Einführung der fruttuarischen *consuetudines* um 1070 folgte nicht nur der Bau des Neuen Münsters, sondern auch die erste Goldmontierung einer von Adelheid geschenkten Kreuzreliquie nebst bronzenem Fuß (s.Kat.Nr.5.1). Von derselben, im Jahre 1090 verstorbenen ungarischen Königinwitwe stammten zwei ausgezeichnete Vorhänge *(pallia admodum exquisita).* Wenig später, wohl unter Abt Bertholdus I. (1125–1141), kam die ältere bestickte Glockenkasel mit biblischen Szenen, alttestamentlichen Gestalten und Propheten, Heiligen und historischen Personen hinzu (s.Kat.Nr.2.1). Der nachfolgende Abt Gunther (1141–1170) ließ die Fassung der Kreuzreliquie vollenden (s.Kat.Nr.5.1). Die beiden hier präsentierten Stücke, die jüngere Kasel und das Pluviale, gehören wahrscheinlich, ebenso wie der silbervergoldete Deckel eines Buchkastens (s.Kat.Nr.6.1), zum Zuwachs aus der Zeit des Abtes Arnold II. (1247–1276). Das Vestiarium von St. Blasien muß freilich noch viel reicher gewesen sein. Seine Bestände dürften etwa in der Größenordnung des Paramentenschatzes von Zwiefalten gelegen haben, der zwischen 1137 und 1141 *10 casule vel planete, ex quibus V auro sunt insignate et decorate, sexaginta cappe et ex his decem auro redimite et ornate* und *100 albe* umfaßte (B. Bischoff, Mittelalterliche Schatzverzeichnisse I, München 1967, S. 118, 35). Die vielen Paramente wurden bei verschiedenen liturgischen Feiern nach festgesetzten Regeln getragen. Was St. Blasien betrifft, so hat sich kein mittelalterliches Schatzverzeichnis erhalten; derartige Unterlagen sind offenbar einem der Klosterbrände von 1322, 1526 oder 1768 zum Opfer gefallen. Einen gewissen Ersatz dafür finden wir in einer Handschrift des 12. Jahrhunderts mit den fruttuarischen Gewohnheiten in der Stiftsbibliothek zu Lambach, die aus St. Blasien stammt und ein Bild von der prachtvoll gestalteten Liturgie an den Hauptfesten vermittelt (Cod. Lambac. 106. B. Albers, Consuetudines monasticae vol. IV, Monte Cassino 1911). Sie enthält eine Vielfalt von Anweisungen, wann die Priester, Diakone, Lektoren, Kantoren und verschiedenen Sängergruppen welche Meßgewänder zu tragen haben. Kaseln wurden allgemein an Hochfesten von zelebrierenden Patres getragen, aber auch bei sonstigen besonderen Anlässen; in der Karfreitagsliturgie waren sie auch für jene zwei Priester vorgeschrieben, die zusammen mit zwei Diakonen in Pluviales *(cappae)* das heilige Kreuz hüteten. Wie die Beschreibung der Liturgie am Ostersonntag zeigt, wurde zwischen gewöhnlichen und besseren Gewändern unterschieden: *Sacerdos vero incenset altaria, que in choro sunt, et statim revertatur in vestiarium et induat se casula melioribusque ornamentis* ... (ebd. S. 68). Der liturgische Gebrauch von Pluvialen war viel fach. Die vorherigen Zitate zeigen zum Beispiel, daß sie von Priestern bei der feierlichen Beweihräucherung der Altäre getragen wurden oder von Diakonen bei der erwähnten Kreuzanbetung; vor allem aber kamen sie als Festgewand für den Kantor und bestimmte Sängergruppen bei Responsorien und beim Halleluja vor.

Die zahlreichen Erwähnungen von Kaseln und Pluvialen in den *consuetudines* zeigen, daß die drei erhaltenen mittelalterlichen Gewänder aus St. Blasien nur einen kleinen Bruchteil des einst Vorhandenen darstellen. Obwohl die jüngere Kasel und das Pluviale etwa 100 Jahre nach der älteren Kasel entstanden sind, werden die drei Stücke wohl zu einem nach und nach entstandenen Ornat gehört haben, zu dem noch weitere Stücke gezählt haben dürften (am Ende des 18. Jahrhunderts waren noch eine dazugehörige Stola und ein Manipel vorhanden; vgl. Martin Gerbert, Vetus liturgia Alemannica, 1776, S. 266). Dafür sprechen die gleiche Art des figürlichen Dekors, die übereinstimmende Einteilung der Szenen auf der älteren und der jüngeren Kasel sowie die Dominanz der geschlossenen Kreuznahtstiche. Auch was das ikonographische Programm betrifft, können die jüngeren Stücke als Ergänzungen der älteren Kasel aufgefaßt werden. Die Erhaltung dieser drei seltenen Gewänder verdanken wir wohl nicht nur dem Zufall, sondern auch dem reich gestickten Dekor, der sicherlich nicht erst im 18. Jahrhundert Interesse geweckt hat. Während das Inventar „Custoria San-Blasiana ..." des Philipp Glücker von 1720 die Stücke nicht nennt, stammt jedenfalls aus dem Anfang des 18. Jahrhunderts eine ausführliche handschriftliche Beschreibung (STA, Cod. 9412). Fürstabt Martin II. Gerbert (1764–1793) widmete in seinem bereits erwähnten, 1776 erschienenen Werk „Vetus liturgia Alemannica" den Gewändern ein ganzes Kapitel und fügte dem Werk drei großformatige gestochene Darstellungen bei (s.Kat.Nr.17.4).

Die im Jahre 1809 nach St. Paul gekommenen Mönche aus St. Blasien brachten auch diese drei Paramente aus ihrer alten Heimat mit; der genaue Weg, den diese Schätze genommen haben, ist allerdings noch nicht genügend erforscht. Die jüngere Kasel wurde 1925 an das Kunsthistorische Museum in Wien verkauft und befindet sich seit 1940 im Österreichischen Museum für Angewandte Kunst in Wien.

Lit.: M. GERBERT, Vetus liturgia Alemannica (1776), S. 265–271. – G. HEIDER, Liturgische Gewänder aus dem Stifte St. Blasien im Schwarzwalde, dermalen aufbewahrt im Stifte St. Paul in Kärnten, Jb. der k. k. Central-Commission zur Erforschung und Erhaltung der Baudenkmale IV (1860), S. 111–174. – F.X. KRAUS, Die Schätze St. Blasiens in der Abtei St. Paul in Kärnten, ZS für Geschichte des Oberrheins 43 (1889), S. 46–68. – E. HEINEMEYER, Süddeutsche Stickereien des 13. und 14. Jahrhunderts (Diss. München, 1958), S. 32–40. – M. SCHÜTTE, S. MÜLLER-CHRISTENSEN, Das Stickereiwerk (1963), S. 33. – H. FILLITZ, in: Kat. Romanische Kunst in Österreich, Krems a.d. Donau 1964, S. 201–204. – R. GRÖNWOLDT, in: Kat. Die Zeit der Staufer, Stuttgart 1977, Bd. I, S. 634f. – ÖKT 37 (1969), S. 251 – 265. – J. M. FRITZ, in: Kat. St. Blasien 1983, Bd. I, S. 170 – 180, Nr. 153 – 155.

J. G.

17.2 s. II, S. 686, Abb. 203

KASEL

südwestdeutsch, Mitte des 13. Jahrhunderts

Leinen, bedeckt mit Seidenstickerei in Zopf- und Kettenstich, Brokatfäden in Anlegetechnik.
Halbmesser 155 cm

Wien, Österreichisches Museum für Angewandte Kunst

Die gesamte Fläche ist zu beiden Seiten eines schmalen Stabes in zahlreiche, am Rand nachträglich beschnittene quadratische Felder und Zwickel eingeteilt, deren Darstellungen wohl auf ältere Vorlagen zurückgreifen. Der in der Mitte, auf dem Rücken des Priesters verlaufende schmale Stab enthält neun Medaillons mit (von oben) dem Lamm Gottes , den vier Evangelisten und den vier großen Propheten. Zu beiden Seiten des Stabes erscheinen je fünf Sze-

Rückenteil, Ausschnitt

nen aus dem Leben Christi. Die übrigen Felder, je vierzehn rechts und links der drei Mittelstreifen, enthalten einen der umfangreichsten erhaltenen mittelalterlichen Bilderzyklen aus dem Leben des hl. Nikolaus, eines wichtigen Mitpatrons des Schwarzwaldklosters. Lediglich ein Feld (vom Rücken her gesehen unten links neben den drei Mittelstreifen) ist hierbei ausgespart; es zeigt einen knienden Abt, der dem hl. Nikolaus die Kasel überreicht (möglicherweise Abt Arnold II., 1247–1276). Die einzelnen Felder werden seitlich von einer Bordüre getrennt; an deren Stelle ist über den Szenen in Maiuskeln ein leoninischer Vers angebracht, der die jeweilige Darstellung erläutert.

In der Klosterüberlieferung von St. Blasien wird von einer Legende berichtet, wonach angeblich zur Zeit des Abtes Rusten (1108–1125) ein Klosterbruder auf dem Weg von St. Blasien nach Schluchsee in einer Höhle menschliche Gebeine fand, die er christlich beerdigen wollte; ein des Weges kommender fremder Geistlicher soll dabei die Totenmesse gelesen haben, sei dann aber unter Zurücklassung seines Meßgewandes plötzlich verschwunden. Schon bald identifizierte man jenen Unbekannten mit dem

Rückenteil, Ausschnitt

hl. Nikolaus, dessen Gewand in der Folgezeit in verschiedenen st. blasianischen Kirchen und Propsteien aufbewahrt wurde. Ob es sich dabei – ungeachtet der Zeit des ersten Auftauchens – allerdings um die hier beschriebene Kasel handelt, scheint nicht geklärt.

s. II, S. 681ff. J. G.

17.3 s. II, S. 684, Abb. 202

PLUVIALE

südwestdeutsch, 3. Viertel des 13. Jahrhunderts

Leinen, bedeckt mit Seidenstickerei in Zopf-, Platt- und Kettenstich, Brokatfäden in Anlegetechnik; Halbmesser 150 cm

Stift St. Paul

Die jüngste der erhaltenen mittelalterlichen Textilien aus St. Blasien, ein Pluviale (Rauchmantel), ist wie die jüngere Kasel (s.Kat.Nr. 17.2) in der Mitte durch einen, hier mit einem palmettenartigen Fries belegten Stab in zwei gleich große Flächen geteilt. Jede dieser Flächen weist 23 Medaillons auf, von denen je 22 zahlreiche Szenen aus dem Leben des in der Schwarzwaldabtei hochverehrten hl. Vincentius von Saragossa (von Rücken her gesehen links) und des hl. Blasius, als dem Klosterpatron (rechts), enthalten; das Segment je eines Medaillons des auch hier nachträglich beschnittenen und mit einer Goldborte versehenen Gewandes zeigt lediglich ornamentalen Schmuck (Vogelgestalten, geflügelter Drache). Die Medaillons sind mit einem Schriftband umgeben, das in leoninischen Versen die betreffenden Szenen erläutert. Die Flächen zwischen den Darstellungen sind mit verschiedenen Ornamenten und Blättern gefüllt. Die kleine, wohl nicht zum Gebrauch dienende Kapuze zeigt den thronenden hl. Blasius mit einem vor ihm knieenden Abt, vermutlich dem Auftraggeber dieses Pluviale (zeitlich Abt Arnold II., 1247–1276). Auf dem als Schließe dienenden Stoffriegel der Vorderseite sind das Haupt Christi sowie die Halbfiguren des hl. Blasius und des hl. Nikolaus zu erkennen.

Ähnlich der jüngeren Kasel (s.Kat.Nr. 17.2) handelt es sich auch hier um einen der umfangreichsten erhaltenen Zyklen der entsprechenden Heiligenviten. Bemerkenswert ist die Verwandtschaft einzelner Szenen der beiden Heiligenlegenden, die auch hier zum großen Teil wieder auf deutlich ältere Vorlagen zurückgehen dürften.

s. II, S. 681ff.

Lit.: s. Kat.Nr. 17.2. J. G.

Vorderteil, Ausschnitt

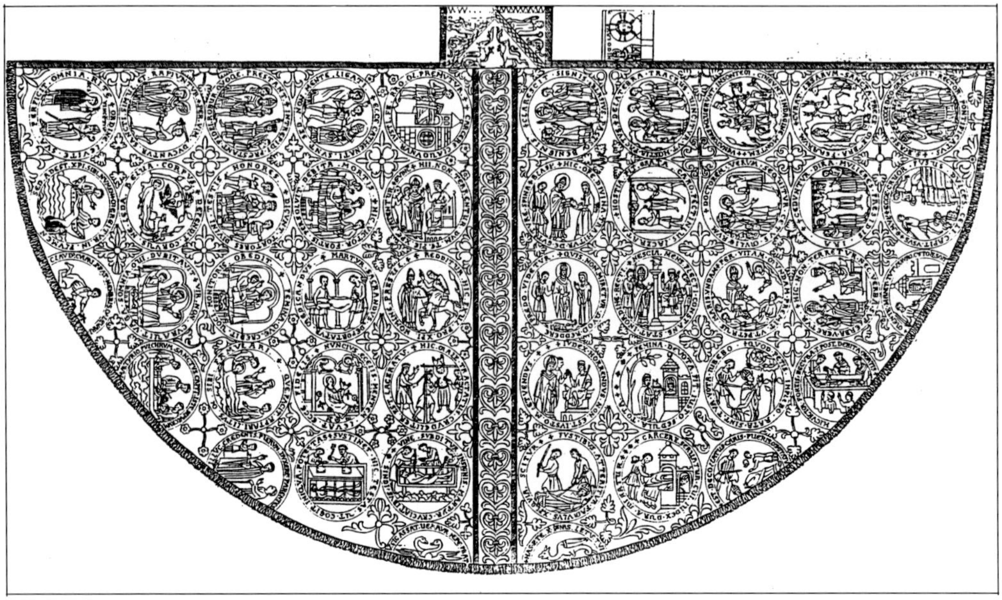

Zeichnung des mittelalterlichen Pluviale mit Szenen aus dem Leben des hl. Blasius und hl. Vincentius

Reproduktion

Stift St. Paul

Der Kupferstich des Pluviale, den der gelehrte Fürstabt Martin II. von St. Blasien anfertigen ließ, läßt in schlichter Weise auf der rechten Seite die ungewöhnlich umfangreichen Darstellungen zum Leben des hl. Blasius, des Patrons der Schwarzwaldabtei, erkennen.

Der Heilige, der dem Kloster St.Blasien seinen Namen gab, zählt zu den bekanntesten und meist verehrten Kirchenheiligen Europas. Als Bischof von Sebaste (dem heutigen Siwas in der Türkei) zog er sich in eine einsame Gebirgshöhle zurück, von wo aus er, bewacht von wilden Tieren, die ihm wie Haustiere ergeben waren, seine Gemeinde leitete. Wahrscheinlich um das Jahr 316 soll er den Märtyrertod erlitten haben. – Der zu den 14 Nothelfern zählende hl. Blasius wird im Mittelalter gewöhnlich in bischöflichen Gewändern oder mit Bischofsstab dargestellt; als Attribute sind ihm zwei gekreuzte Kerzen, ein Schweinskopf oder eine Hechel, die auf sein Martyrium hindeutet, beigegeben. Legendäre Berichte aus seinem Leben haben ihn vor allem zum Patron der Halsleidenden (Fischgrätenwunder), der Ärzte, der Wachszieher, der Weber und Wollhändler (Hechel) und der Haustiere (Zurückerstattung eines von einem Wolf geraubten Schweines) gemacht. Auch die Windmüller und Blasmusikanten berufen sich auf ihn; dies setzt wohl eine volksetymologische Verbindung zwischen „Blasius" und „blasen" voraus.

Die Blasiusverehrung in Deutschland nahm ihren Anfang nach der Übertragung der Reliquien von Rom nach Rheinau am Hochrhein, dem Mutterkloster St. Blasiens (um 855). Von dort oder von St. Blasien dürften Teile der Gebeine um 990 an die Kathedrale von Toul gelangt sein, deren Bischof, der spätere deutsche Reformpapst Leo IX., viel zur Verbreitung des Kultes beigetragen hat. Weitere bedeutende Zentren der Blasius-Verehrung im deutschsprachigen Raum waren Paderborn (eigene Translation 1014), Braunschweig (Dom) und das österreichische Stift Admont (1074). Auch die Klöster Lambach, Kremsmünster und Göttweig trugen dazu bei, den hl. Blasius in Österreich bekannt zu machen, der später hier zu einem Volksheiligen wurde. Die weiteste Verbreitung im süddeutschen Raum fand der Blasiuskult während der großen klösterlichen Reformzeit St. Blasiens im 11. und 12. Jahrhundert.

Lit.: P. MANNS, Die Heiligen (1975), S. 104–106; H. JAKOBS, Die Anfänge der Blasiusverehrung in Deutschland, in: FS St. Blasien 1983, S. 27–32; H. L. KELLER, Reclams Lexikon der Heiligen und biblischen Gestalten. Legende und Darstellung in der bildenden Kunst ([5]1984), S. 89–91. LCI 5 (1990, Sonderausgabe), Sp. 416–419.

J. G.

17.5

Der hl. Blasius lehrt und segnet Waldtiere

Detail aus dem Pluviale des 13. Jahrhunderts (Kat.Nr. 17.3.)

Stift St. Paul

Eines der eindrucksvollsten Medaillons und zugleich eine der einprägsamsten und liebenswürdigsten Episoden aus dem Leben des hl. Blasius stellt die Szene dar, in der der vor seinen Häschern in eine Höhle geflüchtete Heilige Waldtiere, die ihn bewachen, segnet und sie lehrt.

Lit.: s. Kat.Nr. 17.2.

J. G.

18

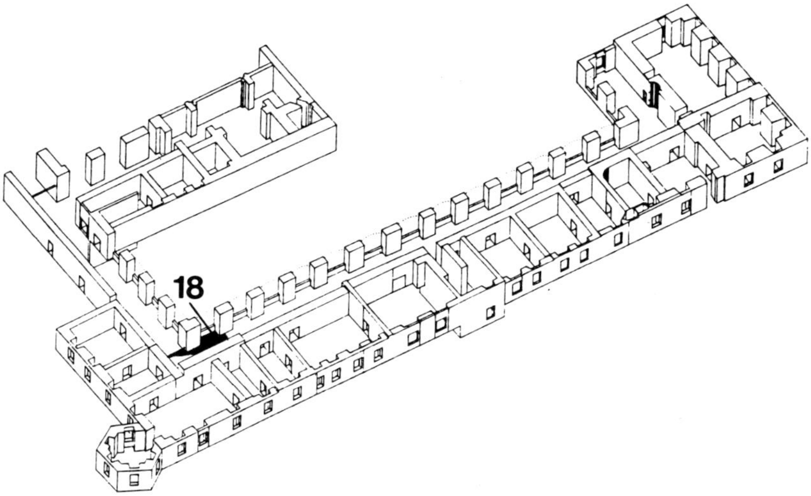

Die Wiederbesiedelung 1809 – St. Blasiens Äbte als österreichische Untertanen und als selbständige Landesherren

Die Botmäßigkeit der Abtei St. Blasien gegenüber der habsburgischen Herrschaft in Vorderösterreich hat sich nicht aus einer einmaligen Entscheidung ergeben, sondern aus einer längerdauernden, oft auch von Rückschlägen begleiteten Entwicklung, die in der Mitte des 13. Jahrhunderts begann und um die Mitte des 14. Jahrhunderts abgeschlossen wurde. Seitdem ist die Abtei bis zum Ende des alten Reiches (1806) in den sich damals festigenden vorderösterreichischen Herrschaftsverband fest eingefügt. Dennoch war das Kloster stets um eine Ausdehnung seiner Rechtsstellung bemüht, was zu Anfang des 17. Jahrhunderts zum Erwerb der reichsunmittelbaren Herrschaft Bonndorf und damit zu einer einzigartigen Doppelstellung der Äbte von St. Blasien als vorderösterreichische Prälaten und zugleich als Landesherren im eigenen (bonndorfischen) Gebiet führte. Zahlreiche gegenständliche und schriftliche Überlieferungen erinnern an die österreichische Vergangenheit von St. Blasien.

18.1

KAISERIN MARIA THERESIA

Schule M. v. Meytens,
3. Viertel des 18. Jahrhunderts

Stich, koloriert mit Öl, unterlegt mit Planpapier, Goldrahmen; H 87/B 60 cm

Landesmuseum für Kärnten, Klagenfurt
Inv.Nr. K 99

Der Stich mit dem Bildnis Maria Theresias stammt vom Augsburger Daniel Herz d. J. und wurde nachträglich mit Ölmalerei drapiert. Die barocke Rahmung wurde in Italien im 18. Jahrhundert gefertigt, wie aus einer Beschriftung auf der Rückseite hervorgeht. Maria Theresia ist als Königin von Ungarn und Böhmen dargestellt; das hochrechteckige Gemälde wird unten von einem Inschriftfeld begleitet: *MARIA THERESIA / HUNGARIAE BOHEMIAE REGINAE / AVGVSTAE CONIVGI / ORBIS DELICIIS / NOSTRI TEMPORIS PALLADI.* Bei dieser kunstvollen Darstellung der Kaiserin handelt es sich um ein äußerst seltenes Exponat in einer kaum verwendeten Technik.

Lit.: Kat. des Niederösterreichischen Landesmuseums, Österreich zur Zeit Kaiser Josephs II. Niederösterreichische Landesausstellung 1980 in Melk, N F, Nr. 95 (1980), S. 620 (Kat.Nr. 1338 u. Abb. 37).

F. L.

18.2

FÜRSTABT MARTIN II. GERBERT VON ST. BLASIEN (1764–1793)

Süddeutsch, um 1780

Öl auf Leinwand, H 106/B 94,5 cm

Stift St. Paul

Dieser jedenfalls seit dem Mittelalter bedeutendste Abt des Klosters St. Blasien, der 46. in der Reihe von insgesamt 48 Inhabern dieses Amtes, wurde am 11. August 1720 in dem damals schwäbisch-österreichischen Städtchen Horb/Neckar geboren. Er gehörte bereits zu der zweiten Generation der großen St. Blasier Gelehrten des 18. Jahrhunderts und genoß schon zum Zeitpunkt seiner Abtwahl hohes internationales Ansehen als Wissenschaftler. Mehrere Reisen, die ihn 1759 nach Frankreich, 1760 und 1761 durch ganz Süddeutschland und 1762 nach Italien führten, hatten ihn mit Gelehrten anderer Länder in Berührung gebracht. Als Professor der Philosophie und Theologie an der bedeutenden Klosterschule und als Bibliothekar des Klosters hatte er weitere Gelegenheit, seinen Gesichtskreis zu erweitern.
An der Spitze der benediktinischen Erneuerungsbewegung stehend, sorgte er als *Vorsteher seines Hauses* für eine vorzügliche Klosterdisziplin; intensiv setzte er sich für eine Anpassung

mönchischer Tätigkeiten an die Erfordernisse einer sich wandelnden Welt ein, ohne dadurch einem allzu modernistischen Geist zu verfallen. Ein besonderes Anliegen war ihm eine sinnvolle Reform der Liturgie; das durch ihn eingeführte *Breviarium Monasticum* mit den Texten der französischen Kongregation von St. Viton und Hydolph wurde nach der Säkularisation nach St. Paul mitgenommen, wo es bis in unser Jahrhundert in Gebrauch war. Mit besonderem Eifer widmete er sich, selbst ausführender Musiker, der Verbesserung des Kirchengesanges, wobei der Choral weit in den Vordergrund gerückt wurde.

Nach dem vernichtenden Brand von 1768 oblag ihm der rasche *Wiederaufbau der Klosteranlage* mit dem Neubau der gewaltigen, 1783 eingeweihten Kuppelkirche. Die Überführung der Gebeine früher Habsburger aus der protestantischen Schweiz nach St. Blasien zeigt die enge Bindung an das österreichische Kaiserhaus. Als *Vorsitzender der Prälatenbank* der vorderösterreichischen Landstände weilte er wiederholt in Wien, um dort der wachsenden Klosterfeindlichkeit entschieden entgegenzutreten. Das trübte sein sonst ausgezeichnetes Verhältnis zum Wiener Hof, wodurch sein Eintreten für andere Belange, z. B. eine Studienreform im gesamten öffentlichen Bereich, in den Hintergrund treten mußte. Im unmittelbaren Klostergebiet und als aufgeklärter *Landesvater* im eigenen Gebiet (Reichsherrschaft Bonndorf) sorgte er für geeignete Maßnahmen zur Hebung der allgemeinen Wohlfahrt und Kultur (u.a. Stiftungen, Spital, Arbeitshaus, Waisen- und Sparkasse, Erlaß verschiedener Ordnungen, Errichtung eines klösterlichen Brauhauses, Einführung einer bescheidenen Hausindustrie mit dem Schwerpunkt auf der Textilherstellung).

Als *Wissenschaftler* stand Martin Gerbert an der Spitze seines Konvents. Seine theologischen, liturgiegeschichtlichen, musiktheoretischen, musikgeschichtlichen, historischen und philosophischen Schriften sind teilweise bis in unsere Zeit von unschätzbarem Wert. Welchen Ruf er in der Gelehrtenwelt genoß, zeigt seine Ernennung zum Mitglied z. B. der literarischen bzw. wissenschaftlichen Gesellschaften von Mannheim, Metz, Berlin, München, Göttingen, London und Roveredo. Auf ihn geht die Übernahme des gewaltigen Werkes der *Germania Sacra* für St. Blasien zurück (s. Kat.Nr. 18.25).

Am 13. Mai 1793 schloß diese überragende Persönlichkeit des 18. Jahrhunderts für immer die Augen. Seine sterblichen Überreste fanden vor dem Hochaltar seiner stolzen Kirche ihre Ruhestätte, die 1911 und 1981 jeweils geöffnet und 1983 geringfügig verlegt wurde.

Lit.: L. KÄSTLE, Martin Gerbert, Fürst-Abt von St. Blasien (1868). – J. BADER, Das ehemalige Kloster Sanct Blasien auf dem Schwarzwalde und seine Gelehrten-Academie (1874), Sd. aus FDA 8 (1874), S. 94–111. – DERS., Fürstabt Martin Gerbert von S. Blasien. Ein Lebensbild aus dem vorigen Jahrhunderte (1875). – C. KRIEG, Über Fürstabt Martin Gerbert von St. Blasien. Rektoratsrede (1896). – M. KÖNIG, Martin Gerberts Abstammung, FDA 26 (1898), S. 297–302. – G. PFEILSCHIFTER, Martin II. Gerbert. Sechs Vorträge der Görresgesellschaft (1912). – DERS., Fürstabt Martin Gerbert von St. Blasien, ZGO 67 (1913), S. 273–315. – A. BRINZINGER, Fürstabt Martin Gerbert von St. Blasien (1916). – Th. RASCHL, Wiener Reisen des Abtes Martin Gerbert von St. Blasien, ZGO 79 (1927), S. 517–533. – G. PFEILSCHIFTER, Korrespondenz des Fürstabtes Martin Gerbert von St. Blasien, Bde. 1, 2 (1931, 1934). – J. REST, Fürstabt Martin Gerbert von St. Blasien. Ein geschichtliches Bild nach seinen Briefen, Alemannische Heimat 1 (1934), Nr. 2. – A. DEISSLER, Fürstabt Martin Gerbert von St. Blasien und die theologische Methode (Diss. Freiburg, 1940). – A. LEDERLE, Die Abstammung des Fürstabtes Martin II. Gerbert von St. Blasien, Badische Heimat 36 (1956), S. 291–297. – W. MÜLLER, Briefe und Akten des Fürstabtes Martin II. Gerbert von St. Blasien 1764–1793, Bde. 1, 2 (1957, 1962). – E. KELLER, Fürstabt Martin Gerbert als Reformer des Volksschulwesens, Erbe und Auftrag 38 (1962), S. 490–495. – U. ENGELMANN, Martin Gerbert, Abt von St. Blasien. Zu seinem 250. Geburtstag, Erbe und Auftrag 46 (1970), S. 352–358. – F. HILGER, Martin Gerbert, Fürst und Abt von St. Blasien (1970). – H. TÜCHLE, Martin Gerbert von Horb am Neckar, Fürstabt von St. Blasien (1970). – A. DEISSLER, Fürstabt Martin Gerbert von St. Blasien und die Hl. Schrift, Erbe und Auftrag 47 (1971), S. 393–400. – W. MÜLLER, Martin Gerbert im Umbruch seiner Zeit, Erbe und Auftrag 47 (1971), S. 105–107. – DERS., Priester, Gelehrter, Landesherr. Leben und Werk des Fürstabts Martin Gerbert von St. Blasien, Beiträge zur Landeskunde 2 (1971), S. 1–7. – M. PFAFF, Fürstabt Martin Gerbert und die Musikhistoriographie des 18. Jahrhunderts, Erbe und Auftrag 47 (1971), S. 108–120. – W. MÜLLER, Martin Gerbert, Lebensbilder aus Schwaben und Franken 12 (1972), S. 100–120. – H.L. ZOLLNER, Musterfürst für einen Musterstaat. Der Fürstabt Martin Gerbert von St. Blasien, Merian 31 (1978), S. 162–167. – A. DEISSLER, Martin Gerbert als Theologe, FS St. Blasien (1983), S. 134–145. – W. MÜLLER, Martin Gerbert, Abt - Landesherr - Wissenschaftler, FS St. Blasien (1983), S. 127–133. – M. STEIM, Die Herkunft und Familie des Fürstabts Martin Gerbert, FS St. Blasien (1983), S. 111–126. – B. STEINERT, Die Kirchenmusik Martin Gerberts, FS St. Blasien (1983), S. 146–158. – H. OTT, Martin Gerbert aus Horb, Gelehrter und Fürstabt von St. Blasien. Vortrag in Horb (1984).

J. G.

18.3 s. II, S. 242, Abb. 20

REICHSFÜRSTENDIPLOM DER ÄBTE VON ST. BLASIEN

Wien, 10. Dezember 1746

18 Pergamentblätter, gebunden (Libell), Umschlag in rotem Leder mit Goldprägung, Blattränder mit Goldschnitt; an einer durchgezogenen und geflochtenen Schnur ehemals Goldbulle des Kaisers; H 38/B 54 cm

Karlsruhe, GLA, 11/65

Das Bestreben der Äbte von St. Blasien um eine selbständigere und freiere Stellung war nach einer länger dauernden stetigen Entwicklung erst zu Beginn des 17. Jahrhunderts von einem echten Erfolg gekrönt. Schritt um Schritt brachten sie sich in der östlichen Nachbarschaft des engeren Klostergebietes schon seit dem Spätmittelalter in den Besitz der vogteilichen Rechte an kleineren Herrschaften. Schließlich konnte die Abtei in den Jahren 1609–1614 hier die *reichsunmittelbare Herrschaft Bonndorf* sowie die landeshoheitlichen Rechte über weitere benachbarte Gebiete erwerben; eine Abrundung erfolgte im Jahre 1659 mit dem Kauf der angrenzenden Reichsvogtei Schluchsee. In diesem reichsunmittelbaren Gebiet, das 1699 unter dem Namen der Herrschaft Bonndorf neugeordnet wurde, waren die Äbte von St. Blasien auch Landesherren und hatten als solche Sitz und Stimme auf der Grafenbank des schwäbischen Kreises im Reichstag. Die Verleihung der Reichsfürstenwürde an die Prälaten von St. Blasien im Jahre 1746 bezog sich auf diese reichsunmittelbare Herrschaft, nicht aber auf das Kloster St. Blasien selbst, sollte aber auch das persönliche Ansehen der Äbte herausstreichen.

Zahlreiche Erlässe und Verordnungen zur Fortentwicklung von Handel und Gewerbe, Erziehung und Gesellschaft zeigen die Äbte als wohlmeinende und fürsorgliche Landesherren. Die 1765 in Bonndorf gegründete Waisen- und Darlehenskasse diente der Sicherung von Mündelgeldern und deren Ausleihe zu erschwinglichen Zinsen; diese Einrichtung gilt nach Salem als die zweitälteste dieser Art in Deutschland. Der 1780 in das Leben gerufenen Brandversicherungsanstalt mußten alle Untertanen der Reichsherrschaft beitreten; doch stand sie auch Auswärtigen offen, die hier Gebäude besaßen. Auch die Errichtung eines Spitals mit Waisen- und Arbeitshaus in Bonndorf (1789 seiner Bestimmung übergeben) zeugt von den am Wohl der Bevölkerung orientierten Bestrebungen der fürstäbtlichen Landesherren. 1766 kam es zum Kauf des Hofes Rothaus bei Grafenhausen, der 1791/92 als Brauhaus des Klosters eingerichtet wurde; als aufgeklärten Landesherrn leiteten den Fürstabt hierbei vor allem die Erwägungen, seinen Untertanen ein gutes und billiges Getränk zu verschaffen, dem „leidigen Schnapstrinken" Abbruch zu tun und der Einfuhr von Bier aus benachbarten Herrschaftsgebieten den Boden zu entziehen.

Bei dem hier präsentierten Reichsfürstendiplom ist das Blatt mit dem neu verliehenen, prächtigen Wappen des Fürstabtes unter dem kaiserlichen Doppeladler und den Wappen der neun Kurfürsten aufgeschlagen. Die große Goldbulle (Siegel) zeigt in zusammenhängender Umschrift auf der Vorderseite Kaiser Franz I. Stephan auf einem reich geschmückten Baldachinthron zwischen Ecclesia und Justitia, auf der Rückseite den Doppeladler mit dem kaiserlichen Wappen.

Lit.: H. SCHWARZMAIER, Dokumente zur Geschichte des Oberrheins. Kat. der ständigen Archivalienausstellung im Badischen Generallandesarchiv Karlsruhe (1971), S. 14, Nr. 12. – Kat. St. Blasien 1983, Bd.I, S. 57, Nr. 25. – RESPONSUM JURIS in Sachen weyland Herren Gebrüderen Erb-Truchsessen von Waldburg, als Curatoren ihrer Frau Schwester Sabinen zu Mörsperg, gebohrner Erb-Truchsessin modo deren Herren Erben N.N. Grafen von Spauer etc. wider Herrn Martin Fürsten und Abbten auch Decan und Capitul des Fürstl. Reichs-Stifts ad S.Blasium im Schwarzwald als Innhabern der Herrschaft Bondorf ... (1765). – A. KÜRZEL, Der Amts-Bezirk oder die ehemalige sanktblasianische Reichsherrschaft Bondorf (1861). – K.F. WERNET, Die Stellung St. Blasiens und der Herrschaft Hauenstein im vorderösterreichischen Staatsverband, ZGO 99 (1951), S. 621/22. – H.L. ZOLLER, Musterfürst für einen Musterstaat. Der Fürstabt Martin Gerbert von St. Blasien, Merian 11/31 (1978), S. 178–185. – W. MÜLLER, Die staatsrechtliche Stellung St. Blasiens, Kat. St. Blasien 1983, Bd.II, S. 57–66.

J. G.

18.4–18.6

DREI BRUSTKREUZE DER ÄBTE VON ST. BLASIEN ALS GESCHENKE KAISERLICHER HULD

Von außerordentlicher Seltenheit bei südwestdeutschen Klöstern ist die Tatsache, daß sich aus dem Schatz der St. Blasier Fürstäbte drei wertvolle Pektoralien (Brustkreuze) aus dem 18. Jahrhundert erhalten haben, war doch seit dem Mittelalter solchen, meist kostbar geschmückten Stücken oft keine allzu lange Lebensdauer beschieden. Wie Rechnungen belegen, wurden derartige Kleinodien immer wieder nach dem Zeitgeschmack umgearbeitet. Die Steine wurden herausgebrochen und in neue Fassungen eingearbeitet. Nach der Aufhebung von St. Blasien waren diese Pretiosen am einfachsten in Geld umzusetzen oder wurden konfisziert, um sie in den badischen Kronjuwelen wiederzuverwenden. So ist es geradezu ein Glücksfall, daß Fürstabt Berthold III. Rottler (1801–1806/07, gest. 1826 in St. Paul) nach der Aufhebung seines Klosters im Schwarzwald von den badischen Behörden die (käufliche) Herausgabe auch einiger weniger Pektoralien erreichte, die dann mit den auswandernden Mönchen nach St. Paul gelangten.

Oft handelte es sich bei den Brustkreuzen und äbtlichen Ringen um eigene Erwerbungen der Prälaten, vielfach aber auch um Geschenke von persönlich nahestehenden Menschen oder hochgestellten Persönlichkeiten. Die auf zahlreichen Repräsentationsporträts mit großer Sorgfalt dargestellten Brustkreuze geben einen Hinweis auf die beachtliche Anzahl von Pektoralien, die wohl im Besitz eines Abtes waren. Unter den Stiftern finden sich gerade im Falle St. Blasiens immer wieder die Herrscher in Wien.

18.4

BRUSTKREUZ

Wien, 1731; keine Marken

Silber, Gold, Brillanten, Smaragde; H 15 cm

Stift St. Paul

Das mit einem goldenen Doppeladler bekrönte Brustkreuz war ein Geschenk des Kaisers Karl VI. an den Abt Franz II. Schächtelin von St. Blasien (1727–1747).
In diesem und ähnlichen Pektoralien nahm der Monarch die Gelegenheit wahr, für erwiesene Dienste zu danken und sein Wohlwollen auszudrücken. Die zumeist sehr kostbar und kunstvoll gearbeiteten Stücke entsprachen in hohem Maß der barocken Schmuckfreude und wurden von den Empfängern auch als Andenken sehr geschätzt. Dies dokumentiert sich u. a. darin, daß die kaiserliche Aufmerksamkeit in einer öffentlichen Anzeige bekanntgemacht wurde. Abt Martin Gerbert, einer der Nachfolger von Abt Franz II., ließ das beschädigte Brustkreuz 1766 als ein *Memoriale augustissimi Caroli VI.* reparieren.

Quellen: STA, Stanislaus Wülberz, Epitome...1753, 186 a/2, p. 932, 948, 958. – Diarium 1770–1773, Bl. 87, p. 98. – Diarium 1776/1777, 2/164, p. 208.

Lit.: M. GERBERT, Korrespondenz I (s. Kat. Nr. 18.2, S. 179, Nr. 173, 174. – Kat. St. Blasien 1983, Bd. I, S. 224, Nr. 179.

B. W.

18.5

BRUSTKREUZ

Wien, um 1747; keine Marken

Silber, Gold, Brillanten, Smaragde: H 8 cm

Stift St. Paul

Das Brustkreuz mit den sieben kreuzförmig angeordneten, großen Smaragden und der schlichten Einfassung aus Brillanten ist auf einem Porträt des Abtes Coelestin Vogler (1747–1749) wiederzuerkennen, allerdings wird es dort noch von einem nun verlorenen Doppeladler bekrönt, der möglicherweise auf ein kaiserliches Geschenk hindeutet.

Lit.: Kat. St. Blasien 1983, Bd.I, S. 224, Nr. 180.

B. W.

18.6

BRUSTKREUZ

Wien, um 1771; keine Marken

Silber, Brillanten, Amethyste; H 18 cm

Stift St. Paul

Eines von insgesamt zwei von Kaiserin Maria Theresia dem Fürstabt Martin II. Gerbert (1764–1793) geschenkten Brustkreuzen hat sich

erhalten. Es ist das Pektorale „mit orientalischen Amethisten und Brillanten“, das der Abt am 21. April 1771 zusammen mit dem Reliquiar des hl. Leopold (s. Kat.Nr. 18.13) erhielt. Das hübsche Schmuckstück teilt sich in eine etwas strenge Kreuzform und in eine sehr schwungvolle Bekrönung.

Das zweite Geschenk war ein „von Brillanten und Smaragden“ besetztes Brustkreuz, das Abt Martin am 6. April 1777 von der Kaiserin in Wien erhielt. Beide Pektoralien konnte der Abt voll Stolz dem Karlsruher Professor Heinrich Sander bei dessen Besuch im Herbst 1781 vorführen.

Lit.: Kat. St. Blasien 1983, Bd.I, S. 226, Nr. 181.

B. W.

18.7 s. II, S. 428, Abb. 97

MESSKELCH, GESCHENK KAISER KARLS VI.

Augsburg, 1719/20; keine Marken, Wiener Freistempel von 1809/10; Inschrift auf der Innenseite des Kelchfußes: SACRUM OMNIPOTENTI DEO CUI SACRIFICATUR IN OMNI LOCO ET OFFERTUR OBLATIO MUNDA IMP.CAES.CAROLUS VI.D.LEOPOLDI F.P.F.AUG.GERM.HISP.HUNG. BOHEM.REX ARCHID.AUST.CALICEM AUREUM SACRIS FACIUNDIS IN COENOB. BENEDICT AD S.BLASIUM HERC.ANTISITE AUGUSTO DONUM POSUIT ANNO IMP VIIII.

Gold, Email, Brillanten, Rubine; H 27,7 cm

Stift St. Paul

Als besonderes Prunkstück des ehemaligen Kirchenschatzes der Abtei St. Blasien darf dieser aus reinem Gold bestehende Kelch gelten. Er geht auf eine Stiftung Kaiser Karls VI. (1711–1740) an Abt Augustinus Fink von St. Blasien (1695–1720) zurück, wie die Inschrift auf der im Fuß angebrachten Platte bezeugt. Der schon im Schatzkammer-Verzeichnis von 1720 als Augenweide bezeichnete Kelch hat eine sehr gut dokumentierte Entstehungsgeschichte, die einen Einblick in die kaiserlichen Gepflogenheiten bei der Verteilung von Gunstbezeugungen erlaubt.

Im Tagebuch von St. Blasien aus dem Jahre 1719 wird vermerkt, daß der Gesandte am Kaiserhof, Pater Blasius Bender, ein Geschenk von 300 Dukaten aus Wien mitbrachte, die der Kaiser als Dank für erwiesene Dienste stiftete, allerdings mit der Auflage, daraus einen Kelch machen zu lassen. Pater Bender gab den Auftrag an einen leider unbekannten Augsburger Goldschmied, dessen Meisterwerk man bereits ein Jahr später in St. Blasien bewundern konnte. Auch der Kaiser wollte sein Geschenk sehen, das sogleich nach Wien geschickt und im kaiserlichen Vorzimmer ausgestellt wurde. Das ganze Ministerium und nicht zuletzt auch die Kaiserin bestaunten das goldene Kunstwerk, dessen Prunkstück das aus Email, Diamanten und Rubinen auf das Feinste gefertigte Kaiserwappen ist. Als man bemerkte, daß der Betrag von 300 Dukaten keinesfalls für die Anschaffung gereicht haben konnte, übernahm der Kaiser gnädigerweise auch noch die restlichen Kosten.

Ein Abrechnungszettel der Augsburger Silberhändler Georg und Carl Friedrich Gutermann vom 15. Juli 1720, der sich in den Akten von St. Paul erhalten hat, weist als Endsumme für den Kelch – samt dem eigens dafür bei einem Fachmann bestellten Wappen mit 38 Brillanten und 23 Rubinen – den Betrag von 1.859 Gulden aus. (Ein silbervergoldeter Kelch kostete damals die vergleichsweise niedrige Summe von ca. 300 Gulden.)

Obwohl sich der Kelch in seinem Aufbau und Bilderschmuck – Szenen aus der Passion Christi in kartuschenförmigen Rahmungen, Leidenswerkzeuge und kleine Putti – eng an konventionelle Formen hält, fällt er doch durch die außergewöhnlich feine, kunstvolle Ausführung aus dem Rahmen des üblichen heraus. Da man – wie schon erwähnt – den Schöpfer dieses Meisterwerkes nicht kennt, erübrigt sich auch die Frage, inwieweit Pater Blasius Bender an der Gestaltung und dem Aussehen des Kelches Einfluß nahm.

Quellen: STA, Diarien 30. September 1719 und 10. August 1720. – Acta er res praeclare gestae Abbatis Blasius III., 2/144b, p. 20 – Ph. GLÜCKER, Custoria San-Blasiana (1720), 2/197b, p. 280, 283.
Lit.: ÖKT 37 (1969), S. 238, Nr. 8, Abb. 334. – Kat. St. Blasien 1983, Bd.I, S. 212, Nr. 173.

B. W.

18.8 s. II, S. 662, Abb. 188

ERINNERUNGSTAFEL AN DEN BESUCH KAISER JOSEPHS II. IN FREIBURG IM SOMMER 1777

Joseph Hörr (Blasiwald 1732 – Freiburg 1785), 1777; sign. unten links: *IOS.HÖRR. SCV.*

Alabasterrelief in Holzkasten; H 20,5/B 33,5 cm

Stift St. Paul

Diese kleine Tafel wurde wohl zur Erinnerung an ein Ereignis gefertigt, bei dem Fürstabt Martin II. Gerbert eine besondere kaiserliche Huld zuteil wurde. Als Kaiser Joseph II. auf der Rückfahrt von einer Frankreichreise im Sommer 1777 in Freiburg, dem vorderösterreichischen Regierungssitz, Station machte, erbot sich Martin Gerbert als sein Erb-Erz-Hofkaplan, für ihn im Münster eine hl. Messe zu lesen. In streng klassizistischer Weise ist hier in einem flachen Reliefkasten die Figurenkomposition vor geschichtet angeordneten Architekturkulissen aufgebreitet: Im Augenblick der Wandlung beugt sich Martin Gerbert über den Altar; auf den Stufen ist als Ministrant ein rosenkranzbetender Knabe in Uniform dargestellt; dahinter kniet der Kaiser mit dem Gebetsbuch in den Händen auf dem bloßen Boden; hinter ihm stehen sein Gefolge und weitere Gläubige.
Die Inschrift an der Schmalseite der Altarmensa verdeutlicht das Geschehen: IOS: II. R: K: HOERTE DIE H: MEES SEINES KAPLANS MART: ABTS VON S.BLASI. FREIBVRG D. 20.IVLI 1777. IOS: HÖRR.SCV:

Lit.: ÖKT 37 (1969), S. 209, Nr. 8, Abb. 290. – Kat. Barock in Baden-Württemberg, Bd 1 (1981), 1, Nr. B 62. – Kat. St. Blasien 1983, Bd.I, S. 347, Nr. 300. – R. MORATH, Joseph Hörr. 1732–1785. St.Blasischer Hofbildhauer und Bildhauer der Universität Freiburg i.Br. zu seinem 200. Todestag (1985), S. 44, S. 74f., S. 249–253, Abb. 145–149.

J. G.

18.9 s. II, S. 245, Abb. 22

LÄNGSSCHNITT DURCH DIE KUPPELKIRCHE VON ST. BLASIEN, IDEALPLAN

Pierre Michel d'Ixnard (1723 Nimes – 1795 Straßburg), Entwurf: Claude R. G. Poulleau (geb. 1749 Paris), Stecher; 1791; sign. unten rechts: *C. Boulleau Sculp.*

Kupferstich auf Papier, H 41,5/B 75,4 cm

Stift St. Paul

Verehrung gegenüber dem habsburgischen Kaiserhaus, aber auch gewisse Absichten im Hinblick auf die sich von Wien her ausbreitende Klosterfeindlichkeit ließen in Fürstabt Martin II. Gerbert den 1770 in die Tat umgesetzten Entschluß reifen, die Gebeine früherer Mitglieder des Hauses Habsburg, die bisher in Königsfelden/Aargau und Basel ihre Ruhestätte gehabt hatten, nach St. Blasien zu überführen; auf diese Weise erhoffte er, der nach dem Brand von 1768 neu zu erbauenden Kirche als Habsburgergrablege eine zusätzliche Bedeutung zu verschaffen. Dem Historiker Gerbert war hierbei sicherlich bewußt, daß St. Blasien schon Ende des 11. Jahrhunderts von Herzog Rudolf von Rheinfelden (Gegenkönig Rudolfs von Schwaben) als Grablege seines einflußreichen Geschlechts auserwählt worden war. An der Dimensionierung dieser Habsburgerruhestätte entzündete sich jedoch ein ernsthaftes Zerwürfnis zwischen dem Bauherrn Martin Gerbert und dem Architekten. P. M. d'Ixnard plante eine gewaltige, unterkirchenartige Grufthalle mit einer Schauöffnung vom Kirchenraum her. Gerbert dagegen widersetzte sich einem derartigen Mausoleum, durch das er den Charakter des Gotteshauses als Klosterkirche empfindlich gestört sah. Die Vorstellung des Fürstabtes obsiegte; die Gebeine der frühen Habsburger fanden schließlich in einer kleineren bescheidenen Gruft hinter dem Chorende ihre Ruhestätte.
Das mit ELEVATION INTERIEURE DE L'EGLISE DE L'ABBAYE DE ST. BLAISE betitelte Blatt zeigt einen Schnitt durch die Kuppel nebst Mönchschor und die von d'Ixnard geplante, aber nicht ausgeführte, gewaltige Unterkirche als Grufthalle; es enstammt dem Kupferstichwerk *Recueil d'architecture* von d'Ixnard aus dem Jahre 1791.

Lit.: Kat. St. Blasien 1983, Bd I, S. 90, Nr. 70. - Allgemein: F. KREUTTER, M. GERBERT, Feyerliche Übersetzung der kaiserlich-königlich- auch herzoglich-oesterreichischen höchsten Leichen aus ihren Grabstätten Basel und Königsfelden in der Schweiz nach dem fürstlichen Stift St. Blasien auf dem Schwarzwald den 14ten Wintermonats 1770. – M. GERBERT, De translatis Habsburgo-Austriacorum principum, eorumque coniugum cadaveribus ex ecclesia cathedrali Basileensi et monasterio Koenigsveldensi in Helvetia ad conditorium novum monasterii S. Blasii in silva nigra (1772). – DERS.,

Crypta San Blasiana nova principum Austriacorum translatis eorum cadaveribus ex cathedrali ecclesia Basileensi et monasterio Koenigsfeldensi in Helvetia anno MDCCLXX ad conditorium novum monasterii S. Blasii in nigra silva (1785). – L. SCHMIEDER, Das Benediktinerkloster St. Blasien (1929), S. 155f. – H. WISCHERMANN, Zur Habsburger-Gruft in St. Blasien, Badische Heimat 54 (1974), S. 333–337. – DERS., Die Habsburger-Gruft, FS St. Blasien 1983, S. 286–291. – F. LAUBENBERGER, Grablegen der Habsburger und St. Blasien, Schau-ins-Land 102 (1983), S. 25–38.

J. G

18.10

ENTWURF DES ALTARS ODER EINES GRABMALS FÜR DIE HABSBURGERGRUFT IN ST. BLASIEN

Pierre Michel d'Ixnard (1723 Nimes - 1795 Straßburg) (?), um 1770

Aquarellierte Zeichnung auf Papier; H 47,3/B 38,7 cm

Stift St. Paul

Die neue Habsburgergruft in St. Blasien sollte mit aufwendigen Grabmonumenten und einem ebensolchen Altar ausgestattet werden. Das vorliegende Blatt, wohl nach Angaben des Architekten Pierre Michel d'Ixnard gefertigt, zeigt einen Entwurf hierfür. Die Inschrift lautet: D.M. AC.AETERNAE.MEMORIAE.SERENISSIMORUM.DVCVM.HABSBVRGO. AVSTIACORVM.QVORVM.EXVVIAE.DE TEMPLO.BASILIENSI.ET.CAMPO. REGIO.IVSSV.ET. AVCTORITATE. AVGVSTISSIMAE.IMPERATRICIS. MARIAE.TERESIAE.OPERA.VERO.REVERENDISS.AC.CELSISSIMI.D.D.MARTINI. II. ABBATIS.S.Q.R.I.P. XVIII.KAL DECEMB.ANNO.MDCCLXX.AD.D.BLASIVM.TRASLATAE.HEIC.QVIESCVNT.

Lit.: s. Kat. Nr. 18.9.

J.G.

18.11-18.12

ZEITGENÖSSISCHE SCHRIFTEN ZUR ÜBERFÜHRUNG DER GEBEINE DER FRÜHEN HABSBURGER AUS DER SCHWEIZ NACH ST. BLASIEN

Eine Abtei vom Range St. Blasiens mußte ein Ereignis, wie es die faktische Erhebung des Klosters zu einer späten Habsburgergrablege darstellte, auch mit der Herausgabe entsprechender, aufwendig gestalteter illustrierter Publikationen begleiten. Die seit 1754 bestehende klostereigene Druckerei mit ihren qualitätvollen Erzeugnissen bot hierfür eine geeignete Grundlage. Es sind vor allem zwei Werke (eines später in einer Zweitauflage erschienen), die hier hervorgehoben werden müssen.

Offenbar beschäftigte man sich schon vor der Zeit Fürstabt Martin Gerberts mit dem Plan einer Überführung der Habsburgergebeine aus der Schweiz nach St. Blasien, denn die Gruft in Königsfelden wurde bereits 1739 und 1764 auf Wunsch des Konvents in St. Blasien geöffnet; möglicherweise spielten dabei auch die Forschungen von St. Blasier Konventualen zur habsburgischen Geschichte eine Rolle. Martin Gerbert begab sich 1769, also ein Jahr nach dem Brandunglück von 1768, nach Königsfelden, um sich an Ort und Stelle über die Lage der sterblichen Überreste der Mitglieder des habsburgischen Kaiserhauses zu informieren. Nachdem die Verhandlungen mit der Berner Regierung erfolgreich abgeschlossen waren und auch mit dem Rat der Stadt Basel wegen der im dortigen Münster ruhenden Gebeine eine positive Übereinkunft erzielt worden war, brachte man die Särge zunächst in die st. blasianische Propstei Klingnau. Man hoffte nämlich, allerdings vergeblich, auch im Kloster Töß/ Thurgau weitere Gebeine zu finden. Schließlich erfolgte am 14. November 1770 in einem feierlichen Trauerkondukt die Überführung nach St. Blasien, wo sofort nach der abendlichen Ankunft auf einem eigens errichteten prächtigen Trauerpodest eine erste Einsegnung erfolgte.

J.G.

18.11

(FRANZ KREUTTER UND MARTIN GERBERT): FEYERLICHE ÜBERSETZUNG DER KAISERLICH-KÖNIGLICH- AUCH HERZOGLICH-OESTERREICHISCHEN HÖCHSTEN LEICHEN . . .

St. Blasien, 1770

Papier 38 Seiten, H 35/B 22 cm

Stift St. Paul

Der vollständige Titel des Werkes lautet: „Feyerliche Übersetzung der kaiserlich- königlich- auch herzoglich-oesterreichischen höchsten Leichen aus ihren Grabstädten Basel und Königsfelden in der Schweiz nach dem fürstlichen Stift St. Blasien auf dem Schwarzwald den 14ten Wintermonats 1770". Es handelt sich wohl um die eigentliche FS zu dem feierlichen Ereignis, in der in einem ersten Teil nach einer einleitenden Vorbemerkung ausführliche Beschreibungen des prächtigen Trauerkonduktes und der Beisetzungsfeierlichkeiten sowie des früheren Befundes der bisherigen Grablegen Königsfelden und Basel nebst historischen Angaben zu den einzelnen Personen folgen. Ein zweiter Teil enthält die ausführliche Gedenkrede anläßlich dieses großen Tages.

Die aufgeschlagene Seite zeigt einen eindrucksvollen Kupferstich mit dem eigens zur Ankunft der Gebeine errichteten Trauerpodest.

Lit.: Kat. St. Blasien 1983, Bd. I, S. 113, Nr. 97. – Allgemein: s. Kat. Nr. 18.9.

J. G.

18.12

MARTIN GERBERT: CRYPTA SAN BLASIANA NOVA PRINCIPUM AUSTRIACORUM TRANSLATIS EORUM CADAVERIBUS...AD CONDITORIUM NOVUM MONASTERII S. BLASII...

St. Blasien; Aufgeschlagener Stich bez.: *Johann Baptist Haas Sculpsit*; 1785

Papier, Titelblatt, 150 S, Index und Anhang, 9 Farbtafeln; H 31/B 25 cm (Buch), H. 48,5/B 27,5 cm (Tafeln)

Stift St. Paul

Zwei Jahre nachdem die Habsburgergebeine nach St. Blasien gebracht worden waren, erschien 1772 ein weiteres größeres Werk unter dem Titel *De translatis Habsburgo–Austriacorum principum, eorumque coniugum cadaveribus ex ecclesia cathedrali Basileensi et monasterio Koenigsveldensi in Helvetia ad Conditorium novum monasterii S. Blasii in silva nigra.* Im Jahre 1785 erfuhr diese Publikation eine zweite Auflage, die nunmehr den Titel erhielt: *Crypta San Blasiana nova principum Austriacorum translatis eorum cadaveribus ex cathedrali ecclesia Basileensi et monasterio Koenigsfeldensi in Helvetia anno MDCCLXX ad conditorium novum monasterii S.Blasii in nigra silva.*
Das Buch schildert in ausführlicher Weise die Geschichte der Übertragung und den Befund der Gebeine in Königsfelden und Basel. Nach geschichtlichen Anmerkungen zu den einzelnen Personen folgt eine ausführliche Chronik zu Königsfelden. Ihren besonderen Wert gewinnt die Veröffentlichung durch die neun beigegebenen Kupferstichtafeln von den früheren Grabstätten in Königsfelden und Basel, von Siegeln und der später tatsächlich ausgeführten Gruft in St. Blasien. Als Stecher erscheint fast durchwegs Johann Baptist Haas aus Staufen/Breisgau, der teilweise auch als Zeichner aufgeführt ist; in drei Fällen ist Pierre Michel d'Ixnard als Entwerfer und Zeichner genannt.
Aufgeschlagen ist die Tafel mit dem Grundriß und den Ansichten der neuen Habsburgergruft in der tatsächlich errichteten Form.

Lit.: Kat.St. Blasien 1983, Bd I, S. 113, Nr. 98. - Allgemein: s. Kat. Nr. 18.9.

J. G.

18.13

BÜSTEN-RELIQUIAR DES HL. LEOPOLD

Wien, keine Marken; wahrscheinlich Joseph Moser (1715–1801); um 1770

Heiligenbüste: Silber, teilweise vergoldet; Podest: Kupfer, vergoldet; H 42,5 cm

Stift St. Paul

Die Reliquienbüste auf schwungvollem Sockel ist ein Geschenk der Kaiserin Maria Theresia an den Fürstabt Martin Gerbert, dem sie die Überführung der sterblichen Überreste der ältesten Habsburger zu danken hatte. Abgesehen davon kann sie auch als Gegenleistung für das von Martin Gerbert ergänzte Geschichtswerk *Monumenta augustae domus Austriacae* des Marquard HERRGOTT, in dem er das Haus Habsburg verherrlichte, gegolten haben.
Es war wohl kein Zufall, daß der Fürstabt als Zeitpunkt für die Überführung der Habsburgergebeine aus der Schweiz nach St. Blasien den 14. November 1770 wählte. So konnten am folgenden Tag, dem Fest des hl. Leopold, des

Schutzpatrons von Österreich, die feierlichen Exequien stattfinden.
Der Fürstabt selbst hatte die Kaiserin gebeten, ihm eine Reliquie des hl. Leopold zu verehren, um sie in den Altar der Habsburger-Gruft einlassen zu können. Die Kaiserin schrieb in einem Brief vom 9. Februar 1771 an den Abt: „Ich werde auch Sorge tragen, daß die anverlangten Reliquien des heiligen Leopold, um solche in den Altar der diesem Heiligen in dortigem Stift geweihten Toten-Kapelle und Grufte einzulegen, demselben seiner Zeit zugeschickt werden . . .“ Sie veranlaßte umgehend, daß von den Gebeinen des Heiligen in Klosterneuburg eine Partikel aus dem Beckenknochen genommen und in eine Silberbüste eingesetzt wurde. Bereits am 21. April 1771 traf das kaiserliche Geschenk in St. Blasien ein.
Das Reliquiar gehört formal in eine Reihe von Heiligenbüsten, die noch heute in der Wiener Schatzkammer aufgestellt sind. Sie haben alle den gleichen Sockel und weisen in der Gestaltung der Brustbilder große Ähnlichkeit auf. Da einige von ihnen die Meistermarke von Joseph Moser, dem bedeutendsten Goldschmied Maria Theresias, tragen, nimmt man für alle die Entstehung in seiner Werkstatt an. Die Lücke, welche die Schenkung möglicherweise in das Schatzkammer-Ensemble gerissen hatte, wurde 1776 durch eine weitgehend identische neue Büste wieder geschlossen.

Quellen: STA, Diarium 1770–1773, p. 97f. – KHM Wien, Inventar der Wiener Schatzkammer von 1758, fol. 60, Nr. 42.

Lit.: M. GERBERT, Korrespondenz I (s. Kat. Nr. 18.2), S. 426, Nr. 423; S. 437, Nr. 434. – G. WACHA, Reliquien und Reliquiare des hl. Leopold, Jb. des Stiftes Klosterneuburg NF 3 (1963), S. 9–25. – ÖKT 37 (1969), S. 245, Nr. 6, Abb. 247. – B. WILD, Joseph Moser und die Wiener Goldschmiedekunst (Diss. Wien, 1982). – Kat. St. Blasien 1983, Bd. I, S. 228, Nr. 184.

B. W.

18.14

HEUTIGE HABSBURGERGRUFT IN DER STIFTSKIRCHE ST. PAUL

Reproduktion

Als sich im September 1807 die auswanderungsbereiten Mönche von St. Blasien unter Fürstabt Berthold III. Rottler (1801–1806/07; gest. 1826 in St. Paul) auf den Weg nach Österreich begaben, mußten sie schweren Herzens die seit nahezu 37 Jahren in ihrem Kloster behüteten Gebeine der frühen Habsburger im Schwarzwald zurücklassen; die großherzoglich-badischen Behörden waren nämlich zu einer Freigabe nur auf ein entsprechendes Ersu-

chen des Wiener Hofes bereit, das jedoch noch nicht eingegangen war. So blieb P. Frowin Meister vorübergehend im Schwarzwald zurück, bis er am 22. April 1808 die sterblichen Überreste übernehmen und nach Spital am Phyrn überführen konnte. Von hier gelangten sie mit dem Konvent 1809 nach St. Paul, wo sie 1818 in einer wuchtigen Mamortumba, die der Baumeister Pietro Rodolfi aus Udine geschaffen hatte, beigesetzt wurden. Diese Tumba (s. II, S. 522, Abb. 140) bildete an der Ostwand des südlichen Querschiffes von nun an das Gegenstück zu der im nördlichen Querschiff befindlichen, baldachinartig überdachten Barocktumba des Stiftergrabmals der Spanheimer aus dem Jahre 1703. Bei der Restaurierung der Stiftskirche in den Jahren 1935/36 brach man beide Tumben ab und gab den frühen Habsburgern in der kleinen Gruft unter dem Hochaltar ihre endgültige Bleibe.
Es mag ein Zufall der Geschichte sein, daß zwei geographisch weit voneinander entfernte Grablegen aus dem Mittelalter, St. Blasien für das Geschlecht der Herzöge von Rheinfelden und St. Paul für die zeitweise die Herzogswürde von Kärnten bekleidenden Spanheimer, sich zu Beginn des 19. Jahrhunderts als späte Grablegen des habsburgischen Hauses begegneten.

Lit.: L. SCHEICHENBERGER, Die Fürstengruft im Benediktiner-Stifte St. Paul in Kärnten, Car. (1814), S. 47. – DERS., Die Gruft der Erlauchten Habsburger zu St. Paul in Kärnten, Kärntnerische Zeitung 1 (1818), S. 17–48. – R. STRELLI, St. Paul, der ersten Habsburger letzte Ruhestätte (1918). – F. STANZEL, Die Gruftkapelle im Münster zu St. Paul im Lavanttal, ZdVWK 5 (1938), S. 51–61. – ÖKT 37 (1969), S. 44, S. 99, S. 161 (Abb. 212), S. 167.

J. G.

18.15

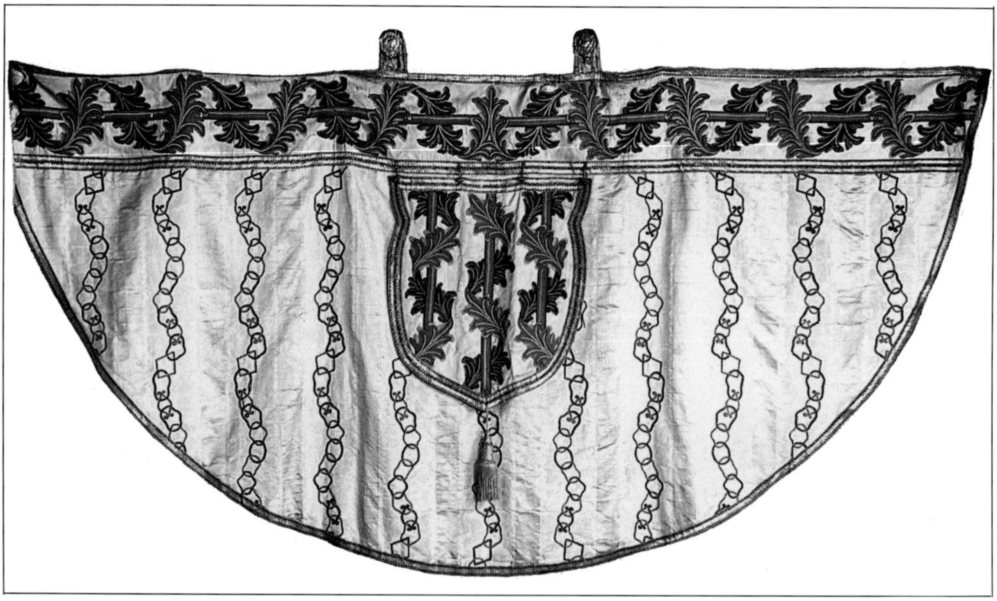

TRAUERORNAT

Wien, vor 1772

weißer Seidenstoff mit breitem Streifenmuster, Atlas und Moiré, mit kleinem Rankenmuster an den Seiten; Stäbe und Besätze: starker weißer Seidenrips mit Dekoration aus dicht aufgenähten Seidenposamenten in weiß, grau, schwarz

Stift St. Paul

Vermutlich als weiteres Zeichen des Dankes und der Anerkennung für die im Jahre 1770 bewerkstelligte Überführung der Gebeine früher Habsburger aus der Schweiz nach St. Blasien ließ Kaiserin Maria Theresia dem in Wien weilenden Fürstabt Martin II. Gerbert (1764–1793) am 13. November 1772 diesen Ornat nebst einem zusätzlichen weißen Meßgewand überbringen. Die Kaiserin selbst soll an den Paramenten mitgearbeitet haben. Ein Jahrzehnt später, nämlich am 19. Dezember 1780 und 3. Jänner 1781 trug man nach dem Tode Maria Theresias den Ornat bei den Trauerfeierlichkeiten für die Kaiserin. Und so war es nicht verwunderlich, daß gerade dieser Ornat zu den

Stücken zählte, die Fürstabt Berthold III. Rottler nach der Säkularisation im Jahre 1807 von den badischen Behörden freikaufte, um sie später über Spital am Pyhrn nach St. Paul mitzunehmen.
Der Ornat besteht aus einem Pluviale, einer Kasel, zwei Dalmatiken und hat sich, einschließlich zweier Stolen, dreier Manipel, eines Kelchvelums und einer Bursa, vollständig erhalten. Das Pluviale weist ein Muster in der Art einer Kulane (Kette) in grau und schwarz auf, wobei nur der Besatz und die Cappa einen blattumwundenen Stab zeigen. Die Dalmatiken weisen ein Kettenmuster im Grund, im Mittelteil und in den Ärmelbesätzen Blattstäbe auf. Die Goldborten haben schwarzes Grätenmuster. Die Kasel hat im Mittelteil einen blattumwundenen Stab, während die Seitenteile einfarbig und in sich gemustert sind.
Pluviale, Kasel und die beiden Dalmatiken weisen noch ein altes Futter auf, das bei den Dalmatiken nicht fachgerecht ausgebessert wurde.

Lit.: ÖKT 37 (1969), S. 177, Nr. 28, Abb. 233. – Kat. St. Blasien 1983, Bd.I, S. 228f., Nr. 185 (mit Nennung der Quellen und weiterer Literatur).

J. G./W. H.

18.16

ABTSTAB

Beginn des 19. Jahrhunderts,
keine Marken

Silber (oder Kupfer), vergoldet

Stift St. Paul

Der silberne Stab trägt eine vergoldete Krümme, die mit silbernen Blattranken umwunden ist. Die Spirale endet in einer kleinen Plattform, die von einem gotisierenden Blattfries umgeben wird. Hier erheben sich die goldenen Büsten des hl. Benedikt und des hl. Blasius, beide mit den Insignien ihrer Abtwürde ausgestattet. Die Würdezeichen aus der Zeit vor 1800 haben sich bedauerlicherweise nicht erhalten und sind uns lediglich von Abtbildnissen bekannt. Ob dieser Abtstab noch aus der Phase vor der Aufhebung von St. Blasien stammt, ist ungewiß, doch könnte er im Jahr des Regierungsantrittes des Fürstabtes Berthold III. Rottler (1801–1826), des letzten Abtes von St. Blasien und ersten Abtes in St. Paul, angefertigt worden sein. Abt Rottler erbat sich jedenfalls am 6. August 1807 von den badischen Säkularisationsbehörden „seinen Abtstab" zurück.

Lit.: Kat. St. Blasien 1983, Bd.I, S. 238, Nr. 189.

B. W.

19

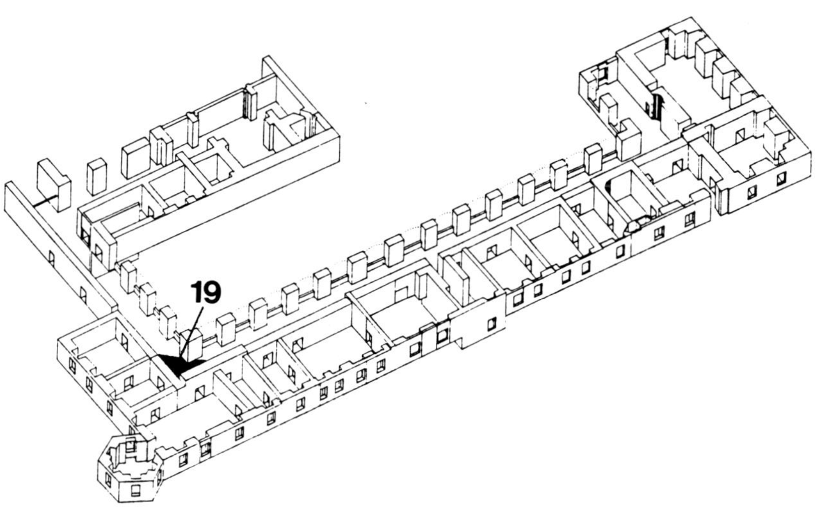

Die Wiederbesiedelung 1809 – Der Weg von St. Blasien über Spital am Pyhrn nach St. Paul

Nach dem Preßburger Frieden von 1805 fiel der Hauptteil des vorderösterreichischen Breisgaus und Schwarzwaldes, darunter auch die Abtei St. Blasien, an den Großherzog von Baden. Dies führte am 26. Februar 1806 zur provisorischen und am 10. Oktober des gleichen Jahres zur endgültigen Aufhebung der blühenden klösterlichen Gemeinschaft. Über eine achtzehnmonatige Zwischenstation in Spital am Pyhrn (Oberösterreich) gelangte ein großer Teil des St. Blasier Konventes im Jahre 1809 nach St. Paul im Lavanttal.

Das Ende im Schwarzwald führte zu einem Neuanfang im traditionsreichen Benediktinerstift St. Paul. Das große Gemälde mit der Übergabe des Stiftes St. Paul an die St. Blasier Mönche symbolisiert das Ende im Schwarzwald und den Neubeginn in Kärnten.

19.1 s. II, S. 237–253 und die Karte S. 247

DER WEG DER ST. BLASIER MÖNCHE ÜBER SPITAL AM PYHRN NACH ST. PAUL

Übersichtskarte

Schon längere Zeit lag ein Angebot des Kaisers Franz II. aus dem Jahre 1800 vor, im Falle einer Aufhebung des Klosters St. Blasien den Konvent in den österreichischen Erblanden aufzunehmen. Den Kaiser hatte dabei neben der Verpflichtung gegenüber dieser treuen vorderösterreichischen Abtei auch die Überlegung geleitet, sich des großartigen geistigen Potentials der St. Blasier Mönche zu versichern. Doch bedurfte es auch nach der vorläufigen und der endgültigen Aufhebung des Klosters noch eines längeren Entwicklungsprozesses, bis sich der letzte Abt von St. Blasien, Fürstabt Berthold III. Rottler (1801–1806/07, gest. 1826 in St. Paul), zu einer Auswanderung entschloß. Hierbei und auch bei den künftigen Verhandlungen spielte der spätere Präsident des obersten Hofgerichts in Wien, Ferdinand von Fechtig, der aus dem ehemals st. blasianischen Ort Krenklingen bei Waldshut stammte, eine entscheidende Rolle. So hartnäckig Berthold Rottler zunächst ein Verbleiben des Konvents im Schwarzwald zu erreichen suchte, so zielstrebig betrieb er, als er die Aussichtslosigkeit seines Bemühens erkannt hatte, eine Übersiedelung nach Österreich; hier sollte man die Universität in Salzburg und das Lyzeum in Klagenfurt mit Lehrern versehen. Zwei Patres reisten am 25. Mai 1807 als Unterhändler nach Wien. Ihnen folgte am 11. Juli 1807 eine fünfköpfige Vorhut nach Salzburg, wo sich allerdings das dortige Projekt zerschlug. Man wies nun den St. Blasiern das eigens für sie geräumte Chorherrenstift Spital am Pyhrn mit den alleinigen Klagenfurter Lehraufgaben (Lyzeum und Gymnasium) zu. Allerdings waren von dem damals über hundert Mitglieder zählenden Konvent von St. Blasien nur vierzig Männer zur Übersiedelung bereit; diese traten sofort ihren Weg in die neue Heimat an, nachdem am 20. September 1807 nach der Auswanderungsgenehmigung der badischen Behörden auch die bewilligten staatlichen Pensionsvorschüsse eingetroffen waren. Man wählte drei Wege: Die erste Gruppe (Hauptgruppe) unter der Leitung von P. Konrad Boppert verließ am 21. September St. Blasien, nachdem am 18. September schon einige Mönche zum Zwecke des Abschiednehmens von ihren Angehörigen vorausgezogen waren. Sie reisten über Schaffhausen, Stockach, Meßkirch, Mengen und Ehlingen nach Ulm, wo man die Vorausgegangenen traf und die Reise auf der Donau bis Linz fortsetzte; von hier aus erreichte man zu Land am 13. Oktober 1807 Spital am Pyhrn. Die zweite Gruppe, bestehend aus dem Fürstabt, dem Subdekan Benedikt Benzinger und zwei weiteren Patres, reiste am 24. September 1807 ab und wählte den Weg über Waldshut, die Schweiz (Verabschiedung), Schaffhausen, Singen, Kempten, den Fernpaß, Leermoos und Innsbruck nach Salzburg. Am 26. und 27. September 1807 folgten als dritte Gruppe auf dem Landweg über Singen, Memmingen, Augsburg und Wasserburg/Inn drei weitere Patres sowie der Dekan Markus Baader mit einem Begleiter. Die zweite und dritte Gruppe trafen sich in Salzburg, von wo sie am 12. Oktober 1807 über Lambach und Wels (Fürstabt) bzw. Aussee und Liezen (Dekan) abreisten. Am 14. Oktober traf die Gruppe des Abtes, einen Tag später die Gruppe des Dekans in Spital am Pyhrn ein. Zu ihnen gesellte sich am 15. Oktober auch P. Ignatius Kopp, der sich schon längere Zeit in Klagenfurt um die Übernahme der dortigen Aufgaben gekümmert hatte. Nicht lange währte der Aufenthalt des Abtes in Spital, da er schon am 10. November 1807 über Klagenfurt, St. Andrä im Lavanttal und Leoben nach Wien aufbrach (Ankunft 22. November), um dort die Dotationsverhandlungen zu führen. P. Frowin Meister, der zur Übernahme der in St. Blasien ruhenden Gebeine der Habsburger vorübergehend im Schwarzwald zurückgeblieben war, kam als letzter in Spital an, nachdem er am 22. April 1808 die sterblichen Überreste von den badischen Behörden hatte übernehmen können, um sie über die Donau in die neue Heimat zu bringen.

Da die Klagenfurter Lehraufgaben von dem weit entfernten Spital aus nicht zufriedenstellend zu erfüllen waren, kam es am 5. Jänner 1809 zur Übergabe des seit 1782/87 säkularisierten Stiftes St. Paul im Lavanttal an den St. Blasier Restkonvent. Am 9. Jänner 1809 reisten P. Frowin Meister, P. Markus Baader und P. Simon Dietrich zur Inbesitznahme der St. Pauler Klostergebäude in Spital ab. Am 15. April 1809 hielt Abt Berthold Rottler, direkt von Wien über Knittelfeld und das obere Lavanttal kommend, in St. Paul Einzug. Vom 4. bis 11. Mai 1809 folgte aus Spital über Trieben, Friesach und Klagenfurt der übrige Konvent. Auf unterschiedlichen Wegen gelangte ein Großteil des St. Blasier Besitzes in das Lavanttal. Das harte Leben des Neubeginns und Neuaufbaus konnte beginnen!

Quellen: STA, 34/6, 35/6, 36/6, 0/950a, P 91/449. – GLA Karlsruhe 237/4903.

Lit.: K. RIEDER, Die Aufhebung des Klosters St. Blasien (1907). –TH. RASCHL, Aufhebung und Neubegründung des Stiftes St. Paul (1782 und 1809), III. Tl., JbSP 1928/29, S. 1–21. – DERS., St. Blasiens Wanderung nach Österreich, Die Pyramide 18 (1929), S. 35.

K. SUTTER, Die Aufhebung der Benediktinerabtei St. Blasien und der Neubeginn in St. Paul/Kärnten, Badische Heimat 57 (1977), S. 401–418. – DERS., Die Aufhebung der Abtei St. Blasien und der Neubeginn in St. Paul/Kärnten, in: FS ST. Blasien 1983, S. 301–314.

J. G.

19.2–19.8

DIVERSE SCHRIFTSTÜCKE ZUR ÜBERSIEDELUNG DER MÖNCHE VON ST. BLASIEN NACH ÖSTERREICH IN REPRODUKTIONEN

Im Stiftsarchiv St. Paul werden zahlreiche Zeugnisse verwahrt, die nicht nur über den äußeren Verlauf der Säkularisierung des Klosters St. Blasien und die Übersiedelung eines Teiles seines Konvents Aufschluß geben, sondern auch über Gefühle und Stimmungen der auswandernden Mönche und ihres Fürstabtes.

19.2

BESCHREIBUNG DER WANDERUNG DER HAUPTGRUPPE

Als unschätzbare Quelle muß die (unveröffentlichte) Schrift des P. Johann Baptist Mannhart „Geschichtliche Darstellung der Auflösung St. Blasiens auf dem Schwarzwalde" gelten, die auf knapp 240 Seiten die Vorgänge der Jahre 1797 bis 1807/08 schildert und mit der Ankunft der Gebeine der frühen Habsburger in Spital am Pyhrn endet. Das bis in Details gehende, zuweilen mit höchst interessanten persönlichen Ansichten und Wertungen gewürzte Kompendium beginnt mit dem Herderwort:

„Alles hat geblüht was blühen konnte
jedes zu seiner Zeit und in seinem
Kreise, es ist abgeblüht, und wird
wieder blühen wenn seine Zeit kömmt."

Es endet mit dem Wunsch:

„Lebe wohl mein ewigtheures
liebes St. Blasien – Sey glücklicher
nun unter einem günstigern
Himmelsstriche verpflanzt, –
und gedeih für die Kirche Gottes
und das gemeine Wesen!!"

Nach der Wiederholung der Herderverse folgt der Zusatz:

„Für Dich St. Blasien ist Deine
Blüthenzeit da.
Incrementum det Deus!!"

In farbiger Weise schildert der Schreiber die Abreise der Hauptgruppe in St. Blasien im Herbst 1807:

„Die Stunde hatte nun geschlagen, mit welcher die Verödung des herrlichen Stiftes und seines kaum 20 Jahre erbauten neuen Tempels beginnen sollte. Am 21t September früh um 3 Uhr nahm die Reise der schon früher benannten Emigranten ihren Anfang. ... Schon die Art wie die Emigranten von St. Blasien abzogen mußte Aufsehen erregen. Fünf bis 16 Geistliche besetzten paar und paar nur einen einzigen Wagen. Die Form desselben glich keinem anderen. Zwar hatte er kleine Leitern zur Seite an denen bequeme in der Mitte hangende Sitze angebracht waren. Er unterschied sich aber dennoch von jeder anderen Chaise seiner Bauart nach. Man denke sich nur eine solche Anzahl von Menschen, die doch alle bequem darauf ruhen und ebenso gut, wie in jeder andern Chaise geführt, doch nicht so wie in dieser von Anfang vor dem Regen geschützt wurde, bis man ein Tuch über den Wagen spannte, das (sich) durch angebrachte Reife oben wölbte. Auf rauhen Wegen und gebirgigten Gegenden hatten 6 Pferde genug zu thun um diese Last fortzubewegen. In welche Stadt der Wagen geführt wurde lief alles zusamen gleich als wenn die Reisenden aus Jamaika Kämen. ..."

Quelle: STA, 34/6, Bl. 110r – 112v.

J. G.

19.3

DIE ABREISE DES FÜRSTABTES NACH SEINEM TAGEBUCH

Nüchtern und doch bewegt findet sich im Tagebuch des Fürstabtes Berthold Rottler über seine Abreise folgende Notiz:

„Sept. 1807. Den 24ten 6 Uhr frühe verließ ich mit P. Suddecan Benedict Brenzinger mein liebes St. Blasien, und tratt die Reise nach Österreich an. ..."

Quelle: STA, 950 a/0, Bl. 58v.

J. G.

19.4

BRIEF DES FÜRSTABTES BERTHOLD ROTTLER VOM 7. OKTOBER 1807 WÄHREND DER REISE

Im Tagebuch Berthold Rottlers findet sich die Abschrift eines Briefes vom 7. Oktober 1807, den er unterwegs in Salzburg an einen unbekannten Adressaten verfaßt hatte. Hierin werden Überlegungen angestellt, warum man den St. Blasiern nicht das bereits säkularisierte Kloster Garsten/Oberösterreich zugewiesen habe (hier ist im übrigen spätestens ab dem Jahre 1111 der hl. Berthold von Garsten als Abt nachzuweisen, der vorher Mönch von St. Blasien war). In Anspielung auf die Vertreibung der Spitaler Chorherren eigens für die St. Blasier Einwanderer findet sich hierbei der Satz:

„Es wäre für mich und für alle ungleich tröstlicher, wenn wir niemand vertreiben dörften. Salvo meliori!"

Quelle: STA, 950 a/0, nach Bl. 57.

J. G.

19.5

TAGEBUCHEINTRAG DES ABTES ÜBER DIE ANKUNFT IN SPITAL AM PYHRN

Über die Ankunft in Spital am Pyhrn hält Berthold Rottler in seinem Tagebuch folgendes fest:
„Oktober 1807...
14ten langte ich unter dem Donner der Pöller, und TrompetenSchall in Spittal Mittags an. Bey der Tafel war Musik. Die Fratres sind am 13ten von Ulm über Linz, und am 15ten P. Dekan, und endlich auch P. Ignaz von Klagenfurt angekomen, sodas nun die ganze emigrirende Gesellschaft in 3 Tagen zusamen traf, quod Deo fiat laudes! alle gesund und wohl."

Quelle: STA, 950 a/0, Bl. 58r.

J. G.

19.6

BRIEF BERTHOLD ROTTLERS VOM 15. OKTOBER 1807 AUS SPITAL AM PYHRN

In einem wiederum lediglich in Abschrift erhaltenen Brief aus Spital am Pyhrn vertraut Berthold Rottler am 15. Oktober 1807 einem nicht bekannten Adressaten an:
„Am 13ten 8br. Mittags bin ich mit P. Subdecan u. Kammerdiener glücklich hier angekomen. Ich fand alles über meine Erwartung schön."
(Es ist hier allerdings zu bemerken, daß die Ankunft des Abtes in Spital erst am 14. Oktober erfolgt war).

Quelle: STA, 950 a/0, nach Bl. 57.

J. G.

19.7

ABREISE DER GEBEINE DER FRÜHEN HABSBURGER AUS ST. BLASIEN NACH DER ÜBERGABE AN P. FROWIN MEISTER AM 22. APRIL 1808

P. Johann Baptist Mannhart schildert in seiner Darstellung über die Auflösung des Klosters St. Blasien (s.Kat.Nr. 19.2) zum Abschluß die Abreise der seit nahezu vier Jahrzehnten hier ruhenden Gebeine der frühen Habsburger, nachdem diese am 22. April 1808 an den eigens zu diesem Zwecke vorübergehend in St. Blasien zurückgebliebenen P. Frowin Meister übergeben worden waren:
„Nachdem nun alle Zubereitungen zur Transportierung veranstaltet waren, so wurden diese ehrwürdigen Reste noch mit allem möglichen Gepränge von dem Blasianischen Pfarrer und den noch dankbaren Beamten bey der Prozession unter dem Geläute aller Gloken von der Kirche aus bis zu dem Thore des Stiftes begleitet, wo die feyerliche priesterliche Segnung geschah – und wo auch das umherstehende Volk ausrief - 'Man will uns sogar die Todten nicht mehr lassen'".
Nach diesem feyerlichen Akt reiste auch P.Frowin Meister zu seinen „in Spital am Pirn wohnenden Mitbrüder".

Quelle: STA, 34/6, Bl.117.

J.G.

19.8

DAS TAGEBUCH DES FÜRSTABTES BERTHOLD ROTTLER ÜBER SEINE ANKUNFT IN ST.PAUL AM 15.APRIL 1809 UND EINE ÄUSSERE SCHWIERIGKEIT BEIM NEUBEGINN

Berthold Rottler gibt über seine Ankunft in St. Paul am 15.April 1809 folgende Schilderung:
„Kamen wir über S.Leonhard, wo wir vom He. Beamten, vom Kaplan Namens des Pfarrers höflich bekomplimentirt, zu Wolfsberg über Mittag, zu S.Andrè vom Fürstbischof Graf Firmian freundlich aufgenohmen, endlich abends 7 Uhr in S.Paul an, wo uns die Beamten und Geistlichen an der Stiege empfangen, und ins Zimmer begleitet haben. Unter dem Nachtessen hat die Bürgerschaft zwey mal ihre Pöller abgefeuret, um uns ihre Zufriedenheit zu bezeugen . . .
Da das Hauß noch nicht hergerichtet ist, so lassen wir uns das Essen von dem Würth Fischer bringen, ..."

Quelle: STA, 950 a/0, Bl. 82.

J.G.

19.9

FÜRSTABT BERTHOLD III. ROTTLER VON ST.BLASIEN UND ABT VON ST.PAUL (1801–1806/07, gest. 1826 in St. Paul)

Anton Weissenfeld (gest. 1832 Graz); auf Rückseite bez.: *A. Weissenfeld fecit 1823*

Öl auf Leinwand; Oval: H 107/B 93 cm

Stift St. Paul

Der Grazer Bildnis- und Miniaturenmaler Anton Weissenfeld hat hier den jeweils 48. Abt von St. Blasien und St. Paul, den letzten Fürstabt des Schwarzwaldklosters und dritten Gründer des Stiftes im Lavanttal drei Jahre vor seinem Tod (1826 in St.Paul) porträtiert.
Es überrascht nicht, daß eine ausführliche Vita

dieses großen Prälaten noch nicht existiert. Zu sehr ist man versucht, ihn im Schatten seines übermächtigen Vor-Vorgängers Martin II. Gerbert (1764–1793) und als Verlierer des – von ihm nicht verschuldeten – Kampfes um den Bestand des Klosters St. Blasien während der Säkularisation zu sehen. Dabei übersieht man zuweilen, daß er es, an der Nahtstelle zweier Epochen stehend, mit der Hartnäckigkeit des Schwarzwälder Menschenschlages unter unsäglichen Schwierigkeiten und gegen erdrückende Widerstände vermocht hat, einen Großteil seines Konventes aus dem Schwarzwald nach Kärnten zu führen und dort das alte Stift St. Paul wieder zu neuem Leben zu erwecken.

Am 16.Oktober 1748 in dem, damals dem Johanniterorden gehörenden, Obereschach bei Villingen/Schwarzwald geboren, wurde er nach seinen Studien Professor für Theologie in St. Blasien. 1784 wurde er in Salzburg zum Doktor der Philosophie promoviert. Es folgten an der Universität Freiburg/Breisgau die Stelle eines Professors für Diplomatik, Numismatik und Archäologie, in St. Blasien das Amt des Archivars und in der st. blasianischen Propstei Klingnau/Aargau die Funktion des Propstes. Seine Wahl zum Abt fiel bereits in die Zeit des beginnenden Unterganges im Schwarzwald. Nachdem er nach der endgültigen Aufhebung seiner Abtei erkannt hatte, daß ein Verbleiben des Konvents an der alten Stätte nicht mehr möglich war, führte er konsequent die Übersiedelung der auswanderungsbereiten Mönche durch. Die letzten zwei Jahrzehnte seines Lebens waren ausgefüllt mit dem oft aussichtslos erscheinenden Kampf gegen äußere und später auch innere Schwierigkeiten beim Neubeginn im Lavanttal. An seinem 79. Geburtstag, dem 16. Oktober 1826, starb dieser große Mann des Überganges und wurde auf dem alten Friedhof in St. Paul beigesetzt, wo sein Grabmal inmitten der Ruhestätte seiner ehemaligen St. Blasier Mitbrüder und deren Nachfolger heute noch an ihn erinnert. Zu seinem Nachfolger wurde nochmals einer der St. Blasier Einwanderer, Meinrad Amann aus Hofkirch/Württemberg (1826–1839), gewählt. Erst dessen Nachfolger, Ferdinand Steinringer (1840–1866), stammte aus Klagenfurt.

Lit.: B. ROMIN, Erinnerungen an Berthold Rottler, Konradsblatt 60 (1976), Nr. 48, S. 26.

J.G.

19.10

KAISERLICHES DEKRET MIT DER ÜBERGABE DES STIFTES ST. PAUL AN DIE ST. BLASIER MÖNCHE VOM 5. JÄNNER 1809

Papier, 3 Bll., H 37,5/B 24 cm

Stiftsarchiv St. Paul, P 91/449

Diese ungemein wichtige dreiseitige Urkunde, bezeichnet als „Original Dotation. 1809. 5.Jänner“ und (von Kaiser Franz I.) adressiert „An den Herrn Fürst Abten Berthold des BenediktinerStifts Spital am Pihrn in Oesterreich ob der Enns“, bildet die eigentliche rechtliche Grundlage für die Inbesitznahme des Stiftes St. Paul durch die aus St. Blasien ausgewanderten Mönche.

St. Paul als neue Niederlassung der St. Blasier war schon seit Ende des Jahres 1807 im Gespräch. Als sich die Verhandlungen ab März 1808 immer mehr auf dieses seit 1782/87 säkularisierte Stift zuspitzten, fand wohl im August 1808 eine erste Inspektion dieses künftigen Wohnsitzes durch Beauftragte statt. Das Dekret vom 5. Jänner 1809 faßt als wesentliches Ergebnis monatelanger, zäher Verhandlungen folgendes zusammen: Zuweisung der Stiftsgebäude St. Paul, mit Ausnahme des durch das zwischenzeitlich eingezogene Beschäldepartment in Anspruch genommenen Teils; Einzug spätestens 1. Mai 1809; vollständige Aufgabe des Stiftes Spital am Pyhrn; Beibehaltung der bisherigen Lehraufgaben am Lyzeum und Gymnasium in Klagenfurt; Wiedererrichtung des früheren Gymnasiums in St. Paul und „mit der Zeit“ Einrichtung eines Konvikts daselbst; Bereithaltung von vier weiteren Lehrkräften für Salzburg oder andere Orte; Übernahme der Pfarre St. Paul und Seelsorgeaushilfe in Klagenfurt; Festlegung der Größe des Konvents (einschließlich Abt) auf 50 Mitglieder; jährliche Dotationssumme 28000 fl. (2000 fl. für den Abt, jeweils 500 fl. für die übrigen Stiftsangehörigen und 1500 fl. für die Bibliothek), und zwar

ohne Abzug des zwischenzeitlich mit dem Großherzogtum Baden ausgehandelten Abfindungskapitals von 200000 fl.; Realisierung dieser Dotation durch Zuweisung der Religionsfondsherrschaft St. Paul und der Studienfondsherrschaft Eberndorf mit der Meierei Wasserhofen sowie kleinere Erträgnisse des ehemaligen Franziskanerklosters zu Klagenfurt, rückwirkend ab 1. November 1808 (offen blieb noch die Zuweisung eines weiteren „Gutes"); Ablieferung eines Überschusses an die zuständigen staatlichen Fonds; entsprechende Verrechnung der Einkünfte aus Spital ab 1. November 1808; Erlaubnis zur Mitnahme eines Großteils des Spitaler Inventars.
Bereits vier Tage nach dem Datum dieser Urkunde, nämlich am 9. Jänner 1809, reisten drei Mönche zur tatsächlichen Übernahme von St. Paul aus Spital ab; am 15. April des gleichen Jahres kam der Abt, in der Zeit von 4. bis 11. Mai 1809 der übrige Konvent in St. Paul an.
Die Dotationsverhandlungen waren mit dem kaiserlichen Dekret vom 5. Jänner 1809 noch nicht beendet. Sie fanden erst am 10.8. 1817 ihren Abschluß, bestätigt durch die feierliche Stiftungsurkunde vom 3. Juli 1820.

Lit.: s.Kat.Nr. 19.1.

J. G.

19.11 s. II, S. 249, Abb. 23

KAISER FRANZ I. ÜBERGIBT DAS STIFT ST. PAUL AN DIE MÖNCHE VON ST. BLASIEN

Johann Baptist Höchle (1754 Klingnau/ Aargau – 1832 Wien); nach 1807

Öl auf Leinwand, H 236/B 296 cm

Stift St. Paul

Das Bild zeigt auf einem Baldachinthron den von den Erzherzögen Rainer und Johann flankierten Kaiser, der den die Stufen hinanschreitenden Abt Berthold Rottler mit der ausgestreckten Linken empfängt und in der Rechten das Übergabedokument hält. Rechts im Hintergrund einige Konventsmitglieder, davor (hinter Berthold Rottler) drei besonders hervorgehobene Männer, in denen man möglicherweise drei dem auswandernden St. Blasier Mönchen wohlgesonnene Persönlichkeiten sehen kann: den für die Übersiedlung nach Kärnten so wichtigen Ferdinand von Fechtig, im Bischofsornat den Referenten in der Hofkanzlei, Hofrat von Gruber (später Bischof von Laibach), und Staatsrat von Lorenz (es könnte sich bei dem geistlichen Würdenträger aber auch um den Fürstbischof von Lavant handeln). Rechts im Bild vorne (nach einer wohl als gesichert geltenden Überlieferung) die Patres Trudpert Neugart und Ignatius Kopp sowie Ambrosius Eichhorn, die bereits am 25. Mai und 11. Juli 1807 als Unterhändler bzw. Leiter einer Vorhut von St. Blasien nach Österreich abgereist waren, um dort entscheidende Verhandlungen für den Neubeginn zu führen.
Der Künstler Johann Baptist Höchle stammte aus dem schweizerischen Klingnau, dem Sitz einer st. blasianischen Propstei. Gefördert durch Fürstabt Martin II. Gerbert von St. Blasien (1764–1793), hatte er im Umkreis des Schwarzwaldklosters die Anfangsgründe der Malerei erlernt und wirkte 1780–1800 in München, wo er bis zum Hofmaler aufstieg. Ab 1800 arbeitete er in Wien, seit 1802 als k.k. Hof- und Kammermaler. Bekannt wurde er vor allem durch repräsentative Darstellungen von Hof- und Staatsakten.
Höchle schuf hier wohl für die nach St. Paul ausgewanderten Mönche des untergegangenen heimatlichen St. Blasien ein idealisierendes Historienbild, das eines von drei wichtigen Ereignissen bei der Wiederbesiedelung von St. Paul darstellt: entweder die Übergabe des Stiftes an die St. Blasier mit Urkunde vom 5. Jänner 1809 oder den Abschluß der Dotationsverhandlungen durch kaiserliches Dekret vom 10.8.1817 oder die Übergabe der Stiftungsurkunde vom 3. Juli 1820 (zu beachten ist hierbei allerdings, daß Hofrat Gruber 1809 und 1817 noch nicht Bischof, dagegen Ambrosius Eichhorn am 21. März 1820 verstorben war). In Wirklichkeit scheint es keinen solchen Staatsakt in dieser Form gegeben zu haben; vielmehr handelte es sich bei der Übergabe des Stiftes St. Paul an Fürstabt Berthold Rottler von St. Blasien und bei der Dotierung um nüchterne, von vielen bürokratischen Schwierigkeiten begleitete Kanzleivorgänge.

Quellen: s. Kat.Nr. 19.1.
Lit.: ÖKT 37 (1969), S. 323, Nr. 203, Abb. 469. – G.J. LADSTÄTTER, Die Geschichte des Benediktinerstiftes St. Paul im Lavanttal in Kärnten von 1809–1848 (Diss. Wien, 1973).

J. G.

19.12

BAROCKE ANSICHT DES KLOSTER SPITAL AM PYHRN

unbekannter Maler, um 1740

Öl auf Leinwand, H 85/B 135 cm

Spital am Pyhrn

Seit Kaiser Heinrich II. (1002–1024) war das Bistum Bamberg nicht nur in Kärnten, sondern auch in der Gegend des Pyhrnpasses/Oberösterreich umfangreich begütert. 1190 gründete Bischof Otto II. von Bamberg am nördlichen Fuß dieses schon von den Römern benützten wichtigen Alpenüberganges ein Hospiz, das damals einer Laienbruderschaft anvertraut wurde; Einweihung der Kirche 1199. 1418 erfolgte die Umwandlung in ein Weltpriester-Kollegiatstift. Dieses geriet durch einen Brand 1502 und durch die Reformationswirren an den Abgrund seiner Existenz, erlebte aber nach einem Wiedererstarken im Jahre 1605 die Erhebung zur Propstei. Die gotisch erneuerte Kirche war 1434 eingeweiht worden; 1642–1713 kam es zur Neuerrichtung des Stiftsgebäudes und 1740–1710 durch Johann Michael Prunner zum völligen Neubau der Kirche, die – 1736 geweiht – mit ihrer prächtigen Doppelturmfassade in die Ostfront des Stiftsgebäudes eingefügt wurde. Im Zuge der üppigen spätbarocken Ausstattung erhielt der Chor seine einmalige Ausmalung durch Bartolomeo Altomonte; diese, die in geistvoller Form mit illusionistischen Mitteln die Architektur des Langhauses fortführt und erweitert, zählt zu den hervorragendsten Leistungen der barocken Freskomalerei in Österreich.

Am 11. August 1807 wurde den vierzehn in Spital lebenden Chorherren offenbar völlig überraschend die Auflösung des Stiftes verkündet. Auch für die St. Blasier kam diese Wendung unerwartet, denn ursprünglich sollte ihnen, da sie neben den Lehraufgaben am Lyceum in Klagenfurt auch die an der Universität Salzburg übernehmen sollten, das Kloster Michaelbeuren zugewiesen werden; die beiden Vorhutgruppen, die am 25. Mai 1807 und 11. Juli 1807 aus dem Schwarzwald abgereist waren, hatten in Wien (P. Trudpert Neugart und P. Ignatius Kopp) bzw. in Salzburg (fünf weitere Mönche unter Führung von P. Ambrosius Eichhorn) die entsprechenden Verhandlungen zu führen. Erst als sich das Projekt bezüglich der Universität zerschlagen hatte, erfolgte etwas unvermittelt mit kaiserlichem Dekret vom 9. August 1807 die Weisung, die St. Blasier hätten vorläufig in Spital am Phyrn Wohnung zu nehmen. P. Trudpert Neugart faßte in einem Schreiben an den noch im Schwarzwald befindlichen Fürstabt Berthold Rottler seine Gefühle und Eindrücke beim Eintreffen in Spital am Pyhrn folgendermaßen zusammen (nach Ladstätter, S. 23): ... *Dieser Auftritt war für mich äußerst niederschlagend, ... Ich tröstete alle, und sicherte ihnen auf ferneres Wohlverhalten ihre Dienste zu. Denn dies fand ich allerdings notwendig, um die große Bestürzumg der Chorherren und Diener, so viel möglich, zu mindern. ...*

Als die St. Blasier Mönche schon im April/Mai 1809 nach St. Paul im Lavanttal weiterzogen, gelangte mit ihnen ein großer Teil des Spitaler Besitzes, darunter prachtvolle Paramente, weite Teile der dortigen Bibliothek und eine ansehnliche Reihe von Gemälden Martin Johann Schmidts, genannt Kremser Schmidt, nach St. Paul.
In Spital am Pyhrn selbst beschädigte 1841 ein schwerer Brand die Stiftsgebäude und Teile der Kirche, verschonte jedoch die herrliche Ausmalung des Chores; die Folgen konnten erst in der 2. Hälfte des 20. Jahrhunderts endgültig beseitigt werden.

Lit.: F. X. PRITZ, Geschichte des einstigen Collegiatstiftes weltlicher Chorherren zu Spital am Pyhrn im Lande ob der Enns, Archiv für Kunde österreichischer Geschichts-Quellen 10 (1853), S. 241–328. – A. H. SCHRÖCKENEDER, Geschichte der geistlichen Stiftung und Herrschaft Spital am Pyhrn (Diss. Wien, 1931). – A. OBERHUMMER, Gottesburgen im Lande ob der Enns (1984), S. 117–124. – P. GRADAUER, Spital am Pyhrn in Oberösterreich, Hospital und Kollegiatstift; dessen innere Verfassung und dessen juridische Beziehungen zum Hochstift Bamberg. Eine rechtsgeschichtliche Untersuchung (Diss. Rom–Linz, 1957). – G. J. LADSTÄTTER, Die Geschichte des Benediktinerstiftes St Paul im Lavanttal in Kärnten von 1809–1848 (Diss. Wien, 1973), S. 23–40. – H. KRAWARIK (Hrsg.), Dorf im Gebirge. Spital am Pyhrn 1190–1990 (1990).

J. G.

19.13

KASEL EINES ORNATES AUS SPITAL AM PYHRN

um 1730/40

Chenille– und Goldstickerei, H max. 110 cm

Stift St. Paul

Die Kasel sowie ein Pluviale, zwei Dalmatiken und Zubehör eines Ornates aus Spital am Pyhrn wurden 1809 von den Benediktinern des aufgelassenen Stiftes St. Blasien im Schwarzwald nach St. Paul gebracht.
Die Kasel zeigt auf weißem Grund reiche Chenille- und Goldstickerei. Große phantastische Blumen und Rankenwerk schmücken sie.

Lit.: ÖKT 37 (1969), S. 170, Nr. 5, Abb. 222.

B. Wi.

20

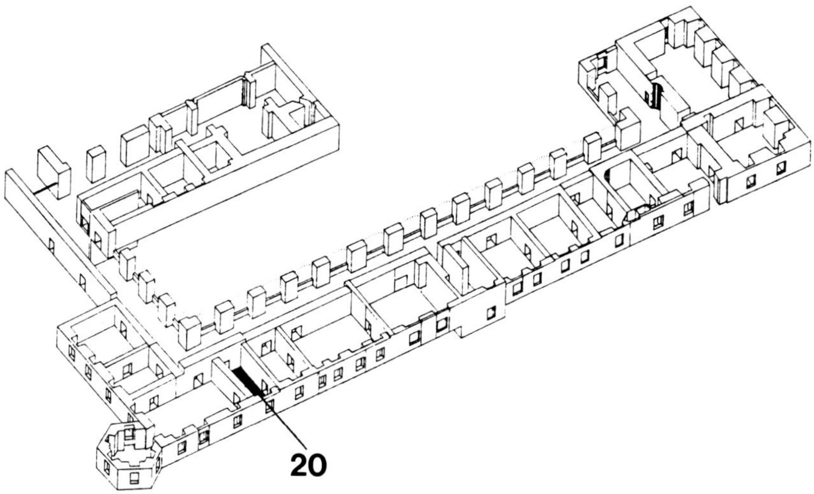

Geprägtes Erz – Spiegel des Lebens

Das Münzkabinett im Stift St.Paul kann seine Herkunft aus der Sammlung des Stiftes St.Blasien im Schwarzwald nicht verleugnen. Erst im Jahre 1840 wurde die Sammlung endgültig nach einigen Jahren Zwischenlagerung in der Schweiz hier aufgestellt.
Von den insgesamt 18.000 Stück sind nur recht wenige Stücke im Kärntner Gebiet dazugekommen. Vor allem handelt es sich dabei um Münzen des 20. Jahrhunderts und solche, die auf Grund und Boden des Stiftes zutage gekommen sind.
Der Hauptbestand des heute interessierenden Materials sind die Medaillen, vor allem aus dem späten 17. und dem Anfang des 18. Jahrhunderts.
Es sind jene Stücke aus der Stiftssammlung ausgestellt, die verschiedene geschichtliche Begebenheiten zu illustrieren vermögen. So wird etwa das Thema der Königskrönung am Beispiel des Sohnes Kaiser Leopolds I. und die Kaiserkrönung an Karl VI. (1711) gezeigt. Für kriegerische Auseinandersetzungen steht das Beispiel der Türkenbelagerung von Wien 1683 und die darauffolgende Verdrängung der Türken aus Europa. Als einer der Höhepunkte ist jener Schraubtalcr zu sehen, der handgemalte Bilder von Truppen enthält, die im österreichischen Erbfolgekrieg (1740–1742) in Bayern eingesetzt waren.

ALOIS BRANDSTETTER

Geprägtes Erz – Spiegel des Lebens Zu den Münzen und Medaillen in Raum 20

Die vielen Münzen und Medaillen St. Pauls – es sind an die 18.000 – sind entweder geschenkt, das heißt Geschenke von Persönlichkeiten des öffentlichen Lebens, Mitgliedern des Herrscherhauses vor allem, aber auch Päpsten, Bischöfen oder Äbten, oder aber das Ergebnis einer systematischen Sammeltätigkeit, die zu verschiedenen Zeiten unterschiedlich intensiv war – und auch nach Interesse verschieden. Jedes Kind, das beginnt, Briefmarken zu sammeln, sieht sich gleich vor grundlegende Entscheidungen gestellt, von denen jene zwischen Ländern und Motiven die elementarste ist. Es gibt auch mehrere Möglichkeiten, eine so umfangreiche Münzsammlung wie die vorliegende übersichtlich zu strukturieren. Material, Größe, Alter, Wert (Nennwert oder Sammelwert), Herkunft, Motiv, Künstler waren „teilmengenbildende" Eigenschaften der „Grundmenge" Münzen. Es gibt auch andere Wege, die man durch die Fülle bahnen könnte. Im Sinne des Mottos „Spiegel des Lebens" sind die Münzen und Medaillen des „Schatzhauses Kärntens" vor allem historisch (etwa Stichwort Türken), dynastisch (Habsburger; Päpste) oder aber nach Anlaßfällen (etwa Hochzeit, aber auch Kriege) geordnet und präsentiert. Eine wichtige Gruppe bilden Münzen und Medaillen mit Porträts. Sehens- und beherzigenswert sind auch die Begleitdokumentationen zu den einzelnen Sektionen, die wichtige Hintergrund- und illustrative Zusatzinformationen bieten. Erwähnt sei hier etwa nur die Begleitdokumentation zum Komplex *Hochzeit* (mit der Devise: FELIX CONUBIUM): eine „Landkarte der erküßten und erfochtenen Gebiete, ungeachtet der Länge der Herrschaft".

Die Numismatik ist eine sogenannte historische Hilfswissenschaft, die Münzen sind so gesehen der materielle „Nieder-

schlag" der fiskalisch-monetären, ökonomischen, merkantilen, gewerblichen oder industriellen Zustände. Mit dem Geld im allgemeinen, heißt es, sei die alte Natural- und Tauschwirtschaft überwunden, der wirtschaftliche Verkehr der Menschen und Völker untereinander bequem und ,,handlich" ,,instrumentiert" worden. Viele Münzen dieser Sammlung stellen freilich abseits des ursprünglichen Nennwertes, aufgrund der Kostbarkeit des Materials, des Edelmetalls, oder wegen ihrer Schönheit oder Seltenheit einen Wert *an sich* dar. Sie sind ein wahrer unschätzbarer Schatz im Schatzhaus Kärntens. Münzen sind und bleiben besondere Moneten, auch wenn sie nicht mehr ,,gelten" oder ,,gültig" sind.
Die bedeutende Hilfswissenschaft ,,Numismatik" stützt sich ihrerseits wieder auf andere Disziplinen, um ihr wissenschaftliches Werk zu vollbringen. Konfrontiert mit Wappen, aber auch Symbolen und Allegorien, mit Texten und Legenden auf Avers und Revers, vor allem vielen Abkürzungen und Abbreviaturen (der lange Herrschertitel – siehe Maximilian I. – hat auch auf der größten Medaille nicht Platz!), holt sie sich bei Heraldik, Kunstgeschichte, Kunstwissenschaft und Philologie Auskunft und Hilfe. Im österreichischen, habsburgischen, ja europäischen Fall ist natürlich das Lateinische die Muttersprache der Numismatiker. Im ,,Corpus inscriptionum" sind die metallischen Münzen nach den Steinen die wichtigsten Textrepräsentanten und ,,Textträger". Im übrigen wird auf Schritt und Tritt, auf Münze und Medaille sozusagen, deutlich, wieviel die St. Pauler Sammlung St. Blasien im Schwarzwald verdankt – und den Habsburgern. Genaugenommen verdankt St. Paul den Blasianern ja auch, daß es nach der Wiener Kapuzinergruft die bedeutendste Grablege der Habsburger geworden ist. St. Blasien war auch hierin ,,prägend".
Wie genau das Motto ,,Geprägtes Erz – Spiegel des Lebens" die Geschichte trifft, ersehe oder ,,erlese" ich an drei Münzen meiner eigenen, keine 100 Stück zählenden Zufallssammlung. Ich besitze drei verschiedene englische One-Penny-Stücke aus 1901, 1945 und 1961. Sie tragen Porträts der Königin Victoria, des Königs Georg VI. und einer jungmädchenhaften Königin Elisabeth II. In Elisabeths Fall steht im Abschluß des Titels F:D:. Der alte, von Papst Leo X. an Heinrich VIII. verliehene Ehrentitel DEFENSOR FIDEI (,,Verteidiger des Glaubens") ist auf die bloße Initiale reduziert. In Victorias Fall heißt es noch ,,ausführlicher" FID.DEF., obwohl sich der Text von Victoria auf Georg, dessen One Penny ebenfalls nur F:D: aufweist, deutlich verkürzt hat, nämlich um IND. IMP. ... Zwischen den beiden Prägungen war den Briten Indien abhanden gekommen.

WOLFGANG SZAIVERT: GEPRÄGTES ERZ – SPIEGEL DES LEBENS

Medaillen sind münzähnliche Objekte ohne Kurswert, also ohne staatlich garantierten Handelswert. Sie dienen nicht dem Geldverkehr, sondern werden zu speziellen Anlässen gefertigt, etwa um Nachrichten und Informationen zu verbreiten, Erinnerungen wachzuhalten und - ganz allgemein - um „Stimmung" zu machen. Auf ihnen stellen sich die Herrschenden selbst dar, propagieren ihre Vorstellungen vom Regieren; auf der anderen Seite werden auch allgemeine Mißstände der Zeit aufgezeigt. Da ihre Produktion keinen Einschränkungen durch ökonomisch bedingte Vorgaben der Gestaltung oder Ausführung unterliegt, entfaltet sich auf ihnen eine reiche Bilderwelt aus allen Lebensbereichen. Um einen Einblick in die Vielfalt der Gestaltungs- und Ausdrucksformen dieses Mediums zu ermöglichen, wurden ca. vierhundert Objekte – ausschließlich aus dem Münzkabinett des Stiftes – ausgewählt. Die Zusammenstellung erhebt keinen Anspruch auf vollständige Erfassung und Darstellung des Themas. Der zeitliche Schwerpunkt liegt im Barock, weil gerade dort die Bilderwelt sehr ausgeprägt ist. Der überwiegende Teil der ausgestellten Stücke gruppiert sich um das Haus Habsburg. Das Generalthema gliedert sich in folgende Abschnitte:

1. FESTE UND FEIERN
Hochzeit (Kat.Nrn. 20.1–20.8)
Familie und Repräsentation (Kat.Nrn. 20.9–20.19)
Krönung (Kat.Nrn. 20.20–20.26)
Das Porträt und seine Entwicklung in der Neuzeit (Kat.Nrn. 20.27–20.47)
Die Selbstdarstellung der Macht (Kat.Nrn. 20.48–20.54)

2. „FÜR KAISER, GOTT UND VATERLAND"
Die Türkenabwehr in Mitteleuropa (Kat.Nrn. 20.55–20.70)
Die Türken vor Wien (Kat.Nrn. 20.71–20.77)
Venedig und die Türken (Kat.Nrn. 20.78–20.83)
Österreichs Anspruch auf Spanien (Kat.Nrn. 20.84–20.94)

3. „DEUS VIVIT" (Gott lebt)
Katholiken und die beginnende Glaubensspaltung (Kat.Nrn. 20.95–20.105)
Der Papst (Kat.Nrn. 20.106–20.111)
Welches ist der wahre Glaube? (Protestanten) (Kat.Nrn. 20.112–20.117)

4. VARIA
Städteansichten (Kat.Nrn. 20.118–20.123)
Kuriosa (Kat.Nrn. 20.124–20.134)
Medaillensuiten (Kat.Nrn. 20.135–20.137)
Schraubmedaillen (Kat.Nrn. 20.138–20.139)

Die hier gebotene Gliederung läßt sich allerdings nicht strikt durchhalten; zwischen Stücken aus den verschiedenen Untergruppen gibt es immer wieder Überschneidungen und Gemeinsamkeiten.

Auf einige Besonderheiten darf noch hingewiesen sein, die entweder in der bisherigen Literatur überhaupt unbekannt oder nur aus St. Paul selbst bekannt sind. Dazu zählen z.B. die Porträtmedaille des Herrn von Varrenbach, der Schraubtaler auf die Panduren oder auch die fast vollständige Serie der Laufferschen Papstmedaillen.

Kurantmünzen finden sich in dieser Zusammenstellung nur wenige, die meisten noch in der Porträtgruppe.

Jedes Stück wird mit den unbedingt notwendigen Daten angeführt: Prägeherr, Prägejahr und Anlaß, Metall, Durchmesser in cm und Gewicht in Gramm, der Stempelschneider und Beschreibung von Avers (Vorderseite) und Revers (Rückseite). Manche Stücke weisen auch eine Randschrift auf. Es folgen noch Literaturangaben, wo sich dieses Stück zitiert findet und wo nähere Angaben nachgelesen werden können. Um den Umfang des Katalogteils nicht zu sehr aufzublähen, wurde nicht bei jedem Stück die volle Information zum historischen und kulturgeschichtlichen Hintergrund geboten. Bei den kulturgeschichtlich wichtigsten Stücken finden sich unter „Zusatz" einige weiterführende Hinweise.

Da Münzen und Medaillen anderen Beschreibungsregeln folgen, als die Werke der großen Kunst, gelten für den Katalogtext folgende Besonderheiten bzw. Fachbegriffe:
Avers = Vorderseite
Revers = Rückseite
Randschrift = Schrift, die auf den Münzrand geprägt wurde.
Chronogramm = Viele Stücke sind durch ein Chronogramm auf das Jahr genau datiert. Größer geschriebene Buchstaben der Inschrift werden auch als römische Zahlen (M = 1000, D = 500 usw.) gedeutet und ergeben zusammengezählt das Prägejahr.
o.J. = ohne Jahr (ohne Jahresangabe auf dem Stück selbst)
/ trennt Zeilen einer Inschrift voneinander
// trennt Zeilen einer Inschrift im Hauptteil von dem Teil, der unter der Standlinie zu lesen ist.
9 in der Umschrift steht für die lateinische Endung „US".

20.1 – 20.8

HOCHZEITEN

Eheschließungen sind Anlässe zu Feiern und Festen. Zu der zwischenmenschlichen Ebene tritt die staatspolitische Komponente, sei es, daß man Heiraten zwischen Dynastien oder Herrscherhäusern dazu benützt, Ländereien kampflos zu gewinnen, oder Verbündete stärker an sich zu binden. Es lassen sich daher Medaillen auf Hochzeiten selten ausschließlich als privat apostrophieren.

20.1

Medaille auf die Vermählung Karls IV. von Lothringen mit Eleonore von Österreich

1678; Herzog Karl IV. Leopold von Lothringen (1675–1690)

Bronze (Guß, nachträglich ziseliert, vergoldet, Henkelspur), Dm 7,3 cm; 89, 14 g

Avers: ELEONORAE AVSTRIA CAE ET CAROLO LOTARINGICO.
Die Brustbilder des Brautpaares frontal nebeneinander.
Revers:
FLVIT EX ASTRIS OMNIS FELICITAS.
Unter der Krone flammende Herzen auf einem Altar, flankiert von Schilden mit den Wappen von Lothringen und Österreich, darüber Wolken.
Erzherzogin Eleonora wurde als Tochter Ferdinands III. 1653 geboren und war seit 1676 mit Karl IV. von Lothringen vermählt. Ihr ältester Sohn war Leopold Joseph, Großvater von Kaiser Franz I. Stephan, dem Gemahl Maria Theresias.

Lit.: DOMANIG (PM), Nr. 205.– HORSKY, Nr. 4999.

20.2 s. II, S. 726, Abb. 228

Doppeltaler auf die Vermählung Erzherzog Leopolds mit Claudia von Medici

Hall, o.J. 1626; Erzherzog Leopold (1619–1625 als geistlicher Fürst, 1626–1632 als weltlicher Fürst)

Silber, Dm 4,7 cm; 57,41 g

Avers: LEOPOLDVS ARCHID AVS ET CLAVDIA ARCHIDVCISA AVS MEDIC.
Die Brustbilder des Brautpaares gestaffelt nach rechts.
Revers: DVX BVRGVNDIAE COMES TIROLIS.
Bekrönter Tiroler Adler frontal nach links blickend.

Lit.: MOROSINI, Nr 854.

20.3

Medaille auf die Vermählung des Kurfürsten von Brandenburg mit Louisa Henriette von Oranien

o.J., 1646; Kurfürst Friedrich Wilhelm von Brandenburg (der große Kurfürst, 1640–1688); Stempelschneider: Erasmus Thomas Reuss

Silber, Dm 5,8 cm; 65, 58 g

Avers: FRID. WILH UND LOUISA GOTTES GNADEN CHURF. UND CHURFÜRSTIN ZU BRANDENBURG.
Das stehende Kurfürstenpaar, einander die Hand reichend, wird von Händen aus Wolken bekrönt.
Revers: GOTT ERHALT BAUM UND LANDT UND VERBESSER JEDEN STANDT.
Eine Hand aus den Wolken begießt einen Baum; im Hintergrund Stadtansicht.
Nachdem sich die Heiratspläne mit Christine von Schweden zerschlagen hatten, ehelichte der Kurfürst 1646 Louisa Henriette, die Tochter des Statthalters der Niederlande (Heinrich von Oranien).

Lit.: OELRICHS, Nr. 4.

20.4

Medaille auf die Eroberung von Ofen

1686; Kurfürst Maximilian II. Emanuel von Bayern (zugleich Erinnerung an die Vermählung Maximilians II. Emanuel mit Maria Antonia, der Tochter Kaiser Leopolds I.); Stempelschneider: Martin Brunner (Nürnberg 1659–Nürnberg 1725)

Silber, Dm 4,8 cm; 42,12 g

Avers: MAXIMIL EMAN DUX BAVAR S R I ARCHIDAP ELECT E MARIA ANTON ARCH AUST LEOP AUG FIL, sign.: MB.
Beider Büsten gegenständig
Revers: Kurhut im Zentrum umgeben von Kronen und Kränzen, die sich auf die Eroberung von Festungen, Schanzen und Städten beziehen, wie z.B. oben: VINDOBONA LIBERATA um Kranz.
Randschrift: EXPVGNAT CRVDAE LEO BOIVS ARDVA BVDAE / O QVOTIES MERUIT CAESARIS ESSE GENER.
Die Vermählung der Kaisertochter mit dem bayrischen Kurfürsten ist auch unter dem Eindruck der französischen Bedrohung der West-

grenze des Habsburgerreiches zu sehen (vgl. Nr. 20.84ff.) und hatte damit durchaus handfeste politische Gründe.

Lit.: BEIERLEIN, Nr. 1479.

20.5

Taler auf die Vermählung des Fürsten von Schwarzenberg mit Maria Anna

Kremnitz, 1696; Fürst Ferdinand Wilhelm Eusebius von Schwarzenberg (1683–1702); Stempelschneider: Martin Johann Mayerl (Münzwardein in Kremnitz)

Silber, Dm 4,6 cm; 28,73 g.

Avers: FERDINAND⁹ ET MARIA ANNA
Die Brustbilder des Brautpaares gestaffelt nach rechts.
Revers: PRINCEPS A SCHWARZENBERG HERES LANDGRAVIA IN SULZ
Beider gekrönte Wappen.
Fürst Ferdinand hatte dem Kaiser beträchtliche Geldsummen vorgestreckt. Die Rückzahlung erfolgte in geprägtem Geld, für das die Stempel in Wien angefertigt wurden; die Stücke selbst sind aber in Kremnitz ausgemünzt worden.

Lit.: TANNICH, Nr. 11.

20.6

Medaille auf die Vermählung des Erzherzogs Joseph mit Elisabeth von Bourbon

1760; Kaiser Joseph II. (1765–1790) als Erzherzog; Stempelschneider: Anton Franz Widemann (Dux in Böhmen 1724 – Wien 1792)

Silber, Dm 4 cm; 26,19 g

Avers.: IOSEPHA A ELISAB BOVRB PHILIP HISP INF FILIA
Beider Brustbilder nach rechts; sign.: A. WIDEMAN.
Revers: FELIX CONVBIVM // CELEBRAT VINDOB / VI. OCT. MDCCLX
Ein geflügelter Amor mit Kranz in der Rechten entfacht mit einer Fackel Feuer auf einem Altar.

Lit.: MONTENUOVO, Nr. 1891. – HORSKY, Nr. 3115. – WINDISCH-GRÄTZ, Nr. 441.

20.7

Medaille auf die Vermählung des Kronprinzen Rudolf mit der belgischen Prinzessin Stephanie

1881; Erzherzog Rudolf (1858–1889); Stempelschneider: Joseph Tautenhayn (Wien 1837–Wien 1911)

Silber, Dm 5,5 cm; 81,94 g

Avers: RUDOLF PR HER IMP AVSTR PR REG HVNG ROM A A ET STEPHANIA BELG REG FILIA
Beider Brustbilder gestaffelt nach rechts; sign.: IOS TAUTENHAYN;
Revers: MATRIMONIO IVNCTI VINDOB X MAII MDCCCLXXXI
Geflügelter Hymen mit Füllhorn;

Lit.: HORSKY, Nr. 4002.

20.8

Doppelgulden auf die silberne Hochzeit Franz Josephs und Elisabeths

1879; Kaiser Franz Joseph I. (1848–1916)

Silber, Dm 4,7 cm; 24,62 g

Avers: FRANC IOS I. DG AVSTR IMP ET HVNG REX AP ELISABETHA IMP ET REG
Die Brustbilder des Jubelpaares nach rechts gestaffelt;
Revers: QVINTVM MATRIMONII LVSTRVM CELEBRANT XXIV APRILIS MDCCCLXXIX
Fortuna mit Steuerruder und Füllhorn nach links sitzend;
Randschrift: ZWEI GULDEN XLV KET FORINT
Nach dem österreichisch-ungarischen Ausgleich wurde es üblich, den Nominalwert auf den Münzen in beiden Sprachen bzw. Währungen zu nennen.

Lit.: JAEGER, Nr. 369. – HERINEK, Nr. 824.

20.9 – 20.19

FAMILIE UND REPRÄSENTATION

Der kaiserlichen Familie wurde, wie auch heute noch dem Hochadel, stets großes Interesse entgegengebracht. Neben persönlichen Nachrichten (Krankheit und Genesung) werden auch besondere Ereignisse oder Wohltaten des Herrscherhauses auf Medaillen verewigt. Die Medaille gilt seit dem französischen König Ludwig

XIV. als metallene Chronik, die ganz bewußt in den Dienst der Staatspropaganda gestellt wurde.

20.9

Medaille auf den Besuch der kaiserlichen Familie in Innsbruck anläßlich der Hochzeit Leopolds (II.) und Maria Ludovikas von Spanien

1765; Maria Theresia (1740–1780); Stempelschneider: Anton Franz Widemann (Dux in Böhmen 1724 – Wien 1792)

Silber, Dm 4,35 cm; 42,42 g

Avers: FRANCISC I M THERES IOSEP II M IOSEPHA AVGGGG;
Gestaffelte Brustbilder nach rechts: Kaiser Franz I. Stephan, Maria Theresia, König Joseph II. und seine Gemahlin Josepha; sign.: A. WIDEMAN
Revers: ADVENTVS AVGGGG OENIPONTVM // D XV IVL MDCCLXV / AD NVPT LEOP A A / CELEBRAND
Triumphbogen in Innsbruck vor Stadtansicht; Die zunächst provisorisch nur mit Gipsstatuen geschmückte Ehrenpforte wurde erst 1774 fertiggestellt.

Lit.: PROBSZT (MT), Nr. 178. – DOMANIG (DM), Nr. 676. – JULIUS, Nr. 1899. – MONTENUOVO, Nr. 1942.

20.10

Medaille auf die Geburt des Prinzen Leopold Joseph

1700; Kaiser Leopold I. (1658–1705) und Joseph I. (als König); Stempelschneider: Georg Hautsch (tätig 1679–1745 in Nürnberg und Wien)

Silber, Dm 4,3 cm; 29,56 g

Avers: IMP LEOPOLDVS P F AVG IOSEPHVS ROM ET HVNG REX
Beider Brustbilder gegenständig, links Kaiser Leopold I. nach rechts und König Joseph I. nach links; darunter Medaillon mit Kleinkind auf Kissen, Umschrift: SPES PVBLICA; sign.: G.H.
Revers: SAECVLVM NOVVM // S P Q NORIMB / A
Christogramm MDCC (Senatus PopulusQue Norimbergensis); in Kranz „PRO / SALVTE / IMP ET CAES / VOTA / PERPETVA"
Randschrift: DOMVS AVSTRIACA AETERNITAS
Huldigungsmedaille der Stadt Nürnberg. Das Zusammentreffen der Jahrhundertwende mit der Geburt eines männlichen Thronfolgers wurde als besonders günstiges Vorzeichen gewertet. Leopold Joseph ist aber bereits im folgenden Jahr verstorben.

Lit.: MONTENUOVO, Nr. 1282. – JULIUS, Nr. 582.

20.11

Medaille auf die Geburt des Prinzen Leopold Joseph

1700; Joseph I. als König; Stempelschneider: Georg Hautsch (tätig 1679–1745 in Nürnberg und Wien)

Silber, 4,3 cm; 29,92 g

Avers: IN PROLEM TRANSCVRRAT GLORIA PATRVM // LEOPOLDO M IMP NEPOS / IOSEPHO R REG FILIVA / NATVS 29 OCTOB / 1700
Engel mit Neugeborenem vor Wiege; sign.: G.H.
Revers: FOECVNDITATE AVGVSTAE // IMPERII SECVRITAS AVSTRIAE / GLORIA TEMPORVM FE/LICITAS PROPA/GATA
Königin mit Kleinkind in Wochenbett;
Randschrift: DI PATRII SERVATE DOMVM SERVATE NEPOTEM, PATRIOSQVE PENATES

Lit.: HORSKY, Nr. 2445.

20.12

Medaille auf die Geburt der Erzherzogin Maria Amalia Josepha

1746; Kaiser Franz I. Stephan (1745–1765); Stempelschneider: Andreas Vestner (Nürnberg 1707 – Nürnberg 1754)

Silber, Dm 4,4 cm; 29,66 g

Avers: FRANCISCVS I D - G ROM IMP SEMP AVG
Belorbeertes Brustbild in Harnisch nach rechts; sign.; VESTNER
Revers: FOECVNDITAS AVGVSTAE // MARIA AMAL JOSEFA / ARCHID AVSTR NATA / D 26. FEBR 1746
Kaiserin mit Kleinkind nach links sitzend; dazueilender Engel mit Spruchband „DELICIAE / GENTIS"
Maria Amalia ist eine der schon in jungen Jahren verstorbenen Töchter der Maria Theresia.

Lit.: BERNHEIMER, Nr. 360. – PROBSZT (PM), Nr. 77. – JULIUS; Nr. 1786.

20.13

Medaille auf die Genesung Maria Theresias von den Pocken

1767; Maria Theresia (1740–1780); Stempelschneider: Johann Martin Krafft (1738–1781 München)

Silber, Dm 5,8 cm; 60,77 g

Avers: M THERESIA D G ROM HUNG & BOH REG A AVST
Büste mit Schleier nach rechts; sign.: M. KRAFFT
Revers: PROVIDENTIA VOTIS ET ARTE // PARENTI OPTIMAE / CLEMENTI IUSTA / RESTITVTA SALVS / 1767; über dem mit der österreichischen Hauskrone bekrönten Wappen göttliche Vorsehung auf einer Wolke mit Zepter; zur Rechten steht die Zeit, die die Sense mit Füßen tritt, mit der Linken legt sie den Schlangenzirkel (als Symbol der Ewigkeit) auf den Schild; zur Linken kniet ein Genius mit brennendem Herzen, darüber schwebende Minerva, den Schild bekrönend.

Lit.: PROBSZT (MT), Nr. 198. – MONTENUOVO, Nr. 1975.

20.14

Medaille auf die Erbauung von Schönbrunn

1700; Kaiser Leopold I. (1658–1705) und Joseph I.; Stempelschneider: Johann v. Wolffgang

Silber, Dm 6,4 cm; 113,5 g

Avers: IOSEPHVS ROMANOR ET HVNGAR REX
Brustbild des Königs in Harnisch und Lorbeerkranz nach rechts; sign.: I. V. WOLFFGANG
Revers: SCHÖNBRUNN; im Abschnitt: SOL UBI ROMANUS CURIS / PERCURRERET ORBEM / HOC PULCHRO FESSOS FONTE / RELAXAT EQUOS / 1700; Ansicht von Schloß Schönbrunn; sign.: WOLFGANG
Leopold I. hatte für seinen Sohn den Bau eines Schlosses in Schönbrunn geplant. Der Entwurf Fischers von Erlach wurde als zu kostspielig abgelehnt. Der geänderte Plan von 1693/94 wurde schließlich gebilligt und unverzüglich in Angriff genommen. Bis zum Jahr 1700 war dann der Mitteltrakt – wie auf der Medaille zu sehen – fertiggestellt. Erst im Jahrc 1713 wurde der Bau beendet. Der Schloßpark wurde erst 1765 von Adrian van Steckhoven ausgestaltet, die Gloriette 1775 errichtet.
Reversinschrift: „Sobald die römische Sonne ihren Lauf um den Erdkreis vollendet, erquickt sie an dieser schönen Quelle die ermatteten Pferde“.

Lit.: MONTENUOVO, Nr. 1279. – WELLENHEIM, Nr. 7451. – Kat. Barock, Bd. 1, S. 40.

20.15

Medaille auf die Grundsteinlegung der Josephsakademie in Liegnitz

1735; Kaiser Karl VI. (1711–1740); Stempelschneider: Matthäus Donner (Esslingen 1704–1756), Bruder des berühmten Georg Raphael Donner

Silber, Dm 5,2 cm; 52,70 g

Avers: CAROLO VI ROM IMP HISP HUNG BOH REGI
Brustbild nach rechts; sign.: M. DONNER.
Revers: CRESCUNT NOVA MOENIA MUSIS //PRIMO AEDIUM LAPIDE POSITO / DIE 5 IOAN BAPT SACRO / MDCCXXXV
Weibliche Figur mit Füllhorn hält Modell der Akademie über beschriftetem Denkstein; zur Rechten Kronos sitzend.
Kaiser Joseph I. hatte 1708 die Ritterakademie in Liegnitz gegründet, um den jungen Adeligen das Studium im eigenen Land zu ermöglichen. Nach anfänglicher Unterbringung in verschiedenen Gebäuden wurde 1735 der Grundstein für den Neubau gelegt.

Lit.: Heldenzeitalter, Nr. 531. – FRIEDENSBURG-SEGER, Nr. 4234. – MONTENUOVO, Nr. 1612. – HORSKY, Nr. 2634. – JULIUS, Nr. 1124.

20.16

Medaille auf die Gründung der Veterinärschule in Wien

1823; Kaiser Franz I. (1792–1804–1835); Stempelschneider: Johann Baptist Harnisch (Wien 1778–Wien 1826)

Silber, Dm 4,9 cm; 43,85 g

Avers: FRANCISCVS I. AVSTRIAE IMPERATOR
Büste nach rechts; sign.: I. HARNISCH.
Revers: MVNIFICENTIA AVGVSTI // INSTITVTVM / VETERINARIVM / FVND VIND MDCCCXXIII
Ansicht der Tierärztlichen Hochschule.

Lit.: MONTENUOVO, Nr. 2492.

20.17

Medaille auf den Besuch des russischen Thronfolgerpaares in Wien

1782; Kaiser Joseph II.(1780-1790); Stempelschneider: Johann Nepomuk Würth (auch Wirth), (Wien 1750-Wien 1811)

Silber, Dm 5,5 cm; 52,50 g

Avers: PAVLVS PETROWITSCH MARIA FEODEROWNA MAGG PRINCC RVSS
Beider Büsten gegenständig; sign.: I.N. WIRT
Revers: IOSEPHI II AVG / VINDOBONAE / HOSPP GRATISS / AB XI KAL DEC / MDCCLXXXI / AD PRID NON IAN / MDCCLXXXII
Paulus Petrowitsch ist der spätere Zar Paul I. (1796-1801).

Lit.: MONTENUOVO Nr. 2149.

20.18

Medaille auf die Reise Josephs II. nach Italien

1769; Kaiser Joseph II.(1765-1790); Stempelschneider: Johann Martin Krafft (1738-1781 München)

Silber, Dm 4,8 cm; 43,63 g

Avers: IOSEPHVS II AVGVSTVS
Brustbild nach rechts; sign.: KRAFFT
Revers: ITALIA A CAESARE PERLVSTRATAE // MDCCLXIX
Joseph zu Pferd,.rechts von Minerva geführt.

Lit.: PROBSZT (MT) Nr. 211. – WURZBACH Nr. 4097. – HORSKY Nr. 3139. – MONTENUOVO Nr. 1996.

20.19

Medaille auf den Einzug Christian IV. von Dänemark

1597; König Christian IV. von Dänemark (1588-1648); Stempelschneider: Nikolaus Schwab

Silber, Dm 5,8 cm; 56,37 g

Avers: CHRISTIAN 4 / DANI NORV REGI / NAT 1577 ELEC 84 CO 96 / CONIUG 97 MEN NOV 27 // VIVAT ET VALEAT / 1596
Der König unter einem Baldachin zu Pferd nach rechts; sign.: C L R M NIC. S. F (Cum Licentia Regias Maiestatis Nicolaus Schwabus fecit)
Revers: Elefant mit Aufbau trägt zwei Figuren; umgeben von zahlreichen Wappen.

Lit.: GALSTER, S. 29, Abb. 34.

20.20–20.26

20.20–20.22: Vorderseiten

KRÖNUNG

Die Krönung war der Staatsakt, der – verbunden mit dem Segen der Kirche – einen Herrscher erst regierungsfähig machte. Der Kaiser des Heiligen Römischen Reiches war stets auch römischer König und – soweit es die Habsburger betrifft – König von Böhmen und Ungarn. Die Krönung des designierten Nachfolgers (auf dem Kaiserthron) zum römischen (bzw. auch ungarischen) König erfolgte zumeist noch zu Lebzeiten des regierenden Kaisers.
Die folgenden drei Stammbaummedaillone sind im Revers bildgleich. Es werden alle drei gezeigt, um den Unterschied der Aversgestaltung vorführen zu können.

20.20

Medaille auf die Krönung Josephs zum ungarischen König

1688; Kaiser Leopold I. (1658-1705) und Joseph I.; Stempelschneider: Martin Brunner (Nürnberg 1659-Nürnberg 1725)

Silber, Dm 7,2 cm; 177,64 g

Avers: O QUA SOL HABITABILES ILLUSTRAT ORAS MAXIMA PRINCIPUM; unter der Büste sign.:C PRIVIL CAES M B (Cum Privilegio Caesaris Martin Brunner)
Jugendliche Büste in ungarischem Magnatenkostüm nach rechts, umgeben von einem Kranz, der mit einer beschrifteten Schleife umwunden ist: IOSE/PHVS D / G HVNGA/RIAE REX / ARCHI/DVX AVS/TRIAE
Revers: POTENS IN TERRA ERIT SEMEN EIVS – GENERATIO RECTORUM BENEDICETUR
Stammbaum mit Medaillonbildnis Leopold I.

umgeben von 14 Medaillons (teilweise bekrönt) in folgender Anordnung:

	Ferdinand IV.	
Ferdinand II.		Ferdinand III.
Rudolf II.	LEO-	Matthias
Ferdinand I.	POLD I.	Maximilian II.
Maximilian I.		Karl V.
Albert II.	Rudolf I.	Friedrich IV.
Albert I.		Friedrich III.

Randschrift: PRAESENTI TIBI MATUROS LARGIMUR HONORES: NIL ORITURUM ALIAS NIL ORTUM TALE FATENTES A 1688

Lit.: HORSKY Nr. 2398. – MONTENUOVO Nr. 2398.

20.21

Medaille auf die Krönung Josephs zum römischen König in Augsburg

1690; Kaiser Leopold I. (1658-1705) und Joseph I.; Stempelschneider: Martin Brunner (Nürnberg 1659 - Nürnberg 1725) und Georg Friedrich Nürnberger (Nürnberg 1682 - Nürnberg 1724)

Silber, Dm 8 cm; 209,76 g

Avers: IOSEPHUS I D G ROM ET HUNG REX // DOMINUM FORMIDABUNT ADVERSARY EIUS, ET DABIT IMPERIUM REGI SUO; 1. REG. CAP. 2, 10 (Altes Testament, Buch der Könige 1. Kapitel 2, Vers 10)
Jugendliche Büste in Marskostüm nach rechts
Revers: POTENS IN TERRA ERIT SEMEN EIUS – GENERATIO RECTORUM BENEDICETUR; Ps. CXI
Stammbaum mit Medaillonbildnis Leopold I. umgeben von 14 Medaillons (wie vorher); sign.: G.F.N. +
Randschrift: SIC DOMVS AETERNVM FLOREAT AUSTRIACA

Lit.: DOMANIG (DM) Nr. 686. – HORSKY Nr. 2416. – JULIUS Nr. 521. – MONTENUOVO Nr. 1221.

20.22

Medaille auf die Krönung Josephs zum römischen König in Augsburg

1690; Kaiser Leopold I. (1658-1705) und Joseph I., Stempelschneider: Martin Brunner (Nürnberg 1659 – Nürnberg 1725)

Silber, Dm 7,2 cm; 135,10 g

Avers: DOMINVM FORMIDABVNT ADVERSARY EIUS, ET DABIT IMPERIUM REGI SUO I REG CAP 2, V. 10;
Jugendliche gekrönte Büste halblinks in mit Schleife umwundenem Kranz, darauf: IOSE/PHVS I / ARCH AV/ST GERMA/NIAE HVN/GARIAE / REX; sign.: MB
Revers: POTENS IN TERRA ERIT SEMEN EIUS GENERATIO RECTORUM BENEDICETUR, Ps. CXI
Stammbaum mit Medaillonbildnis Leopolds I. umgeben von 14 Medaillons (wie vorher)

Lit.: JULIUS Nr. 528. – HORSKY Nr. 2400.

20.23

Medaille auf die Krönung Josephs zum ungarischen König

1687; Kaiser Leopold I. (1658-1705) und Joseph I.; Stempelschneider: Georg Hautsch (tätig 1679-1745 in Nürnberg und Wien) und Lazarus Gottfried Lauffer (tätig 1660-1700 in Nürnberg)

Silber, Dm 4,5 cm; 38,20 g

Avers: In Spruchband über dem Brustbild: DIE SEGEN KOMEN AUF DAS HAUBT IOSEPHS. Gen. 49
Brustbild rechts, oben Putten mit Kronen und Kränzen; sign.: G.H.

Revers: DO IOSEPHO PARTEM QUAM TULI DE MANU HOSTIS IN GLADIO GEN 48 // IOSEPHUS PRIMUS IN INFERIORI / ATQUE SUPERIORI HVNGARIAE REX / PIVS AVGVSTVS ARCHI/ DVX AVSTRIAE (Chronogramm)
Kaiser Leopold krönt Joseph, im Hintergrund Donaulandschaft mit den beiden ungarischen Königsstädten Ofen und Preßburg; sign.: L. G.L.
Randschrift: DABO IOSEPHO ET SEMINI EIVS TERRAM HANC IN POSSESSIONEM SEMPITERNAM, GEN 48. (Ich werde Joseph und seinen Nachkommen dieses Land zu ewigem Besitz übergeben.)
Joseph I. wurde gerne mit dem biblischen Joseph verglichen, was auch die zahlreichen Zitate aus dem Alten Testament erklärt, hier aus dem Buch Genesis.

Lit.: MONTENUOVO Nr. 1197. – JULIUS Nr. 501.

20.24

Medaille auf die Krönung Josephs zum römischen König

1690; Leopold I. (1658-1705) und Joseph I.; Stempelschneider: Philipp Heinrich Müller (Augsburg 1654-1719) verlegt bei Friedrich Kleinert

Silber, Dm 4,9 cm; 44,65 g

Avers: IOSEPHVS D G ROMANORVM ET HVNGARIAE REX
Brustbild mit Lorbeerkranz nach rechts, darunter beschriftetes Tuch von zwei Adlern in den Schnäbeln gehalten: VIVAT IOSEPHVS / VIVAT IOSEPHVS / TEVTONIAE REX ET / DELICIVM
Revers: IN PROLEM TRANSCURRIT GLORIA PATRUM // INAVGVR AVGVSTAE / VINDELIC D 26. IAN. / MDCXC
Joseph wird von personifizierter Germania gekrönt; links steht Hungaria mit Schild und Krone, rechts Bohemia;
Randschrift: IOSEPHVS GERMANIAE ET HVNGARIAE REX AVGVSTA LEOPOLDI SPES ET VERA GLORIA (Chronogramm); sign.: FK
Die hervorgehobenen Buchstaben der Avers-Inschrift beinhalten das Chronogramm für die Jahreszahl 1690. Die im Original übergroß geschriebenen Buchstaben entsprechen römischen Zahlzeichen, die addiert die Jahreszahl ergeben. Dabei gilt jeder Buchstabe einzeln (IV meint hier nicht die Zahl 4, sondern $1 + 5$). Die in der Legende verborgene Zahl läßt sich folgendermaßen errechnen:
$5+1+5 = 11 +1+5 = 17 +5+1 = 23 + 10 = 33 + 500+50+1+100+1+5+1000 = 1690$.

Lit.: FORSTER Nr. 72.

20.25

Medaille auf die Krönung Josephs zum römischen König

1690; Kaiser Leopold I. (1658-1705) und Joseph I.; Stempelschneider: Georg Hautsch (tätig 1679-1745 in Nürnberg und Wien)

Silber (mit Henkelspur), Dm 3,5 cm; 16,76 g

Avers: IOSEPH I DG ROM ET HVNG REX
Jugendliches Brustbild mit Lorbeerkranz nach rechts; sign. G.H.
Revers: // CORON REX ROM / D 26. IAN A 1690 / AVG VIND
Kissen mit den Reichsinsignien: Schwert, Zepter, Krone und Reichsapfel
Medaillen wurden oft zu tragbaren Schmuckstücken umgearbeitet. Die einfachste Methode war es, sie mit einem Loch zu versehen, um sie auf einer Hals- oder Armkette zu montieren. Bereits etwas aufwendiger war es, einen Henkel mit Öse anzulöten, um denselben Zweck zu erreichen. Diese Zutat aus späterer Zeit wurde dann oft wieder entfernt, um den originalen Zustand wieder herzustellen. Bei gelochten Stücken bemühte man sich das Loch mit geeignetem Material zu stopfen. Diese nachträgliche Bearbeitung zeigt die Beliebtheit bei bestimmten Bevölkerungsschichten.

Lit.: MONTENUOVO Nr. 1215. – JULIUS Nr. 543.

20.26

Medaille auf die Kaiserkrönung Karl VI. in Frankfurt

1711; Kaiser Karl VI. (1711-1740); Stempelschneider: Philipp Heinrich Müller (Augsburg 1654-1719)

Silber, Dm 4,9 cm; 43,73 g

Avers: MAGNO SEXTVS TAMEN ISTE SVPERBIT NOMINE PRAETERITIS MELIOR VENIENTIBUS AVCTOR CL // CORONAT FRANCF / MDCCXI
Germania mit Krone im Schloßpark nach links stehend, Hand auf Schild (Porträt Karl VI.) links stehend; darüber die Medaillonbilder der namensgleichen Vorgänger Karl I., IV. und V.
Revers: OMNIBVS IDEM // CAROLI VI IMP NATVS / AEQVINOCTIO
Die nördliche Hälfte der Erdkugel, darüber Band mit den fünf Tierkreiszeichen: Löwe, Jungfrau, Waage, Skorpion und Schütze.
Geboren am 23. September im Sternzeichen der Waage am Tag der Tag- und Nachtgleiche.

Lit.: JOSEPH-FELLNER Nr. 653- – FORSTER Nr. 773. – MONTENUOVO Nr. 1374.

20.27–20.47

DAS PORTRÄT UND SEINE ENTWICKLUNG IN DER NEUZEIT

Das menschliche Porträt als individueller Ausdruck der Persönlichkeit begegnet schon häufig auf den Münzen hellenistischer Dynastien und dann wieder in der römischen Kaiserzeit. Während des Mittelalters gibt es nur wenige Porträtdarstellungen. Erst gegen Ende des Mittelalters lebt die Porträtkunst auf der Münze und Medaille wieder auf. Die realistischen Bildnisse der frühen Neuzeit von intensiver Ausdruckskraft – verstärkt durch das hohe Relief der frühen Gußmedaillen – verflachen im Laufe der Zeit, erreichen aber doch immer wieder besondere Höhepunkte.

20.27

Porträt-Medaille (1446) auf Sigismondo Pandolfo Malatesta

Stempelschneider: Matteo de' Pasti (1420-1490, tätig in Verona, Ferrara und Rimini)

Kupfer (Guß), Dm 7,7 cm; 176,57 g

Avers: SIGISMVNDVS PANDVLFVS MALATESTA PAN F
Brustbild nach links.
Revers: CASTELLVM SISMVNDVM ARIMINENSE MCCCCXLVI
Castello Sismondum in Rimini.
Typische Renaissance-Medaille mit realistischem Porträt. Der Bau des Kastells war im Jahr 1437 begonnen und 1446 abgeschlossen worden. Das Stück selbst ist unsigniert und wird dem genannten Künstler, der angeblich seit 1441 arbeitete, aus stilistischen Gründen zugeschrieben.

Lit.: ARMAND Bd. 1, S. 20. – vgl. HABICH Taf. XIV,2.

20.28

Medaille auf Lucrezia Borgia

o.J.; Stempelschneider: anonym (Schule von Ferrara, Meister des gefangenen Amor)

Kupfer (späterer Guß), Dm 5,6 cm; 97,34 g

Avers: LVCRETIA BORGIA ESTEN FERRARIAE MVT AC REGII D
Brustbild nach links.
Revers: VIRTVTI AC FORMAE PVDICITIA PRAECIOSISSIMVM
Geflügelter Amor mit verbundenen Augen an Lorbeerbaum gebunden; von ihm hängen links ein zerbrochener Köcher, rechts Panflöte und Violine, sowie Bogen mit gerissener Sehne.
Lucrezia Borgia (Tochter des Papstes Alexander VI.), 1480 geboren, nahm 1501 in dritter Ehe Alfons I. von Este zum Gemahl. Ihr Hof wurde bald ein bedeutendes Zentrum des künstlerischen und kulturellen Lebens. Der Künstler signiert seine Werke nicht, doch das auf mehreren Stücken wiederkehrende Motiv des gefesselten Amors läßt auf einen einzigen Meister schließen.

Lit.: ARMAND Bd. 1, S. 118. – FORRER Bd. 3, S. 445.

20.29

Medaille auf Giovanni II. Bentivoglio in Bologna (1443-1509)

1494; Stempelschneider: Francesco Francia (eigentlich Rabolini Bologna 1450/53-1517)

Kupfer, Dm 2,8 cm; 11,32 g

Avers: IOANNES BENTIVOLVS II BONONIENSIS
Brustbild nach rechts.
Revers: 6 zeilige Legende:
MA/XIMILIANI / IMPERATORIS / MVNVA / MCCCCLXXXXIIII
Giovanni II. Bentivoglio (1443-1509) erhielt als Parteigänger des Kaisers Maximilian I. im Oktober 1498 das Prägerecht. Es zeigen sich hier die Bemühungen des Kaisers um die Wiederherstellung seiner Autorität in Italien.

Lit.: POLLARD Nr. 130. – WINDISCH-GRÄTZ Nr. 9348.

20.30

Medaille zur Erinnerung an die Vermählung des Erzherzogs Maximilian mit Maria von Burgund

o. J.(1479); Kaiser Maximilian I. (1493-1519) (als Erzherzog); Stempelschneider: Giovanni de Candida (geboren vor 1450); auch als hochgeschätzter Diplomat an den europäischen Fürstenhöfen zuhause

Bronze (alter Guß, gelocht), Dm 4,8 cm; 32,86 g

Avers: MAXIMILIANVS FR CAES F DVX AVSTR BVRGVND
Kopf mit langem Haar nach rechts.
Revers: MARIA KAROLI F DVX BVRGVNDIAE AVSTRIAE BRAB C FLAN
Brustbild nach rechts; links bekröntes Monogramm bestehend aus zwei ineinander verschlungenen M.
Maria von Burgund, Erbtochter Karls des Kühnen von Burgund und Isabella von Bourbon, wurde bereits 1477 mit dem Sohn Kaiser Friedrichs III. Maximilian verheiratet; sie starb

aber bereits 1482 auf der Falkenjagd. Ihren Tod konnte der Kaiser sehr lange nicht verwinden. Erst 12 Jahre später vermählte er sich wieder, und zwar mit Maria Bianca Sforza aus Mailand.

Lit.: DOMANIG (DM) Nr. 7. – POLLARD Nr. 187. – HERRGOTT Bd. 2, Taf. 10, Nr. 6. – HORSKY Nr. 830.

20.31

Porträt-Medaille des Don Carlos

1559; Don Carlos (1545-1568); Stempelschneider: Pompeio Leoni (verstorben in Madrid 1610)

Bronze, versilbert (Guß, ziseliert); 4,3 x 3,7 cm; 30,45 g

Avers: CAROLVS PHI AET ANN XIIII
Brustbild nach links.
Revers: Brustbild der Anna von Österreich nach rechts.
Don Carlos (1545–1568), Sohn Philipps II. von Spanien und der Maria von Portugal, war ursprünglich mit Anna von Österreich, einer Tochter Kaiser Maximilians verlobt.

Lit.: Für die Vorderseite vergleiche DOMANIG (PM) Nr. 58.

20.32

Medaille auf die Schlacht bei Mühlberg

1547; Johann Friedrich von Sachsen (1532-1554); Stempelschneider: Nickel Milicz (tätig in Joachimsthal 1545–1570)

Silber (vergoldet, Henkelspur), Dm 6,4 (gefaßt) cm; 72,30 g

Avers: LVMI ET ORA CAROLI V IMPERATOREIS GRE FERDINANDVS DG ROMANO BOE HVNG Z REX
Einander zugekehrte Brustbilder des Kaisers Karl V. und des Königs Ferdinand I. vor Arkaden; oben über einem Pfeiler ein Putto; darunter ein weiterer Putto mit kastilischem und österreichischem Wappen.
Revers: CAPTIVITAS / IOANIS FRIDERICI // DVCIS SAXONIAE // M D XLVII
Ansicht der Schlacht bei Mühlberg.
Johann Friedrich der Großmütige, (Kurfürst von Sachsen – Ernestiner), geb. 1503, Haupt des Schmalkaldischen Bundes, verlor in der Schlacht von Mühlberg – der ersten großen Auseinandersetzung zwischen dem katholischen Kaiser und den protestantischen Ständen – seine Länder und die Kurwürde. Die Kurwürde ging auf die albertinische Linie, zunächst auf Moritz von Sachsen, über. Johann Friedrich lebte noch bis 1552 in kaiserlicher Gefangenschaft und starb zwei Jahre später.

Lit.: HABICH Bd. 2, Nr. 1909. – KATZ Nr. 313. – DOMANIG (DM) Nr. 227. – vgl. JUNCKER S. 309.

20.33

Porträt-Medaille auf König Ferdinand I.

1539; König Ferdinand I. (der spätere Kaiser, 1556–1564); Stempelschneider: Hans Reinhart der Ältere (um 1500–1581 in Leipzig)

Silber (vergoldet), Dm 5,7 cm; 65,51 g

Avers: FERDINANDVS DEI GRACIA ROMAN VNGARIE ET BOEMIE REX ANNO SAL MDXXXVIIII AETATIS SVAE XXXVII
Brustbild nach links.
Revers: einköpfiger Adler mit aufgelegtem Wappen umgeben vom Goldenen Vlies.

Lit.: HABICH Taf. 203,9.

20.34

Porträt-Medaille auf Sigmund Friedrich Freiherr von Herberstein (1549–1621)

o.J., um 1609; Stempelschneider: Giovanni Pietro de Pomis (Lodi 1569 – Graz 1633)

Silber (Guß, vergoldet), Dm 4,5 cm; 55,26 g

Avers: LANDESHAUPTMAN STEYR ANNO AETATIS LX
Bärtiges Brustbild nach rechts.
Revers: SIGMVND FRIEDRICH F H Z HERBERSTAIN NEYPERG U. GUTENG.
Dreifach behelmtes Wappen.

Lit.: PROBSZT (Pomis) Nr. 20. – HABICH Nr. 3522.

20.35

Taler des Kaisers Ferdinand III. (1637-1657)

Kremnitz 1657

Silber, Dm 4,5 cm; 28,40 g

Avers: FERDINAND III D G RO I S AVG GER HV BOH REX
Brustbild mit Lorbeerkranz nach rechts; in der Umschrift ungarisches Wappen und kleines Bildnis Mariens als „PATRONA HUNGARIAE“
Revers: ARCHIDVX AVS DVX BVR MAR MOR CO TY 1657
Doppeladler mit Herzschild; KB (= Münzstättenzeichen für Kremnitz)

Lit.: HERINEK Nr. 487.

20.36

Porträt-Medaille auf Graf Johann Christoph III. von Buchheim

1652

Silber, Dm 7,3 cm; 141,35 g

Avers: IOHANNES CHRISTOPHORVS COMES A PVCHHAM LIB BARO IN GÖLLERSDORF ET MVHLBVRG
Brustbild nach rechts.
Revers: DOM IN KRVMPACH KIRCHSCHLAG ET SAVBERSDORF ARC AVST SVPRE DAPIFER HAEREDIT
Eine Hand aus den Wolken mit Hammer zerschlägt ein Stück Stahl auf dem Amboß, an dem ein Wappenschild befestigt ist, in Illustration des Wahlspruchs FRANGE MORAS.
Johann Christoph III. von Buchheim, Freiherr von Göllersdorf und Mühlberg (= Mühlbach), Herr in Krumbach, Kirchschlag und Saubersdorf (Seibersdorf); oberster Erbtruchseß in Österreich. Er erhielt für die Befreiung von Krems an der Donau und anderer Städte von der schwedischen Besetzung den Rang eines Generalfeldmarschalls; er starb 1657.

Lit.: KÖHLER Bd. 7, S. 113ff.

20.37

Porträt-Medaille auf Graf Gustav Adolf von Varrenbach (gest. 1689)

1664; Stempelschneider: Gottfried Leygebe (Freistadt/Schlesien 1630–Berlin 1683)

Silber (Guß), Dm 6,1 cm; 108,17 g

Avers: Brustbild frontal.
Revers: RECTE FACIENDO NEMINEM TIMEO
Wappen vor Waffenhaufen, darunter türkisches Kriegsgerät; auf der Trommel rechts die Jahreszahl 1664.
Der Dargestellte war k.k. Kämmerer und Reichshofrat, Herr von Cziczkowitz. Von ihm ist nur bekannt, daß er 1661 in die „Fruchtbringende Gesellschaft" eingetreten ist. Diese Gesellschaft, 1617 auf Schloß Hornstein bei Weimar gegründet, bestand bis 1680. Sie widmete sich der Pflege der deutschen Sprache und bemühte sich um die Normierung der Rechtschreibung. Die Rückseitendarstellung läßt auf eine Beteiligung an der Schlacht bei Mogersdorf 1664 gegen die Türken denken. Die bisher bekannten Stücke tragen im Avers eine Legende, die Namen und Titel des Dargestellten nennt. Bei dem hier gezeigten Stück handelt es sich möglicherweise um einen Erstguß aus einem Model, das noch keine Inschrift getragen hat. Für die Inschrift des Revers vgl. den braunschweigischen Wahrheitstaler (Kat.Nr. 20.98).

Lit.: DOMANIG (DM) Nr. 336. – BÖHMEN S. 657.

20.38

Porträt-Medaille auf Francesco Redi (1626–1698)

1684; Stempelschneider: Massimiliano Soldani (1656–1740)

Kupfer (Guß), Dm 8,7 cm; 192,77 g

Avers: FRANCISCVS REDI PATRITIVS ARRETINVS
Brustbild nach rechts.
Revers: CANEBAM
Bacchanal.
Francesco Redi, geboren 1626 in Arezzo, Mediziner, Philosoph und Dichter; Leibarzt der Herzöge Ferdinand II. und Cosimo III. von Medici; Professor der Medizin in Pisa, gest. Pisa 1696; auf das Gedicht „Baccho in Toscana".

Lit.: NORRIS Nr. 145. – BRETTAUER Nr. 952.

20.39

Medaille auf die Krönung Josephs I. zum römischen König

1690; Kaiser Leopold I. (1658–1705) und Joseph I.; Stempelschneider: Philipp Heinrich Müller (Augsburg 1654–1719)

Silber, oval (6 x 5 cm); 59,68 g

Avers: LEOPOLDUS ET IOSEPHUS D G IMPER ET REX ROM
Beider Brustbilder nach rechts gestaffelt; sign.: P.H.M.
Revers: NEC RABIDAE SOLIS TAEDAE NEQ CORNUA LUNAE TERRENT QUIN

PIGNUS GENEROSUM DUCAT AD ALTA
Adler mit seinem Jungen zur Sonne auffliegend; rechts zu Boden stürzende Mondsichel
Randschrift: IMPERIUM DUPLO LEOPOLDUS SOLE SERENAT AO 1690
Leopold, hier symbolisiert durch den Adler, führt seinen Sohn zur Sonne. Der sinkende Halbmond steht für die verblassende Türkenmacht.

Lit.: FORSTER Nr. 664.

20.40

Medaille auf Fürsterzbischof von Passau Johann Philipp Graf von Lamberg (1689–1712)

1698; Stempelschneider: Philipp Heinrich Müller (Augsburg 1654–1719)

Silber, Dm 6,1 cm; 87,5 g

Avers: JOANNES PHILIPVS D G EP PASSAV S R I PRINC
Brustbild nach rechts; sign.: P.H.M.
Revers: PERAGIT TRANQVILLA POTESTAS QVOD VIOLENTA NEQVIT
Ein nackter Knabe führt einen Löwen an der Leine, der seine Ketten gesprengt hat.
Übersetzung der Revers-Inschrift: „Die friedliche Macht schafft, was die kriegerische nicht kann."

Lit.: FORSTER Nr. 674.

20.41

Taler des Kaisers Karl VI. (1711–1740)

Prag 1713

Silber, Dm 4,3 cm; 28,40 g

Avers: CAROLUS VI D G R I S A GER HISP HUN BOH REX
Belorbeertes Brustbild nach rechts.
Revers: ARCHID AUST D BURG SILES MAR MOR 17–13
Gekrönter Doppeladler mit Herzschild; in der Mitte gekröntes böhmisches Wappen (links steigender Panther).
Auflösung der Avers-Inschrift: „Carolus VI. Dei gratia Romanorum Imperator Semper Augustus Germaniae Hispaniarum Rex."

Lit.: CNA S. 160–e–10.

20.42

Taler Maria Theresias (1740–1780)

Kremnitz 1741

Silber, Dm 4,2 cm; 28,62 g

Avers: MAR THERESIA D G REG HUN BOH
Unverschleiertes Brustbild nach rechts.
Revers: PATRONA HUNG S MARIA MATER DEI 1741
Maria als Patrona Hungaria ; K – B

Lit.: VOGELHUBER Nr. 276. – SZAIVERT 102 A.

20.43

Medaille des Markgrafen von Baden auf die Wahl seines Vorfahrens Bernhard zum Landespatron

1770; Markgraf Georg August von Baden (1761–1771); Stempelschneider: Johann Jakob Hauter

Silber, Dm 4,4 cm; 29,17 g

Avers: AVGVSTO GEORGIO REGNANTE
Brustbild nach rechts; sign.: I.H.
Revers: BERNARDUS / MARCHIO BADENSIS / MORTUUS MONCALIAE / MCCCCLVIII / A / CLEMENTE XIV / DIVIS ADSCRIPTUS / MDCCLXIX / IN PATRONUM / PATRIAE ELIGITUR / MDCCLXX
Markgraf Bernhard II. wurde 1428/29 in Baden geboren. Unter Verzicht auf sein väterliches Erbe widmete er sein Leben Gott und barmherzigen Werken. Insbesondere warb er um Hilfe für die durch die Türken bedrohte Christenheit. 1458 starb er an der Pest in Moncalieri. Bereits Papst Sixtus IV. (1471–1484) sprach ihn selig. Da seine Verehrung während der Reformation und Gegenreformation in Vergessenheit geraten war, wurde seine Seligsprechung durch Papst Clemens XIV. erneuert.

Lit.: BERSTETT Nr. 133. – WIELANDT-ZEITZ Nr. 57.

20.44

Medaille auf den ersten Flug eines bemannten Ballons in Italien

1784; Paolo Andreani (1763–1823); Stempelschneider: Anton Guillemard (Arlon/Belgien 1774 – Prag 1812)

Silber (vergoldet), Dm 4,3 cm; 28,7 g

Avers: PAVLVS ANDREANIVS PATR MEDIOL AEREONAVTA
Kopf nach rechts; sign.: A. GUILLEMARD
Revers: AVSVS ES VNVS ITALORVM //

HAC ITVR AD ASTRA VIRG / III ID MAR MDCCLXXXIV
Bemannter Ballon in die Wolken aufsteigend.
Der Heißluftballon, von den Brüdern Montgolfiere entwickelt, wurde 1783 erstmals der Öffentlichkeit vorgestellt. Es entstand daraufhin ein Wettlauf um die ersten bemannten Flüge. Schon ein Jahr später hob der erste Ballon von italienischem Boden ab.
Der Stempelschneider ist auch Schöpfer der Medaille auf Abt Martin II. von St. Blasien (1783).

Lit.: POLIVKA Nr. 70.

20.45

Preismedaille für Landwirtschaftliche Verdienste

o.J.; Kaiser Franz Joseph I. (1848–1916);
Silber, Dm 3 cm; 34,94 g

Avers: FRANCISCVS IOSEPHVS I D G AVSTRIAE IMPERATOR
Brustbild nach rechts.
Revers: STAATSPREIS FÜR LANDWIRTSCHAFTLICHE VERDIENSTE in unten gebundenem Kranz.

20.46

Medaille auf den Abt von St. Paul Augustin Duda (1827, gewählt 1862 – 1897)

1896; Stempelschneider: Konrad Franz Widter (Wien 1816 – Wien 1904)
Messing, Dm 6,6 cm; 120,14 g

Avers: PRO SALVTE AVGVSTINI DVDA ABBATIS MONASTERII S PAVLI
Brustbild nach links; sign.: K.W.
Revers: LVSTRVM AB ELECTIONE VII AETATIS XV INEVNTIS PATRIS DE MONASTERIO BENE MERITI CONVENTVS F C // MDCCC–XCVI
Unter einem gotischen Baldachin frontal sitzender hl. Paulus, in den beiden seitlichen Nischen je ein Engel mit dem Wappen von St. Paul bzw. von St. Blasien.

Lit.: PROBSZT (Kä) Nr. 82.

20.47

Dollar FIDSCHI

1969
Kupfer/Nickel, Dm 3,8 cm; 28,14 g

Avers: ELIZABETH II FIJI 1969
Brustbild rechts.
Revers: ONE DOLLAR
Zwei Personen; dazwischen Wappen; darüber Segelschiff.
Porträt der britischen Monarchin (allerdings aus der Londoner Münzstätte). Fidschi, jetzt unabhängiges Mitglied des Commonwealth, war bis 1970 britische Kronkolonie.

Lit.: Krause-Mishler Nr. 32.

20.48–20.54

DIE SELBSTDARSTELLUNG DER MACHT

Medaille und Münze waren und sind noch immer Träger der Staats- und Machtsymbolik. Dabei drückt sich Macht keineswegs immer direkt aus, sondern verbirgt sich oft in Wappen, die Gebietsansprüche symbolisieren, oder in Inschriften, die dem Dargestellten Titel und Ehrentitel beilegen, denen oft der reale Hintergrund fehlt. Auch der Bezug auf glorreiche Vorfahren verleiht den eigenen Machtansprüchen deutlich mehr Gewicht und stellt die Legitimität der Herrschaft außer Streit (vgl. dazu die Stammbaummedaillen).

20.48

Braunschweiger Löser zu 6 Talern

1666; Herzog August der Jüngere von Braunschweig-Wolfenbüttel (1635–1666)
Silber, Dm 8,5 cm; 172,20 g

Avers: AVGVSTVS / DG DVX BR ET LVNE; darüber: FAUSTUM / IUSTITIAE / ET PA/CIS CONSORTIUM
Altersbildnis frontal bekränzt von links stehender Iustitia (mit Waage und Schwert) und rechts stehender Pax (mit Palmzweig).
Revers: (in zwei Zeilen um Helm im Zentrum) ALLES MIT BEDACHT / AETAT LXXXVIII D NAT; eingepunzte Wertzahl 6 (= 6 Taler)
Helm mit großer Helmzier umgeben von 14 kleinen Wappen.
Der Herrscher stützt seine Regierung auf die beiden Tugenden Iustitia und Pax (Gerechtigkeit und Friede).

Lit.: DUVE Nr. 8 (A II). – WELTER Nr. 782 A.

20.49

Zehnkaisermedaille

1594; Kaiser Rudolf II. (1576-1612); Stempelschneider: Valentin Maler (tätig in Nürnberg 1568–1603)
Silber, Dm 3,8 cm; 19,75 g

Avers: EX SERENI AVSTRIACA DOMO IN INVICTISS RVDOL I ROM IMP

Gekrönter Doppelader umgeben von fünf Medaillonbildnissen der vorangehenden Kaiser Rudolf I., Albrecht I. Friedrich II., Albrecht II. und Friedrich III .
Revers: NORI F VM C PRIVIL L PHI II EI[9] DEMQ DOM[9] HONOREM
Monogramm Rudolf II. in der Mitte umgeben von Medaillons mit den Köpfen: Maximilian I., Karl V., Ferdinand I., Maximilian II., Rudolf II.

Lit.: HORSKY Nr. 1199. – MONTENUOVO Nr. 652.

20.50 s. II, S. 721, Abb.222

Doppelter Schauguldiner auf die Annahme des Kaisertitels durch Kaiser Maximilian I.

Hall 1509; Kaiser Maximilian I. (1493–1519); Stempelschneider: Ulrich Ursenthaler (tätig in Hall 1561–1570)

Silber, Dm 5,3 cm; 60,71 g

Avers: MAXIMILIANVS DEI GRA ROM IMP SEMP AVG ARCHIDVX AVSTRIE
Kaiser bekrönt und gerüstet nach rechts reitend mit Reichsfahne; am unteren Saum der Pferdedecke sein Wahlspruch „HALT MAS IN ALLN DINGEN"
Revers: PLVRVMQ EVROPE PROVINCIAR REX ET PRINCEPS POTENTISIM
Gekröntes Wappen mit doppelköpfigem Reichsadler umgeben von zwei Reihen mit Wappenschilden.
„Der meisten europäischen Provinzen König und mächtigster Fürst"; Wappen in zwei Kreisen um den gekrönten kaiserlichen Doppeladler: im inneren Kreis die Königswappen (links oben beginnend) von Ungarn, Neapel, Dalmatien, Portugal, Böhmen, England und Österreich (das er zum Erbkönigtum erheben wollte); im äußeren Kreis (unten nach rechts) die Wappen der österreichischen Erblande: Seeland, Luxemburg, Limburg, Artois, Lothringen, Holland, Brabant, Flandern, Burgund, Altösterreich, Steiermark, Krain, Elsaß, Österreich ob der Enns und Cilli.
Diese Schaugepräge entstanden aus Anlaß der Kaiserkrönung. Da die Venezianer Maximilian mit seiner kleinen Heerschar den Weg durch Italien nach Rom zur Kaiserkrönung verwehrt hatten, fand die Krönung im Dom zu Trient statt. Zu den ersten Empfängern dieser Prägung (allerdings in Gold) gehörte der Doge von Venedig.

Lit.: EGG Nr. 13.

20.51 s. II, Abb.

Schautaler des Kurfürsten Friedrich III. (des Weisen) von Sachsen (1486–1525)

o.J., um 1507; Stempelschneider: Hans Krafft (Nürnberg 1481–1542) vermutlich nach einem Entwurf von Lukas Cranach

Silber, Dm 5 cm; 55,90 g

Avers: FRID DVX SAX ELECT IMPER QVE LOCVMTENENS GENERAL
Brustbild nach rechts mit Drahthaube.
Revers: MAXIMILIANVS ROMANORVM REX SEMPER AVGVSTVS
Einköpfiger Adler nach links mit Mittelschild
Maximilian I. hat Friedrich III. von Sachsen im Jahr 1507 die Reichsstatthalterschaft verliehen, auf die diese Schaustücke geprägt wurden.

Lit.: DOMANIG (DM) Nr. 35.

20.52

Schautaler des Königs Ferdinand I.

Kremnitz 1541; Kaiser Ferdinand I. (1556–1564), König seit 1531; Stempelschneider: Christoph Fueszl (tätig in Kremnitz, verstorben 1561)

Silber, Dm 5,3 cm; 39,54 g

Avers: FERDINANDVS D G ROM HVNG BOEM DALMA CROA REX
Kaiser in Turnierrüstung nach links.
Revers: INFANS HISPANIEN ARCHIDVX AVSTRIE DVX BVRGVNDIE
Einköpfiger Adler nach links mit ungarisch-böhmischem Wappen und aufgelegtem Bindenschild.

Lit.: VOGELHUBER Nr. 33.

20.53

Kronentaler des Kaisers Leopold II. (1790–1792)

Mailand 1792

Silber, Dm 4 cm; 29,52 g

Avers: LEOPOLD II D G R I S A GER HIE HVN BOH REX
Brustbild nach rechts.
Revers: ARCH AVST DVX BVRG LOTH BRAB COM FLAN 1792
Stilisiertes burgundisches Astkreuz, dazwischen Kaiserkrone, links ungarische, rechts böhmische Krone.
Randschrift: PIETATE ET CONCORDIA

Lit.: VOGELHUBER Nr. 302. – SZAIVERT 333-7.

20.54

Medaille, sog. Züricher Wappentaler

Zürich 1714; Stempelschneider: Hans Jakob Gessner (Bonn 1677, tätig in Zürich 1706–1737)

Silber, Dm 5,2 cm; 45,73 g

Avers: RESPUBLICA TIGURINA; sign.: G. zwei Löwen, einer mit Palmzweig, der andere mit Schwert, stehen als Schildhalter des Zürcher Schildes; sign.: G
Revers: NUMINE / PROPITIO / PATRIA / FLORET in Schild
Schild umgeben von den zwei Reihen von Wappen: außen: die 25 äußeren Landvogteien, Obervogteien und Ämter und innen: die 18 inneren Vogteien.

Lit.: WUNDERLY Nr. 844.

FÜR KAISER, GOTT UND VATERLAND

Die Verherrlichung von Waffentaten im Namen des Kaisers, des Vaterlandes und auch der katholischen Kirche sind stets Thema zahlreicher Medaillen gewesen. Waren es zunächst die Landesherren, die militärische Erfolge für sich beanspruchten und das auch entsprechend publik zu machen suchten, treten im Barock zunehmend die Heerführer selbst in Erscheinung.

20.55 – 20.70

DIE TÜRKENABWEHR IN MITTELEUROPA

Nach der vergeblichen Belagerung von Wien im Jahr 1683 begann die allgemeine Zurückdrängung der Türken von europäischem Boden. Die Rückeroberung der ungarischen Städte und Festungen war ein äußerst beliebtes Motiv.

20.55

Medaille auf Leopolds Siege über die Türken

o.J., um 1690; Kaiser Leopold I. (1658–1705)

Bronze (Guß, vergoldet), 10,1 cm; 287,86 g

Einseitig: LEOPOLD I D G ROM IMP SEMP INVICTISS
Brustbild nach rechts.

Lit.: ÖTK 37 (1969), S. 274 , Nr. 5.

20.56

Medaille auf die Heilige Allianz gegen die Türken

o.J., um 1684; Papst Innozenz XI., Kaiser Leopold I., König Johann Sobieski und der Doge Marco Antonio Giustiniani

Bronze (Guß, vergoldet, ziseliert), Dm 8,6 cm; 295,86 g

Avers: INNOC XI PONT LEOP I IMP IOA III REX PO M A IVS VE DVX
Nach rechts gestaffelte Büsten des Papstes Innozenz XI. (1676–1689), Kaisers Leopold I., Königs Johannes III. Sobieski von Polen und des Dogen Marc Antonio Giustiniani (1684–1688).
Revers: VNIVIT PALMAMQVE DEDIT
Zweiköpfiger bekrönter Adler.
Die Heilige Allianz unter der geistigen Führung des Papstes einte 1684 Österreich, Polen und Venedig zu einem Bündnis gegen die Türken.

Lit.: DOMANIG (DM) Nr. 467.

20.57

Piastra des Papstes Innozenz XI. (1676–1689)

Anno VIII = 1684; Stempelschneider: Giovanni Martino Hamerani (Rom 1648–1705)

Silber, Dm 4,4 cm; 31,88 g

Avers: INNOCEN XI PONT MAX A VIII
Brustbild nach rechts; sign.: G.HAMERANVS.
Revers: DEXTERA / TVA DOMINE / INIMICVM in Kranz; darunter Jahreszahl.

Lit.: MUNTONI Nr. 25. – CNI Nr. 62.–SCHULTHESS-RECHBERG Nr. 1610.

20.58

Medaille des Erzherzogs Matthias auf die Eroberung von Gran

1601; Kaiser Matthias (1612–1619) als Erzherzog; Stempelschneider: Michael Schalenberger

Silber, Dm 4,9 cm; 38,90 g

Avers: MATTHIAS D G ARCHID AVST ETC SVPR EXERC BEL IN HVN INFER DVX // MILITEMVS / 1601; sign.: M.S.
Der Erzherzog zu Pferd nach rechts.
Revers: Ansicht der belagerten Festung // STRIG CAP AN 1595 / SEP. Z
Die Stadt Gran, das heutige Esztergom, kam 1543 unter türkische Herrschaft und wurde erst unter Leopold I. endgültig befreit. Die Eroberung durch Erzherzog Matthias hatte die Türken nur für kurze Zeit aus der Stadt vertreiben können.

Lit.: HORSKY Nr. 1412. – MONTENUOVO Nr. 685.

20.59

Medaille auf die Siege Leopolds gegen die Türken

1686; Kaiser Leopold I. (1658–1705); Stempelschneider: Johann Jakob Wolrab (Regensburg 1633 – Nürnberg 1690)

Silber, Dm 5,8 cm; 42,68 g

Avers: IMP CAES LEOPOLD9 PIUS FEL AUG RESTITUT HUNG BARBAR TRIUMPHAT P P
Brustbild nach rechts; sign.: H.I.W.
Revers: REUNIO IUSTISSIMA
Putten halten Krone über 13 Medaillons mit Ansichten verschiedener Städte und Festungen; darunter nach unten geöffnete Mondsichel.
Randschrift: NON ALIENA PETIT, REPETIT REX RAPTA CORONAE AD DOMINUM UT REDEANT VIS TRAHIT UNIT AMOR
Die Avers-Inschrift bezeichnet Leopold als Triumphator über die Barbaren = Türken.

Lit.: JULIUS Nr. 308. – HORSKY Nr. 2134. – MONTENUOVO Nr. 1028.

20.60

Medaille auf die Eroberung von Budapest

1686; Kaiser Leopold I. (1658–1705); Stempelschneider: Georg Franz Hoffmann (tätig in Karlsburg 1713–1718)

Silber, Dm 4,6 cm; 27,32 g

Avers: GLORIOSVS BVDEA EXPVGNATOR LEOPOLDVS FAVENTE DEO (Chronogramm 50 + 1 + 5 = 56 + 505 = 561 + 10 + 5 = 576 + 50 + 50 + 500 + 5 = 1181 + 5 = 1186 + 500 = 1686)
Brustbild nach rechts; sign.: G.F.H.
Revers: CONSILIO AC INDUSTRIA LEOPOLDI / CAPITVR BVDA CABALA 2. SEP.
Stadtansicht mit Belagerern.

Lit.: HORSKY Nr. 2117. JULIUS Nr. 288. – MONTENUOVO Nr. 997.

20.61

Medaille auf die Eroberung von Budapest

1686; Kaiser Leopold I. (1658–1705); Stempelschneider: Elias Jäger

Silber, Dm 5 cm; 53,73 g

Avers: NOTANT ADVERSA VALOREM
Vor dem als PORTA OTTOMANICA bezeichneten Tor ersticht ein christlicher Krieger einen Türken und entreißt ihm den Schlüssel; sign.: E.I.
Revers: BVDA / HVNGARIAE REGIA / A MDXLI / A TVRCIS FRAVDE CAPTA / FRVSTRA SAEPIVS OBSESSA / AVSPICIIS / LEOPOLDI AVGVSTI IMP / IVNCTIS IMPERII VIRIBVS / PROFLIGATO HOSTE / VICTRICIBVS / GERMANORVM ARMIS / VI EXPVGNATVR / A MDCXXCVI II SEPT / OVANTE / S P Q A
Übersetzung der Revers-Inschrift: „Buda, die Königstadt von Ungarn im Jahr 1541 von den Türken mit List genommen, öfters vergebens belagert, unter der Führung Kaiser Leopolds I. im Verein mit den vereinigten Kräften des Reiches und den siegreichen deutschen Waffen dem niedergerungenen Feind mit Gewalt abgenommen im Jahr 1686 am 2. September; unter dem Jubel der Stände und des Volkes von Österreich".
Nach der Schlacht bei Mohács 1526 erlangte Ungarn seine Selbständigkeit nicht mehr. Immer wieder war es Kampfplatz der Auseinandersetzungen zwischen den Osmanen und den Habsburgern. Im Jahr 1541 fiel Budapest den Osmanen ohne Gegenwehr in die Hände. Mit der Rückeroberung von Budapest (1686) „PORTA OTTOMANICA" durch den Kaiser schien damals der Weg frei, das türkische Reich selbst in die Knie zu zwingen.

Lit.: FORSTER Nr. 63. – JULIUS Nr. 300. – MONTENUOVO Nr. 999.

20.62

Medaille auf die Einnahme von Ofen

1686; Kaiser Leopold I. (1658-1705); Stempelschneider: Johann Jakob Wolrab (Regensburg 1633 – Nürnberg 1690)

Silber, Dm 4,8 cm; 37,56 g

Avers: INFELIX BUDAM LUDOVICUS PER/DIDIT OLIM / HAEC ARMIS CAEDIT NUNC / LEOPOLDE TUIS / A 1686 D 2 SEP
Brustbild des Kaisers Leopold in Kranz nach rechts über Stadtansicht; sig.: I.W.
Revers: STAT SOL LUNA FUGIT DUM / IOSUA PUGNAT ET ORAT / SIC EGO PELLO DUOS / SIC LEOPOLDUS / ERO
Josua mit Leopolds Zügen gebietet der Sonne Stillstand.
Randschrift: LUNA CADIT; NIL AERA IUVANT, NIL TYMPANA SOL CAVE DUM MINUI SIDERA IUNCTA VIDES
Übersetzung der Inschriften:
Avers: „Der unglückliche Ludwig verlor einst Buda (an die Türken). Dieses (Buda) fällt nun durch deine Waffen, o Leopold." Mit Ludwig ist hier wieder der ungarische König Ludwig II. gemeint, der in der Schlacht von Mohács (1526) Reich und Leben verloren hat.
Revers: „Die Sonne steht, der Mond flieht, während Josua kämpft und betet. So wie ich beide schlage, werde ich wie Leopold sein." Die Rückseite enthält mehrfache Anspielungen: die Sonne steht für Frankreich, dessen Vordringen auf habsburgisches bzw. Reichsgebiet der Kaiser Einhalt gebietet, und der abnehmende Mond symbolisiert den Verfall der Türkenmacht. Der glaubensstarke Josua steht hier für Leopold. Vgl. Kat. Nr. 20.65.

Lit.: HORSKY Nr. 2119;. – JULIUS Nr. 284. – MONTENUOVO Nr. 1000.

20.63

Medaille auf die Einnahme von Ofen

1686; Kaiser Leopold I. (1657–1705); Stempelschneider: Lazarus Gottfried Lauffer (1660-1700 in Nürnberg tätig) und Georg Hautsch (tätig 1679–1745 in Nürnberg und Wien)

Silber, Dm 3,9 cm; 24,32 g

Avers: HOS FORNAX ARDET IN VSVS
Beschießung der Festung.
Revers: OFEN / DIE KÖNIGLICHE / HAUPSTADT IN HUNGARN / A 1526 NACH K LUDW DES II TOD / VON SOLYMAN EINGENOMMEN / A 1529 DEM WEYWODEN IOHANN / ÜBERLASSEN ; UND A 1541 VON SOLYMAN MIT BETRUG BEHAUPT / FOLGENDS VON R K M LEOPOLD 23. AUG 2. SEPT A 1686 DEN TÜRKEN MIT STÜRMENDER HAND ENTRISSEN; sign.: L.G.L.
Randschrift: IN OFENFEUR GESCHMIDTE KRONEN DES LEOPOLDI SIEG BELOHNEN

Lit.: MONTENUOVO Nr. 1007. – WELLENHEIM Nr. 7273. – JULIUS Nr. 281. HORSKY Nr. 2123.

20.64

Medaille auf die Eroberung ungarischer Festungen

1686;Kaiser Leopold I.(1658-1705); Stempelschneider: Lazarus Gottfried Lauffer (tätig 1660-1700 in Nürnberg) und Georg Hautsch (tätig 1679-1745 in Nürnberg und Wien)

Silber, Dm 4,1 cm; 25,43 g

Avers: Leopold in Kranz, getragen von Engeln über Stadtansicht von Wien; sign. L.G.L.
Revers: VERMEHRER / DES REICHES; sign.: G.H.
Vier Städtemedaillons (Budapest, Fünfkirchen, Szeged, Esseg) und sechs Medaillons von Festungen.
Randschrift: GLEICH WIE DIE KRON NICHT OHNE STEIN SO IST DIE HAUPTSTADT ALLEIN (hier) ALLIEN

Lit.: HORSKY Nr. 2133. – WURZBACH Nr. 5041.

20.65

Medaille auf die Schlacht von Mohács

1687; Kaiser Leopold I. (1658-1705), Stempelschneider: Johann Jakob Wolrab (Regensburg 1633-Nürnberg 1690)

Silber, Dm 4, 4 cm; 30,63 g

Avers: WO LUDOVICI NIDERLAG 29. AUG. 1526. KOMMT LEOPOLDI SIEG AM TAG 12. AUG. 1687; sign.: H.W.
Leopold, in einem von vier Löwen gezogenem Triumphwagen über gefallene Feinde fahrend, wird von hinter ihm stehender Victoria bekränzt; eine Hand aus Wolken überreicht einen Palmzweig als Siegeszeichen
Revers: ES ZEIGT MOHATZ DEN KRIEGESPLATZ UND SIEGES = SCHATZ
Über bewegter Schlachtszene die Büsten des Kurfürsten Max Emanuel von Bayern (links) und des Herzogs Karl von Lothringen (rechts) in Siegeskränzen; darüber Kreuz mit der Umschrift: IN HOC SIGNO. Randschrift: GOTTES HUTH SO OB UNS WACHT -
HAT GESTURZT DER TURCKEN MACHT
Die Medaille, auf die zweite Schlacht von Mohács (das Reich gegen die Türken) geprägt, erinnert zugleich an die erste, in der der Ungarnkönig Ludwig II. Schlacht und Leben verlor. Mit seinem Tod gingen Ungarn und Böhmen nominell auf die Habsburger über.

Lit.: BEIERLEIN Nr. 1494. – Kat. Eugen Nr. 32.

20.66

s. II, S. 722, Abb. 227

Medaille auf die Eroberung von Widdin und Nissa 1689

1689; Kaiser Leopold I. (1658-1705); Stempelschneider: Georg Hautsch (tätig 1679-1745 in Nürnberg und Wien)

Silber, Dm 4,3 cm; 32,12 g

Avers: LEOPOLDVS M. P. F. A. P. P. (Leopoldus Magnus Pius Felix Augustus Pater Patriae)
Der Kaiser in einem Viergespann frontal; auf seiner ausgestreckten Rechten steht eine Victoria, die ihm den Siegeskranz reicht. Das Gespann stampft über feindliche Waffen hinweg, darunter auch ein Schild mit der französischen Lilie und ein Schild mit der Sonne.
Darunter: TRIUMPHATOR GENT BARB (Triumphator Gentium Barbarorum - Triumphator über die Barbarenvölker)
Revers: TURCAE ANNO VNO TER DEVICTI („Die Türken in einem Jahr dreimal besiegt“).
In Siegeskranz das Medaillonbild des Feldherrn Markgraf Ludwig Wilhelm von Baden (gen. „Türkenlouis“) über einer Schlachtenszene.
Die Medaille kann ihr antikes Vorbild nicht leugnen. Die Begriffe PIUS FELIX AUGUSTUS PATER PATRIAE stammen aus der Titulatur der römischen Kaiser des zweiten Jahrhunderts nach Christus. Auch das Bild hat eine Entsprechung in constantinischen Goldmedaillonen des vierten Jahrhunderts. Sind in erster Linie die Türken als besiegte Feinde angesprochen, soll der Schild mit der französischen Lilie auch Erfolge gegen diesen Feind im Westen symbolisieren.

Lit.: HORSKY Nr. 2173. – MONTENUOVO Nr. 1090.

20.67

Medaille auf Markgraf Ludwig Wilhelm von Baden (1677-1707)

o.J., um 1691; Stempelschneider: Friedrich Kleinert (Bartenstein 1633-1714 Nürnberg)

Silber, Dm 5,8 cm; 48,30 g

Avers: LUDOV GUILIELMUS MAR BAD S C M EXERCIT SUMUS DUX
Markgraf Ludwig Wilhelm rechts reitend; im Hintergrund Schlachtszene.
Revers: NON CURAT NUMERUM
Löwe hetzt Wolfsrudel.
Randschrift: TURCARUM MORS VIVE DEUS TIBI PROROGET AEVUM (FK)
Kleinert hat als erster deutscher Medailleur eine neue Prägemaschine (das Stoßwerk) aus

Frankreich übernommen und eingesetzt. Erst damit wurde es möglich – abgesehen von der schärferen Prägung der Medaille selbst – auf dieser auch eine Randschrift anzubringen.

Lit.: MONTENUOVO Nr. 1110. – WIELANDT-ZEITZ Nr. 41; LAUFFER S. 24.

20.68

Medaille auf die Eroberung von Temeswar

1716; Kaiser Karl VI. (1711-1740); Stempelschneider: Georg Wilhelm Vestner (Schweinfurt 1677-Nürnberg 1740)

Zinn mit Kupferstift, Dm 4,4 cm; 25,74 g

Avers: CAROLVS VI D G ROM IMP SEMP AVG
Brustbild nach rechts.
Revers: TRANSSYLVANIA METV AC INSIDIIS LIBERATA // THEMESVVARIO OCCVP / D 12 OCT 1716 (Chronogramm)
Ansicht der Festung und der Belagerungswerke in Vogelschau.
Viele Medaillen gab es auch in billigeren Ausführungen als in Silber. Das silberglänzende Zinn wurde gerne verwendet. Der eingesetzte Kupferstift sollte Verwechslungen mit Silber ausschließen.

Lit.: BERNHEIMER Nr. 83, 84 oder 85; Kat. Eugen Nr. 217.

20.69

Medaille auf die Einnahme von Belgrad

1717; Prinz Eugen von Savoyen (1663-1736); Stempelschneider: Georg Wilhelm Vestner (Schweinfurt 1677 – Nürnberg 1740)

Silber, Dm 4,4 cm; 29,83 g

Avers: EVGENIVS FRANC DVX SABAVD S CAES MAIEST GENER LOCVMT; sign.: V.
Brustbild in Harnisch mit Goldenem Vlies rechts.
Revers: NON EST HEIC ALIVD NISI GLADIVS GIDEONIS IVDIC VII (Buch 7 der Richter) (Chronogramm) // TVRCIS FVSIS / CASTRIS OCCVPATIS / BELGRADO RE/CEPTO
Reiter in antikischer Rüstung nach links sprengend, das Schwert in der Rechten; im Hintergrund Belgrad; rechts Schlacht.

Lit.: BERNHEIMER Nr. 108. – FORRER Bd. 6, S. 254. – JULIUS Nr. 1284. – Kat. Eugen Nr. 233.

20.70

Medaille auf den Frieden von Passarowitz

1718; Kaiser Karl VI. (1711-1740); Stempelschneider: Philipp Heinrich Müller (Augsburg 1654-1719)

Silber, Dm 3,2 cm; 14,36 g

Avers: NVLLA SALVS BELLO PACEM TE POSCIMVS // PAX PETENTIBVS / DATA
Zwei Türken mit Palmzweigen stehend.
Revers: ACCEPTA ACCEPTAE SVNT VERBERA CAVSA QVIETIS // PASSAROVITII XXI IVN / A MDCCXVIII / *
Zwei Pauken mit zerrissenen Fellen an dürrem Baum hängend; rechts im Hintergrund untergehender Halbmond.
Übersetzung der Revers-Inschrift: „Die empfangenen Schläge sind die Ursache der erwarteten Ruhe". Die zahlreichen verlustreichen Schlachten haben die Türken zum Friedensschluß gezwungen. Die Aussage der Inschrift wird durch die zerrissenen (nicht mehr klingenden) Trommeln an dem verdorrten Baum und den am Horizont versinkenden Halbmond verdeutlicht. Der Stern im Revers ist als Signum des Stempelschneiders anzusehen.

Lit.: FORSTER Nr. 819. – Kat. Eugen Nr. 248.

20.71 – 20.77

DIE TÜRKEN VOR WIEN

1683 wurde die Haupt- und Residenzstadt Wien vergeblich von den Türken belagert.

20.71

6 Kreuzer Klippe auf die erste Belagerung von Wien

1529; Kaiser Ferdinand I. (1556-1564), Erzherzog seit 1521

Silber, 1,8 x 1,9 cm; 3,29 g

Avers: TURCK / BLEGERT / WIEN / 1529
Revers: Vier Wappen in Kreuz

Lit.: MARKL Nr. 298. – HORSKY Nr. 917.

20.72

Medaille auf den Entsatz von Wien

1683; Kaiser Leopold I. (1658-1705)

Silber, Dm 4,7 cm; 41,31 g

Avers: (Vers): DU ADLER SITZ GOTT IST DEIN SCHUTZ,
DEM MAHOMET ZU SPOTT UND TRUTZ

Ansicht einer Schlacht vor den Befestigungswerken vor der Stadt, darüber fliegender Adler.
Revers: ANNO - 1683 / DEN 14. JUL - WURDE / DIE K. RESID-ENZSTADT / WIENN VOM TURKEN BELAGERT, / MIT FEUER EINWERFEN, VIELEM STUR/MEN U. MINEN SPRENGEN, 8 WOCHEN LANG / BEANGSTIGET, WELCHE HIERNACH VON / K. M. LEOPOLDO I. / MIT HILFF DERO ALIIRTEN DEN 12. SEP. / GLUCKLICH ENTSEZT U. DER FEIND MIT / VERLASSUNG ALLER STUCK U PAGA/GE DAVON GESCHLAGEN / WORDEN GOTT SEY / DAVOR GEDANCKT
Kleines Medaillonbild Leopolds I.

Lit.: HIRSCH Nr. 53 (Taf. 42).

20.73

Medaille auf den Entsatz von Wien

1683; Kaiser Leopold I. (1658-1705)
Silber, Dm 4,4 cm; 36,76 g

Avers: WIEN GOTT BEWACHT DER TURCKEN MACHT LIGT NUN VERACHT
Ansicht der Stadt mit Laufgräben vor den Befestigungen; im Vordergrund türkisches Lager.
Revers: DIESE MÜNTZ / ZEIGET DIE A. 1683 / 11/4 JUL. VON MAHUMED IV / BELAGERTE STATT WIEN / WELCHE ABER DURCH GOTT / UND DER KEYS= POLN= UND / REICHSVÖLCKER TAPFER/KEIT DEN 11/2 SEPT: WIE/DER DAVON BEFREY/ET WORDEN

Lit.: HIRSCH Nr. 55 (Taf. 41).

20.74

Medaille auf den Entsatz von Wien

1683; Johann III. Sobieski König von Polen (1674-1696); Stempelschneider: Johann Höhn jun. (arbeitet 1637-1693 in Danzig)
Silber, Dm 5,8 cm; 87,18 g

Avers: IOAN III D G REX POLONIARUM; sign.: H.
Brustbild nach rechts.
Revers: NEC LUNA DUABUS // in Kartusche VIENNA LIBERA/TA A MDCLXXXIII / D XII SEPT
Zwei bekrönte Adler zerreißen den türkischen Halbmond über der Stadtansicht Wiens vom Norden aus gesehen.

Lit.: HIRSCH Nr. 26 (Abb. 16). – HORSKY Nr. 4268.

20.75

Medaille auf den Entsatz von Wien

1683; Kaiser Leopold I. (1658-1705)
Silber, Dm 3,4 cm; 11,72 g

Avers: Stadtansicht mit türkischem Lager im Vordergrund.
Revers: WIEN / VON / TÜRCKEN BELEGERT / DEN 14. JULI / MIT GOTES HILFF / ABGETRIEBEN / DEN 12. SEPT / 1683; in Kranz.

Lit.: HIRSCH Nr. 61 (Taf. 46).

20.76

Medaille auf den Entsatz von Wien

1683; Kaiser Leopold I. (1658-1705)
Silber, Dm 2,3 cm; 7,42 g

Avers: DE SUPER AUXILIO
Über dem türkischen Lager schwebt ein gekrönter Doppeladler mit Kreuz und Zepter; am Boden liegender Türke blickt zum Kreuz hoch.
Revers: DIE 12 IULY / VIENNA OBSESSA / VIS TURCICA PRESSA / CUM CLADE REGRESSA / DIE 12 SEPT / ANNO / MDCLXXXIII

Lit.: HIRSCH Nr. 79.

20.77

Jeton auf die Anbringung des Kreuzes auf den Turm von St. Stefan

1687; Kaiser Leopold I. (1658-1705)
Silber, Dm 2,5 cm (gelocht); 2,87 g

Avers: VOR DEM / IN WIEN VON / ST STEFAN THVRN / ABGENVMEN Mondsichel Stern WURD DAS SIGZEICHEN DES H. / CREUZES AUFGESTZT / DEN 11 OCTOBER 1687

Revers: IN HOC SIGNO VINCEMVS VIVEMVS
Gekrönter Doppeladler mit Herzschild, darauf Inschrift L I.
Die Turmbekrönung am Nordturm des Stefansdoms in Wien – ein Doppelkreuz – war nach einem Blitzschaden im Jahr 1519 gegen Mondsichel und Stern, als Symbol für Kaiser- und Papsttum, ausgewechselt worden. Anläßlich der ersten Türkenbelagerung wurde im Jahr 1530 eine Eingabe an den Kaiser gemacht, die Helmbekrönung erneut auszutauschen, weil sie den Insignien der Türken entspräche. Erst im Jahr 1687 – wie die Inschrift dieses Stücks zeigt - wurde die – jetzt vielleicht wirklich schon mißverstandene – Helmbekrönung ausgetauscht. Es hatte sich die Meinung gebildet es gäbe einen sehr lang zurückliegenden Vertrag mit den Türken, dieses Zeichen auf dem Stefansturm belassen zu müssen.

Lit.: HORSKY Nr. 2153.– MONTENUOVO Nr. 1061. – WELLENHEIM Nr. 7303.

20.78 – 20.83

VENEDIG UND DIE TÜRKEN „Der Löwe brüllt, der Türke flieht"

20.78

Medaille auf die venezianischen Siege in Morea

1685; Marco Antonio Giustiniani (1684-1688); Stempelschneider: Georg Hautsch (tätig 1679-1745 in Nürnberg und Wien)

Silber, Dm 3,65 cm; 20,64 g

Avers: LEONI ULTORI
Marcuslöwe stehend mit aufgeschlagenem Buch „PAX TIBI / MARCE / EVANGELISTA / MEVS" in der linken Pranke umgeben von gefesselten türkischen Gefangenen, wird von einer Hand aus den Wolken bekränzt; sign.: G.H.
Revers: Landkarte von Griechenland mit den eroberten Städten und Festungen.
Randschrift: VIRTUTE ET FORTUNA VENETORUM

Lit.: JULIUS Nr. 251. – LAUFFER S. 5. – WURZBACH Nr. 9000 (dort ohne Randschrift).

20.79

Medaille auf venezianische Erfolge in Morea

1686; Marco Antonio Giustiniani (1684-1688); Stempelschneider: Georg Hautsch (tätig 1679-1745 in Nürnberg und Wien) und Lazarus Gottfried Lauffer (tätig 1660-1700 in Nürnberg)

Silber, Dm 5 cm; 29,52 g

Avers: URBS VICTRIX
Stadtansicht von Venedig; sign.: L.G.L.
Revers: Geflügelte Stadtpersonifikation mit Schild „DE / TURCIS / 1686" links sitzend umgeben von Putten, die Tafeln mit Ansichten der eroberten Festungen halten (z.B.:NAVARINO, CORON, S.MAURA, CALAMATA); sign.: G.H.
Randschrift: IMPERIUM SINE FINE DEDI

Lit.: WURZBACH Nr. 9001 (dort ohne Randschrift) LAUFFER S. 8.

20.80

Medaille auf venezianische Erfolge in Morea

1687; Marco Antonio Giustiniani (1684-1688); Stempelschneider: Johann Jakob Wolrab (Regensburg 1633-Nürnberg 1690)

Silber, Dm 5 cm; 43,55 g

Avers: FORTITUDO VENETIAE OCCUPAT GRAETIAM
Doge rechts sitzend vor von zwei Figuren gehaltener Landkarte von Morea; sign.: H.I.W.
Revers: VENETIA VRBIUM REGINA
Stadtansicht von Venedig mit Markusplatz im Vordergrund.
Randschrift: OMNES PROVINCIARUM ET RERUM P MUTATIONES CAEDES SEUM FERUNT
Marco Antonio Giustiniani wird 1684 zum Dogen gewählt, in dem Jahr, in dem das Bündnis zwischen Venedig, dem Kaiser und dem König von Polen (die Heilige Allianz, vgl. Kat. Nr. 20.56) zustandekommt. Sein Feldherr

Francesco Morosini erobert 1687 Lepanto, Patras, Korinth und Athen und wird ein Jahr später selbst zum Dogen gewählt. Im Jahr darauf nimmt er mit den Türken Verhandlungen auf.

20.81

Medaille auf venezianische Erfolge gegen die Türken

1687; Marco Antonio Giustiniani (1684-1688); Stempelschneider: Martin Brunner (Nürnberg 1659-1725)

Silber, Dm 4,2 cm; 30,67 g

Avers: LEO RUGIT TURCA FUGIT („Der Löwe brüllt, der Türke flieht")
Ein auf dem Schlachtfeld liegender Löwe inmitten abgenagter Knochen brüllt; zwei Türken fliehen in den Hintergrund.
Revers: LEO S. MARCVS VEN IVSTVS VINDEX (Chronogramm); sign.: M.B.
Markuslöwe erlegt einen Hund.
Randschrift: NON CESSISSE MALIS VICTORIAE AUSPICIUM EST
Das Chronogramm ist in folgender Weise aufzulösen: L (Leo) MCV (Marcus) V (Venetus) IVV (Iustus) VIDX (Vindex) = 50 + 1105 + 5 + 11 + 516 = 1687.

Lit.: European Historical Medals (Auktion Sotheby Parke Bernet, London 17.Juni 1981) Nr. 26.

20.82

Medaille auf venezianische Erfolge über die Türken

1687; Marco Antonio Giustiniani (1684-1688); Stempelschneider: Friedrich Kleinert (Bartenstein 1633-1714 Nürnberg)

Silber (oval), 7,1 x 5,6 cm; 99,33 g

Avers: PARCERE SUBIECTIS ET DEBELLARE SUPERBOS // SCIT NOBILIS IRA LEONIS („Die Unterworfenen zu verschonen und die Hochmütigen zu bekämpfen, weiß der Zorn des berühmten Löwen"); Doge mit Gefolge empfängt sich unterwerfende Türken.
Revers: EX UTROQUE VICTOR
Markuslöwe aufgerichtet mit lorbeerumwundenem Schwert einen Drachen (laut LAUFFER einen Delphin) würgen.
Randschrift: SERENISSIMI LEONIS ALATI / SOLO SALOQUE TURCARUM VICTORI TRIUMPHALE FLORILEGIUM 1687
Die erste Zeile der Avers-Inschrift ist ein Zitat aus Vergils Aeneis 6, 853.

Lit.: LAUFFER S. 9. – JULIUS Nr. 323. – SCHULTHESS-RECHBERG Nr. 609. – WURZBACH Nr. 3234.

20.83

Medaille auf die Dogenwahl

1688; Alfred Morosini (lat. Maurocenus) (1688-1694); Stempelschneider: Philipp Heinrich Müller (Augsburg 1654-1719), verlegt bei Friedrich Kleinert

Bronze, Dm 6,1 cm; 82,00 g

Avers: FRANCISCUS MAUROCENUS DUX VENETIARUM A 1688 D 3 APRIL; i.A.: NIL DESPERANDUM TEUCRO DUCE
Brustbild mit Dogenmütze und Hermelinmantel fast frontal; dahinter Fahnen und Waffen, auf einer Fahne links das venezianische Wappen, auf einem Schild rechts das Wappen der Morosini; unter dem Armabschnitt: P.H.M.
Revers: ADRIATICI MARIS DOMINA ARCHIPELAGI REGINA
Venetia auf einem Felsen im Meer sitzend umgeben von 5 Nymphen, die bezeichnet sind als: MOREA, CANDIA, ATHENAE, NEGROPONT ud CYPRUS; im Hintergrund Schiffe und der rauchende Ätna.
Randschrift: VIDERUNT INSULAE ET TIMERUNT EXTREMAE TERRAE OBSTUPUERUNT ET ACCESSERUNT ESAI 41 (FK)
Die Randschrift ist ein Zitat aus Jesaia 41,5: „Die Inseln sehen es und geraten in Furcht; die Enden der Erde erzittern; sie nähern sich und kommen herbei".

Lit.: LAUFFER S. 16. – FORSTER Nr. 651.

20.84 – 20.94

ÖSTERREICHS ANSPRUCH AUF SPANIEN
Der spanische Erbfolgekrieg

Der spanische Erbfolgekrieg (1701-1714) entbrannte nach dem Tod des kinderlosen spanischen Königs Karl II., weil der französische König Ludwig XIV. die habsburgische Erbfolge in Spanien verhindern wollte. Der Krieg erfaßte durch Einbeziehung Englands und Preußens auf des Kaisers Seite (später folgten noch Savoyen und Portugal) und der Verbindung Bayerns mit den Franzosen bald ganz Europa.

20.84

Medaille auf die Einnahme von Landau

1702; Kaiser Joseph I. (1705-1711), römischer König seit 1690; Stempelschneider: Philipp Heinrich Müller (Augsburg 1654-1719)

Silber, Dm 4,3 cm; 31,26 g

Avers: IOSEPHVS D G ROM ET HVNG REX
Brustbild in Harnisch mit Allongeperücke frontal; unter Armabschnitt sign.: P.H.M.
Revers: ARMORVM PRIMITIAE // LANDAVIA RECEPTA / D. 10. SEP.1702.
Ansicht der Festung unter Beschuß.
Randschrift: LEOPOLDE ! NVNC TE PROLE TVA IVVENEM GERMANIA SENTIT BELLAQVE PRO MAGNO CAESARE CAESAR AGIT
Zur Rückeroberung der von den Franzosen besetzten Festung Landau entsandte Kaiser Leopold den damals bereits zum römischen König gekrönten Joseph als Oberbefehlshaber. Die Rückeroberung Landaus war somit Josephs erste Waffentat. Von dieser Festung leitet sich der Name für den leichten Pferdewagen (Landauer) ab, wie ihn der König angeblich für die Reise zum Kriegsschauplatz verwendet haben soll.

Lit.: LAUFFER S. 53. – FORSTER Nr. 711. – HORSKY Nr. 2446. – JULIUS Nr. 629. – MONTENUOVO Nr. 1286.

20.85

Medaille auf die Belagerung von Landau

1702; Joseph I. (1705-1711) als römischer König (seit 1690); Stempelschneider: Georg Hautsch (tätig 1679-1745 in Nürnberg und Wien) und Georg Friedrich Nürnberger (Nürnberg 1682 -1724)

Silber, Dm 4,7 cm; 42,95 g

Avers: SOL ET LVNA ET STELLAE ADORABVNT EVM. GEN 37. // PRINCEPS EXERCI=TVS DOMINI / IOS. C.5.
Von Sonne, Mond und Sternen umgebenes Medaillon mit Brustbild des Königs mit Feldherrenrolle nach links; sign.: G.H.
Revers: CAESAREO AVSPICIO REGIS VIRTVTE BADENSIS / FELICI DVCTV. GALLO EST EX VNGVE RETRACTA (Chronogramm 1702) // DIE IX. SEPT. / sign.: G.F.N.
Über der Festung rechts fliegender Adler mit Schriftband: LANDAV
Randschrift: TECVM EST DOMINVS DEVS TVVS IN OMNIBVS AD QVAECVNQVE PERREXERIS IOS C I = (Altes Testament, Josua 1,9: „... denn der Herr dein Gott ist mit dir bei allem, was du unternimmst“.)
Landau war eine kriegswichtige Festung, deren Besitz mehrmals gewechselt hat. Auf die französische Besetzung folgen bis 1703 die Österreicher. Der Avers zeigt Joseph als mit Sonne und Mond gleichrangiges Gestirn am Himmel. Inschrift des Avers: „Sonne, Mond und Sterne verehren dich“ nach dem Alten Testament Genesis 37,9. Auch hier kann man die Gleichsetzung Josephs mit dem altbiblischen Joseph beobachten.

Lit.: Heldenzeitalter Nr. 432. – JULIUS Nr. 631.

20.86

Medaille auf den Sieg bei Höchstädt

1704; Prinz Eugen von Savoyen, John Churchill Herzog von Marlborough und Markgraf Ludwig Wilhelm von Baden; Stempelschneider: Friedrich Kleinert (Bartenstein 1633-1714 Nürnberg)

Zinn mit Kupferstift, Dm 4,5 cm; 22,57 g

Avers: PROBATA SOCIORVM VIRTVS FIDESQUE // FRANCONIA SERVATA / SVEVIA LIBERATA / 1704
Zwei Victorien mit Siegespalmen stützen sich auf Schilde mit den Brustbildern der Feldherren (links) Prinz Eugen, (in der Mitte) Ludwig Wilhelm von Baden und (rechts) Herzog von Marlborough
Revers: TALLARD FR MARESCH CVM MVLT DVCIB ET X MILLIB MILIT CAPTIS // GALLIS BAVARISQVE / DEVICTIS
Victoria auf erbeuteten Waffen sitzend beschreibt Schild „XII / AVG“; links im Vordergrund sitzt ein Flußgott mit Urne und Steuerruder.
Randschrift: DEFENSA FORTITER CONTRA GALLOS ET BOIAROS GERMANIA (Chronogramm)

Die entscheidende Schlacht in Süddeutschland fand bei Höchstädt statt, in der der französische Marschall Tallard mit 11 000 Mann gefangen genommen wurde. Die französischen und bayrischen Truppen mußten sich über den Rhein zurückziehen. Der bayrische Kurfürst Maximilian I. Emanuel war sogar gezwungen, sein Land verlassen.

Lit.: JULIUS Nr. 654. – Kat. Eugen Nr. 94.

20.87

Medaille auf die Befreiung von Augsburg

1704; Augsburg; Stempelschneider: Friedrich Kleinert (Bartenstein 1633-1714 Nürnberg)

Silber, Dm 5,6 cm; 29,65 g

Avers: BAVARIA AD OBSEQVIVM REDIENS // CLEMENTIA AVGVSTI / 1704
Kaiser mit Victoria nach rechts stehend, vor ihnen sich unterwerfende Augsburg mit dem bayrischen Schild.
Revers: AVGVSTA VIND LIBERATA ULMA RECVPER HOSTES VLTRA RHEN FVGATI // TRANQVILLITAS / REDVX
Links sitzende Augsburg wird von Ketten befreit; Victoria treibt die Feinde in den Hintergrund.
Randschrift: BAVARIA SVPPLEX ATQVE DEVOTA AVGVSTI CAESARIS GRATIAM EXPERTA
Revers-Inschrift: „Augsburg befreit, Ulm rückerobert, die Feinde sind über den Rhein geflohen, die Ruhe ist zurückgekehrt."

Lit.: FORSTER Nr. 87. – JULIUS Nr. 668.

20.88

Medaille auf die Eroberung von Barcelona

1705; Kaiser Karl VI. (1711-1740) als spanischer König Karl III. (1703-1714); Stempelschneider: Philipp Heinrich Müller (Augsburg 1654-1719)

Silber, Dm 4,4 cm; 29,41 g

Avers: CAROLVS III. D G REX HISP ARCH AVST
Brustbild in Harnisch mit Allongeperücke rechts; unter Armabschnitt sign.: P.H.M.
Revers: EXPECTATO VINDICI LAETA SE SVBIICIT // BARCELONA / D 14 OCT 1705
Die knieende Stadtgöttin (Barcelona) bietet dem König in römischer Imperatorengewandung eine corona navalis (Krone aus Schiffsschnäbeln) dar; im Hintergrund die Stadt, darüber Abundantia das Füllhorn ausschüttend; Der König wird von fliegender Victoria bekränzt.
Randschrift: RES POSCIT OPEM ET CONSPIRAT AMICE

Lit.: FORSTER Nr. 735. – HORSKY Nr. 2509.

20.89

Medaillen-Klippe auf die Sonnenfinsternis bei der Eroberung von Madrid

1706; Kaiser Karl VI. (1711-1740) als spanischer König Karl III. (1703-1714); Stempelschneider: Georg Friedrich Nürnberger (Nürnberg 1682-1724)

Silber (quadratisch), 2,7 x 2,8 cm; 14,60 g

Avers: (Vers): MIT GOTT DURCH M. O. G. UND L WIRDS DA UND DORTEN WIEDER HELL;
Sonne von vier Kronen umgeben.
Revers: BAR/CELONA / LIBERATA / A. 1706. 12 MAI / ECLIPS 80 / BIS; rechts BRABAN/TA OCCVPATA / m MAI; unten TIRLEMONT. CLA/DES m MAI ; links MADR/ITVM OCCVP / m MAI; sign. G.F.N.
Darunter eine vertrocknende Pflanze und im Zentrum ein verfinsterter Mond.
Übersetzung des Revers: „Barcelona befreit am 12. Mai 1706 bei Sonnenfinsternis; Brabant besetzt im Monat Mai; Madrid besetzt im Monat Mai". Auf die Sonnenfinsternis bei der Einnahme von Madrid und die Niederlagen Philipps von Anjou in Spanien und den Niederlanden. Die Einzelbuchstaben im Avers (M, O, G, L) meinen die Feldherren Marlborough, Ouvverkerke, Galloway und Leake.

Lit.: MONTENUOVO Nr. 1344. – HORSKY Nr. 2516. – JULIUS Nr. 1172. – Kat. Barock Bd. 1, S. 108.

20.90

Medaille auf die Ernennung des Prinzen Eugen zum Generalgouverneur von Mailand

1706; Prinz Eugen von Savoyen (1663-1736); Stempelschneider: Philipp Heinrich Müller (Augsburg 1654-1719)

Silber, Dm 3,6 cm; 20,92 g

Avers: EVGENIVS FRANC DVX SAB S C M GENER GVBER MEDIOL
Brustbild in Harnisch mit Goldenem Vlies rechts; unter Arm sign.: P.H.M.
Revers: GENIO TVTELARI ITALIAE; i.A. SABAVD LIBERAT MEDIOLAN RESTITVT DVCE AVRELIAN CVM EXERC FVGATO 1706
Geflügelter Genius mit savoyschem Kreuz auf

der Brust (Eugen) schleudert Blitz auf gefallenen Krieger; rechts daneben weibliche Personifikation von Savoyen auf Schild gestützt; daneben kniende Stadtgöttin, die die Stadtschlüssel darbietet.
Randschrift: QVACVNQVE VIAM SECAT; AGMINA CEDVNT; CONVERSAEQVE RVVNT ACIES VIRG; (= Vergil, Aeneis 12, 368f.: „Wo immer er seinen Weg nimmt, weichen die Heerscharen, und sich umwendend, stürzen die Schlachtreihen").
Prinz Eugen hat die Franzosen unter dem Herzog von Orleans aus Savoyen und Mailand vertrieben.

Lit.: FORSTER Nr. 740. – MONTENUOVO Nr. 1303. – Kat. Eugen Nr. 107. – WURZBACH Nr. 1940.

20.91

Medaille auf die Siege Englands über Ludwig XIV.

1706; Stempelschneider: Philipp Heinrich Müller (Augsburg 1654–1719)

Silber, Dm 4,3 cm; 29,82 g

Avers: LVDOVICUS MAGNUS ANNA MAIOR
Minerva über Krieger.
Revers: CURA PVGNACIS FACTA MINERVAE; in Schild CLADES / GALLOR / IN BRAB / 23 MAI // XII URBES CVM PRO/VINCIIS INTRA XV / D. RECEPTA / 1706
Victoria mit Krone und Siegespalme links eilend; daneben Tropaion mit Schild „CLADIS GALLOR IN BRAB 23. MAI"; im Kreis darum 12 Städteschilder, darunter Brüssel, Antwerpen, Brügge.
Randschrift: DOMINVS TRADIDIT EVM IN MANVS FEMINAE IVDITH XVI C
Avers-Inschrift: „Ludwig ist groß, Anna ist größer". England hat sich unter Königin Anna (1702-1714) auf Seiten der Kaiserlichen in Belgien aktiv an der Bekämpfung Frankreichs beteiligt.

Lit.: FORSTER Nr. 743. – JULIUS Nr. 691.

20.92

Medaille auf den Sieg bei OUDENAARDE

1708; Prinz Eugen von Savoyen (1663–1736); Stempelschneider: Martin Brunner (Nürnberg 1659 – 1725) und Georg Friedrich Nürnberger (Nürnberg 1682–1724)

Silber, Dm 4,25 cm; 28,80 g

Avers: AD EXORNANDAM LAVREAM // EVGENII ET MARLBORVGII CONIVNCTIO GALLORVM DISSIPATIO
Zwei belorbeerte Feldherren (Eugen links und Marlborough rechts) brechen von zwischen ihnen stehender Lilie Blüten.
Revers: VAE TIBI LVDENTI NAM MOX POST IVBILA FLEBIS // GALLI GANDAVO ET BRVGA CAP/TA. ALDENARDAM OBSES/SVRI VINCVNTVR / MDCCIIX XI IVL; sign.: MB
Ein unter einem Baum sitzender Bauer ködert einen links stehenden Hahn.
Im Avers zerpflücken die kaiserlichen Feldherren die Lilie (französisches Schildzeichen); im Revers wird der „gallische Hahn" (=Frankreich) von einem Landmann geködert.

Lit.: Kat. Eugen Nr. 116. – MONTENUOVO Nr. 1308.

20.93

Medaille auf den Einzug Karls III. in Madrid

1710; Kaiser Karl VI. (1711–1740) als spanischer König Karl III. (1703–1714); Stempelschneider: Philipp Heinrich Müller (Augsburg 1654–1719)

Silber, Dm 4,5 cm; 30,06 g

Avers: CAROLVS III D G HISPAN ET INDIAR REX; sign. P.H.M.
Brustbild in Harnisch rechts.
Revers: MELIOR NUNC REGNAT IN AVLA VIRG (= Vergil) // MADRITO / ITERVM RECEPTO / MDCCX
Bienenkorb.
Randschrift: REGE INCOLVMI MENS OMNIBVS VNA EST VIRG
Karl III. als Nachfolger der spanischen Könige. „Besser regiert es sich in der Residenz (Aula = Bienenkorb)". Nach den Siegen des Feldmarschalls Guidobald Graf Starhemberg zog König Karl III. gegen Ende September zum zweiten Mal in die Hauptstadt Madrid ein, konnte sich dort aber nur kurze Zeit halten.

Lit.: Kat. Barock Bd. 1, S. 154. – LAUFFER S. 73. – MONTENUOVO Nr. 1353.

20.94

Medaille auf die Einnahme von Douay, St. Venant, Bethune und Aire

1710; Prinz Eugen von Savoyen (1663–1736) und John Churchill Herzog von Marlborough (1650–1722); Stempelschneider: Philipp Heinrich Müller (Augsburg 1654–1719)

Silber, Dm 4,5 cm; 30,25 g

Avers: EVGENIVS FRANC DVX SABAV IOHANNES DVX D MARLB S R I P

Beider gegenständige Brustbilder: links Prinz Eugen, rechts der Herzog von Marlborough.
Revers: MVNIMENTA OCCVPATA // MDCCX
Fünf Stadtansichten in Kartuschen: Bethune, Arlen, S.Venant etc.
Randschrift: ARMORVM FOEDERATORVM FRVCTVS
Hier lassen sich die verschiedenen Formen der Kronen gut unterscheiden: Palisadenkronen = Erstürmung von Schanzen, Mauerkronen = Eroberung von Festungen.

Lit.: FORSTER Nr. 760 var. – Kat. Eugen Nr. 174. – WURZBACH Nr. 1946.

DEUS VIVIT (GOTT LEBT)

20.95 – 20.105

KATHOLIKEN UND DIE BEGINNENDE GLAUBENSSPALTUNG

Religiöse Themen finden sich immer wieder auf Medaillen, vor allem in den Kleinformen, wie sie auch heute als kleine Medaillen zur Erinnerungen an Wallfahrten verwendet werden. Hier aber geht es vornehmlich um größere Medaillen, die vor allem im Sinne der Propaganda besonders von protestantischer Seite zu verstehen sind.

20.95 s. II, S. 721, Abb. 224

Dreifaltigkeitsmedaille des Kurfürsten Moritz von Sachsen (1541–1553)

1544; Stempelschneider: Hans Reinhardt der Ältere (um 1500–1581 in Leipzig)
Silber (vergoldet), Dm 18 cm; 282,17 g

Avers: PROPTER SCELUS POPULI MEI PERCUSSI EUM: ESSAIAE VIII
Gottvater sitzt mit Krone, Zepter und Reichsapfel auf einem Chorgestühl, auf seinem Schoß ein Kuzifixus mit der Taube des hl. Geistes; zu beiden Seiten je ein Engel.
Revers: REGNANTE MAURITIO D G DUCE SAXONIAE ZC GROSSUM HUNC LIPSAE HR CUDEBAT ANNO MDXLIIII MENSE IANU
Auf einer von Engeln gehaltenen Tafel die 42 Zeilen des Athanasianischen Glaubensbekenntnisses.
Diese Medaille wurde vom protestantischen Herzog als Geschenk für die Reichsfürsten in Auftrag gegeben. Das Athanasianische Glaubensbekenntnis im Revers, das sowohl für Katholiken als auch für Protestanten verbindlich war, ist als Versuch zu verstehen, einen Ausgleich zwischen den beiden christlichen Konfessionen zu erzielen.
Einzelne Teile der Medaille sind extra gearbeitet und aufgelötet. Es war dies die einzige Möglichkeit, das hohe und zugleich filigrane Relief herzustellen.

Lit.: DOMANIG (DM) Nr. 758. – LÖBBECKE Nr. 566. – HABICH Nr. 1962.

20.96

Ulrichskreuz auf die Schlacht auf dem Lechfeld

o.J., um 1700
Silber (Guß), 5,2 x 5,2 cm; 19,59 g

Avers: CRVX / VICTORIA / LIS
Bekrönte Madonna mit Christuskind auf Mondsichel frontal stehend; in den beiden Querbalken Engel mit Kreuz fliegend.
Revers: Ansicht der Schlacht auf dem Lechfeld

bei Augsburg; darüber fliegender Engel, darunter Einzelkampf zweier Reiter.
In der Schlacht auf dem Lechfeld südlich von Augsburg im Jahr 955 wurde das Vordringen der Magyaren nach Mitteleuropa endgültig beendet. Der Erfolg in der Schlacht wird dem wundertätigen Eingreifen des Heiligen Ulrich, des Bischofs von Augsburg, zugeschrieben, der ungerüstet mit erhobenem Kreuz unter die Kämpfenden getreten sein soll und sie mit seinen Gebeten zum siegreichen Aushalten motiviert habe. Als Pilger- und Wallfahrtszeichen, auch mit Amulettcharakter, treten silberne Ulrichskreuze nachweislich erst nach der Mitte des 17. Jahrhunderts auf. Vermutlich anläßlich der Krönung Josephs I. in Augsburg dürften sie in ansehnlicher Zahl unter die Leute gebracht worden sein. Sie sind bis in das vorige Jahrhundert in verschiedenen Varianten und aus verschiedenen Materialien hergestellt worden.

Lit.: FRIESENEGGER Nr. 356.

20.97

Heraclius-Medaille auf die Rückholung des Kreuzes aus dem Heiligen Land

o.J.; Stempelschneider: zugeschrieben: Michelet Saulmon (Paris um 1410)
Silber (späterer Guß), Dm 9,1 cm; 169,08 g

Avers: Büste des Kaisers auf Mondsichel rechts.
Revers: Kaiser in triumphalem Dreigespann mit dem Kreuz heimkehrend.
Erfundene historisierende Medaille auf den byzantinischen Kaiser Heraclius (610/641), der das Kreuz Christi den Sassaniden entrissen hatte und 630 in Jerusalem aufrichten ließ. Beim Einzug in Jerusalem soll ihm ein Engel erschienen sein, der ihn tadelte, weil er versucht hatte, auf dem Wagen sitzend in die Stadt einzuziehen, während Jesus auf einem Esel reitend Jerusalem betreten hatte. Das Medaillon ist nur in späteren Güssen bekannt. Bis in das 17. Jahrhundert wurde es für antik gehalten. Erst 1890 gelang die zweifelsfreie Identifizierung mit einem Stück, das in der Sammlung des Duc de Berry (um 1413) erwähnt ist, womit die Datierung des Stücks in das 15. Jahrhundert sichergestellt ist.

Lit.: POLLARD Nr. 6. – ÖTK 37 (1969), S. 271, Abb. 374 und 375.

20.98

Wahrheitstaler des Herzogs Heinrich Julius von Braunschweig-Wolfenbüttel (1589–1613)

Silber, 4,2 cm; 29,10 g

Avers: RECTE / FACIENDO / NEMINEM / TIMEAS / 1598; im Kreis HENRI IVLI DEI GRATIA APOST EPIS HAL D B E L P P C
Revers: Im Feld VERITAS VINCIT OMNIA CALVMMENIA DACIVM
Auferstehender Heiland umgeben von 13 Wappen.

Lit.: WELTER Nr. 629.

20.99

Erzgebirgische Prägemedaille

Joachimsthal, o.J., nach 1540; Stempelschneider: Johann Milicz (oder aus seiner Werkstatt, Joachimsthal, tätig 1545–1570)
Silber, Dm 5,3 cm; 41,20 g

Avers: GOT SCHAFT DIE WELT DVRCH SVN VND GIBTS IM VND SEIN BRVDERN ZVM; in zweiter Zeile: ERB-TEIL
Gottvater mit Weltkugel frontal, die Rechte segnend erhoben.
Revers: DAS BLVT IESV CHRISTI GOTTES SON MACHT VNS REIN VON ALLER SVN I IOH
Kreuz, von dessen Armen Marterwerkzeuge hängen; davor Schild mit Christi Wundmalen von zwei Engeln gehalten.
Für die Avers-Inschrift vergleiche Brief an die Hebräer 1,3: „(Gottvater hat) .. den Sohn zum Erben des Alls eingesetzt und durch den er auch die Welt erschaffen hat“, aber auch Johannes 1, 10: (Jesus) war in der Welt und die Welt ist durch ihn geworden“. Die Revers-Inschrift stammt aus dem 1. Brief Johannes 1, 7: „. . . das Blut seines Sohnes Jesus reinigt uns von allen Sünden“.

Lit.: KATZ Nr. 479. – für den Avers vgl. FIALA (Stempel) 39.

20.100

Harzer Tauftaler

Zellerfeld, 1721

Silber, Dm 6,2 cm; 28,68 g

Avers: TAUFFET SIE IHM NAMEN DES VATERS UND DES SOHNES UND DES H. GEISTES
Johannes der Täufer tauft Jesus im Jordan.
Revers: 10 zeiliger Text.

Lit.: GOPPEL-BLUM-HOLLER Nr. 4444.

20.101

Halber Schautaler aus dem Erzgebirge

o.J., 16. Jahrhundert

Silber, Dm 2,6 cm; 14,35 g

Avers: DER SLANGEN LIST HEFT ADAM V EVA VNS I DO GEFOR G 3 (Genesis 3)
Adam und Eva unter dem Baum der Erkenntnis.
Revers: DI SET IST HEILIG V HE IS D PE 3 HIM WER D ENG GO S ST A V NID
Jakobs Traum – Der Engel auf der Himmelsleiter zwischen schlafendem Jakob und Gottvater.

Lit.: GOPPEL-BLUM-HOLLER Nr. 6. – KATZ Nr. 26.

20.102

Medaillen-Klippe auf das Kinderfriedensfest in Augsburg

1704; Stempelschneider: Georg Friedrich Nürnberger (Nürnberg 1682–1724)

Silber (rechteckig) 3,1 x 3 cm; 8,68 g

Avers: WANN SIE NOCH REDEN WILL ICH HÖREN ES. 65 // AVGSPVRGISCHER / KINDER FRIE/DENS FEST
Eine Familie mit sechs Kindern unter dem strahlenden Zeichen der Dreifaltigkeit betend.
Revers: DER SITZET / AN DER HÖCHSTEN STÄTT / HATS FEINDES LIST / GETILGET // 13. AVG. /; sign.: G.F.N. (Chronogramm)
Im Zuge des Spanischen Erbfolgekrieges wurde die Stadt Augsburg 1704 von den kaiserlichen Truppen eingenommen (vgl. Kat.Nr. 20.87).

Lit.: FORSTER Nr. 89. – JULIUS Nr. 661. – GOPPEL-BLUM-HOLLER Nr. 773.

20.103

Jakobstaler (Löser zu 5 Talern)

Zellerfeld oder Goslar, 1634; Herzog Friedrich Ulrich von Braunschweig-Wolfenbüttel (1613–1634); Stempelschneider: Henning Schlüter (1623–1672, Zellerfeld)

Silber, Dm 9,6 cm; 144,56 g

Avers: FRIDERICVS VLRICVS DEI GRATIA DVX BRUNSWICENSIS ET LUNEBURGENSIS 1634
Fünffach behelmtes elffeldiges Wappen.
Revers: OCEANI FRUCTUS CONCHAE SUNT ATQVE METALLA VT CONCHAS AVGE NOSTRA METALLA DEVS; in zweiter Zeile oben SANCT IACOB
Heiliger Jacobus mit Pilgerstab und Buch unter strahlendem Gottesnamen auf Wolken frontal in gebirgiger Landschaft stehend; rechts bescheint die Sonne eine Bergwerksanlage, links im Hintergrund eine Kirche (Kathedrale von Santiago di Compostela).
Bisher unpubliziertes Stück. Diese Löser sind nur als 12-, 10-, 8- und 6-fache Taler bekannt. Der Apostel Jakobus soll von Herodes Agrippa im Jahr 44 enthauptet worden sein. Seine Gebeine wurden nach Spanien überführt, wo sein Grab im Jahr 820 entdeckt worden sein soll. Dieser Ort wurde im 11. Jahrhundert zu dem berühmten Wallfahrtsort Santiago di Compostela.
Der Sinn der Ausgabe solcher Löser (Silberstücke in mehrfachem Talergewicht) lag darin, nicht kursfähige, aber auf Münzfuß stehende Stücke auszugeben und je nach privatem Vermögen ihren Zwangsumtausch zu fordern. Damit konnte in privater Hand ein Edelmetalldepot angelegt werden, das die Staatskasse nicht belastete. Revers-Inschrift: „Des Ozeans Früchte sind Muscheln – und Metalle sind wie Muscheln – Gott möge unsere Metalle vemehren".

Lit.: WELTER Nr. 1038 (dort nur Löser zu 10 Talern).

20.104

Medaille auf den Neubau der Wiener Dominikanerkirche

1630; Ferdinand II. (1619–1637); Stempelschneider: Giovanni Pietro de Pomis (Lodi 1569 – Graz 1633)

Bronze (Guß, vergoldet, ziseliert), Dm 10,1 cm; 285,37g

Avers: PER NOSTRI GES REGNANTI ET CONDITTORES LEGVM PIE IVSTA DECERNVNT PER NOS PRINCIPES AVSTRIAE IMPERANT // im Abschnitt: DVRABITTABILIBVS .... / PRAESIDIIS

Dominikanerkirche beschützt von Maria, links knieend die Kaiser Ferdinand II. und Ferdinand III., rechts Herzog Leopold VI. und Ferdinand I.
Revers: 20 zeilige Inschrift in Kranz

Lit.: ÖKT 37 81969), S. 274, 3. – HERRGOTT Bd. 2, Taf. 3, Nr. 7.

20.105

Plakette der Madonna lactans

o.J.; Stempelschneider: Antonio Abondio (Mailand 1538 – Wien 1591)
Blei (oval), 10,5 x 8,8 cm

Einseitig: Bildnis der Madonna lactans (Madonna das Jesuskind stillend) frontal; links sign.: AN AB
Diese Plakette ist eine Replik nach einem silbernen Original. Ein solches findet sich – in der Umschrift als Anfertigung für Paul Sixtus Trautson ausgewiesen – in der Kunstkammer des Wiener Kunsthistorischen Museums. Die Rückseiteninschrift dieses Exemplars mit Widmungsinschrift datiert die Plakette in die 80er Jahre des 16. Jahrhunderts. Die feine Durchbildung des Gesichts läßt Dürers Einfluß erkennen.

Lit.: Kat. Prag Nr. 490. – FIALA (Abondio) Taf IX,1.

20.106–20.117

PÄPSTE

Gerade an der Institution des Papsttums als oberster Glaubenshüterin und der damit verbundenen zentralen Ausrichtung auf Rom hat sich der Streit mit den Protestanten entzündet.

20.106

Piastra des Papstes Urban VIII. (1623–1644)

1638/39; Piastra = Scudo d'argento (Rom, Jahr 20 = 1638/39); Stempelschneider: Gaspare Mola (Breglio um 1580 – Rom 1640)
Silber, Dm 4,1 cm; 31,18 g

Avers: VRBANVS VIII PONT MAX A. XV; sign.: G.M.
Brustbild barhäuptig nach rechts.
Revers: VIVIT DEVS // ROMA
Heiliger Michael im Drachenkampf rechts.
Die päpstlichen Prägungen sind meist nach dem Regierungsjahr datiert, oft auch nach absoluten Jahreszahlen. Das Reversbild leitet sich vom Namenspatron des Inthronisationstages her.

Lit.: MUNTONI Nr. 40. – CNI Nr. 484.

20.107

Piastra des Papstes Urban VIII. (1623–1644)

1643; Piastra = Scudo d'argento (Rom, Jahr 20 = 1643); Stempelschneider: Gaspare Mola (Breglio um 1580 – Rom 1640)
Silber, Dm 4,1 cm; 31,43 g

Avers: VRBANVS VIII PON MAX A. XX // 1643 zwischen Signatur G.M.
Büste nach rechts.
Revers: TE MANE TE VESPERE // ROMA
Papst zu gewappnetem Engel mit Waage auf Weltkugel betend.

Lit.: MUNTONI Nr. 33. – CNI Nr. 538.

20.108

Testone des Papstes Urban VIII. (1623–1644)

1637/38; Testone (Roma, Jahr 14 = 1637/38); Stempelschneider: Gaspare Mola (Breglio um 1580 – Rom 1640)
Silber, Dm 3 cm; 9,52 g

Avers: VRBANVS VIII PONT MAX // AN. XIV; sign.: G.M.
Brustbild nach rechts.
Revers: SVB TVVM PRAESID // ROMA
Muttergottes in Strahlenkranz.

Lit.: MUNTONI Nr. 70 a. – CNI Nr. 475.

20.109

Medaille auf die Errichtung der Kolonnaden auf dem Petersplatz

1656; Alexander VII. (1655-1667); Stempelschneider: Gaspare Morone (tätig in Mantua, 1633-1685 in Rom)
Bronze (Guß), Dm 8,6 cm; 119,29 g

Avers: VATICANI TEMPLI AREA PORTICIBVS ORNATA // ALEX VII; sign.: G.M.
Brustbild nach links.
Revers: FUNDAMENTA EIVS / IN MONTIBVS SANCTIS
Ansicht des Platzes vor der Peterskirche in Rom mit den Kolonnaden des Bernini.

Lit.: ÖKT 37 (1969), S. 271, Abb 376 und 377.

20.110

Medaille auf die Inthronisation des Papstes Clemens XII. (1730-1740)

1730; Stempelschneider: Ferdinand de

Saint Urbain (Nancy 1654-Nancy 1735, 1683-1703 in Rom tätig)
Silber (gelocht, vergoldet), Dm 6,3 cm; 95,38 g

Avers: CLEMENS XII CORSINVS PONTIFEX MAXIMVS
Brustbild mit Tiara rechts.
Revers: REPARATIO FELICITATIS PVBLICAE
Behelmte gerüstete weibliche Figur mit Vase und Ölzweig stehend (Minerva oder Pax?).

Lit.: PATRIGNANI Nr. 8.

20.111

Zwei Baiocchi des Papstes Pius VI. (1775-1799)

Rom, Jahr 20 = 1795
Kupfer, 3,8 cm; 20,81 g

Avers: DVE BAIOCCHI ROMAN; in Kranz
Revers: PIVS SEXTVS – PON M A XX
Wappen.

Lit.: CNI Nr. 270. – MUNTONI Nr. 109 c.

20.112 – 20.117

WELCHES IST DER WAHRE GLAUBE GOTTES FREUND; DER PFAFFEN FEIND

Welches ist der wahre Glaube? Der Protestantismus beruft sich auf das Wort der Schrift. Der Glaubenskonflikt schlägt aber sehr bald in eine politische Auseinandersetzung um. In der Wahl der Schlagworte ist man keineswegs wählerisch gewesen.

20.112

Medaille auf König Gustav II. Adolf von Schweden (1611-1632)

o.J.; Stempelschneider: Paul Walter (1635-1644)
Silber (oval), 9,6 x 7,0 cm; 246,04 g

Avers: GUSTAV ADOLPH D G SUEC GOTH VAND REX MAG PRIN FINL DVX ETHO CAR DOM ING (dux Esthoniae, Carchiae, dominus Ingrae) / CUM DEO ET VICTRICIBUS ARMIS // ENSEM GRADIVUS SCEPT/RUM THEMIS IPSA GUBERNAT
Ganzfigur rechts stehend vor einer Säule, auf der ein Feuer lodert; mit Inschrift: VERBVM / DEI
Revers: PROVERBO FERRO / FÜR GOTTES WORT DAS (Schwert gezeichnet) ICH FÜHR / HERR CHRISTE DIR GILTS UND NICHT NUR / DEIN WORT MAG NIMMER UNTERGAHN / SCHWED HAT SEIN BESTS DABEY GETAN / WIDER DER WELT GOTTLOS WELLEN / MIT GOTT SICH WAGT SELB ZU STELLEN / HERR CHRIST TU IHM GLÜCKLICH BEYSTEHEN /
Gustav Adolph, geb. 1594, gekrönt 1617, gefallen 1632 bei Lützen, ist der Führer der protestantischen Union. Die Medaille selbst ist unsigniert.

Lit.: KÖHLER Bd. 3, S. 198ff.; etwa 4 Stücke bekannt. – DOMANIG (DM) Nr. 301. – WUNDERLY Bd. 4, Nr. 183.

20.113

Medaille auf Martin Luther

1661
Silber (Guß), Dm 4,4 cm; 21,61 g

Avers: MARTIN LUTHER DER HEILIGEN SCHRIFFT DOCTOR WEILAND PREDIGER UND PROFESSOR ZU WITTENBERG; unten 1661
Luthers Brustbild frontal.
Revers: GOTTES WORT UND LUTHERS LEHR VERGEHT NUN UND NIMMERMEHR. ISLEBIE
Stadtansicht von Eisleben.

Lit.: JUNCKER S. 493. – TORNAU Nr. 1470. – GOPPEL-BLUM-HOLLER Nr. 92.

20.114

Medaillen-Klippe der Stadt Nürnberg auf die Säkularfeier der Reformation

1617; Stempelschneider: Christian Maler (Sohn des Valentin Maler, Nürnberg 1578-1641 (?))
Silber (quadratisch), 3,3 x 3,3 cm; 11,24 g

Avers: In Tafel, die von einem Engel gehalten wird: MARTINVS / LVTHERVS / THEOLOGIAE / D (Chronogramm: 1006 + 50 + 5 + 5 = 1066 + 50 + 1 = 1117 + 500 = 1617)
Revers: ECCLESIA NORICA IUBILANS
Eine Hand aus dem Himmel hebt einen Scheffel von brennender Kerze.
Vergleiche dazu das Sprichwort „Sein Licht unter den Scheffel stellen".

Lit.: JUNCKER S. 404. – ERBSTEIN Nr. 18643.

20.115

Taler auf Johann Hus

o. J., um 1700
Silber (Guß), 4,2 cm; 21,92 g

Avers: CREDO VNAM ESSE ECCLESIAM SANCTAM CATOLICAM; im Feld IOA HUS

Brustbild rechts.
Revers: CENTVM REVOLVTIS ANNIS DEO RESPVNDEBITIS ET MIHI; in zweiter Zeile: ANNO A CHRISTO NATO 1415 IO HUS; im Feld CON DEM / NATVR
Hus auf dem Scheiterhaufen stehend.

Lit.: GOPPEL-BLUM-HOLLER Nr. 82. – KATZ Nr. 72.

20.116

Medaille der Stadt Zürich auf die 2. Säkularfeier zur Einführung der Reformation

1719; Stempelschneider: Hans Jakob Gessner (Bonn 1677, tätig in Zürich 1706-1737)

Silber, Dm 3,7 cm; 21,95 g

Avers: MAGISTER HVLDRICVS ZVINGLI // ET 48 AN 1531 (Chronogramm)
Kopf mit Klappmütze nach links; sign: H.I.G.
Revers: LUCE / EVANGELII / DUOB SAECUL / PURE / CONSERVATA / VOTA PUBLICA / CHRISTO / DECRETA TIG CAL IAN // MDCCXIX

Lit.: WUNDERLY Nr. 1031. – GOPPEL-BLUM-HOLLER Nr. 114. – SCHULTHESS-RECHBERG Nr. 6635.

20.117

Pfaffenfeindtaler des Herzogs Christian Ulrich von Braunschweig (1611-1633)

1622

Silber, Dm 4,2 cm; 29,93 g

Avers: CHRISTIAN HERTZ ZV BRAVNSCHW V LVNENB; im Zentrum GOTTES / FREVNDT / DER PFAFFEN / FEINDT
Revers: TOVT AVEC DIEV 1622
Hand mit Schwert aus Wolken links.
Christian Ulrich, seit 1616 auch Administrator des Bistums Halberstadt, stand auf Seiten der Protestanten, wie auch die Inschrift der Vorderseite unmißverständlich klar macht.

Lit.: WELTER Nr. 1382.

VARIA

20.118 – 20.123

STÄDTEANSICHTEN

Die Größe der Medaille – im Vergleich zur Münze – erlaubt sehr detailreiche Darstellungen. Gerade in den Stadtansichten wird dies besonders deutlich.

20.118

„Friedenswunschmedaille“ der Stadt Hamburg

1636; Stempelschneider: Sebastian Dadler (geboren in Straßburg, tätig in Hamburg und Dresden, wo er um 1654 starb)

Silber, Dm 7,9 cm; 132,55 g

Avers: Merkur mit Wappen von Hamburg auf der Brust, Merkurstab und Zweig in den Händen frontal stehend. Eine Hand aus den Wolken weist auf sein Haupt, mit seinem rechten Fuß steht er auf einem Schiff, mit dem linken auf dem Land. Dementsprechend links Personifikation der Schifffahrt (Schiff mit Ruder), rechts Landwirtschaft mit Ähren in der Hand und Spaten.
Revers: oben in Kranz DA PACEM DOMINE / IN DIEBUS NOSTRIS unten in Kranz: LIBERTATEM QUAM PEPERERE MAIO/ RES STUDEAT SERVARE POSTERITAS
Ansicht der Stadt und Hafenanlagen aus der Vogelschau; sign.: S.D.

Lit.: GAEDECHENS Nr. 1553. – DOMANIG (DM) Nr. 511.

20.119

Braunschweiger Löser zu 3 Talern

1679; Herzog Rudolph August von Braunschweig-Wolfenbüttel (1666-1704)

Silber (ehemalige Lochung später gestopft), Dm 7,8 cm; 83,58 g

Avers: D G RUDOLPH AUGVSTUS DUX BRUNS ET LU
Brustbild nach rechts.
Revers: REMIGIO ALTISSIMI
In vier waagrechten Feldern von oben nach unten: Galeere, die Ansichten der Städte Braunschweig und Wolfenbüttel und Jahreszahl sowie eingepunzte Wertzahl.

Lit.: WELTER Nr. 1832.

20.120

Medaille der Stadt Basel auf die Beendigung des 30-jährigen Krieges

o.J., um 1650; Stempelschneider: Friedrich Fechter (tätig in Basel 1629-1653)

Silber, Dm 5,1 cm; 41,96 g

Avers: ALMA BASILEA / S P Q BAS; sign.: FF
Stadtansicht; darüber eine Hand aus Wolken, die das Basler Wappen hält.

Revers: // DEO FAVENTE NEMO / NOCE-BIT
Daniel in der Löwengrube.

Lit.: EWIG Nr. 803.

20.121

Huldigungsmedaille der Stadt Breslau für Kaiser Leopold I.

1665; Stempelschneider: Johann Buchheim (um 1625-1683)

Silber, Dm 5,7 cm; 64,76 g

Avers: HIC DECOR EXTERNUS NUMMUM MELIORA RECUSANT
Ansicht der befestigten Stadt Breslau; darüber von zwei Engeln gehalten das Wappen der Stadt (im Abschnitt in Kartusche VRATISLAVA).
Revers: HUIUS AT IMPERIO MAXIME BRESLA NITET (Pentameter zum Avers)
Brustbild des Kaisers rechts; unter Armabschnitt sign.: I.B.

Lit.: MONTENUOVO Nr. 881. – FRIEDENSBURG-SEGER Nr. 4101. – DOMANIG (DM) Nr. 335.

20.122

Medaille auf den Frieden von Oliva bei Danzig

o.J., um 1660; Stempelschneider: Johann Buchheim (um 1625-1683)

Silber, Dm 5,8 cm; 47,92 g

Avers: IAM VENTI POSUERET
Hafen; sign. I.B.
Revers: GERMEN ADORAT FULMINIBUS POSITIS URBS LAURI; in zweiter Zeile GEDANUM
Stadtansicht mit Küstenlinie.
Der Friede von Oliva (1660) beendete den schwedisch-polnischen Krieg. Polen verzichtete damit auf den schwedischen Thron; Livland und Estland wurden als schwedischer Besitz anerkannt.

Lit.: VOSSBERG Nr. 954.

20.123

Medaille auf die 3. Säkularfeier des Abfalls der Stadt Danzig von der Herrschaft des Deutschen Ordens

1754; König August III. von Polen (1733-1763)

Silber, Dm 8 cm; 190,04 g

Avers: CRVX EQVITVM EXCRVCIAT PRVSSOS PRVTENA POLONA HANC AQVILAE EXCVTIVNT REXQVE SALVSQVE REGNANT (Chronogramm 1754)
Preußischer Adler mit Kreuz des Deutschen Ritterordens und polnischer Adler vor einer Stadtansicht von Danzig.
Revers: PRVSSIACO LECHICI CASIMIRVS FOEDERIS AVTOR TVTOREM AVGVSTVM SECLA TER ACTA COLVNT; im Feld: DEO AVSPICE / AVGVSTO TERTIO / POLONIARVM REGE POPVLORVM PATER / FELICITER REGNANTE / IUBILAEUM GEDANENSE / UNIONIS PRVTENO POLONAE MEMORIAE / SACRVM / REDVCE INCORPORATIONIS DIE / FERIA QVARTA CINERVM SECVLI QVARTI / NATALI / ANNO / CICICCCLIV
Der von zwei Löwen gehaltene Stadtschild.
1454 sagte sich Danzig vom Deutschen Orden los und wurde nach 1466 freie Stadt unter polnischer Oberherrschaft.

Lit.: VOSSBERG Nr. 1155.

20.124 – 20.133

KURIOSA

Beliebte Patengeschenke waren Kalendermedaillen, die nicht nur die Wochentage für das laufende Jahr verzeichneten, sondern darüber hinaus für mehrere Jahre verwendbar waren. Das Errechnen des aktuellen Tagesdatums erforderte einigen Aufwand, der uns heute eher als Spielerei anmutet. Die zeitgenössischen Medaillenverzeichnisse bringen jedenfalls die für die richtige Handhabung notwendigen Gebrauchsanweisungen. Auch der Beginn eines neuen Jahrhunderts bot Anlaß für besondere Medaillen.

20.124

Steckenreiter-Klippe aus Nürnberg

1650; Ferdinand III. (1637-1657)

Silber (quadratisch), 2,2 x 2,2 cm; 2,95 g

Avers: FRIEDEN GEDACHTNVS IN NURNBERG; im Feld 1650
Ein Knabe auf einem Steckenpferd links reitend.
Revers: VIVAT / FERDINAND / III ROM / IMP / VIVAT
Gekrönter Doppeladler.
1650 fand eine den Westfälischen Frieden abschließende Zusammenkunft statt. Dabei soll ein Scherzbold das Gerücht verbreitet haben, der kaiserliche Gesandte Octavio Piccolomini würde jedem Kind, das sich auf einem Steckenpferd bei seinem Haus einfinde, einen silbernen Pfennig schenken. Als nun tatsächlich eine große Kinderschar eintraf, vertröstete sie der Ge-

sandte und ließ innerhalb einer Woche diese Klippen ausprägen und an die Kinder verteilen.

Lit.: JUNCKER S. 482. – MONTENUOVO Nr. 823.

20.125

Jeton der Stadt Basel auf den Abschluß des Westfälischen Friedens

1648; Stempelschneider: Friedrich Fechter (in Basel tätig 1629-1653)

Silber, Dm 2,1 cm; 3,17 g

Avers: FRIDEN PFENNIG
Geflügelter Genius Posaune blasend mit Palmzweig fliegend.
Revers: Stadtansicht von Basel.
Der Westfälische Friede beendete den Dreißigjährigen Krieg (1618-1648).

Lit.: ERBSTEIN Nr. 14971. – GOPPEL-BLUM-HOLLER Nr. 5286. – EWIG Nr. 743.

20.126

Medaille auf den Frieden von Rijswijk

1697; Stempelschneider: Christian Wermuth (Altenburg 1661-Gotha 1739)

Silber, Dm 3,7 cm; 15,01 g

Avers: WER ABER FLICKT DEM FRIDT SEINEN BODEN
Füllhorn über Obstschale.
Revers: GOTT LOB / DER KRIEG / HAT NUN / EIN // MDCXCVII
Trommel mit Loch.
Der Frieden von Rijswijk beendet den Pfälzischen Krieg, den der französische König Ludwig XIV. begonnen hatte, um auch das Elsaß seinem Reich einzugliedern.

Lit.: GOPPEL-BLUM-HOLLER Nr. 756.

20.127

Kalendermedaille zur Errechnung von Wochentagen

1699; Stempelschneider: Christian Wermuth (Altenburg 1661-Gotha 1739)

Silber, Dm 4,2 cm; 28,49 g

Avers: Zweifaches Alphabet auf fünffach gekerbter Tafel.
Revers: im Zentrum NEU / UND / ALT; außen Monatsnamen mit Tageszahl sternförmig geteilt.
Die Vorderseite kann für Buchstaben- und Ratespiele verwendet werden; die Rückseite läßt den Wochentag errechnen, wenn man den Wochentag des 1. Jänners des gesuchten Jahres weiß. Solche Stücke figurieren in dem Wermuthschen Verzeichnis als Taufstücke – also als Patengeschenke.

Lit.: WERMUTH S. 95, Nr. CCXXII.

20.128

Kalendermedaille

o. J., um 1694; Stempelschneider: Christian Wermuth (Altenburg 1661-Gotha 1739)

Silber, Dm 5,1 cm; 43,70 g

Avers: Jahrestabelle von 1694 bis 1760.
Revers: Tagestabelle und in Umschrift die Jahreszahlen.
Kalendermedaille für die Jahre 1694 bis 1760, mittels derer es möglich war, den Wochentag eines beliebigen Jahres auszurechnen.

Lit.: WERMUTH S. 49, Nr. CXIX.

20.129

Astrologische Medaille auf die Wahl Karl VI.

1711; Kaiser Karl VI. (1711-1740); Stempelschneider: Philipp Heinrich Müller (Augsburg 1654-1719)

Silber, Dm 4,8 cm; 45 g

Avers: CAROLVS VI VIVAT im Weltall; BIS SEXTO OCTOBRIS ELECTVS FELICIBVS ASTRIS 1711
Carolus-Monogramm inmitten der Gestirne.
Revers: CAESARIS ELECTI SIGNVM MEMORABILE COELIS Spica; Sonne, Mond und Erde.
Die Vorderseite zeigt den Sternenstand am Tag der Geburt; Spica (hellster Stern im Gestirn der Jungfrau); das Geburtsdatum ist aber der 1. Oktober 1685.

Lit.: JOSEPH-FELLNER Nr. 627. – DOMANIG (DM) Nr. 819. – MONTENUOVO Nr. 1358. – JULIUS Nr. 805.

20.130

Medaille auf die Wahl Karl VI.

1711; Kaiser Karl VI. (1711-1740); Stempelschneider: Philipp Heinrich Müller (Augsburg 1654-1719)

Silber, Dm 4,9 cm; 44,40 g

Avers: CAROLVS VI D G R I S A GERM HISP HVNG & BOH R Brustbild in Harnisch und mit Goldenem Vlies und Lorbeerkranz nach rechts; sign.: P.H.M.
Revers: SOL MICAT AVGVSTO CAPRICORNI IN SIDERE SCANDENS SOL TERRAE CAROLVS DVM DIADEMA CAPIT

Kaiserkrone, darunter Sonnenstand zur Kaiserwahl.

Lit.: JOSEPH-FELLNER Nr. 648. – Kat. Barock Bd. 1, S. 110.

20.131

Medaille auf den Jahrhundertbeginn

1706; Fürst Karl Wilhelm von Anhalt-Zerbst (1667-1718); Stempelschneider: Christian Wermuth (Altenburg 1661-Gotha 1739)

Silber, Dm 5,2 cm; 72,50 g

Avers: CAROL GVILD G PR ANH D S A& W C A D S B I & K
Brustbild in Harnisch nach rechts; sign.: C WERMUTH / C PR A (Cum Privilegio Augusti) 1706
Revers: INTREPIDE ET CONSTANTER
Tanzender Bär, rechts dahinter Wappenschild auf Postament mit Datierungsangabe MDCCI
Der Bär auf dem Revers nimmt Bezug auf das Wappentier von Bernburg, einer Nebenlinie des anhaltinischen Fürstenhauses.

Lit.: ERBSTEIN zu Nr. 7539. – vgl. Katalog Peus 318 (Frankfurt Mai 1987) Nr. 2283.

20.132

Schraubmedaille auf die Feier des neuen Jahrhunderts

1700; Kaiser Leopold I. (1657-1705); Stempelschneider: Philipp Heinrich Müller (Augsburg 1654-1719) verlegt bei Friedrich Kleinert

Silber, Dm 5 cm; 34,88 g

Avers: SAECVLO FESTAS REFERENTE LVCES
Saturn auf Wolke sitzend mit Sense und Schlangenring, darin XVII // GLORIA SAECVLI / VIRTVS CAESS
Revers: HIS EGO NEC METAS RERVM NEC TEMPORA PONO // LEOPOLDO ET IOSEPHO AVGG / SAECVLARIA SACRA / CELEBRANTIBVS / 1700
Leopold und Joseph vor Dreifuß sitzend, daneben Saturn das alte Jahrhundert mit Sense und Stundenglas zerbrechend; daneben steht das neue Jahrhundert mit einem Füllhorn.
Randschrift: ANNVS SAECVLARIS XVII A NATO IESV CHRISTO; CVI GLORIA SIT DICENDA IN SAECVLA .FK.
Ursprünglicher Inhalt: sieben Miniaturwahlspruchmedaillen der Kaiser und Könige des vergangenen Jahrhunderts.

Lit.: LAUFFER S. 51. – HORSKY Nr. 2198 (leer). – MONTENUOVO Nr. 1161.

20.133

Medaille über die Gewinnung und Verwendung des Geldes

o.J., um 1686; Herzog Ernst August I. von Braunschweig (1679-1698); Stempelschneider: Heinrich Bonhorst (Münzmeister in Murden 1669-1671, in Clausthal 1674, gestorben 1711)

Silber, 6,5 cm; 87,03 g

Avers: SIC VENIUNT
Vor Bergwerkslandschaft und Schmelzhütten trägt ein bärtiger Mann (Saturn) mit Stelzfuß ein mit Münzen gefülltes Füllhorn; unter dem Saturn ein Rutengänger.
Revers: SIC ABEUNT
Ähnlicher, aber geflügelter Mann stehend schüttet aus einem Füllhorn Geld in einen Brunnen; links ein Palast, rechts Soldaten und Andeutung einer Schlacht (Pulverdampf); zu seinen Füßen drei Pfaue stehend.
Diese Medaille ist an sich bekannt, aber im Gewicht eines dreifachen Talers bisher unbelegt.

Lit.: BROCKMANN Nr. 740 a. – SCHNEIDER Nr. 88. – vgl. MÜSELER Nr. 10.4.3.1.

PORTRÄTMEDAILLE AUS DEM BUCH VON HERRGOTT

20.134

Medaille auf die Vermählung Philiberts II. von Savoyen mit Erzherzogin Margarete

o. J., um 1502; Herzog Philibert II. von Savoyen (1497-1504); Stempelschneider: Jean Marende (um 1502 tätig)

Bronze (Guß, vergoldet), Dm 9,8 cm; 301,20 g

Avers: PHILIBERTVS DVX SABAVDIE VIII MARGVA MAXI CAE AVG FI D SA
Beider Brustbilder gegenständig hinter Palisaden vor mit Knoten von Savoyen und Margariten bedecktem Hintergrund.
Revers: GLORIA IN ALTISSIMIS DEO ET IN TERRA PAX HOMINIBVS BVRGVS
Wappen (Österreich, Burgund alt und neu)
Margarete von Österreich, Tochter Kaisers Maximilian war in erster Ehe mit Johann, dem Sohn Ferdinands II. von Aragon verheiratet. Schon ein Jahr vorher wurde Maximilians Sohn Philipp, der Schöne, mit der Schwester Johanns, mit Johanna verheiratet – ganz im Sinne der maximilianischen Politik, das Haus Habsburg zur europäischen Großmacht zu machen. Diese große Gußmedaille (im Original 490 gr in Gold) hat Jean Marende im Auftrag der

Stadt Bourg als Hochzeitsgeschenk (zur Hochzeit am 2. August 1502) geschaffen.

Lit.: JONES Nr. 16. – HERRGOTT Bd. 1, Taf. 17, Nr. 81. – DOMANIG (PM) Nr. 19. – KÖHLER Bd. 15, S. 121-128.

20.135 – 20.137

SUITENMEDAILLEN

Die Medaillen-Suiten oder Serien-Medaillen (so WURZBACH, S. 56) sind Medaillen gleichartigen Aussehens, gleichartiger Ausstattung und Konzeption, die retrospektiv hergestellt worden sind, d.h. von ihrem Herstellungsjahr zurückgehend eine Reihe von Herrschern oder Ereignissen in gleichartiger Weise darstellen. Die bekannteste und erste Suite ist die auf die Taten Ludwigs XIV. von Frankreich, welche zunächst unter Patronanz der „Académie Royale des Médailles et des Inscriptions" erschienen, später von der Akademie verlegt worden ist. Diese Serie wurde dann unter dem Nachfolger Ludwig XV. weitergeführt. Sie umfaßte im Jahr 1702 bereits 286 Medaillen; bis 1723 war sie auf 318 angewachsen.
Etwa um die gleiche Zeit entstanden solche Suiten auch in der Schweiz und in Deutschland. Die vielleicht bekannteste ist die Papstsuite von Georg Wilhelm Vestner und Philipp Heinrich Müller (Augsburg 1654-1719) im Auftrag von Caspar Gottlieb Lauffer.
Zeitgleich ist die Produktion der 215 Suiten-Medaillen auf die römischen Kaiser von Julius Caesar bis auf Karl VI. von Christian Wermuth („Numismata Imperatorum Romanorum").

20.135

Suite auf die französischen Könige

Silber, Dm 3,4 cm

Avers: Kopf des Königs nach rechts.
Revers: Lebensdaten in französischer Sprache.
Im Jahr 1715 gab die Medaillen-Münze in Paris auf Veranlassung von Nicolaus de Launay eine Suite von Jetons auf die französischen Könige heraus. Ihre 65 Stück sind von Thomas Bernard (nach FORRER, Bd. 1, von Jean Dassier) ausgeführt. In späterer Zeit wurden noch 17 Nummern (bis 1870) hinzugefügt. Die Stücke sind unsigniert, der Buchstabe P im Revers bezeichnet vermutlich lediglich die Münzstätte Paris. Die Serie beginnt mit einem sagenhaften fränkischen König namens PHARAMOND (417/428), der auch von Herrgott als einer der Stammväter des habsburgischen Hauses geführt wird) und endet hier in der Sammlung mit der Nummer 65, einem Jeton auf Ludwig XIV. Hier im Münzkabinett fehlen die Nummern 3, 16, 20, 23, 27, 29, 31, 38, 59, 64.

20.136

Wermuthsche Kaisersuite

Gipsabdrücke der Medaillen auf die römischen Kaiser von C. Iulius Caesar bis auf Karl VI. (1711-1740)

Avers: Kopf des Kaisers.
Revers: verschieden: Wappen, Schrift oder auch bildliche Darstellungen.
Wie bei der Papstsuite (s. Kat.Nr. 20.137) sind auch hier Laden und beschreibende Blätter erhalten geblieben, die zeigen, daß den Gipsabdrücken besondere Bedeutung beigemessen worden ist. Die Abdrücke sind bestens erhalten und allein schon von ihrer handwerklichen Ausfertigung her eine Besonderheit. Ihr Entstehungsdatum läßt sich nicht genau bestimmen; vermutlich stammen sie aber schon aus dem 18. Jahrhundert. Im Original findet sich die Devise des Kaisers als Randschrift – natürlich nicht auf den Gipsabdrücken.

oben: Lucius II, Alexander III; unten: Coelestin II, Innozenz II, Gregor VII

Papstmedaillen von Caspar Gottfried Lauffer

Stempelschneider: Georg Hautsch, Martin Brunner, Philipp Heinrich Müller und Georg Wilhlm Vestner. Eine Signatur L.J.M. ist noch unidentifiziert.

Bronze, 3,8 cm

Avers: Bildnis des jeweiligen Papstes nach rechts oder links.
Revers: Mehrzeilige Inschrift mit Nennung des Namens und wichtigster Daten zu Leben und Regierung.
Die gesamte Serie besteht aus 253 Stück und zeigt alle Päpste mit Petrus beginnend. Die Medaillen orientieren sich keineswegs an originalen Vorbildern, sondern geben alle Päpste dem damaligen Zeitgeschmack entsprechend wieder. Es zeigen daher die Dargestellten – zumindest für die Frühzeit – keinerlei individuelle Porträtzüge. Die Serie ist sicher in den Jahren 1709 bis 1712 entstanden, denn 1709 hat Lauffer die Prägeanstalt von Friedrich Kleinert übernommen und die Widmungsmedaille auf den Bischof von Bamberg und Kurfürsten von Mainz Lothar Franz von Schönborn (1693-1729) ist in das Jahr 1712 datiert. Diese Serie ist auch nach 1712 weitergeführt worden, da auch jüngere Päpste noch vertreten sind. Von Franz von Schönborn stammt überhaupt die Anregung, eine solche Serie aufzulegen. Ihr Sinn und Zweck wird auf der Widmungsmedaille genannt: „SANCTAE SEDIS ROMAE AETERNA MEMORIA“ – die ewige Erinnerung an den Heiligen Römischen Stuhl. Besonders stolz war Lauffer, wie der Einleitung zu seinem Verzeichnis zu entnehmen ist, „die Reihe der Päpste in eine richtige und von der römischen Kirche gebilligte Ordnung“ gebracht zu haben. Die Suite wurde nach dem Laufferschen Katalog in den verschiedenen Metallen, aber stets in einheitlicher Größe angeboten. Wieviele solcher Serien noch vollständig erhalten sind, ist unklar. Aus einem Dankesschreiben des Kardinals Annibale Albani geht hervor, daß Lauffer dem Vatikan 1713 eine Serie geschenkt hat. Eine weitere Serie ging 1740 an das Predigerkloster seiner Heimatstadt Nürnberg – jetzt im Germanischen Zentralmuseum in Nürnberg. Weitere annähernd komplette Serien befinden sich in Schloß Pommersfelden, im Mittelrheinischen Landesmuseum in Mainz und im Münzkabinett des Historischen Museums Frankfurt, sowie auch im Münzkabinett des Kunsthistorischen Museums in Wien. Die hier ausgestellte Folge soll in ihrer Fülle einen Eindruck von dem Begriff der Medaillenserie vermitteln. Irgendwann, vermutlich noch im 18. Jahrhundert, wurden von allen Medaillen zweiseitige Gipsabdrücke zu Studienzwecken angefertigt. Zur Aufbewahrung fertigte man ent-

sprechende Münzladen mit vertieften Fächern zur Aufnahme der Medaillen an. Außerdem legte man handschriftlich Blätter an, die in gleicher Legung wie auf den Tabletts Namen und Lebensdaten der Päpste verzeichnen. Bemerkenswert dabei ist, daß die letzten Eintragungen deutlich von anderer Hand und flüchtiger ausgeführt sind (Hinweis auf das Entstehungsdatum dieser Blätter). Die Texte auf den Blättern sind mit denen der Rückseiten der Medaillen nicht identisch, sondern gekürzt. Der künstlerische Wert der Medaillen ist an sich nicht besonders hoch, sondern er liegt in seiner kulturhistorischen Bedeutung. Es wurde Wert auf einheitliche Ausstattung und Aussehen gelegt. Die einzelnen Stücke sind zumeist signiert; an der Handschrift der einzelnen Künstler wären sie kaum richtig zu unterscheiden. Aus der gesamten Serie fehlen folgende Päpste: Gregor VII. (mit Gipsabdruck), Clemens VI. (ohne Gipsabdruck), Leo X. (mit Gipsabdruck) und Benedikt XIV. (ohne Gipsabdruck). Von der Widmungsmedaille gibt es ebenfalls nur einen Gipsabdruck.

Lit.: BERNHEIMER S. 120ff. – FÖRSCHNER.

20.138 – 20.139

SCHRAUBENMEDAILLEN

20.138

Schraubtaler des Erzherzogs Maximilian

Hall 1615; Erzherzog Maximilian von Tirol (1602-1618)

Silber, Dm 4 cm; 12,88 g mit Einlageblättchen (nach 1741)

Avers: MAXIMILIANVS DG ARC AVS DVX BVRG STIR CARN
Barhäuptiges Brustbild nach rechts.
Revers: NEC NON ARCHIDVCES DVC BVR COM TIRO
Großes Wappen mit Tiroler Adler im Mittelschild umgeben vom Goldenen Vlies. Eingelegt

sind 12 Bilder auf Marienglas, deren Verzeichnis auf der Innenseite der Münze eingeklebt ist:
1. La reine d'Hongrie 2. Prince Charles de Lorraine; 3. Colonel Menzel; 4. Colonel Bernclau; 5. Colonel Trenk; 6.General Major de Pandoures; 7. Tambour des Pandoures; 8. Figure des Pandoures; 9. Un Tolpache; 10. Un Tolpache de Slavonie; 11. Pandoure dans la furie de defendant; 12. Un Morlac dans son armature.

Dieser Schraubtaler ist aus zwei Münzen zusammengesetzt, deren Prägedatum rund 130 Jahre vor der Entstehungszeit der Bilder liegt. Die Bildchen zeigen Soldaten in Uniformen, die im österreichischen Erbfolgekrieg eingesetzt worden waren. Dieser Krieg um das Erbe Maria Theresias ergriff bald ganz Mitteleuropa und gefährdete den Bestand der Monarchie. Unvorbereitet und ohne ausreichende Geldmittel war man damals auf jede Hilfe angewiesen, die sich geboten hat. So hat die Kaiserin zunächst freudig auf die Freicorps zurückgegriffen, die etwa Trenck ihr angeboten hatte. Diese und andere, vor allem aus dem Osten der Monarchie stammenden, Hilfsvölker waren zunächst keine regulären Truppenteile, sondern beteiligten sich an den kriegerischen Handlungen vornehmlich aus Plünderungsabsichten. Im Zuge der Ereignisse gelangten diese Soldaten bis vor die Tore Augsburgs, wo sich der Kupferstecher Martin Engelbrecht (1684-1756) – äußerst geschäftstüchtig – darum bemühte, diese furchterregenden Gestalten in einer Reihe von Kupferstichen darzustellen. Offensichtlich war diese Produktion sehr erfolgreich, denn bald nach einer deutschsprachigen Serie ist auch eine in französischer Sprache erschienen. Ein unbekannter Maler wählte nun aus diesen Kupferstichen die Vorbilder für seine Marienglasbilder. Aus den verschiedenen Serien Engelbrechts wurden neben der Kaiserin vier Heerführer und 7 Soldaten für die Wiedergabe ausgewählt.

1. Die Königin von Ungarn = Maria Theresia
2. Prinz Karl von Lothringen
3. Johann Daniel Baron von Menzel (1698-1744)
4. Johann Leopold Bärnklau Freiherr zu Schönreith (1700-1746)
5. Freiherr Franz von der Trenck
6. Generalmajor der Panduren
7. Tambur der Panduren
8. Ein Pandur
9. Ein Tolpatsch (Soldat zu Fuß)
Das Wort Tolpatsch stammt aus dem Ungarischen (talpas = breitfüßig) und bezeichnet ursprünglich den ungarischen Fußsoldaten.
10. Tolpatsch aus Slawonien
11. Ein Pandur im Eifer der Verteidigung
12. Ein Morlac in Uniform

Die Beschriftung auf der Innenseite der Münze entspricht ziemlich genau den Bildunterschriften der französischen Serie der Kupferstiche. Über Anlaß, Auftraggeber und Besitzer dieses Stückes kann man nur spekulieren. Als ziemlich sicher kann gelten, daß dieses Stück eine Einzelanfertigung ist, zumindest ist aus der Literatur kein zweites Stück bekannt. Unter den dargestellten Heerführern ist Franz Seraph von der Trenck nicht zuletzt durch den Film „Trenck der Pandur" mit Hans Albers aus dem Jahr 1940 bekannt geworden.

Bemerkenswert ist die große zeitliche Differenz zwischen der Münze und dem Inhalt. Möglicherweise wurde der Schraubtaler erst in sekundärer Verwendung für die Aufbewahrung der Pandurenbilder verwendet und hatte ursprünglich anderen Inhalt.

Avers: VOGELHUBER Nr. 122/VIII; Revers: (Taler Rudolphs II. aus Hall 1609) MOSER-TURSKY Stempel R 225 (stempelgleich).

Zur Technik: Die Tatsache, daß Vorderseite und Rückseite – numismatisch gesehen – nicht zusammenpassen, macht deutlich, daß für die Anfertigung von Schraubtalern jeweils zwei Münzen benötigt wurden. Von jeder wurde eine Seite so bearbeitet und ausgefräst, daß das gesamte Material mit Ausnahme einer dünnen Platte und dem Gewinde als seitlicher Rand entfernt worden ist. Zwei so bearbeitete Stücke konnten dann zusammengeschraubt werden und schützten somit den Inhalt – seien dies nun Bilder auf historische Ereignisse, oder, wie auch oft verwendet, Bilder mit verschiedenen Kostümen. Die frühen Schraubtaler sind eher Einzelanfertigungen, erst im 19. Jahrhundert gibt es solche Schraub oder – weit einfacher, auch Steckmedaillen in größerer Zahl.

In der Sammlung der Österreichischen Nationalbank liegt ein Schraubtaler aus der Zeit Maria Theresias mit zwölf handkolorierten Papierbildern, die gleichfalls Panduren und Angehörige anderer Truppenkörper darstellen, aber deutlich auf eine andere Vorlage zurückgehen.

20.139

Schraubmedaille auf die erste Stände-Versammlung in München

1819; Stempelschneider: Johann Thomas Stettner (Nürnberg 1786, tätig 1806-1840)

Silber, Dm 4,9 cm; mit gedruckter, handkolorierter Einlage

Avers: DES VOLKES GLÜCK MAXIMILIANS HÖCHSTER RUHM
Königsbüste auf einem mit Wappen geschmückten Postament; links daneben stehende Viktoria.
Revers: ZUM ANDENKEN AN DIE ERSTE STAENDE VERSAMMLUNG Z: MÜNCHEN
Auf einer Pyramide: HEIL / UNSERN / ED-

LEN / STAENDEN; daneben ein sitzender Genius; // D. 4. FEBRUAR / 1819
Inhalt: Bemalte Einlageblättchen mit verschiedenen Ansichten: Einzug der Ständeversammlung in die Hofkirche.
Diese Medaille ist schon eigens für den Zweck, Papierbildchen aufzunehmen, geschaffen worden. Erhalten geblieben ist die Originalschatulle mit ausgespartem Platz für die Medaille und einem eingeklebten Beiheft, das die Umstände erläutert, die zur Anfertigung dieser Medaille geführt haben. Das Heftchen betitelt sich: „Beschreibung der merkwürdigsten Ereignissse des Jahres 1819" mit folgenden Kapiteln:
1. Kongreß zu Wien als Grund der landständischen Verfassung in Deutschland
2. Maximilian Joseph gibt seinen Baiern eine neue Verfassung mit Landständen
3. Eröffnung der Ständeversammlung
4. Die Landstände an der Tafel des Königs (Verspeist wurde ein großer Fisch aus dem Wallersee und getrunken wurde Wein aus dem 30-jährigen Krieg; der Wein war also bereits über 150 Jahre alt)
5. Die Erste Kammer (Aufzählung der Mitglieder)
6. Die Zweite Kammer (Aufzählung der Mitglieder)
7. Die Stände feyern den Jahrestag der Constitution
8. Schluß der Ständversammlung
9. Heimkehr der Abgeordneten
In den beiden Innenseiten der Medaille sind je ein Bild eingeklebt: im Avers „Die feyerliche Eröffnung der Ständeversammlung", im Revers: „Der feyerliche Einzug der Abgeordneten in die Hofkirche zu St. Michael". Die anderen Bildchen zeigen beiderseits verschiedene Stadtansichten: Augsburg, München, Würzburg, Nürnberg, Regensburg, Bamberg, Ansbach und Bayreuth. Die Bilder selbst sind gedruckt und handkoloriert. Offensichtlich handelt es sich um Präsentstücke, die an die Teilnehmer an der ersten Ständeversammlung verteilt worden sind.
Zum historischen Hintergrund: Auf dem Wiener Kongreß hatte man sich auf die Einführung ständischer Verfassungen in den Ländern des ehemaligen Reiches geeinigt. War bereits 1808 eine entsprechende Konstitution ausgearbeitet worden, so traten ihre repräsentativen Organe nicht zusammen. Erst neun Jahre später konnte die Konstitution so weit vorbereitet werden, daß der König am 26. 5. 1818 die Verfassung genehmigen konnte. Damit war der autokratisch–monarchische Führungsstil endgültig überwunden und das Mitspracherecht der Stände verfassungsmäßig garantiert.

Lit.: BEIERLEIN Nr. 2514. – CLAUSS Nr. 69.

LITERATURVERZEICHNIS

A. ARMAND, Les medailleurs italiens de quinzième et seizième siecles (1883).
J. P. BEIERLEIN, Münzen und Medaillen des Gesammthauses Wittelsbach (1897–1901).
F. BERNHEIMER, Georg Wilhelm Vestner und Andreas Vestner. Zwei Nürnberger Medailleure (1984).
A. BERSTETT v., Versuch einer Münzgeschichte des Elsasses (1840).
BÖHMEN = Anonym, Beschreibung der bisher bekannten böhmischen Privatmünzen und Medaillen (o. J.).
BRETTAUER = Eduard HOLZMAIR, Katalog der Sammlung Dr. Josef Brettauer. Medicina in Nummis (1957).
G. BROCKMANN, Die Medaillen der Welfen. I. Linie Wolfenbüttel (1985).
DERS., Die Medaillen der Welfen. II. Linie Lüneburg / Hannover (1987).
H. CLAUSS, Der Schraubtaler und seine Geschichte, Mitteilungen der Bayerischen Numismatischen Gesellschaft 31 (1913), S. 1–46.
CNA = Helmut JUNGWIRTH, Corpus Nummorum Austriacorum, Bd. V: Leopold I. – Karl VI. (1657–1740) (1975).
CNI = Corpus Nummorum Italicorum, Rom 1910–1943: Corpus Nummorum Italicorum vol. 16. Roma, parte 2 dal 1572 al 1700.
K. DOMANIG (DM), Die deutsche Medaille in kunst- und kulturhistorischer Hinsicht (1907).
K. DOMANIG (PM), Porträtmedaillen des Erzhauses Österreich von Kaiser Friedrich III. bis Kaiser Franz II. (1896).
G. DUVE, Dicktaler-Prägungen (1544–1679) (1974).
E. EGG, Die Münzen Kaiser Maximilians I. (1971).
ERBSTEIN = Sammlung Erbstein, Auktion Hess, Frankfurt 1908.
EWIG = Sammlung Ewig, Historisches Museum Basel, Katalog II., Basler Münzen und Medaillen (1899).
Leonard FORRER, Biographical Lexicon of medaillists, coin, gem and seal-engravers, 500 B.C. – A.D. 190 (1902-1930).
E. FIALA (Fiala Stempel), Katalog der Münzen- und Medaillen-Stempelsammlung des k.k. Hauptmünzamtes in Wien (1901-1906).
A. FORSTER v., Die Erzeugnisse der Stempelschneidekunst in Augsburg und Ph. H. Müllers nach meiner Sammlung und die Augsburger Stadtmünzen (1910).
G. FÖRSCHNER, Papstgeschichte auf Medaillen. Münzkabinett im Historischen Museum Frankfurt am Main (Kleine Schriften des Historisches Museums der Stadt Frankfurt 11, 1978).
J. FRIESENEGGER, Die Ulrichskreuze (1937).
F. FRIEDENSBURG, H. SEGER, Schlesiens Münzen und Medaillen der neueren Zeit (1901).
O. C. GAEDECHENS, Die neueren hamburgischen Münzen und Medaillen. Eine Fortsetzung des Hamburgischen Münz- und Medaillen-Vergnügens von Langermann (1843–1876).
G. GALSTER, Danske ok Norske Medailler og Jetons ca. 1533 – ca. 1788 (1936).
GOPPEL–PLUM–HOLLER = Sammlung Goppel-Plum-Holler, Münzen- und Medaillensammlung Goppel – Dr.Plum – Holler. (Auktion Kreß 115. Oktober 1960), München 1960.
G. HABICH, Die deutschen Schaumünzen des XVI. Jahrhunderts (1929–1934).
HELDENZEITALTER = Münzen und Medaillen des Österreichischen Heldenzeitalters 1683–1794. Europalia 87, Ausstellung Brüssel 1987/1988.
L. HERINEK, Österreichische Münzprägungen 1657–1740 (1972).
DERS., Österreichische Münzprägungen 1740–1969 (1970).
M. HERRGOTT, R. HEER, Numotheca Principum Austriae, quae a prima aetate, qua in Austria cusa fuit moneta, sub Babenbergicae stirpis Marchionibus ad usque Habsburgicae gentis principes, linea Hispano-Austriacae, huiusque ultimum masculum, Carolum II.

regem Hispaniae, numus cuiuscunque formaae et metalli typis aeneis expressos, deducit (1752).
A. HIRSCH, Die Medaillen auf den Entsatz Wiens 1683 (1883).
HORSKY = Sammlung Horsky, Münzen und Medaillen der österreichisch - ungarischen Monarchie, (Versteigerung Adolf Hess) Frankfurt 1911.
K. JAEGER, Die Münzprägung des Hauses Habsburg 1780–1918 und der Republik Österreich (1970).
JOSEPH–FELLNER = P. Joseph, E. Fellner, Die Münzen von Frankfurt am Main nebst einer münzgeschichtlichen Einleitung (1893).
JULIUS = Sammlung Julius, Sammlung Dr. Julius, Auktion R. Gaettens Heidelberg 1958.
C. JUNCKER, Reformatio in Nummis bis 1706 (1706).
Kat. Barock = Die Welt des Barock (Oberösterreichische Landesausstellung 1986 im Augustiner Chorherrenstift St. Florian, 1986).
Kat. Eugen = Liselotte Popelka, Eugenius in Nummis. Kriegs- und Friedenstaten des Prinzen Eugen in der Medaille (Ausstellung 1986/87, 1986).
Kat. Prag = Prag um 1600. Kunst und Kultur am Hofe Kaiser Rudolfs II. Ausstellung Kunsthistorisches Museum Wien (1988).
V. KATZ, Die erzgebirgische Prägemedaille des XVI. Jahrhunderts (1931).
KRAUSE–MISHLER, Standard Catalogue of World Coins (1986).
C. G. LAUFFER, Das Laufferische MEDAILLEN-CABINET oder Verzeichnis aller Medaillen welche, sowohl die historischen Begebenheiten von A. 1679 biß A. 1742 als auch andere christlich = moralische Betrachtungen nebst der vollkommenen Reihe der roemischen Paebste enthalten und noch itzo bestaendig zu finden in Nuernberg bey Caspar Gottlieb Lauffern des Hoch = - Loebl. Kreises Muentz = Rath und General-Muentz = - Wardin nebst einem Vorbericht (1742).
LÖBBECKE (Sammlung), Kunstmedaillen des XVI. bis XX. Jahrhunderts von Deutschland, Niederlande, Frankreich, England. (Auktionskat. XVIII Riechmann & Co, 1921).
M. MARKL, Die Münzen, Medaillen und Prägungen mit Namen und Titel Ferdinand I. (1896).
MONTENUOVO = Sammlung Montenuovo. Verzeichnis verkäuflicher Münzen aus der fürstlich Montenuovschen Münzsammlung. Österreich. (Auktion Hess), Frankfurt 1895.
N. MOROSINI, Münzen und Medaillen der gefürsteten Grafschaft Tirol. (Auktion Brüder Egger 1913), Wien.
MOSER–TURSKY = H. Moser, H. Tursky, Die Münzen Kaiser Rudolfs II. aus der Münzstätte Hall in Tirol 1602–1612 (1986).
K. MÜSELER, Bergbaugepräge. Dargestellt auf Grund der Sammlung PREUSSAG AG (1983).
F. MUNTONI, Le monete dei Papi (1974).
NORRIS = A. S. Norris, I. Weber, Medals and Plaquettes from the Molinari Collection at Bowdoin College (1976).
J. C. C. OELRICHS, Erläutertes Chur- und Brandenburgisches Medaillencabinett zur Geschichte Friedrich Wilhems des Großen (1778).
A. PATRIGNANI, Le medaglie pontifice da Clemente XII 1730 a Pio VI. (1939).
E. POLIVKA, Prazsky rytec a medailér Antonin Guillemard (1988).
J. G. POLLARD, Medaglie Italiane del Rinascimento. Museo Nazionale del Bargello. I.: 1440-1530 (1984).
PROBSZT (Kä.) = G. Probszt-Ohstorff, Die Kärntner Medaillen, Abzeichen und Ehrenzeichen (Buchreihe des Landesmuseums für Kärnten 11, 1964).
PROBSZT (MT) = G. Probszt-Ohstorff, Schau- und Denkmuenzen, welche unter der glorwuerdigen Regierung der Kaiserinn Koeniginn Maria Theresia gepraegt worden sind (1782, Nd. hrsg. von G. PROBSZT-OHSTORFF, 1970).
PROBSZT (Pomis) = G. Probszt-Ohstorff, Der Medailleur, in: Der innerösterreichische Hofkünstler Giovanni Pietro de Pomis 1569-1633) (Joannea IV), hrsg. von K. WOISETSCHLÄGER (1974), S. 175-190.
R. SCHNEIDER, Medaillen und Schaumünzen des Barock und Rokoko. Ausstellungskat. Kulturgeschichtliches Museum Osnabrück (1988).
SCHULTHESS–RECHBERG = J. und A. Erbstein, Die Ritter von Schulthess-Rechbergsche Münz- und Medaillen Sammlung, als Anhang zum „Thaler-Kabinet" (1868/69).
K. SCHULTZ, Antonio Abondio und seine Zeit. Sonderausstellung des Münzkabinetts (November 1988 – März 1989, 1988).
K. TANNICH, Die Münzen und Medaillen der Fürsten zu Schwarzenberg, Schwarzenberger Jb. (1938), S. 49ff.
O. TORNAU, Die Münzgeschichte der Grafschaft Mansfeld während der Kipperzeit und die gräflich mansfeldischen Kippermünzen (1930).
Rudolf VOGELHUBER, Taler und Schautaler des Erzhauses Habsburg. 1484–1896 (1971).
F. A. VOSSBERG, Münzgeschichte der Stadt Danzig (1852).
L. Welzl von WELLENHEIM, Verzeichnis der Münz- und Medaillensammlung des k. k. Hofrates Leopold Welzl von Wellenheim (Auktionskat. Wien 1844-1846).
G. WELTER, Die Münzen der Welfen seit Heinrich dem Löwen (1973).
C. WERMUTH, Specificatio derer Medaillen oder Schaustücke so zeithero in Gold, Silber, vergüldt und puren Kupfer, auch englischen Zinn verfertigt. Mit zwei Continuationes (1698–1701).
F. WIELANDT–ZEITZ, Die Medaillen des Hauses Baden. Denkmünzen zur Geschichte des zähringen – badischen Fürstenhauses (1980).
WINDISCH–GRÄTZ = E. Fiala, Collection Ernst Windisch-Grätz (1895–1912).
WUNDERLY = W. Tobler-Meyer, Die Münz- und Medaillensammlung des Herrn Hans Wunderly - v. Muralt (1896).
WURZBACH = W. v. Wurzbach-Tannenberg, Katalog meiner Sammlung von Medaillen, Plaketten und Jetons (1943).

VERZEICHNIS DER SIGNIERENDEN STEMPELSCHNEIDER

Philipp Heinrich Müller (Kat.Nrn. 24, 26, 39, 40, 70, 83, 84, 88, 90, 91, 93, 94, 129, 130, 132, 137)
Georg Friedrich Nürnberger (Kat.Nrn. 21, 85, 89, 92, 102)
Matteo de'Pasti (Kat.Nr. 27)
Giovanni Pietro de Pomis (Kat.Nrn. 34, 104)
Hans Reinhardt der Ältere (Kat.Nrn. 33, 95)
Erasmus Thomas Reuss (Kat.Nr. 3)
Ferdinand de Saint Urbain (Kat.Nr. 110)
zugeschrieben: Michelet Saulmon (Kat.Nr. 97)
Michael Schalenberger (Kat.Nr. 58)
Henning Schlüter (Kat.Nr. 103)
Nikolaus Schwab (Kat.Nr. 19)
Massimiliano Soldani (Kat.Nr. 38)
Johann Thomas Stettner (Kat.Nr. 139)
Josef Tautenhayn (Kat.Nr. 7)
Ulrich Ursenthaler (Kat.Nr. 50)
Andreas Vestner (Kat.Nr. 12)
Georg Wilhelm Vestner (Kat.Nrn. 68, 69, 137)
Paul Walter (Kat.Nr. 112)
Christian Wermuth (Kat.Nrn. 126, 127, 128, 131)
Anton Franz Widemann (Kat.Nrn. 6, 9)
Konrad Franz Widter (Kat.Nr. 46)
Johann Jakob Wolrab (Kat.Nrn. 59, 62, 65, 80)
Johann v. Wolffgang (Kat.Nr. 14)
Johann Nepomuk Würth (Kat.Nr. 17)

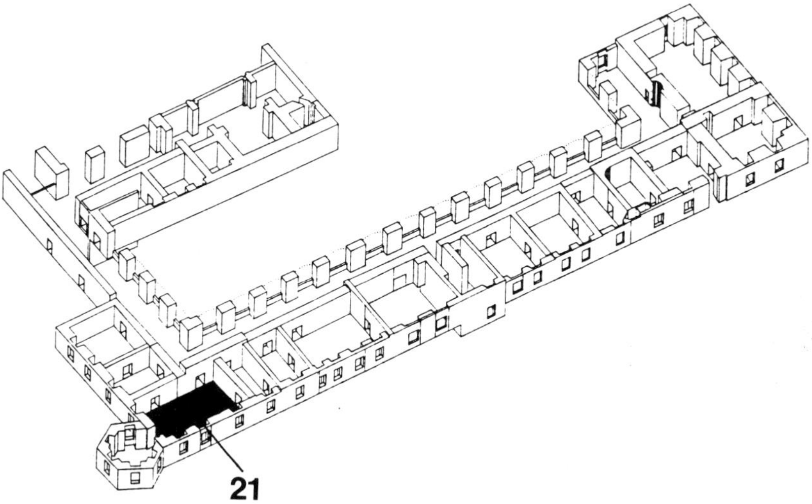

21

Kunstkammer

Kunst- oder „Wunderkammern" stehen in einer Tradition, die im deutschen Sprachraum in der zweiten Hälfte des 16. Jahrhunderts begonnen hat und aus der Sammeltätigkeit geistlicher und weltlicher Fürsten und Herren erwachsen ist. Das Sammeln nicht nur sakraler Kunstgegenstände sondern auch profaner Objekte führte zu einer bunten Vielfalt, der sich auch das Stift St. Paul nicht entzogen hat. Diese Vielfalt wird veranschaulicht durch die Gegenüberstellung von Exponaten, die sich nebeneinanderstehend ergänzen und illustrieren. Sie finden dabei ihre gegenseitige thematische Entsprechung oder folgen Assoziationen.
Die Verknüpfung von Kunstwerk und Kunsthandwerk, von Kleinodien und Kuriositäten erlaubt gleichzeitig, auf die Vielfalt von Materialien hinzuweisen: Elfenbein, Bronze, Blei, Holz, Alabaster, Ton, Porzellan, Glas und Wachs stehen der geradflächigen Technik von Graphik und Malerei gegenüber. Letzteren sind die Wandflächen vorbehalten: Skizzen für Altar- und Deckengemälde sowie Stilleben runden die Ausstattung der Kunstkammer ab.

ALOIS BRANDSTETTER

Glanz und Gloria II ,,Kunstkammer", Graphiksammlung und Gemäldesammlung

Die barocke Kunstkammer war immer auch eine Schatz- und Wunderkammer. So hat sich in die Galerie neben Bildern und Plastiken, Glas und Gläsern, Humpen und Pokalen auch manches Rare, Abnorme oder Kuriose des Kunsthandwerks oder auch der Natur verirrt. So wie man (v.a. Adel und Kirche), aus dem Vollen lebend, nichts dabei fand, große Musik während des Tafelns und des Klapperns des Bestecks aufführen zu lassen, so hat man in der Kunstkammer neben der Hochkultur auch die Volkskultur, neben dem großen Gemälde auch die mineralogische, botanische oder zoologische Kuriosität archiviert, den präparierten Schmetterling neben seiner virtuosen Darstellung. Die Räume 21, 23 und 24 der Ausstellung vermitteln uns – freilich in der Konzentration auf Malerei, Plastik und Graphik – einen Eindruck vom Reichtum und der Fülle eines barocken Kabinettes. Multum et multa: Viel und Bedeutendes ist in Raum 23 versammelt. Wer würde sozusagen nicht zusammenzucken, wenn er die Namen Dürer, Altdorfer, Holbein, Troger und Rembrandt liest. Ähnliches wiederholt sich in Raum 24, der Gemäldesammlung. Dort hängt unter vielem anderem ,,Die Anbetung der Hirten" von Peter Paul Rubens. 1621, also zu Beginn des 30jährigen Krieges ist das Gemälde entstanden. Mehr als 150 Jahre später malte M. J. Schmidt das ,,Letzte Abendmahl" für Spital am Pyhrn. Daran erkennt man nicht nur die europäische Dimension und Dauer, die ,,Ausdauer" des Barock, sondern auch die oft beschriebene österreichische Verzögerung und Verspätung. Die österreichische Seele ist *empfänglich* oder *anfällig* fürs Barocke... Das Barock hat das Kunst- und Schönheitsideal der Österreicher bis in die Gegenwart herauf geprägt, ähnlich wie ,,Il Mito Absburgico", der Habsburgische

Mythos, die österreichische Literatur auch, ja gerade nach dem Ende der Monarchie beschäftigt, wie Claudio Magris überzeugend dargestellt hat. Es ist evident, daß etwa auch im ,,Kärntner Kolorismus'' der Maler des sogenannten Nötscher Kreises (Anton Kolig, Franz Wiegele) an das Barock erinnert wird. Oder denken wir an das bedeutendste Werk der christlichen Kunst der Gegenwart in Österreich, die Fresken zur Apokalypse in der Engelskapelle des nahen Stiftes Seckau des Kärntners Herbert Boeckl...

SCHWARZWÄLDER TRACHTENFIGUREN

St. Blasien, um 1800, oder St. Paul, Anfang des 19. Jahrhunderts

Holz, geschnitzt, farbig gefaßt; H 12–16 cm

Stift St. Paul

Seit der Wiederbesiedelung durch die Mönche aus der Schwarzwaldabtei St. Blasien zu Beginn des 19. Jahrhunderts besitzt das Stift St. Paul wichtige Zeugnisse zur frühen Kleidung im Schwarzwald. Es handelt sich um über 300 (von ehedem etwa 400) holzgeschnitzte und bunt bemalte kleine Figuren, die ebensoviel Beobachtungsgabe wie Humor erkennen lassen: Händler, Amtsleute und Bauern besuchen einen Jahrmarkt, um sich mit Wolle, Tüchern, Schuhen und sonstigem Alltagsbedarf zu versorgen. An großen Tischen feiert eine ausgelassene bäuerliche Festgesellschaft. Ein Feiertag im dörflichen Leben zeigt Musikanten, Tänzer, Zecher und Genießer in fröhlicher Runde vereint.

Eine bewußte Darstellung ausgesprochener Trachtenformen der Gegend um St. Blasien wird man in dieser Sammlung nicht sehen dürfen. Vielmehr dürfte es eher um eine Wiedergabe von Menschen in ihren Alltags- und Festtagskleidern gehen, wobei selbstverständlich Elemente von Trachten im engeren Sinne vorkommen. Das unmittelbare Gebiet des Klosters St. Blasien war vielleicht auch zu arm und volkstumsmäßig zu wenig ausgeprägt, als daß sich in ihm eine eigene Tracht hätte entwickeln können; man bediente sich hier vielmehr der weit verbreiteten *Hochschwarzwälder Trachtenformen.* Auch wandten sich obrigkeitliche Erlasse, so die Kleiderordnung des Fürstabts Martin II. Gerbert von St. Blasien aus dem Jahre 1773, gegen allzu großen Prunk beim „gemeinen Volk". Lediglich in der südlich an das Klostergebiet angrenzenden *Grafschaft Hauenstein,* zu der St. Blasien bis 1596 faktisch zählte, kam es im Zusammenhang mit den häufigen

Selbständigkeitsbestrebungen der dortigen Bevölkerung schon ab der ersten Hälfte des 18. Jahrhunderts zur Herausbildung einer *eigenen Tracht*.
Die Entstehungszeit dieser volkskundlichen Köstlichkeiten ist den bisher bekannten Quellen nicht zu entnehmen; sie dürfte kurz vor oder kurz nach der Übersiedelung der St. Blasier nach Kärnten anzusetzen sein. Entweder haben sie als Erinnerungsstücke an die alte Heimat die weite Reise vom Schwarzwald nach Kärnten mitgemacht oder sind erst in St. Paul durch die Hand der st.blasianischen Neuankömmlinge entstanden; eine spätere Verwendung älterer Trachtenabbildungen als Vorlage wäre nicht auszuschließen. Die im Laufe der Jahre stark mitgenommenen Figuren erfuhren in jüngster Zeit neben einer geglückten Neuzusammenstellung in drei Gruppen eine gründliche Überarbeitung; hierbei war man bestrebt, die alte Fassung nach Möglichkeit wieder sichtbar zu machen.
Einer vergleichenden Untersuchung bedürfen diese Figuren noch mit einer kleinen Sammlung ähnlicher Schöpfungen im Badischen Landesmuseum in Karlsruhe. Die Überlieferung, wonach diese der Hand des Kammerdieners des letzten Fürstabtes von St. Blasien und ersten Abtes des neuzeitlichen St. Paul, Anton Beck, zugewiesen werden, scheint derzeit noch nicht gesichert.

Lit.: P. ADELMANN, Das Mieder in der Volkstracht des Oberrheins (1939), S. 21 u. Taf. 2. – ÖKT 37 (1969), S. 189f. – B. OESCHGER, Volkskundliche Zeugnisse im Raum St. Blasien, Kat. St. Blasien, Bd.II, S. 295–302 (S.300–302).
Allgemein zur Trachtenkunde der Gegend außerdem: H. ROTT, Zur badischen Trachtenkunde im 18. und 19. Jahrhundert, Ekkhart 6 (1925), S. 69–85. – J. EBNER, Zur Geschichte der Hotzentracht, Mein Heimatland 18 (1931), S. 21–27. – M. RIFFEL, Die Entwicklung der Trachtenhaube im südlichen Teil des Oberrheingebietes (1940). – A. REINHARDT, Schwarzwälder Trachten (1968). – H. SCHMITT, Volkstracht in Baden (1988), bes. S. 52–58.

J. G.

21.2

DIE BAUERNHOCHZEIT

Monogrammist PAME, nach Pieter Brueghel d.Ä. (wohl Breda, um 1525 – Brüssel 1569), bez.: *P. BRUEGHEL. INVENT. Aux quatre vents*, sign. mit Monogramm *PAME;* vermutlich Mitte des 16. Jahrhunderts

Kupferstich, H 37,4/B 42,5 cm

Stift St. Paul, Inv.Nr. 937

Im Vordergrund eine turbulente Tanzveranstaltung; zentral in der Mitte des Bildes hinten die junge Braut unter einem herabhängenden Kronreif. Sie sitzt an einem Tisch, vor ihr ein Teller mit Münzen. Neben ihr ältere Frauen, die im Gespräch mit ihr vertieft sind, eine davon ist im Begriff, eine Münze in den Teller zu geben. Hinter der Braut eine Schar herandrängender Besucher mit Brautgeschenken, u. a. eine Wiege. Im zentralen Bereich der rechten Bildhälfte zwei sich gegenüberstehende Männer ohne weibliche Begleitung, einer davon in Bekleidung höher gestellter Persönlichkeiten, der andere aus einem Krug trinkend. Der Bräutigam (vielleicht der aus dem Krug trinkende?) ist nicht mit Sicherheit festzustellen, eine Tendenz, die in allen „Bauernhochzeiten" Brueghels auftritt.
Möglicherweise ist uns mit dieser Druckgraphik eine Zeichnung Brueghels überliefert, die sich nicht erhalten hat.

Lit.: ÖKT 37 (1969), S. 335, Nr. 933–941.

M.A. J.

21.3

ALM-KIRCHTAG

Switbert Lobisser (Tiffen 1878 – Klagenfurt 1943); Lobissers hakenförmig verbundenes SL-Monogramm in der linken unteren Ecke, bez.: *Originalholzschnitt CC/8, Switbert Lobisser* und *„Finale"*, in der linken Blattecke *„Almkirchtag"*; 1933

Holzschnitt, H 26,5/B 51,5 cm

Stift St. Paul

Das Blatt zählt zu Lobissers lebensvollen Schilderungen bäuerlichen Alltags. Er gibt die Menschen des Landes mit ihren Bräuchen und Festen wieder und bindet zahlreiche novellistische Motive in die Darstellung ein.

Lit.: Switbert Lobisser 1878–1943 (1978).

D. P.

21.4

GLORIE DES HL. EUSEBIUS

Johann Christian Wentzinger (Ehrenstetten 1710 – Freiburg 1797), 1757/61

Öl auf Leinwand, H 30,5/B 93 cm

Stift St. Paul

Zentral auf einer Wolke thront der Benediktinerheilige Eusebius; rechts hält ein Putto die ihm attributiv beigegebene Sense und den Palmwedel – beides Hinweise auf sein Martyrium. Auf den Wolken darunter sitzt links ein hl. Bischof mit Buch, vermutlich der hl. Remaclus von Maastricht. Seinen Bischofsstab hat ein Putto ergriffen. Gegenüber ist der hl. Bischof Amandus von Maastricht, dem zu Füßen eine Schlange aus einer Schale kriecht, wiedergegeben. Hinter ihm erscheint die hl. Wiborada von St. Gallen mit einer weißen Lilie (Zeichen

der Reinheit?) und einem Putto, der die Hellebarde als Hinweis auf ihren Tod und die Märtyrerpalme hält.
Dieses Gemälde wie auch ein weiteres mit der Glorie des hl. Notker dienten als Entwurfskizzen für Wentzingers 1757/1761 gemalte Fresken in der Stiftskirche von St. Gallen. Skizzen und ausgeführte Fresken stimmen weitgehend überein, verändert wurde nur die hl. Wiborada, die am Fresko Nonnenkleidung trägt.
Die Ausstattung der Stiftskirche von St. Gallen war der größte Auftrag Wentzingers, der auch in St. Blasien gearbeitet hat.

Lit.: ÖKT 37 (1969), S. 313, Nr. 109, Abb. 456. – Kat. St. Blasien 1983, Bd.I, S. 288, S. 292, Nr. 246. – A.M. ZIMMERMANN, Kalendarium Benedictinum. Die Heiligen und Seligen des Benediktinerordens und seiner Zweige, 1.Bd.(1933), S. 148ff.

D. P.

21.5

MARTYRIUM DES HL. LAURENTIUS

Franz Joseph Spiegler (Wangen 1691 – Konstanz 1757), um 1740/50

Öl auf Leinwand, H 49,5/B 33 cm

Stift St. Paul

Das Martyrium des hl. Laurentius von Franz Joseph Spiegler ist eine Ölskizze für ein vermutlich verlorenes oder nie ausgeführtes Altarblatt. Spiegler, ein bedeutender oberschwäbischer Meister kirchlicher Malerei des Spätbarock, war u.a. für St. Blasien tätig und schuf vorwiegend Fresken und Altargemälde. Sein Hauptwerk ist das Deckenfresko der Abtei Zwiefalten (1747/51).
Das Martyrium des hl. Laurentius zeigt den Heiligen, der – wie die im 4. Jahrhundert entstandene Legende berichtet – auf einem glühenden Rost gefoltert wird. Zwei Schergen zerren ihn an Händen und Beinen, ein dritter entfacht das Feuer. Die Dynamik des Bildes wird durch den Zeigegestus des Priesters, der auf das Götzenstandbild weist, und durch den römischen Reitersoldaten im Hintergrund noch verschärft.
Das weiße Inkarnat des Laurentius hebt sich deutlich von den übrigen Figuren ab, die durch die Glut des Feuers in einem rot-braunen Farbton erscheinen. Laurentius blickt in den vom Rauch geschwärzten Himmel, wo ein Putto mit dem Palmenzweig, dem Zeichen des Martyriums, erscheint.
Im Besitz des Stiftes St. Paul befinden sich noch weitere Skizzen für Altarbilder von Franz Joseph Spiegler: *Maria mit Kind und Heiligen,*

Schlüsselübergabe, Hl. Anna Selbdritt, Taufe des Frankenkönigs Dagobert, Vision des hl. Antonius v. Padua und *Die Heiligen Hieronymus und Benedikt.*

Lit.: ÖKT 37 (1969), S. 309, Nr. 103, Abb. 448. – Kat. St. Blasien 1983, Bd. I, S. 285.

B. Wi.

21.6

SCHLÜSSELÜBERGABE AN PETRUS

oberschwäbisch, 2. Drittel des 18. Jahrhunderts

Öl auf Leinwand, H 42/B 41,5 cm

Stift St. Paul

Das Gemälde wurde als Skizze für ein Deckenbild entworfen. Im Bildzentrum steht Christus in blauem Gewand mit rotem Umhang auf einem Fels und wendet sich dem knienden Petrus zu. Um die beiden Hauptfiguren sind Hirten, von denen einer links liegend aus einem Buch liest, und Schafe gruppiert. Darüber schweben zwei Engel mit den Schlüsseln, die Petrus übergeben werden sollen. An der linken Bildseite ist noch schemenhaft eine Architekturkulisse zu erkennen.
Aufgrund des Gestaltungsstiles wird das Werk dem Umkreis Franz Joseph Spieglers zugeschrieben.

Lit.: ÖKT 37 (1969), S. 314, Nr. 116.

B. S.

21.7 s. II, S. 717, Abb. 220

TAUFE DER HL. ODILIA (?)

süddeutsch, um 1750

Aquarell, Dm 37,5 cm

Stift St. Paul

Das annähernd kreisrunde Aquarell gibt einen Blick in eine Kirchenkuppel frei, mit illusionistisch gemaltem Tambour, der sich zum Himmel öffnet. Vor der Balustradenöffnung auf einer Freitreppe beidseitig je ein Paar mit Zeigegestus auf die Hauptszene oberhalb der Freitreppe: ein Bischof tauft ein Kind. Seitlich daneben assistierende Personen und Zuschauer. Über dieser Szene, in Wolken gehüllt, Engel und Putti.
Vermutlich handelt es sich um die Darstellung der Taufe der hl. Odilia, die, blindgeboren, beim Akt der Taufe das Augenlicht erhielt. Odilia gründete ein Frauenkloster und wurde meist in der Ordenskleidung der Benediktiner oder Zisterzienser dargestellt. Rechts, neben dem auf das Taufsakrament weisenden Paar, zwei Zisterzienserinnen. Vielleicht ist dieses Aquarell ein Entwurf für das Deckengemälde einer Zisterzienserinnenkirche.
Die kompositionelle Anlage des Aquarells erinnert an den Stil von Matthäus Günther (Unterpreißenberg 1705 – Haid bei Wessobrunn 1788), jedenfalls steht sie im Einflußbereich des süddeutschen Rokoko.

Lit.: ÖKT 37 (1969), S. 330. – Kat. St. Blasien 1983, Bd. I., S. 309 ff.

M. A. J.

21.8

TOTE VÖGEL

deutsch, 1. Hälfte des 18. Jahrhunderts

Öl auf Leinwand, H 48/B 37,5 cm

Stift St. Paul

Lit.: ÖKT 37 (1969), S. 316, Nr. 149.

M. A. J.

21.9

STILLEBEN MIT TOTEN VÖGELN

österreichisch, Mitte des 18. Jahrhunderts

Öl auf Leinwand, H 48/B 61,5 cm

Stift St. Paul

Das Motiv des „Jagdstillebens“ verlegte der Künstler in eine Landschaft, wobei er die toten Vögel in einer diagonalen Reihe spannungsvoll arrangierte. Als kontrastierendes Element läßt er einen Feuersalamander die Szene beobachten.

Lit.: ÖKT 37 (1969), S. 316, Nr. 146. – M.A. JELONEK, Niederländische Genremalerei, JbSP 1989/90, S. 42.

M.A. J.

21.10

HUNDE MIT TOTEN VÖGELN

österreichisch, Mitte des 18. Jahrhunderts

Öl auf Leinwand, H 34/B 53,5 cm

Stift St. Paul

Jagdstilleben in einer Landschaft. Links in der Bildfläche sind zwei Jagdhunde abgebildet. In der Bildmitte am Boden liegen tote Vögel, z.B. ein Auerhahn, ein Eichelhäher und mehrere andere Vogelarten. Ein erlegter Fuchs rechts wiederholt formal die Rückgratlinie des vorderen Jagdhundes, während das Jagdgewehr unterhalb des Fuchses die entgegengesetzte Krümmung beschreibt und gleichzeitig mit der Richtung des zweiten Jagdhundes korrespondiert.

Lit.: ÖKT 37 (1969), S. 316, Nr. 144.

M.A. J.

21.11

BAUERNKIRMES

Kreis des David Vinckboons (Mechelen 1576 – Antwerpen 1629), wahrscheinlich nach 1611 und vor 1620

Öl auf Leinwand, H 64,5/B 95,5 cm

Stift St. Paul

Im Vordergrund Reigentanzende und an einem Wirtshaustisch Tafelnde, im Mittelgrund ein Dorfplatz mit einem Wettschießen und im Hintergrund auf einem Hügel ein Maibaum, um den sich eine Menge schart. Vorder- und Mittelgrund sind mit dazwischen befindlichen Gruppendarstellungen vermittelt: einem Drehorgelspieler mit seinen Zuhörern und, etwas links seitlich, zwei Frauen, die einen Betrunkenen stützen. Ein diagonaler Tiefenzug von dem Wirtshaus rechts unten bis zum Kirchturm fast links oben faßt dieses figurenreiche Motiv kompositionell zusammen. Die einzelnen Szenen dieser Bauernkirmes sind offensichtlich verschiedenen Werken Vinckboons entnommen: die Dresdner Bauernkirmes von 1611 scheint für Teile des Vordergrunds, der Swanenburghsche Nachstich eines Werks Vinckboons für das Wettschießen und andere Details Vorbild gewesen zu sein.

Lit.: ÖKT 37 (1969), S. 291 f., Nr. 14, Abb. 4.22. – M. A. JELONEK, Niederländische Genremalerei, JbSP 1989/90, S. 43 f., Abb.: S. 41.

M.A. J.

21.12

BLUMENSTÜCK MIT EINEM PAPAGEI

Jacob Marrel (Frankenthal 1614 – Frankfurt a.M. 1681), sign. am Brunnenrand: *J. Marrel fe franc.*; aus der Spätzeit des Künstlers

Öl auf Leinwand, H 46/B 58 cm

Stift St. Paul

Links im Bildfeld des Stillebens, ungefähr im Teilungsverhältnis des Goldenen Schnitts, steht eine Blumenvase, darüber eine Brunnenfigur. Rechts im Bildfeld auf dem Brunnenrand ein Papagei. Eine sich entblätternde Blüte, das Zeichen des Verwelkens, kann als Hinweis auf die Vergänglichkeit der Schönheit gedeutet werden, während der Inhalt des Brunnenbeckens, das Wasser, auf ein Lebenssymbol verweist.

Lit.: ÖKT 37 (1969), S. 296, Nr. 51.

M.A. J.

21.13

JAHRMARKT VOR EINEM SCHLOSS

deutsch, 18. Jahrhundert

Öl auf Holz, H 39,5/B 52,5 cm

Stift St. Paul

In der Bildmitte, im Mittelpunkt, ein Schloßbau in einer Flachlandschaft. Vor dieser Architektur eine vielfigurige Darstellung eines Jahrmarktes, der von Schaubuden in heller Farbe akzentuiert wird. Im Vordergrund Reiter, Bauern mit Vieh, Dudelsackspieler und Besucher. Die Jahrmarktszene ist offensichtlich im Typus des 17. Jahrhunderts gehalten. Vermutlich lag dem Maler eine graphische Vorlage im Stil David Vinckboons (Mechelen 1576 – Amsterdam 1629) vor, an der er sich orientierte. Der niederländische Einfluß setzte sich relativ lange durch, selbst noch am Vorabend der Französischen Revolution, als diese Malweise und diese Malmotive schon nicht mehr zeitgemäß waren.

Lit.: ÖKT 37 (1969), S. 316, Nr. 137. – M.A. JELONEK, Niederländische Genremalerei, JbSP 1989/90, S. 42, Abb. 4.

M.A. J.

21.14

DIE HL. FAMILIE

Jacques Callot (Nancy 1592–1635), bez.: *Jac. Callot In. et fec. Nanccy*

Radierung, H 19,1/B 16,6 cm

Stift St. Paul

Vor dunklem Grund in einem Rundmedaillon eine Darstellung der hl. Familie bei Tisch. Links Maria als einfache Frau, rechts das Jesuskind, das aus einem Kelch trinkt, den ihm der Nährvater Joseph reicht. Die Köpfe der Madonna und des Kindes sind von einem Strahlennimbus, der Josephs von einem Reifnimbus umgeben. Am Tisch stehen eine brennende Kerze, ein Becher, eine Obstschüssel und eine Schale.
Der Text der Schriftleiste am unteren Rand lautet: *EIA AGE CARE PUER, CALICEM BIBE, TE MANET ALTER QVI TENSIS MANIBUS NON NISI MORTE CADET*, wonach das Trinken aus dem Kelch schon auf den Opfertod Christi hinweist.
Callots Werk von ca. 900 Radierungen, das hauptsächlich Darstellungen aus dem Volksleben, dem 30jährigen Krieg und Stadtansichten umfaßt, fand große Nachahmung. Seine neue Technik der Radierung (harte Gründe können mit der „Echoppe", einem Instrument, mit dem der schwellende Strich des Kupferstichs nachgeahmt werden kann, behandelt, viel zartere und feinere Linien ergeben) wirkte bahnbrechend.
In St. Paul selbst befinden sich über 50 weitere Radierungen und Kupferstiche Callots.

Lit.: J. LIEURE, Catalogue de loevre de J. Callot, 4 Bde. (1925) – W. KOSCHATZKY, Die Kunst der Graphik (Dtv-Ausgabe 1980), S. 23, S. 143, S. 145. – E. ROUIR, Europäische Graphik im 17. Jahrhundert (o.J.), S.17ff.

D. P.

21.15

LEBENSALTERHUMPEN

um 1600

Glas, lehmfarben, mit bunter Emailmalerei; H 29 cm

Stift St. Paul

Die Standfläche des Humpens ist wulstförmig und mit weißen Tropfen geziert. Der Durchmesser in der unteren Zone ist etwas kleiner, die obere ladet etwas aus. Der solcherart in zwei Zonen geteilte Humpen zeigt jeweils in Arkaden fünf versetzte Szenen in gewundenen Säulen vor terrestriertem Grund. Jede Szene ist zu beiden Seiten von einem Maiglöckchen flankiert. Den oberen Abschluß bildet ein Fries aus Punkten. In den gebundenen Arkaden befinden sich folgende Szenen mit den zugehörigen Inschriften:
„*10 IAR EIN KIND*", Attribut: Steckenpferd. „*20 IAR EIN JÜNGLING*", Attribut: Pokal. „*30 IAR EIN MANN*", der zur Jagd ausreitet. „*40 IAR WOLGETAN*", Attribut: Löwe. „*50 IAR STILLESTAN*"; Attribute: Siegelbrief, Fuchs. „*60 IAR GEHTS ALTER AN*", Attribute: Spieltisch. „*70 IAR EIN GREYS*",

Attribute: Spieltisch und Katze. *„80 IAR NIMMER WEIS"*, Attribut: Katze, im Hintergrund Kirche mit Fiedhof. *„90 IAR DER KINDER SPOT"*, Attribute: Kasten und Reh *„100 IAR GENADT DIR GOTT"*, Attribute: Bahre und Sanduhr auf Totenkopf. Derartige Lebensalter-Gefäße mit ähnlichen Dekorationen haben sich in größerer Zahl erhalten. Vorliegender Humpen zeigt eine Bemalung in der Form, wie sie stilistisch in das späte 17. Jahrhundert weist. Ein vergleichbares Gefäß ist im Museum für Angewandte Kunst in Wien erhalten geblieben.

Lit.: ÖKT 37 (1969), S. 215, Nr. 1.

W. H.

21.16

FUSSBECHER

Schlesien, 1730

farbloses Glas, Mattschnitt und Schliff; H 12 cm

Stift St. Paul

Über einem glatten Scheibenfuß ohne Schaft erhebt sich der Kelch mit einem Tropaion aus Kriegsmaterial – Trommeln, Pulverfässer, Geschütze und Fahnen. Gerahmt ist es durch Bandelwerk und Laubwerk, das den gesamten Becher umzieht. Der obere Rand ist durch Akanthusblätter und Blüten begrenzt.
Vermutlich gehörte dieser Becher zu einem Service, das nicht erhalten blieb.

Lit.: ÖKT 37 (1969), S. 215, Nr. 3, Abb. 296.

W. H.

21.17

TEILE EINES GLAS-SERVICES: BECHER UND POKAL

Schwarzwald oder Böhmen, um 1725

farbloses Glas, Mattschnitt und Schliff; Becher: H 8 cm, Pokal: H 19 cm

Stift St. Paul

Beide Gläser erweisen sich durch das gleiche Wappen an der Vorderseite als auch durch die Verwendung des gleichen Dekors als Teile eines Services: sie zeigen das Wappen des Abtes Blasius III. Bender von St. Blasien (1720-1727), das aus dessen Familienwappen (Mittelschild) – einem Hammer, der durch eine Laubkrone gesteckt ist und von einem Stern und drei Kleeblättern bekrönt wird – und im kreisrunden Hauptschild, der in vier Viertel geteilt ist, aus folgenden Wappen besteht:
Die oberen beiden Viertel zeigen links das

Wappen für Bonndorf (drei auf Hügeln stehende Bohnenstengel), rechts das Wappentier von St. Blasien (ein zum Sprung aufgerichteter Hirsch über einem Andreaskreuz, auf dem sich rechts drei, links zwei Kirchenlampen – für Gutenberg und Berauer Berg – befinden). Im letzten, unteren Feld sind drei Balken zu sehen, die jeweils mit vier Eisenhütchen besetzt sind (Blumegg). Ein Engelskopf mit Mitra bekrönt die Wappenkartusche; eine derartige Darstellung tritt erst unter Abt Blasius III. in Zusammenhang mit dem Wappen von St. Blasien auf. An der rechten Seite befindet sich ein Bischofsstab.
Das Wappen wird von floralem Dekor umrahmt, wobei oben in der Mitte ein Blumenkorb und unten rundherum gekreuzte Palmwedel zu sehen sind. Beide Gläser sind ganz von Laub- und Bandelwerk mit Vasen umzogen. Den oberen Abschluß bildet ein Kugelfries mit nach unten hängendem Bogenrand.
Vermutlich handelt es sich bei diesen beiden Stücken um Teile einer Servicegarnitur, die von Abt Blasius III. in Auftrag gegeben wurde. Es wird eine Entstehung in Böhmen oder im Schwarzwald vermutet.

Lit.: ÖKT 37 (1969), S. 215, Nr. 4, Abb. 296. – Kat. St. Blasien 1983, Bd.I, S. 354, Nr. 304, 305, Abb. 355 (mit weiterer Literatur).

W. H.

21.18

TROPHÄENSERVICE

um 1725-1730

farbloses Glas, Mattschnitt und Schliff

Stift St. Paul

Aus diesem ursprünglich sicher sehr umfangreichen Gläserbestand wird als Beispiel ein Glas in der Form eines Fußbechers gezeigt. An der Vorderseite des Gefäßes mit glattem Scheibenfuß sind Trophäen – Kriegsmaterial, Trommeln, Fahnen usw. – eingraviert.

Lit.: ÖKT 37 (1969), S. 216, Nr. 7.

W. H.

21.19

GLASPOKAL

deutsch, um 1740

Glas, Mattschliff und Schliff; H 23 cm

Stift St. Paul

Über einem glatten Scheibenfuß und einem einfachen Stiel erhebt sich die mit dem Wappen des Fürstabtes Franz II. Schächtelin von St.

Blasien (1727-1747) gezierte Kuppa (schwarzweiß geschachteter Schrägbalken in rotem Feld; die Wappenfarben werden in der Kunstgattung Glas in unterschiedlicher Gravur zum Ausdruck gebracht).

Ob dieses Stück Teil eines von Franz II. Schächtelin in Auftrag gegebenen Services oder ein zu einem bestimmten Anlaß angefertigtes Einzelstück war, ist nicht bekannt.

W. H.

21.20

KREUZSCHILDSERVICE

1778-1782

farbloses Glas, Mattschnitt und Schliff

Stift St. Paul

Von dem Kreuzschildservice sind folgende Gläser ausgestellt: zwei Fußbecher mit glattem Scheibenfuß, die 1778 datiert sind, ein großes und zwei kleine Weingläser aus dem Jahr 1782.

Jedes der Gläser trägt an seiner Vorderseite ein Kreuzschildwappen. In der das Wappen umgebenden Kartusche ist jeweils das Datum eingraviert.

Lit.: ÖKT 37 (1969), S. 216, Nr. 8.

W. H.

21.21

GLAS-ZYLINDERBECHER

Gottlieb Samuel Mohn (1789 Weißenfeld/ Sachsen – 1825 Laxenburg), sign. und dat. am inneren oberen Rand in der abgeschrägten Zone in gotischen Majuskeln: *DEM HOHEN BESCHUTZER DIESER ALTEN KUNST WIDMET DIESES GLAS IN TIEFER EHRFURCHT.G.MOHN AUS SACHSEN.1813;* Wien 1813

farbloses Glas, Transparentmalerei; H 10 cm

Stift St. Paul

In Transparentmalerei ist an der Schauseite dieses Bechers das Wappen des Fürstabtes Berthold III. Rottler (1801-1807/26) zu sehen. Um das schachbrettartige, schwarz-weiße Mittelfeld sind jeweils diagonal versetzt die Felder mit dem braunen, auf Hintergrund stehenden Hirsch auf blauem Feld für St. Blasien und die jeweils weißen Felder mit einem gelben springenden Einhorn für St. Andrä im Lavanttal angebracht. Darunter befindet sich ein silberfarbener Anker auf gelbem Feld, das Wappen des Abtes Berthold III. Rottler. Das gesamte Wappen ist von einem roten hermelingefütterten Mantel mit bekrönendem Fürstenhut umhüllt. Oberhalb des Wappens ist die Krümme des Bischofstabes zu sehen.

Vom Wappen aus gesehen rechts ist in Schwarzlotmalerei eine Fliege aufgemalt; dieses Motiv ist auf den Gläsern dieses Künstlers häufig festzustellen. Der obere goldene Rand ist von einem herabhängenden Bogenfries mit Kleeblättern verziert.

Zu Beginn des 19. Jahrhunderts war der Glasmaler Gottlob Mohn der berühmteste Meister seines Fachs in Wien. Er belieferte zahlreiche Fürstenhöfe mit oftmals signierten Gläsern. Der Zylinderbecher ist eines der wenigen Stücke mit persönlicher Widmung und Wappendarstellung. Das Glas wurde im Jahre 1813 dem Fürstabt Berthold III. Rottler vom Künstler selbst gewidmet.

Auch innerhalb der Glassammlung von St. Paul nimmt dieser Becher eine besondere Stellung ein, zumal er als letztes Erinnerungsstück aufgenommen worden war und zugleich den künstlerischen Höhepunkt bildet. Als Prunkglas einzuordnen, wurde dieses Glas vermutlich ausschließlich an hohen Festtagen benutzt oder nur in den Sammlungen ausgestellt.

Lit.: ÖKT 37 (1969), S. 216, Nr. 9, Abb. 297. – Kat. St. Blasien 1983, Bd.I, S. 356, Nr. 306, Abb.: S. 357 (mit weiterer Literatur).

W. H.

21.22

VIER KELCHE, VORLAGEN FÜR GOLDSCHMIEDE

Virgil Solis (Nürnberg 1514 – Nürnberg 1562), sign. mit Monogramm *VS*

vier Kupferstiche, je H 9,2/B 5,4 cm

Stift St. Paul, Inv.Nrn. 243 – 246

Solis unterhielt in Nürnberg, im Kreise der Nachfolger Dürers, eine Werkstatt, in der eine große Anzahl zierlicher Ornamentstiche hergestellt wurden, die meist als Vorlage für kunsthandwerkliche Arbeiten dienten.

Lit.: J.E. WESSELY, Geschichte der graphischen Künste (1891), S. 71 f. – W. KOSCHATZKY, Die Kunst der Graphik (Dtv-Ausgabe 1980), S. 74, S. 112.

M.A. J.

21.23

ELEFANT

Jost Amman (1539–1591)

Kupferstich, H 6,5/B 8,7 cm

Stift St. Paul, Inv.Nr. 262

Lit.: Kat. Von Albrecht Dürer bis Lovis Corinth. Graphik vom 15. bis zum 20. Jahrhundert (1988), o.S.

B. S.

21.24

EIN ELEFANT IM HÖCHSTEN AUFPUTZ

Johann Elias Ridinger (Ulm 1698 – Augsburg 1767), rechts unten sign. *I.E. Ridinger sculpsit A.* und links unten *P.F.v.G.ad.viv.del.1741.*

Kupferstich, H 30/B 19,4 cm

Stift St. Paul, Inv.Nr. 779

J.E. Ridinger war bis zu seinem Tod in Augsburg tätig. Er hinterließ ein umfangreiches graphisches Werk von naturalistischen Tierstudien.
Auf die prunkvolle Dekoration des auf den Betrachter zuschreitenden Elefanten mit zwei Reitern nimmt eine Inschrift unterhalb des Bildes Bezug: *Ein Elephant im höchsten aufbutz von vorne anzusehen. Die auf dem rüssel, denen ohren, und über denen augen, angewiesene Zeichnungen, seynd mit roth u. grüner farb, auf die haut gemahlet, die unordentl. zurstreuete flecken, deuten auf geklebte goldblätgen an, die stirne ist mit einem rothen tuch, als einer kappe bedeckt, die abgesegete Zähne seynd mit eisen beschlagen, die aufligende grose decke aber ist in einem Stück aus gold und silber gewircket, eines ungemeine glantzes.*

B. S.

21.25

BRUSTBILD EINES SCHWARZEN

Hans Kels der Ältere (Kaufbeuren und Augsburg 1537–1566), um 1530/35

Brettstein, Buchsholz, teilweise vergoldet, Dm 5 cm

Stift St. Paul

Das Relief des Brettsteines zeigt das Brustbild eines vornehm gekleideten, bärtigen Afrikaners im Profil. Links, am Ärmelbesatz ist der Name *IOHAN* eingeschnitzt.
Vom selben Künstler stammt der in St. Paul befindliche Brettstein mit dem Porträt Kaiser Karls V. (s. Kat.Nr. 12.9).

Lit.: ÖKT 37 (1969), S. 286, Nr. 2, Abb. 411. – Kat. St. Blasien 1983, Bd.I, S. 360, Nr. 310.

B. S.

21.26

BÄRTIGER MANN AM FENSTER

Nachahmer des Samuel van Hoogstraeten (Dordrecht 1627 – Dordrecht 1678), Ende des 17. Jahrhunderts

Öl auf Leinwand, H 93/B 71,5 cm

Stift St. Paul

In vorderster Bildebene ein geschlossenes, bleiverglastes Fenster. Der Fenstergriff verdeutlicht, daß der Betrachter von innen nach außen sieht. Von außen schaut ein bärtiger Mann herein, der in beiden Händen eine Trinkschale hält. Zwischen den sechseckigen Fensterrähmchen stecken mehrere Kämme, eine Spielkarte und ein gefalteter Bogen Briefpapier. Teils überschneiden die Rahmen die Gegenstände, teils verdecken diese Gegenstände die Rahmen. Innen- und Außenraum werden so nicht stringent voneinander getrennt, besonders deutlich an der Nase des Bärtigen, die durch das Rähmchen in den Raum hereinzuragen scheint.
Diese Malmanier wird mit Augentäuschung benannt (franz. trompe l'oeil; niederl. Oogen-

bedriegers). Hoogstraeten, ein Schüler Rembrandts, war dieser Malweise wegen bekannt. In den Gegenständen sind symbolische Ermahnungen versteckt: die Spielkarte deutet auf Lasterhaftigkeit hin, möglicherweise auch der Bärtige mit der Trinkschale, die Kämme symbolisieren Eitelkeit. Diese symbolische Bildsprache mit ihren versteckten Sinnbezügen ging im 18. Jahrhundert verloren.

Lit.: ÖKT 37 (1969), S. 293, Nr. 22, Abb. 426. – Kat. St. Blasien 1983, Bd. I, S. 283, Abb. 238. – M. A. JELONEK, Niederländische Genremalerei, JbSP 1989/90, S. 44, Abb. S. 41.

M.A. J.

21.27

SOLDATEN BEIM KARTENSPIEL

Nachahmer des David Teniers d. J. (1610–1694); 18. Jahrhundert

Öl auf Holz, H 37/B 46,5 cm

Stift St. Paul

Die Darstellung orientiert sich an Teniers mehrfach wiederholtem Sujet *Soldaten beim Kartenspiel*. Im Vordergrund steht ein Page mit über die rechte Schulter geworfenem roten Mantel. Vor seinen Füßen liegen Trommel und das abgelegte Rüstzeug der im Hintergrund kartenspielenden Soldaten. Diese tragen jeweils Hut oder Helm. Ein Soldat sitzt am Feuer, ein zweiter steht mit einer Pfeife in der Hand vor dem offenen Kamin und blickt in die Tischrunde.

Lit.: ÖKT 37 (1969), S. 293, Nr. 19.

B. M.

21.28

BACCHANAL

Girolamo Scarselli (Scaracello), um 1670

Radierung, H 20/B 14,5 cm

Stift St. Paul, Inv.Nr. 1682

In ausgelassener Stimmung halten drei Putti ein Trinkgelage ab. Der nackte, mollige Knabe in der Mitte ist mit den Symbolen des griechischen Gottes Dionysos (lat. Bacchus) ausgestattet: Weinkrug, Trinkschale und Thyrosstab. Er reitet auf einem blumengeschmückten Schwein, das die Laster der Unkeuschheit und Unmäßigkeit symbolisiert.

B. Wi.

21.29

PHYSIOGNOMISCHE STUDIEN

Wenzel Hollar (Prag 1607 – London 1677), nach Leonardo da Vinci (Vinci 1452 – Cloux 1519), bez.: *Leonardo da Vinci inu,* sign.: *W. Hollar fecit,* dat.: 1645

Vier Kupferstiche; H 10,2/B 15,9 cm; H 9,7/B 14,4 cm; H 7,5/B 10,7 cm; H 7,2/B 11,4 cm

Stift St. Paul, Inv.Nrn. 1090 – 1093

Hollar lernte die Kunst des Stechens bei Matthäus Merian d.Ä. (Basel 1593 - Langenschwalbach 1650). Seinen Förderer, den Earl of Arundel, begleitete er auf vielen Reisen. In London studierte er die Zeichnungen von Leonardo und reproduzierte einige seiner Karikaturen.

Lit.: ÖKT 37 (1969), S. 336. – J.E. WESSELY, Geschichte der graphischen Künste (1891), S. 152 f. – W. KOSCHATZKY, Die Kunst der Graphik (Dtv-Ausgabe 1980), S. 114, S. 146.

M.A. J.

21.30

SCHLEIFKANNE

Mathes Fürst (?), tätig um 1650 in Bamberg; Bamberg (?), 1653

Zinn, Gravuren; H 39 / Dm 18 cm

Stift St. Paul

Inschrift über dem oberen Bildfeld in drei Zeilen: *DISE.KHANDL.HAT.EIN. GANZ.ERSAMB.HANDWERCH.DER. MAISTERN. NAGELSCHMIT.ALHIE./ZV WOLFSPERG.GOT.VND.IEREN LIEBEN HERN ZOCHVATER MATHES GRILIZ.ZV ERN.VND.GEDACHNVS./MACHEN. LASEN.1.6.5.3.IAR.* Zwischen dem rechten Ehepaar: *ADAM / KANRAD / EISENS / CHMIT.* Beim Schild: Initialen *M.G.* (vermutlich für Mathes Griliz). Bei den figuralen Gravierungen im unteren Feld: *A.M., M.K., M.G., C.P.* und *K.( )* Deckel: Auf dem Aufsatzschild: *A.M.P.A.W. / .CA..M.K..L. / .1.6..5.3. / G.M. / .A.K. / .E.S.* Henkel: (Markenzeichen) Initialen *MF,* darunter die Ziffer *46* (vermutlich Mathes Fürst aus Bamberg). Die sich nach oben zu verjüngende Kanne steht auf drei geflügelten, in Relief gegossenen Engelsköpfchen. In der Mitte ist sie durch einen glatten wulstigen Reifen, der von zwei Bändern mit geflochtenem Dekor begleitet wird, geteilt.
Im oberen Bildfeld befinden sich zwei gravierte bürgerliche Ehepaare, die in der Mitte durch ein Schild mit Rind und Werkzeug getrennt sind. Darüber befindet sich die oben zitierte begleitende Inschrift. Das untere Bildfeld zeigt fünf männliche Gestalten in bürgerlicher Kleidung; über jeder dieser Gravierungen stehen die oben angeführten Initialen.
Die Kanne, die als eines der wenigen Stücke aus altem Lavanttaler Besitz stammt, kann dennoch keiner Kärntner Werkstatt zugeordnet werden, sondern stammt vermutlich ursprünglich aus Bamberg (Meister Mathes Fürst). Die Kanne diente als Zunftkanne der Wolfsberger Nagelschmiede von 1653.

Lit.: ÖKT 37 (1969), S. 247f., Abb. 350. – Kat. Altes Zinn in Kärnten. Sonderausstellung des Landesmuseums für Kärnten (1987), S. 148, S. 150, Nr. 315, Abb.: S. 23.

W. H.

21.31

HOLZHUMPEN MIT ZINNBESCHLÄGEN: sog. LICHTENHEIMER KRUG

um 1750

Holz, Zinnintarsia; H 17,5 / D 16 cm

Stift St. Paul

Der verhältnismäßig niedrige Krug besteht aus Holzdauben und ist innenverharzt. Auf die Holzwandung sind Zinnintarsia aufgegossen, deren Formen geschnitzt wurden. Es sind Jagd- und Rankenmotive in floralem Dekor, die die Außenwand des Kruges schmücken. Sowohl

der Fußteil als auch der obere Rand des Kruges bestehen aus Zinn; der Deckel wurde mit dem Griff gemeinsam aufgelötet.
Krüge dieser Art wurden ursprünglich als Lichtenheimer Krüge bezeichnet.

Lit.: Kat. Altes Zinn in Kärnten. Sonderausstellung des Landesmuseums für Kärnten (1987), S. 100, Abb. 20.

W. H.

21.32

NAUTILUSPOKAL

Johann I. Schuch (um 1700 in Augsburg tätig); Beschauzeichen Augsburg (verschlagen) für 1690/1700 (?), Meistermarke Seling 1748, österreichischer Repunzierungsstempel von 1806/07, R 3 7879; Augsburg, um 1690/1700

Muschel in Silber vergoldeter Fassung, Silberfuß; H 28 cm

Stift St. Paul

Über einem kuppeligen Silberfuß, der naturgetreu nachgebildetes Blüten-Blätter-Ornament zeigt, erhebt sich der Stiel, der am unteren Drittel zu einem sockelartigen Abschluß als Standfläche für einen Karyatid-Knaben wird, der den Nautilus trägt. Um die Hüften des Knaben ist ein Kranz geschlungen, während der Nautilus von einem Blätterornament eingefaßt wird.
Vor allem im 16. und 17. Jahrhundert wurden die Muscheln der Nautilusschnecke ähnlich wie Bezoare, Straußeneier, Tierhörner und andere der Natur entnommene Objekte zu kuriosen Pokalen, Trinkhörnern und anderen Gefäßen verarbeitet, die sich in großer Zahl in Kunst- und Wunderkammern erhalten haben.
Im Gegensatz zu den meisten Objekten dieser Art entstammt dieser Nautiluspokal nicht einer weltlichen Schatzkammer, sondern einem Kirchenschatz, soferne dieses Gefäß mit jener Meermuschel identisch ist, die im Schatzverzeichnis von St. Blasien im Jahre 1720 unter den Weihrauchschiffchen genannt wird. Der vermutlich aus St. Blasien stammende Pokal befindet sich seit 1809 (?) in St. Paul.

Lit.: ÖKT 37 (1969), S. 245f., Nr. 1, Abb. 351. – Kat. St. Blasien 1983, Bd.I, S. 196, Nr. 163, Abb.: S. 194 (mit Quellenangabe).

W. H.

21.33

ANATOMISCHE STUDIE

Statuette aus Buchsbaumholz, H 15 cm

Stift St. Paul

Kleine, männliche Figur in genauer anatomischer Beschaffenheit.
Ähnliche, allerdings größere dreidimensionale Skulpturen „enthäuteter" Menschen, sog. Écorchés, dienten als Demonstrationsobjekt für gelehrte Kreise, als Studienobjekte in Kunstakademien und als Sammlungsobjekte in Kunstkammern.

Lit.: Kat. Zauber der Medusa, Europäische Manierismen, Wien (1987), S. 299, Nr. 41 (M. Boeckl).

D. P.

21.34

PELIKAN, DER SEINE JUNGEN NÄHRT

18. Jahrhundert (?)

Holz vergoldet, H 63/B 70/T 55 cm

Stift St. Paul

Nach einer spätantiken Fabel reißt sich der Pelikan die Brust auf, um mit dem Blut seine Jungen zu nähren. Im Mittelalter wurde diese Fabel sinnbildlich auf den Kreuzestod Christi umgedeutet.
Die geschnitzte Gruppe eines Pelikans mit drei Jungen stand daher wahrscheinlich mit einer Kreuzigungsgruppe in Verbindung.

D. P.

21.35

21.36

LIEGENDER MÄNNLICHER AKT

Maarten van Heemskerck (Heemskerk 1498 – Haarlem 1574), sign. mit Monogramm: *M H fec.*

Radierung; H 9/B 13,4 cm

Stift St. Paul, Inv.Nr. 989

Die Aktdarstellung bezeugt Heemskercks Interesse, die Verkürzungen beim Liegenden wiederzugeben. Dieses künstlerische Wollen basiert wohl in der damaligen kunsttheoretischen Diskussion. Man vergleiche beispielsweise Andrea Mantegnas (Prov. Padua 1431 – Mantua 1506) Tafelbild *Christo in scurto*, bei dem diese Problematik stringent aufgezeigt wurde. Heemskerck hielt sich zwischen 1532 und 1535 in Rom auf. Die kraftvolle Plastizität dieses Aktes beruht auf der Licht-Schatten-Modellierung, mit der in der Technik der Radierung effektvolle malerische Wirkung erzielt werden kann.

Lit.: ÖKT 37 (1969), S. 336. – J.E. WESSELY, Geschichte der graphischen Künste (1891), S. 98. – W. KOSCHATZKY, Die Kunst der Graphik (Dtv-Ausgabe 1980), S. 145.

M.A. J.

GESELLSCHAFTSSZENE

deutsch, 2. Hälfte des 17. Jahrhunderts

Öl auf Holz, H 44/B 35,7 cm

Stift St. Paul

Auf der kleinen Holztafel wird eine Schlafzimmer-Szene wiedergegeben. Eine höfisch gekleidete Dame sitzt an einem gedeckten Tisch, ihren Kopf stützt sie auf den rechten Arm. Sie blickt mit verzücktem Lächeln zu dem vor ihr auf einem Hocker die Laute spielenden Kavalier. Im Hintergrund läßt der geknotete Vorhang den Blick auf das Bett frei. Die Wandfläche über einem niedrigen Schrank füllt ein Gemälde mit einer Meeresufer-Landschaft.
Das Bild dürfte in Nachahmung holländischer Vorbilder von einem norddeutschen Meister gemalt worden sein.

Lit.: ÖKT 37 (1969), S. 304, Nr. 62.

B. M.

21.37

NACKTE FRAU MIT HIRSCHKUH

Lucas van Leyden (Leiden 1494 – Leiden 1533), sign. mit Monogramm, dat. 1509

Kupferstich, H 10,7/B 7,1 cm

Stift St. Paul, Inv.Nr. 1352

Schreitender weiblicher Akt. In der linken Hand trägt sie einen Sack mit Früchten, die Rechte streckt sie mit einer Frucht der Hirschkuh entgegen. Das Tier selbst ist vom Bildrand überschnitten, so daß nur der Vorderteil im Bildfeld erscheint.

M.A. J.

21.38 – 21.50

PORZELLANFIGUREN

Im Stift St. Paul wird eine größere Anzahl von Porzellanfiguren aufbewahrt (ca. 33 Stück), die mit Ausnahme einer beschädigten Meißener Figurengruppe aus den Porzellanmanufakturen Frankenthal (1755-1799) und Ludwigsburg (1758-1834) stammen.
Das Porzellan besteht in der Hauptsache aus feuerbeständigem Kaolin und schmelzbarem Feldspat und wird bei bunter Bemalung drei Bränden unterzogen – dem „Verglühbrand" der luftgetrockneten Erzeugnisse bei 700-800°, dem „Garbrand" der glasierten Ware (bei dem auch die blaue Unterglasurmalerei eingebrannt wird) bei 1400-1500° und dem „Muffelbrand" der bemalten Ware bei ca. 800-900°. Figuren werden nach dem Tonmodell des Modelleurs in Gipsformen ausgeformt und von dem sog. Bossierer in luftgetrocknetem Zustand zusammengesetzt. Diese Gipsformen können immer wieder verwendet werden, weshalb häufig verschiedene Ausformungen nach demselben Modell erhalten sind. Die Porzellanerzeugnisse schwinden im Brand etwa um ein Sechstel der ursprünglichen Größe.

DIE FRANKENTHALER PORZELLANMANUFAKTUR

Die pfälzische Porzellanmanufaktur Frankenthal wurde vom elsässischen Fayencefabrikanten Paul Anton Hannong unter Zustimmung des Kurfürsten Carl Theodor von der Pfalz 1755 gegründet. Zunächst trugen die Erzeugnisse neben dem Blindstempel PH (= Paul Hannong) ein halbes Rautenschild. Bald nach 1756, nachdem er die Leitung der Fabrik übernommen hatte, ging Karl Hannong, der älteste Sohn Paul Hannongs, zur Kennzeichnung durch den „Steigenden Löwen" in Unterglasurblau über; diese Marke wurde neben anderen bis 1762 beibehalten. Nach dem Tod Karl Hannongs 1757 folgte als Fabriksleiter dessen Bruder Joseph Adam, der seine Initialen als Blindstempel IH oder in Ligatur JAH in Unterglasurblau auf die Erzeugnisse setzte. Da sowohl eine Erweiterung des Absatzfeldes als auch die Zuschüsse aus der kurfürstlichen Generalkasse den Betrieb nicht sanieren konnten, wurde 1762 dem Kurfürsten Carl Theodor die Fabrik zum Kauf angeboten. Seit die Manufaktur dem Kurfürsten tatsächlich unterstellt war, trug das Porzellan das Hoheitszeichen Carl Theodors (CT, darüber die Krone), das in unterschiedlicher Ausformung alle Frankenthaler Stücke bis 1787 kennzeichnete.

Lit.: I. EGGE, Die Geschirrmalerei der Manufaktur Frankenthal (Diss. München, 1972). – L. W. BÖHM, Frankenthaler Porzellan (Meyers Bildbändchen NF, Bd. 20/21, 1960).

W. H.

21.38

MÄDCHEN MIT FÄCHER

Frankenthal/Marke CT, 1760-1770

H 15 cm

Stift St. Paul

Das mit einem rot und blau gestreiften weißen Rock und rot geblümter Schürze bekleidete Mädchen steht auf einem Grasboden-Sockel, der von einer Goldbordüre mit Rocaillemotiv eingefaßt wird. Sie hält einen Fächer in ihren Händen und trägt einen rhombischen, gelb gefütterten Hut mit einer Feder.

Lit.: ÖKT 37 (1969), S. 212, Nr. 2, Abb. 295.

W. H.

21.39

GÄRTNERBURSCHE

Frankenthal/Marke CT .9 (erste Ziffer durch Restaurierung unter der Glasur verdeckt), 1760-1770

H 14 cm

Stift St. Paul

Der Junge präsentiert in der rechten Hand einen Korb voller Rosen, in seiner linken eine gelbe Frucht. Er steht auf einem von Rocaille-Schnörkeln eingefaßten Grassockel, der restauriert wurde.

Lit.: ÖKT 37 (1969), S. 212, Nr. 3.

W. H.

21.40

ALLEGORIE AUF DEN SOMMER

Frankenthal/ Marke zerstört, 1760-1770

H 18 cm

Stift St. Paul

Auf einem Grassockel, der von einer Goldbordüre mit Rocaillemotiv eingefaßt wird, ist eine Dame auf einer rustikalen Bank sitzend dargestellt. Auf sie zueilend ist ein Jüngling mit einem Rosenkorb zu sehen, den er zu ihren Füßen auf den Boden stellt. Im Vordergrund liegt ein großer schwarz-weiß gefleckter Hund. Im Hintergrund neben der Bank zur Rechten der Dame steht eine Ährengarbe.
Die Hemdkrause (Jabot) des Knaben und Teile des Geländers sind ergänzt, die Marke wurde bei einer Restaurierung zerstört.
Die Gruppe ist in der Art der Porzellanfiguren des seit 1758 in Frankenthal tätigen Modellmeisters Johann Friedrich Lück gestaltet, dessen Erzeugnisse sich durch tänzerische Leichtigkeit und beschwingte, aus dem höfischen Leben gegriffene Figuren auszeichnen.

Lit.: ÖKT 37 (1969), S. 213, Nr. 5.

W. H.

21.41

DAME MIT ÄHRENGARBE – SOMMER (?)

Frankenthal/Marke CT, gekrönt, blau, Ziffer 78; 1760-1770

H 14 cm

Stift St. Paul

Die im Schreitmotiv festgehaltene junge Frau trägt einen geblümten Rock und eine weit ausgeschnittene, locker fallende, weiße Bluse. In ihrer linken Hand hält sie eine Ährengarbe. Sie steht auf einem Grassockel, der mit Rocaillemotiven eingefaßt ist.
Mit dieser Figur könnte das Jahreszeitenbild des Sommers gemeint sein.

W. H.

21.42

DAME MIT KORB VOLLER WEINTRAUBEN – HERBST (?)

Frankenthal/Marke CT, gekrönt, blau, Ziffer 71 oder 77; 1760-1770

H 14 cm

Stift St. Paul

Auf einem von Rocaillemotiven eingefaßten Grassockel steht eine Dame mit einem gestreiften Rock, gebauschter Schürze und einer weit ausgeschnittenen Bluse, die durch ein korsettartiges Oberteil gehalten wird. In ihrer linken Hand hält sie einen Korb mit Weintrauben und Weinlaub fest, in ihrer rechten eine Weinrebe.
Diese Figur ist vermutlich als Personifizierung des Herbstes zu verstehen.

W. H.

21.43

DAME MIT SCHAF

Frankenthal/Marke CT, gekrönt, blau, Ziffern 76/72; 1760-1770

H 14 cm

Stift St. Paul

Die junge Frau steht auf einem von Rocaillemotiven eingefaßten Grassockel. Sie trägt ein Kleid mit engem Oberteil und weit ausgestelltem Rock, der am Saum einen breiten Streifen, der von zwei schmalen begleitet wird, aufweist. Das Attribut in ihren Händen hat sich nicht erhalten. Zu ihren Füßen grast ein Schaf.

W. H

21.44

DAME MIT ÄFFCHEN

Frankenthal/Marke CT, gekrönt, blau, Ziffer 69 (?) schlecht leserlich; 1760-1770

H 14 cm

Stift St. Paul

Auf einem wiederum mit Rocaillemotiv eingefaßten Grassockel steht eine Dame, die ihren rechten Fuß auf eine Bank stützt. Auf dieser steht eine Schüssel mit Früchten, an denen sich ein Äffchen gütlich tut. Rechts von der Gruppe befindet sich eine Gans.
Dieses Modell hängt mit einer ganz ähnlichen Porzellangruppe „Kinder mit Äffchen" zusammen, die sich im Württembergischen Landesmuseum Stuttgart befindet. Sowohl für die Dame bzw. das Mädchen als auch für den Schemel und das Äffchen wurden die gleichen Modelle verwendet

Lit.: L. W. BÖHM, Frankenthaler Porzellan (Meyers Bildbändchen NF, Bd.20/21, 1960), Abb 28.

W. H.

DIE LUDWIGSBURGER PORZELLANMANUFAKTUR

Am 5. April 1758 wurde in Ludwigsburg durch ein Dekret Herzog Carl Eugens von Württemberg die achte und letzte der großen deutschen Porzellanmanufakturen des 18. Jahrhunderts gegründet. 1759 konnte Joseph Jakob Ringler, einer der fähigsten Arcanisten (= Porzellanhersteller) für die Manufaktur gewonnen werden, der fast bis zu seinem Tode 1804 ihr technischer Leiter blieb.
Gleich zu Beginn ihres Bestehens – von 1760-1770 – wurde die Manufaktur an den Höhepunkt ihres Schaffens geführt. Einer der hervorragendsten Künstler, Gottlieb Friedrich Riedel, war bereits seit 1759 als Obermaler tätig. Als Modelleure der Figuren waren eine Anzahl von Kleinplastikern verpflichtet wie beispielsweise Johann Christian Haselmeyer (seit 1760 in Ludwigsburg nachweisbar; s. Chinesin mit Kakadu, Kat. Nr. 21.49) und Johann Heinrich Schmidt (seit 1766 in Ludwigsburg genannt, seit 1774 Oberbossierer). Daneben schufen aber auch eine Reihe von Großplastikern Modelle für die Manufaktur, neben anderen vor allem Johann Christian Wilhelm Beyer (1759-1767 im Dienst Herzog Carl Eugens).
Die Ludwigsburger Fabrikmarke bestand bis zum Tode Herzog Carl Eugens und darüber hinaus aus zwei spiegelbildlich ineinander verschlungenen C mit oder ohne Krone in Unterglasblau. Daneben kam im späten 18. Jahrhundert vereinzelt die Hirschstange und unter den Nachfolgern Herzog Carl Eugens ein L oder F unter der Krone (in Unterglasurblau) vor. Später wurde beinahe ausnahmslos mit FR (zur Zeit König Friedrichs I.) und WR (zur Zeit König Wilhelms I.) unter der Krone gezeichnet, in Rot und Gold auf der Glasur.
Die Figuren wurden oftmals nach Stichvorlagen gearbeitet und ursprünglich meist zu umfangreichen Folgen mit den unterschiedlichsten Themen zusammengestellt: mythologische und allegorische Darstellungen waren ebenso beliebt und gebräuchlich wie Figuren aus fernen Ländern und allen Bevölkerungsschichten.
Als nach dem Tode Herzog Carl Eugens 1793 die Zuschüsse ausblieben, begann der Niedergang der Manufaktur; erst Herzog Friedrich II., der nachmalige König Friedrich I., wandte ihr wiederum größere Geldsummen zu und versuchte ihr durch die Heranziehung französischer Arbeitskräfte die alte Bedeutung zu geben. Doch nach dem Tod des Königs (1816) wurde sie 1824 aufgelöst.

Lit.: Kat. des Württembergischen Landesmuseums Stuttgart, Ludwigsburger Porzellan (1963). – Kat. zur Ausstellung Alt-Ludwigsburger Porzellan, Schloß Ludwigsburg 8. Mai – 31. Juli 1959 (Mechthild Landenberger).

W. H.

21.45

JÄGER

Ludwigsburg/Marke ungekrönt, blau; rotes

Malerzeichen des Figurenmalers Sausenhofer, 1760

H 16,5 cm

Stift St. Paul

Der in stark manierierter Spiel-Standbein-Haltung mit seitlich zu Boden gerichtetem Blick auf einem Grassockel stehende Jäger hält in seiner Rechten ein Gewehr (Mündung bei der Restaurierung ergänzt), in der Linken den Lauf eines toten Rehes, das am Sockel aufliegt. Das Malerzeichen weist auf Sausenhofer als Figurenmaler, der zu seiner Zeit einer der führenden Künstler war.

Lit.: ÖKT 37 (1969), S. 213, Nr. 10.

W. H.

21.46

BILDERVERKÄUFER (KAUFRUF)

Ludwigsburg/Marke fehlend, um 1765-1770

H 15 cm

Stift St. Paul

Der auf einem erdfarbenen Sockel stehende Junge bietet Blumenbilder feil, indem er in seiner Linken einige Blätter emporhält. Rechts ist an seinem Gürtel ein Konvolut von Blumenaquarellen befestigt.

Lit.: ÖKT 37 (1969), S. 213, Nr. 7.

W. H.

21.47

GÄRTNERBURSCHE

Ludwigsburg/Marke gekrönt, blau, drei Kerben; Modelleur: Johann Gottfried Riedel, um 1760

H 15,5 cm

Stift St. Paul

Der im Schrittmotiv gegebene Gärtnerjunge steht auf einem unregelmäßigen Grassockel. Eine Schaufel lehnt an seiner Rechten, hinter ihm befindet sich ein Blumentopf. Das Stück, das zu unbekanntem Zeitpunkt restauriert wurde, ist aus mehreren Bruchstücken zusammengesetzt. Der Daumen der linken Hand fehlt.

Lit.: ÖKT 37 (1969), S. 213, Nr. 6.

W. H.

21.48

DAME MIT DREHLEIER

Ludwigsburg/Marke ungekrönt, blau; eingepreßt: A.30. .3.P.M. und Malerzeichen S; um 1760

H 14 cm

Stift St. Paul

Auf einem Grassockel ist eine weibliche Gestalt im Schreitmotiv dargestellt, die unter ihrem linken Arm eine Drehleier hält. Mit der rechten Hand betätigt sie das Instrument. Die Dame trägt einen purpur und grün gestreiften Rock, eine gelbe Jacke und einen Hut.

Lit.: ÖKT 37 (1969), S. 213, Nr. 9.

W. H.

21.49

CHINESIN MIT KAKADU

Ludwigsburg/Marke gekrönt, blau; unter der Glasur N 3 eingeritzt; um 1760

H 16,5 cm

Stift St. Paul

Auf einem annähernd kreisrunden, grün getönten Sockel steht eine als Chinesin gekleidete Dame, die einen auf ihrer rechten Schulter sitzenden Kakadu mit ihrer linken Hand füttert. Sie trägt gestreifte Beinkleider unter einem gelben Kimono und einen zweistufigen, blau getönten Chinesenhut. An der rechten Falte des Kimonos unter dem Gürtel sind kleine Absprengungen des Porzellans erkennbar.
Ein Exemplar des gleichen Modells, das auf Johann Christian Haselmeyer zurückgeht und geringe Unterschiede in der Bemalung aufweist, hat sich im Württembergischen Landesmuseum Stuttgart erhalten.

Lit.: Kat. des Württembergischen Landesmuseums Stuttgart, Ludwigsburger Porzellan (1963), Abb. 18. – ÖKT 37 (1969), S. 214, Nr. 11.

W. H.

21.50

SÄULE MIT KRANZWINDERINNEN

Ludwigsburg/Marke ungekrönt, blau; Modell nach Pierre Francois Lejeune; um 1775/80

H 27,5 cm

Stift St. Paul

Die kleine Porzellangruppe steht auf einem annähernd quadratischen Sockel, auf dem eine kannellierte Säule auf reich gegliederter und dekorierter Basis aufgestellt ist. Sie wird von zwei schwebenden Engelchen bekrönt, von denen einer eine Blumengirlande hält, die von zwei die Säule umschreitenden weiblichen Gestalten um diese drapiert wird; der andere Putto hält einen Kranz. Die Gruppe ist rundplastisch komponiert.

Lit.: ÖKT 37 (1969), S. 214, Nr. 14.

W. H.

21.51–21.52

ZWEI BILDER MIT BETTLERN

Öl auf Eichenholz, H 18/B 12 cm

Stift St. Paul

Auf einem Bildchen sind zwei Bettler in zerlumpten Mänteln dargestellt, das andere zeigt einen Bettler mit umgehängtem Rosenkranz. Mit ihren großen Hüten bitten sie um Almosen. Zu dieser Serie gehören noch zwei weitere Bildchen mit Bettlern, die sich ebenfalls in der Sammlung des Stiftes St. Paul befinden. Sie dürften nach Anregungen von Jacques Callots Bettlerserie gemalt worden sein.

Lit.: ÖKT 37 (1969), S. 316, Nrn. 139–142.

B. Wi.

21.53

APOSTEL PAULUS

Abraham Blooteling (Amsterdam 1640 – 1690), nach Anthonis van Dyck (Antwerpen 1599 – London 1641), bez.: *St. Paulus. Ant. van Dyck. A. Blotelingh fecit et Ex.*

Roulette-Radierung, H 35,6/B 27,8 cm

Stift St. Paul, Inv.Nr. 1456

Der Apostel in Dreiviertelansicht. Die Gesichtszüge sind akzentuiert mit einem belebenden, weich verlaufenden Licht-Schatten-Spiel, das in seiner Wirkung fast malerische Effekte erzielt.

Das Roulette ist ein verbessertes Instrument gegenüber dem Punzeisen für den Punz- oder Punktstich, mit dem nun die leeren Flächen leichter mit Punkten gefüllt werden konnten, um einen zarteren Ausdruck zu erreichen.

Lit.: W. KOSCHATZKY, Die Kunst der Graphik (Dtv-Ausgabe 1980), S. 105f., S. 115f.

M.A. J.

21.54

WACHSBÜSTEN DER HLL. PETRUS UND PAULUS

um 1770/80

Holz, Wachs, Seide, Stoffe; H je 68/B je 56 cm

Stift St. Paul

In zwei Vitrinen, deren obere Teile als Karniesbögen gebildet sind, befinden sich, umrahmt von gerafften Seidenvorhängen, lebensgroße Wachsbüsten der Apostelfürsten Petrus und Paulus. Petrus mit Stirnlocke und kurzem Vollbart, Paulus mit langem Bart und hakenförmiger Nase folgen gängigen Typen, wirken aber durch die Ausformung im weichen Wachsmaterial individuell und lebensecht. Zur Steigerung des Realitätsgrades sind sie mit natürlichen Stoffen bekleidet. Die Konsolen enthalten Reliquien der zwei Heiligen.
Laut GINHART vorzügliche Erzeugnisse der um 1770/80 in Wien gepflegten Wachsbildnerei.

Lit.: ÖKT 37 (1969), S. 151, Nr. 6 und 7, Abb. 199, 200.

D. P.

21.55

FLUSSLANDSCHAFT MIT DEM STURZ DES IKARUS

Pieter Brueghel d.Ä. (wohl Breda, um 1525 – Brüssel 1569), bez.: *Petrus Breugel fec: RomaeA: 1553. Excud: Houf: cum prae: Caes:;* dat. 1553

Kupferstich, H 26,8/B 34 cm

Stift St. Paul, Inv.Nr. 946

Weites Flußtal mit zentralem Hügel in der Bildmitte in Aufsicht, dem Typus der „Weltlandschaften" entsprechend. Der Fluß von Segelschiffen frequentiert, einige Ortsangaben am Flußlauf. Im Wolkenbereich zwei Figuren, Dädalus und Ikarus, dem die Wachsflügel schon weggeschmolzen sind. Die mythologischen Figürchen sind nach FRIEDLÄNDER von fremder Hand, wohl vom Verleger, später einradiert worden.

Lit.: ÖKT 37 (1969), S. 335. – M. FRIEDLÄNDER, Pieter Brueghel (1921), S. 39f., Abb. 18. – M.A. JELONEK, Höhepunkte der Graphik im 16. Jahrhundert, in: Kat. Von Albrecht Dürer bis Lovis Corinth. Graphik vom 15. bis zum 20. Jahrhundert (1988), o.S.

M.A. J.

21.56

DIE BLINDEN

Monogrammist PAME, nach Hieronymus Bosch ('s-Hertogenbosch, um 1450 – 's-Hertogenbosch 1516), bez.: *H. Bos. inventor, H. Cock excud,* sign. mit Monogramm *PAME,* vermutlich Mitte des 16. Jahrhunderts

Kupferstich, H 22,3/B 26 cm

Stift St. Paul, Inv.Nr. 969

Monumental im Bildfeld zwei Blinde. Der erste ist schon in einen Wassergraben gestürzt und zieht den zweiten nach. Links im Bildfeld ein dritter Blinder, der offensichtlich einen Brettersteg über eine Grube verfehlt. Die Thematik des Blindenführers war damals ein beliebtes Motiv und wurde auch von Brueghel aufgegriffen. Offensichtlich wurde damit eine „Kritik" an politischen und religiösen Persönlichkeiten artikuliert, um sie als „Volksverführer" zu disqualifizieren.
Dieser Kupferstich ist wohl einer der künstlerisch qualitätvollsten unter den vielen nach Bosch durchgeführten Nachstichen.

Lit.: ÖKT 37 (1969), S. 335. – W. SCHÜRMEYER, Hieronymus Bosch (1923), S. 70f., Abb. 53. – M. A. JELONEK, Höhepunkte der Graphik im 16. Jahrhundert, in: Kat. Von Albrecht Dürer bis Lovis Corinth. Graphik vom 15. bis zum 20. Jahrhundert (1988), o.S.

M.A. J.

21.57

NESSUS UND DEIANIRA

Heinrich Aldegrever, dat. und sign.: *AG/ 1550;* mitgedruckte Bildunterschrift: *Nessus adulterio conspurcans Deianiram. Herculis inflicto vulnere luce carer.*

Kupferstich, H 10,7/B 6,2 cm

Stift St. Paul, Inv.Nr. 199

Die dargestellte Szene erzählt die antike Legende vom Kentauren Nessus, der nach einem Schändungsversuch an Deianira von deren Gatten Herkules durch einen Pfeil getötet wird. Deianira tränkt auf Nessus' listigen Rat hin eine Tunika mit dem Blut des Sterbenden, um damit später die schwindende Liebe des Herkules zu seiner Gattin wieder aufleben lassen zu können. Als Herkules seine Liebe tatsächlich anderen zuwendet, sendet sie ihm das Gewand, und nachdem er es anlegt, brennt er – und dies ist die späte Rache des Nessus – darin zu Tode.

B. M.

21.58

NEPTUN

Jost Amman (1539–1591)

Buchholzschnitt, H 12,8/B 9,9 cm

Stift St. Paul, Inv.Nr. 255

Neptun, der römische Gott des Meeres, ist auf einem Meerwesen, das sich aus einem Pferdevorderkörper und einem Reptilienschwanz zusammensetzt, dargestellt. Der vorderansichtige muskulöse Körper des Gottes mit dem nach rechts gewendeten Kopf mit wallendem Haar und der in entgegengesetzte Richtung gedrehte Pferdekopf evozieren den Eindruck kraftvoller Dynamik.
In der linken unteren Bildecke stehen die Buchstaben M F.

B. S.

21.59

STURZ DES PHAETON

unbekannter süddeutscher Elfenbeinschnitzer, spätes 17. Jahrhundert

Elfenbeinrelief, H 11/B 11,1 cm

Stift St. Paul

Diese Darstellung des Phaeton-Sturzes gehört zu einer Serie von mythologischen Szenen, die ursprünglich wohl als Schmuck eines Schrankes angefertigt wurden. Die dichte Figurenkomposition ist eine formale Paraphrase alttestamentlicher Szenen, beispielsweise der Himmelfahrt des Elias bzw. des Sturzes des Jonas.

Lit.: ÖKT 37 (1969), S. 208, Nr. 9, Abb. 286. – Kat. St. Blasien 1983, Bd.I, S. 343, Nr. 295.

W. H.

21.60

ENDYMION UND SELENE

unbekannter süddeutscher Elfenbeinschnitzer, spätes 17. Jahrhundert

Elfenbeinrelief, H 11/B 10,5 cm

Stift St. Paul

Auch diese mythologische Szene gehört zu einem Zyklus antiker Themen, der die Schubladen eines Schreibtisches zierte. Offensichtlich von der Malerei des 17. Jahrhunderts, möglicherweise in Nachwirkung der Frankenthaler Schule beeinflußt, ist das Thema beinahe als bukolische Genreszene gestaltet.

Lit.: ÖKT 37 (1969), S. 208, Abb. 285.

W. H.

21.61

STURZ DES IKARUS

unbekannter mittelrheinischer (?) Elfenbeinschnitzer, Mitte 17. Jahrhundert(?)

Elfenbeinrelief, H 11/B 8 cm

Stift St. Paul

Dieses ursprünglich als Möbeldekoration bestimmte Relief gehört stilistisch nicht zur gleichen Serie mythologischer Szenen wie „Endymion und Selene" und „Sturz des Phaeton".

Trotz gleichsam „verschwimmender" Konturen in der Oberflächengestaltung hebt sich hier dennoch die plastische Konsistenz der Figuren kräftig vom neutralen Grund ab. Auch die Angabe des Meeres ist in ihrer vorgewölbten Struktur kompakt formuliert, wogegen die Sonne, als plastisch-rundes Gesicht gegeben, durch die flimmrig wirkenden, keinesfalls scharfgratig eingeritzten Sonnenstrahlen, eine beinahe zeichnerische Note in dieser Szene darstellt. Möglicherweise von einer graphischen Vorlage inspiriert, zeigt sich hier in der Art der Wiedergabe des Meeres und in der Figurenauffassung eine Darstellungsweise, die bis auf Heemskerck zurückreicht.

Lit.: ÖKT 37 (1969), S. 205, Nr. 5.

W. H.

21.62

AKTÄON (?) ALS HIRTE MIT TIEREN

unbekannter süddeutscher Elfenbeinschnitzer, spätes 17. Jahrhundert

Elfenbeinrelief, H 10,6/B 11 cm

Stift St. Paul

Wie der „Sturz des Phaeton" und „Endymion und Selene" gehört auch dieses Elfenbeinrelief zu einer Serie mythologischer Szenen, die ursprünglich als Schmuck für ein Möbelstück Verwendung fanden. Vermutlich ist hier mit dem im Bildvordergrund liegenden Hirten, der nur mit einem Lendentuch bekleidet ist, Aktäon gemeint. Neben ihm befinden sich ein

Hund und ein Rind, im Himmel sind in Wolken Zeus und der von diesem gesandte Hermes als Götterbote mit Helm und Flügeln an den Füßen zu sehen.
Ein Vergleich mit dem „Sturz des Phaeton" (s. Kat. Nr. 21.59) erweist die gleiche Künstlerhand.

Lit.: ÖKT 37 (1969), S. 205, Nr. 4.

W. H.

21.63

GALLIER TÖTET SICH UND SEIN WEIB

18. Jahrhundert

Bleiplastik, H 30,8 cm

Stift St. Paul

Diese freie Nachbildung einer originalen antiken Skulpturengruppe aus Marmor in der Villa Ludovisi in Rom gehört wegen ihrer stilistischen Eigenschaften in die künstlerische Nähe Georg Raphael Donners. Die Figurenanordnung folgt grundsätzlich dem antiken Original, die Wiedergabe der Figuren entspricht stilistisch dem ausgehenden Spätbarock.

Lit.: ÖKT 37 (1969), S. 248, Nr. 1.

W. H.

21.64

PAN MIT ZIEGENBEINEN

unbekannter Bildhauer, frühes 18. Jahrhundert

Bronzeguß, H 34 cm

Stift St. Paul

Der heidnische Wald- und Weidegott Pan ist hier als Jugendlicher so dargestellt, daß dafür eine – vielleicht noch nicht entdeckte – spätantike Kleinbronze als Vorlage angenommen werden kann, die in den barocken Zeitstil transponiert wurde.

Lit.: ÖKT 37 (1969), S. 249, Nr. 1, Abb. 356.

W. H.

21.65 s. II, S. 663, Abb. 189

HERMES

unbekannter Bildhauer, um 1670

Bronzeguß, H 52,3 cm (ohne Sockel)

Stift St. Paul

Hermes, Sohn des Zeus und der Maia, ist hier in Nachbildung einer hellenistischen Plastik als Götterbote mit seinen traditionellen Attributen – den Flügeln an den Knöcheln und dem geflügelten Reisehut – dargestellt. Vermutlich hielt er in seiner abwärts gestreckten Rechten den Heroldstab (Kerykeion) des Götterboten mit dem achtförmig verschlungenen Ende. Der linke Arm ist nach oben gestreckt, mit einer lockenden Geste. Der Kopf ist am Halsansatz, beide Beine an den Oberschenkeln angesetzt (alte Lötstellen).

Lit.: ÖKT 37 (1969), S. 249, Nr. 2, Abb. 357.

W. H.

21.66

CHRISTUSKOPF

Dürerwerkstatt, bez. mit Monogramm *AD*; wohl 2. Viertel des 16. Jahrhunderts

Holzschnitt, H 42,8/B 31,9 cm

Stift St. Paul, Inv.Nr. 50

Ausdrucksstarkes Christusbild mit volkstümlichem Charakter. Das Blatt galt einmal als eigenhändige Arbeit Albrecht Dürers (Nürnberg 1471 – Nürnberg 1528), möglicherweise deswegen, weil sein Monogramm eingeschnitten ist. In der deutschen Kunstgeschichte nach 1933 erreichte es einen unrühmlichen Höhepunkt, da es als eines der typischen Beispiele für rassegemäßes künstlerisches Schaffen angeführt und so zu einem Kriterium für rassenhygienische Maßnahmen wurde.

Lit.: P. SCHULTZE-NAUMBURG, Kunst und Rasse (3. Aufl. 1938), S. 63ff.

M.A. J.

21.67

DAS SCHWEISSTUCH DER HL. VERONIKA

Claude Mellan (Abbeville 1598 – Paris 1688), sign.: *C. MELLAN . P. ET F. IN AEDIBUS RE. G.*, dat. 1649

Kupferstich, H 43,2/B 31,6 cm

Stift St. Paul, Inv.Nr. 1649

Das Christusantlitz entspricht einem lange Zeit tradierten Typus. In diesem Kupferstich ist es aus einer einzigen, spiralförmigen Linie mit dem Beginn in der Nasenspitze entwickelt, wobei die wellenlinige Führung der an- und abschwellenden Linie in parallelen Zügen das individuelle Minenspiel, Falten oder Haarwellung und mit Unterbrechungen Schatten und Lichtreflexe bewirkt und so körperlich-plastischen Ausdruck erzeugt.

Lit.: J.E. WESSELY, Geschichte der graphischen Künste (1891), S. 214 f. – W. KOSCHATZKY, Die Kunst der Graphik (Dtv-Ausgabe 1980), S. 110, 114, Abb. S. 109.

M. A. J.

21.68

KREUZ AUF FELSENSOCKEL

süddeutsch, spätes 17. Jahrhundert; bezeichnet oben am Längsbalken: FHP

Alabaster, H 44,5 cm

Stift St. Paul

Das Kreuz Christi, an dem der Gekreuzigte mit hoch hinaufgezogenen Armen hängt, steht auf einem kuppelartigen Felsensockel, der von zahlreichen Pflanzen bewachsen und von vielen Tieren bevölkert ist (Bäume, Blätter, Blumen; Frösche, Schnecken, Eidechsen, Schlangen, Vögel). Unterhalb des Gekreuzigten befindet sich ein Pelikan, der seine Jungen nährt, indem er sich die Brust aufhackt. Am Kreuzesstamm liegt ein Totenkopf.
Der Aufbau des Felsensockels ist annähernd symmetrisch gegeben, wie an den beiden flankierenden Bäumen in der Frontalansicht er-

kennbar ist; die den Felsen bevölkernden Tiere stellen eine Fülle von Totensymbolik dar, wie sie auch auf Grabmälern um 1600 oftmals sichtbar gemacht wird: Tiere bewohnen das menschliche Skelett.

Lit.: ÖKT 37 (1969), S. 208, Abb. 287. – Kat. St. Blasien 1983, Bd.I, S. 338, Nr. 293, Abb.: S. 340.

W. H.

21.69

FREIBURGER BERGKRISTALL-KREUZ

Vorderösterreich; bez. (undeutlich) am Sockelanlauf: *P*

Bergkristall, vergoldetes Metall, Bronze; H 41,5 cm (ohne Sockelanlauf: H 40 cm)

Stift St. Paul

Das Kreuz besteht aus zusammengesetzten Stücken von geschliffenem Bergkristall. Der Gekreuzigte, der Sockelanlauf und die Verbindungsstücke sind aus vergoldetem Metall, die innen durchgehende Stange ist aus Bronze. Der Gekreuzigte ist mit weit ausgebreiteten Armen an das Kreuz geschlagen. Der Körper ist sehr ausdrucksstark durchgebildet, der Kopf, zur rechten Seite geneigt, liegt auf der rechten Schulter auf. Auf dem Haupt Christi sitzt noch die Dornenkrone. Das Lendentuch schwingt nach beiden Seiten stark aus und ist fein ziseliert. Es zeigen sich Nachgotizismen, die die Entstehung des Kreuzes im 17. Jahrhundert wahrscheinlich machen.

Lit.: ÖKT 37 (1969), S. 211, Nr. 5, Abb. 291.

W. H.

21.70

VORTRAGEKREUZ

Ende des 17. Jahrhunderts, keine Marken

Holzkern, Silber, teilweise vergoldet; H 71,5/B 41 cm

Stift St. Paul

Die Tragestange und das silberne Ansatzstück sind eine Ergänzung aus der Zeit bald nach der Übersiedelung der St. Blasier Mönche nach St. Paul.
Das Vortragekreuz ist mit dem für das ausgehende 17. Jahrhundert charakteristischen großblättrigen Arkanthus-Ornament geschmückt. In der Mitte der Kreuzarme ist auf der einen Seite die vergoldete Relieffigur der Muttergottes mit dem segnenden Kind angebracht, auf der anderen Seite, der etwas aus dem Zentrum verschobene, ebenfalls vergoldete vollplastische Korpus des Gekreuzigten, umgeben von seinen Leidenswerkzeugen. Die dreipässigen Kreuzenden zeigen in geschlossenen Reliefbildern die vier Kirchenväter an der Marienseite und die vier Evangelisten an der Seite Christi. Diese Goldschmiedearbeit wurde wohl, wie die meisten sakralen Utensilien für das Stift St. Blasien, in Augsburg hergestellt.

Lit.: ÖKT 37 (1969), S. 241, Nr. 1, Abb. 344f.

B. W.

21.71 s. II, S. 658, Abb. 186

BEWEINUNG CHRISTI UNTER DEM KREUZ

Oberrhein (Joseph Laiber ?), 1760

Alabaster-Skulpturengruppe, H 49,5 cm

Stift St. Paul

Auf einem Felssockel unter dem leeren Kreuz lagert die Muttergottes und betrauert den in ihrem Schoß liegenden toten Sohn. Daneben, an das Kreuz gelehnt, sitzt ein weinender Putto. Auf dem Felssockel sind die *Arma Christi* (Dornenkrone, Nägel usw.) zu sehen.
Von W. NOACK wurde die Gruppe Joseph Laiber zugeschrieben (geboren 1738 in Kirchhofen bei Freiburg im Breisgau, 1764-1768 im Saalgau nachgewiesen). Von D. ZILKE und H.H. HOFSTÄTTER wurde sie Joseph Hörr zugewiesen, der 1732 in Blasiwald im Schwarzwald geboren wurde und mehrfach für St. Blasien gearbeitet hat.
Die Darstellung einer Beweinung Christi orientiert sich an spätgotischen Darstellungen aus der Nachfolge des Rogier van der Weyden und hat sich, selbst unter Wandel der Themenstellung, in metaphorischer Weise als Topos vom späten 16. Jahrhundert bis zur expressiven Phase in der Kunst Egon Schieles (z.B. „Der Tod und das Mädchen“, 1915, Österreichische Galerie im Belvedere in Wien, Inv.Nr. 3171) in mehrfachen Stadien weiterentwickelt.

Lit.: ÖKT 37 (1969), S. 209, Nr. 5, Abb. 289. - Kat. St. Blasien 1983, Bd.I, S. 347, Nr. 298, Abb. S. 347.

W. H.

21.72

ZWEI HOLZKREUZE

süddeutsch, 1664; Holzkreuz mit Passionsszenen dat. 1664, Holzkreuz mit marianischer Thematik und Infantia Christi sign. LM

Buchsbaum, H je 60,2/B je 24 cm; Breite der Kreuzbalken: 3 cm; Durchmesser der 66 Kreismedaillons: je 1,6 cm; beide Kreuze nebeneinander in einem mit Samt ausgeschlagenen Faltkästchen verwahrt.

Stift St. Paul

Auf beiden Kreuzen befindet sich am Kreuzungspunkt eine rechteckige Hauptszene auf dem Längsbalken, die anderen Szenen sind kreisrund. Um die runden Medaillons winden sich Weinreben.
1. Das Hauptbild des linken Kreuzes zeigt den gekreuzigten Christus, der an einem Baum mit Weinblättern und Weinreben geschlagen ist. Unter dem Kreuz stehen Maria und Johannes. Die Kreuzbalken zeigen Szenen aus dem Leben und der Passion Jesu Christi.

2. Das Hauptbild des rechten Kreuzes zeigt die Wurzel Jesse, die in einer Blüte mit einem Gnadenbild Maria mit dem Jesus-Kind – Maria mit Krone und Zepter, das Kind ebenfalls bekrönt – gipfelt. Unterhalb des liegenden Abraham (Stammvater Christi), aus dem der Blütenbaum entwächst, befindet sich das Künstlermonogramm LM.
In 32 Medaillons (auf dem Längsbalken befindet sich ein Medaillon weniger als auf dem linken Kreuz) sind Szenen aus dem Marienleben, der Kindheit (Infantia) Christi und aus dem Leben Johannes des Täufers dargestellt.
Diese in der Art von Buchdeckel-Dekorationen gearbeiteten Miniaturschnitzereien finden formal ihre engsten Parallelen in den sog. „Athos-Kreuzen“, wo in ähnlich filigraner Schnitzerei Szenen der Passion dargestellt sind, die zumeist von den Athos-Mönchen ab dem 16. Jahrhundert angefertigt wurden. Es ist nicht auszuschließen, daß diese Arbeiten – vielleicht als Hülle für ein reliquienartig verehrtes Schriftstück – aufgrund solcher Athoskreuze imitierend gestaltet wurden.

Lit.: ÖKT 37 (1969), S. 202, Nr. 3, Abb. 277, 278. – Kat. St. Blasien 1983, Bd.I, S. 332, Nr. 288, 289, Abb.: S. 335.

W. H.

21.73 s. II, S. 427, Abb. 96

HL. SEBASTIAN

Christoph Daniel Schenck (Konstanz 1633-1691), um 1670/75

Buchsbaumholz-Statuette, H 23,5 cm (ohne Sockel)

Stift St. Paul

Das für die Darstellung des von Pfeilen durch-

bohrten hl. Sebastian – von den ursprünglichen sieben Pfeilen sind nur zwei (unter der rechten Achsel und im rechten Unterarm) erhalten – wichtige Baummotiv fehlt hier. Aufgrund der Beschaffenheit der Standplatte ist zu erschließen, daß es auch gar nicht vorgesehen war.
Die Plastik im süddeutschen Alpenvorland ist im 17. Jahrhundert nachhaltig sowohl von Giambologna (durch sein Kruzifix in der Münchener Michaelskirche) und durch die von ausfahrender Gestik beherrschte Skulpturenkunst des Lucas Gerhaert van Leyden (durch seine Michaelsgruppe an der Fassade der nämlichen Münchener Kirche) geprägt, wie dies, in die Kleinfigurigkeit übersetzt und auf die Oberflächenwirkung des Buchsbaumholzes zählend, auch in dieser Statuette realisiert ist. Es wurde eine Zuschreibung an den Konstanzer Bildhauer Christoph Daniel Schenck vorgeschlagen, die sich an einer ähnlich aufgefaßten Elfenbein-Statuette im Württembergischen Landesmuseum in Stuttgart orientiert, die signiert und 1675 datiert ist, wobei möglicherweise das Exemplar in St. Paul geringfügig älter ist.

Lit.: ÖKT 37 (1969), S. 202f., Abb. 279. – Kat. St. Blasien 1983, Bd.I, S. 336, S. 338, Nr. 291, Abb. S. 337.

W. H.

21.74

PFEILMARTYRIUM DES HL. SEBASTIAN

Jan Muller (Amsterdam, um 1570 – Amsterdam (?), nach 1625), nach Hans von Aachen (Köln 1552 – Prag 1615), um 1600

Kupferstich, H 50,8/B 34 cm

Stift St. Paul, Inv.Nr. S551

Am linken Bildrand der an einen Baum gefesselte hl. Sebastian, am rechten Bildrand Soldaten, die ihn mit Pfeilen beschießen. Im Hintergrund, in der Bildmitte, der von Soldaten umringte Kaiser Diokletian zu Pferde, dessen Offizier Sebastian gewesen war. Er erlitt dieses Martyrium, weil er sich zum Christentum bekehrt und danach antike Götterstatuen zerstört hatte.
Muller reproduzierte ein Altarbild des Hans von Aachen aus der Kreuzkapelle der Jesuitenkirche in München, die 1597 vollendet wurde.

Lit.: F.W.H. HOLSTEIN, German engravings, etchings and woodcuts ca. 1400 – 1700, Bd. 1 (1954), S. 2, Abb. 63. – Kat. St. Blasien 1983, Bd. I, S. 324.

M.A. J.

21.75

DIE KLEINE KREUZIGUNG

Raphael Sadeler (Antwerpen 1561 – München 1632), nach Mathias Grünewald (Würzburg 1480 – Halle 1528), bez.: *Raphael Sadeler dedicebat.* 1605

Kupferstich, H 30,2/B 20,7 cm

Stift St. Paul

In der Bildmitte Christus als Schmerzensmann am Kreuz, seitlich neben ihm stehend Maria

und Johannes, kniend Maria Magdalena. Der Kreuzbalken ist nach unten gebogen, Christus hängt daran, das Gewicht mit den Füßen unten abstützend.
Joachim VON SANDRART, Maler und Kunstschriftsteller, berichtet, daß R. Sadeler Grünewalds Gemälde in Kupfer gestochen hat.

Lit.: J. VON SANDRART, Teutsche Akademie, 2. Tl. (1675), S. 236. – F.K.G. HIRSCHING, Nachrichten von sehenswürdigen Gemälde- und Kupferstichsammlungen, Bd. 5 (1792), S. 81, Nr. 3. – F.W.H. HOLSTEIN, Dutch and Flemish etchings, engravings and woodcuts, ca. 1450 – 1700, 21 (1980), S. 220, Nr. 232. – Kat. St. Blasien 1983, Bd. I, S. 324ff.

M.A. J.

21.76

VOR DEM GÖTZENALTAR

Lucas van Leyden (Leiden 1494 – Leiden 1533), sign. mit Monogramm, dat. 1519 (seitenverkehrt)

Kupferstich, H 17,1/B 12,7 cm

Stift St. Paul, Inv.Nr. 1358

Am linken Bildrand eine Götterstatue, vor der ein Mann mit gefalteten Händen kniet, neben ihm eine Frau, die mit ihrer rechten Hand auf die Gottheit zeigt. Hinter beiden eine Menschenmenge, über der ein Durchblick auf eine Burg freigegeben ist.
Von diesem Blatt gibt es zwei Fassungen. Die andere Fassung, wohl die frühere, gibt die Datierung seitenrichtig an, allerdings ist dann das gesamte Motiv spiegelverkehrt abgebildet. Darüberhinaus fehlt auf der anderen Fassung links unten die Krone und die Bezeichnung *3. Regum.n.Cap.* In beiden Fassungen ist das Monogramm *L* seitenrichtig wiedergegeben. Unklar bleibt, ob die St. Pauler Fassung eine eigenhändige van Leydens ist oder ein späterer Nachdruck.

Lit.: M.J. FRIEDLÄNDER, Lucas van Leyden (Meister der Graphik 13, 1924), mit Abb. der wohl früheren Fassung.

M.A. J.

21.77

KRUZIFIX

süddeutsch, um 1640

Elfenbein auf schwarzem Holzkreuz; die Oberarme Christi sind je zweimal (alt) geklebt, die Finger sind beschädigt und fehlen zum Teil; H 38 cm

Stift St. Paul

Der Gekreuzigte hängt mit weit ausgebreiteten Armen am Kreuz. Über seinem Kopf ist die Inschrift *HIC EST IESUS NAZARENUS REX IUDEORUM* auf einem Elfenbeintäfelchen angebracht (Matthäus 27, 37). Sein Kopf mit dem genau charakterisierten Blick, den in der Mitte gescheitelten Locken und dem fein ziselierten Bart ist zu seiner rechten Seite geneigt, so daß die Haare auf seiner rechten Schulter zu liegen kommen.
In der Darstellung als Viernageltypus, der ältesten überlieferten Kreuzigungsdarstellung, in der anatomischen Durchbildung des Körpers und in der Ausbildung des mit zwei Schnüren festgehaltenen, kaum bewegten, doch in der Faltenbildung genauest und fein durchgebildeten Lendentuches kommt ein altertümlicher Typus der Kreuzigungsdarstellung zum Ausdruck, der Nachgotizismen zeigt, die den Kruzifixus in die Zeit um 1640 einordnen lassen.

Lit.: ÖKT 37 (1969), S. 205, Nr. 2, Abb. 283. – Kat. St. Blasien 1983, Bd.I, S. 332, Nr. 287, Abb.: S. 334.

W. H.

21.78

CARITAS ROMANA

Kopie nach Johann Karl Loth, gen. Carletto (1632–1698), rechts unten sign.: *HA*, auf der Rückseite dat.: 1785

Öl auf Leinwand, H 63,5/B 78 cm

Stift St. Paul

Die Darstellung zeigt die junge Römerin Pero, die ihren alten, im Kerker angeketteten Vater Cimon säugt. Rechts steht ihr nackter Sohn und hält sich an ihrer Schulter fest.
Loths Komposition der *Caritas Romana*, die hier verkleinert dargestellt ist, existiert in mehreren Varianten, u. a. im Puschkin-Museum in Moskau.

Lit.: ÖKT 37 (1969), S. 305, Nr. 67.

B. M.

21.79

CARITAS

unbekannter, nordrheinischer (?) Bildschnitzer, 3. Viertel des 17. Jahrhunderts (?)

Elfenbein-Statuette, H 15 cm

Stift St. Paul

Eine in leichter Seitwärtskrümmung des Körpers und in leichter Torsion wiedergegebene junge Frau mit weitgehend entblößtem Oberkörper ist mit drei nackten Kleinkindern beschäftigt. Ein Kind hält sie – gleichsam wie zum Stillen – an ihre rechte Brust, zu einem rechts von ihr stehenden Kind wendet sie ihr Antlitz und erfaßt dessen Schädelkalotte in offensichtlich liebkosender Weise, während ein drittes Kind links von ihr am Boden kauernd und zu ihr aufblickend dargestellt ist. Diese Darstellungsweise entspricht einem Topos, wie er für die Personifikation einer der christlichen Kardinaltugenden, eben der *Caritas*, also der tätigen Liebe, exemplifiziert an der mütterlichen Liebe, charakteristisch ist. Sowohl in den Figurenproportionen als auch in ihrem Habitus verrät diese Statuette ihren Zusammenhang mit jenen bildhauerischen Arbeiten, die sich mit der Problematik der Figurenerfindungen von Rubens auseinandersetzen. Aus diesem Grund ist eine Lokalisierung an den Niederrhein (Köln?) und eine zeitliche Ansetzung an den Beginn des 3. Viertels des 17. Jahrhunderts möglich.

Lit.: ÖKT 37 (1969), S. 205, Nr. 3, Abb. 282. – Kat. St. Blasien 1983, Bd. I, S. 336, Nr. 290.

W. H.

21.80

DIE HL. FAMILIE MIT DEM JOHANNESKNABEN

unbekannter südeutscher Bildschnitzer, um 1770

Alabasterrelief, Queroval: H 18/B 22,8 cm

Stift St. Paul

Die Kompositionsweise des Reliefs und die genremäßige Behandlung der Details gestatten eine Datierung in die Zeit des beginnenden Klassizismus, so daß die Signatur *J.SP:* rechts wohl nicht von dem zu Beginn des 18. Jahrhunderts in Venedig tätigen Bildhauer Jacopo Spada stammen dürfte.

Lit.: ÖKT 37 (1969), S. 209, Nr. 3.

W. H.

21.81

MUTTERGOTTES MIT DEM JESUSKIND

süddeutsch, Mitte des 18. Jahrhunderts

Alabaster, Attribute aus vergoldetem Silber; H 15,5 cm

Stift St. Paul

Die Muttergottes ist hier mit leicht vorgestelltem rechten Bein in leichter Stand–Spielbein-Pose gegeben und hält das Kind mit beiden Händen vor ihrem Körper, wobei sie gleichzeitig in ihrer rechten Hand das Zepter hält. Ihr Kopf und der Blick sind leicht gesenkt, während das Kind seinen Kopf mit zu seiner Mutter hinaufgerichtetem Blick dicht an sie schmiegt. In der rechten Hand hält das Jesuskind die Weltkugel, sein linker Arm fällt schlaff herab. Der linke Fuß des Kindes hat sich nicht erhalten.
Vor allem die weiche Formgebung der Gewandfalten wie auch die Wiedergabe der zarten Gesichtszüge lassen letztlich an Vorbilder denken, die aus dem Umkreis des Lucas Gerhaert stammen; die Haltung und Pose, die die Ma-

donna einnimmt, indem sie dem Beschauer das Kind in gleichsam präsentierender Weise entgegenhält, ist dem Vorbild der *Magna Mater Bavariae* entnommen.

Lit.: ÖKT 37 (1969), S. 209, Nr. 7, Abb. 284.

W. H.

21.82

ENGELPIETÀ

süddeutsch, 3. Drittel des 17. Jahrhunderts

Alabasterrelief, rezent auf Schieferplatten aufgebracht; H 15/B 10,3 cm

Stift St. Paul

Das Relief zeigt zwei in antikische Gewänder gehüllte Engel, die den nackten Leichnam Christi halten. Christus ist beinahe aufgerichtet, so daß bei dem Relief Isokephalie entsteht. Der Typus der Engelpietà im vorliegenden Fall wird als italienisch bezeichnet und geht motivisch auf Michelangelos Pietà im Florentiner Dom zurück.

Lit.: ÖKT 37 (1969), S. 209, Nr. 2, Abb 288. - Kat. St. Blasien 1983, Bd.I, S. 338, Nr. 292, Abb. S. 339.

W. H.

21.83

PIETÀ – SCHMERZHAFTE MUTTERGOTTES

Franz Anton Hauser zugeschrieben, dat. 1798

Gebrannter Ton, gehöhlt (an der Rückseite sichtbar), hellgrau gefärbt; H 35 cm

Die auf einem Felsblock sitzende Muttergottes hält den Leichnam Christi, der zu Boden gleitet, in ihrem Schoß und ist eben im Begriff, ihn mit einem Tuch zu bedecken. Das Werk achtet auf äußerst genaue Symmetrie: der den Schleier haltenden Hand Mariens entspricht auf der anderen Seite (links) die den Kopf Christi mit dem Tuch stützende Hand. Beide Arme Christi fallen schlaff herab. Die nach ihrer linken Seite gewendete Figur Mariens entspricht in ihrer Haltung dem vor ihr nach rechts herabsinkenden Leichnam Christi, wobei die Gliedmaßen derart gelagert sind, daß die Konturen der Pietà zur Geltung kommen.
Das Motiv der Christus gleichsam im Tuch haltenden Maria geht auf den spektakulären Dialog des Anselm von Canterbury zurück (Sammelkatalog des Erzbischöflichen Dom- und Diözesanmuseums Wien, 1987, S. 154). Demnach wurde Christus von seiner Mutter nach der Kreuzigung mit einem Tuch bedeckt.
Der Ausarbeitung nach zu schließen ist die Pietà nicht als Bozetto, sondern als selbständige Skulptur geschaffen worden. Franz Anton Hauser (nachweislich 1739-1819 in Freiburg) war im Umkreis des Freiburger Künstlers Johann Christian Wentzinger tätig, in dessen Schulkreis diese Pietà entstanden sein muß.

Eine individuelle Zuschreibung an Hauser ist möglich, da eine deutliche Verwandtschaft zu einem 1793 datierten Alabasterrelief Hausers (Johannes-Schüssel in den Städtischen Kunstsammlungen Augsburg) besteht.

Lit.: ÖKT 37 (1969), S. 211, Nr. IV, Abb. 292. - Kat. St. Blasien 1983, Bd.I, S. 302ff., Abb. 352.

W. H.

21.84

BÜSSENDE HL. MARIA MAGDALENA

unbekannter süddeutscher Bildschnitzer, spätes 17. Jahrhundert

Holzrelief, ungefaßt; H 18,3/B 13,7 cm

Stift St. Paul

Dieses ungefaßte (vielleicht auch ursprünglich nur farblos lasiert gewesene) Relief zierte möglicherweise einen Hausaltar oder einen mit Reliefs verzierten Schrank. Es gibt kein Anzeichen dafür, daß das Relief fragmentiert ist, die Art der Ausführung läßt jedoch darauf schließen, daß es in einem vertieften, kassettenartigen Feld verankert war.
Das seit dem 16. Jahrhundert, vor allem seit der malerischen Version Tizians gängige Thema der büßenden Magdalena zeigt die Heilige auch in diesem Relief in einer Felsgrotte sitzend, die Hände in ringender Pose gefaltet und mit nach oben gewendetem Blick. Die Felsgrotte ist am linken Reliefbildrand durch eine lisenenartige Felsformation fensterartig gerahmt und zeigt die büßende Magdalena ohne die sonst für dieses Thema traditionellen Attribute (Totenkopf, Buch, Kerze) in jenem mit barocker Dynamik gestalteten Augenblick, als ihr – der Legende nach – die Kleider herabfielen und ein dichtes Haarkleid ihren in büßender Einsamkeit verharrenden Körper bedeckte.

Lit.: ÖKT 37 (1969), S. 203, Nr. 5. - Kat. St. Blasien 1983, Bd.I, S. 341f., Abb. 294.

W. H.

21.85

IMMACULATA

Joseph Laiber, 1746; sign. und dat. an der Unterseite: *Joseph Laiber fecit 1746*

Graue Alabaster-Skulptur, H 26,5 cm

Stift St. Paul

Maria, als Unbefleckte Empfängnis, steht auf der Weltkugel, die als halbkugeliger Sockel gestaltet ist. Auf diesem sind zwei auf Wolken gebettete Puttenköpfe mit der Mondsichel in Relief dargestellt. Zu Füßen der Maria befindet sich die Schlange, die den Apfel der Versuchung in ihrem Maul hält.
Die Skulptur ist an der Schauseite detailreich, an der Rückseite gröber ausgearbeitet. Der Kopf der Maria fehlt.

Lit.: ÖKT 37 (1969), S. 209, Nr. 6.

W. H.

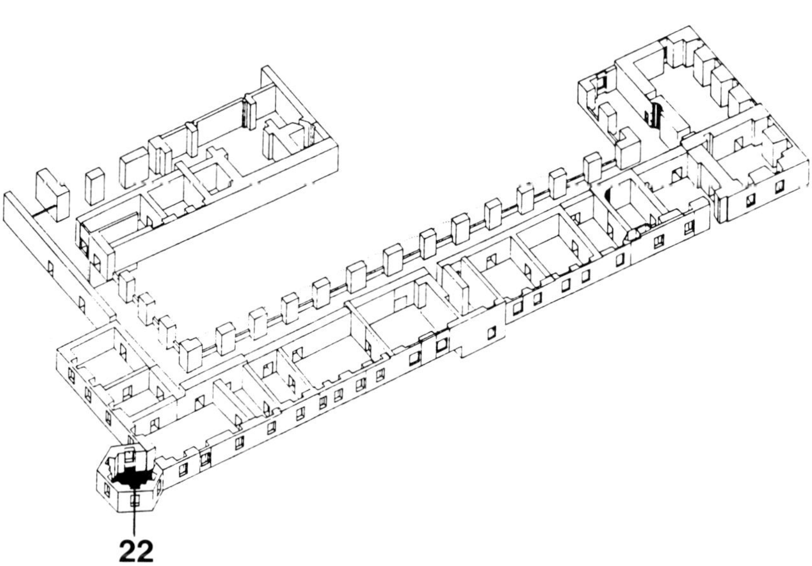

22

Turmzimmer

Der Klosterausbau des 17. Jahrhunderts sah vier Ecktürme vor. Der Nordostturm ist als einziger der geplanten Türme ausgeführt worden. Abt Rottenhäusler ließ den schon unter Abt Marchstaller aufgeführten Eckturm 1673 aufstocken, um vom obersten Geschoß aus einen weit ins Land reichenden Ausblick zu ermöglichen. Diesen Zweck soll das Turmgeschoß auch heute für die Besucher erfüllen: Man gewinnt von hier aus einen guten Überblick über den Markt St. Paul mit den zwei dominierenden Schulbauten (Gymnasium und Konvikt), auf die beiden Gutshöfe des Stiftes (Kollnitz und Zockelhof), auf die Pfarre St. Martin und auf die Weinbergkirche.
Ursprünglich diente der von Rottenhäusler vorgenommene Ausbau wohl auch militärischer Beobachtung und frühzeitiger Gefahrenerkennung, mehr noch aber der Erforschung der Sterne.

23

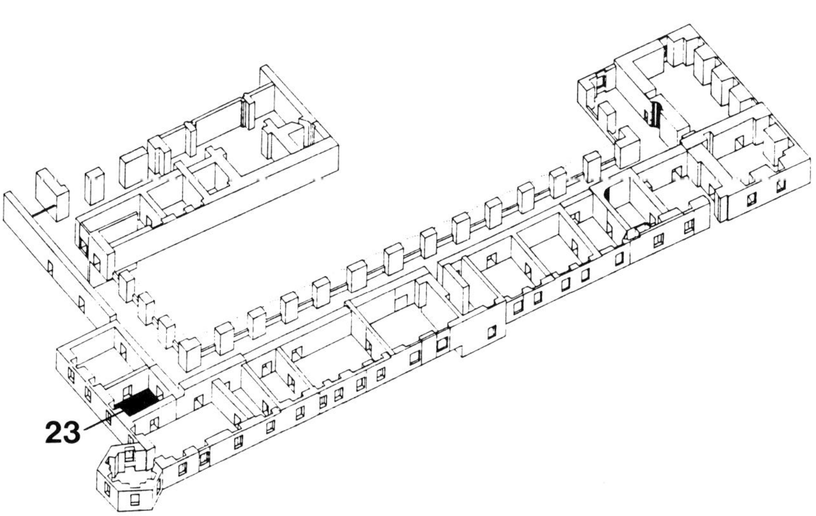

Graphik

Die Graphiksammlung St. Pauls umfaßt insgesamt ca. 12.000 Blätter. Ein kleiner Ausschnitt aus dieser reichhaltigen Sammlung wird hier präsentiert. Die Holzschnitte, Kupferstiche, Radierungen und Zeichnungen spiegeln die Entwicklung dieser Kunstgattung von den Anfängen im 15. Jahrhundert bis zum ausgehenden 19. Jahrhundert wider. Es ist der Versuch gemacht worden, eine kleine „Kunstgeschichte der Graphik" anzubieten, die mit Albrecht Dürer und seiner Schule einsetzt und über Beispiele aus der Donauschule und deren Nachfolgern in Deutschland und Österreich im 17. und 18. Jahrhundert bis hin zu den niederländischen Graphikern (vertreten durch Lukas van Leyden, ein Dürer ebenbürtiger Graphiker und wichtigster Vertreter der Niederlande aus dieser Zeit) sowie zu Heemskerk und Wenzel Hollar führt. Weitere Blätter, unter anderem von Liebermann und Klinger, illustrieren die Entwicklung der graphischen Kunst im 19. Jahrhundert. Eine Kostbarkeit besonderer Art ist die Radierung von Rembrandt „Die große Darstellung im Tempel".

23.1

DAS FRAUENBAD

Hans Sebald Beham (Nürnberg 1500 – Frankfurt a.M. 1550), sign. mit Monogramm

Holzschnitt, H 29,4/B 30,4 cm

Stift St. Paul, Inv.Nr. 138

In diesem kreisformatigen Holzschnitt veranschaulicht eine Frauengruppe die zeitgenössische Körperhygiene, so daß uns hiermit ein Zivilisationsdokument überliefert ist.

Beham war Schüler Dürers, dessen künstlerischer Einfluß in seiner Druckgraphik nachklingt. Er verarbeitete in seinem Werk als einer der ersten Graphiker die italienische Renaissance. Dabei interessierten ihn vornehmlich humanistische und allegorische Themenkreise, um auf dieser Basis nackte oder antik gekleidete Figuren abzubilden. Volkstümliche Nähe drückt sich besonders in seinen Landsknechtsmotiven, Bauerntänzen oder Dorfhochzeiten aus. Wegen „gottloser Malerei" wurde er mit anderen Künstlern aus seiner Geburtsstadt vertrieben, durfte aber wieder zurückkehren und übersiedelte dann 1531 nach Frankfurt am Main.

Lit.: ÖKT 37 (1969), S. 332. – J.E. WESSELY, Geschichte der graphischen Künste (1891), S. 61ff. – O. FISCHER, Geschichte der deutschen Zeichnung und Graphik (Deutsche Kunstgeschichte 4, 1951), S. 362ff. – M.A. JELONEK, Höhepunkte der Graphik im 16. Jahrhundert, in: Kat. Von Albrecht Dürer bis Lovis Corinth. Graphik vom 15. bis zum 20. Jahrhundert (1988), o. S.

M.A. J.

23.2

KAISER KARL V.

Hans Burgkmair (Augsburg 1473 – Augsburg 1531), dat. 1519

Holzschnitt, H 32,8/B 20,5 cm

Stift St. Paul, Inv.Nr. 94

Das Porträt des Kaisers in Dreiviertelansicht, darüber die Beschriftung *Karolus Rex Hispania* und das kaiserliche Wappen.

Burgkmair, ein Zeitgenosse Dürers, unternahm wie jener Studienreisen nach Italien. Einfluß der oberitalienischen Formensprache zeigt sich in seinen Werken. Ebenso wie Dürer zeichnete auch er an Auftragsarbeiten für Kaiser Maximilian I., den er ebenfalls in der Technik des Holzschnitts porträtierte.

Lit.: ÖKT 37 (1969), S. 331. – J.E. WESSELY, Geschichte der graphischen Künste (1891), S. 74ff. – O. FISCHER, Geschichte der deutschen Zeichnung und Graphik (Deutsche Kunstgeschichte 4, 1951), S. 314ff. – W. KOSCHATZKY, Die Kunst der Graphik. Technik, Geschichte, Meisterwerke (DTV-Ausgabe, 1980), S. 72.

M.A. J.

23.3

UNTERGANG IM ROTEN MEER

Hans Baldung, gen. Grien (Schwäbisch Gmünd 1484/85–Straßburg 1545), vor 1511

Holzschnitt, H 17,3/B 13,9 cm

Stift St. Paul, Inv. Nr. 102

Das Rote Meer überflutet im Vordergrund ägyptische Soldaten, im Mittelgrund befinden sich die von Moses angeführten Juden bereits am Ufer in Sicherheit; über ihnen erscheint ein Jehova-Symbol.
Die Lichtführung unterstreicht modellierend die körperlich-plastische und die räumliche Wiedergabe des alttestamentlichen Motivs.
Hans Baldung war Mitarbeiter in Dürers Werkstatt. Dieses Blatt ist eine Illustration des 1511 publizierten Bandes „buch granatapfel".

Lit.: J.E. WESSELY, Geschichte der deutschen Künste (1891), S. 84f. – H. CURJEL, Hans Baldung Grien (1923), S. 49ff., Abb. S. 51. – O. FISCHER, Geschichte der deutschen Zeichnung und Graphik (Deutsche Kunstgeschichte 4, 1951), S. 327ff. – K. ÖTTINGER, K.A. KNAPPE, Hans Baldung Grien und Albrecht Dürer in Nürnberg (1963). – Kindlers Malerei Lexikon 1, S. 182ff. – M.A. JELONEK, Höhepunkte der Graphik im 16. Jahrhundert, in: Kat. Von Albrecht Dürer bis Lovis Corinth. Graphik vom 15. bis zum 20. Jahrhundert (1988), o. S.

M.A. J.

23.4

DIE SIEBEN HAUPTSÜNDEN

Hans Baldung, gen. Grien (Schwäbisch Gmünd 1484/85 – Straßburg 1545), vor 1511

Holzschnitt. H 17,3/B 13,9 cm

Stift St. Paul, Inv.Nr. 103

Eine Figurengruppe aus Fabelwesen illustriert die sieben Hauptsünden. Sie halten Schwerter, auf denen die Laster benannt sind: *Zorn, hochfart, neid, Tragkait, fressery, vnkeuschait, Gaitikat.*

Lit.: s. Kat. Nr. 23.3.

M.A. J.

23.5

PFINGSTEN

Hans Schäuffelein (1480/85 – Nördlingen 1538/40) zugeschrieben

Holzschnitt, H 27,6/B 17,1 cm

Stift St. Paul, Inv.Nr. 79

Die Apostelschar hält sich in einem Raum auf, der Durchblick gestattet auf eine bebaute Landschaft. Oberhalb der Apostel in einer Wolkengloriole das Symbol des hl. Geistes, eine Taube.
Das Werk Schäffeleins weist Einflüsse Dürers auf. Er arbeitete wie Dürer, Burgkmair u.a. an Aufträgen für Kaiser Maximilian I.

Lit.: J.E. WESSELY, Geschichte der graphischen Künste (1891), S. 60f. – O. FISCHER, Geschichte der deutschen Zeichnung und Grafik (Deutsche Kunstgeschichte 4, 1951), S. 325f.

M.A. J.

23.6

HL. BARTHOLOMÄUS

Michael Wolgemut (Nürnberg 1434 – Nürnberg 1519)

Holzschnitt, H 32,4/B 15,4 cm

Stift St. Paul, Inv.Nr. 46

Darstellung des Apostels Bartholomäus. Im Bildfeld beschriftet mit „S. Bartholomeus"; zusätzlich ist dem Heiligen sein Attribut beigegeben, die abgezogene Haut, die auf seinen Märtyrertod hinweist.
Dieser Holzschnitt belegt das hohe handwerkliche Niveau in Wolgemuts Werkstatt, in der der junge Albrecht Dürer die Kunst des Holzschneidens erlernte. Die sichere Linienführung in den Gewandfalten des Apostels, seine körperlich plastische Wiedergabe und die knappe, aber wesentliche Angabe der räumlichen Situa-

tion deuten die herannahende Blütezeit des Holzschnitts im beginnenden 16. Jahrhundert bereits an.
Dieses Blatt ist Teil einer Apostelfolge, die vollständig in der Graphiksammlung des Benediktinerstiftes verwahrt wird.

Lit.: ÖKT 37 (1969), S. 331. – J.E. WESSELY, Geschichte der graphischen Künste (1891), S. 10f. – O. FISCHER, Geschichte der deutschen Zeichnung und Graphik (Deutsche Kunstgeschichte 4, 1951), S. 194ff.

M.A. J.

23.7 s. II, S. 715, Abb. 218

CHRISTUS FÄLLT UNTER DEM KREUZ

Albrecht Dürer (Nürnberg 1471 – Nürnberg 1528), sign. mit Monogramm; um 1497/98

Holzschnitt, H 38,9/B 28,2 cm

Stift St. Paul, Inv.Nr. 49b

Die Szene zeigt, wie Christus unter dem Kreuz fällt; rechts, etwas vor ihm, ein stehender Soldat, links, seitlich neben ihm, die kniende hl. Veronika, die ihm das Schweißtuch reicht. Hinter ihr drängt eine Menschenmenge durch ein Stadttor, die vor der Christusgruppe zum Stillstand kommt.
Das Blatt ist Teil der Folge „Große Holzschnittpassion", die Dürer nach seiner ersten Italienreise (1494/95) begann und zunächst in Einzelblättern vertrieb.

Lit.: ÖKT 37 (1969), S. 331. – Kat. St. Blasien 1983, Bd. I, S. 317ff., Nr. 274. – Albrecht Dürer. 1471 bis 1528. Das gesamte graphische Werk. Druckgraphik 2, (o.J.), S. 1522ff. – W. KOSCHATZKY, Die Kunst der Graphik. Technik, Geschichte, Meisterwerke (DTV-Ausgabe, 1980), S. 72. – J.E. WESSELY, Geschichte der graphischen Künste (1891), S. 49ff. – O. FISCHER, Geschichte der deutschen Zeichnung und Graphik (Deutsche Kunstgeschichte 4, 1951), S. 199f. – M.A. JELONEK, Höhepunkte der deutschen Graphik im 16. Jahrhundert, in: Kat. Von Albrecht Dürer bis Lovis Corinth. Graphik vom 15. bis zum 20. Jahrhundert (1988), o. S.

M.A. J.

23.8 s. II, S. 424, Abb. 93

GEFANGENNAHME CHRISTI

Albrecht Dürer (Nürnberg 1471 – Nürnberg 1528), sign. mit Monogramm; dat. 1510

Holzschnitt, H 39,4/B 28 cm

Stift St. Paul, Inv.Nr. 49a

Links von Christus eine Soldatenschar, die ihn gefangennimmt, rechts neben ihm Petrus, der zum Schwertstreich gegen Malchus ausholt, dem er dann das Ohr abschlagen wird. Die Aktivität der Christus umgebenden Figuren kontrastiert zu seiner eigenen Passivität, isoliert ihn von dem ihn umgebenden Gedränge und stellt ihn so als Hauptperson dieser Szene heraus.
Dieses Blatt entstammt ebenfalls der Folge „Große Holzschnittpassion", die Dürer nach seiner zweiten Italienreise (1505–1507) ergänzend fortsetzte und diese erweiterte Folge dann 1511 als Buch herausgab.

Lit.: s. Kat. Nr. 23.7.

M.A. J.

23.9

HL. CHRISTOPHORUS

Wolf Huber (Feldkirch/Vorarlberg, um 1485 – Passau 1553), sign. mit Monogramm

Holzschnitt, H 12,5/B 9,7 cm

Stift St. Paul, Inv.Nr. 248a

Die Figur des Heiligen füllt mächtig die Bildfläche, auf seinem Rücken sitzt der Jesusknabe. Die landschaftliche Szenerie ist in den Formen der Donauschule gestaltet, zu deren Mitgliedern Huber zählte.

Lit.: ÖKT 37 (1969), S. 332. – Kindlers Malerei Lexikon 3, S. 331ff. – W. HÜTT, Deutsche Malerei und Graphik der frühbürgerlichen Revolution (1979), S. 363ff.

M.A. J.

23.10

LANDSCHAFT

Hans Sebald Lautensack (wohl Bamberg

1524 – wohl Wien 1563/66), sign. mit Monogramm, dat. 1553

Radierung, H 17/B 11,1 cm

Stift St. Paul, Inv.Nr. 267

Lichtdurchflutete Gebirgslandschaft mit See- oder Flußufer. Auf einem Hügel eine Burg, darunter Wohngebäude mit Zaun und Uferweg. Die Formensprache ist die der Donauschule, zu deren Künstlerkreis Lautensack gehörte.

Lit.: ÖKT 37 (1969), S. 332. – J.E. WESSELY, Geschichte der graphischen Künste (1891), S. 71. – O. FISCHER, Geschichte der deutschen Zeichnung und Graphik (Deutsche Kunstgeschichte 4, 1951), S. 368.

M.A. J.

23.11

SZENEN AUS DEM ALTEN UND NEUEN TESTAMENT

Albrecht Altdorfer (Regensburg, um 1480 – Regensburg 1538), sign. mit Monogramm

Holzschnitte, H 7,8/B 5,3 cm

Stift St. Paul, Inv. Nr. 187–198

Die relativ kleinen Graphikblätter sind zu einem Block zusammengefaßt; die einzelnen Szenen sind: Sündenfall, Vertreibung aus dem Paradies, Mariae Tempelgang, Mariae Heimsuchung, Mariae Verkündigung, Christi Geburt, Anbetung der Hll. Drei Könige, Beschneidung Christi, Christus vor dem Hohen Priester Kaiphas, Mariae Krönung.
Altdorfer ist der bedeutendste Vertreter der Donauschule, eines Künstlerkreises, der zwischen Regensburg und Wien tätig war. In seinen in Öl gemalten Landschaften manifestiert sich ein neues Naturgefühl, das er virtuos auch in die graphische Technik zu übertragen verstand.

Lit.: J.E. WESSELY, Geschichte der graphischen Künste (1891), S. 84f. – L. BALDASS v., Albrecht Altdorfer (1941). – O. FISCHER, Geschichte der deutschen Zeichnung und Graphik (Deutsche Kunstgeschichte 4, 1951), S. 327ff. – Kindlers Malerei Lexikon 1, S. 74ff. – W. HÜTT, Deutsche Malerei und Graphik der frühbürgerlichen Revolution (1973), S. 350ff. – W. KOSCHATZKY, Die Kunst der Graphik. Technik, Geschichte, Meisterwerke (DTV-Ausgabe, 1980), S. 72. – M.A. JELONEK, Höhepunkte der Graphik des 16. Jahrhunderts, in: Kat. Von Albrecht Dürer bis Lovis Corinth. Graphik vom 15. bis zum 20. Jahrhundert (1988), o. S.

M.A. J.

23.12

ERASMUS VON ROTTERDAM

Hans Holbein d. J. (Augsburg, um 1497 – London 1543), vor 1540

Holzschnitt, H 28,6/B 16,8 cm

Stift St. Paul, Inv.Nr. 71

Der gelehrte Humanist Erasmus von Rotterdam steht in einem reich mit Renaissanceformen dekorierten Triumphbogen. Den Bogenpfeilern sind Hermen vorgelegt, in die Bogenzwickel mythologische Figuren eingefügt und neben den Bogenpfeilern hängen Festons herab.
Dieser Holzschnitt war eine Auftragsarbeit für das Titelblatt des Gesamtwerkes des Erasmus, das 1540 erschien.

Lit.: ÖKT 37 (1969), S. 331. – J.E. WESSELY, Geschichte der graphischen Künste (1891), S. 77f. – P. GANZ, Handzeichnungen von Hans Holbein dem Jüngeren (2. Aufl., 1923). – O. FISCHER, Geschichte der deutschen Zeichnung und Graphik (Deutsche Kunstgeschichte 4, 1951), S. 341ff. – Kindlers Malerei Lexikon 3, S. 269ff.

M.A. J.

23.13

GALATEA

Marc Antonio Raimondi (Bologna, um 1480 – Bologna, um 1530), nach einem Fresko von Raffael (Urbino 1483 – Rom 1520); nach 1512

Kupferstich, H 39,5/B 28,4 cm

Stift St. Paul, Inv. Nr. 1599

In der Bildmitte steht Galatea auf einem Boot, das von zwei Fischen gezogen wird, die sie am Zügel führt. Um sie herum eine Gruppe mythologischer Figuren, über ihr fliegende, mit Pfeil und Bogen schießende Amoretten.
Das Blatt ist eine wortgetreue Reproduktion

von Raffaels Fresko in der Villa Farnesina in Rom, das er 1512 ausführte.

Lit.: ÖKT 37 (1969), S. 337. – J.E. WESSELY, Geschichte der graphischen Künste (1891), S. 116ff. – W. KOSCHATZKY, Die Kunst der Graphik. Technik, Geschichte, Meisterwerke (DTV-Ausgabe, 1980), S. 31, S. 112. – M.A. JELONEK, Höhepunkte der Graphik im 16. Jahrhundert, in: Kat. Von Albrecht Dürer bis Lovis Corinth. Graphik vom 15. bis zum 20. Jahrhundert (1988), o. S.

M.A. J.

23.14

LANDSCHAFT

Matthäus Merian d. Ä. (Basel 1593 – Langenschwalbach 1650), bez.: *M. Merian fec. P. Aubry excud*

Radierung, H 19,1/B 29,1 cm

Stift St. Paul, Inv. Nr. 347

Als Motiv wählte Merian einen Ausblick auf ein Flußtal in Aufsicht. Neben dem Wasserlauf schlängelt sich ein Weg, auf dem Passanten wandeln. Flöße treiben auf dem Fluß.
Merian war Kupferstecher und auch Herausgeber von Kunstsammlungen. Die bedeutendste davon enthält topographische Städteansichten Europas.

Lit.: ÖKT 37 (1969), S. 332. – J.E. WESSELY, Geschichte der graphischen Künste (1891), S. 151. – O. FISCHER, Geschichte der deutschen Zeichnung und Graphik (Deutsche Kunstgeschichte 4, 1951), S. 382ff. – L.H. WÜTHRICH, Das druckgraphische Werk von Matthäus Merian d.Ä. (1966–1972).

M.A. J.

23.15

SITZENDE VENETIANERIN, IHR HAAR FLECHTEND

Angelika Kauffmann (Chur 1741 – Rom 1807), bez.: *A.M. Angelica Kauffman inc: e del: a Bologna, dat. 1765*

Radierung, H 21,1/B 15,4 cm

Stift St. Paul, Inv. Nr. 881

Die Körperhaltung der Venetianerin ist nahezu im Profil wiedergegeben, ihr Gesicht jedoch vom Betrachter abgewendet und auf den Bildhintergrund gerichtet. Der rechte Bildrand wird von einer Säulenbasis mit Postament abgeschlossen.
Die Strichführung in diesem Blatt verdeutlicht die Individualität dieser Künstlerin, die in ihrem graphischen Werk gleicherweise Klassizismus und Romantik durchscheinen läßt.

s. II, S. 718

Lit.: ÖKT 37 (1969), S. 335 – J. E. WESSELY, Geschichte der graphischen Künste (1891). S. 245. – O. FISCHER, Geschichte der deutschen Zeichnung und Graphik (Deutsche Kunstgeschichte 4, 1951), S. 401. – D. M. MAYER, Angelica Kauffmann 1741 – 1807 (1972).

M.A. J.

23.16

SITZENDE VENETIANERIN

Angelika Kauffmann (Chur 1741 – Rom 1807), bez.: *A.M. Ange:ca Kauffman dipinto, e ine:a ven:a 1766*

Radierung, H 19,9/B 15,7 cm

Stift St. Paul, Inv. Nr. 882

Bildnis einer jungen Frau in Vorderansicht

Lit.: s. Kat. Nr. 23.15.

M.A. J.

23.17

MARTYRIUM DES HL. JOHANNES NEPOMUK

Jakob Matthias Schmutzer (Wien 1733 – Wien 1811), nach Franz Anton Maulbertsch (Langenargen bei Überlingen am Bodensee 1724 – Wien 1796), bez.: *Anton Malperschz. Pinx. Schmuzer*

Radierung, H 43,1/B 26,4 cm

Stift St. Paul, Inv. Nr. 801

In einem Raum hängt, an den Händen gebunden, der Hl. Nepomuk an einem Galgen. Eine Kugel ist an seinen Füßen befestigt, um sein Gewicht zu erhöhen, und Folterknechte brennen den derart Gehängten mit Fackeln. Ein Mann schaut von außen durch eine Fensteröffnung der Marterszene zu. Die Bildunterschrift bezeichnet diese Graphik als ein Neujahrsgeschenk an die Bruderschaft von der Barmherzigkeit.

Lit.: ÖKT 37 (1969), S. 334. – Kat. Franz Anton Maulbertsch (1974).

M.A. J.

23.18

EIN HEILIGER BESUCHT PESTKRANKE

Paul Troger (Welsberg bei Zell im Pustertal 1698 – Wien 1762), bez.: *Pl. Trog: fecit*

Radierung, H 33,5/B 24,4 cm

Stift St. Paul, Inv.Nr. 785

In einem Zentralraum um einen Bogenpfeiler liegen Kranke, die von zwei stehenden Männern gepflegt und berührt werden. Der Heilige unmittelbar vor dem Bogenpfeiler, wohl die

Hauptfigur, könnte vielleicht den hl. Franz Xaver darstellen.

Lit.: ÖKT 37 (1969), S. 334. – O. FISCHER, Geschichte der deutschen Zeichnung und Graphik (Deutsche Kunstgeschichte 4, 1951), S. 393f.

M.A. J.

23.19

DER TRINKER

Wilhelm Leibl (Köln 1844 – Würzburg 1900),

auf der Platte sign.: *W. Leibl* und dat.: 1874

Radierung, H 20,7/B 14,8 cm

Stift St. Paul Inv.Nr. N3015

Bildnis eines Mannes mit gefülltem Weinglas in erhobener rechter Hand. Das feine, vibrierende Lichtspiel in den Zügen des Mannes charakterisiert ihn; gleichsam spiegelt sich darin die Könnerschaft dieses Meisters wider. Leibl begann um 1874 in der Radiertechnik zu arbeiten.

Lit.: O. FISCHER, Geschichte der deutschen Zeichnung und Graphik (Deutsche Kunstgeschichte 4, 1951), S. 478ff.

M.A. J.

23.20

DER TOD ALS HEILAND

Max Klinger (Leipzig 1857 – Großjena 1920), bez.: MAX KLINGER RAD OP 11 LTH No10, Blatt 10 der Mappe: Vom Tode I. Opus = XI, Dritte Ausgabe 1897, publiziert 1897

Radierung, H 23,7/B 30,2 cm

Stift St. Paul, Inv.Nr. N3012/10

Diese Graphik nimmt die Form eines Altares mit Altarbild und Predella auf. Das Motiv in der Predella erinnert an ein Gemälde von Hans Holbein d. J. (Augsburg, um 1497 – London 1543) aus den Jahren 1521/22: Der tote Christus im Grabe. Das Altarbild zeigt einen graphisch verzierten Rahmen. Im Bildfeld, in einer weiten, etwas trostlosen Landschaft, steht links der „Heiland", vor dem eine Figur sich in gebeugter, kniender Haltung befindet. Im rechten Bildfeld flieht eine Personengruppe. Zwischen Altarbild und Predella die Inschrift: *Wir fliehn die Form des Todes, nicht den Tod; denn unser höchsten Wünsche Ziel ist: Tod.*

Das Mappenwerk „Vom Tode I." erschien erstmals in Rom 1889. Eine zweite Folge erschien sporadisch von 1898 bis 1910: Vom Tode II.

Lit.: O. FISCHER, Geschichte der deutschen Zeichnung und Graphik (Deutsche Kunstgeschichte 4, 1951), S. 482ff. – W. GIEGLER, Kunst-Geschichten, in: Kat. Von Albrecht Dürer bis Lovis Corinth: Graphik vom 15. bis zum 20. Jahrhundert (1988), o. S.

M.A. J.

23.21

DER MÄHER

Edouard Vallet (Genf 1876 – Genf 1929), auf der Druckplatte sign. mit Monogramm E.V. und dat.: 1917, handsigniert

Radierung, H 23,8/B 24,1 cm

Stift St. Paul, Inv. Nr. N3021

In vorderster Bildebene monumentaler Mann mit Sense, in weiter Landschaft hauptsächlich Feldarbeiterinnen auf einem Getreidefeld. Exemplarisch steht diese Graphik für das Interesse der Künstler nach der Jahrhundertwende, sich mit den Belangen der Arbeiterbewegung auseinanderzusetzen und sich gegen die Ausbeutung und politische Unterdrückung der Arbeiterschaft zu engagieren.
Der monumentale Charakter des Mähers verdeutlicht die Etablierung der Arbeiterschicht als politisches Lager.

Lit.: W. GIEGLER, Kunst-Geschichten, in: Kat. Von Albrecht Dürer bis Lovis Corinth. Graphik vom 15. bis zum 20. Jahrhundert (1988), o. S.

M.A. J.

23.22

THE PAVEMENT ST. PAULS

Joseph Pennell (Philadelphia 1860 – New York 1926)

Radierung, H 21,6/B 28 cm

Stift St. Paul, Inv. Nr. N3027

Pennell gibt in diesem Blatt einen asymmetrischen Ausschnitt der Fassade von Saint Paul's Cathedral in London wieder, mit relativ starker Aufsicht auf den Platz vor der Kathedrale, mit vielen Passanten, einer Denkmalplastik und mit Durchblick rechts auf die umgebende Straße mit den entsprechenden Gebäuden.

Interessant an dieser Radierung sind die Mittel, die eingesetzt werden, um die Räumlichkeit der Darstellung zu steigern: im Vordergrund und an den Rändern lösen sich die Konturen lichtdurchflutet auf, so daß die Doppelsäulen der Fassade zum anziehenden Blickpunkt werden. Alles ist kontrastierend durchgebildet: Licht- und Schattenzonen, Leichtheit der Bewegungen und schwere Monumentalität des Kirchengebäudes, orthogonale Struktur der Architektur und diagonale Blickachse, die sich unscharf in den die Kathedrale umgebenden Gebäuden auflöst.
Der Amerikaner Pennell lebte bis 1916 hauptsächlich in London. Seine „Stadtlandschaften" spielen bewußt mit der Widersprüchlichkeit dieses Begriffs. Pennell lehnte sich künstlerisch stark an den englischen Landschaftsgraphiker J.A. McNeill Whistler (Lowell Mass. 1834 – London 1903) an.

Lit.: C. GLASER, Die Graphik der Neuzeit. Vom Anfang des 19. Jahrhunderts bis zur Gegenwart (1922), S. 324ff. – W. GIEGLER, Kunst-Geschichten, in: Kat. Von Albrecht Dürer bis Lovis Corinth: Graphik vom 15. bis zum 20. Jahrhundert (1988), o. S.

M.A. J.

23.23

AM STRANDE

Max Liebermann (Berlin 1847 – 1935)

Litographie, H 12,9/B 19,7 cm

Stift St. Paul, Inv.Nr. N3018

Liebermann zeichnet in spontaner Strichführung eine Strandszene mit im Vordergrund abgeböschten Dünen, die in diagonaler Richtung zur offenen See hinführen. In der linken Bildhälfte eine zwischen den Dünen spazierende Personengruppe; in der rechten Bildhälfte, etwas höher gelegen, Strandkörbe, die die hochgezogene Horizontlinie der See durchbrechen und zwischen denen sich einige Spaziergänger bewegen.
„Zeichnen ist Weglassen", erhob Liebermann zu seiner Prämisse. Damit beschränkte er sich auf die Wiedergabe des Wesentlichen einer Situation, die er so charakteristisch im nicht wiederholbaren Augenblick erfaßte und festhielt.

Lit.: O. FISCHER, Geschichte der deutschen Zeichnung und Graphik (Deutsche Kunstgeschichte 4, 1951), S. 491ff. – M. LIEBERMANN, Kat. Kunsthalle Hamburg (1968).

M.A. J

23.24

ZWEI LIEGENDE MÄNNLICHE AKTE

Maarten van Heemskerck (Heemskerk 1498 – Haarlem 1574), sign. mit Monogramm: M H fec.

Radierungen, H 9/B 19 u. H 10,8/B 18,5 cm

Stift St. Paul, Inv. Nr. 987, 988

Lit.: s. Kat. Nr. 21.35.

M.A. J.

23.25

DER SÜNDENFALL

Lucas van Leyden (Leiden 1494 – Leiden 1533), sign. mit Monogramm, vermutlich 1529

Kupferstich, H 19/B 25,1 cm

Stift St. Paul Inv. Nr. 1390

Die Aktdarstellungen von Adam und Eva komponierte van Leyden in einer diagonal zueinanderstehenden Haltung, in einem Bewegungsduktus also, der unmittelbar vor dem Moment, an dem Adam die verbotene Frucht zu sich nimmt, zum Stillstand kommt. Das Paar wird dabei von Baumstämmen getrennt, die Trennung jedoch wird vermittelnd durch die Fußstellungen und Handhaltungen beider wieder aufgehoben und so die Szene zu einer Einheit verwoben. Die Handhaltung bei der Fruchtübergabe von Eva zu Adam könnte Giottos Noli-me-tangere-Gestus zum Vorbild haben, doch hier uminterpretiert vom Berühr-mich-nicht-Standpunkt in eine aktive Handlung des Adam. Erstmals hat van Leyden den testamentlichen Aspekt in Richtung fraulicher Emanzipation verändert: die Haltung, Gestik und Mimik Adams charakterisieren ihn als gleichberechtigt Verantwortlichen beim Ungehorsam gegenüber Gottes Verbot.
Van Leydens Formauffassung in diesem Blatt trifft das Wesentliche und Charakteristische der Erscheinung auf der Grundlage intensiver Naturbeobachtung. Die Landschaft ist nicht bloße Staffage, sie ist integrierender Bestandteil der Darstellung und sie tendiert hin zu einem autonomen Motiv. Die paradiesische Unbefangenheit ist Adam und Eva verweigert, realistische Anspielungen sind bei ihnen spürbar.
FRIEDLÄNDER datiert diese Graphik in die Spätzeit van Leydens, in das Jahr 1529.

Lit.: ÖKT 37 (1969), S. 336 – M.J. FRIEDLÄNDER, Lucas van Leyden (Meister der Graphik 13, 1924), S. 29 mit Abb. – M.A. JELONEK, Höhepunkte der Graphik im 16. Jahrhundert, in: Kat. Von Albrecht Dürer bis Lovis Corinth. Graphik vom 15. bis zum 20. Jahrhundert (1988), o.S.

M.A. J.

23.26

DER VERLORENE SOHN

Lucas van Leyden (Leiden 1494 – Leiden 1533), sign. mit Monogramm

Kupferstich, H. 18,2/B 24,6 cm

Stift St. Paul, Inv. Nr. 1391

In der Bildmitte, vor einer Baumgruppe auf einer kleinen felsigen Anhöhe, empfängt der Vater mit verzeihender Geste seinen heimkehrenden Sohn, der reuevoll vor ihm kniet. Rechts Ausblick in eine Landschaft, links Hauseingang, zwischen dem und der Hauptszene eine Personengruppe vermittelt.

Lit.: s. Kat. Nr. 23.25.

M.A. J.

23.27 s. II, S. 425, Abb. 94

DIE GROSSE DARSTELLUNG IM TEMPEL

Rembrandt Harmensz van Rijn (Leiden 1606 – Amsterdam 1669), um 1639

Radierung (Zustandsdruck), H 21,2/B 29 cm

Stift St. Paul, Inv.Nr. 1404

In der rechten Bildhälfte zeigt die Hauptszene, wie Simeon den Jesusknaben in den Armen hält und Gott preist; die linke Bildhälfte gibt einen Durchblick auf Tempelbesucher frei, zwischen der Prophetin Hanna und einer Zweiergruppe neben der genreartigen Darstellung eines Hundes. Diese Radierung ist ein treffliches Beispiel für die gelungene Ausgewogenheit der Komposition mit Figuren, Licht und Schatten, die Rembrandts Methode des Hell-Dunkels veranschaulicht, eine Technik, die er zu einem Höhepunkt steigerte, und die vielen nach ihm zum Vorbild wurde.

Lit.: ÖKT 37 (1969), S. 336. – J.E. WESSELY, Geschichte der graphischen Künste (1891), S. 168 ff. – Klassiker der Kunst 8: Rembrandt. Des Meisters Radierungen (1906), S. IX ff, Abb. S. 24. – W. KOSCHATZKY, Die Kunst der Graphik. Technik, Geschichte, Meisterwerke (DTV-Ausgabe, 1980), S. 108, S. 143, S. 146. – W. GIEGLER, Kunst-Geschichten, in: Kat. Von Albrecht Dürer bis Lovis Corinth. Graphik vom 15. bis zum 20. Jahrhundert (1988), o. S.

M.A. J.

23.28

PHANTASTISCHE HAFENLANDSCHAFT MIT STAFFAGE

Jacobus Coelemans (Antwerpen 1654 – Aix-en-Provence 1730/31), nach Adrian van der Cabel (Rijswijk 1630/31 – Lyon 1705), bez.: *Peint par van der Cabel et Grave par Jac. Coelmans*

Kupferstich, H 26,3/B 33,4 cm

Stift St. Paul Inv.Nr. 1128

Im Vordergrund der Darstellung ein reger Hafenbetrieb mit Durchblick auf das offene Meer durch felsige Bogenöffnungen.

Lit.: THIEME-BECKER, Allgemeines Lexikon der bildenden Künstler, Bd. 7 (1912), S. 193f.; Bd. 19 (1926), S. 403ff.

M.A. J.

23.29

ANBETUNG DER KÖNIGE

Jan Muller (Amsterdam, um 1570 – Amsterdam (?), nach 1625), sign.: *Joan Muller inventer et sculpsit,* bez.: *Harmann Muller excude, 1598,* publiziert 1598

Kupferstich, H 34,9/B 43,5 cm

Stift St. Paul, Inv.Nr. 1141 a

Vor einem Bretterstall, der in eine große verfallene Bogenpfeilerhalle eingebaut ist, sitzt Maria mit dem Jesusknaben. Vor ihm kniet einer der Hll. Drei Könige.
Lichtquellen beleuchten die Szene: das Licht vom Stern oberhalb des Stalles und jenes, das von Jesus ausstrahlt. Muller, der sich an den Werken berühmter Vorläufer schulte, u.a. an denen des Lucas van Leyden (Leiden 1494 – Leiden 1533), kopierte aber nicht nur deren Arbeitsweise, sondern entwickelte sie kühn weiter, so daß sich in manchen seiner Werke eine Vorwegnahme der rembrandtesken Technik andeutet.

Lit.: A. ANDRESEN, J.E. WESSELY, Handbuch für Kupferstichsammler 2 (1873), S. 206. – J.E. WESSELY, Geschichte der graphischen Künste (1891), S. 104f. – W. KOSCHATZKY, Die Kunst der Graphik. Technik, Geschichte, Meisterwerke (DTV-Ausgabe, 1980), S. 113.

M.A. J.

23.30

S. HIERONYMUS IN DESERTO

Stecher unbekannt, nach Pieter Brueghel d. Ä. (wohl Breda, um 1525 – Brüssel 1569), bez.: *brueghel Inve, h. cock excu;* Mitte des 16. Jahrhunderts

Kupferstich, H. 29,5/B 42,3 cm

Stift St. Paul, Inv.Nr. 939

Landschaftliche Darstellung in leichter Aufsicht im Typus der Weltlandschaft mit weitem Ausblick in die Bildtiefe. Rechts ein baumbestandener und felsiger Hügel mit Burg, nach links abfallend ins tieferliegende Flußtal. Rechts unten in der Bildecke der hl. Hieronymus. Diese Graphik ist Teil der Folge der „grossen Landschaften", die Brueghel gezeichnet hat und die dann der Verleger Hieronymus Cock für eine Publikation vervielfältigen ließ.

Lit.: ÖKT 37 (1969), S. 335. – M.J. FRIEDLÄNDER, Pieter Brueghel (1921), S. 126, Abb. 67.

M.A. J.

23.31

JÜNGSTES GERICHT

Mongrammist PAME, nach Pieter Brueghel d. Ä. (wohl Breda, um 1525 – Brüssel 1569), bez.: *Brueghel Invent, H. cock excu*; sign. mit Monogramm PAME; Mitte des 16. Jahrhunderts

Kupferstich, H 29,3/B 23,6 cm

Stift St. Paul

In der Bildmitte steht der segnende Christus,

umgeben von musizierenden Engeln, in einer mandorlaförmigen Abgrenzung zum umliegenden Bereich. Links, in Richtung des Segensgestus, die Schar der Gerechten, rechts die der Sünder, die – z. T. mittels Folterrad – in einen beheizten, kesselähnlichen Behälter geworfen werden.

Lit.: ÖKT 37 (1969), S. 335.

M.A. J.

23.32

MARIENSTUDIE

Anton Raphael Mengs (Aussig/Böhmen 1728 – Rom 1779) zugeschrieben, um 1770

Zeichnung, schwarze Kreide, bräunlich laviert, weiß gehöht, H 32,5/B 25,5 cm

Stift St. Paul, Inv. Nr. Z115

Das Gesicht der Muttergottes in Frontalansicht mit gesenktem Blick.
Der Ruf von Mengs beschränkte sich nicht nur auf seine malerische Leistung, sondern bezog auch sein theoretisches Wirken mit ein. In seinen Schriften verwies er auf die großen Meister, deren Studium die Gesetzmäßigkeiten idealisierender Schönheit finden läßt. Die Akademien lehrten noch im 19. Jahrhundert im Einflußbereich A.R. Mengs. Seine Formensprache bekämpfte die barocken Übersteigerungen und er wandte sich der „klassischen Reinheit“ Raffaels (Urbino 1483 – Rom 1520) zu, den er studierte, um sich zu vervollkommnen. Der Typus des Madonnenkopfes erinnert an Raffael, seine Formensprache zeigt aber weniger klassizistische Tendenz, eher mehr Anklänge an die barocke Auffassung.

Lit.: Kindlers Malerei Lexikon 4, S. 383ff. – Kat. St. Blasien 1983, Bd.I, S. 315.

M.A. J.

23.33

KINDERSTUDIE ZU EINER MADONNA MIT KIND

Girolamo Francesco Maria Mazzola, gen. Parmigianino (Parma 1503 – Casalmaggiore bei Parma 1540), Zuschreibung (?), um 1520/30

Pinselzeichnungen in Rotbraun über schwarzer Kreide, weiß gehöht, H 23,4/B 18,8 cm

Stift St. Paul, Inv. Nr. Z188

Kinderkopf in Dreiviertelansicht, nach rechts oben blickend. Dahinter der Teil eines Armes. Vermutlich ist dieses Blatt Teil einer Zeichnung größeren Formats, wohl eines „Kartons“, also einer originalgroßen Vorzeichnung für ein Gemälde. Es war damals üblich Kartons zu zerschneiden, um nur die Köpfe vor der Vernichtung zu bewahren.
Dieses Zeichnungsfragment läßt auf eine Madonnendarstellung schließen. Parmigianino war der bedeutendste Maler im 16. Jahrhundert in der Emilia. Die Zuschreibung an Parmigianino wurde – allerdings ohne detaillierte Argumentation – abgelehnt und ein unbekannter Autor im Emilianischen oder Lombardischen angenommen.

Lit.: ÖKT 37 (1969), S. 328. – Kindlers Malerei Lexikon 4, S. 679. – Kat. St. Blasien 1983, Bd. I, S. 301.

M.A. J.

23.34

HALBFIGUR EINER VOM RÜCKEN GESEHENEN FRAU MIT KIND

David Custos (tätig in Augsburg im ersten Viertel des 17. Jahrhunderts), sign. mit Monogramm DA CV, dat.: 1619

Federzeichnung, an den Rändern aquarelliert, H 16/B 13,2 cm

Stift St. Paul, Inv. Nr. Z12

Halbfigur einer jungen Frau, die dem Betrachter den Rücken kehrt, den Knaben anschaut, den sie in Armen hält und der in Vorderansicht widergegeben ist. Das Bildformat ist ein Hochoval.
David Custos ist Mitglied einer Augsburger Kupferstecherfamilie, Sohn des Domenicus Custos (gestorben Augsburg 1616/17), der der Lehrer und Stiefvater von Lucas Kilian war (s. Kat. Nr. 23.37).
Möglicherweise ist das vorliegende Motiv die Nachzeichnung eines Teilstücks aus einem

Werk des Hans von Aachen (Köln 1552 – Prag 1616). Der Typus der weiblichen Figur kommt jedenfalls dessen Formensprache sehr nahe.

Lit.: THIEME-BECKER, Allgemeines Lexikon der bildenden Künstler, Bd. 8 (1913), S. 219. – ÖKT 37 (1969), S. 326f. – Kat. St. Blasien 1983, Bd.I, S. 304f.

M.A. J.

23.35

STURM AN DER KÜSTE

Claude Joseph Vernet (Avignon 1714 – Paris 1789), 1754 (?)

Zeichnung mit schwarzer Kreide, H 25/B 42 cm

Stift St. Paul, Inv. Nr. Z187

Sturmbewegte See vor einer Hafeneinfahrt mit Mole und Leuchtturm, der die Bildmitte angibt. Im Vordergrund ein Ruderboot und ein Segelschiff, die wohl im Hafen Schutz vor der schweren See suchen. Rechts Durchblick auf die offene See, am Seehorizont Segelschiffe, die vom Kentern bedroht sind.
Die Kompositionsweise der Marinestücke von Vernet ist an der von Claude Lorrain (Champagne 1600 – Rom 1682) und allgemein an der klassischen Formtradition des 17. Jahrhunderts orientiert, die er mit den zeitgenössischen romantischen Tendenzen verbindet. Vernet war einer der wichtigsten französischen Landschaftsmaler des 18. Jahrhunderts. Doch anders als Lorrain, der die Ideallandschaft gestaltet, also „Schönheit" vermittelt, ist in Vernets Schiffbruch-Bildern der den Naturgewalten preisgegebene Mensch Mittelpunkt.
Die vorliegende Zeichnung stimmt im wesentlichen mit einem 1754 von Vernet gemalten Leinwandbild überein (Haworth Gallery, Acrington), die zeichnerische Handschrift dieses Blattes ist durchaus mit der Vernets vergleichbar.

Lit.: ÖKT 37 (1969), S. 331. – Kat. St. Blasien 1983, Bd.I, S. 313f. – H. KELLER, Die Kunst des 18. Jahrhunderts, in: Propyläen Kunstgeschichte 10 (1985), S. 81, S. 394.

M.A. J.

23.36

ENTWURF ZU EINEM TOTENTANZ

Schweizer Maler aus der Nachfolge von Christoph Maurer (1558 – wohl Zürich 1614), wahrscheinlich Mitte des 17. Jahrhunderts

Federzeichnung, grau laviert, H 25/B 20 cm

Stift St. Paul, Inv. Nr. Z 18

Die Thematik „Totentanz" war im Mittelalter ein beliebtes Motiv und wurde in den Bereichen von Dichtung und Kunst im 15./16. Jahrhundert zu einem Höhepunkt geführt. Die graphische Sammlung verwahrt vier Entwürfe mit diesem Motiv. Alle von einer Hand gezeichnet, einer davon (Inv.Nr. Z19) trägt handschriftlich von fremder Hand die Jahresangabe 1650.

Lit.: ÖKT 37 (1969), S. 327.

M.A. J.

23.37

PIETA MIT ENGELN

Lucas Kilian (Augsburg 1579 – Augsburg 1637), nach Joseph Heintz d. Ä. (Basel 1564 – Prag 1609), auf der Druckplatte bez.: *S. C.M. Pictor Joseph Heintz pinxit 1608*

Kupferstich, H 39/B 25,5 cm

Stift St. Paul, Inv. Nr. S552

Maria mit dem Leichnam Christi unter dem Kreuz, umgeben von Engeln, darüber Putti mit den Leidenswerkzeugen: Lanze, Nägel, Dornenkrone.
Kilian reproduziert mit diesem Kupferstich ein größeres Ölbild von Joseph Heintz, gemalt 1608 für die Friedhofskapelle St. Michael in Augsburg. Das St. Pauler Blatt ist offenbar unten beschnitten (s. Kat. Nr. 23.38).
Lucas Kilian war einer der bedeutendsten Stecher dieser Familie, die im Augsburger Kreis ein umfangreiches Werk hinterlassen hat.

Lit.: J.E. WESSELY, Geschichte der graphischen Künste (1891), S. 148. – O. FISCHER, Geschichte der deutschen Zeichnung und Graphik (Deutsche Kunstgeschichte 4, 1951), S. 385 f. – Kat. St. Blasien 1983, Bd. I, S. 327.

M.A. J.

23.38

PIETA MIT ENGELN

Joseph Heintz d. Ä. (?) (Basel 1596 – Prag 1609), bez.: auf der Rückseite von fremder Hand: *Joseph Heintz pinxit 1608,* gemalt auf der Vorderseite rechts unten: das Wappen von Abt Martin I. Meister von St. Blasien (1596 – 1625) und daneben die Jahresangabe 1608.

Öl auf Zink, H 40,3/B 26,5 cm

Stift St. Paul

Das Motiv dieses kleinen Ölbildes entspricht wortgetreu dem des Kupferstiches von Lucas Kilian (s. Kat. Nr. 23.37).
Den Abmessungen nach könnte es sich um eine kleine Ölskizze für das große Gemälde in der Augsburger Friedhofskapelle St. Michael handeln, das Heintz 1608 gemalt hatte. Dagegen spricht, daß dem St. Pauler Exemplar der skizzenhaft spontane Duktus fehlt; mehr noch, daß in das Bild das Wappen des Abtes von St. Blasi-

en eingemalt ist und ihn somit als Auftraggeber dieses Werks ausweist.
Motiv und Maße des kleinen Ölbildes sind nahezu identisch mit denen des Kupferstichs. Die künstlerische Ausführung zeigt Unterschiede, denn die graphische Qualität des Kupferstichs erweist sich als die stärkere gegenüber der malerischen des kleinen Ölbildes.
Heintz war ein damals berühmter Maler, der viele Aufträge für Kaiser Rudolf II. ausführte. Die Gattin des Malers stammte aus Augsburg, wo Heintz zwischen 1604 und 1608 regelmäßig tätig war. Der Augsburger Graphiker Kilian reproduzierte das Augsburger Heintz-Gemälde nach dem Original in Tiefdrucktechnik, mit beachtlich hoher graphischer Qualität. Vermutlich beauftragte Abt Martin in St. Blasien einen für ihn arbeitenden Maler nach Vorlage des Kupferstiches von Kilian ein Duplikat des Augsburger Ölgemäldes von Heintz zu erstellen. Dann wäre dieses Ölbild etwas später zu datieren und entweder Hans Bock d. Ä. (Zabern/Elsaß, um 1550 – Basel 1623), dem Lehrer von Joseph Heintz d. Ä., oder einem seiner Söhne zuzuschreiben, die um 1600 ein „Marienleben" für Abt Martin I. geschaffen hatten.

Lit.: Kindlers Malerei Lexikon 3, S. 130f. – Kat. St. Blasien 1983, Bd.I, S. 272.

M.A. J.

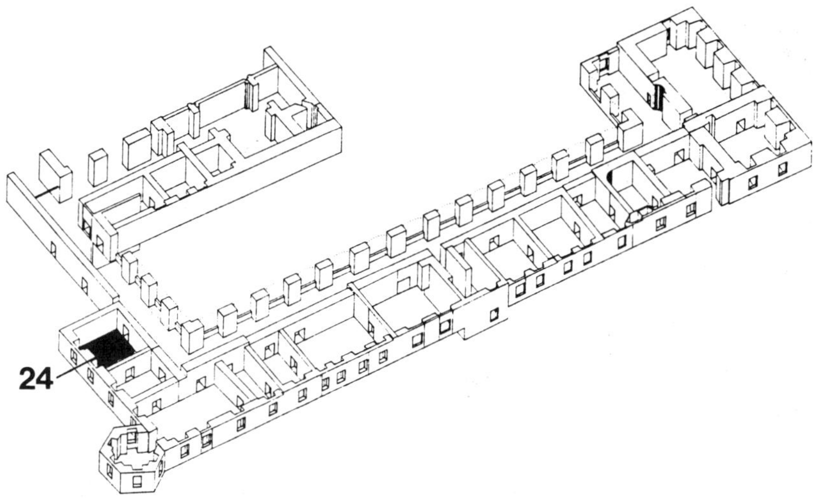

24

Gemäldesammlung

Aus der umfangreichen St. Pauler Gemäldesammlung, angeordnet um das Hauptobjekt, das berühmte Gemälde auf Holz „Anbetung der Hirten“ von Peter Paul Rubens, und thematisch nach Bildern mit religiösem Inhalt, nach Landschaften und Porträts gruppiert, wird hier ein repräsentativer Querschnitt angeboten. Die Bilder religiösen Inhalts stammen aus dem frühen 16. Jahrhundert bis hin zum Ende des 18. Jahrhunderts, wobei die beiden Evangelistenbilder des Holländers Pieter Aertsen besondere Beachtung verdienen. Die Landschaften zeigen die unterschiedlichen Darstellungsweisen deutscher Maler im Laufe mehrerer Jahrhunderte. Für die deutsche Malerei des 17. Jahrhunderts ist dabei charakteristisch, daß sie sich in Motivauswahl und Bildgestaltung vor allem an den Beispielen aus Italien und aus den Niederlanden orientiert. Innerhalb der Porträtserie besitzen die frühen niederländischen Bildnisse einer Frau und eines Mannes großen kunstgeschichtlichen Wert. Mit Ausnahme eines Porträts Papst Pius VII. werden ausschließlich weltliche Personen und allegorische Figuren gezeigt.

24.1.

PAPST PIUS VII. (1800–1823)

Johann Evangelist Scheffer von Leonhardshoff (Wien 1795–1822), 1816

Öl auf Leinwand, H 49/B 39,5 cm

Stift St. Paul

Das Bild trägt auf der Rückseite die unten beschnittene Inschrift: *P. Pius VII. Nach dem Leben gemahlt. Johan Scheffer v. Leonhardshof. gewidmet dem Fürstbischof von Gurk, Fr. Xav. Graf v. Salm-Reiffenscheid im Jahre 1816 v. P. Pius VII.......cardinal....*

Der Maler, Radierer und Lithograph Scheffer von Leonhardshoff weilte auf der Rückfahrt von einer Venedigreise 1812 in Klagenfurt, wo er mit dem Fürstbischof Franz Xaver von Salm-Reiffenscheid (dem Initiator der Erstbesteigung des Großglockners) zusammentraf. Dieser wurde sein Gönner und ernannte ihn in der Folge zu seinem Kammermaler. Er ermöglichte ihm einen zweijährigen Aufenthalt in Italien, wo sich Scheffer an den Werken Michelangelos, Raffaels und Peruginos schulte und der Richtung der Nazarener anschloß. Am Sommersitz des Papstes im Castel Gandolfo wurde es ihm möglich, Pius VII. zu porträtieren.

Der Papst ist streng frontal wiedergegeben. Der Piloleus, die rote Mozzetta mit Hermelinbesatz und die Brokatstola weisen ihn als obersten kirchlichen Würdenträger aus. Das Brustbild, dessen Aufbewahrungsort bisher unbekannt war, ist mehr zeichnerisch als malerisch bestimmt und die frontale Wiedergabe verstärkt die Schlichtheit und Strenge der Bildwirkung.

Lit.: Kat. Johannes Evangelist Scheffer von Leonhardshoff 1795–1822 (1977), S. 138f. – THIEME-BECKER, Allgemeines Lexikon der bildenden Künstler, Bd. 30, S. 6f. (mit der älteren Literatur).

D. P.

24.2

BILDNIS EINER FRAU

nordniederländisch, dat.1568

Öl auf Eichenholz, H 64/B 45 cm

Stift St.Paul

Die fast in Frontalansicht porträtierte Dame ist mit vor der Brust verschränkten Armen und mit Ringen an zwei Fingern der rechten Hand wiedergegeben. Kopfbedeckung, Ringschmuck und Mode charakterisieren diese Dame als bürgerliche Repräsentantin. Dieses Bildnis war wohl als Pendant zum männlichen Bildnis (Kat.Nr. 24.3) gedacht. Es ist auf der rechten Seite und oben beschnitten. Teile der erhaltenen Inschrift geben das Datum an: *A. D. 68 AEtatis Sue 31.*

Lit.: ÖKT 37 (1969), S. 291, Nr. 11.

M.A. J.

24.3

BILDNIS EINES MANNES

nordniederländisch, um 1568

Öl auf Eichenholz, H 56/B 45 cm

Stift St.Paul

Der Porträtierte in Dreiviertelansicht steht vor einer Wand mit einem Fensterausblick auf eine Landschaft .Das Werk präsentiert ein typisches Bildnis eines Vertreters des Bürgertums in der Formensprache des 16. Jahrhunderts.
Das Gemälde ist an allen Seiten beschnitten; links sind noch die Buchstaben „TATIS“, die Reste einer Datumsangabe, zu erkennen.

Lit.: ÖKT 37 (1969), S. 291, Nr. 11.

M.A. J.

24.4

BILDNIS EINER DAME

Künstler unbekannt

Öl auf Holz, H 32/B 24,5 cm

Stift St. Paul

In Frontalansicht ist das Schulterporträt einer jungen Frau mit Perlenkette und Ohrgehänge in einem schwarzem Gewand mit weißem Kragen dargestellt.

B. S.

24.5

BILDNIS DES GALERIEINSPEKTORS JOHANN JAKOB DORNER

Fridolin Dorner (1775-1852)?, links unten sign.: *Fridolin dorner pinx(it)*; auf der Rückseite alte Beschriftung: Porträt des Hb. Gallerie Inspectors Dorner in München gemalt durch Dorner.

Öl auf Holz, H 30,7/B 24,5 cm

Stift St.Paul

Fridolin Dorner und sein Bruder Johann Jakob studierten gemeinsam Malerei in München. Hier hat Fridolin seinen Bruder in der Art der Bildnisse von Caspar Netscher (1633/36–1684) porträtiert. Der Maler mit Allongeperücke und in pelzbesetztem Mantel blickt aus einem steinernen Fensterrahmen (knapp den Bildrand anschneidend) direkt zum Betrachter. Mit seinem linken Arm weist er auf eine Staffelei, auf der eine noch unbemalte Leinwand steht. In seiner rechten Hand hält er einen Zeichenstift. Ein Selbstporträt J.J. Dorners in Augsburg ist ganz ähnlich wie das vorliegende Bild komponiert.

Lit.: ÖKT 37 (1969), S.318, Nr.154, Abb.45.

B. M.

24.6

ALLEGORIE DER VERGÄNGLICHKEIT

deutsch, 2. Hälfte des 17.Jahrhunderts

Öl auf Leinwand, H 81,5/ B 24,2 cm

Das in diesem Bild dramatisch gelöste Memento-mori-Thema folgt der niederländischen Tradition derartiger Sujets: Ein Greis mit langem Haar und offener Jacke hält ein Stundenglas in der rechten Hand, die linke liegt auf einem Totenkopf. Vor dem Alten liegt ein aufgeschlagenes Buch, in dem er auf der Suche nach Weisheit offensichtlich gerade gelesen hat. Er scheint mitten im Studium von der Wahrheit, „dem Tod", überrascht zu werden. Dies zeigen der fragende, nach oben gerichtete Blick und der offene Mund des alten Mannes. Eine unsichtbare Lichtquelle aus der linken oberen Ecke läßt die gerunzelte Stirn, die grauen Bart- und Kopfhaare leuchten.

Lit.: ÖKT 37 (1969), S.304, Nr.61.

B.M.

24.7

HL. FRANZISKUS

Kopie nach einem Original des Francisco Zurbarán (Fuente de Cantos 1598 - Madrid 1664), 18. Jahrhundert.

Öl auf Leinwand, H 69/B 53 cm

Stift St. Paul

Das Bildnis des hl. Franziskus ist eine Kopie des berühmten Gemäldes Francisco Zurbaráns in der alten Pinakothek München. Zurbarán gilt als ein Hauptmeister der spanischen Malerei des 17. Jahrhunderts. Er war Hofmaler Philipps IV. und malte v. a. religiöse Sujets für Ordensklöster. Beeinflußt wurde er von Roelas und Herrera d. Ä., später in seiner naturalistischen Malerei vom Helldunkel Caravaggios und zuletzt von Murillo.

Das Bildnis des „Hl. Franziskus" ist in der typisch strengen Manier Zurbaráns, mit einfacher und knapper Farbakzentuierung, gestaltet. Franziskus ist als asketische, hagere Gestalt in brauner Mönchskutte dargestellt. Sein Attribut, einen Totenkopf - das Zeichen der Buße und Meditation - hält er in seiner Linken, mit der rechten Hand schlägt er sich demutsvoll an die Brust. Der verklärte, geistige Blick weist auf einen Zustand mystischer Entrückung.

Lit.: Kat. Alte Pinakothek München (1986), S. 577. – ÖKT 37 (1969), S. 294.

B. Wi.

24.8

MANN MIT ROSE

oberdeutsch, um 1540

Öl auf Holz, H 42/B 30,5 cm

Stift St.Paul

Vor dunklem Hintergrund ist das Porträt eines jungen Mannes in Frontalansicht wiedergegeben. Er berührt mit seiner rechten Hand einen Totenkopf, in seiner linken hält er eine Rose. Beides sind Symbole der Vergänglichkeit alles Irdischen und des Todes, die einen krassen Gegensatz zur Jugendlichkeit des Dargestellten bilden.

Lit.: ÖKT 37 (1969), S. 287, Nr. 5.

B. S.

24.9

SCHREIBENDER KNABE

deutsch, 1. Hälfte des 18. Jahrhunderts

Öl auf Leinwand, H 49,5/B 43 cm

Stift St. Paul

Ein Jüngling sitzt über ein Blatt Papier gebeugt, auf dem die lateinischen Worte *studiosa vita laboriosa ita* zu lesen sind. Offensichtlich gerade im Schreiben innehaltend, blickt er nachdenklich und verträumt, den Kopf auf den linken Arm gestützt, zum Betrachter. Vor ihm liegen Schreibutensilien. Die Farbigkeit des Bildes ist auf warme Brauntöne reduziert.

Lit.: ÖKT 37 (1969), S. 314, Nr. 122.

B. Wi.

24.10

BILDNIS EINER WEIBLICHEN GESTALT MIT SCHALE

Franz Joseph Spiegler (Wangen 1691 – Konstanz 1757) (?), 2. Viertel des 18. Jahrhunderts

Öl auf Leinwand, H 53/B 45,5 cm

Stift St. Paul

Die Frau neigt den Kopf nach rechts herab, in Brusthöhe hält sie eine Schale. Sie trägt ein weißes Gewand mit blauem Mantel und ist mit einem Diadem an der Stirn und einer Halskette geschmückt.
Diese weibliche Gestalt ist in Anlage und Malweise Spieglers Altarbildern mit den Darstellungen der hl. Ursula in Wangen/Allgäu und der hl. Agathe in Nordstetten bei Horb am Neckar verwandt.

Lit.: ÖKT 37 (1969), S. 312, Nr. 107, Abb 452.

D. P.

24.11

KOPF EINES GREISES

Franz Joseph Spiegler (Wangen 1691 – Konstanz 1757) (?), 2. Viertel des 18. Jahrhunderts

Öl auf Leinwand, H 53/B 45,5 cm

Stift St. Paul

Das Gemälde steht stilistisch dem Brustbild einer weiblichen Gestalt (s. Kat. Nr. 24.10) nahe und dürfte von derselben Hand stammen. Die Übereinstimmung der Maße und die aufeinander bezogene Figurenanordnung machen wahrscheinlich, daß es sich bei diesen zwei Bildern um Gegenstücke handelt.
Der Greis mit langem weißen Bart, der sich im Dreiviertelprofil nach links wendet und in einen braunen Mantel gehüllt ist, stellt wohl eine Apostel- oder Heiligenfigur dar.

Lit.: ÖKT 37 (1969), S. 312, Nr. 6, Abb. 453.

D. P.

GRUPPENPORTRÄT EINER VORNEHMEN BÜRGERLICHEN FAMILIE

Gonzales Coques (Antwerpen 1614–1684)

Öl auf Leinwand, H 68/B 91 cm

Stift St. Paul

Auf einer bühnenartigen Terrasse im Vordergrund ist eine vornehme musizierende Gesellschaft dargestellt. Die linke Bildhälfte zeigt unter einem roten Baldachin drei Männer in schwarzer Hoftracht mit weißen Spitzenkrägen. Der Cellospieler links außen richtet seinen Blick auf den Betrachter, ebenso der in der Mitte sitzende ältere Herr. Auf der rechten Bilhälfte, vor dem Portikus eines palazzoartigen Gebäudes, befindet sich eine Frauengruppe sowie ein Geistlicher im weißen Ordensgewand mit einem Birett in der rechten und einem kleinen Buch in der linken Hand. Die sitzenden jungen Mädchen scheinen dem Musikvortrag zu lauschen, vor ihnen steht eine kleine Orgel mit Volutenfüßen in Form von Engelköpfen. Die Personen mit ihren höfisch verschlossenen Physiognomien verharren fast bewegungslos.
Das Gemälde stammt aus der Werkstatt des flämischen Malers Gonzales Coques und ist eine Replik des Gruppenporträts, das sich in der Budapester Galerie befindet. Coques, einer der bedeutendsten Bildnismaler seiner Zeit war Schüler P. Bruegels und D. Ryckaerts. Er begann als Genremaler und malte später vorwiegend Gruppenbilder.

Lit.: ÖKT 37 (1969), S. 292, Nr. 18.

B. Wi.

24.13

LANDSCHAFT MIT WASSERFALL BEI EINER MÜHLE

Nachahmer des Jacob van Ruisdael

Öl auf Leinwand, H 66/B 76 cm

Als motivisches und kompositorisches Vorbild für dieses Gemälde diente ein Landschaftsbild von Ruisdael im Museum von Straßburg. Hauptmotiv ist das von einer Staumauer stürzende Wasser, das rechts und links von Mühlrädern und Gebäuden begrenzt wird. Das Bild ist in dunklen Braun- und Grüntönen gestaltet, einzig die Gischt sowie einzelne Wolken heben sich davon hell ab.

Lit.: ÖKT 37 (1969), S.294, Nr.23.

B. M.

24.14

LANDSCHAFT MIT DER VERSUCHUNG CHRISTI

Caspar Wolf (Muri 1735 – Mannheim 1798), 1772

Öl auf Leinwand, H 55/B 37,5-38 cm

Stift St. Paul

Das Gemälde ist Teil einer Folge von vier Felslandschaften, die über St. Blasien nach St. Paul gekommen sind. Eines dieser Bilder trägt neben der Signatur die Jahreszahl 1772.
Die Inschrift „Mat. 4." bezieht sich auf das Matthäusevangelium: Der Versucher fordert Christus nach vierzigtägigem Fasten in der Wüste auf, Steine in Brot zu verwandeln. Die Wüste stellt Caspar Wolf als Felsschlucht-Landschaft mit kargem Baumbewuchs und einer über den Bach gestürzten Wettertanne dar.
Das Motiv des Felsens ist, von den letzten Jahren abgesehen, ein beherrschendes Motiv der Kunst Caspar Wolfs, der zu den wichtigsten

Vertretern der vorromantischen Landschaftsmalerei zählt. Er verbindet die neue realistische Landschaftsaufnahme mit der Darstellung der von geheimnisvollen Kräften geformten und bewegten Natur.

Lit.: W. RAEBER, Caspar Wolf 1735–1783. Sein Leben und sein Werk. Ein Beitrag zur Geschichte der Schweizer Malerei des 18. Jahrhunderts *(Schweizer Institut für Kunstwissenschaft, Oevrekataloge Schweizer Künstler 7, 1979),* Nr. 119. – Kat. Caspar Wolf (1735–1783). Landschaft im Vorfeld der Romantik, Kunstmuseum Basel 1980, S. 34, Kat.Nr. 53a, 53b. – ÖKT 37 (1969), S. 315, Nr. 129. – Kat. St. Blasien 1983, Bd.I., S. 297, Nr. 250.

D. P.

24.15.

LANDSCHAFT MIT REITER

Christian Georg Schütz (Flöresheim 1718 – Frankfurt a. M. 1791), 1770, auf der Rückseite sign.: *Christ. Schütz Pi(nxit)* 1770

Öl auf Eichenholz, H 31,5/B 48,5 cm

Stift St. Paul

Christian Georg Schütz gehörte dem Malerkreis um Goethes Vaterhaus an und schuf vorwiegend stimmungsvolle Landschaftsbilder, vor allem „Ideallandschaften" mit Ruinenarchitektur und Staffage in Rokokomanier. Auf dem Ölbild „Landschaft mit Schimmelreiter" sind links die Stallungen eines Gehöfts, zwei Ochsen, die Rückenfigur einer Bäuerin und eine Kirche auf dem Hügel im Hintergrund dargestellt. Ein Bauer scheint auf einem Schimmel gerade den Hof in Richtung Tal zu verlassen. Ein weiter Ausblick auf eine Flußlandschaft mit den Silhouetten einer Stadt am rechten Flußufer rundet das Bild harmonisch ab. Ebenfalls in der Gemäldesammlung des Stiftes St. Paul befindet sich das Gegenstück zu diesem Bild, eine „Gebirgslandschaft mit Brücke", aus demselben Jahr.

Lit.: ÖKT 37 (1969), S. 316f., Nr. 151.

B. Wi.

24.16

LANDSCHAFT MIT KUHHIRTEN

2. Hälfte des 17. Jahrhunderts

Öl auf Holz, H 41/B 52 cm

Stift St. Paul

Das Bildfeld wird von einem abwechslungsreichen Landschaftsausschnitt dominiert, in dem die dargestellten Personen eine nur untergeordnete Stellung einnehmen. Der Vordergrund zeigt ein Pferd mit Reiter zwischen zwei Kühen bei der Tränke an einem Fluß. Während die rechte Bildseite beinahe zur Gänze von einem dichten Laubwald eingenommen wird, ist links neben bewaldeten Felsformationen der Blick auf die ferne hügelige Landschaft freigegeben.

Lit.: ÖKT 37(1969), S. 304, Nr. 66.

B. S.

24.17

DIE RUINE GRIFFEN

Markus Pernhart (1824 – 1871), unten rechts sign.: *M. Pernhart*

Öl auf Leinwand, H 26/B 39 cm

Stift St. Paul

Pernhart gilt neben seinem Förderer und Ausbildner Eduard Moro (1790 – 1846) als einer der bedeutendsten Kärntner Landschaftsmaler des 19. Jahrhunderts. Seine Lieblingsthemen bilden Hochgebirge, Schlösser, Ruinen und Seelandschaften, die typischen Hauptmotive seiner Zeit.
Die Burg Griffen wurde im 12. Jahrhundert auf einem Felshügel nordwestlich des damals bischöflich-bambergischen Ortes Griffen erbaut. Das Gemälde dokumentiert den ruinösen Zustand der Burg im 19. Jahrhundert.

Lit.: ÖKT 37 (1969), S. 319, Nr. 156.

B. S.

24.18

DER APOSTEL PHILLIPUS TAUFT DEN KÄMMERER

Christoph Krafft (um 1610–Rottweil 1680), sign. unten links: *C.K.*; um 1650

Öl auf Leinwand, H 194/B 130 cm

Stift St. Paul

Das Gemälde Kraffts illustriert eine in der Apostelgeschichte überlieferte Begebenheit aus dem Leben des Apostels Phillipus – die Taufe des Kämmerers der äthiopischen Königin im Zuge seiner Mission (Apg.8, 26–40):
Phillipus wurde von einem Engel aufgefordert, von Jerusalem nach Gaza zu ziehen. In der einsamen Gegend traf er auf den Kämmerer, der heimwärts fuhr und in die Schriften des Propheten Jesaia vertieft war. Das Geschriebene blieb ihm unverständlich, Phillipus aber konnte es ihm in neutestamentlichem Sinne erklären, worauf der Äthiopier sich an der nächsten Wasserstelle taufen ließ.
Im Mittelgrund ist dargestellt, wie Phillipus zum Äthiopier in den Wagen gestiegen ist, um das Evangelium zu verkünden. Den linken Vordergrund nimmt die Taufe ein, der drei Zuschauer beiwohnen. Am Wasserrand sitzt eine Frau mit einem Hund und weist auf den Engel des Herrn, der über der Taufszene erscheint.
Das Gemälde wurde von Abt Franciscus I. Chullotus von St. Blasien (1638–1664) in Auftrag gegeben; sein Wappen befindet sich links unten. Dasselbe Wappen tragen vier weitere Gemälde aus einem Zyklus der „Sieben Schmerzen Mariae", die für diesen Abt von Christoph Krafft gemalt wurden und sich heute in den Sammlungen des Benediktinerstiftes St.Paul befinden.

Lit.: ÖKT 37 (1969), S. 295, Nr. 31, Abb. 429. – Kat. St. Blasien 1983, Bd.I, S. 278, Nr. 233.

D. P.

s. II, S. 422, Abb. 91

ANBETUNG DER HIRTEN

Peter Paul Rubens (Siegen 1577 – Antwerpen 1640), Zuschreibung, bez. auf der Rückseite: Rubens, um 1621/22

Öl auf Holz, H 29/B 23 cm

Stift St. Paul

Rechts beten die Hirten, von denen der vorderste knieend dargestellt ist, das vor einer Krippe im Schoße Mariens ruhende Jesuskind an. Hinter Maria, im Typus der *Madonna lactans*, steht Josef; links, etwas abseits, Ochs und Esel. Maria mit dem Kind bildet ein imposantes Kompositionsdreieck, dem sich die Gruppe der Hirten unterordnet und das von einem weniger akzentuierten Kompositionsdreieck hinterfangen wird. Verkompliziert wird dieses Kompositionsschema durch sich überkreuzende diagonale Strukturen. Über Maria hängt eine brennende Lampe, die jedoch die Nachtszene nicht beleuchtet. Das Beleuchtungslicht des Bildes hat sein Zentrum im Kind an der Brust Mariens.

O.BENESCH und J.S. HELD haben das Ölbild als eigenhändige Skizze Rubens bezeichnet. Bildkomposition, Bildbeleuchtung und Pinselduktus, die der Handschrift von Rubens durchaus vergleichbar sind, sprechen für diese Zuschreibung.

Das St. Pauler Bild ist eine Ölskizze für ein in der Kathedrale von Soissons befindliches Altargemälde, das in etwas veränderter Fassung von der Rubenswerkstatt um 1621/22 ausgeführt wurde.

Quelle: F.K.G. HIRSCHING, Nachrichten von sehenswürdigen Gemälde- und Kupferstichsammlungen, Bd. V (1792), S. 82, Nr. 6.
Lit.: ÖKT 37 (1969), S. 292, Nr. 16. – Kat. St. Blasien 1983, Bd. I, S. 274, Abb. Nr. 231. – O. BENESCH, Beiträge zum Werk des Rubens, Alte und Neue Kunst (1954), S. 12f. – J. S. HELD, The Oil Sketches of Peter Paul Rubens, Bd.1 (1980), S. 449f., Nr. 324.

M.A. J.

24.20

RUHE AUF DER FLUCHT

Öl auf Holz, H 32/B 24 cm

Entgegen der legendarischen Überlieferung und bevorzugten Darstellungsart der „Ruhe auf der Flucht nach Ägypten" besitzt das vorliegende Bild eher profanen Charakter: weder Palme, noch Quelle oder Engel umgeben die heilige Familie, stattdessen erweckt die zentrale Dreieckskomposition von Mutter und Kind einen realistischen Eindruck des Verweilenwollens, wobei der nackte Knabe an der halbbedeckten Brust Mariens schläft. Die Handgeste Josephs, der sich zu Maria neigt und zu dem sie schräg nach hinten blickt, läßt sich als Aufforderung zum Aufbruch deuten.
Marias blauer Mantel füllt den unteren Bildteil völlig aus. Laubkronen im Hintergrund geben Durchblicke zum blauen Himmel frei.

B. M.

24.21

DIE EVANGELISTEN LUKAS UND JOHANNES

Pieter Aertsen (Amsterdam, um 1508/09 – Amsterdam 1575), um 1550/60

Öl auf Eichenholz, H 28/B 42,5 cm (unten ein 1,5 cm breiter Streifen angesetzt)

Stift St.Paul

Lukas und Johannes halten jeder ein Buch in den Händen, neben ihnen sind ihre Attribute Stier und Adler. In der Bildecke links oben fliegt die Taube des Heiligen Geistes.

Lit.: s. Kat. Nr. 24.22.

M.A. J.

24.22

DIE EVANGELISTEN MATTHÄUS UND MARKUS

Pieter Aertsen (Amsterdam, um 1508/09 – Amsterdam 1575), um 1550/60

Öl auf Eichenholz, H 27,5/B 42,5 cm (unten ein 1,8 cm breiter Streifen angesetzt)

Stift St. Paul

Matthäus und Markus lesen in einem Buch,

seitlich neben ihnen befinden sich die zugehörenden Attribute: Engel und Flügellöwe.
Aertsen, in seiner Zeit ein sehr geschätzter Maler, variierte das Thema mehrmals. In seinen Werken, die kraftvolle Zeichnung und Modellierung auszeichnen, drückt sich ein derb-drastischer Wirklichkeitsbezug aus, der seine Evangelistendarstellungen auch für die protestantische Theologie akzeptabel erscheinen ließen. Eines davon befindet sich im Suermondt-Museum in Aachen und ist mit 1559 datiert.

Lit.: ÖKT 37 (1969), S. 291. – O. BENESCH, Eine österreichische Stiftsgalerie, Belvedere (1929), S. 34. – Kat. St. Blasien 1983, Bd. I, S. 291. – M.A. JELONEK, Niederländische Genremalerei, JbSP 1989/90, S. 40. – D. KREIDL, Die religiöse Malerei Pieter Aertsens als Grundlage seiner künstlerischen Entwicklung, Jb. der Kunsthistorischen Sammlungen in Wien 68 (1972), S. 99f.

M.A. J.

24.23

HL. AUGUSTINUS

Benvenuto Tisi (?), genannt Garofalo (Garofalo oder Ferrara um 1481 – Ferrara 1555), um 1525 (?)

Öl auf Pappelholz, H 58/B 67 cm

Stift St. Paul

Der Heilige im bischöflichen Ornat vor einem Felsen; er wendet sich von seinen Büchern zu dem Knaben, der mit einem Schöpflöffel am Meeresrand sitzt.
Das Bild illustriert eine Szene aus dem Leben des hl. Augustinus: Er dachte über die hl. Dreifaltigkeit nach, als er ein schönes Kind beim Wasser sah, das mit einem Löffel das Meer in eine kleine Grube schöpfen wollte und dem Heiligen erklärte, daß dies leichter wäre als sein Versuch, die Dreifaltigkeit zu ergründen. Daraufhin verschwand der Knabe und Augustinus erkannte, daß es Gott gewesen war.
Ein sehr ähnliches Bild Benvenuto Tisis, der nach dem Herkunftsort seiner Familie Garofalo genannt wird, befindet sich in der National Gallery in London: „Der hl. Augustinus mit der hl. Familie und der hl. Katharina von Alexandrien (Die Vision des hl. Augustinus)".
Von diesem übernimmt das St. Pauler Gemälde den Heiligen und den Jesusknaben genau, die gebirgige Landschaft nur zum Teil. Der linke Bildteil hinter dem Knaben fehlt hier gänzlich, auf die weibliche Figur neben Augustinus und die gesamte Figurengruppe auf der Wolkenbank, die die Madonna mit dem Kind, den hl. Joseph und einen Engelschor zeigt, ist verzichtet. Am St. Pauler Gemälde sind in diesem Bereich starke Übermalungen festzustellen.
Wegen des Fehlens der weiblichen Figur (hl. Katharina) neben Augustinus wurde auch die Küstenlandschaft mit der Stadtansicht abgeändert.
Der Kopf des Heiligen gleicht in großem Maße dem Priester auf Tisis Gemälde „Heidnisches Opfer" von 1526, ebenfalls in der National Gallery.

Lit.: ÖKT 37 (1969), S. 290, Nr. 8, Abb. 418. – Kat. St. Blasien 1983, Bd.I, S. 262, Nr. 206.

D. P.

24.24

ECCE HOMO

österreichisch, um 1700

Öl auf Leinwand, H 115/B 92 cm

Stift St. Paul

Christus und Pilatus sind als Halbfiguren abgebildet. Das Licht fällt auf den gegeißelten Christus, der mit Dornenkrone, Königsmantel und Rohrstab dargestellt ist. Hinter ihm steht im Halbdunkel Pilatus in orientalischer Kleidung, der (nach Joh. 19,4–5) auf Christus weist: „Ecce Homo" („Sehet, welch ein Mensch"). Möglicherweise stammt dieses Gemälde aus der Werkstatt von Johann Michael Rottmayer (Laufen 1654 – Wien 1730), denn es zeigt Einflüsse Johann Carl Loths, in dessen Werkstatt Rottmayer dreizehn Jahre lang gearbeitet hat und weist Ähnlichkeiten mit seinen eigenen Werken aus den neunziger Jahren auf.

Lit.: ÖKT 37 (1969), S. 305, Nr. 68, Abb. 461.

B. Wi.

24.25

DAS LETZTE ABENDMAHL

Johann Christian Thomas Winck (Eichstätt 1738 – München 1779); sign. rechts unten am Schemel *Christ. Wünckh invenit 1763*

Öl auf Leinwand, H 62/B 49 cm

Stift St. Paul

Winck lebte, nach Aufenthalten in Augsburg und Freising, seit den 60er Jahren in München, wo er 1769 zum kurfürstlichen Hofmaler ernannt wurde. Neben seiner Haupttätigkeit als Fresken- und Altarbildmaler wirkte er auch als Graphiker, Buchillustrator und Theatermaler. In seinen meist kleinformatigen religiösen Andachtsbildern wird bei der Gestaltung von Hell-Dunkel-Effekten die Vorbildfunktion Rembrandts bemerkbar. Seine volkstümlich narrative Ausdrucksweise und seine meisterhafte Behandlung des Kolorits machten ihn zum meistbeschäftigten Freskomaler Münchens in der 2. Hälfte des 18. Jahrhunderts. Den Vordergrund des Bildes akzentuieren links zwei Flaschen und eine Weinkaraffe. Die perspektivisch verkürzten Fußbodenlinien lenken den Blick des Betrachters über die Rückenfigur eines Apostels weiter ins Bildzentrum zu Christus, dem die Kompositionsform des Dreiecks zugrundeliegt, die ihn gegenüber den heftig gestikulierenden, bewegten Aposteln hervorhebt. Rechts von Christus sitzt sein Lieblingsapostel Johannes, der die Hände zum Gebet erhoben hat. Über der Abendmahlszene erhebt sich ein Wolkenschleier mit Putti, rechts schwebt eine Engelsfigur, die das Motiv der gefalteten Hände von Johannes wiederholt. Den Hintergrund bildet eine Tempelarchitektur mit Säulen.

Lit.: ÖKT 37 (1969), S. 314, Nr. 111.

B. S.

24.26

VERSUCHUNG DES HL. ANTONIUS

Josef Marcus Hermann (Freiburg 1732 – 1811); monogrammiert im Giebel der Einsiedelei: IH (ligiert); Ende des 18. Jahrhunderts

Öl auf Holz, H 63/B 51 cm

Stift St. Paul

Der Teufel in Gestalt einer schönen Frau sucht den Einsiedler Antonius zu verführen. Josef

Marcus Hermann hat den in höchsten Aufruhr versetzten Greis in brauner Mönchskutte sehr eindringlich gestaltet. Verzweifelt wendet er seinen Arm nach oben, so als wolle er Jesus, der in einem Wolkenkranz erscheint, um Standhaftigkeit bitten. In der anderen Hand hält Antonius eine Glocke zur Abwehr der Dämonen und als Attribut. Die Verführerin ist in einem rot-goldenen Bürgerskleid des frühen 16. Jahrhunderts und mit einer Dose in der Hand dargestellt. Ein kleines Schwein, das wichtigste Attribut des Antonius, das ihn zugleich als Schutzheiligen der Haustiere kennzeichnet, wird währenddessen von Dämonen gequält. In den Rücken fällt Antonius ebenfalls ein dämonisches Wesen, das die Gesichtszüge des Heiligen trägt und mit einem Blasbalg in der Hand auf den Nacken des Heiligen zielt, möglicherweise in Anspielung auf das Antoniusfeuer, eine wie Feuer brennende und verzehrende Krankheit. Im Hintergrund ist der Giebel der Klause mit dem Monogramm IH und dem T, das Zeichen des Antoniterordens, sichtbar. Die Landschaft mit Ausblick auf ein weites Flußtal erinnert an Lukas Cranach d. Ä., das Figürliche an Niklaus Manuel Deutsch.

Lit.: ÖKT 37 (1969), S. 318f., Nr. 155. – Kat. St. Blasien 1983, Bd. I, S. 297, Nr. 251.

B. Wi.

24.27

DIE BERUFUNG ABRAHAMS

Hans Bock d.Ä. (Zabern um 1550 – Basel um 1623), sign. u. dat.: *H. Bock, 1608*

Öl auf Leinwand, H 52/B 59 cm

Stift St. Paul

Die Berufungsszene ist in den Mittelgrund verlegt, wo Abraham als Schafhirte dargestellt ist und die Hand zum Himmel erhebt, um Gottes Verheißung des gelobten Landes zu empfangen (1.Buch Mose, 12, 1–9). In der Himmelszone erscheinen auf den Kopf gestellt die Worte „Egredere de terra tua – Zieh' weg aus deinem Land".

Das biblische Thema bildet nur eine Randszene der Genredarstellung im Vordergrund: Vor einem Pferd, das mit allerlei Gerät bepackt ist, sind ein Mann und eine Frau über einer Schüssel beschäftigt, links schläft ein Bauer umgeben von Haustieren. Möglicherweise ist die ländliche Szene mit dem biblischen Bericht, daß beim Auszug Abrahams alle Habe wie auch die Mägde und Knechte mitgenommen wurden, in Verbindung zu bringen.

Das Bild stammt wohl aus St. Blasien, für dessen Abt Martin Meister (1596–1625) Hans Bock auch 18 Szenen aus dem Marienleben sowie einen Christus als Schmerzensmann und Maria als Schmerzensmutter gemalt hat. HIRSCHING erwähnt ein in der Gemäldegalerie von St. Blasien befindliches Bild mit dem „Auszug Abrahams" von Rosa da Tivoli, das mit Bocks Gemälde identisch sein könnte; die Namensverwechslung wäre damit zu erklären, daß auch der in Italien tätige Maler Phillip Peter Rosa, genannt Rosa da Tivoli (1657–1706), mit ländlichen Szenen hervortrat.

Lit.: F. K. G. HIRSCHING, Nachrichten von sehenswürdigen Gemälde- und Kupferstichsammlungen, Bd. V (1792), S. 82, Nr. 19. – ÖKT 37 (1969), S. 294, Nr. 29, Abb. 427. – Kat. St. Blasien 1983, Bd. I, S. 267, Nr. 211.

D. P.

24.28

KREUZIGUNG CHRISTI

Johann Andreas Herrenlein (Würzburg

1720 – Fulda 1786), auf der Rückseite sig.: *Herrenlein P. Fuldae 1780*

Öl auf Eichenholz, H 33,5/B 26 cm

Stift St. Paul

Der Gekreuzigte ist schräg nach links bildeinwärts gedreht. Links vorne würfeln gemäß Psalm 21,19 die römischen Soldaten unter dem Kreuz um das Gewand Christi. Rechts reicht ein Soldat an einem Schilfrohr Christus den Essigschwamm. Maria Magdalena mit gelbem Umhang kniet mit schmerzverzerrtem Gesichtsausdruck vor dem Kreuz. Christus neigt das Haupt seiner Mutter Maria im blauen Gewand zu, neben ihr steht Johannes, der sich in einer Geste der Trauer an die Wange greift.

Lit.: ÖKT 37 (1969), S. 314, Nr. 119, Abb. 424.

B. S.

24.29

MARIA MIT DEM KIND

lombardisch, 1. Hälfte des 16.Jahrhunderts, auf der Rückseite alte Beschriftung: *Leonardo da Vinci* (Rest unleserlich)

Öl auf Holz, H 54/B 39,5 cm

Maria als Halbfigur hält mit beiden Händen den nackten Knaben, der sich zärtlich an ihren Hals schmiegt. Beide tragen einen deutlichen Nimbus und blicken direkt zum Betrachter. Marias weit ausgeschnittenes, rotes Kleid wird von einem grünen Mantel mit goldener Innenseite umhüllt. Das helle Inkarnat bildet einen deutlichen Kontrast zu den satten Gewandfarben und dem dunklen Hintergrund.

Lit.: ÖKT 37 (1969), S.290.

B. M.

25

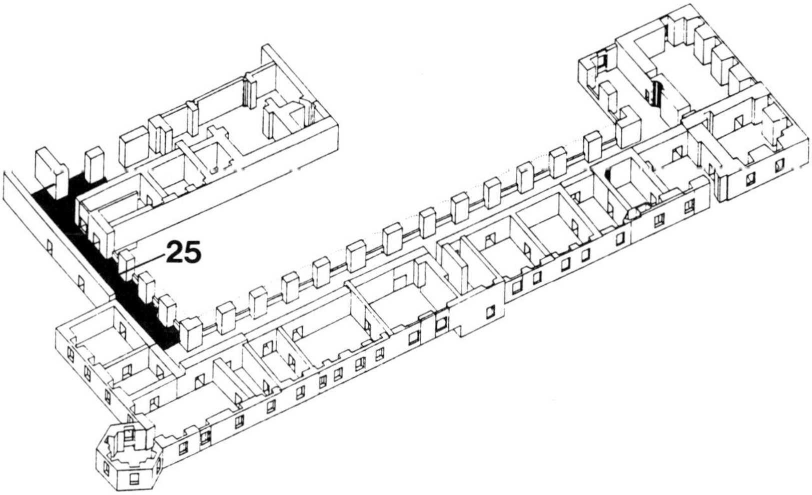

Das Stift St. Paul im 19. und 20. Jahrhundert

Die Jahre nach der Wiederbesiedelung 1809 waren geprägt von den Bemühungen des Abtes Paul Rottler, die materielle Basis und Ausstattung des Klosters zu sichern und zu verbessern. Die Dotationsverhandlungen fanden erst 1820 ihren Abschluß: In einer Urkunde Kaiser Franz I. von Österreich werden der Besitz, aber auch die Aufgaben der wiederbegründeten Abtei festgestellt. In der Folge nahm die Pflege der Wissenschaften in St. Paul breiten Raum ein. Theologie, Philosophie und Geschichtswissenschaft standen im Vordergrund des Interesses. Dabei konnte man sich auf die Grundlagen und Ergebnisse jener gelehrten Akademie stützen, die in St. Blasien schon im 18. Jahrhundert entstanden war und deren Tradition fortgesetzt wurde. Die Patres Trudpert Neugart und Ambrosius Eichhorn können als Begründer der Kärntner Geschichtswissenschaft gelten. Auch der umfangreichen Tätigkeit des Stiftshistorikers Beda Schroll gebührt besondere Anerkennung. Auf dem Gebiet der archäologischen Forschung haben sich die Äbte Odilo Frankel und Richard Strelli verdient gemacht. Hauptaufgabe des Stiftes war es, „bei öffentlichen Lehr- und Erziehungsanstalten ersprießliche Dienste zu leisten". Bis zum Jahre 1871 stellten die St. Pauler Benediktiner die Lehrkräfte am Lyzeum in Klagenfurt.

Sie wurden von dieser Lehrverpflichtung befreit, mußten aber bis 1896 die weltlichen Lehrer bezahlen und wurden schließlich veranlaßt, das bestehende St. Pauler Untergymnasium bis zum Jahre 1900 zu einem Vollgymnasium auszubauen. Ab 1889 wird im Ort ein Konviktneubau errichtet, der das alte Konvikt im Osttrakt des Stiftes ablöste. In der Folge kommt es auch zum Neubau des Gymnasiums.
Im Ersten Weltkrieg wird der regelmäßige Schulbetrieb weitgehend unterbrochen, der sich 1918 wegen des Abwehrkampfes gegen den SHS-Staat, als das Stift zweimal von südslawischen Truppen besetzt wurde, und der Nöte der Nachkriegszeit erst allmählich wieder normalisierte. Die allgemein schlechte wirtschaftliche Lage verschärfte sich schließlich so, daß das Stift 1927/30 seine überaus wertvolle Gutenbergbibel in die USA verkaufen mußte, nachdem es schon vorher etliche Kunstgegenstände an das Kunsthistorische Museum und die Albertina in Wien veräußert hatte. Seit 1938 bekam das Stift den nationalsozialistischen Terror gegen das konfessionelle Schulwesen voll zu spüren, das Stiftsgymnasium wird verstaatlicht, das Konvikt geschlossen und schließlich 1940 unter Beschlagnahme aller Güter auch das Kloster unter dem Vorwand, staatsfeindlich gewesen zu sein, in eine NAPOLA umgewandelt. Bald nach der Befreiung durch britische Armeeinheiten in der zweiten Maiwoche 1945 konnten die von den Nazis vertriebenen Mönche aber wieder in ihr Kloster zurückkehren. Am 1. Dezember 1945 wurde der Schulbetrieb wieder aufgenommen, der seither blüht und gedeiht.

Der Alltag hat uns wieder!

Noch etwas gefangen vom Glanz und der Glorie der Räume, in denen Sie, verehrter Besucher, einen Eindruck vom „Schatzhaus Kärntens" gewinnen konnten, darf ich Sie wieder empfangen und auf den Boden des Alltags bringen. Die Hauptbetätigung der St. Pauler Mönche nach der Wiederbesiedelung 1809 bestand im schulischen Wirken in Klagenfurt und in St. Paul. In Klagenfurt mußten für das Lyzeum und das Gymnasium die Patres mit entsprechender Ausbildung als Lehrer bestellt werden. In St. Paul wurde ein Untergymnasium geführt und ein Konvikt – zunächst innerhalb des Stiftsgebäudes errichtet. Die Mönche gewannen gar bald für die Geisteswissenschaft, allem voran für die Geschichtsforschung, eine große Bedeutung. Als Beispiele seien hier genannt die Historiker P. Trudpert Neugart (gest. 1825), P. Ambros Eichhorn (gest. 1820) und P. Franz Grüninger (gest. 1826). Zudem unternahmen die Patres die Betreuung der Pfarren St. Paul, St. Martin im Granitztal, Pustritz, St. Georgen im Lavanttal und Klein St. Paul im Görtschitztal. 1810 besuchte Kaiser Franz I. Kärnten. Er stieg auch in St. Paul ab. Am 27. September wurde er vom Stift und der Bevölkerung der Umgebung stürmisch und mit allen nur möglichen Ehren empfangen. Der Kaiser machte mit seinem Gefolge eine gründliche Stiftsführung mit, lobte die Tätigkeit der Mönche echt kaiserlich und verweilte an den Grabstätten der Habsburger mit sichtlicher Rührung.

Unter Abt Augustin Duda (1866–1897), von dem man scherzhaft behauptete, er könne z.B. griechisch, lateinisch und italienisch besser sprechen als deutsch, entschloß man sich zu einem Neubau des Internates und des Gymnasiums außerhalb des Stiftsgebäudes, da man großzügig dachte und für das nächste Jahrhundert die Raumsituation für die schulischen Belange ideal lösen wollte. Das ist auch perfekt gelungen, wenn ich als Schulerhalter an unsere heutige Schulsituation denke. Aber erst unter seinem Nachfolger Abt Gregor Ehrlich (1898–1912) wurde das Gymnasium errichtet und das Konvikt Josefinum gebaut und einige Jahre später ziemlich vergrößert. Abt Odilo Frankl (1913–1929) hat mit viel Umsicht, Güte und Diploma-

tie Kloster, Pfarren und Schule durch die schwierige Zeit des Ersten Weltkrieges und danach geführt. Die Krise der Zwischenkriegszeit ließ die Wirtschaft St. Pauls zusammenbrechen. Schier aussichtslos schien die Lage, als man ein Angebot aus Amerika für die Bibel des Johann Gutenberg bekam. Nach schwierigen Verhandlungen, mit dem Einverständnis der österreichischen Regierung, trennte man sich schweren Herzens von diesem Schatz, der heute in einer der bedeutendsten Bibliotheken der Welt verwahrt ist. Trotz der schwierigen Zeit gediehen unter Abt Richard Strelli (1929–1940) das klösterliche Leben, die Schule und das Konvikt zum Wohle vieler Menschen.
Von 1938 an schien die Existenz St. Pauls wieder gefährdet. Tatsächlich wurde zuerst die Schule verstaatlicht und – gleich nach dem Tode von Abt Richard – das Stift enteignet. Innerhalb einer Woche mußten die Mönche St. Paul verlassen. Im Stift nistete sich die NAPOLA ein. Und St. Paul hieß nicht mehr St. Paul, sondern Spanheim. Welche Ironie des Schicksals! Ausgerechnet Spanheim. So wurde in dieser schrecklichen Zeit wenigstens das Gedächtnis der St. Pauler Stifter erhalten. Schon im Mai 1945 kehrten die ersten der vertriebenen Mönche in ihr Kloster zurück. Viele waren es nicht mehr. Einige fielen im Krieg, einige starben an ihren Seelsorgeposten. Aber bald schon – am 1. 12. 1945 – wurde der Schulbetrieb und am 6. 10. 1950 der Konviktsbetrieb aufgenommen. Bald „normalisierte" sich das Leben, wenn auch langsam und mühselig. Unter Abt Paulus Schneider (1947–1979) begann ein neuer Abschnitt des klösterlichen „ora et labora". Wir treten aus der 900-jährigen Geschichte gleichsam aus und sind mitten drinnen in der Gegenwart. Darüber will ich Ihnen, verehrter Besucher, im nächsten Raum erzählen.

25.1

PORTRÄT BERTHOLD ROTTLERS

vor 1806/07

Öl auf Leinwand, H 90/B 68 cm

Kreismuseum St. Blasien (Landsratsamt Waldshut)

s. Kat.Nr. 19.9

25.2 s. II, S. 267, Abb. 29

URKUNDE KAISER FRANZ I. VON ÖSTERREICH FÜR ST. PAUL

3. Juli 1820

Original, Pergament, Libell (Einband mit Wappen Kaiser Franz I. und gelbem Seidenstreifen), 7 Bögen, unfoliert, als Schutz außen zwei Bögen Papier; Siegel zerbrochen in Holzschatulle, an gelb- schwarzen Hanffäden; H 35,5/B 27 cm

STA, Cod. 1650

Nachdem das von Kaiser Joseph II. 1782/87 aufgehobene Stift St. Paul den aus dem 1806/07 säkularisierten Benediktinerkloster St. Blasien im Schwarzwald über die Zwischenstation Spital am Pyhrn gekommenen Mönchen 1809 als neue Heimstätte zugewiesen worden war, führte Fürstabt Berthold Rottler (1801–1826) mit den staatlichen Stellen (Hofkanzlei, Hofkammer, Rechnungsdirektorium) langwierige Dotationsverhandlungen, die 1817 zu einem Ergebnis führten, das von Kaiser Franz I. gebilligt und am 3. Juli 1820 durch die hier vorliegende Urkunde (verschiedentlich auch Stiftungsurkunde genannt) rechtskräftig wurde.
Dem Stift St. Paul wurden die Religionsfondsherrschaft St. Paul mit den Lavanttaler Alpen und Waldungen, den Pfarren St. Paul, St. Martin im Granitztal, St. Georgen unter Stein, St. Paul unter Hornburg im Görtschitztal sowie Maria Pustritz auf der Saualpe am Griffnerberg zugewiesen, weiters die vormalige Religionsfondsherrschaft Eberndorf mit dem Gut Wasserhofen (s. Kat.Nrn. 25.5, 25.6 u. 25.7)), die vormalige Religionsfondsherrschaft Viktringhof bei Marburg (s. Kat.Nr. 25.4) und die vormalige Studienfondsherrschaft Leonstein bei Pörtschach am Wörthersee (s. Kat.Nrn. 25.8, 25.9). Ferner wurde das ehemalige Franziskanerkloster in Klagenfurt den hier im Lehrbetrieb tätigen Stiftsangehörigen als Unterkunft zugewiesen (s. II, S. 263ff.).
Im hier aufgeschlagenen Blatt (linke Seite) wird auf die Hauptaufgabe des Stiftes hingewiesen: *daß es ein musterhaftes Lehr-Institut sey.*

J. Gr.

25.3

Schautafel: DER BESITZ ST. PAULS BEI DER WIEDERBESIEDELUNG

25.4

VIKTRINGHOF IN MARBURG

Reproduktion

Die Güter Viktringhof (seit 1782 verstaatlicht) wurden dem Stift St. Paul 1816 gemeinsam mit Leonstein übergeben, das zu Viktringhof gehörende Amtsgebäude kam schon im März 1817 als Spitalsgebäude an die Militärgarnison Marburg. 1824 wurde das Gebäude samt anschließendem Garten vom Militär um 13 000 Gulden Metall-Münz erworben. 1826 kaufte Fürstabt Rottler die Mandelstein'schen Realitäten in Marburg zur Einrichtung eines neuen Verwaltungsamtes.

J. Gr.

25.5

WASSERHOFEN BEI KÜHNSDORF

Reproduktion

Die Meierei Wasserhofen (Geburtsort des verdienten Kirchenhistorikers Markus Hansiz, 1683–1766) wurde als Teil der Studienfondsherrschaft Eberndorf 1808/09 den Benediktinermönchen aus St. Blasien übergeben. Da die Meiereigründe weitgehend an das Militärgestüt zu Kollnitz verpachtet waren, kamen die Mönche erst nach der Verlegung des Gestüts nach Piber (1815) in den Genuß aller Grundstücke und Gebäude. 1838 wurde mit der Errichtung einer Runkelrüben- Zucker- und Branntweinfabrik begonnen. Die Zuckerfabrik mußte 1841, die Brennerei 1848 wegen zu geringen Ertrages geschlossen werden.

J. Gr.

25.6

STIFT EBERNDORF

Außenansicht

Reproduktion

25.7

STIFT EBERNDORF

Arkadenhof

Reproduktion

Die Gebäude der den St. Blasiern schon 1808/09 übergebenen Studienfondsherrschaft Eberndorf (1773 verstaatlicht) befanden sich durchwegs in gutem Zustand. Trotzdem waren Reparaturen und Neubauten notwendig. 1827 errichtete Abt Meinrad Amann (1826–1839) hier eine Bierbrauerei, die jedoch bald wieder aufgegeben wurde.
In der Studienfondsherrschaft Eberndorf oblag dem Stift das Patronat über 15 Pfarren und zwei Kuratbenefizien. Zu den Vogteirechten über diese Kirchen und deren zahlreiche Filialen kam auch die Vogtei über die Propstei- und Pfarrkirche Eberndorf samt ihren neun Filialkirchen.

J. Gr.

25.8

SCHLOSS LEONSTEIN

Reproduktion

Die 1816 dem Stift St. Paul zugekommenen Schloß- und Meiereigebäude der Studienfondsherrschaft Leonstein/Pörtschach am Wörthersee wurden bereits 1825 durch einen Brand vernichtet und vom Stift wiederhergestellt. Die Herrschaft Leonstein war für das Stift mit dem Patronat über vier Pfarren neben 10 Filialkirchen (s. II, S. 447) sowie über eine Kuratie St. Johann Baptist zu Pörtschach verbunden.
1910 wurde die Herrschaft vom Stift an die Gemeinde Pörtschach verkauft, das Patronat über Maria Wörth blieb bis 1958 erhalten.

J. Gr.

25.9

PÖRTSCHACH

19. Jahrhundert

Öl auf Leinwand, H 31,5/B 39 cm

Stift St. Paul

Blick auf Pörtschach am Wörthersee mit der Ruine Leonstein und der Pfarrkirche St. Lambert.

25.10 – 25.16

ERZEUGNISSE DER ST.BLASIER GELEHRTENAKADEMIE DES 18. JAHRHUNDERTS

Seit alters her nahm die Pflege der Wissenschaften in der Abtei St. Blasien einen breiten Raum ein. Theologie, Philosophie und Geschichtsschreibung standen im Vordergrund des Interesses. Im Mittelalter ragten insbesondere zwei bedeutende Chronisten hervor: Bernold von St. Blasien (11. Jahrhundert) und Otto von St. Blasien (13. Jahrhundert). Im Schwarzwaldkloster entstand auch eine deutsche Chronik für die Jahre 1519–1530 als wichtige Quelle für den Bauernkrieg. Der Hausgeschichtsschreibung war besonderes Augenmerk gewidmet.
Einen seiner Höhepunkte erreichte das Kloster St. Blasien jedoch während des 18. Jahrhunderts, als sich dort eine Gelehrtenakademie von europäischem Rang entwicktelte. Bedeutende, teilweise heute noch unverzichtbare Werke der allgemeinen Geschichtsforschung, der Kirchengeschichte, Liturgiegeschichte, Theologie, Philosophie und der Musikgeschichtsschreibung verdanken wir einer wissenschaftlichen Schule, die sich – beeinflußt von dem französischen Kloster St. Maur – moderner quellenkritischer Arbeitstechniken bediente. Als einige ihrer hervorragendsten Vertreter seien Marquard Herrgott, Rustenus Heer, Stanislaus Wülberz, Franz Kreutter, Trudpert Neugart und Ambrosius Eichhorn erwähnt – Namen, die teilweise gerade auch für die österreichische Geschichtsschreibung einen guten Klang haben. Allen voran aber stand Fürstabt Martin II. Gerbert (1764–1793), der in der internationalen Gelehrtenwelt einen hohen Ruf genoß. Er übernahm für St. Blasien auch das gewaltige Werk der *Germania Sacra*, einer umfassenden Kirchengeschichte Deutschlands. Der Publikation von Werken der St. Blasier Gelehrten diente eine 1754 erworbene klostereigene Druckerei, deren Erzeugnisse eine hohe Qualität aufweisen. Unter den St. Blasier Gelehrten, die in St. Paul die wissenschaftliche Tradition ihrer alten Heimat weiterführten, ragen insbesondere Trudpert Neugart und Ambrosius Eichhorn hervor; ihnen an die Seite zu stellen ist Franz Xaver Grüninger, ein Schüler von Trudpert Neugart, der vom Schwarzwald kommend erst in St. Paul in das Kloster eintrat.

Lit.: A. RULAND, Die „Germania Sacra" der St. Blasianer (1862). – J. BADER, Das ehemalige Kloster Sanct Blasien auf dem Schwarzwalde und seine Gelehrten-Academie (1874; Sonderdruck aus FDA 8, 1874). – P. LINDNER, Fürst-Abtei St. Blasien, FDA 21 (1890), S. 25–48. – C. KRIEG, Die historischen Studien zu St. Blasien auf dem Schwarzwalde im 18. Jahrhundert, FDA 36 (1908), S. 274–290. – O. BIHLER, Aus der Gelehrtenwelt des ehemaligen Benediktinerstiftes St. Blasien, Breisgauer Chronik 11 (1919), S. 64–65, S. 69–70, S. 73–74. – G. PFEILSCHIFTER, Die St. Blasianische Germania Sacra (1921; Repr. Nachdruck 1973). – P.P. ALBERT, Der Ursprung des St. Blasianischen Planes einer Germania Sacra. Zur Richtigstellung, FDA 50 (1922), S. 144–147. – B. DANZER, Die Buchdruckereien des Benediktinerordens, Zentralblatt für das Bibliothekswesen 51 (1934), S. 606–615. – R. MORATH, Aus der Druckerei des Klosters St. Blasien, Badische Heimat 57 (1977), S. 391–396. – F. HILGER, Die Gelehrten des Klosters St. Blasien, FS St. Blasien 1983, S. 159–174. – W. MÜLLER, Geschichtsschreibung und Theologie, Kat. St. Blasien 1983, Bd.II, S. 133–139. – G. STAMM, Buchdruckerei, Verlag und Buchhandel, Kat. St. Blasien 1983, Bd.II, S. 153–169. – Vgl. im übrigen auch Kat. Nr. 18.2.

J. G.

25.10

MARTIN GERBERT: HISTORIA NIGRAE SILVAE, Band 1

St. Blasien, 1783

Papier, 512 S., 4 Kupfertafeln, H 24/B 19 cm

Stift St. Paul

Das 1783 bis 1788 erschienene dreibändige Werk, eines der bedeutendsten aus der st.blasianischen Klosterdruckerei, enthält mit der ersten und bis heute unentbehrlichen Gesamtdarstellung der Geschichte des Schwarzwaldes eine der wichtigsten Arbeiten des Fürstabtes Martin Gebert. Von hohem wissenschaftlichen Wert ist auch die aus zwei Blättern bestehende große Schwarzwaldkarte in Band 1 mit ausgezeichnetem künstlerischen Schmuck (s. Kat. Nr. 25.11).
Aufgeschlagen ist eine Seite mit einem bekannten Kupferstich, der die Ansicht des Klosters St. Blasien zur Zeit der Einweihung der neuen Kirche im Jahre 1783 zeigt.

Lit.: Kat. St. Blasien, Bd.I, Nr. 103.

J. G.

25.11

DIE GROSSE SCHWARZWALDKARTE AUS DER HISTORIA NIGRAE SILVAE

St. Blasien, 1783; Johann Baptist Haas (Staufen 1732–1791), Stecher: Bonifatius Grüninger (1742 Villingen – 1825 St. Paul), Zeichner: Johann Amann (1765 Gutenberg–1834 Wien), bez. in Kartusche: *Del. P.Bonifac. Grüninger rationum praefectus* und *Aman fecit*; Karte bez.: *Gestochen von Johann Bap. Haas, Stauffen im Br.*

Kupferstich auf Papier, koloriertes Exemplar, H 99/B 65 cm

Stift St. Paul S Ü 6998

Diese Karte aus Martin Gerberts *Historia Nigrae Silvae* (s. Kat. Nr. 25.10) „ist dank ihres inhaltlichen Reichtums die beste Schwarzwaldkarte aus privater Hand, die vor den großen

Landesaufnahmen erschienen ist“ (R. OEHME). Neben Klöstern und Kirchen sind u. a. auch Festungen, Städte und die Territorien der verschiedenen Herren eingezeichnet. Auf der reizvollen Kartusche rahmen vier personifizierte Flußgottheiten (Neckar, Donau, Alb und Rhein) den Kartentitel; darunter hält ein junger Mann in der heimatlichen Hauensteiner Tracht (Selbstbildnis des Künstlers Johann Amann) eine Steintafel mit der Klosteransicht von St. Blasien.
Die Kolorierung des hier gezeigten Exemplars ist erst nachträglich erfolgt; die in der *Historia Nigrae Silvae* eingebundenen Karten weisen keine Kolorierung auf.

Lit.: s. auch Kat. Nr. 15.10. – G. STAMM, Buchdruckerei, Verlag und Buchhandel, Kat. St. Blasien 1983, Bd. II, S. 153–169 (160, 163).

J. G.

25.12

AEMILIANUS USSERMANN: GERMANIA SACRA PRODROMUS. SEU COLLECTIO MONUMENTORUM RES ALEMANNICAS ILLUSTRANTIUM (Band 1 der Germania Sacra)

St. Blasien, 1790

Reproduktion der Titelseite

Um den Jahreswechsel 1780/81 faßte Fürstabt Martin II. Gerbert den Plan, ein historisches Großunternehmen nach St. Blasien zu übernehmen, nämlich die Herausgabe der *Germania Sacra*, einer umfassenden Kirchengeschichte Deutschlands. Nach einer ersten Sammeltätigkeit wurden 1783 ein erster Grundplan erarbeitet und ein erster Prospekt versandt. Von 1790 bis zur gewaltsamen Unterbrechung durch die Säkularisation erschienen in St. Blasien acht Bände. Die ausgewanderten St. Blasier brachten im Jahre 1809 das gesamte Material nach St. Paul mit, wo 1862 ein neunter Band herausgegeben wurde (s. Kat. Nr. 25.14). Zu Beginn unseres Jahrhunderts wurde unter weltlicher Führung der gewaltige Plan wieder aufgegriffen und nach dem Zweiten Weltkrieg erneut fortgesetzt.
Der erste Band des Werkes, das Martin Gerbert Kaiser Leopold II. gewidmet hatte, enthält vor allem die Chronik des Reichenauer Mönches Hermann des Lahmen und die Chronik von Petershausen. Hier soll die Titelseite dieser bedeutenden Publikation vorgestellt werden.

Lit.: Kat. St. Blasien 1983, Bd. I, Nr. 104.

J. G.

25.13

EPISCOPATUS CURIENSIS IN RHAETIA . . . (Band 7 der Germania Sacra)

St. Blasien, 1797

Papier, 204 S., H 23/B 21 cm

Als siebenten (und vorletzten noch in St. Blasien erschienenen) Band der Germania Sacra bearbeitete der berühmte Historiker P. Ambrosius Eichhorn, der später in St. Paul auch für Kärnten eine große Bedeutung erlangen sollte, die damals noch wenig erforschte Geschichte des Bistums Chur. Seine, nach dem Vorbild vorangegangener Bände gegliederten Forschungen sind zum größten Teil aus noch unedierten Quellen geschöpft.
Aufgeschlagen ist die Titelseite des in äußerlich bescheidener Form ausgestatteten Werkes.

Lit.: s. Kat.Nr. 25.12

J. G.

25.14

EPISCOPATUS CONSTANTIENSIS ALEMANNICUS . . . (Band 9 der Germania Sacra)

Freiburg im Breisgau, 1862

Papier, 814 S., H 24,5/B 22 cm

Stift St. Paul

Als die Säkularisation in den Jahren 1806/07 das blühende Gelehrtenkloster St. Blasien auslöschte, unterbrach sie auch das gewaltige Werk der Germania Sacra. Nachdem 1803 noch ein durch P. Trudpert Neugart bearbeiteter erster Teil der Darstellung des Bistums Konstanz hatte erscheinen können, versuchten die nach Österreich auswandernden Mönche von St. Blasien gerade auch von den Vorarbeiten zur Germania Sacra in die neue Heimat zu retten, was zu retten war. 1816 konnte Trudpert Neugart, neben Ambrosius Eichhorn einer der bedeutendsten Gelehrten des untergehenden St. Blasien und des wiederauflebenden St. Paul, die Arbeiten zu einem weiteren Band der Geschichte des Bistums Konstanz abschließen; doch eine Drucklegung war vor dem Tod Trudpert Neugarts im Jahre 1825 nicht mehr möglich. Der greise Gelehrte, der sich in St. Paul noch mit dem Gedanken der *Carinthia Sacra* trug, gab einige Jahre vor seinem Tod das Manuskript dem Berner Schultheißen Friedrich von Mülinen, der jedoch die versprochene Drucklegung nicht ausführte, sondern die Unterlagen dem feinsinnigen Privatgelehrten und Sammler Josef Freiherr von Laßberg weitergab. Ein von diesem begonnener Druck blieb wegen eines Streites mit dem Stuttgarter Verleger Cotta in den Anfängen stecken, worauf das Manuskript mit der Bibliothek Laßbergs in den Besitz des Fürsten von Fürstenberg in Donaueschingen gelangte. Erst eine wissenschaftlichen Zwecken dienende Reise des Karlsruher Archivdirektors Franz Joseph Mone nach St. Paul im Jahre 1853 machte Abt Ferdinand Steinringer (1840–1866) auf den Verbleib des Manuskripts aufmerksam. Und so entschloß sich das Stift St. Paul im Jahre 1857, auf eigene Kosten den Band herauszugeben. Die Edition mit den notwendigen Ergänzungen und Überarbeitungen besorgte Mone zusammen mit weiteren Kräften des Badischen Generallandesarchivs, so daß der Band im Jahre 1862 bei Herder in Freiburg/Breisgau gedruckt werden konnte. Es war dies nach Jahrzehnten eine Erinnerung an die St. Blasier/St. Pauler Gelehrten des beginnenden 19. Jahrhunderts.

Lit.: s. Kat. Nr. 25.12

J. G.

25.15

M. HERRGOTT, R. HEER UND M. GERBERT: TAPHOGRAPHIA PRINCIPUM AUSTRIAE (MONUMENTA AUGUSTAE DOMUS AUSTRIACAE, Band 4, 2 Teile)

St. Blasien, 1772

Papier, 552 S., Titelkupfer, zahlreiche Kupferstiche (Teil 1), H 46/B 29 cm

Stift St. Paul

In den Jahren 1750 bis 1760 veröffentlichten der große st.blasianische Historiker P. Marquard Herrgott (1694–1762) und sein Mitbruder P. Rustenus Heer (1715–1769) in Wien und Freiburg die ersten drei Bände der *Monumenta Augustae domus Austriacae*, eines großangelegten Prachtwerkes zur habsburgischen Geschichte. Nach dem Tode Herrgotts und Heers erschien 1772, von Fürstabt Martin Gerbert ediert, in St. Blasien der vierte Band (in zwei Teilen). 1773 und 1789 besorgte Gerbert ebenfalls in der st.blasianischen Klosterdruckerei eine Zweitauflage von Band 2 und 3. Mit diesen Folianten schuf die Druckerei des Schwarzwaldklosters einige ihrer kostbarsten Werke.
Aufgeschlagen sind Titelkupfer und Titelseite.
Marquard Herrgott, der sich zwei Jahrzehnte als Vertreter seines Klosters und der vorderösterreichischen Stände in Wien aufhielt, trat vor allem mit seinen Arbeiten über die habsburgische Genealogie und Geschichte hervor; für seine Verdienste wurde er von Kaiser Karl VI. zum Hofrat und Hofhistoriographen ernannt.

Lit.: Kat. St. Blasien 1983, Bd.I, Nr. 89, Nr. 100.

J. G.

25.16

MARTIN GERBERT: DE CANTU ET MUSICA SACRA A PRIMA ECCLESIAE AETATE USQUE AD PRAESENS TEMPUS, Band 1

St. Blasien, 1774

Papier, 590 S., Titelkupfer, 6 Kupfertafeln, H 25,5/B 20 cm

Stift St. Paul

Dieses berühmte musikwissenschaftliche Werk Fürstabt Martins II. Gerbert (1764–1793) ist eines der schönsten Erzeugnisse der klösterlichen Hausdruckerei von St. Blasien mit ungemein reichem buchkünstlerischen Schmuck. Dem zweiten Band ist im Anhang die Partitur der *Missa in coena Domini* (Gründonnerstag) für vierstimmigen gemischten Doppelchor beigegeben, die mit gutem Grund Martin Gerbert zugeschrieben wird; dieses Kompositionswerk stellt nicht so sehr eine Schöpfung von hoher musikalischer Qualität, als vielmehr eine praktische Erläuterung der vorangegangenen musiktheoretischen Erörterungen dar.
Aufgeschlagen sind Titelkupfer und Titelseite.
Martin Gerbert, der nicht nur Musiktheoretiker, sondern auch ausübender Musiker war, stand in seiner Jugend der gängigen Barockmusik nahe. Ein radikaler Wandel machte ihn später jedoch zum entschiedenen Verfechter einer Erneuerung der Kirchenmusik, die neben der Orgel den a-capella-Gesang und Choralgesang weit in den Vordergrund stellte.

Lit.: Kat. St. Blasien 1983, Bd.I, Nr. 102.

J. G.

25.17

AMBROS EICHHORN: BEYTRÄGE ZUR ÄLTEREN GESCHICHTE UND TOPOGRAPHIE DES HERZOGTHUMES KÄRNTEN

I. Sammlung, gedruckt mit Leonschen Schriften, 1817; II. Sammlung (...) 1819

Papier

Stift St. Paul

Als eigentlicher Begründer einer geschichtswissenschaftlichen Schule in St. Paul gilt Ambros Eichhorn (1758–1820), der zahlreiche historische Arbeiten zur Kärntner Geschichte und auch zur Kirchen- und Klostergeschichte hinterlassen hat. Er galt ebenfalls als ausgezeichneter Diplomatiker, wovon nicht nur fünf Foliobände von Urkundenabschriften vom 9. bis zur Mitte des 15. Jahrhunderts Zeugnis ablegen,

die heute handschriftlich im Stiftsarchiv von St. Paul verwahrt werden.
Neben seiner Lehrtätigkeit in Klagenfurt, wo er sich auch besonders des Schultheaters angenommen hatte, war P. Ambros Eichhorn besonders berufen, sich der Erforschung der Kärntner Kirchen- und Landesgeschichte zu widmen. Auf seinen wissenschaftlichen Forschungsreisen durch Kärnten lernte er viele historische Denkmäler und Orte kennen und faßte die Ergebnisse dieser Studien als *Beyträge zur älteren Geschichte und Topographie des Herzogthumes Kärnten* zusammen. Im ersten Abschnitt der I. Sammlung behandelte er die Geschichte der antiken Stadt Virunum am Zollfeld, widmete den folgenden Abschnitt der Christianisierung und der frühmittelalterlichen Geschichte, um im dritten Teil schließlich auf die Klostergründungen in Kärnten, die Legende der hl. Hemma und die Gurker Bistumsgeschichte sowie die des Bistums Lavant einzugehen. Die II. Sammlung gestaltete er in Form eines Itinerars und berichtete von „Alterthümern" aus ganz Kärnten.

Lit.: ADB 5 (1877), S. 729.

F. L.

25.18

TRUDPERT NEUGART: HISTORIA MONASTERII ORD. S. BENEDICTI AD S. PAULUM...

Historia Monasterii Ord. S. Benedicti ad S.Paulum in valle inferioris Carinthiae Lavantina. Clagenfurti. typis Joannis Leon (1848) bzw. Pars II. (1854)

Stift St. Paul

Mit der Wiederbesiedelung des 1787 aufgehobenen Stiftes St. Paul durch die Benediktinermönche aus dem Schwarzwaldkloster St. Blasien erhielt die Kärntner landesgeschichtliche Forschung wieder wesentliche Impulse und eine neue wissenschaftliche Heimstätte. Die Verpflichtung zur Historiographie gründete in der st. blasianischen Tradition, wenn man etwa an die Arbeiten des Blasier Bibliothekars und Hofhistoriographen Kaiser Karls VI., Marquard Herrgott, oder an die auf Anregung von Fürstabt Martin Gerbert (1764–1793) zurückgehende *Germania Sacra in provincias ecclesiasticas et dioeceses distributa* denkt, die von den Gelehrten P. Ämilian Ussermann, P. Trudpert Neugart und P. Ambros Eichhorn bearbeitet wurde (s. Kat. Nr. 25.12–14). Unter der bewährten Führung des Historikers Trudpert Neugart (1742–1825) wurde das Stift St. Paul zum eigentlichen Zentrum der historischen Landesforschung. Hier entstand mit der *Historia Monasterii Ord. S. Benedicti ad S. Paulum* . . . die erste auf kritischem Quellenstudium aufbauende Geschichte des Klosters St. Paul. Seinen großen Plan, eine *Carinthia sacra* zu verfassen, konnte Neugart leider nicht verwirklichen.

Lit.: ADB 23 (1886), S. 492–494. – G. MORO, Zur 150-Jahr-Feier der Wiederbesiedelung des Benediktinerstiftes St. Paul im Lavanttal durch die Mönche von St. Blasien im Schwarzwald, Car. I 149 (1959), S. 315ff.

F. L.

25.19

FRANZ XAVER GRÜNINGER: UIBER DEN URSPRUNG DES WAPPENS DES HERZOGTHUMES KÄRNTEN

Kärntnerische Zeitschrift, 4. Bd. (1823), S. 166–186

P. Franz Xaver Grüninger (gest. 1826) war als Schüler von Trudpert Neugart der jüngste St. Pauler Historiker dieser „neuen Schule". Er war Kapitular des Benediktinerstiftes St. Paul und Professor der „allgemeinen Geschichte, der griechischen und römischen Philologie" am k.k. Lyzeum in Klagenfurt. Auch er erforschte die heimischen Archive und kopierte mit besonderer Fertigkeit aus den Wappenbüchern der Kärntner Landstände an die hundert landständische Wappen. In diesem Zusammenhang verfaßte er die vorliegende Abhandlung über das Kärntner Wappen.

Lit.: ÖBL 2 (1959), S. 91.

F. L.

25.20

GOTTLIEB FREIHERR VON ANKERSHOFEN: HANDBUCH DER GESCHICHTE DES HERZOGTHUMES KÄRNTEN . . .

...vor und unter der Römerherrschaft. Bd.I (1850),. . .im Mittelalter bis zur Vereinigung mit den österreichischen Fürstenthümern. Bd.II (1851)

Nach dem Vorbild der Blasier Diplomatiker schuf Gottlieb Freiherr von Ankershofen mit seinen *Urkunden-Regesten zur Geschichte Kärntens* die quellenmäßigen Voraussetzungen für eine kritische Geschichtsdarstellung, die er 1850 bzw. 1851 in einer I. Abteilung, in einem zweibändigen *Handbuch der Geschichte des Herzogthumes Kärnten* vorlegen konnte. Geplant war innerhalb dieser Abteilung eine Darstellung der Landesgeschichte bis zum Jahre 1335. Für die Fortsetzung dieses Handbuches suchte man den verdienten St. Pauler Historiker P. Beda Schroll zu gewinnen, was aus verschiedenen Beweggründen leider nicht erfolgen konnte. Zur selben Zeit hatte Heinrich Hermann (1793–1865), der als Theologe nicht in dieser „St. Pauler Historikerschule“ ausgebildet worden war, die Bearbeitung des Zeitraumes von 1335 – Vereinigung mit den österreichischen Ländern – bis zur Mitte des 19. Jahrhunderts in einer II. Abteilung übernommen, die er 1857 abschloß.

Lit.: ÖBL 1 (1957), S. 23ff.

F. L.

25.21 s. II, S. 279, Abb. 31

GOTTLIEB FREIHERR VON ANKERSHOFEN (1795–1860)

August Prinzhofer (1816–1885), bez. links unten: *Prinzhofer nach einer Photografie lith.*, rechts: *Druck v. Joh. Haller. Wien.*

Lithographie, H 60,5/B 44 cm

Stift St. Paul, Inv.Nr. 2777

Unter dem Porträt Ankershofens befindet sich seine Unterschrift und die Inschrift *Ritter des kais. österr. Franz Josef Ordens, Direcktor, des kärntnerischen Geschicht/vereines, k.k. Conservator in Herzogthume Kärnten, wirkliches Mitglied der kais./Academie der Wissenschaften in Wien correspondierendes Mitglied der königl./ Bayerischen Academie der Wissenschaften in München/etc. etc. etc.*.

Der Kreis der gelehrten Historiker im Benediktinerstift St. Paul begründete zu Beginn des 19. Jahrhunderts hier eine „historische Schule“, aus der in der Folge anerkannte Historiker hervorgehen sollten. Gottlieb Freiherr von Ankershofen ist hier vorrangig zu nennen, der auf die Entwicklung der Kärntner Geschichtsforschung im 19. Jahrhundert einen ganz bestimmenden Einfluß ausüben konnte. In der wissenschaftlichen Schulung durch seine Lehrer Trudpert Neugart, Ambros Eichhorn und Franz Xaver Grüninger fand er die Grundlagen für ein überaus erfolgreiches Wirken. Gottlieb Freiherr von Ankershofen war darüberhinaus im Jahre 1844 maßgeblich an der Gründung des Geschichtsvereines für Kärnten, der als „Historischer Landesverein für Kärnten“ aus dem „Innerösterreichischen historischen Verein für Steiermark, Kärnten und Krain“ herausgelöst wurde, beteiligt. Neben den Bestrebungen, dem Geschichtsverein unter Führung Ankershofens den Charakter einer wissenschaftlichen Institution mit einem eigenen Vereinsarchiv – aus dem später das Kärntner Landesarchiv hervorging – zu geben, ist auch das erfolgreiche Bemühen hervorzuheben, diesen Verein als Träger eines zukünftigen „Landesmuseums“ zu etablieren, was dann im Jahre 1848 in einem ersten Anlauf auch gelungen ist.

Lit.: ÖBL 1 (1957), S. 23ff.

F. L.

25.22

BEDA SCHROLL: URKUNDENBUCH DES BENEDICTINER-STIFTES ST. PAUL IN KÄRNTEN

Fontes rerum Austriacum, Abt. II, Bd. 39, Wien 1876

P. Beda Schroll hat sich als Historiker und vor allem als Stiftsarchivar insbesondere auch um die Neuordnung und wissenschaftliche Aufarbeitung des St. Pauler Archivmaterials bemüht. Darüberhinaus unternahm er in ganz Kärnten, aber auch in Bayern Archivstudien, die einerseits zur Geschichtsdarstellung der Stifterfamilie dienten, andererseits aber in Regestenform der wissenschaftlichen Forschung erschlossen werden sollten. Ein erstes Hauptwerk stellte das *Urkundenbuch des Benedictiner-Stiftes St. Paul in Kärnten* dar, dem schon 1865 die Ausgabe der *Lehensverzeichnisse* des Stiftes, 1870 die *Urkunden-Regesten des Augustiner-Chorherren-Stiftes Eberndorf im Jaunthale* und die *Regesten aus Lehen-Urkunden des Benedictiner-Stiftes St. Paul vom XVI. bis XVIII. Jahrhundertes* vorausgegangen waren. Neben diesen wichtigen Quelleneditionen publizierte Schroll in verdienstvoller Weise erstmals eine ganze Reihe von Nekrologien.

Lit.: F.G. HANN, Beda Schroll's Bedeutung für die Geschichtsforschung, Car. I 81 (1891), S. 193.

F. L.

25.23

BEDA SCHROLL: HIERONYMUS MARCHSTALLER...

...Abt des Benedictiner-Stiftes St. Paul im Lavantthale, päpstlicher Protonotar, kaiserlicher und erzbischöflich-salzburgischer Rath, Erzpriester des Metropoliten in Salzburg für Unterkärnten, und des Patriachen von Aquileja für Möchling im Jaunthale und St. Lorenzen in der Wüste in Untersteiermark. 1616–1638. Klagenfurt 1891

P. Beda Schroll hat, neben seinem übrigen reichen wissenschaftlichen Schaffen, eine bis heute als unbestrittenes biographisches Standardwerk zu bezeichnende Monographie über den bedeutendsten St. Pauler Abt der Neuzeit und zugleich „zweiten Gründer“ des Benediktinerklosters, Hieronymus Marchstaller (1616–1638), vorgelegt, welches auf einer grundlegenden Kenntnis aller einschlägigen Quellen und St. Pauler Archivalien beruht. Nicht nur die Lebensgeschichte dieses Abtes ist von großem Interesse, sondern auch seine großartige Bautätigkeit und die religiöse Erneuerung des Stiftes als die Grundpfeiler seines Wirkens in St. Paul.

Sie wurden von P. Beda Schroll in anschaulicher Weise beschrieben.

Lit.: F.G. HANN, Beda Schroll's Bedeutung für die Geschichtsforschung, Car. I. 81 (1891), S. 193.

F. L.

25.24

BEDA SCHROLL (1823–1891)

Fotographisches Porträt

Der bedeutendste Vertreter der „zweiten Generation" von St. Pauler Historikern im 19. Jahrhundert war P. Beda Schroll. Den Wunsch des Geschichtsvereines nach einer Mitarbeit an einem Handbuch der Kärntner Geschichte konnte P. Beda Schroll zwar nicht erfüllen, begann aber unabhängig davon mit einschlägigen Arbeiten: 1873 veröffentlichte er in der „Carinthia" eine umfassende Darstellung über *Die Herzöge von Kärnten aus dem Hause Spanheim.* Er war seit 1856 Mitglied des Geschichtsvereines, in den Jahren von 1877 bis 1889 auch Ausschußmitglied und wurde auf Grund seiner Verdienste 1890 sogar zum Ehrenmitglied ernannt (s. Kat.Nr. 25.25). Die Ergebnisse seiner systematischen Sammeltätigkeit und seiner Regestensammlung in zahlreichen Kärntner Archiven kamen ebenfalls an das Vereinsarchiv und bildeten einen Grundstock jener Archivsammlungen, die später an das „Kärntner Landesarchiv" übertragen wurden. P. Beda Schroll war zugleich auch der Hofhistoriker des Stiftes St. Paul im 19. Jahrhundert. Neben vielen wissenschaftlichen Arbeiten zur Landesgeschichte, zur Kärntner Kirchengeschichte und vor allem zur Geschichte des Benediktinerklosters St. Paul ist seine Biographie des Abtes Hieronymus Marchstaller (1616–1638) geradezu das Standardwerk der „frühneuzeitlichen Gründungsgeschichte" des Klosters geworden.

Lit.: F.G. HANN, Beda Schroll's Bedeutung für die Geschichtsforschung, Car. I 81 (1891), S. 193.

F. L.

25.25

EHRENURKUNDE FÜR BEDA SCHROLL

Die Generalversammlung / des Kärntnerischen Geschichtsvereines / hat in ihrer Sitzung am 22. März 1890 einstimmig beschlossen / den hochwürdigen Herrn / P. Beda Schroll / Capitularen des Stiftes St. Paul, Ritter des Franz Josef-Ordens,/ fürstbischöflich Gurker geistlichen Rath, emer. Professor und Administrator der Herrschaft Eberndorf, / wegen seiner Verdienste um die wissenschaftliche Geschichtsforschung überhaupt / und die Geschichte des Landes Kärnten insbesondere zum / Ehrenmitgliede des Vereines / zu ernennen. / Klagenfurt, am 22. März 1890. / Der Vereinsdirektor: / Max. Ritter v. Moro / Der Vereinssekretär: / Carl Baron Hauser.

25.26

FRANZ ERNST PIPITZ: MEMOIREN EINES APOSTATEN

Stuttgart, 1842

H 19,5/B 12,5 cm

Universitätsbibliothek Klagenfurt, Sign. 18988

Der Literat und Reformtheoretiker Franz Ernst Pipitz (geb. in Klagenfurt am 8. 12. 1815, gest. am 18. 3. 1899 in Graz) gehört zu den bedeutendsten Persönlichkeiten der Geschichte von St. Paul. Nach der Schul- und Lyzealzeit in Klagenfurt (1824–1832) begann er das Jurastudium in Wien, das er jedoch aus finanziellen Gründen abbrechen mußte. Als Hauslehrer und Bibliothekar beim Fürsten Schwarzenberg konnte er sich eine breite literarische Bildung aneignen; er las Heine, Börne, Lenau, Nestroy sowie die Schriften von D.F. Strauß, Owen und Fourier. 1833 trat er in das Stift St. Paul ein und begann 1834 mit dem Theologiestudium in Klagenfurt. Im Stift beobachtete er die internen Querelen um die von Abt Rottler erlassene „Konstitution" für die Klagenfurter Professoren des Stiftes und zweifelte zunehmend an seiner Berufung. Trotz der bereits erhaltenen niederen Weihen nahm er die Kontakte zu seiner Jugendgeliebten Berta Holenia wieder auf und

floh im Sommer 1838 nach Zürich, wo er eine Reihe von Reformschriften über Österreich publizierte.
Pipitz ist geprägt vom spätjosephinischen Liberalismus; seine satirisch-kritischen Analysen der Gesellschaft vermitteln einen tiefen Einblick in die Verhältnisse des österreichischen Vormärz. Die „Memoiren" wurden 1991 in leicht gekürzter Form neu herausgegeben.

s. II, S. 763ff.

Lit.: M. ORTNER, Dr. Franz Ernst Pipitz, Car. I 100 (1910), S. 59–80. – Franz Ernst Pipitz, Memoiren eines Ketzers, hrsg. v. W. BAUM (Perspektiven Alpen Adria, Bd. 1, 1991).

W. B.

25.27

s. II, S. 763, Abb. 260

FRANZ ERNST PIPITZ (1815–1899)

Fotoporträt (Porträtatelier nicht näher bekannt), dat.: 1863

Fotoretusche in rötlich-braunem Samtrahmen mit ovalem Bildausschnitt, Aufstellstütze und Hängevorrichtung, weiß gehöhte farbige Zeichnung in Grau- und Brauntönen auf nur teilentwickelter gelblich-brauner Fotografie in Salz- oder Aluminiumpapier, H 27/ B 22,5 cm

Landesmuseum für Kärnten, Klagenfurt, Inv.Nr. K 572

Das wahrscheinlich aus dem Nachlaß stammende kleine Halbfigurenporträt zeigt den zu seiner Zeit bekannten Klagenfurter Schriftsteller Franz Ernst Pipitz 48jährig, unmittelbar vor seiner Vermählung mit Therese Ongaro. Im selben Jahr nützte er seine Funktion als Redakteur und Handelskammersekretär in Triest zu seiner vorläufig letzten selbständigen Publikation: *Der Freihafen von Triest. Denkschrift, dem h. Reichsrate ehrerbietig gewidmet von der Triester Handels- u. Gewerbekammer.*
Die Darstellung selbst gibt den Porträtierten in bürgerlicher Pose wieder. Die sehr schematische Körperauffassung und die strenge Frontalität im Oberkörper des Bildnisses wird lediglich durch den nach links gewendeten, besonders herauspräparierten Kopf des Dargestellten gelockert. Die Herausarbeitung gewisser individueller Züge bei der Wiedergabe des Gesichtes dient durchaus der Charakterisierung der Person, kann aber nicht über die deutlich sichtbaren formalen Mängel der Gesamtdarstellung – besonders bei der Wiedergabe der Arme – hinwegtäuschen.
Die Verwendung von Fotografien in der Kunst und insbesonders die Zuhilfenahme von nur halb- oder teilweise entwickelten Fotos bei der Porträtherstellung bezeichnen den für die Kunstgeschichte sehr interessanten Übergang und die Annäherung zwischen den beiden doch grundsätzlich verschiedenen Medien der bildenden Kunst.

Lit.: M. ORTNER, Dr. Franz Ernst Pipitz, Car. I 100 (1910), S. 59–80. – Franz Ernst Pipitz, Memoiren eines Ketzers, hrsg.v. W. BAUM (Perspektiven Alpen Adria, Bd. 1, 1991).

R. W.

25.28 – 25.46

KONVIKT UND GYMNASIUM

Gleich nach dem Eintreffen der St. Blasier Mönche unter Fürstabt Berthold Rottler im Chorherrenstift Spital am Pyhrn 1807, wo sie Zwischenstation machten, da ihr endgültiges Ziel, die Abtei St. Paul, noch nicht bezugsfertig war, wurden gemäß der gegenüber dem obersten Landesherrn, Kaiser Franz I., eingegangene Verpflichtung einige stiftliche Professoren an die höheren Lehranstalten in Klagenfurt entsandt. Diese bestanden aus dem Gymnasium (4 Grammatikal- und 2 Humanitätsklassen) und dem Lyzeum, in welchem die neuen geistlichen Lehrer die theologische und philosophische Fakultät zu betreuen hatten. Diese externe Lehrtätigkeit währte bis zur Verstaatlichung des Klagenfurter Gymnasiums (seit 1849 achtjährige Vollform) im Jahre 1871.
1809 zogen die Mönche aus St. Blasien, von Spital am Pyhrn kommend, in der reaktivierten Benediktinerabtei St. Paul ein, und bereits im selben Jahr wurde hier im Sinne eines Abkommens mit dem Staat eine Schule, das *Caesareo-Regium-Gymnasium,* installiert (untergebracht im Trakt hinter der Stiftskirche). Der kaiserliche Stiftungsbrief (s. Kat.Nr. 25.2) verlangte nämlich als Gegenleistung für die Übereignung des 1782 aufgehobenen und verstaatlichten Stiftes die Führung einer Schule mit angeschlossenem Konvikt. Man begann mit etwa 30 Schülern, 1825 gab es bereits um die 100 Schüler, in der unruhigen Zeit um 1848 aber sank ihre Zahl auf unter 20. Gewohnt wurde in Privatquartieren des Ortes oder im 1817 im Stift gegründeten Konvikt.
Durch die Thun'sche Unterrichtsreform 1849 wurde die Stiftsschule zum k.k.-Untergymnasium mit einem Direktor an der Spitze (der erste war P. Vinzenz Tschernig). Ab 1871 hieß die Anstalt dann „Öffentliches Privat-Untergymnasium" und wurde nicht mehr vom Staat miterhalten. Die vierklassige Bildungsstätte unterrichtete damals etwa 90 Schüler. 1884/85 wurden schließlich die alten Gymnasialräumlichkeiten verlassen. Man übersiedelte in das in jeder Weise vorteilhaftere Neugebäude, das wie das alte Gymnasium noch innerhalb der Stiftsmauern lag.
1889 begann dann in Hinblick auf den sich anbahnenden Ausbau des Stiftsgymnasiums zum achtjährigen Vollgymnasium mit Matura-

abschluß mit der Errichtung des neuen Internats „Josephinum“ die entscheidende bauliche Ausweitung und Erneuerung der alten Schulstätte. Sie fand ihre Fortsetzung im Bau des neuen Gymnasialgebäudes 1901 und ihren Anschluß 1909 in der Erweiterung des Konvikts „Josephinum“ um zwei große Flügelbauten. Damit hatte das St. Pauler Stiftsgymnasium, das von 1938 bis 1945 durch das NS-Regime aufgehoben war, aber nach Kriegsende mit neuer Kraft wieder auflebte, sein heutiges Aussehen erreicht.

J. R.

25.28

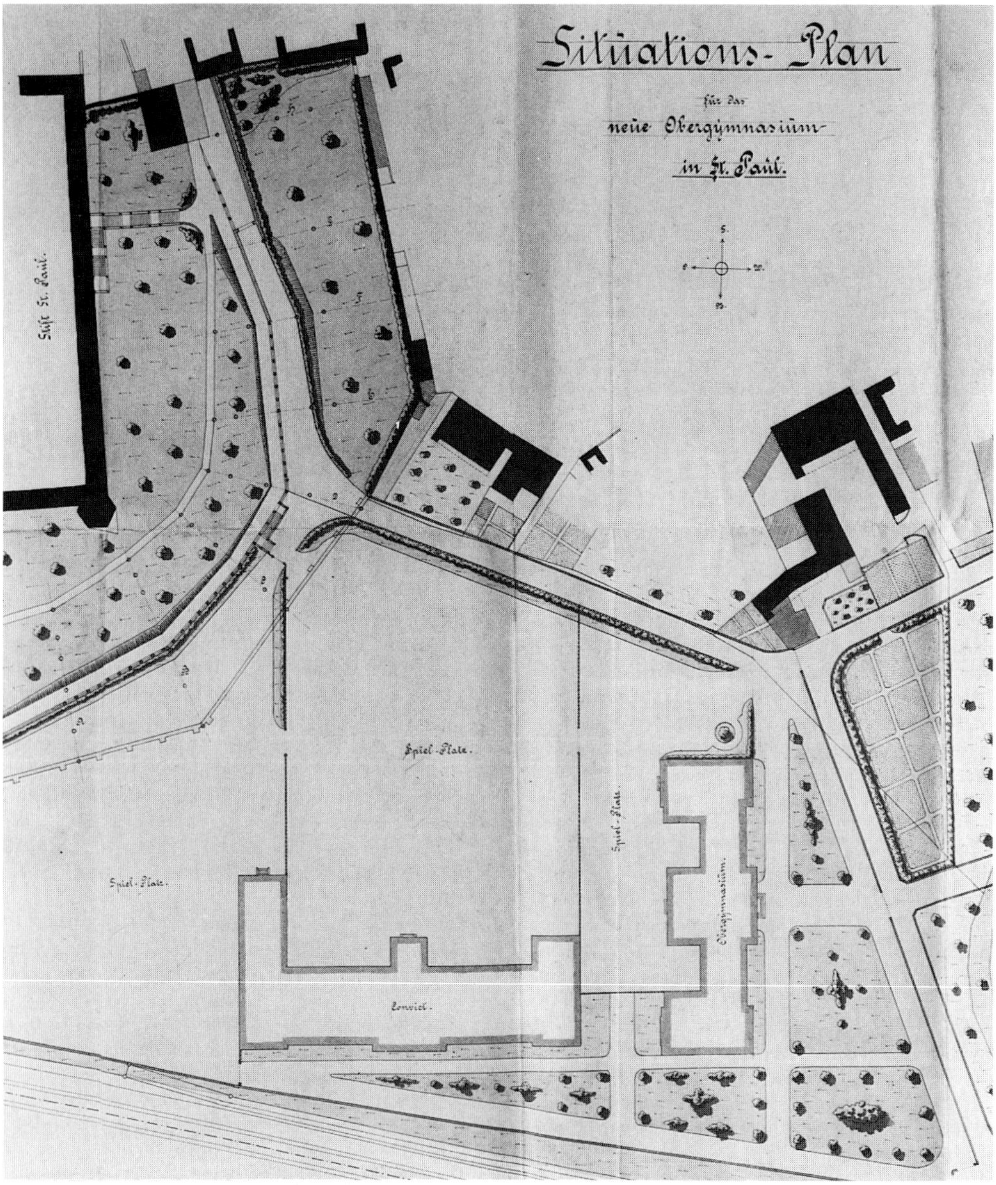

PLAN: SITUATION (PLAN DER ELEKTRIZITÄTSLEITUNGEN IN ST. PAUL) STIFT – KONVIKT – SCHULE

H 70/B 54,5 cm

In den ersten Jahren nach der Gründung des St. Pauler Gymnasiums (1809) und des Konvikts (1817) – beide Schulstätten befanden sich innerhalb der Stiftsmauern – blieb die Schülerzahl eher niedrig. Seit etwa 1870 stieg sie aber deutlich an, so daß an eine entscheidende bauliche Ausweitung der Schule gedacht werden mußte. Erste Pläne, wie etwa der hier vorliegende, sahen den Bau des neuen Gymnasiums an seinem heutigen Standort vor und gleich dahinter an der Straßenseite des gegenwärtigen Sportplatzes die Errichtung eines großen Konviktsgebäudes.

J. R.

25.29

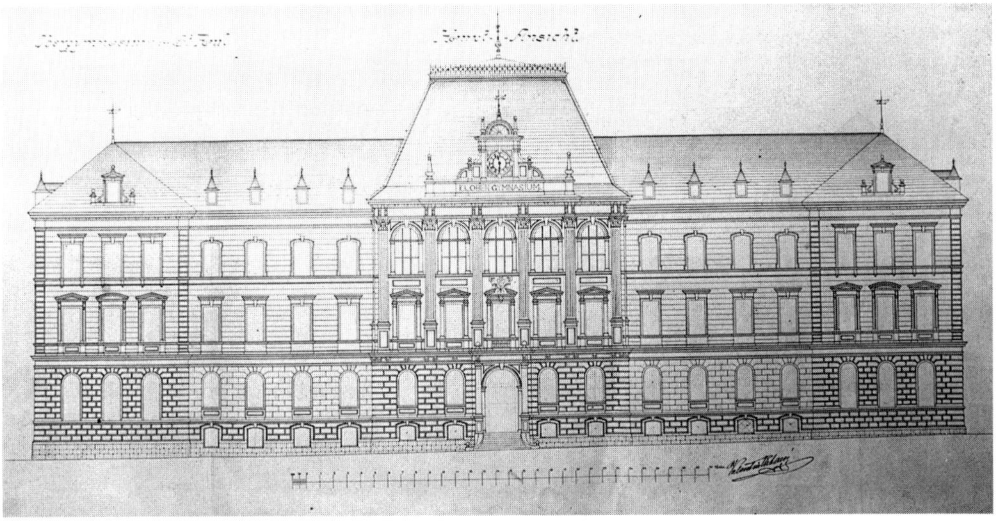

PLAN: HAUPTANSICHT DES GYMNASIUMS

H 40/B 78 cm

1901 wurde das neue *k.k. – Ober-Gymnasium*, errichtet in Sandsteinbauweise im Neurenaissance-Stil, fertiggestellt. Planung und Ausführung des 350.000 Kronen teuren imposanten Neubaus lagen in den Händen des Wolfsberger Baumeisters Valentin Urbani.

J. R.

25.30

PLAN: SEITENANSICHT – SCHNITT DES GYMNASIUMS

H 39,5/B 79 cm

Der Neubau des St. Pauler Stiftsgymnasiums war aufgrund des 1897/98 anlaufenden Ausbaus zum 8jährigen Vollgymnasium (1900/01 abgeschlossen) großzügig und geräumig dimensioniert, wie diese Querschnitt- und Aufrißzeichnung von Baumeister Valentin Urbani dokumentiert, und technisch auf den neuesten Stand ausgerichtet (z. B. moderne Zentralheizungsanlage).

J. R.

25.31

PLAN: QUERSCHNITT, HAUPTEINGANG UND STIEGE DES GYMNASIUMS

H 79/B 61 cm

Einen besonderen Blickfang des Gymnasialgebäudes stellt sicherlich der Mittelteil mit dem von Säulen flankierten Hauptportal dar. Der seitliche Querschnitt gibt Einblick in die ausgedehnten Stiegenanlagen sowie in die stabilen und kunstvollen Decken- und Dachkonstruktionen des Baues.

J. R.

25.32 s. II, S. 382, Abb. 58

LYCEUM IN KLAGENFURT

Reproduktion

Aufgrund einer vom Staat auferlegten Pflicht gingen 1807 von Spital am Pyhrn, der Zwischenstation auf ihrem Weg nach St. Paul, einige St. Blasianer Mönche als Lehrer an das Gymnasium und Lyzeum in Klagenfurt. Nach ihrer endgültigen Niederlassung in St. Paul im Jahre 1809 wurden die beiden Klagenfurter Bildungstätten dann vom Lavanttaler Stift mit Professoren beschickt, und zwar bis 1871, als das k.k. – Staatsgymnasium in Klagenfurt, das hier abgebildet ist, verstaatlicht wurde. Rückblickend auf das segensreiche Wirken der Stiftspatres hieß es bei der Eröffnung des neuen Klagenfurter Gymnasiums 1891: *Es erfordert die heilige Pflicht geschichtlicher Pietät, der langjährigen, edlen und aufopfernden Tätigkeit der Benediktiner von St. Paul zu gedenken. Generationen verdanken in Kärnten ihre humanitäre Bildung den Männern des Ordens, welche ihr bestes Selbst selbstlos der Jugend opferten, wahrhaft ein Collegium sapientiae et pietatis.*

J. R.

25.33

EINWEIHUNG DES GYMNASIUMS

Reproduktion

Am 5. Juli 1901 fand nach der ersten Matura am Stiftsgymnasium die feierliche Einweihung des neuen Gymnasialgebäudes statt, vollzogen durch den Fürstbischof von Gurk, Dr. Josephus Kahn. Als Ehrengäste waren u. a. der Kärntner Landespräsident Otto Reichsfreiherr von Fraydenegg und Monzello, der St. Pauler Bürgermeister Thomas Kunauer und der Baumeister Valentin Urbani anwesend. Der Ausbau des *k.k. Stiftsgymnasiums der Benediktiner in St. Paul* zu einem Vollgymnasium war damit vollendet.

J. R.

25.34

TURNSAAL

Reproduktion

Körperertüchtigung und Sport spielten im Stiftsgymnasium seit jeher eine wichtige Rolle. So war auch der Turnsaal des neuen Schulgebäudes mit den entsprechenden Geräten großzügig ausgerüstet. Zu dieser Materie erging vom k.k. kärntnerischen Landesschulrat am 2. Jänner 1904 folgende Verfügung: *Die Direktion wird infolge Erlassens des k.k. Ministeriums für Kultus und Unterricht vom 4. Dezember 1903, Z. 13.846, aufgefordert, zur Hintanhaltung von Unglücksfällen beim Turnunterrichte dahin zu wirken, daß bei Kletterübungen nur Stangen aus tadellosem Material, womöglich Eschenholz, oder auch Metallrohre mit einem rostsicheren Überzug, zur Verwendung kommen. Ferner sind die Turnlehrer zu beauftragen, bei Kletterübungen ein Herabgleiten statt des vorgeschriebenen griffweisen Herabkletterns unter keinen Umständen zu dulden.*

J. R.

25.35

ZEICHENSAAL

Reproduktion

Der geräumige Zeichensaal des neuen St. Pauler Gymnasiums kam den künstlerischen Betätigungen der Schüler, die hier dank engagierter Lehrer immer wieder intensiv betrieben wurden, besonders entgegen. So förderte P. Switbert Lobisser, begnadeter Künstler und von 1908/09 bis 1931/32 Zeichenprofessor am Stiftsgymnasium, mit seinen „Stunden im Freien" durch wiederholte Spaziergänge das Erschauen, Erleben und daraus resultierende subjektive Niederschlagen in Zeichnung oder Malerei. Am 1. März 1914 etwa organisierte er eine diesbezügliche Exkursion nach Twimberg und Waldenstein, am 10. Mai 1914 eine solche nach Gräbern. Die Schüler waren mit Begeisterung bei der Sache, wie im Jahresbericht nachzulesen ist: *Überall war Stoff zum Arbeiten – von den Aufrißzeichnungen der Kleinen bis zu den in guter Zusammenfassung ganzer Gruppen wohlgelungenen Studien der Fortgeschrittenen. Es war wohltuend zu sehen, mit welcher Zähigkeit die Schüler dem gegen Mittag einsetzenden eisigen Winde, der nur zeitweise einem Regen wich, bis zur Vollendung der Arbeit standhielten.*

J. R.

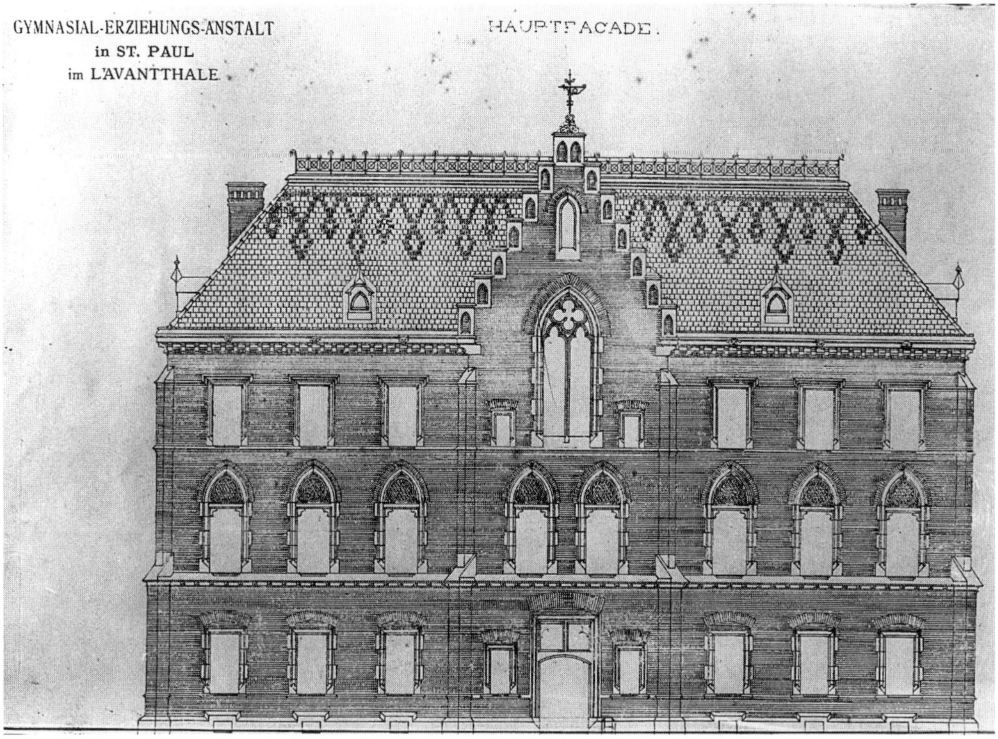

PLAN: KONVIKTANSICHT

H 30/B 42,5 cm

Seit 1817 waren innerhalb des Stiftskomplexes eigene Räumlichkeiten zur Unterbringung, Verpflegung und Erziehung von Gymnasialschülern eingerichtet. Ab 1867 waren in diesem Konvikt konstant 32 Zöglinge aufgenommen. Als mit der zunehmenden Schülerzahl aber dann auch das Interesse am Konvikt stetig wuchs, wurde im Westen des Ortes ein modernes und geräumiges neues Internatsgebäude mit dem Namen *Josephinum* errichtet. P. Eberhard Katz hatte dieses Projekt als sein Herzensanliegen schon 1885/86, am Beginn seiner Tätigkeit als Gymnasialdirektor, hoffnungsvoll initiiert. *Die Saat wird gelegt, Gott gebe ihr das Gedeihen!* hieß es damals im Jahresbericht, übrigens dem ersten, der am Stiftsgymnasium erschien. 1889 war der Bau des neuen Internates, ausgeführt im neugotischen Stil (wie die vorliegende Ansichtsgraphik zeigt), abgeschlossen.

J. R.

25.37

ERSTE BAUSTUFE: MITTELTEIL

Reproduktion

1889 wurde das neue Konvikt *Josephinum*, errichtet in Ziegelbauweise ohne Verputz, fertiggestellt. Im Schuljahr 1889/90 ging somit der langgehegte Wunsch von Direktor P. Eberhard Katz und dem Schulerhalter, Prälat Augustin Duda, in Erfüllung, das für die umfassende Unterbringung und Betreuung des Großteils der Gymnasialzöglinge geschaffene Gebäude seiner Bestimmung übergeben zu können. Das *Josephinum* bot seinen etwa 100 Internatsschülern von Beginn an viele Einrichtungen für Studium, Hygiene, Gesundheit, Sport und Geselligkeit sowie für Besinnlichkeit und Gebet (Kapelle im 2. Stock).

J. R.

25.38

ZWEITE BAUSTUFE: KONVIKT MIT FLÜGELBAUTEN

Reproduktion

Die im Zuge des Ausbaus des St. Pauler Gymnasiums zum 8jährigen Vollgymnasium um die Jahrhundertwende deutlich gestiegene Schülerzahl machte bald auch eine bauliche Ausweitung des ursprünglich nur für etwa 100 Zöglinge konzipierten Internates notwendig. So wurde im ersten Jahrzehnt unseres Jahrhunderts das Konvikt *Josephinum* um zwei Flügelbauten, die nun im Erdgeschoß je einen großen Speise- und Festsaal beherbergten, entscheidend vergrößert. Die Ausführung erfolgte in heller Sandsteinbauweise, an welche auch der bereits bestehende Konviktsbau mit seiner Ziegelfassade angeglichen wurde.

1909 wurde diese großzügige Baulichkeit, die 200 Heimschülern Raum bot und zu den damals modernsten Internatseinrichtungen der Monarchie zählte, ihrer Bestimmung übergeben. Der Jahresbericht 1909/10 informiert darüber: *Die Korridore und alle Räume des durch Neubau nicht nur bedeutend erweiterten, sondern auch vollkommen modernisierten Konviktes sind licht und luftig und gut heizbar umd mit elektrischer Beleuchtung versehen. Für Krankenzimmer ist bestens gesorgt und für schlimmere Fälle ein eigener Isoliertrakt errichtet. Verschiedene Badeeinrichtungen sind vorhanden usw.*

J. R.

25.39

SCHLAFSAAL IM KONVIKT

Reproduktion

In „Das Konvikt der Benediktiner von St. Paul im Lavanttale", einem Separatdruck aus „Österreichs Illustrierter Zeitung, Jahrgang 1910/11", schrieb Eugen d'Albon: *Gerne möchte ich noch einiges berichten über die großen, schönen, luftigen Zimmer im Josefinum, über seine prächtig eingerichteten Studier- und Schlafsäle, die alle mit Komfort, ja mit Eleganz ausgestattet sind und lebhaft an die bekannten Musterinternate in England erinnern.* Im Bild ist einer dieser modernen, hellen Schlafsäle des Konviktes zu sehen, Platz bietend wohl für fünfzig und mehr Zöglinge.

J. R.

25.40

SCHÜLER VOR DEM KONVIKT BEIM EISSTOCKSCHIESSEN

Reproduktion

Über die Freizeitaktivitäten im Konvikt *Josefinum* schreibt Eugen d'Albon 1910/11: *Auch über die muntere Musik, die die Zöglinge der Benediktiner von St. Paul machen, über die weiten, ausgezeichneten Sportplätze und über das frische, fröhliche Treiben beim Spiele in den Anlagen des Konviktes möchte ich noch gar manches sagen, nicht zuletzt über die Bäder des Josefinums*, die ja eine wirkliche Sehenswürdigkeit sind. Wanderungen in der waldreichen Umgebung, Schlittschuh- und Skilaufen, Schlittenfahren und Eisschießen im Winter sowie Baden, Tennis und allerlei Schulspiele in der warmen Jahreszeit wurden an der St. Pauler Bildungsstätte eifrigst gepflegt. Das vorliegende Bild zeigt Konviktisten vor ihrer Heimstätte beim „Eispickelschieben", wie um 1910 das heutige Eisstockschießen hieß.

J. R.

25.41

ALTES KONVIKT IM STIFT

Reproduktion

Das auf Betreiben von Kaiser Franz I. (s. Stiftungsurkunde, Kat.Nr. 25.2) errichtete Konvikt zur Einquartierung, Verköstigung, vor allem aber umfassenden Erziehung eines Großteiles der jungen Studenten erwies sich von Beginn an als tragende Säule des St. Pauler Gymnasiums. Der Rest der Schüler war in der näheren Umgebung ansässig oder extern bei vom Stift ausgewählten St. Pauler Familien einquartiert. Bis 1816 gab es nur fünf bis acht

Kostknaben, die verstreut und somit für die Erziehung eher ungünstig im gesamten Stiftsbereich untergebracht waren. Aber die Zahl der Internatsschüler stieg bald an, und allmählich wurden dann alle zentral im Konvikt, das sich ursprünglich zusammen mit dem Gymnasium oben im Stiftskomplex befand, angesiedelt, um eine bestmögliche erzieherische Aufsicht zu gewährleisten. Auf dem Bild ist der Aufgang zum alten Konvikt und Gymnasium im hinteren Stiftshof zu sehen.

J. R.

25.42

SCHLAFSAAL IM ALTEN KONVIKT

Reproduktion

1817 wurde das ursprüngliche Konvikt des St. Pauler Gymnasiums oben im Stift errichtet. Bereits 1819 wurden weitere Räumlichkeiten adaptiert. Auf dem vorliegenden Bild ist der Schlafsaal des alten Konviktes zu sehen. Seit 1867 waren dann konstant 32 Konviktisten aufgenommen. Langjähriger und verdienstvoller Konviktspräfekt in jener Zeit um 1870/80 war P. Franz Sales Pirc, daneben auch noch Slowenischlehrer. Immer wieder erwies sich die lückenlose Aufsicht als höchst notwendig: Erzieher retteten mehrmals Schüler vor dem Ertrinken beim Schwimmen oder vor den bösen Folgen gefährlicher Spiele und Experimente.

J. R.

25.43

STUDIERSAAL IM ALTEN KONVIKT

Reproduktion

In dem hier abgebildeten Studiersaal des alten Konvikts, wie die anderen Räume geprägt von eindrucksvollen Gewölbedecken, saßen um 1870 unter anderem auch Adolf Lorenz (später angesehener Orthopädieprofessor und Vater von Nobelpreisträger Prof. Konrad Lorenz) und Hugo Wolf (Liederkomponist), zwei berühmt gewordene Alt-St. Pauler, über ihren Heften und Büchern. Als Ausgleich für das Studium gab es für die Zöglinge viel Abwechslung. Pflege von Theater und Gesang, ausgedehnte Wanderungen in die freie Natur, meist verbunden mit botanischen Übungen, Sport in vielfältiger Form (Spiel mit Ball und Ballon, Federspiel, Stelzengehen, Schlittenfahren und Eisschuhlaufen) trugen dazu bei, daß viele Ex-St. Pauler später sagten: *Auch ich war Convictist, N. N. war mein Lehrer, N. N. mein Erzieher, das waren meine schönsten Tage!* wie dem 1. St. Pauler Jahresbericht von 1885/86 zu entnehmen ist. Mit der Errichtung des großen neuen Internates „Josephinum" unten im Markt St. Paul im Jahre 1889 lief die Funktion des alten Konviktes im Stift allmählich aus.

J. R.

25.44

SCHWIMMBAD

Reproduktion

Ein großes, gerade für die Winterzeit berechnetes, demnach gut beheizbares Schwimmbad bietet den Zöglingen ausgiebige Badegelegenheit. So ist im zeitgenössischen Jahrsbericht über das im Jahr 1907 im Untergeschoß des Konviktes errichtete Hallenbad (L 15/B 7 m), das in seiner Art damals fast einzigartig in Österreich war, nachzulesen. Weiter heißt es dort noch: *Außerdem stehen für Einzelfälle noch Wannenbäder in separaten Kabinen zur Verfügung. Im Sommer baden die Studierenden im Flußwasser.*
Die auf wenige Jahre konzentrierten großen Bauleistungen des Stiftes (Gymnasium, das hier abgebildete Schwimmbad im Konvikt, E-Werk, Ausbau des Konviktes) stellten an die finanzielle Leistungsfähigkeit der Benediktinerabtei (damals unter Abt Gregor Ehrlich) gewaltige Anforderungen.

J. R.

25.45

Schautafel: DAS GYMNASIUM UM 1900 – EIN ÜBERREGIONALES BILDUNGSZENTRUM

25.46–25.48

HUGO WOLF (1860–1903)

Hugo Wolf wurde am 13. März 1860 in Windischgraz geboren. Sein Vater Phillip war Lederhändler und gleichzeitig ein begeisterter Amateurmusiker. Er brachte dem fünfjährigen Hugo die ersten Begriffe im Klavier- und Violinspiel bei. Die Fortschritte müssen so außerordentlich gewesen sein, daß Phillip seinen Sohn für ein Wunderkind hielt. Als Vater Wolf im Fasching 1866 mit seinem kleinen Salonorchester öffentlich auftrat, durfte Hugo mitspielen – und zwar in einem Mozartkostüm. Diese Assoziation war sehr deutlich. Die Kindheitserfahrung, vom Vater und seiner Heimatstadt als außerordentliche musikalische Begabung bewundert zu werden, sollte den Lebensweg Hugos entscheidend mitprägen.
In der Volksschule zeichnete er sich durch klaren Verstand, Fleiß und gutes Benehmen aus, so daß sein Vater beschloß, ihn gemeinsam mit

seinem Bruder Max auf das Gymnasium in der Lichtenfeldgasse in Graz zu schicken. Beide nahmen auch Violinunterricht im „Steiermärkischen Musikverein“, Hugo zusätzlich sechs Wochen Klavierunterricht bei Johann Buwa. Schon nach einem Semester wurde er wegen ungenügenden Erfolge aus dem Gymnasium entlassen. Nach dem Scheitern in Graz nahm der Vater einen zweiten Anlauf und gab Hugo in das Untergymnasium der Benediktiner zu St. Paul. Die Schülerzahl am Internat war zu Beginn des Schuljahres 1871/72, als Hugo Wolf eintrat, auf 37 gesunken. Das Zeugnis des ersten Semesters sah noch recht hoffnungsvoll aus. Es gab zwar in Mathematik und Deutsch ein „genügend“, aber in den anderen Fächern doch bessere Beurteilungen, in Latein sogar ein „lobenswert“. Ab dem zweiten Semester verschlechterten sich die Beurteilungen kontinuierlich, eine Tendenz, die sich auch im Studienjahr 1872/73 fortsetzen sollte. Schließlich stand er am Ende des zweiten Schuljahres in Slowenisch und Latein auf „nichtgenügend“. Die für Latein notwendige Nachtragsprüfung bestand er, was ihn zum Aufstieg in die dritte Klasse berechtigt hätte.

Doch es gab nicht nur Schwierigkeiten in der Schule, sondern auch solche mit seinem Benehmen im Internat. Die Hausordnung der katholischen Internate war damals sehr streng und auf bedingungslose Disziplin ausgerichtet. Der Tagesablauf war geregelt von der Morgenmesse über das Mittagsgebet bis zum „Silentium religiosum“ am Abend.

Wir besitzen einen Brief, den Hugo Wolf vermutlich am 5. Juni 1873 an seinen Vater gerichtet hat und in dem er in einem etwas unbeholfenden Deutsch seine ganzen Probleme darstellt: *Sie werden heute den 5. gewiß einen Brief vom Präfekten erhalten haben. In diesem schildert er (...) von meinem Benehmen sowie von meinem Gang in der Schule. Einiges ist wohl wahr, aber vieles schändlich erlogen. (...) Von meinem Benehmen schreibt er, daß ich stolz, trotzig, eigensinnig u.s.w. sei. Ich kann dies gar nicht begreifen, wann er sich dies ausgetüpfelt hat. Ebenso log er sehr infam, indem er zu mir sagte, wie er es Ihnen schreibt, daß er mir gedroht habe, mich aus dem Stift zu schaffen und ich gesagt haben soll: Ich gehe nach Marburg. Auch schrieb er, daß ich ihn nie um Verzeihung bat. Ich ging einmal schon im 1. Kurs zu ihm und bat ihn wegen etwas anderem um Verzeihung. Er wies mich aber zurück und sagte: Dies ist alles nur Heuchelei.* F. WALKER zitiert auszugsweise den Brief des Präfekten, Pater Sales Pirc, auf den Hugo Wolf hier anspielt: *Ich habe diesen Brief, wie er hier ist, dem Hugo vorgelesen und hoffte, ihn dadurch zur Reue und Einsicht zu bringen. (...) Leider täuschte ich mich. Ich sah an Hugo gar keine Veränderung – er bat nicht um Vergebung, sondern, nachdem ich ausgelesen, machte er rechtsum und ging, als wenn gar nichts wäre.*

Die Fronten waren klar: auf der einen Seite ein Erzieher, der es gut mit dem jungen Schüler meinte, der sogar aus Graz Noten besorgte, damit Hugo am Klavier, sein Mitschüler Ernst Gassmayer (Violine) und der Internatssekretär Denk (Violincello) Opernpotpourris spielen konnten – auch Vater Philipp gesellte sich manchmal zu diesem Trio –, auf der anderen Seite der junge Hugo Wolf, der seinen Erzieher der „schändlichen“ und „infamen“ Lüge zeiht.

Ab Herbst 1873 schickte Philipp Wolf seinen Sohn auf das Gymnasium in Marburg. Doch auch hier wieder das gleiche Verhalten, wie aus einem Brief an die Eltern vom 29. Juni 1875 hervorgeht: *Teuerste Eltern! Ich bin jetzt bei der Prüfung in Physik und Mathematik durchgefallen, aus Griechisch und Latein nach gar nicht dran gekommen.* Dann berichtet er weiter, daß er am Sonntag nicht in die Schulmesse gegangen sei, weil er im Dom bei einer Aufführung von Hummels *Missa solemnis* 1. Violine gespielt hätte und eine Messe am Sonntag wohl genügen müsse. Doch dieses Vergehen werde ihm eine Bestrafung von 3 bis 4 Stunden Karzer einbringen. Um dieser Strafe vorzubeugen, ersucht er den Vater, ihn aus dem Gymnasium zu nehmen. Sollte der Vater aber nicht rechtzeitig antworten, werde er selber austreten. Ferner fügt er hinzu, der Direktor sei auch deswegen so *zornig, weil ich während dem S. seiner Stunde mein Frühstück aß, (...) da ich Appetit hatte.* – Was sich in St. Paul bereits abgezeichnet hatte, setzte sich in Marburg fort. Mit den schlechten Schulergebnissen, die ihm keines Kommentars wert sind, und groben Verstößen gegen die Schulordnung will er den Vater zwingen, ihn vom Gymnasium zu nehmen, um Musik studieren zu können. Für ihn war Musik wie „Essen und Trinken“. Da er mit „Bitten“ den Vater nicht umstimmen konnte, mußte er so und nicht anders vorgehen. Zusätzlich versuchte er seinen Vater auch mit etwas Positivem zu überzeugen, indem er zu komponieren begann: *Am Sonntag den 11. April (1875) um 1/2 9 Uhr Abends die Sonate angefangen*, sein Opus 1, das er dem Vater widmete. Dieser unvollendet gebliebenen Sonate folgten die *Variationen für Klavier* (op. 2) und höchstwahrscheinlich noch in Marburg die Lieder op. 3.

Hugo Wolfs Methode der Leistungsverweigerung, der Nichtbeachtung der Schulordnung sowie seine ersten Kompositionen führten schließlich zum Erfolg. Sein Vater erlaubte ihm, ab Herbst 1875 an das Konservatorium in Wien zu gehen, um Klavier und Komposition zu studieren. Obwohl er damit das Ziel seiner Wünsche erreicht hatte, holte ihn hier seine Methode, keine Autoritäten außer den selbstgewählten anzuerkennen, ein. Er erzielte zwar sehr gute Lernerfolge, verließ aber doch nach

eineinhalb Jahren das Konservatorium unter ungeklärten Umständen. Sein Kommentar dazu: Er hätte hier *mehr vergessen, als gelernt.*
Ab dem 18. Lebensjahr jedenfalls war Hugo Wolf sein eigener Lehrer. Es gab zwei musikalische Autoritäten, die er über alles verehrte und für die er auch als Musikkritiker im „Wiener Salonblatt" kämpfte, nämlich Richard Wagner und Franz Liszt. Unter ihrem Einfluß entwickelte er seinen persönlichen Kompositionsstil. Im Zentrum seines Schaffens standen die Lieder für Gesang und Klavier. Ab Februar 1888 schuf er innerhalb von drei Jahren 187 Lieder nach Gedichten von Eduard Mörike, Josef von Eichendorff, Johann W. Goethe, das *Spanische Liederbuch* und den 1. Teil des *Italienischen Liederbuches*, Werke, die heute in allen Konzertsälen der Welt zu hören sind.
Hugo Wolfs Leben ist die einzigartige Geschichte eines, der nichts scheute, um das Ziel zu erreichen, der Musik zu leben. Die ersten Schritte setzte er hier in St. Paul. Er nahm bewußt ein Leben voll Sorgen und Armut auf sich, um frei sein zu können für seine Musik, die ihm „Essen und Trinken" war. Er starb am 22. 2. 1903 in der Niederösterreichischen Landesirrenanstalt in Wien. Seine Lieder, um die er ein Leben lang gelitten und gekämpft hat, leben heute mehr denn je und erfreuen Sänger wie Publikum auf der ganzen Welt.

Lit.: E. NEWMANN, Hugo Wolf (1910). – E. DECSEY, Hugo Wolf (1903). – F. WALKER, Hugo Wolf (1953). – H. WOLF, Familienbriefe (1912).

L. S.

25.46

PORTRÄT HUGO WOLFS

von Karel Pecko nach einer Fotographie gemalt, 1960

Öl auf Leinwand, H 110/B 80 cm

Musikverein Slovenj Gradec

25.47

FOTO DES FÜNFZEHNJÄHRIGEN HUGO WOLF

aufgenommen vermutlich Anfang September 1875 bei Bernhard Wachtl in Wien

Reproduktion (Originalfotographie im Historischen Museum der Stadt Wien, Inv.Nr. 44074/1)

25.48

BRIEF HUGO WOLFS AN SEINE ELTERN

undat.

4 S., 2 Bll., H 24/B 15 cm

Pokrajinski Arhiv Maribor

25.49

PORTRÄT GERHART ELLERTS

Pseudonym für Gertrud Gabriela Schmirger (1900–1975), sign.: *Lotte Ringel*

Öl auf Holz, oval, max. H 58,5/max. B 44,5 cm

Stift St. Paul

Am 26. Jänner 1900 kam GERTRUD SCHMIRGER in der Lavanttaler Bezirkshauptstadt Wolfsberg zur Welt. Sie war das einzige Kind des Ehepaares Camillo und Gabrielle Schmirger. Der Vater übte den Beruf eines Primararztes am Wolfsberger Krankenhaus aus.

Bereits mit vier Jahren entdeckte Gertrud Schmirger die Neigung, sich Geschichten auszudenken, die sie dann einige Jahre später auch selbst niederschrieb. Sie besuchte keine öffentliche Volksschule, sondern erwarb sich das Wissen zu Hause. Später nahm sie Privatstunden im Benediktinerstift St. Paul. Der Unterricht im Konvikt prägte das junge Mädchen nachhaltig, dem die strengen Regeln des Katechismus jedoch nie sehr wichtig waren. Sie schuf sich vielmehr eine stark auf die eigene Persönlichkeit bezogene Religionsauffassung. Auch nach Beendigung der Schulzeit blieb sie mit dem Konvikt St. Paul in Verbindung; so spielte sie im Mai 1921 bei den Aufführungen des Stückes „Die Könige“ mit (s. Kat.Nr. 25.51).

Nach der mit Auszeichnung bestandenen Matura betrieb sie Hochschulstudien in Wien und Graz, die in erster Linie der Erweiterung ihrer Allgemeinbildung dienen sollten.

Als im Jahre 1922 der Vater starb, baute die Schriftstellerin gemeinsam mit ihrer Mutter ein Obstgut und eine Baumschule auf. Ab diesem Zeitpunkt war es den beiden Frauen möglich, während der arbeitsfreien Wintermonate ausgedehnte Reisen zu unternehmen. Für die Schriftstellerin bedeutete das Kennenlernen fremder Länder mehr als eine angenehme Freizeitgestaltung. Dazu erklärte sie im Jahre 1970 dem Österreichischen Rundfunk in einem Interview:

Das Reisen ist mir kein Opfer, ich reise gerne, aber ich tue es eigentlich nur des Quellen- und Milieustudiums wegen.

Den geglückten Aktivitäten als Unternehmerin folgte ab Mitte der 30er Jahre eine überaus erfolgreiche literarische Tätigkeit. Im Jahre 1933 bot sie ihren historischen Roman *Der Zauberer* dem Speidel-Verlag an, der das Werk annahm, jedoch den Wunsch nach einem männlichen Pseudonym äußerte. Die Autorin wählte den Namen GERHART ELLERT. Dieser entstand durch die Zusammensetzung der Namen von zwei Menschen, die ihr besonders nahestanden – durch den ihrer Mutter Gabrielle und den des St. Pauler Paters Engelbert Olbert.

In der Folge erschienen in regelmäßigen Abständen siebzehn Romane Gertrud Schmirgers, in denen sie historische Persönlichkeiten in den Mittelpunkt stellte. Es sind dies unmittelbar mit der Politik in Verbindung stehenden Personen mit gleichlautenden Romantiteln, wie ATTILA (1934), KARL V. (1935), WALLENSTEIN (1937), RICHELIEU (1948) und der Doge Enrico DANDOLO im Werk *Der blinde Löwe von San Marco* (1966) u.a.m.; weiters Religionsverfechter von GERBERT von AURILLAC im Roman *Der Zauberer*, MOHAMMED (1938), PAULUS (1951), COLUMBAN (1968) bis hin zu CHARLES FOUCAULD (1974); aber auch der Künstler MICHELANGELO (1942). Die zentrale Figur des Romanes JACOBE ODERKAMP (1958) ist zwar keine historische Persönlichkeit, doch spielt die Handlung in der Hansezeit.

Anfang der 60er Jahre erklärte sich Gertrud Schmirger dem Österreichischen Bundesverlag gegenüber bereit, Sachbücher und Geschichten für die Jugend zu schreiben. Für dieses Schaffen wurde Gertrud Schmirger u.a. 1959 mit dem Österreichischen Staatspreis für Jugendliteratur ausgezeichnet. Hinzu kamen noch zahlreiche weitere Literaturpreise und Anerkennungen. Die Verleihung des Ehrenringes der Heimatstadt Wolfsberg (1960) und die Auszeichnung mit dem Professorentitel (1966) gehörten auch für sie persönlich zu den größten Ehrungen ihres schriftstellerischen Wirkens. Am 7. Mai 1975 starb Gertrud Schmirger. Ihr literarischer Nachlaß befindet sich im Benediktinerstift St. Paul; dies erklärt sich aus einer fast lebenslangen Verbundenheit mit dem Kloster und seinen Patres. Im Testament begründet die Schriftstellerin: *Mit Rücksicht darauf, daß ich den Patres des Stiftes St. Paul den wesentlichen Teil meiner Kenntnisse verdanke und damit die*

Voraussetzungen zu meinem späteren Beruf als Schriftstellerin geschaffen wurden – und wie ich als Student und Gast des Stiftes die anregendsten und glücklichsten Stunden erlebt habe, bestimme ich, daß an das Stift St. Paul übergehen sollen ... Mit dem Aufbau eines Ellert-Archivs und der Schaffung von musealen Räumlichkeiten, die am 8. November 1985 eröffnet wurden, versucht man im Stift St. Paul dem Gedenken an die große Schriftstellerin den entsprechenden Rahmen zu geben.

Lit.: B. URBAS, Leben und Werk Gertrud Schmirgers (Pseud. Gerhart Ellert) im Spiegel ihrer historischen Romane (Diss. Graz, 1980).

H. P.

25.50

SCHULAUFFÜHRUNG „DIE KÖNIGE" MIT GERHART ELLERT IM KONVIKT

Reproduktion

Auf dem Foto befindet sich die Widmung des Direktors Dr. Richard Strelli, der 1929 zum Abt des Stiftes St. Paul gewählt wurde: *Zur Erinnerung an die Aufführung der „Könige" im Konvikt St. Paul am 5., 8. und 22. Mai 1921.* Gerhart Ellert/Gertrud Schmirger ist unter den Darstellern die vierte von links in kniender Position.

H. P.

25.51

PLAKATE ZU DREI ROMANEN GERHART ELLERTS

je H 41/B 29 cm

Stift St. Paul

Titelblätter zu den historischen Romanen: *Der Zauberer, Roman von Gerhart Ellert, F.G.Speidel'sche Verlagsbuchhandlung, Attila, Roman von Gerhart Ellert, F.G.Speidel'sche Verlagsbuchhandlung, Karl V., Roman von Gerhart Ellert, F.G.Speidel'sche Verlagsbuchhandlung.*

25.52

ZEICHNUNG: PAUL HÖRBIGER ALS LAURA BEI EINER SCHULAUFFÜHRUNG

Skizze von Switbert Lobisser (Tiffen 1878 – Klagenfurt 1943)

H 52/B 36 cm

Paul Hörbigers Vorliebe für Theater und Schauspiel fiel zwar bald auf, trotzdem ahnte wohl kaum jemand, daß man gerade hier in St. Paul jene Persönlichkeit in seiner Mitte hatte und mit der für das weitere Leben in vielerlei Hinsicht vielleicht entscheidenden Bildungs- und Lebensgrundlage ausrüstete, die in der Folgezeit zu einem begnadeten Schauspieler heranreifen sollte. In „Ich hab für euch gespielt" steht über eine Theateraufführung Anfang 1914: *Ein anderes Stück in unserem Repertoire war die „Fünffache Mordsgeschichte des Rinaldo Rinaldini". In diesem Fall ist es mir gelungen, gegen die sonstigen Gepflogenheiten unseres Klosters auch eine Frauenrolle durchzusetzen, weil ich dies aus dramaturgischen Gründen für notwendig hielt. Aber keiner der Mitschü-*

ler wollte sich „in Weiberkleider schmeißen", was aber zur Darstellung der Rinaldini-Tochter Laura unabdingbar war. Da sagte der Abt zu mir: „Wenn du schon die Frauenrolle im Stück haben willst, dann mußt du die Krot schlucken." So ist die Laura an mir hängengeblieben. Unser Zeichenprofessor war der heute berühmte Kärntner Maler Suitbert Lobisser, und der hat mich im Kostüm der Laura für alle Zeiten festgehalten.

J. R.

25.53

PAUL HÖRBIGER IN SCHULUNIFORM

Reproduktion aus: „Ich hab für euch gespielt"(s. Kat.Nr. 25.56)

Im Herbst 1911 trat Paul Hörbiger (1894–1981), der spätere große österreichische Volksschauspieler, in Gymnasium (5. Klasse) und Konvikt von St. Paul ein. Er schreibt darüber in seinem Memoirenbuch „Ich hab für euch gespielt": *Aber als ich – wie mehrfach erwähnt – infolge meiner Photographierleidenschaft die fünfte Klasse wiederholen mußte, nahmen mich meine Eltern aus dem Meidlinger Carl-Ludwig-Gymnasium, und ich übersiedelte ins Kärntner Internat, zu den Benediktinern nach St. Paul im Lavanttal. Caruso, Girardi&Co, mußten fortan auf meine Mitarbeit verzichten.* Hier auf dem Foto ist die Familie Hörbiger in Mauer bei Wien zu sehen: Mutter und Vater sitzen, dahinter von links nach rechts die Söhne Hans, dann Attila mit Pelzmütze, Paul in der Schuluniform von St. Paul und Alfred. Vom St. Pauler Gymnasium aus rückte Paul Hörbiger direkt in den Ersten Weltkrieg ein, in dessen Verlauf er bis zum Oberleutnant avancierte. In seinen Memoiren ist darüber zu lesen: *Bei Kriegsbeginn 1914 war ich erst Absolvent der siebenten Gymnasialklasse. Im Oktober fuhr ich nach St. Paul, um dort die sogenannte Kriegsmatura abzulegen. Ich kam in der Uniform der Scharfschützen hin, und die Padres waren stolz auf mich, da ich freiwillig in den Krieg ziehen wollte. Nach erfolgreicher Ablegung meiner Maturaprüfungen sagte ich zu einem Mitschüler: „Der Abt muß augenkrank sein vor lauter Augenzudrücken, und die Beisitzer sind überhaupt vollkommen erblindet". Ich hatte nämlich außer in meinem Lieblingsfach Botanik von all dem Unterrichtsstoff keine Ahnung mehr, war ja bereits ganz „Soldat".*

J. R.

25.54

EINLADUNGSKARTE

Reproduktion

Am 22. Feber 1914 feierte Paul Hörbiger anläßlich einer Faschingsaufführung von Nestroys *Lumpazivagabundus* in der Rolle des Knieriem im Konviktsfestsaal einen besonderen Erfolg. Und gerade mit dieser Rolle wurde er in späteren Verfilmungen besonders populär. Hörbiger erzählt darüber in seinen Memoiren: *Nestroys „Lumpazivagabundus" hat man im Festsaal als Schülervorstellung gegeben. Klosterschulen wurden damals sehr streng geführt, so daß unser Abt alle Frauenrollen aus dem Stück streichen ließ. Nestroy dürfte sich damals im Grab umgedreht haben, denn sein „Lumpazi" wurde aus klerikalen Gründen total umgeschrieben. Die beste Rolle ist die des Schusters Knieriem. Adolf Haas war in einer höheren Klasse als ich und hatte schon aus diesem Grund das Privileg der Rollenwahl. Er entschied, daß er den Knieriem und ich den Schneider Zwirn spielten sollte. Ich bin die Sache beinahe professionell angegangen und habe meinen Zwirn böhmakeln lassen. Als Haas nun während der Probenzeit sah, daß ich die meisten Lacher auf meiner Seite hatte, nahm er mir die Rolle kommentarlos weg. „Du spielst jetzt doch den Knieriem", befahl er, „das paßt uns besser ins Konzept". Mir war das natürlich nur recht, und ich hatte mit dieser Schülervorstellung meinen ersten Bühnenerfolg....Ich war im Stiftsgymnasium von St. Paul nicht nur der Knieriem (mit Flasche), sondern auch für die Anfertigung der Einladungskarten zuständig.*

J. R.

25.55

ICH HAB FÜR EUCH GESPIELT

Paul Hörbiger, München-Berlin 1989

Im Jahre 1980, viele Jahre nach seiner Schulzeit in St. Paul, übersandte Paul Hörbiger nach Erscheinen seines Erinnerungsbuches „Ich hab für euch gespielt" ein Exemplar davon an seine frühere Bildungsstätte, versehen mit seiner persönlichen Widmung „Ein ehemaliger 'St. Pauler' grüßt die heutigen" (28. 3. 1980). Ein Jahr später ist der große österreichische Volksschauspieler im Alter von 87 Jahren gestorben.

J. R.

25.56–25.68

SWITBERT LOBISSER

Switbert Lobisser wurde 1878 in Tiffen als Sohn eines Lehrers geboren und erhielt den Taufnamen Leo.
Nach dem Besuch des Bischöflichen Knabenseminars Marianum in Klagenfurt trat er 1899 ins Benediktinerstift St. Paul ein; es folgte das Theologiestudium in Rom.
1903 zum Priester geweiht, begann er ein Jahr später das Studium an der Kunstakademie in Wien. Anschließend war er als Zeichenlehrer am Stiftsgymnasium und als Forstmeister tätig. 1932 kam es zur Versetzung in den Laienstand; Switbert Lobisser starb 1943 in Klagenfurt.
Im Jahre 1923 entstand der erste Holzschnitt. Mit handwerklicher Perfektion schuf Lobisser in knapp zwanzig Jahren insgesamt 673 Holzschnitte, ebenso Zeichnungen, Aquarelle, Ölgemälde und Wandgemälde.

25.56

s. II, S. 400, Abb. 70

SELBSTPORTRÄT SWITBERT LOBISSERS 1927

Switbert Lobisser (Tiffen 1878 – Klagenfurt 1943), bez.: *Selbstportrait*, sign. mit Monogramm, dat. 1927

Kohle und Kreide, H 49/B 34 cm

Privatbesitz

Lobisser schaut ernst, fast streng den Rezipienten an. Er scheint sich zu fragen, wer vor dem Bild steht. Sind es Bekannte, interessierte Kunstfreunde, Kritiker, deren Meinung Gewicht auf dem Kunstmarkt hat, Mäzene oder die Nachwelt? Diese Frage scheint hinter dem Bild zu stehen, denn sie alle haben Einfluß auf sein Leben.
Lobisser hat sich des öfteren selbst dargestellt, und dann meistens als Teilnehmer von Szenen seiner bäuerlichen Umwelt. Als Beispiele dafür können die Holzschnitte „St. Paul", der „Felsenkeller" oder die Fresken im St. Pauler Winterrefektorium und am Haus der Weinstube Raunikar in Feldkirchen dienen.
Dieses Bild ist anders. Der Gesichtsausdruck des Meisters trägt Zweifel und Sorgen an den Betrachter heran. Der Künstler hatte den ersten Schicksalsschlag gerade hinter sich. Seine Mutter verstarb im Gottscheer Land vor nicht ganz einem Jahr. Seine Ev, Lebensgefährtin, einfühlsame Kritikerin und Triebfeder seines Schaffens, war gesundheitlich äußerst labil, eine gemeinsame Zukunft ungewiß. Er selbst beschreibt in humorvoller Weise die Langmut seines Abtes: *Mit der Art, wie ich die (Ordens-) Regel durch Ausnahmen bestätigte, konnte er freilich keine Freude haben* (Lobisser Buch, Klagenfurt 1940, S. 82).
Fast lebenslänglich verfolgten den Künstler finanzielle Sorgen. 1926 schrieb er: *Lieber Hans! Ich bin stier! Schick mir an Drum Geld, vielleicht eine Million, wenn es etwas mehr ist, macht's auch nix....* (Brief an Dr. Hans Thaler, Möllbrücke vom 16.10.1926).
Als Switbert Lobisser das Selbstporträt 1927 zeichnete, hatte er noch keine finanziellen Sorgen, doch er spürte, daß der Zeitpunkt kommen würde, wo er auf eigenen Beinen werde stehen müssen. „Werde ich als Künstler anerkannt?" ist aber wohl die wichtigste Frage, die er zu stellen scheint. Der Mann auf dem Bild sieht den Betrachter so an, wie er wohl selbst gesehen werden wollte: Als Künstler, nicht als Pater, mit den Attributen Staffelei, Leinwand und Kohlestift. Fast fünfzigjährig, ernsthaft und ernstzunehmend, aber trotz aller Sorgen nicht ohne Humor, wie das feine Schmunzeln um die Mundwinkel zu zeigen scheint.

G. K.

25.57

ST. PAUL IM FEBER 1932

Switbert Lobisser (Tiffen 1878 – Klagenfurt 1943), sign. mit Monogramm, 1932

Aquarell, H 42,5/B 32,5 cm

Privatbesitz

33 Jahre lang, von seinem 21. bis zu seinem 54. Lebensjahr, war Lobisser in St. Paul. In dieser Zeit schuf er eine Unmenge von Ansichten dieses Ortes und seiner Umgebung in fast allen Techniken, Formaten, Jahres- und Tageszeiten.
Das vorliegende Aquarell weist ihn als großen Stimmungsmaler aus. Gedeckte Braun- und Blautöne sind harmonisch aufeinander abgestimmt. Es strahlt winterliche Ruhe aus. Die Lavant windet sich träge; ein Wasserschaff scheint vergessen worden zu sein. Das Pferd mit gesenktem Kopf scheint zu schlafen. Auch der Holzsammler, mit seiner roten Jacke (die einzige kontrastierende Farbe) hat keine besondere Eile. Wenn der Wagen voll beladen ist, wird er wohl dem Haus zufahren. Das Stift im Hintergrund, nicht aufdringlich, obwohl riesig in den Dimensionen, fügt sich in die Natur.
Die englische Water-Colour-Society setzte im England des 18. Jahrhunderts die wohl strengsten Maßstäbe in der Aquarellmalerei. Die Beschränkung auf nur drei Grundfarben sowie völlig transparente Lasurmalerei waren die Kriterien, „Leichtigkeit und Freiheit einer reinen und lichterfüllten Wiedergabe von Landschaft und Atmospäre" (W. KOSCHATZKY) das Ziel. Switbert Lobisser erweist sich als Meister dieser strengen Auflagen. In der

schwierig darzustellenden Materie Wasser zeigt er sein ganzes Können. Der Himmel ist bedeckt, Dunst liegt in der Luft. Die Helligkeit und Leuchtkraft des Schnees bezieht das Bild aus dem Weiß des Papiers. Die Lavant liegt unter einer Eisdecke verborgen. Strudel zeigen sich als hellblaue Streifen, Tiefen als graue Zonen. Aber nicht alles ist zugedeckt, schläft oder gurgelt im Verborgenen.
Auf den Dächern des Stiftes liegt nur mehr wenig Schnee. Der Winter zeigt noch einmal seine Eiskrallen am Dach des Bauernhauses, aber ein wenig Gelb genügt, um dem Betrachter unter dem Bretterzaun eine offene Stelle im Bach zu zeigen, Vorboten des Frühlings.

Lit.: W. KOSCHATZKY, Die Kunst des Aquarells (Dtv-Ausgabe 1982), S. 11.

G. K.

25.58

MEINE HEIMAT TIFFEN

Switbert Lobisser (Tiffen 1878 – Klagenfurt 1943), sign. mit Monogramm; bez. rechts unten: *Meine Heimat Tiffen;* dat. 30.10.34

Aquarell, H 27/B 43 cm

Privatbesitz

Das Aquarell zeigt Lobissers Heimatort Tiffen, wo er am 23. März 1878 als dritter Sohn eines Lehrers geboren wurde. Tiffen, 878 erstmals als „der Ort beim roten Felsen" genannt, liegt auf einem weit ins Tal vorstoßenden Ausläufer der Görlitzen bei Villach. Im Bild sind auf einem gegen das Tal abfallenden Kegel die Kirche, der Pfarrhof und das Schulhaus zu sehen, zu Füßen des Kegels das kleine Dorf und im Vordergrund eine Bäuerin bei der Feldarbeit. Lobisser wohnte bis zum Tod seines Vaters 1886 im Schulhaus, danach in einem Bauernhaus am Fuße des Kirchfelsens. Switberts Liebe zu seiner Heimat ist auch in diesem Aquarell ausgedrückt, und wie auf allen seinen Bildern befindet sich auch hier der Mensch im völligen Einklang mit der Natur.

Lit.: A. BÄUMER, Aus dem Leben Switbert Lobissers, in: Switbert Lobisser 1878–1943 (1978), S. 9–27.

B. Wi.

25.59 s. II, S. 399, Abb. 69

ANBETUNG DES KINDES

Switbert Lobisser (Tiffen 1878 – Klagenfurt 1943), bez.: *Wandgemälde der Gymnasialkapelle von St. Paul, gemalt im Auftrage des Dir. Dr. R. Strelli von Switbert Lobisser 1920.* Widmung: *Zur Feier des 50. Geburtstages, 12. Mai 1925*

aquarellierte Zeichnung, H 73/B 120 cm

Stift St. Paul

Vor einigen Jahren ist diese aquarellierte Zeichnung durch Zufall auf dem Dachboden des Stiftes gefunden worden. Sie ist die Vorzeichnung für eine Wandmalerei Lobissers in der St. Pauler Gymnasialkapelle. Leider existiert die Kapelle in ihrer damaligen Form und mit ihr das Wandgemälde nicht mehr. Nur ein unscharfes Schwarzweißfoto gibt es noch, das Lobisser bei der Arbeit zeigt. Von der Wandmalerei ist nicht allzuviel zu sehen, die Größe aber ist beachtlich – ca. 2,5 x 5 Meter.
Der Entwurf für dieses Gemälde, die hier vorliegende Zeichnung, wurde dem Auftraggeber Dr. Richard Strelli, fünf Jahre später zu seinem fünfzigsten Geburtstag, mit einer Widmung versehen, geschenkt. Der Titel lautet: „Die Anbetung des Kindes".
Die strenge formale Gliederung teilt das Bild in vier Teile. Durch Maria und das Kind werden die Hirten auf der rechten Bildseite von den Hll. Drei Königen auf der linken Seite getrennt. Der Horizont trennt oben von unten, den Himmel von der Erde. Es ist sicher kein Zufall, daß nur Maria in den Himmel hineinragt. Das Kind dagegen befindet sich als einziges und zur Gänze in der oberen Bildhälfte. Durch die strenge Zentralperspektive erinnert das Bild ein wenig an Leonardo da Vincis „Letztes Abendmahl". Die Rasterung des Bildes weist darauf hin, daß es als Entwurf für eine Wandmalerei gedacht war.
Lobisser urteilt selbst über sein Werk: „Zeichnerisch fehlerlos, farbig schwach."

Lit.: Lobisser Buch (1940), S. 85.

G. K.

25.60

EIN FROHES NEUJAHR 1928

Switbert Lobisser (Tiffen 1878 – Klagenfurt 1943), bez. am oberen Bildrand: *Hr. Professor Hartwig Labi*; am unteren Bildrand: *wünscht Switbert Lobisser, Op. 61.*

Holzschnitt, H 20,5/B 16 cm

Stift St. Paul

Switbert Lobisser wünschte Herrn Professor Hartwig Labi mit diesem kleinen Blatt ein frohes Neujahr 1928. Dargestellt sind drei Drachen; einer beobachtet unter menschlicher Anweisung durch ein Fernrohr den Sternenhimmel. Links oben erscheint das Zeichen des Planeten Merkur.
1928 ist nach dem chinesischen Horoskop das Jahr des Drachen. In Asien steht jedes Jahr unter dem Zeichen eines Tieres, welches das Schicksal und den Charakter der in diesem Zeitabschnitt geborenen Menschen bestimmt. Diese Tierzeichen sind vom Mond und nicht wie unsere Sternkreiszeichen von der Sonne abhängig. Der Drache, ein Glückszeichen, ver-

körpert himmlische Macht, steht in einer günstigen astrologischen Konstellation und ist Symbol des Lebens und des Wachstums.

B. Wi.

25.61

DER FÜNFZIGER DANKT FÜR DIE GLÜCKWÜNSCHE UND ZIEHT ERNEUERT WIEDER AN!

bez.: *LXIX/1 Switbert Lobisser, Hartwig 23.3.1928*, Op. 69, 1928

Holzschnitt, H 10,5/B 14,8 cm

Stift St. Paul

Seit 1926 gab Lobisser immer wieder Holzschnitte in eigener Sache heraus: Weihnachts- und Neujahrswünsche, Dankkarten für Ehrungen, Geburtstagswünsche. Er verstand es hervorragend, auf diese Weise Werbung für sich zu machen. Wie groß der Stock seiner Freunde, Bekannten, Kunden und Förderer war, können wir aus einem Brief schließen, in dem er entschuldigend schreibt: *Lieber Freund! Gfalt ist! Bist bei den 200 Neujahrsgrüßen durchgefallen. Euern Brief hab ich erhalten...*(undat. Brief – wahrscheinlich Jänner 1933 – an Hermann Hanl, Oberlehrer in St. Wolfgang/Obdach).
Der vorliegende Holzschnitt zeigt die zweite Art der Selbstdarstellung (s. Kat.Nr. 25.57). Lobisser zieht seinen Lebenskarren schwer beladen, mühsam abwärts. Am Karren die Symbole seines Lebensinhalts: die Jagdflinte, der Rauhhaardackel Reifele, seine Ev, die Bibel und die Malerei. Das aufgeschlagene Buch, das er am Weg verloren hat, stellt wohl die Schulweisheit dar, die er hinter sich gelassen hat. Er zieht schwer an diesem Karren, sogar einen Stock benötigt er dazu. Noch aber scheint ihm die Sonne ins Gesicht. Vier Jahre später, wenn er *alle Bequemlichkeit und alle Nahrhaftigkeit des St. Pauler Lebens hinter sich gelassen hat, wird ihm der rauhe Wind ins Gesicht blasen.*

Lit.: Lobisser-Buch (1940), S. 107. – A. HANZER, Switbert Lobisser, JbSP 1982/83, S. 44ff.

G. K.

25.62

AUS DER POHANSKA BEI LUNDENBURG

bez.: *Orig.Holzschnitt CXXXIX/27, Switbert Lobisser*, sign. mit Monogramm, Op. 139, 1931

Holzschnitt, H 31,7/B 47,1 cm

Stift St. Paul

Fürst Liechtenstein erteilte dem Künstler 1930 den Auftrag für zwei große Holzschnitte. Die Motive sollten aus dem Besitz des Fürsten bei

Lundenburg (heute Břeclav/ČSFR), der Pohanska, stammen. Das vorliegende Blatt zeigt die erste Darstellung.
Lobisser kann hier sein ganzes Einfühlungsvermögen in die Natur zeigen. Durch die realistische Darstellung verliert hier die Natur ihren gruselig-kauzigen Schrecken. Keine Fratzen, die einen anstarren, keine Äste, die sich dem Betrachter entgegenrecken. Natur pur! Ein Gewitter hat sich gerade verzogen. Wolkentürme sind noch am linken oberen Blattrand zu sehen. Die Sonne ist noch teilweise verdeckt, ihr Licht genügt, um kräftige Schatten zu werfen. Auf der rechten Seite treten ein Hirsch und zwei Tiere aus dem Mittelgrund hervor. Die urwüchsigen Bäume mit ihren weit ausladenden Ästen spiegeln sich im Wasser. Der Regenguß hat die Wiese überschwemmt. Einzelne Grashalme und ein abgebrochener Ast ragen noch heraus.
Das Wasser und seine Eigenschaft der Spiegelung hat viele Künstler fasziniert, auch Lobisser – wie man sieht. Er nützt diese Tatsache aber im umgekehrten Sinn. Der Künstler überwindet die sterile Spiegelbildlichkeit des unteren Bilddrittels, indem er ihm ein Eigenleben gibt. Der Wind kräuselt die Wasseroberfläche und läßt die Konturen unscharf werden. Enten schwimmen herum und Insekten, die die Wasseroberfläche berühren, erzeugen Ringe. Einzig an der Stelle, wo ein Ast ins Wasser eintaucht und seinen Schatten berührt, scheint die „obere Welt" sich in der „unteren" fortzusetzen – getrennt durch zwei Wasserringe.

G. K.

25.63

ENTWURF ZUR 1. RADIERUNG „HOHLWEG"

Switbert Lobisser (Tiffen 1878 – Klagenfurt 1943), sign. mit Monogramm, undat.
Bleistift-Entwurf, H 27,5/B 19,7 cm
Stift St. Paul

Es ist schade, daß Switbert Lobisser nur wenige Radierungen (insgesamt fünf) schuf. Er brachte es auch in diesem Genre zu großer Meisterschaft. Das vorliegende Blatt ist der Entwurf zur ersten Radierung. 1931, als sie entstand, war Lobisser bereits ein erfahrener Holzschneider, die spiegelbildliche Wiedergabe durch den Druck nichts Neues für ihn. Trotzdem zeichnete er hie und da auf Fett- oder Butterpapier, um diese Wirkung sofort überprüfen zu können.
Das zentrale Motiv ist, wie der Titel schon sagt, ein Hohlweg. Durch die Dunkelheit sowie die zentrale Lage in der Mitte des Blattes vermittelt der Künstler die unheimliche Tiefe eines Hohlweges. Das offene Gatter scheint den Betrachter auch noch einzuladen, in diesen Schlund zu steigen. Links und rechts davon stehen in sicherer Entfernung eine Frau und ein Mann. Sie unterhalten sich. Ein Treffen auf dem Weg scheint auch ihnen nicht ratsam.

G. K.

25.64

ENTWURF ZUR 2. RADIERUNG „LEGENDE VOM HL. GOLDMUND"

Switbert Lobisser (Tiffen 1878 – Klagenfurt 1943), links unten sign. und dat.: *SL 16.12.31*
Mischtechnik, H 28/B 20,5cm
Privatbesitz

Johannes, seit dem 6. Jahrhundert Chrysostomus (Goldmund) genannt, wurde um 350 in Antiochien als Sohn einer vornehmen christlichen Familie geboren. Er ließ sich als Erwachsener taufen und zog sich zurück, um das Leben eines Einsiedlers zu führen. Wegen seiner schlechten Gesundheit mußte er das Eremitendasein beenden. Er stieg wegen seiner vielfältigen Begabungen bis zum Patriarchen von Konstantinopel auf. Wegen seiner radikalen Reformen angefeindet, wurde er schließlich von Staats wegen nach Kleinasien deportiert. Auf dem Weg in sein zweites Exil, den Kaukasus, verstarb er um 407 n. Chr.
Das vorliegende Blatt, eine Vorzeichnung zur zweiten Radierung Lobissers, ist eine Bleistiftzeichnung. Zur Herausarbeitung von Kontrasten und Schwerpunkten wird der Strich je nach Maßgabe durch Tusche verstärkt oder weiße Farbe abgedeckt. Stellen, die im Bild nicht besonders gut zur Geltung kommen, werden unter dem Bildrand nochmals herausgezeichnet. Das Bild zeigt die ärmliche, halbverfallene Hütte eines Anachoreten (frühchristlicher Eremit). Sie ist an einen Felsen gelehnt und trägt ein Kreuz am Dach. Diese Darstellung ist ungewöhnlich. Am berühmten Selbstbildnis Dürers wird der Betrachter durch das offene Fenster, das den Blick auf die Besitzungen des Malers freigibt, eingeladen, an desssen Leben teilzunehmen, seinen Wertvorstellungen, seinem Reichtum. Hier wird dem Betrachter die Hütte von außen und obendrein von hinten gezeigt, für den Ikonographen ein deutlicher Hinweis auf die Kehrseite des Eremitenlebens. Der Mönch selbst, fast zum Tier heruntergekommen, behaart am ganzen Körper, mit langem Bart, macht sich auf allen Vieren davon. Er scheint den Idealen des Eremitendaseins genauso den Rücken zuzukehren, wie den zwei anderen menschlichen Wesen. Es sind dies eine Mutter und ihr Kind im linken unteren Bildteil. Auch die Mutter kehrt dem Einsiedler den

Rücken zu, aber im Gegensatz zum halbwilden Anachoreten strahlt sie Lieblichkeit aus. Die junge nackte Frau hält in der einen Hand einen Apfel, mit der anderen nimmt sie ihr Kind hoch. In der christlichen Darstellung ist der Apfel Symbol der Versuchung. Sie ist aber nicht wie in den meisten Darstellungen der „Versuchung des hl. Antonius" Teufelswerkzeug und sündige Verführerin. Vielmehr liegt es in der Natur der Frau, Kinder zu haben, und die Rolle der Verführerin hat man ihr wie einen Apfel in die Hand gedrückt.
Lobisser aktualisiert seine eigene Lebensauffassung sehr subtil durch eine Interpretation der Lehren des Kirchenvaters Chrysostomus. 381 mußte Johannes sein Einsiedlerleben aufgeben, weil die Anstrengungen des Eremitenlebens zu groß waren. Nach seiner Rückkehr in die menschliche Gesellschaft widmete er sich als Diakon der Seelsorge v. a. von Jungfrauen und Witwen. Er verfaßte eine große Zahl von Schriften, in denen er die Frau als wertvolles Mitglied der Gesellschaft sieht und nicht wie im 11. und 12. Jahrhundert die Mystiker als Urbild der Sünde. Als Reformbischof schuf er sich, wie schon erwähnt, eine Menge Feinde. So riet er denen, die den Strapazen des Einsiedlerlebens nicht gewachsen waren, zu heiraten. Es kann *das Ideal des Christseins nicht auf ein Leben individueller Abtötung ... asketischer Praxis hinauslaufen. Denn niemand kann ohne Liebe und ohne Heil des Nächsten, sein Leben zu einem guten Ende führen.* Der Dienst an der Gemeinschaft ist das Kriterium für jeden Christen.
Solange die Vorstellung existiert, daß der Mönch an seinem überzogenen asketischen Leben festhalten muß (auch wenn er dabei zum Halbwilden degeneriert) und die Frau als Urbild der Sünde angesehen wird, gibt es keinen Weg zueinander. Das Gestrüpp, die Dornen und die Felsen stellen wohl diese Vorurteile dar. Das Blatt ist die Antwort des Künstlers auf den Besuch einer Kommission aus Rom. Sie verlangte, daß er von seiner Ev lasse. Lobisser aber hielt sich an die Ratschläge des Kirchenvaters Chrysostomus – er verließ den Orden und heiratete ein Jahr später im Herbst 1932.

Lit.: Theologische Realenzyklopädie, Bd. 17 (1988), S. 123.

G. K.

25.65 s. II, S. 401, Abb. 71

DIE VERSUCHUNG DES HL. ANTONIUS

bez.: *orig.Holzschnitt XXII, Switbert Lobisser, l. 5.4.1924.*, sign. mit Monogramm, Op. 22

Holzschnitt, H 31,8/B 45 cm

Stift St. Paul

s. II, S. 369ff.

25.66

DIE SCHULE

bez.: *Ehrenblatt für einen Lehrer, CDLV/38 S Lobisser*, sign. mit Monogramm, Op. 455, 1938

Holzschnitt, H 24,4/B 19 cm

Stift St. Paul

Der Untertitel *Ehrenblatt für einen Lehrer* könnte auch umgekehrt lauten „Ehrenblatt für einen Schüler". Der Holzschnitt entstand als Erinnerung an den ersten Schultag. Die eigenartige formale Gestaltung ist darauf abgestimmt, dem Schüler die besten Wünsche für den neuen Lebensabschnitt in Briefform mitzugeben, ohne in das Bild hineinschreiben zu müssen. Auch das Papier ist nicht wie üblich aus alten Folianten oder ein eigenes grobfasriges Druckpapier, sondern weißes, wie es scheint feinporiges Bütten.
Das Blatt wird zu Unrecht selten ausgestellt. Es besticht durch seine herzerfrischende Naivität und vordergründige, kindgerechte Symbolik. Auf den verschlungenen Ranken des Lebens gelangen die Kinder unschuldig wie Engel in die Schule. Mit dem Hut auf dem Kopf und dem Ranzen auf dem Buckel beäugt der Neuankömmling das Schultor. Er läßt sich auch berichten von einem, der es bereits von innen kennt. Ein weiterer Bub sitzt an der Schwelle des Lebens. Er hat die Schule bereits abgeschlossen und macht sich lachend auf, wie einer vor ihm, dem Mädchen entgegen zu kraxeln. Das wartet schon auf ihn, es hält die Ranke, damit der Kletterer außer seinem Hut nicht noch mehr verlieren möge.
Nur bösartige Kritiker meinen, es stimme, daß es nach der Schule nur noch abwärts gehe.

G. K.

25.67

DER GEIGER

bez.: *Orig. Holzschnitt I*, sign. mit Monogramm, Switbert Lobisser (Tiffen 1878 – Klagenfurt 1943), Op.1, 1923

Holzschnitt, H 18,2/B 11,8 cm

Stift St. Paul

„Der Geiger" ist das erste Blatt, das von Lobisser selbst stammt. Es trägt zu Recht die Opuszahl 1, denn für die Geburtsanzeige der Walpurga Hackl besorgte Paul Theer den Schnitt. Lobisser ist durchaus vertraut mit religiösen Themen. Seine Spezialität aber ist es, profane Darstellungen durch einen Kunstkniff zu verändern. Er wird darin zu großer Meisterschaft gelangen. So wird durch einen Griff in die Requisitenkiste des Barock aus einem Bauernmädchen eine Madonna.
In der vorliegenden Szene sitzt der Geiger auf einem Betschemel. Er spielt ein Lied zur eigenen religiösen Erbauung. Aus Ehrfurcht vor dem Kreuz hat er den Hut abgenommen. Die zwei Putti (sie stellen den Kunstkniff dar) zeigen aber die „Heiligmäßigkeit" des Ortes an. Sie scheinen auch das etwas wacklige Kreuz zu halten, damit es den frommen Geiger nicht erschlägt.
Wie bei Holzschnitten und Radierungen üblich umgibt auch Lobisser seine Bilder mit einem Rand. Nur sehr selten verzichtet er darauf, wie in der „Schule" (s. Kat.Nr. 25.67). Einzig beim Monogramm hat er noch Schwierigkeiten – es steht verkehrt herum.

Lit.: Lobisser Buch (1940), S. 87f.

G. K.

25.68

FRAUENAKT

Switbert Lobisser (Tiffen 1878 – Klagenfurt 1943), sign. u. dat.: *SL 9.9.23*

Bleistift und Kohle, H 35,5/ B 56 cm

Privatbesitz

Lobisser schrieb über seine Lebensgefährtin Eva Bleymeier: *Sie war mir mit ihrer vollschlanken Gestalt, dem seriösen Wesen und dem feinen Gesichtsausdruck das gefundene Vorbild für jede weibliche Figur.* Als Vorbild könnte sie auch für diesen liegenden, weich modellierten Frauenakt, den er später auch in Öl ausgeführt hat, gedient haben. Eine eindeutige Identifizierung ist jedoch nicht möglich, da das Blatt mit 1923 datiert ist und er „seine Ev" erst ein Jahr später wieder getroffen hat: *Meine Ev! Wir hatten uns schon im Jahre 1921 kennengelernt, aber es war kein rechtes Verstehen dabei. Wohl habe ich das schlanke Fräulein mit dem feinen Oval und dem schönen Schritt nicht vergessen können, jedoch nicht gehofft, daß wir nochmals zusammenkommen. Und im Jahre 1924, im Sommer, trafen wir uns auf der Pack. Damit war unsre feste treue Liebe mitsamt meinem weiteren Schicksal besiegelt: Die und keine andere mehr!*

Lit.: A. BÄUMER, Aus dem Leben Switbert Lobissers, in: Switbert Lobisser 1878–1943 (1978), S. 17.

B. Wi

25.69

SCHÜLERSTATISTIK DES STIFTSGYMNASIUMS VON 1945–1991

25.70

DAS LOGBUCH DER SCHULE – AUS DEN CHRONIKEN DER VOLKSSCHULE UND DES GYMNASIUMS ST. PAUL

Herstellung: Österreichische Gesellschaft für Historische Pädagogik und Schulgeschichte (Klagenfurt, Präsident: W. Schöler) in Kooperation mit der Abteilung für Historische Pädagogik (Leitung: E. Lechner), Universität für Bildungswissenschaften Klagenfurt; Sekretariat: B. Czechner (Refundierung: Land Kärnten)

Speicherung mittels EDV–System (Betriebssystem: MS-DOS 5, Programm: Word 5.0)

EDV-Archiv der ÖGHPSG

Eingespeichert und nach Schuljahren aufrufbar sind:
1. die handschriftliche Chronik der Volksschule St. Paul (3 Bde., beginnend mit 1091 bis 1955/56).
2. die (so oder ähnlich betitelten) Abschnitte *Chronik*, *Der Lehrkörper* (Intervall: 5 Jahre), (wissenschaftliche) *Aufsätze* (Titel), *Reifeprüfung* und *Maturanten* der gedruckten Jahresberichte des Gymnasiums St. Paul (1855/56 – 1989/90).

Lit.: J. BENDELE, Non vitae sed scholarum historiam discimus, uni-magazin, Szenen aus dem Leben einer zwanzigjährigen Universität (1990), S. 3.

E. L.

25.71

ST. VINZENZER GLÄSER 1687–1878

Glashütte St. Vinzenz, Auswahl aus zwei Serien, die erste aus dem 17. Jahrhundert, die zweite wahrscheinlich vom Beginn des 19. Jahrhunderts

farbloses Glas

Stift St. Paul

1. Serie: Von der Gläserserie sind folgende Teile noch erhalten und ausgestellt: ein Krug, sechs Becher, drei Sektflöten und drei schlankere Becher. Charakteristisch für die Datierung in das 17. Jahrhundert sind zwei kleine Karaffen mit jeweils einem Greifendeckel in nachgotischer Manier.

2. Serie: Von dieser Gläserserie sind eine glatte Karaffe mit sechs Bechern, vier Gläsern mit Stiel und Wulst und zwei weitere Gläser in ähnlicher Form erhalten geblieben und ausgestellt.
Die St. Vinzenzer Glashütte auf der Koralpe wurde im Jahre 1687 von Abt Albert Reichart (1677–1727) als gewerblicher Betrieb gegründet, um dem Kloster zu gesicherten Einnahmen zu verhelfen. Sie bestand bis 1878 und war meist vom Kloster verpachtet. Da ihre Produkte guten Ruf genossen, gelangten Erzeugnisse dieser Glashütte bis Versailles und Petersburg.

Lit.: ÖKT 37 (1969), S. 28. – Kat. Glas und Kohle (1988), S. 404–406.

W. H.

25.72

Richard Strelli, Photographie

PORTRÄT RICHARD STRELLIS

links unten sign. und dat.: *J. Steps. 1933*; Inschrift: *RICHARDUS STRELLI / DOKTOR PHILOSOPHIAE / TERGESTINUS, NATUS 12.V.1875 / PROFESSUS 18.IV.1900 / SACERDOS 13.VII.1900 / ABBAS ELECTUS 31.VII.1929 / BENEDICTUS 15.XII.1929.*

Öl auf Leinwand, H 145/B 100 cm

Stift St. Paul

Richard Strelli wurde am 12. Mai 1875 in Triest geboren. Seine Kindheit verbrachte er im Lavanttal. Nach dem Empfang der Priesterweihe im Jahre 1900 absolvierte der Konventuale an den Universitäten Innsbruck und Wien seine Hochschulausbildung. Zunächst erteilte Strelli am Stiftsgymnasium St. Paul in den Fächern Latein und Griechisch Unterricht. 1913 bis 1929 wurde er mit der Leitung der Schule betraut.

Als Direktor der St. Pauler Bildungsanstalt nützte er seine Funktion, um das Volksbildungswesen im Lavanttal auszubauen. Darüberhinaus führte der passionierte Forscher, dessen wissenschaftliche Tätigkeiten über die Grenzen des Landes hinaus bekannt waren, die von Abt Odilo Frankl begonnenen Forschungsarbeiten über die Besiedelung des unteren Lavanttales in prähistorischer Zeit und der Römerzeit fort. Strelli gelang es, die Kontinuität der Besiedlung des Lavanttales seit der Bronzezeit nachzuweisen. Eine von ihm angelegte Sammlung zahlreicher wertvoller Gebrauchsgegenstände aus der Bronze- und Römerzeit, die im Laufe der Grabungsarbeiten zutage gefördert worden waren, gerieten im Jahre 1940 mit der Aufhebung des Stiftes in Verlust.

1929 wurde Strelli zum Abt gewählt. Dieses Amt bekleidete er bis zu seinem Tode. Unter seiner Ägide erfolgte 1935/36 die Renovierung der Stiftskirche, ein kostspieliges Unternehmen, das nach dem Verkauf der Gutenbergbibel realisiert werden konnte.

In den 30er Jahren, vor allem während der Wirtschaftskrise, entfaltete der Abt ein großzügiges soziales Wirken. Bis zu 150 Mahlzeiten wurden von der Stiftsküche pro Tag an Bedürftige ausgegeben.

Auch in einem anderen Bereich zeigte der hochgebildete Humanist Engagement. Nach dem Putsch der Nationalsozialisten im Jahre 1934 setzte er sich bei den Behörden für einige Aufständische ein. Strellis Einsatz für die von Haft und Verfolgung Betroffenen verhinderte nicht, daß Sympathisanten und Angehörige der NSDAP dem Stift im Zeitraum von 1933 bis 1938 schweren wirtschaftlichen Schaden zufügten. Nach dem März 1938 fanden die neuen Machthaber in Strelli einen mutigen Kontrahenten vor, der zwar letztendlich erfolglos, aber immerhin energisch versucht hatte, das Stift und seine Bewohner vor dem Zugriff der Behörden zu bewahren. Am 27. September 1940 starb der Abt an den Folgen einer Magenerkrankung. So blieben ihm, der sich um das Stift in einer sehr schwierigen Zeit hochverdient gemacht hatte, die restriktiven Maßnahmen der Vertreter des „Dritten Reiches" erspart.

Erst 1947 – zwei Jahre lang war die Benediktinerabtei provisorisch geleitet worden – folgte ihm Paulus Schneider nach. Seit 1979 steht das Stift St. Paul, *lux regionis*, unter der bewährten Leitung des Abtes Bruno Rader.

U. B.

25.73

ABT RICHARD STRELLI UND DR. PAULSEN BEI ARCHÄOLOGISCHEN GRABUNGEN IN ALLERSDORF

Reproduktion

Die archäologische Durchforschung des Lavanttales ist eng verbunden mit Persönlichkeiten des Stiftes und des Stiftsgymnasiums St. Paul. Nach Abt Odilo Frankl war es v. a. Abt Richard Strelli, der eine rege archäologische Tätigkeit initiierte, die er teils allein, teils in

Verbindung mit Fachleuten aus Wien (A. OTHENIO, W. KUBITSCHEK) und Klagenfurt (R. EGGER) unternommen hat.
Im Herbst des Jahres 1931 begannen die ersten Versuchsgrabungen in Allersdorf bei St. Paul. Das Ergebnis ist für Abt Strelli einer der schönsten Ausgrabungserfolge gewesen. In verhältnismäßig geringer Tiefe wurden Mauerzüge festgestellt, aus denen sich schließlich eine römische Siedlung, ein ausgedehnter römischer Gutshof mit einem Komplex von Wohn- und Wirtschaftsgebäuden, darunter eine gut erhaltene Badeanlage mit Heizungssystem, erkennen ließen. Tonwaren in mannigfacher Form, meist in Bruchstücken, Handmühlen und einige Metallfunde wurden zutage gefördert und der Sammlung einverleibt.

Lit.: E. ZIMMERMANN, Abt Dr. Richard Strelli und die archäologische Forschung im Lavanttal, JbSP 1984/85, S. 39- 42.

H. P.

25.74

DIE ARCHÄOLOGISCHE SAMMLUNG VON ABT STRELLI

Reproduktion

Im Jahr 1927 begann Abt Strelli, unabhängig von der Kunstsammlung des Stiftes, mit dem systematischen Aufbau eines Museums für ur- und frühgeschichtliche Funde aus dem Lavanttal, welches er dem Stiftsgymnasium anschloß. Die Objekte sollten einerseits als Anschauungsmaterial für die Schule, andererseits der Fachwissenschaft als Unterlagen zur Erforschung der ältesten Geschichte des Lavanttales dienen. Die Fundobjekte gingen im Zuge der Kriegsereignisse verloren.

Lit.: E. ZIMMERMANN, Abt Dr. Richard Strelli und die archäologische Forschung im Lavanttal, JbSP 1984/85, S.39.

H. P.

25.75

ÜBERGABE DER GUTENBERGBIBEL

Reproduktion

Nach dem Ende des Ersten Weltkrieges wurde der Benediktinerkonvent St. Paul mit zahlreichen Problemen konfrontiert. Vor allem der Weinhandel – die Weingärten gehörten nun zum Territorium Sloweniens –, ein wichtiger Wirtschaftszweig des Stiftes, verlor auf Grund der Zollbestimmungen, die zwischen Österreich und dem SHS-Staat vereinbart worden waren, an Bedeutung. Hinzu kam die Geldentwertung und eine Krise in der Land- und Forstwirtschaft, zwei weitere wichtige Säulen der Wirt-

schaftsgebarung des Konvents. Als 1924 ein amerikanischer Unternehmer in Erscheinung trat, der bereit war, die im Besitz der Benediktiner befindliche Gutenbergbibel zu erwerben, ergriffen die Patres den finanziellen Rettungsanker. Notwendige Verhandlungen über den Modus des Kaufvertrages, Ausfuhrbestimmungen und Verpflichtungen gegenüber den Landesbehörden konnten erst Mitte 1930 zum Abschluß gebracht werden, obwohl die Stiftsangehörigen bereits im Jahr 1927 Teilbeträge (insgesamt 40.000 US-Dollar = öS 283.091) für die 42zeilige, auf Pergament geschriebene Gutenbergbibel erhalten hatten. Das Kapital wurde für Investitionen und zur Abdeckung von Krediten verwendet. Erst am 16. August 1930 fand in der amerikanischen Botschaft in Wien die Übergabe der wertvollen Zimelie statt. In der Folge konnten die Stiftsverantwortlichen allein aus den Zinserträgen, die der Verkauferlös abwarf (250.000 US-Dollar, zur Größenordnung: 1926–1929 erhielt man für einen US-Dollar ca. 7 öS; im gleichen Zeitraum betrug der monatliche Durchschnittsverdienst eines Bauarbeiters 300 bis 400 öS), und vorteilhafter Anlage des Kapitals die Wirtschaftskrise Anfang der 30er Jahre überdauern, ohne daß auf das Stammvermögen des Konvents zurückgegriffen werden mußte.
Das Bild zeigt Angehörige des Stiftes mit einem der beiden Rechtsanwälte, die die Interessen des Stiftes während der Verkaufsverhandlungen vertreten hatten, vor der Abreise nach Wien.

U. B.

25.76

DIE KIRCHENRESTAURIERUNG IN DEN DREISSIGER JAHREN

7 Reproduktionen

Eine umfassende Restaurierung der Stiftskirche konnte erst 1930 nach dem Verkauf der Gutenbergbibel in Erwägung gezogen werden. Damals erteilte Abt Richard Strelli seinem Mitbruder Switbert Lobisser den Auftrag für ein Fresko an der Nordwand des Querhauses. Dafür mußte ein barockes Kenotaph entfernt werden, wodurch das gotische Stifterrelief zum Vorschein kam. Switbert Lobisser fand bei seiner Arbeit auch erste Teile des Stifterfreskos des Thomas von Villach, ebenso wurden die 1882 überstrichenen Apsisfresken freigelegt.
In den Jahren 1935/36 begannen die umfangreichen Restaurierungsarbeiten in der Stiftskirche unter der Leitung des Wiener Dombaumeisters Dr. Karl Holey. Die vermauerten Apsidenfenster wurden wieder geöffnet, ein neuer Abgang zur Krypta geschaffen, die Stiftergruft erweitert, alle Wandoberflächen nach Fresken untersucht und freigelegt, die Altäre neu geordnet und die Innenfärbelung ohne Berücksichtigung historischer Farbwerte vorgenommen.

s. II, S. 589 ff.

H. P.

25.77

K. u. K. FREIWILLIGE SCHÜTZEN DES STIFTSGYMNASIUMS

Reproduktion aus: JbSP 1914/15

Der Erste Weltkrieg veränderte nachhaltig das Bild des schulischen Alltages. Mehrere Verordnungen des k. k. Ministeriums für Kultus und Unterricht ermöglichten die *vorzeitige Ablegung der Reifeprüfung von zur Kriegsdienstleistung einberufenen Schülern.* Darüberhinaus erließen die verantwortlichen Behörden Richtlinien für die vormilitärische Ausbildung an den Schulen. Im Stiftsgymnasium St. Paul kam es im Frühjahr 1915 zu einer Aufstellung eines Zuges „Freiwilliger Schützen", der sich aus Schülern der 4. bis 8. Klasse rekrutierte. In den ersten zwei Kriegsjahren herrschte noch die für die damalige Zeit typische Kriegseuphorie vor. Mitte 1915 rückten die ersten St. Pauler Studenten des Abiturientenjahrganges 1914/15 *in siegesfroher Kampf- und edler Opferbereitschaft* zum Militärdienst ein. Emphatisch wurde im Schulbericht am Ende des Jahres 1915 festgehalten: *An manchen von ihnen hat sich auch bereits das Dichterwort erfüllt: ' Gestern noch auf stolzen Rossen, heute durch die Brust geschossen, morgen in das kühle Grab. Ehre ihrem Andenken!'* Bis Kriegsende sind insgesamt 200 Schüler der St. Pauler Anstalt in die k. u. k. Armee eingetreten. Nur 74 haben den Krieg überlebt!

s. II, S. 287 ff.

Lit.: R. STRELLI, Nachrichten, JbSP 1915/16. – DERS., Das Stiftsgymnasium im Weltkriege. Schlußbericht, JbSP 1918/19, S. 1–4. – H. SCHUSTER, FS St. Paul 1091, 1809, 1959 (1959).

U. B.

25.78

DIE GLOCKENABSCHIEDE IN ST. PAUL UND ST. MARTIN

2 Reproduktionen

Die Rüstungsindustrie der Mittelmächte, deren Rohstoffreserven für die Erzeugung von militärischen Gütern mit Fortdauer des Krieges weitgehend aufgebraucht waren, ging dazu über, Kirchenglocken einzuschmelzen, um damit Kanonen, Mörser usw. zu erzeugen. Die „Paulerin" (1860 Kilo), die Glocke der Stiftskirche, hier mit Abt Odilo Frankl abgebildet, wurde im Jänner 1917 von den Militärbehörden beschlagnahmt. Das gleiche Schicksal erlitt die Glocke der Kirche von St. Martin.

Lit.: R. STRELLI, Der Glockenabschied von St. Paul (1917).

U. B.

25.79

ABZUG EINER ARTILLERIEABTEILUNG (DES SHS-STAATES) 1919

Reproduktion

Das Stift wurde nach dem Zusammenbruch der Habsburgermonarchie zweimal von Truppen des SHS-Staates besetzt. Am 3. Dezember 1918 erfolgte die erste Besetzung durch eine Mannschaft, die sich vorwiegend aus Serben rekrutierte. Rund drei Wochen später gelang es einer Lavanttaler Volkswehrabteilung, mit Unterstützung einer Gruppe von Bauern, die Okkupanten zu entwaffnen. Die zweite Besatzungsära begann am 2. Juni 1919. Am 31. Juli des Jahres, nachdem sich Vertreter des Königreiches SHS mit einer österreichischen Delegation, im Beisein einer interalliierten Mission, auf eine Demarkationslinie geeinigt hatten (Verhandlungen vom 28.7.), wurden die SHS-Truppen-Kontingente aus dem Stift St. Paul abgezogen.

s. II, S. 287 ff.

Lit.: A. FÜHRNSCHLIEF, Der Kärntner Freiheitskampf im Lavanttal 1918/19, JbSP 1919/20. – Koroški Plebiscit, Razprave in Članki, hrsg. von J. Pleterski, L. Ude, T. Zorn (1970). – M. WUTTE, Kärntens Freiheitskampf 1918–1920 (verbesserter Nd. der zweiten umgearbeiteten und vermehrten Aufl. von 1943, 1985). – Z. KRISTAN, Iz Bojev za Dravograd. Labot in Šentpavel, in: Boy za Maribor 1918–1919 (1988). – S. KARNER, Die Abtrennung der Untersteiermark von Österreich 1918/19, in: Kärntens Volksabstimmung 1920, Wissenschaftliche Kontroversen und historisch-politische Diskussionen anläßlich des internationalen Symposions Klagenfurt 1980, hrsg. von H. Rumpler (1981), S. 254–296.

U. B.

25.80

EINWEIHUNG DES ST. PAULER BEFREIUNGSDENKMALS AM 5. JUNI 1932

Reproduktion

Zur Erinnerung an die Besetzung St. Pauls durch Truppen des SHS-Staates und deren Ende am 27. Dezember 1918 wurde P. Switbert Lobisser mit der Gestaltung eines Denkmals beauftragt. Die Einweihung erfolgte durch Abt Richard Strelli; Switbert Lobisser ist rechts vom Redner zu sehen. Zwischen den beiden noch bestehenden Bauten im Hintergrund sieht man das ehemalige Gasthaus Klösch, das später durch einen Neubau ersetzt wurde.

H. P.

25.81

VERFÜGUNG DER GESTAPO

Abschrift, Klagenfurt, den 4. Oktober 1940
Stift St. Paul

In den ersten Monaten nach dem „Anschluß" versuchten die Nationalsozialisten mit der Katholischen Kirche ein Konkordat abzuschließen. Nach dem Scheitern der Verhandlungen, Anfang September 1938, setzten verstärkt antikirchliche Maßnahmen ein, von denen das Stift in großem Ausmaß in Mitleidenschaft gezogen wurde. Bereits Anfang Juli war das Stiftsgymnasium verstaatlicht worden. Mitte September wurde den Ordensgeistlichen die Erteilung von Unterricht an öffentlichen Volks-, Hauptschulen und Höheren Schulen untersagt. Im Dezember mußten die Benediktiner einen Mietvertrag für das Josefinum unterzeichnen, das künftig eine „Trutzburg deutscher Erziehung" darstellte, in der vor allem Kinder verdienter NSDAP-Funktionäre ausgebildet wurden. Am 4. Oktober 1940 verfügte der Reichsminister des Innern die Beschlagnahme des gesamten Stiftsbesitzes. Die Grundlagen für diese Verfügung wurden von der Gestapo zusammengestellt. Der Zeitraum der Ermittlungen über vermeintliche „volks- und staatsfeindliche" Bestrebungen der Stiftsangehörigen erstreckte sich bis in das Jahr 1934 zurück! Die Gestapo warf den Konventualen vor, vom Kloster aus in die Kämpfe gegen die nationalsozialistischen Putschisten eingegriffen zu haben.
Durch das Aufhebungsdekret wurde für ein halbes Dezennium jede Bildungsarbeit der Benediktiner unterbunden. Die Nationalsozialisten nützten die Räumlichkeiten des Stiftsgymnasiums und des Konviktes, indem sie eine Nationalpolitische Lehranstalt (= NAPOLA) errichteten. Der Ort St. Paul führte den Namen Spanheim.

s. II, S. 287 ff.

Lit.: M. LIEBMANN, Theodor Innitzer und der Anschluß. Österreichs Kirche 1938 (1988). – P.G. TROPPER, Bemerkungen zum Weg der katholischen Kirche Kärntens vom März bis September 1938, in: März 1938 in Kärnten. Fallstudien und Dokumente zum Weg in den „Anschluß", hrsg. von H. Rumpler (1989), S. 119–151.

U. B.

25.82

NIEDERSCHRIFT ÜBER DIE ÜBERGABE DES STIFTES EBERNDORF . . .

. . . in die treuhändige Verwaltung des seinerzeitigen rechtmässigen kirchlichen Eigentümers, das ist das Benediktinerstift St.Paul im Lavanttal, am 3. Oktober 1945.

25.83

ABSCHRIFT (AUSZUGSWEISE ÜBERSETZUNG) ÜBER DIE RÜCKGABE DES STIFTES EBERNDORF

Allied Commission for Austria – Vienna (British Element) C.M.F. an: SMOG.HQ. M.G. Land Kärnten, 2. November 1945

Stift St. Paul

Nach der Beschlagnahme des gesamten Stiftseigentums erwarb die „Deutsche Umsiedlungs-Treuhand Ges.m.b.H.", die ihren Sitz in Berlin hatte, 1941 Liegenschaften aus dem ehemaligen Stiftsvermögen, wobei das notwendige Kapital dafür auf ein Konto bei der „Kärntnerischen Hypothekenanstalt in Klagenfurt" eingezahlt wurde. Über diese Gesellschaft vermittelte man ab 1942 hauptsächlich „Rückwanderern" aus dem Kanaltal Grund und Boden. Die vermeintlichen Käufer mußten ihren Kaufschilling, der jenem Geldbetrag entsprach, den die Treuhandgesellschaft ein Jahr zuvor entrichtet hatte, auf das gleiche Konto zur Einzahlung bringen, das von der „Deutschen Umsiedlungs-Treuhand Ges.m.b.H." zur Abwicklung der Liegenschaftskäufe 1941 eröffnet worden war. Diese Rechtskonstruktion bereitete dem Stift nach dem Kriege bei der Geltendmachung von Ersatzansprüchen große Schwierigkeiten.

s. II, S. 287 ff.

U. B.

25.84–25.89

DIE MARKTGEMEINDE ST. PAUL IM LAVANTTAL

6 Diaschaubilder

In einer päpstlichen Urkunde aus dem Jahre 1184 wird St. Paul erstmals als „Markt" (*forum*) bezeichnet (s. Kat.Nr. 11.22).
Die Geschichte des Marktes St. Paul war immer eng verbunden mit der des Stiftes. Der Markt war ein „Kind" desselben und es erwies sich immer als ein Unglück für beide, wenn Kräfte die Oberhand erlangten, die die natürliche Harmonie zu stören versuchten. St. Paul als gewachsene Einheit von Kloster und Markt war, ist und wird hoffentlich wohl auch in Zukunft durch das Stift mit seinem Gymnasium als anerkannte christliche Erziehungsstätte weithin bekannt bleiben als ein Ort mit bedeutender geistlicher Ausstrahlung.
Der Markt St. Paul entwickelte sich bis zum Ende des 19. Jahrhunderts sehr begrenzt, lag er doch abseits der Hauptverkehrswege und war relativ abgeschlossen. Erst mit der Errichtung der Bahnlinie Unterdrauburg–Wolfsberg im Jahre 1879 und schließlich mit dem Weiterbau der Bahnlinie nach Zeltweg erfolgte der erste wirklich spürbare Anstoß zu einer nennenswerten Belebung der Wirtschaft. Doch durch die beiden Weltkriege war das gesellschaftliche und kulturelle Leben in der Marktgemeinde St. Paul wieder auf den Nullpunkt gesunken. Aber schon kurz nach Ende der Kriegsereignisse wurde durch die Initiative der Gemeinde unter Mitarbeit der Bevölkerung mit dem Wiederaufbau begonnen. Das Ziel war, St. Paul wieder zum traditionellen Mittelpunkt des unteren Lavanttales zu machen, und man begann mit umfangreichen baulichen Maßnahmen, wie etwa

1949–1950 – Bau des Kinos
1952–1954 – Bau des Schwimmbades
1954–1970 – Bau mehrerer Gemeindewohnhäuser
1955 – Neubau der Ortsdurchfahrt
1956 – Errichtung des Kindergartens
1958–1961 – Regulierung der Lavant im Ortsbereich
1958–1964 – Bau der Jauntalbahn
1963–1965 – Industriegründungen
1968–1971 – Bau der Umfahrungsstraße
1970–1972 – Volksschulzubau
1971–1972 – Ausbau der Trinkwasserversorgung
1973–1990 – Rüsthausbau
Sportzentrum
Kindergartenneubau
Ortskanalisation
Straßenbaumaßnahmen
Wohnraumschaffung
Ortsgestaltung

Im Jahre 1973 entstand aufgrund des vom Kärntner Landtag beschlossenen Strukturverbesserungsgesetzes die „GROSSGEMEINDE" St. Paul im Lavanttal. Sie umfaßte neben dem Markt St. Paul auch große Teile der ehemals selbständigen Gemeinden St. Georgen und Granitztal. Bereits Jahre vorher war es zur Eingemeindung von Teilen der ehemaligen Gemeinden Legerbuch und Kollnitz gekommen.
Mit dieser im Jahre 1973 erfolgten Gemeindezusammenlegung konnten sich die Bewohner der ehemaligen Gemeinde St. Georgen nicht

abfinden und so kam es, daß im Jahre 1990 aufgrund einer erfolgreich durchgeführten Volksbefragung das ehemalige Gemeindegebiet St. Georgen durch Beschluß der Kärntner Landesregierung mit 1. Jänner 1991 wieder seine Eigenständigkeit erhielt.

Die Bürger der ehemaligen Gemeinde Granitztal haben von der Möglichkeit einer Volksbefragung nicht Gebrauch gemacht, was darauf schließen läßt, daß sich die beiden Gebiete zu einer Einheit gefunden haben.

St. Paul ist auch ein beliebter Ausflugs- und Urlaubsort. Voller Stolz nennen es die Einheimischen das „PARADIES KÄRNTENS" – und Gäste, die zu uns kommen, geben uns recht, denn St. Paul hat sich etwas bewahrt, nämlich daß es im Wesen eigentlich ein Dorf geblieben ist, wo die Gäste zur Erholung weilen und sich gerne die berühmten Kunstschätze des Stiftes, das Obstbaumuseum, eine alte Mühle im Originalzustand der Jahrhundertwende u. v.a.m. zeigen lassen.

Seit über zehn Jahren besteht der St. Pauler Kultursommer; von Mai bis September gibt es ein vielfältiges Kulturangebot mit Festmessen, Konzerten, Ausstellungen und Lesungen, wodurch St. Paul weit über die Grenzen Kärntens hinaus bekannt wurde.

Bekannt ist das Gebiet um St. Paul auch wegen seiner Qualitätsmosterzeugung aus verschiedenen Obstsorten, die sich wegen des ausgesprochen milden Klimas durch ein hervorragendes Aroma auszeichnen.

Der Markt St. Paul präsentiert sich im Jubiläumsjahr 1991 in neuem Gewand. Er wurde im Zuge der Aktion „Orts- und Regionalentwicklung des Landes Kärnten" neu gestaltet, wobei bei der Planung schwerpunktmäßig auf die Verkehrsregelung, verkehrsberuhigte Zonen und Großparkplätze Bedacht genommen wurde.

Lit.: W. FRESACHER, Die Geschichte des Marktes St. Paul im Lavanttal (*AVGT 57*, 1961).

P. A.

25.84

BLICK AUF DEN MARKT ST. PAUL

25.85

BLICK AUF ST. PAUL MIT DEM STIFT IM VORDERGRUND

25.86

MOTIV AUS DEM MARKT – BRÜCKE ÜBER DEN GRANITZBACH

25.87

JOHANNESBERGKIRCHE – EIN BELIEBTES AUSFLUGSZIEL

25.88

WANDERUNG AUF DIE RUINE RABENSTEIN

25.89

KONZERTVERANSTALTUNG IN DER STIFTSKIRCHE

25.90

BLICK AUF DEN STADTKERN VON ST. BLASIEN MIT DEM MITTELPUNKT DER EHEMALIGEN KLOSTERANLAGE. LUFTBILD VON NORDEN

Diaschaubild

Beherrschend erhebt sich im Zentrum von St. Blasien der gewaltige barocke Baukomplex der ehemaligen Benediktinerabtei mit der mächtigen frühklassizistischen Kuppelkirche. Das Gotteshaus dient heute als Pfarrkirche, während die Klostergebäude das von Jesuiten geleitete Kolleg mit Internat beherbergen.
Das landschaftlich besonders vielgestaltige Gemeindegebiet des Schwarzwaldstädtchens im Albtal, einem teilweise tief eingeschnittenen Tal des südlichen Schwarzwaldes, erhielt seinen derzeitigen Umfang im Zuge der Gemeindereform des Jahres 1974. Mit den Ortsteilen Menzenschwand und Albtal (Schlageten und Immeneich) zählt es rund 4500 Einwohner und reicht nördlich vom Fuß des 1493 m hohen Feldberges, der höchsten Erhebung des Schwarzwaldes, bis tief in das südliche Albtal. Bedeutende Maßnahmen zur Förderung des traditionellen Fremdenverkehrs und Klosterlebens, insbesondere des Wintersports, waren vor allem im 20. Jahrhundert begleitet von erheblichen Strukturverbesserungen auf verschiedenen Gebieten.
Der Kern des alten St. Blasien liegt auf 760 m Höhe in der Talsohle an der Einmündung des Steinabaches in die Alb. Die ausgedehnten Wälder bilden neben der günstigen Höhenlage mit ozonreicher trockener Luft die Grundvoraussetzung für den Ruf St. Blasiens als weltbekannten heilklimatischen und Kneipp-Kurort (Atmungsorgane, Herz und Kreislauf). Die Anfänge hierzu reichen in die Mitte des 19. Jahrhunderts zurück; von der damals, also noch während der industriellen Zeit, beginnenden großen Epoche St. Blasiens als internationales Zentrum des Fremdenverkehrs und Kurbetriebes künden noch immer weitläufige Kliniken und Sanatorien. Der seinerzeitige und bis in unser Jahrhundert reichende Schwerpunkt der Tuberkulosebekämpfung ist heute einer Behandlung vor allem von Herz- und Kreislaufbeschwerden gewichen; St. Blasien ist bekannt als Therapieort für zeit- und umweltbedingte moderne Zivilisationskrankheiten. Beinahe regelmäßige Sommerbesuche des badischen Großherzogspaares (1892–1907) unterstrichen die Bedeutung St. Blasiens als Treffpunkt der internationalen Gesellschaft vor dem Ersten Weltkrieg. Zeichen dieser Hochschätzung war auch die Erhebung zur Stadt im Jahre 1897.

Lit.: St. Blasien auf dem Schwarzwalde und seine Umgebung (1864). – X. WEISS, Spazierwege und Lagen in der Umgebung von St. Blasien (1876). – P. WAETZEL, Höhenluftkurorte im Schwarzwald: Sanct Blasien, Höhenschwand, Menzenschwand, Schluchsee, Todtmoos (1896). – A. BUISSON, St. Blasien im Schwarzwald (5. Aufl. 1907). – St. Blasien im Schwarzwald, Sommer- und Winterkurort (1908). – St. Blasien im südlichen Schwarzwald (um 1910). – St. Blasien im südlichen badischen Schwarzwald, Sommer- und Winter-Luft- und Terrain-Kurort (um 1915). – Blick auf St. Blasien, Offizielle Kurzeitung von St. Blasien (1959–1969). – F. SCHUHWERK, Aus der Geschichte des Klosters und Kurortes St. Blasien, F. Hilger, Martin Gerbert (1970), S. 63–87 (S. 76–87). – CH. KELLER, Die Geschichte der Klinik St. Blasien im Wandel der Lungenheilkunde eines Jahrhunderts (Diss. Freiburg 1983), mit weiteren Hinweisen. – B. STEINERT, Das nachklösterliche St. Blasien im 19. Jahrhundert, FS St. Blasien 1983, S. 315–329. – W. WOLFART, 100 Jahre Klinik St. Blasien, Ärzteblatt Baden-Württemberg 39 (1984), S. 100–107.

J. G.

25.91

HAUPTFASSADE DER EHEMALIGEN KLOSTERKIRCHE VON ST. BLASIEN

Diaschaubild

Der wuchtige Bau der nach dem Brand von 1768 neu errichteten und 1783 eingeweihten ehemaligen Klosterkirche von St. Blasien, der drittgrößten Kuppelkirche Europas, vermittelt auch in unserer Zeit einen Eindruck einstiger Größe. Allerdings lassen sich die zum Teil einschneidenden Veränderungen des 19. und 20. Jahrhunderts nicht übersehen.
Unmittelbar nach der Säkularisation zu Beginn des 19. Jahrhunderts konnte ein Abbruch des Gotteshauses im letzten Augenblick verhindert werden, so daß die Bausubstanz im wesentlichen erhalten blieb. Allerdings beraubte man die Kirche ihrer wertvollen Kupferbedachung und ersetzte diese zunächst durch eine Schindeldeckung, später durch einen Zinnblechbelag. Auf der Vorhalle und den Türmen entfernte man die barocke Balustrade mit dem plastischen Schmuck; an die Stelle der kleinen Kuppeln auf den Türmen traten einfache Pyramidendächer; das Dach über der Vorhalle hob man der billigeren Bauunterhaltung wegen über die volutenartigen Strebepfeiler an; von den runden Oculi der Attika der Rotunde mauerte man jeden zweiten zu, während die übrigen in Rechtecköffnungen verwandelt wurden.
Drei Jahre nach dem verheerenden Brand von 1874 begannen die ersten Wiederherstellungsarbeiten, bis im Jahre 1879 der Innenausbau des Chores als Pfarrkirche vollendet werden konnte. Die durch eine Mauer vom Chor getrennte Rotunde versah man mit einer neuen

Außenkuppel in Stahlkonstruktion statt des früheren gewaltigen hölzernen Dachstuhls; hierbei wurde die Umrißform etwas steiler gewählt und der abschließende Wulst in eine waagrechte Form gebracht. Die Attika erhielt die Rundform der Oculi zurück und wurde erstmals mit gußeisernen Vasen bekrönt. Später folgte in Anlehnung an den einstigen Zustand eine neue Bedachung der Türme mit kuppelförmigen Abschlüssen auf einem modernen Ersatz für die ehemaligen Balustraden. Es ist dies im wesentlichen der Zustand, in dem sich heute noch die Kirche dem Besucher präsentiert.

Die Mitte des nach 1938 neu gestalteten Platzes vor der Kirche ziert seit 1988 ein im Anklang an alte Formen geschaffener moderner Brunnen, auf dem eine als hl. Blasius geltende barocke Figur aus dem frühen 18. Jahrhundert wiederverwendet wurde.

Lit.: R. CATHIAU, Von der feierlichen Einweihung der Abteikirche in St. Blasien, Badische Landeszeitung (1879), Nr. 206, I. – DERS., Die wiederhergestellte Abteikirche in St. Blasien, ebd., Nr. 200, I; 201, I. – A. BUISSON, Geschichte von St. Blasien und dessen Bauten (um 1900). – DERS., Zur Baugeschichte der ehemaligen Benediktinerabtei St. Blasien, Schau-ins-Land 33 (1906), S. 1–34. – DIETERLE, Bericht der Petitionskommission über die Bitte der Gemeinde- und Stiftungsräte St. Blasien, Blasiwald, Häusern und Schwarzhalten, den Ausbau der katholischen Kirche in St. Blasien betr., Verhandlungen der Zweiten Kammer der Stände-Versammlung des Großherzogtums Baden 1907/08, 2. Beilageheft, S. 517–524. – G. MÜNZEL, Die Wiederherstellung der Abteikirche in St. Blasien, Badische Heimat 5 (1913), S. 81–84. – L. SCHMIEDER, Wiederherstellung der ehemaligen Benediktiner-Kirche St. Blasien, Deutsche Bauzeitung 47 (1913), Nr. 77. – DERS., Das Benediktinerkloster St. Blasien (1929), S. 230–240. – F. SCHUHWERK, Der Dom auf dem Schwarzwald, Baden 9 (1957), S. 18/19. – H.J. WÖRNER, Baugeschichte und Restaurierung des Domes zu St. Blasien, Konradsblatt 67, 31 (1983), S. 16, 17, 27. – DERS., Das Schicksal der Klostergebäude im Laufe der Jahrhunderte, Kat. St. Blasien 1983, Bd. II (2. Aufl. 1984), S. 87–132 (S. 122–132). – DERS., Bemerkungen zur Baugeschichte, FS St. Blasien 1983, S. 195–208 (S. 204–208). – Baden und Württemberg im Zeitalter Napoleons, Ausstellungskatalog Stuttgart 1987 (1987) 1, Halbband 1, Nr. 225.

J. G.

25.92

INNENANSICHT DES DOMES ZU ST. BLASIEN

Diaschaubild

Auch das Innere der stolzen Kirche Fürstabt Martin Gerberts läßt die gravierenden Spuren des nachklösterlichen Schicksals deutlich erkennen, wenn auch der überwältigende Raumeindruck der Entstehungszeit geblieben ist bzw. in jüngster Zeit wiederhergestellt werden konnte.

Nach dem Auszug der Mönche zu Beginn des 19. Jahrhunderts wurde ein großer Teil der Innenausstattung der Kirche, darunter v.a. auch die große Silbermannorgel und die farbigen Glasfenster, entfernt und anderweitig verwertet. Das Verbliebene fiel dann schließlich dem Großbrand von 1874 zum Opfer. Beim Wiederaufbau des Chores als Pfarrkirche wurden in diesem Raumteil der Stuck, mit Ausnahme der figürlichen Teile, wiederhergestellt und auch die ursprüngliche verschiedenfarbige Marmorierung der Architekturteile rekonstruiert. In der lediglich mit einer Außenkuppel versehenen Rotunde wurden der Stuck notdürftig ausgebessert und die Wände getüncht; der Schaft der Säulen dagegen blieb unverputzt. Erst 1910/12 setzte man eine neue (innere) Zierkuppel ein, die an einem flach ansteigenden Stahlbetonzeltdach aufgehängt wurde. Die ursprünglich gemalten Ornamente dieser Innenkuppel, die den alten Maßverhältnissen folgte, wurden nunmehr plastisch ausgeführt. An die Stelle der barocken Gemälde im Kuppelscheitel und über dem Choreingang traten Jugendstilgemälde, die sowohl thematisch als auch im optischen Eindruck stark von ihren Vorgängern abweichen und den originalen Raumeindruck erheblich beeinträchtigen; auch erhielt das Kuppelgemälde nunmehr einen etwas kleineren Durchmesser. Die gesamte Kirche, also auch der Chor, wurde in Weiß und Ocker neu getüncht; Teile der Einrichtung wurden in bescheideneren Formen neu geschaffen; der Auftrag für die neue große Orgel wurde 1912 erteilt. Über ein halbes Jahrhundert später begann eine grundlegende Renovierung der Kirche, bei der man unter Respektierung der Schöpfungen aus den Jahren 1911–1913 erfolgreich bemüht war, das räumliche Erscheinungsbild der Klosterzeit wiederherzustellen. So versah man in den Jahren 1969–1971 den Mönchschor wieder mit den rötlichen und grauen Marmortönen der Erbauungszeit; und in den Jahren 1981–1983 folgte auch eine dem ursprünglichen Zustand nachempfundene Neugestaltung der Rotunde, deren äußerlich sichtbaren Hauptmaßnahmen in einer farblichen Neufassung, einer Marmorierung der Säulen- und Pilasterschäfte sowie dem Verlegen eines hellen, gemusterten Marmorfußbodens nach einer alten Vorlage bestanden. Nicht mehr möglich war allerdings, dem machtvollen hellen Raum seine alte Farbigkeit zurückzugeben.

Lit.: K. WIDMER, Die Fresken von Walther Georgi in der Abteikirche von St. Blasien, Die Kunst 30 (1914), S. 169–182. – F.W. SCHWARZ, Das große Orgelwerk in der Stadtkirche zu St. Blasien (2. Aufl. 1924). – H.J. BUSCH, Die Schwarz-Orgel (1913) der Dom- und Stadtpfarrkirche zu St. Blasien, Ars organi 26 (1978), S. 292–295. – B. SULZMANN, 200 Jahre Orgelgeschichte in St. Blasien, FS St. Blasien 1983, S. 232–274 (S. 255–274). – Der Dom in St. Blasien, Instandsetzung der Domrotunde von St. Blasien in den Jahren 1981–1983, Das Münster 37, 1 (1984), S. 1–9.

25.93

DAS EHEMALIGE PORTAL BEI HOF, HEUTE HAUPTEINGANG DES KOLLEGS ST. BLASIEN

Diaschaubild

Nach dem fast vernichtenden Brand des Jahres 1768 ließ Fürstabt Martin II. Gerbert binnen vier Jahren die Klostergebäude unter Verwendung der bisherigen, nur wenige Jahrzehnte alten Umfassungsmauern wiederherstellen. Das prächtige, an eine barocke Kirchenfassade erinnernde „Portal bei Hof", der Eingang zum Abteiflügel als dem Sitz des Fürstabtes und Mittelpunkt der Hauptschauseite der Klosteranlage von 1728–1742, erhielt hierbei eine einfachere Form; insbesondere hielt man nun die reiche Säulenstellung der Barockzeit für entbehrlich. In dieser Gestalt ist das Portal auf unsere Zeit überkommen; seine leuchtende farbliche Instrumentierung erhielt es an Hand alter Befunde im Zuge der jüngsten, 1983 abgeschlossenen Restaurierung. Es öffnet heute den Zugang zum Kolleg St. Blasien, das das alte Klosterareal wieder mit neuem geistigen Leben erfüllt hat.

Veranlaßt durch die einschränkenden Devisen- und Erziehungsbestimmungen der nationalsozialistischen Machthaber in Deutschland war das deutsche Auslandsgymnasium des Feldkircher Jesuitenkollegs „Stella Matutina" (Vorarlberg) nebst Internat gezwungen, seinen Sitz auf den Boden des damaligen Reiches zu verlegen; es fand 1933/34 in den altehrwürdigen Klostergebäuden von St. Blasien eine neue Heimstätte. Auch nach der durch Nachwuchssorgen der Gesellschaft Jesu bedingten Erweiterung der Trägerschaft im Jahre 1969 wird das Kolleg verantwortlich und richtungweisend von Patres des Jesuitenordens geleitet, und zwar in enger Zusammenarbeit mit weltlichen Lehrern und Erziehern. Am Kolleg St. Blasien werden rund 800 Schüler, unter ihnen über 400 Buben im Internat sowie fast ebenso viele externe Mädchen und Buben, unterrichtet. Ein ab dem Schuljahr 1989/90 angegliedertes Mädcheninternat (in der weitläufigen „Alten Mühle") erweitert das pädagogische Angebot.

Obzwar das Gymnasium in erster Linie sprachlich orientiert ist, legt das Kolleg doch auch entsprechend jesuitischer Tradition, großen Wert auf intensiven Unterricht im naturwissenschaftlichen Bereich; musische Fächer und Sport nehmen einen breiten Raum ein.

Lit.: L. SCHMIEDER, Das Benediktinerkloster St. Blasien (1929), S. 130, 151/52. – Kat. St. Blasien 1983, Bd. I (2. Aufl. 1984), Nr. 56. – H.J. WÖRNER, Das Schicksal der Klostergebäude im Laufe der Jahrhunderte, Kat. St. Blasien 1983, Bd. II (2. Aufl. 1984), S. 87–132 (S. 102, 106). – J. ADAMEK, Führer durch das Kolleg St. Blasien (1984), S. 6. – DERS., St. Blasien. Kirche-Kloster-Kolleg, Ein Wegweiser (1986), S. 28. – Kollegbrief

St. Blasien 1946ff. – Wiedereröffnung des Kollegs St. Blasien, Badische Zeitung vom 4.6.1946. – L. HAGNAUER, Jesuitenkolleg St. Blasien im Schwarzwald, Konradsblatt 36 (1956), S. 662/63. – J. ADAMEK, 50 Jahre Jesuitenkolleg im Benediktinerkloster, FS St. Blasien 1983, S. 366–381. – DERS., 50 Jahre Kolleg St. Blasien, Kollegbrief St. Blasien 54 (1983), S. 19–41. – DERS., Erbe verpflichtet, Badische Heimat 63 (1983), S. 501–507. – DERS., Fabrik und Kolleg, die ungleichen Erben im Kloster St. Blasien, Kat. St. Blasien 1983, Bd. II (2. Aufl. 1984), S. 315–326.

J. G.

25.94

DAS HAUPTTREPPENHAUS DES EHEMALIGEN KLOSTERS UND HEUTIGEN KOLLEGS ST. BLASIEN

Diaschaubild

In seiner Grundlage entstammt das Haupttreppenhaus ebenso wie das zierliche schmiedeeiserne Gitter noch dem barocken Klosterbau von 1728–1742. Auf rechteckigem Grundriß abwechselnd zwei- und einarmig angelegt, mündet es im obersten Stockwerk vor dem Festsaal in einem weiten saalartigen Raum. Die jetzige Ausgestaltung mit stuckierter Decke, Rundbogen und vasenbekrönten Pfeilern erfolgte beim Wiederaufbau nach dem Brand von 1768.

Lit.: L. SCHMIEDER, Das Benediktinerkloster St. Blasien (1929), S. 131. – H.J. WÖRNER, Das Schicksal der Klostergebäude im Laufe der Jahrhunderte, Kat. St. Blasien 1983, Bd. II (2. Aufl. 1984), S. 87–132 (S. 108–110).

J.G.

25.95

DER NEUGESTALTETE MUSIKSAAL DES KOLLEGS ST. BLASIEN, FRÜHER FESTSAAL DES KLOSTERS - EIN BEISPIEL DES WIEDERAUFBAUES

Diaschaubild

Der große, durch eineinhalb Stockwerke reichende ovale Festsaal der Abtei St. Blasien im Mittelpavillon des Westflügels (Portal bei Hof) wurde nach dem Brand des Jahres 1768 zu Klosterzeiten wohl nicht vollendet. Der Fabrik des frühen 19. Jahrhunderts diente der Raum als Schlafsaal für ledige Mädchen; um 1900 ließ der damalige Fabrikherr nach Einziehen einer Zwischendecke und verschiedener Wände eine Privatwohnung mit Zimmern in „altdeutschem Stil" einbauen; das Kolleg St. Blasien richtete 1933/34 hier seine Krankenabteilung ein, bis ein erneuter Brand von 1977 grundlegend andere Verhältnisse schaffen sollte.
Schon bald nach seinem Einzug in das alte Klosterareal hatte das Kolleg mit umfassenden Wiederaufbauarbeiten an den stark geschädigten Gebäuden begonnen, die sich, einschließlich Restaurierungsmaßnahmen, bis in unsere Tage fortsetzten. 1934 wurde der östliche Teil des Südflügels, 1970–1972 der größte Teil des Ostflügels wiedererrichtet (beide waren dem Brandunglück von 1874 zum Opfer gefallen); 1975–1977 folgte die Renovierung des Abteitraktes. Da bedrohte im Jahre 1977 wieder eine Brandkatastrophe gerade den bauhistorisch wertvollen Abteitrakt; doch gingen im wesentlichen nur die oberen Räume des ehemaligen Portals bei Hof endgültig verloren. Bei dem in gemeinsamer Anstrengung des Landes Baden-Württemberg, der Erzdiözese Freiburg, des Landkreises Waldshut, des Jesuitenordens sowie zahlreicher anderer öffentlicher Stellen und Privatpersonen gemeisterten Wiederaufbau ging man nun im untergegangenen Bereich des ehemaligen klösterlichen Festsaales neue Wege: Bis 1983 entstand hier auf dem alten Grundriß in nachempfundenen Formen des Frühklassizismus der Saal des späten 18. Jahrhunderts als nunmehriger prachtvoller Musiksaal des Kollegs St. Blasien. Es ist dies eines der sichtbarsten äußeren Zeichen einer wohlgelungenen Verbindung von Alt und Neu, Vergangenheit und Gegenwart.

Lit.: L. SCHMIEDER, Das Benediktinerkloster St. Blasien (1929), S. 235. – H.J. WÖRNER, Bemerkungen zur Baugeschichte, FS St. Blasien 1983, S. 195–208 (S. 205). – DERS., Das Schicksal der Klostergebäude im Laufe der Jahrhunderte, Kat. St. Blasien 1983, Bd. II (2. Aufl. 1984), S. 87–132 (S. 128/29). – Kolleg St. Blasien, Neubau Ostflügel, Zur Einweihung des neuen Ostflügels 20. Oktober 1973 (1973). – H.J. WÖRNER, Zur Geschichte des Altbaus: Die Restaurierung von fünf historischen Räumen im Kolleg St. Blasien, Kollegbrief St. Blasien-30 (1975), S. 34–38. – W. FRIEDMANN, Der Kollegbrand in St. Blasien, Brandhilfe 25 (1978), S. 20–23.

J.G.

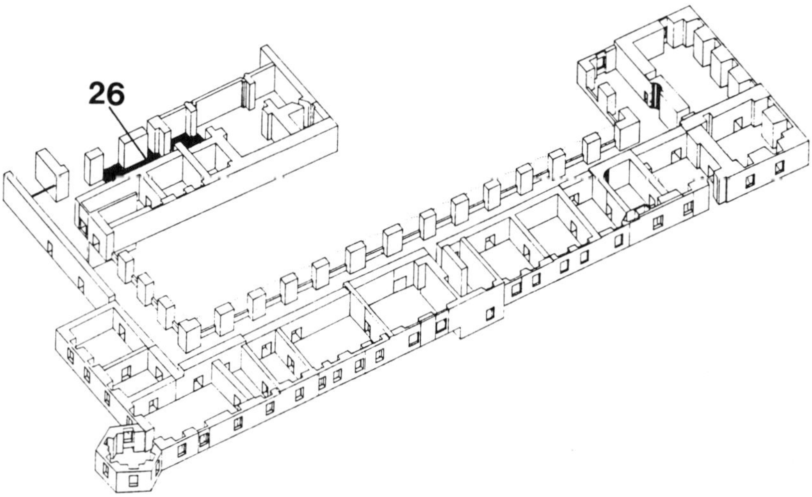

26

Klösterliche Lebensordnung

Die beiden zentralen Bezugspunkte im Leben jedes Benediktinermönches sind Regel und Abt, d.h., die Regel des hl. Benedikt und der jeweilige Abt als Vorstand des Klosters. Der Abt wird von all jenen Mönchen gewählt, die die feierliche Profeß (die ewigen Gelübde) abgelegt haben. Diese Wahl, aber auch andere wichtige Entscheidungen werden im sogenannten Kapitel vorgenommen. Der Abt wird in seiner Tätigkeit durch einen Seniorenrat (zwei gewählte und zwei ernannte Mönche) unterstützt. Die Inhaber der klösterlichen Ämter (Offiziale) arbeiten in ihren Ressorts unter der Leitung des Abtes. Sie werden in Absprache mit dem Seniorenrat bzw. dem Wirtschaftsrat bestellt.
Gebet und Arbeit sind die Grundpfeiler des benediktinischen Lebens. Die Zeiten des Gebets und die Zeiten der Arbeit sind genau festgelegt. Die konkreten Aufgaben, die dem jeweiligen Kloster aufgetragen bzw. mit der Geschichte des Hauses gewachsen sind, prägen im Rahmen dieser Festlegungen das Leben der Gemeinschaft.

BRUNO RADER, ABT

Was tut ein Mönch den lieben langen Tag? Das klösterliche Leben heute

Bevor ich Ihnen etwas über das Klosterleben heute sage, lieber Besucher, will ich noch ein wenig bei meinem Vorgänger, Abt Paulus Schneider (1947–1979) verweilen. 33 Jahre lang hat er unser Stift geleitet. Ich habe ihn erlebt und verehrt – als Schüler und Mitbruder. Abt Paulus, als Solist der Wiener Sängerknaben ein „Wunder der schönen Stimme" an den Opernhäusern von Wien und Berlin, bemühte sich besonders um den Nachwuchs im Kloster, um den es nicht gut bestellt war. Der Erfolg blieb aus. Der in seiner Kindheit umjubelte wurde in seiner Mühe für ein Kloster immer mehr zum Märtyrer. Er brachte das Konvikt „Josefinum" zur vollen Blüte, das Gymnasium zu einem modernen Schulbetrieb und somit zum größten Privatgymnasium Österreichs mit fast 1000 Schülern. Gezeichnet von den Sorgen um sein Haus und von der Last der Jahre zog er sich immer mehr zurück. Er starb einen raschen Tod. Er starb – wie einst der hl. Benedikt – umgeben von allen seinen Mitbrüdern. Am 13. 12. 1979 wurde sein Nachfolger, der 56. Abt des Stiftes gewählt. Was soll ich über ihn schreiben? Nichts am besten.

Dafür aber will ich Ihnen in diesem Bereich der Ausstellung etwas über den Ordensstand ganz allgemein sagen und etwas über das Wirken der Benediktiner in der Gegenwart erzählen. Wer eigentlich denkt schon nach über die Ordensleute? Und wenn jemand nachdenkt? Sind die Ordensleute nicht für recht viele Menschen in unserem Land eher etwas Rätselhaftes und Unverständliches? Laut Statistik leben bei uns in Kärnten immerhin an die 500 Ordensfrauen und an die 150 Ordensmänner. 17 verschiedene Frauenorden und 12 verschiedene Männerorden gibt es in annähernd 60 Niederlassungen. Aber Statistiken schweigen sich gerne aus. Sie sagen ja nichts über den Menschen, der hinter diesen Zahlen steht. Ordensleute sind Menschen. Wie du und ich. Und doch: sie sind anders. Schon an ihren Kleidern kann man sie erkennen (oder auch nicht). Da gibt es eine Vielfalt von Farben und Trachten. Aber Kleider machen nicht Ordensleute. Ordensleute, das sind Menschen, die aus religiösen Gründen in einer Gemeinschaft leben, Obere haben und eine feste Ordnung und eine Regel, die auf ihren Gründer zurückgeht. Diese Gemeinschaften haben ganz bestimmte Aufgaben. Sie haben ihre Sorgen und hegen ihre Hoffnungen. So verschieden aber die Ordensgemeinschaften nach außen hin auch sein mögen, eines ist ihnen allen gemeinsam: Sie leben von einer Mitte her und auf eine Mitte hin. Jesus Christus ist diese Mitte. Die Ordensgemeinschaften haben ihren festen „Ort" in der Kirche. Sie sind von ihr nicht mehr wegzudenken. Sorgen? Überalterung, Überarbeitung, Nachwuchsprobleme. Jammern und Klagen führen zu nichts. Ich will hier nur einige Aspekte der Hoffnung und Zuversicht andeuten, die etwas vom Wesen des Ordenslebens erahnen lassen:

1. Die Ordenschristen sind eine bewußte Herausforderung an die Mitchristen. Die Ordenschristen sind (im Normalfall) keine besseren Christen. Sie sind – so sehe ich es – „typische" Christen, die nichts anderes als das tun, was die anderen Christen auch tun. Nur einiges tun sie etwas intensiver und „regelmäßiger", z.B. beten!

2. Das Geheimnis des Ordenslebens ist ein Geheimnis des Glaubens – auch des Glaubens an die Berufung durch Gott. Gott gibt diese notwendige Berufung auch heute noch. Es gibt eine Hell-Hörigkeit auf diesen Ruf Gottes hin – auch heute noch. Es beginnt ein Umdenken, besonders bei der Jugend. Wenn Menschen in einen Orden eintreten, tun sie das, weil Gott sie gerufen hat. Leute, die ins Kloster gehen, sind keine Aussteiger, sondern „Um-Steiger"!

3. Es ist ein Zeichen der Hoffnung, daß die Kirche sich intensiv um die geistlichen Berufe kümmert. Ich bitte Sie deshalb, lieber Besucher unseres Klosters, beten Sie auch für Ordensberufe! Schöne Worte und Abhandlungen über das Ordensleben sind sicher wertvoll und wichtig. Wichtiger ist das Gebet.

Was tun nun die Benediktiner in St. Paul? Sie beten und arbeiten. Natürlich tun sie auch noch andere Dinge. Sie essen (oft gar nicht schlecht), trinken, schlafen (oft recht gut), oder da spielt einmal ein Bruder auf seiner Geige; oder der andere raucht einmal seine Zigarette in der Pause; oder der alte Bruder macht auch gerne sein Nickerchen nach dem Mittagessen. Aber als Kurzformel, auf die wir das Leben der Mönche bringen können, dürfen wir mit Recht diese nennen: sie beten und arbeiten. Sie beten, d.h. sie stellen Gott bewußt in den Mittelpunkt ihres Lebens. Es ist für St. Paul und jedes Kloster wesentlich, daß sich die Gemeinschaft dem Geheimnis Gottes stellt, im Gebet der einsamen Meditation genauso wie im gemeinsamen Gotteslob des „Chorgebetes". Auf Gott zu hören, ihn zu preisen, ihm zu danken, ihn zu bitten, mit ihm zu sprechen – und das in einer beruhigenden Gelassenheit und Beharrlichkeit Tag für Tag!

– darin sehen die Mönche eine wesentliche Art, ihrem Leben Sinn und Halt zu geben. Und sie arbeiten! Und das ist nicht verwunderlich. Sie sehen in der Arbeit nicht nur eine willkommene Abwechslung im Rhythmus der Gebete, sondern auch einen bewußten Dienst und Auftrag am Menschen.

In diesem Bereich der Ausstellung erfahren Sie so manches über unsere Arbeitsgebiete. Auch wie unsere Gemeinschaft strukturiert ist, wie ein Tagesablauf im Kloster aussieht und manches sonst noch, was Sie interessiert, finden Sie in diesem Raum. Nun aber lege ich endgültig meine Feder aus der Hand. Alois Brandstetter führt Sie dann noch in das Herz und die Mitte unseres Klosters, in die Kirche, das „Schatzhaus“ im Schatzhaus Kärntens.

Benediktinermönch, aus dem Zwettler Kodex 420a von 1577

DER MÖNCH

„Ein Mönch, *monachos*: das ist in meinen Augen ein Mensch, dem es einzig darum geht, die höchste Bestimmung des Lebens durch Hingabe seines ganzen Seins zu verwirklichen, indem er auf alles zum Erreichen des Ziels nicht unbedingt Notwendige verzichtet. Sein ganzes Leben kreist um das Eine und Einzige dessen, worauf es letztlich ankommt."

Lit.: R. PANIKKAR, Den Mönch in sich entdecken (1989), S. 19.

BENEDIKTINISCHES LEBEN – BERUFUNG ZUR NACHFOLGE

Mit der Entscheidung für die Nachfolge Jesu in der Kirche stellen wir uns in die lange Reihe von Menschen, die nach dem Evangelium, nach dem Beispiel der Urgemeinde und nach der Lebensordnung des hl. Benedikt in einer brüderlichen Gemeinschaft leben, beten und arbeiten. Mit dem Zeugnis und dem Einsatz unseres Lebens versuchen wir Christus sichtbar zu machen und arbeiten mit am Aufbau des Reiches Gottes in unserer Zeit.
In der Profeß geloben wir Beständigkeit in der klösterlichen Gemeinschaft (*stabilitas*), klösterliche Lebensführung (*conversatio morum*) und Gehorsam (*oboedientia*) nach der Regel des hl. Benedikt.
In erster Linie ist der Abt für das Leben nach der Regel verantwortlich.

Lit.: Die Satzungen der österreichischen Benediktinerkongregation, hrsg. von der Österreichischen Benediktinerkongregation (1984/85), S. 17f., S. 48.

CHRISTLICHES LEBEN NACH DER REGEL DES HL. BENEDIKT

Einander in Ehrerbietung zuvorkommen.
Die körperlichen und seelischen Schwächen untereinander mit größter Geduld ertragen.
Keiner soll seinen eigenen Vorteil suchen, sondern mehr den des anderen.
Die brüderliche Liebe einander selbstlos erweisen.
Die Älteren ehren.
Die Jüngeren lieben.
Streit verhindern.
Überheblichkeit meiden.
Sich nicht vom Neid leiten lassen.
Des anderen Ehre achten.
Jeder nehme Rücksicht auf die Bedürfnisse des anderen. Wer weniger braucht, der danke Gott und sei nicht traurig. Wer aber mehr braucht, demütige sich wegen seiner Armseligkeit und sei nicht überheblich wegen der Vergünstigung. So werden alle in Frieden sein.
Vor allem soll keiner murren.
Die Brüder sollen einander in Liebe dienen.
Die Sorge um die Kranken sei erste und vornehmste Aufgabe.
Aber auch die Kranken sollen bedenken, daß man ihnen zuliebe dient; sie dürfen die dienenden Brüder nicht durch allzu große Ansprüche betrüben. Doch sind auch die Unzufriedenen in Geduld zu ertragen.

DIE AUFNAHME IN DIE KLÖSTERLICHE GEMEINSCHAFT UND DIE AUSBILDUNG

Es ist vor allem Aufgabe des Abtes, die Motive und Zeichen des Ordensberufes zu klären. Solche Motive sind u. a.: das Suchen nach Gott, die Freude am Gottesdienst, die Bereitschaft zum Gehorsam und zum Ertragen von Schwierigkeiten, das Bereitsein zum Dienen und Sicheinfügen in die Gemeinschaft, die Freude am Einsatz für Gott und die Menschen. Wer ins Kloster eintreten will, macht zuerst eine gewisse Zeit lang das *Postulat*, d.h. für einige Wochen oder Monate verbringt er als Gast seine Zeit im Kloster, dann beginnt das *Noviziatsjahr*. Unter der Leitung des Novizenmeisters werden die Novizen in folgenden Bereichen ausgebildet: Schriftlesung, Liturgie, Stundengebet, Eucharistiefeier, Psalmenstudium, Studium der Benediktusregel, der Satzungen des Klosters, Geschichte des Ordens und des eigenen Hauses usw. Nach dem Noviziatsjahr entscheidet die Klostergemeinschaft über die Zulassung zur ersten, *einfachen Profeß*. In dieser Profeß verspricht der Novize zunächst einmal für drei Jahre Gehorsam, Beständigkeit und klösterlichen Lebenswandel. Während dieser drei Jahre studieren die jungen Mönche entweder Theologie – wenn sie sich auf das Priestertum vorbereiten – oder bekommen eine entsprechende Ausbildung für einen künftigen Arbeitsbereich im Kloster. Dann wird die feierliche, *ewige Profeß* abgelegt. Diese Bindung ist nun eine endgültige für das ganze Leben. Vor der ewigen Profeß werden auch die Besitzverhältnisse des jungen Mönches zivilrechtlich geklärt. Sein Eigentum geht in Absprache mit dem Abt entweder in den Besitz des Klosters über oder an andere Personen. Die Mönche werden auch nach der ewigen Profeß theologisch und monastisch weitergebildet. Die theologische Aus- und Weiterbildung ist ein Prozeß im Mönchsleben, der eigentlich nie zu Ende ist. Der Konvent St. Pauls setzt sich heute bei insgesamt 16 Mitgliedern aus zehn Priestern, drei Fratres, einem Regularoblaten und einem Novizen zusammen.

B. R.

Organisation eines Benediktinerklosters

Der Abt:

Der rechtmäßig gewählte und bestätigte Abt ist höherer Ordensoberer (*superior maior*). Die Kirche überträgt ihm die Vollmacht zur Leitung des Klosters in geistlichen und weltlichen Belangen. Der Abt vertritt das Klosters nach außen.

Das Kapitel:

Zum Kapitel eines Klosters gehören unter dem Vorsitz des Abtes alle Mönche mit ewigen Gelübden. Wahlen und andere wichtige Entscheidungen, welche die Klostergemeinschaft zu treffen hat, werden mit dem Rat des Kapitels (*cum consilio*) durchgeführt.

Der Seniorenrat:

Zum Seniorenrat unter dem Vorsitz des Abtes gehören der Prior, ein vom Abt zu ernennender Mönch und zwei weitere ewige Professen, die vom Kapitel mit absoluter Mehrheit zu wählen sind. Mit Rat der Senioren (*cum consilio*) werden v. a. Personalangelegenheiten geklärt.

Der Wirtschaftsrat:

Der Wirtschaftsrat steht dem Abt in wirtschaftlichen Fragen beratend und helfend zur Seite. Er hat die Pflicht, die genaue Vermögensverwaltung des Klosters gemäß den Bestimmungen des kanonischen Rechtes und des Zivilrechtes mitzubestimmen und zu überwachen.

Die anderen Oberen und Offizialen:

Der *Prior* wird vom Abt nach Befragung der Mitbrüder bestellt. Der Prior ist Stellvertreter des Abtes und unterzeichnet Rechtsgeschäfte im Namen des Kapitels.
Weitere Obere sind der Subprior, der Novizenmeister und der Magister. Die Offizialen sind

der Wirtschafter, der Leiter der Schule und des Internats, der Gartenmeister, der Vestiar, der Infirmar, der Küchenmeister, der Bibliothekar, der Archivar und Custos, der Kirchenrektor, der Liturgiemeister, der Chorleiter, der Kapitelsekretär; ein Konventuale kann gleichzeitig mehrere Ämter ausüben.

Die österreichische Benediktinerkongregation

Die österreichische Benediktinerkongregation ist eine monastische Kongregation, d.h. eine Vereinigung selbständiger Benediktinerklöster.

26.2

DER KLÖSTERLICHE TAGESORDNUNG

6.00 Uhr...Morgenlob (Matutin und Laudes)
6.45 Uhr...Eucharistiefeier
Am Vormittag gehen die Ordensmitglieder ihren Aufgaben nach. In apostolischen, pädagogischen, caritativen, kulturellen und anderen Diensten erfüllen sie die Berufung, in der Kirche ein Zeichen der Liebe Christi zu sein.
12.00 Uhr...Chorgebet (Mittagshore)
gemeinsames Mittagessen
Rekreation
Fortsetzung der Arbeit des Vormittags
18.00 Uhr...Vesper und Komplet

26.3

Benediktinerklöster in Österreich

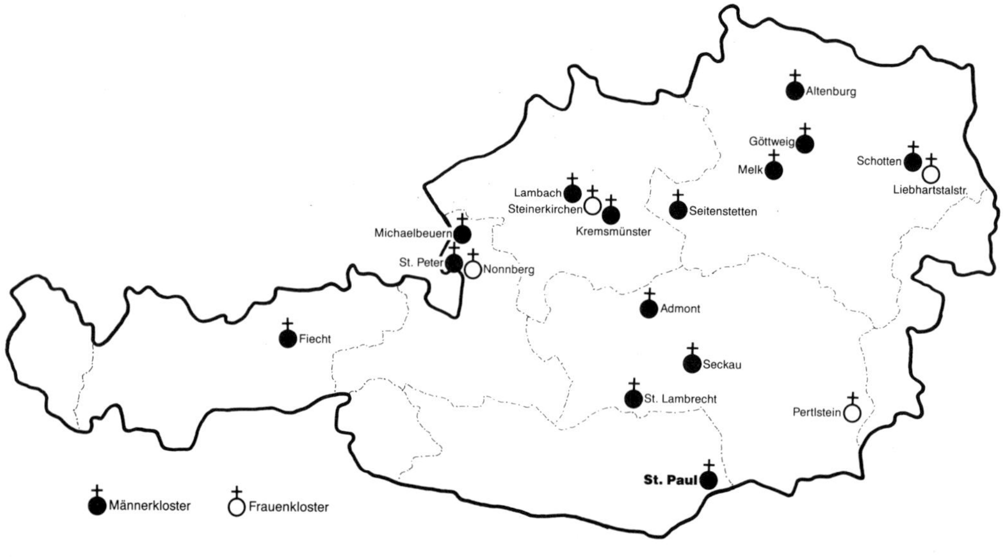

Schautafel: BENEDIKTINERKLÖSTER IN ÖSTERREICH

 s. II, S. 432, Abb. 102; S. 449 – 455, Abb. 106 – 115

St. Pauler Pfarr- und Filialkirchen

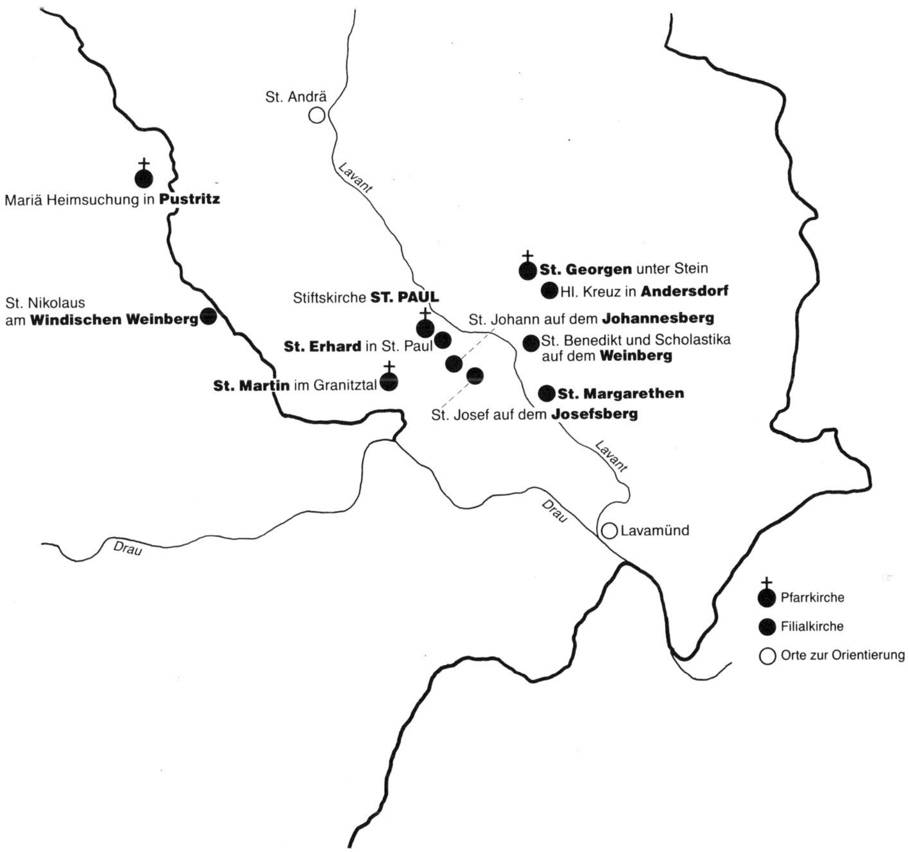

Schautafel:
ST. PAULER PFARR- UND FILIALKIRCHEN

Zu St. Paul gehören heute die Pfarren: *St. Paul* mit den Filialkirchen St. Erhard, St. Benedikt und Scholastika auf dem Weinberg, St. Margarethen, St. Johann auf dem Johannesberg, St. Josef auf dem Josefsberg; *St. Georgen unter Stein* mit der Filialkirche Hl. Kreuz in Andersdorf; *St. Martin im Granitztal* mit der Filialkirche St. Nikolaus am Windischen Weinberg; *Mariä Heimsuchung in Pustritz*.

26.5

PFARRLEBEN

Die Pfarrseelsorge ist in Österreich eine historisch gewachsene Aufgabe. Die Aufgaben in den Pfarren betreffen Liturgie und Verkündigung, Ehe und Familie, Kinder/Jugend, Soziale Dienste, Öffentlichkeitsarbeit und Erwachsenenbildung, Verwaltung und Mission (Entwicklungshilfe und Flüchtlingsfragen).

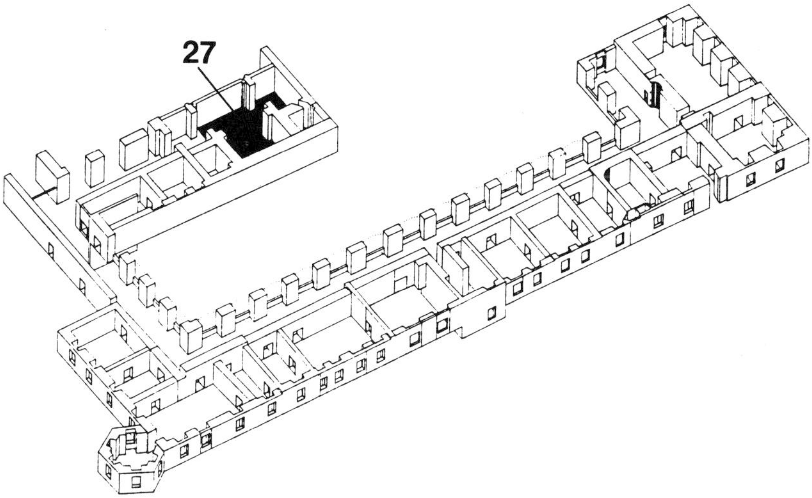

27

Die Stiftskirche

Die Stiftskirche von St. Paul – Herz und Mitte des Klosters – ist ein einzigartiger Sakralraum aus der Zeit der Hochromanik. Von Westen blickt man in die dreischiffige Pfeilerbasilika mit vortretendem Querhaus und drei Halbkreisapsiden. Das Klosterleben in St. Paul wurde von Mönchen aus Hirsau begonnen: typisch hirsauisch ist der kleine Chor *(chorus minor)*, der durch Schwibbögen vom Langhaus geschieden ist und bis 1616 durch eine hohe gemauerte Wand (Lettner) von diesem getrennt war. Nach den Hirsauer Gebräuchen mußten die Mönche den Psalmengesang im *chorus maior* verrichten, der *chorus minor* war der Platz der Nichtsänger. Eine der ehemaligen romanischen Lettnerfiguren steht heute im Arkadengang des westliche Stiftsflügels.
Einzigartig in Kärnten sind die Pfeiler mit Halbsäulen und der Formenreichtum der romanischen Kapitelle aus dem 12. und 13. Jahrhundert. Von den romanischen Wandgemälden finden sich noch Freskenreste am zweiten nordwestlichen Pfeiler, an den Bögen der Seitenapsiden und in der Hauptapsis.
Nach dem großen Brand von 1367, vermutlich wurde die flache Holzdecke beschädigt, kam es zunächst zur Einwölbung der östlichen Hälfte und 1468 der drei Schiffe des Langhauses in nur knapp acht Monaten. Das Mittelschiff zeigt ein kompliziertes Sternrippengewölbe, die Rippen sind aus gebranntem Ton. Die Schlußsteine und Vierpässe bemalten Michael und Friedrich Pacher aus Bruneck im Südtiroler Pustertal.

Das Stifterfresko an der Nordwand des Querhauses gestaltete 1492/93 der bedeutende Meister Thomas von Villach. Dargestellt sind der Stifter des Klosters Engelbert v. Spanheim, seine Gemahlin Hartwiga, der Auftraggeber Sigismund Jöbstl v. Jöbstlberg, die Heiligen Katharina, Benedikt, Petrus und Paulus.
Aus dem 17. Jahrhundert stammen ein Taufstein, die Chorstühle, und das Sakristeiportal.
Hochaltar, Querhaus- und Seitenaltäre sowie Kanzel sind Arbeiten aus dem 18. Jahrhundert. Zur Ausstattung des 20. Jahrhundert zählt u.a. das monumentale Fresko von Switbert Lobisser an der Nordwand des Querhauses.

ALOIS BRANDSTETTER

Die Kirche Zentrum, Schrein und Schatzkammer des „Schatzhauses Kärnten"

Neunhundert Jahre St. Paul, das bedeutet vor allem neunhundert Jahre Kirche St. Paul. Bereits 1093 wurde die Klosterkirche geweiht. Als Graf Engelbert von Spanheim 1091 die Hirsauer Mönche nach Kärnten holte, fanden sie auf seiner Burg zwei Kirchen vor. „Man vermutet, daß die Hirsauer Mönche die schon um 1065 errichtete Paulskirche auf der Burg für ihre Zwecke adaptierten. Der Grundriß von St. Paul zeigt einen Chor, der in auffallender Weise mit jenem von St. Aurelius in Hirsau übereinstimmt" (Renate Wagner-Rieger: „Mittelalterliche Architektur in Österreich"). „Im Jahre 1091 gegründet und von Hirsau aus besiedelt, verkörpert der Bau am reinsten von allen den Geist der Hirsauer Bauschule" (Gottfried Biedermann, Wim van der Kallen: „Romanik in Österreich").

In allen Architekturgeschichten wird als besondere Auffälligkeit hervorgehoben, daß die Kirche ein Querhaus und einen ausgegliederten Chor besitzt, „was Ende des 11. Jahrhunderts im innerösterreichischen Bereich der Salzburger Diözese singulär ist" (Wagner-Rieger). So gibt es gewissermaßen zwei Ausgangspositionen: Geht man von der Frühdatierung aus, dann erscheint die Kirche architektonisch progressiv und modern, hält man sich an die Spätdatierung, schreibt man also den Aufbau Abt Pilgram (1159–1192) zu, dann kann man die Raum- und Grundrißlösung allenfalls „up to date", also in der Zeit liegend, oder sogar ein wenig „konservativ" empfinden. Wer heute als Laie (der Theologie und der Kunstgeschichte), lediglich ausgerüstet mit den Elementarkenntnissen der allgemeinbildenden Schule, die Kirche betritt, wird sie vom Haupteindruck her, den sie auf ihn macht, gotisch nennen. Die Kunsthistoriker aber sehen an verschiedenen

Stellen Indizien, daß das gotische Gewölbe sekundär ist und die ursprüngliche Flachdecke, wie sie den romanischen Hallenkirchen entspricht, ersetzt hat. Das Rundbogige der Gewölbe im „Chorus minor" und in den Seitenschiffen gibt uns noch eine Ahnung von der ursprünglichen Romanik. Insgesamt stellt sich die Kirche im Westteil älter und im Ostteil jünger dar. Über den Grund dieser auch andernorts feststellbaren „Orientierung" wurde viel gerätselt: Bildet sie die Chronologie der Errichtung der Bauteile ab? Das wäre ein äußerer und äußerlicher Grund. Man darf für das Mittelalter, das alles beseelt und nichts dem Zufall überließ, wie es die ganze Menschheitsgeschichte teleologisch von Vorsehung und Heilsplan gelenkt betrachtet, etwas anderes vermuten. „Bei der Beantwortung dieser Frage ist Vorsicht geboten, denn im östlichen Teil sind Kirchen häufig reicher und mitunter auch moderner ausgestaltet, um diesen geheiligten Bereich besonders hervorzuheben. Chor und Schiff in architektonischer Beziehung unterscheiden bedeutet, solcherart auch einen soziologischen Unterschied zu setzen." (Wagner-Rieger)
Kultur und Portale! Porticus-Tradition! Ego sum ostium: Ich bin das Tor... Die Tore machen das Überschreiten der Schwelle zu mehr als einem bloßen Eintreten, sie lassen es zum Introitus werden. Das Trichterportal der Turmfront von St. Paul *zieht* einen buchstäblich *an*, führt einen in die Tiefe, ins Innere... „Das Südportal erwies sich für die Forschung als interessantes Pasticcio von 1618, bestehend aus Teilen des ehemaligen Lettners" (Wagner-Rieger). Vielleicht haben Sie es beim Heraufgehen schon bestaunt, sonst lassen Sie es sich beim Verlassen, beim Hinuntersteigen nicht entgehen! Über die Baugeschichte der Kirche unterrichten im einzelnen die Dokumente und Modelle in Raum 4 der Ausstellung, diese Jahrhunderte dauernde Geschichte von Errichtung, Vervollständigung, Veränderung (Verbesserung – und Verschlechterung), Ausgestaltung, über Romanik, Gotik, Renaissance, Barock und neuere Zeit, über die Fundamente, die Pfeiler mit den Säulenvorlagen, die Decken und Gewölbe, die Türme, die Apsiden und Altäre, die Statuen und Bilder, bis hin zu den jüngsten Veränderungen im Sinne des 2. Vatikanischen Konzils und die Ergebnisse der letzten Renovierung, bei der es, der Intention heutigen Denkmalschutzes entsprechend, um die Erhaltung des Alten und Ursprünglichen ging.
Meiner Meinung nach hätten Sie aber nicht das Optimum an Erlebnis erreicht, wenn Sie sich bloß über das Technische und rein Theoretische informiert hätten. Die Kirche ist kein banales, totes Museum, auch „keine romantische Ruine aus einer unwiederbringlichen Vergangenheit" (Georg von Simson: „Die gotische Kathedrale"). Zu wünschen wäre uns ein tieferes Gespür, ein

ähnlich beglückendes „feeling", wie es König Heinrich I. von England zuteil wurde, als er 1130 die neuerbaute Kathedrale von Canterbury betrat: „Die Gemeinde sang den Introitus zur Kirchweihe (1 Moses 28,17): ‚Voll Schauer ist dieser Ort. Gottes Haus ist hier und die Pforte des Himmels. Sein Name ist: Wohnung Gottes.' Als König Heinrich diese Worte hörte und den neuen Chor betrachtete, der in diesem Augenblick von unzähligen Lichtern erhellt war, schwur er mit königlichem Eide beim Tode des Herrn, daß dieses Heiligtum wahrhaft schauervoll sei." (Otto von Simson)

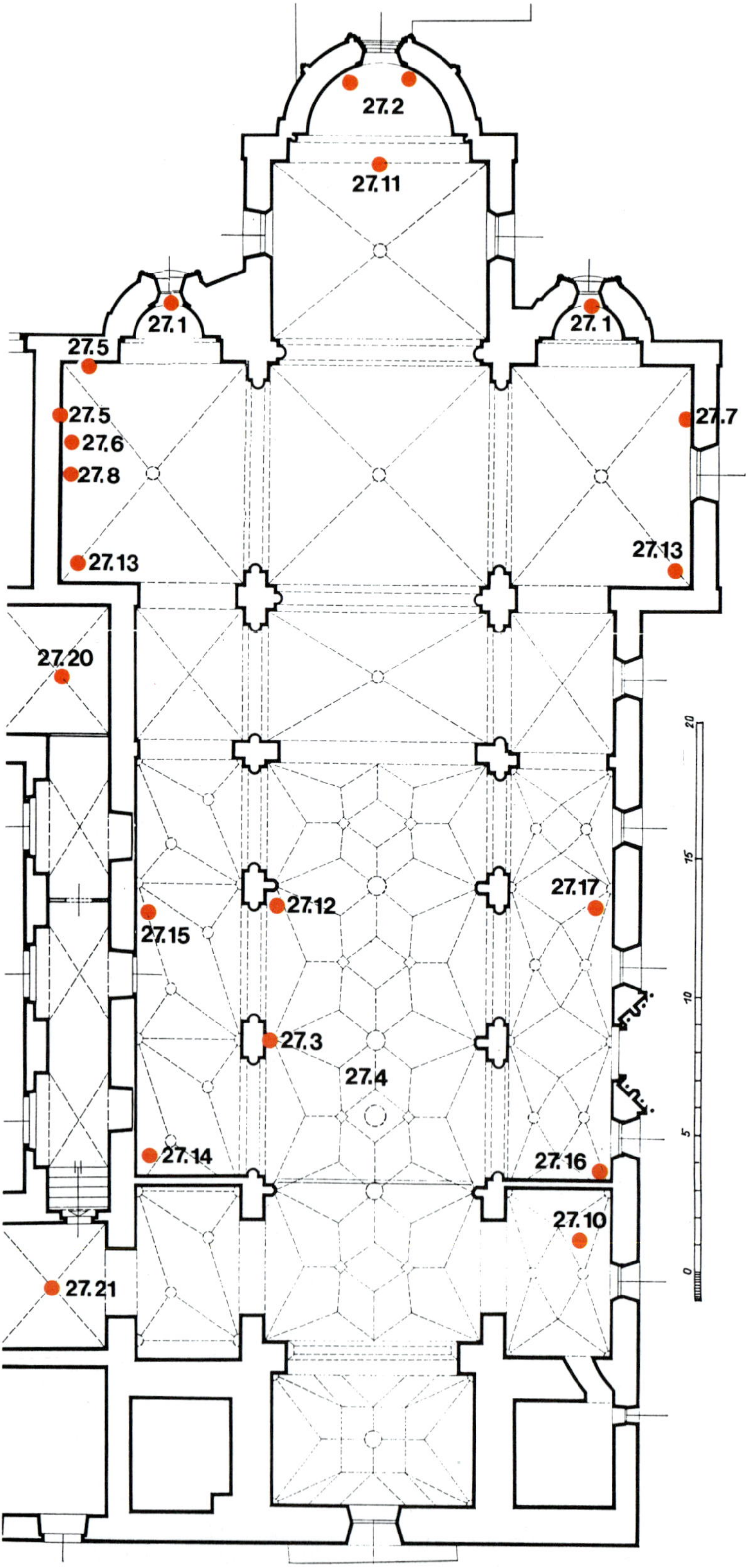
27.2
27.11
27.1
27.1
27.5
27.5
27.6
27.8
27.7
27.13
27.13
27.20
27.17
27.12
27.15
27.3
27.4
27.14
27.16
27.10
27.21
0
5
10
15
20

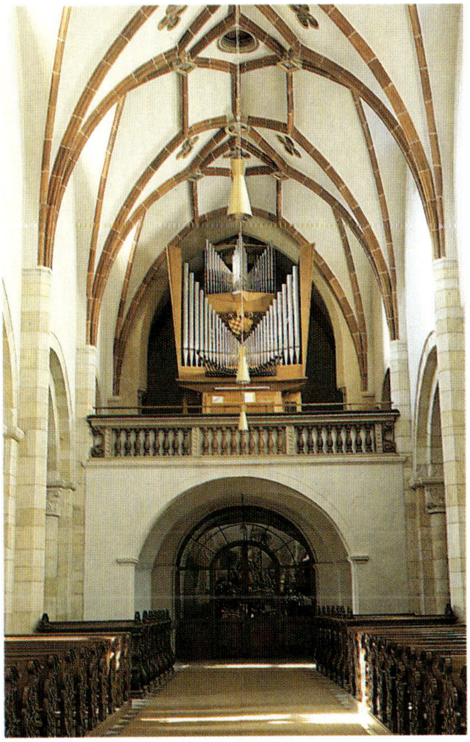

Blick zur Orgelempore

27.1-27.3

ROMANISCHE FRESKEN

27.1 s. II, S. 690f., Abb. 204f.

FRESKEN AM SCHEITEL DER TRIUMPHBOGENLEIBUNG DER SEITENAPSIDEN

um 1230–1240 (oder schon vor 1218 im Zuge der ersten Freskoausstattung der Stiftskirche unter Abt Ulrich ?)

An der nördlichen Triumphbogenleibung sind die Brustbilder von zwei hll. Bischöfen, an der südlichen von einem Märtyrer mit einem Palmzweig und einer weiblichen Heiligen dargestellt, wobei jedes Brustbild von einem einfachen, rundbogig geschlossenen Nischenrahmen (z. T. beschädigt) begrenzt wird. Die Heiligen sind nicht identifizierbar, die kurzen Mitren und Stäbe der Bischöfe weisen Formen des 12. und 13. Jahrhunderts auf. Die strenge Haltung der Figuren einerseits und die zum Teil noch gut erkennbare malerische Oberflächenbehandlung andererseits lassen die Freskenreste in die breite Strömung byzantinisch beeinflußter spätromanischer Wandmalerei des Ostalpenraumes einordnen. Die nächste Parallele findet sich in der Bemalung des Chorturmjoches der alten Pfarrkirche von Stift Griffen (wohl um 1235/36), deren Stil uns schon in den Fresken der Marienkirche im Domkreuzgang zu Brixen (zwischen 1214 und 1221) begegnet.

s. II, S. 689ff.

Lit.: O. DEMUS, Neu entdeckte romanische Wandgemälde in der Stiftskirche St. Paul i. L., Die Denkmalpflege (1932), S. 179. – W. FRODL, Die romanische Wandmalerei in Kärnten (1942), S. 45ff. – ÖKT 37 (1969), S. 100ff.

J. H.

27.2 s. II, S. 690f., Abb. 204f.

FRESKEN DER HAUPTAPSIS

um 1260 (oder kurz vor 1264, dem Jahr der Weihe der Stiftskirche)

Die Rundung der romanischen Apsis trägt in zwei horizontalen Zonen Fresken mit mehreren gesondert gerahmten und sich z. T. überdeckenden Gemälden mit rötlichen Linien auf blaugrauem Grund. Oben, seitlich des Fensters, sind rechts die Enthauptung des hl. Paulus und links die Kreuzigung des hl. Petrus wiedergegeben. Unter dem Fenster, in der Mitte der unteren Zone, befindet sich ein heute stark verblaßtes Bild, das (nach GINHART) die thronende Muttergottes mit vier stehenden männlichen Heiligen dargestellt haben soll. Links davon personifiziert eine weibliche, gekrönte Gestalt mit einem ausladenden Spruchband (die Inschrift ist gänzlich verschwunden) die Kirche – *Ecclesia*. Sie thront vor einer sechsteiligen Arkadenarchitektur und hält ein weit ausladendes Spruchband (die Inschrift ist gänzlich verschwunden) in Händen. Die entsprechende Stelle an der rechten Seite unter dem Paulusbild wird nur durch eine breite Palmettenbordüre dekoriert.
Die Martyrien der Apostelfürsten beziehen sich auf das Patrozinium des Hauptaltares. Die Heiligen um die Muttergottes des zentralen Bildes sind nicht identifizierbar, aber es scheint, daß die Muttergottes (nach alten byzantinischen Vorbildern) eher durch die beiden Erzengel flankiert wurde, denen sich dann die äußeren, heute auch nicht mehr näher bestimmbaren männlichen Heiligen anschlossen. Ungeachtet der verlorengegangenen modellierenden Gestaltung der Oberfläche sind die besser erhaltenen Partien, vor allem die Apostelmartyrien, stilistisch nicht schwer zu fassen. Es handelt sich um einen spätromanischen Linearstil mit sporadisch auftauchenden frühgotischen Merkmalen wie moderneren Kopftypen (König und Henker im Paulusmartyrium) und bewegter, z. T. im Sinne des Zackenstils geführter Draperie. Dennoch wäre es natürlich verfehlt, die St. Pauler Wandmalereien mit den ungefähr

zeitgleich entstandenen Fresken der Westempore des Gurker Domes zu vergleichen.

s. II, S. 689ff.

Lit.: s. Kat.Nr. 27.1.

J. H.

27.3

FRESKEN AM ZWEITEN NORDWESTLICHEN PFEILER DES HAUPTSCHIFFES

um oder nach 1260

Die beschädigten Freskenreste sind wegen des vorgelegten Dienstes der gotischen Wölbung nur zum Teil freigelegt. Im unteren Bereich des Pfeilers selbst ist eine frühgotische Architektur mit zwei (ursprünglich drei ?) stehenden Heiligen zu erkennen. Oben, im Zwickel der Arkadenwand, befinden sich die halbzerstörte Figur eines gekrönten Heiligen in einem langen weißen Mantel und links darüber ein Wappenschild mit einem weißen Pfahl im roten Feld. Die übrigen noch zu sehenden Heiligenfiguren am Pfeiler lassen sich ungeachtet der Attribute (Kreuz in der Hand der linken Figur, Turm oder Kirchenmodell in der Hand der rechten) nicht einwandfrei bestimmen. Das Wappen, in einer noch für das 13. Jahrhundert charakteristischen Form, gehörte dem Geschlecht von Weißenegg (urk. seit 1244). Der Linearstil dieser Malereien ist dem der Hauptapsisfresken ähnlich, es bleibt jedoch ungeklärt, ob sie zur selben Zeit entstanden sind. Ihr selbständiger Votivcharakter und nicht zuletzt die modernere Architekturform des Heiligenbildes am Pfeiler sprechen eher dagegen.

s. II, 689ff.

Lit.: s. Kat.Nr. 27.1.

J. H.

27.4–27.5

GOTISCHE FRESKEN

27.4 s. II, S. 409, Abb. 78; S. 596, Abb. 178

Fresko im Mittelschiff: hl. Benedikt

DIE PACHERFRESKEN IM GEWÖLBE DES LANGHAUSES

Michael Pacher und Werkstatt (Friedrich Pacher), nach 1468

Im Jahre 1468 ließ Abt Johannes II. Eßlinger (1455–1483) die drei Schiffe des Langhauses der Stiftskirche von St. Paul einwölben. Nach dem Augenzeugenbericht des Mönches und späteren Abtes Johannes III. (1483–1488) dauerten die Arbeiten von Maria Lichtmeß (2. Februar) bis zum Michaelifest (29. September) 1468; die Einwölbung war demnach in knapp acht Monaten abgeschlossen.
Das fünfjochige Mittelschiff ist sternrippengewölbt, während die vierjochigen Seitenschiffe im Norden ein Springgewölbe, im Süden ein Netzrippengewölbe überspannt. Das fünfte Joch des Mittelschiffes liegt zwischen den zwei Westtürmen und entspricht der Michaelskapelle. Es ist vom Mittelschiff durch eine kompliziertere Form des Sternrippengewölbes abgesetzt. Im Bereich der westlichen Langhausjoche wurde die barocken Orgelempore (1663) eingebaut.
Die 28 Schlußstein- und 24 Vierpaßmalereien in diesen Gewölben umfassen folgende Darstellungen:
vier weibliche Heilige im Nordseitenschiff (= Frauenseite) von Westen nach Osten: hl. Magdalena (mit Salbgefäß), hl. Katharina von Alexandrien (mit Schwert und Rad), hl. Barbara (mit Kelch und Turm), hl. Anna Selbdritt.

Männlichen Heilige im Südseitenschiff (= Männerseite) von Westen nach Osten: hl. Matthias ? (mit Lanze, heute nicht zu sehen, da das Joch im Zuge des barocken Orgeleinbaus abgemauert wurde), hl. Simon (mit Säge), die Kirchenväter Ambrosius und Hieronymus (paarweise, mit Schriftbändern), hl. Jakobus d. Ä.(mit Pilgerhut und -stab), die Kirchenväter Augustinus und Gregorius (paarweise, mit Schriftbändern), hl. Andreas (mit Andreaskreuz).

Die Schlußsteine der Seitenschiffe tragen Darstellungen stilisierter Blüten.

Im Scheitel des Mittelschiffes sind von Westen nach Osten ein Engel mit den Wappen Kärntens und des Stiftes, Petrus und Paulus (Patrone St. Pauls), der hl. Benedikt (Ordensgründer), die Madonna mit dem Kind und die hl. Dreifaltigkeit (über dem ehem. Kreuzaltar vor dem Lettner, s. Kat.Nr. 4.28, 4.29, 4.41) dargestellt. Die seitlichen Gewölbeteile nehmen Darstellungen der Heiligen Ägidius (mit Hirschkuh), Laurentius (mit Rost und Buch), Bartholomäus (mit Messer), Wolfgang? (Bischof mit Hacke und Buch), Martin (der den Mantel teilt) und Johannes der Täufer (weist auf das Lamm Christi) ein.

Die Wappen an den Schlußsteinen des Mittelschiffs nehmen teils Bezug auf die politische und kirchliche Stellung des Stiftes (Wappen des Reiches und der katholischen Kirche, Österreichischer Bindenschild und Wappen Salzburgs), seine Besitzungen (Steiermark, Krain?), den Künstler (Tirol) und den Auftraggeber (persönliches Wappen des Abtes Johannes II.).

Lit.: H. MENHARDT, Eine lateinisch-deutsche Spruchsammlung aus St. Paul vom Jahre 1468, Car. I 120 (1930), S. 12. – W. FRODL, Die gotische Wandmalerei in Kärnten (1944), S. 110. – ÖKT 37 (1969), S. 96, S. 98, S. 109ff.

D. P.

27.5 s. II, S. 693f., Abb. 207–209; S. 408, Abb. 77

STIFTERFRESKO

Thomas von Villach (Thomas Artula, um 1435/40 - nach 1520), um 1493

nördliches Querhaus

Das Fresko befindet sich in der Nordostecke des Querhauses, über der Grabstätte der St. Pauler Stifter, Graf Engelbert von Spanheim und seiner Frau Hedwig (Hadwiga), und ist in zwei Teile gegliedert. Es handelt sich um ein posthumes Votivbild für das Stifterpaar anläßlich des 400-jährigen Jubiläums der Klostergründung. An der Nordwand empfehlen sich die Stifter in Gegenwart ihrer Schutzheiligen kniend und betend den Klosterpatronen Petrus und Paulus (an der angrenzenden Ostwand). Auftraggeber des Freskos war Abt Sigmund Jöbstl von Jöbstlberg, der sich in der unteren linken Ecke des Nordwandbildes kniend und betend mit seinem Wappen darstellen ließ, wodurch es in zweifachem Sinn als „votiv" zu verstehen ist. Über die Entstehung dieses Werkes berichtet eine Inschrift (wohl an der Nordwand), die nicht mehr erhalten, jedoch glücklicherweise durch den Abt Hieronymus Marchstaller in seiner *De fundatione...* (1619) überliefert ist: *Hoc monasterium fundatum seu edificatum es in honorem Sanctorum Pauli et Petri Apostolorum per comitem Engelbertum de Spanheim et conjugem suam Hedwigam ducissam Carinthiae sub anno incarnationis Dominicae 1091, Pontificatus Domini Urbani Apostolici Papae secundi, regnante Hainrico Imperatore quarto: In cuius rei memoriam hanc picturam fecit fieri Reverendus in Christo Pater et Dominus, Dominus Sigismundus Abbas, dictus Joebstl, Abbas XXIX, anno Domini 1493.* Das Fresko ist außer der oberen linken Ecke und dem obersten Streifen des Nordwandbildes, wo sich einmal die erwähnte Inschrift befunden haben mag, vollständig erhalten geblieben.

Die Komposition des Nordwandbildes wird durch eine offene gotische Säulenarchitektur bestimmt, deren Vorderfront mit ihren Kielbögen, die mit Rosen und Fialen besetzt sind, den Medaillons in den Zwickeln und den „hängenden" Konsolen an jeder zweiten Stelle, an die Rahmen mittelitalienischer Polyptycha des Trecento gemahnt.

Die in zwei Teile gegliederte Darstellung bringt links eine „Wappengalerie" zur Schau: In der zentralen Zone sind, von einem Engel gehalten, das St. Pauler Klosterwappen mit dem rot-weißen Schachbrett (das Wappen der Spanheimer, welches später vom Kloster übernommen wurde) und das Kärntner Landeswappen nebeneinander angebracht. Darunter wird, etwas kleiner, das Wappen des hl. Benedikt mit dem Löwen durch die noch kleineren Wappen des Auftraggebers (links) und des Malers (rechts) flankiert. Das Wappen des Malers weist einen roten Schrägbalken in gelbem Feld auf, und darüber ist als Helmzier ein roter Hut mit Eselsohren und einem Hahnenwedel aufgesteckt. Der Text des dazugehörenden Spruchbandes lautet: *daz ist sain maller wappen*, wobei dieses Wappen wohl nur als eine karikierende Unterschrift des Malers anzusehen ist.

Die rechte Hälfte des Bildes ist der Darstellung der beiden Stifter gewidmet: sie knien und beten, nach rechts zu den hll. Petrus und Paulus an der Ostwand gewendet, hinter ihnen stehen ihre Schutzheiligen Benedikt (bei dem Grafen) und Katharina (bei seiner Gemahlin) mit empfehlenden Gesten. Die Komposition des Bildes an der angrenzenden Ostwand ist durch einen ähnlichen, nur etwas schmäleren Architekturrahmen getragen. Unter seinem Bogen stehen die Apostelfürsten, links Paulus mit Buch und

Stifterfresko, Nordwand

Ostwand

Schwert, rechts Petrus mit Schlüssel und Papstkreuz. In der rechten Rankenbordüre entdeckt man in einem rechteckigen Rahmen das Brustbild eines lachenden Mannes, hierbei handelt es sich wohl um das Selbstbildnis des Malers. Obwohl diese Votivdarstellung mit knienden Stiftern gleicher Größe, neben ihren stehenden Schutzheiligen, eine längere Tradition in der italienisch inspirierten Wandmalerei des Ostalpenraumes aufweist, wurde Thomas von Villach in St. Paul offensichtlich durch den noblen Figurenstil der Niederländer beeinflußt. Auch die beiden Apostel zeichnen sich durch intensivere Plastizität und individuellen Gesichtsausdruck aus. Das St. Pauler Stifterfresko stellt mit seiner Konzeption des Bildraumes und der menschlichen Figur ein Pendant zur Jöbstl schen Beweinung Christi (s. Kat.Nr. 10.17) dar und bezeugt damit am besten die künstlerische Ausdrucksweise des Malers an der Schwelle des 16. Jahrhunderts.

Lit.: ÖKT 37 (1969), S.110ff. – J. HÖFLER, Die gotische Malerei Villachs, Bd. 2 (1981), S. 39, Abb. 167–169, VIII.

J. H.

SPANHEIMERGRABMAL

unbekannter Künstler, Ende des 14. Jahrhunderts (?) bzw. 15. Jahrhundert (?)

Hellgrauer Marmor, in drei Teilen aus späterer Zeit überliefert; Stirnwand: H 97/B 105 cm, Reliefplatte: H 97/B 156 cm, Inschriftplatte: H 105/B 50 cm

nördliches Querhaus

Das Stift St. Paul wurde von der Gründerfamilie als Familienkloster, zugleich auch zum Begräbnisort, gewählt. Die Eltern des Klostergründers Engelbert von Spanheim haben in St. Paul – erst in Zweitbestattung – ihre letzte Ruhestätte gefunden. Neben den älteren Spanheimern ruhen hier mehrere Kärntner Herzöge aus diesem Geschlecht: So ist es sehr wahrscheinlich, daß Herzog Heinrich IV., Herzog Hermann, wohl auch Herzog Ulrich II. und sein Bruder Herzog Bernhard hier ihre letzte Ruhestätte gefunden haben. Allerdings hat sich von keinem der Kärntner Herzöge aus dem Hause der Spanheimer im Lande selbst, auch nicht im Familienkloster St. Paul, ein Grabdenkmal erhalten. Eine direkt auf die Stifterfamilie bezugnehmende Grablege existiert in der Stiftskirche heute nicht oder zumindest nicht mehr. Erhalten haben sich lediglich zwei Architekturteile eines ehemals tumbaartigen Grabmals und eine Inschriftplatte mit einer „Stifterinschrift". Dabei handelt es sich um drei Einzelfragmente, die zeitlich nicht übereinstimmen. Jede der drei überlieferten Relief- bzw. Inschriftplatten erfordert einen anderen Datierungsansatz. Die älteste Platte von dem ursprünglich als Tumba gestalteten Stiftergrabdenkmal ist die annähernd quadratische Stirnplatte und zeigt nebeneinandergestellt die Reliefwappen des Herzogtums Kärnten und der Spanheimer. Beide Wappendarstellungen sind in einer für das 14. Jahrhundert charakteristischen heraldischen Bildung gemeißelt. Die zweite Reliefplatte ist nicht zur Gänze erhalten. Sie ist im rechten Bildfeld gebrochen, wobei ein Teil der dargestellten Klosterkirche verlorengegangen ist. Der linksschreitende gerüstete Stifter Engelbert von Spanheim wie auch die links der Kirche stehende Stifterin Hedwig, seine Gemahlin, sind jeweils in von Blendmaßwerk überhöhte Nischen gestellt. Auch das Wappen links der Stifterin bekrönt eine spätgotisch anmutende Blendwerkarchitektur, die allerdings nur mehr teilweise erhalten ist; das rechte Drittel dieses Bildfeldes wurde durch Abmeißelung zerstört. Interessant ist in diesem Zusammenhang wiederum die Wappendarstellung. Es spricht vieles für eine Datierung dieser Reliefplatte in die Zeit des ausgehenden 15. Jahrhunderts. Besonderes Augenmerk verdient die heute erhaltene „Stifterinschrift", die sich durch auffallende Eigentümlichkeiten, hinsichtlich der Formel der Inschrift wie auch der Schriftform selbst, zeitlich eingrenzen läßt. Die Inschrift nimmt zwar auf die Stiftung Bezug, aber nicht als eine Originalinschrift aus der Zeit der Klostergründung, sondern vielmehr als eine Art Gedenkinschrift an dieses Ereignis aus

wesentlich späterer Zeit. Auf der kleinen, rechteckigen Platte, die in ihren Maßen den besprochenen Architekturteilen überhaupt nicht entspricht, ist durch zwei in einfacher Meißelung angedeutete Zierlinien das Schriftband markiert. Die Inschrift zeigt zumindest zwei Hände, und auch die Darstellung des Scheibenkreuzes im Bildfeld deutet auf eine spätere Nachbildung hin. Die Namensinschrift der Stifterin *haedweig* wurde innerhalb der Schriftleiste beigefügt, wobei sich die Minuskelbuchstaben auffallend von der umlaufenden Beschriftung unterscheiden und hier sogar eine dritte Hand vermuten lassen. Einer kopialen Überlieferung aus der Feder des Abtes Hieronymus Marchstaller aus dem Jahre 1619 entnehmen wir, daß diese Stifterinschrift ursprünglich offensichtlich in Majuskelbuchstaben gemeißelt war. Die überlieferte Inschrift lautet: + *Engelber/tus.fu(n)dator.Reeyhart.mater. mechilt / haedweig / uxor. h(ei)nr(icus) / dux kari(n)thie. (et) corpora filior(um)eor(um) / .xix..*
Abt Jöbstl von Jöbstlberg (1488–1498) hatte um 1493 die Wand über dem Stiftergrabmal durch ein Wandgemälde des Thomas Artula von Villach ausschmücken lassen, wobei in diesem Zusammenhang auch eine Graböffnung vorgenommen wurde. Möglicherweise wurde dabei die ursprüngliche Inschriftplatte zerstört und durch eine Nachbildung ersetzt. Eine weitere Veränderung geht dann auf Abt Hieronymus Marchstaller (1616–1638) zurück, als er für die 1619 neu errichtete Sakristei einen prächtigen Portaleinbau in Auftrag gab. Dabei wurde nicht nur das „Stifterfresko" des Thomas von Villach, sondern wohl auch die Grablege der Spanheimer in Mitleidenschaft gezogen, insbesondere da er ebenfalls eine Graböffnung vornehmen ließ. Damit ergeben sich mehrere zeitliche Ansätze für eine Umgestaltung des „Stiftergrabdenkmales" der Spanheimer: Die Stirnwand ist einem „Grabdenkmal" der zweiten Hälfte des 14. Jahrhunderts zuzuordnen, die Reliefplatte ist durch Spuren von Übermeißelung vor allem im Bereich der Wappendarstellung arg beeinträchtigt, zeigt aber ausgeprägte gotische Architektur und typisches Blendmaßwerk, die eine Datierung in das 15. Jahrhundert rechtfertigen. Die Inschriftplatte selbst zeigt sowohl im Schriftbild wie auch in der Nachbildung des Scheibenkreuzes Ansätze, die auf eine gezielte Neufertigung unter Abt Jöbstl denken lassen. Der auffallende Unterschied zwischen der von Abt Marchstaller kopial überlieferten Inschrift in *maiusculis literis* und der erhaltenen „Inschriftplatte" bestätigt die Annahme, daß die originale Platte zerstört und durch eine frühneuzeitliche Nachbildung ersetzt wurde.

Lit.: ÖKT 37 (1969), S. 155ff., Abb. 207–208.

F. L.

27.7 s. II, S. 147, Abb. 12

Ausschnitt Sockelzone

KENOTAPH DES ABTES ULRICH PFINZING (1515 – 1530)

Zuschreibungen an den Eichstätter Bildhauer Loy Hering und neuerdings auch an den Augsburger Bildhauer Hans Daucher; nach 1519/1520

rosagrauer Marmor mit dunkelroter Äderung, H 398/ B 140 cm

Südwand des Querhauses

Das prächtigste Grabdenkmal in der Stiftskirche ist der Kenotaph des Abtes Ulrich V. Pfinzing. Das heute erhaltene Grabdenkmal stand bis zu den Restaurierungsarbeiten im Jahre 1936 näher in der Ecke der Südwestwand des Querhauses, direkt neben dem heute vom Marienaltar verdeckten Grabstein des Abtes Jakob Pachler. R. MILESI hat dieses bedeutende renaissancezeitliche Kunstwerk mit Recht in die „vorderste Linie" der Grabplastik in Kärnten gestellt. In seiner heutigen Aufstellung wirkt das Denkmal mit seinem dreigeschossigen Aufbau recht überlängt und verlangt geradezu nach einer konzeptiven Nachkonstruktion der ursprünglich geplanten prunkvollen Grablege.

Der Mittelteil beeindruckt durch seine feine reliefhafte Bildung und Architekturgestaltung: in eine Portalhalle, gebildet seitlich aus typischen Renaissancepilastern mit darübergestelltem kassettiertem Bogen, ist die lebensgroße Standfigur des gut vierzigjährigen Abtes eingestellt. Das mit der reich verzierten Mitra bedeckte Haupt teilt die mit Rosetten geschmückte Decke des Bogengewölbes und ist unterlegt von einem vegetabilen Fruchtgewinde, letzteres gleichsam symbolhaft als lebensfreudig-dekorative Auflösung des sonst üblichen Totenkissens. Die Gewandung gibt die Musterung des aus Damaststoff geschnittenen Pluviale wieder, aber auch Infel, Pektorale, Pedum und Gebetbuch überzeugen als besonders dekorative Gestaltungselemente. Die Sockelzone erinnert an eine Predella und erfüllt im Zusammenhang mit der heraldischen zugleich auch eine genealogische Aussage: auf dem kurzen Pilaster links das Wappen der Pfinzing (geteilt, zwei Helme; rechts zwei Büffelhörner, links ein offener Pflug, dazwischen ein Löwe). Rechts ein geflügelter Puttokopf, dessen verbundene Augen und der mit einem Vorhängeschloß versperrte Mund wohl die mit drei darübergesetzten kapitalen Buchstaben *A D M* die bislang nicht enträtselte „Devise" des Abtes versinnbildlichen sollen. Im vertieften Feld dieser „Predella" wird ein Totenschädel seitlich von zwei Wappenschilden begleitet: links ein linksgerichteter Sparren (Haller, Großmutter mütterlicherseits), rechts gespalten, belegt mit einem farbgewechselten, rechtsblickenden Steinbock

Anna Selbdritt

Muttergottes mit Kind

(Ropff, Großmutter väterlicherseits). Zwei weitere, leicht schräggestellte Wappenschilde sind an den Pilastern des Bogenfeldes appliziert und reichen in die Kassettendecke hinein: links das Wappen des Vaters (geteilt), rechts das der Mutter, einer geborenen Gruntherr (ein oberhalb rechtsblickender, gewaffneter und gekrönter Löwe). Über dem diesen Mittelteil des Grabdenkmals bekrönenden Gesims ist in das Halbrund des Lünettenbogens mit Muscheldekor das Wappen des Benediktinerstiftes eingefügt. Den geschachten Schild ziert ein gekrönter Bügelhelm, darauf ein Pfauenstoß, flankiert von spätgotischen Flammenranken nachempfundenen Helmdecken. Die unterhalb des predellaartigen Sockels beigefügte achtzeilige Inschrifttafel wirkt trotz der seitlichen Dekorabschlüsse beim Anblick des Gesamtwerkes unpassend und scheint in der ursprünglichen Konzeption an anderer Stelle eingeplant gewesen zu sein.
Das Grabdenkmal des Ulrich Pfinzing ist in rosagrauem Marmor mit dunkelroter Äderung gearbeitet und besitzt eine glatt polierte Oberfläche. Aus dem gleichen Material bestehen aber auch die von Abt Hieronymus Marchstaller zur Fassung des 1619 errichteten Sakristeiportales verwendeten Werkstücke. Aus der Materialgleichheit, aus der Übereinstimmung der Ornamentik an den vergleichbaren Werkstücken und vor allem wiederum dem geflügelten Puttokopf auf dem rechten Pilaster des Reliefbildnisses in der Supraporte, hier mit später weggemeißeltem Vorhängeschloß, und den drei Buchstaben *A D M* erweisen sich diese von Marchstaller verwendeten Bauteile ganz sicher als Arbeiten des nicht fertiggestellten Prunkgrabmals Ulrich Pfinzings. Wir gewinnen daraus allerdings keine ganz klare Vorstellung über die tatsächlich geplante Grablege dieses Abtes. Dem Grabdenkmal werden auch zwei Steinstatuen zugeordnet, die heute im Triumphbogenbereich auf Konsolen aufgestellt sind, nämlich eine Plastik der Anna Selbdritt und eine Darstellung der Muttergottes mit Kind. Auch die Zuweisung an eine Werkstätte scheint der kunsthistorischen Kritik bislang nicht einwandfrei gelungen zu sein. Lange Zeit galt der Eichstätter Bildhauer Loy Hering unbestritten als Meister des Kunstwerkes, in jüngster Zeit wird dieser großartige Kenotaph auch dem Œuvre des Augsburger Bildhauers Hans Daucher zugeschrieben. Hinsichtlich der Fertigung des Werkes scheint ein Zeitansatz nach 1519/1520 am wahrscheinlichsten.

Lit.: R. MILESI, Loy Hering und das Grabmal des Abtes Ulrich Pfinzing, Car. I 149 (1959), S. 133ff. – ÖKT 37 (1969), S. 160ff., Abb. 211, 213f. – Dehio-Kärnten (2. Aufl. 1981), S. 588.

F. L.

27.8

SAKRISTEIPORTALFASSUNG

nach 1519/1520, 1619 von Johann Baptist Pelzer umgearbeitet

H 390/B 151 cm

Nordwand des Querhauses

Die Arbeiten am neuen Sakristeiportal stammen aus dem Jahre 1619 und sind archivalisch gut belegt. Der Auftrag zur Neugestaltung des Sakristeiportales ging an den aus St. Andrä i. Lav. stammenden Steinhauer Johann Baptist Pelzer. Die dabei verwendeten Werkstücke stammen ganz sicher vom Kenotaph des Abtes Ulrich Pfinzing, dessen ursprünglichen Standort wir nicht kennen. Dafür spricht nicht nur die Materialgleichheit, sondern insbesondere die dem Pfinzing-Kenotaph eigene, unverfälschte Renaissanceornamentik. Die zu dieser Zeit erfolgte Abtragung der Jakobskapelle könnte auch zur Verlagerung des Grabmals geführt haben, wobei für Abt Marchstaller wohl nicht nur rein bauliche Argumente eine Rolle für diese Maßnahmen gespielt haben könnten. Um auch hier die Spuren Pfinzings auszulöschen, ließ Marchstaller auf dem linken Pilaster über dem Eingang das renaissancezeitliche Bild- und Schriftfeld ausmeißeln und neu gestalten: unter der nun hinzugefügten Inschrift *HIERO/NYMVS / ABBAS / F(ECIT) / AN(NO) 1619* wurde auch das persönliche Wappen des Abtes angebracht. Unter dieser Darstellung kann man aber unschwer auf eine frühere Wappenmeißelung schließen und die darübergesetzte Inschrift *ARMA]* noch erkennen. Auch die Reliefdarstellung des geflügelten Puttokopfes auf dem rechten Pilaster in der Supraporta zeigt eine neuzeitliche Veränderung durch das Wegmeißeln des „Vorhangschlosses", das in Verbindung zur darübergesetzten Devise (?) Ulrich Pfinzings *ADM* zu deuten ist.

Lit.: ÖKT 37 (1969), S. 122ff., Abb. 160–162.

F. L.

27.9 s. II, S. 522, Abb. 140

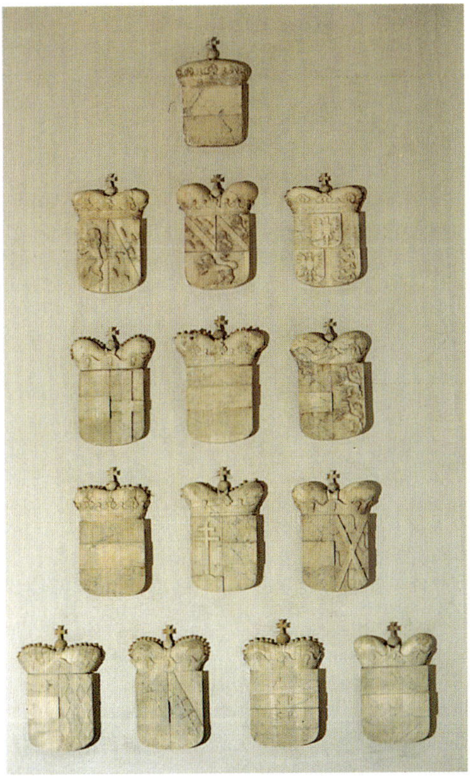

Wappenschilde der Habsburger

GRABLEGE DER FRÜHEN HABSBURGER

Pietro Rudolfi, 1818

Marmor

An der Ostwand der Südapsis wurde 1818 vom Udineser Baumeister Pietro Rudolfi eine Grablege für die 1809 aus dem Schwarzwald nach St. Paul überführten „frühen Habsburger" in Form eines Tumbagrabmals errichtet. Insgesamt vierzehn Angehörige der Habsburger der ersten bis vierten Generation haben im Kronland Kärnten ihre letzte Ruhestätte gefunden. Mit den St. Blasier Mönchen kamen 1809 nicht nur die reichen Kunstschätze dieser Abtei nach Kärnten, sondern auch die unter Fürstabt Martin II. Gerbert (1764–1793) im Jahre 1771 nach St. Blasien überführten, teils aus dem Dom zu Basel, teils aus der Klosterkirche Königsfelden, der Erbbegräbnisstätte der ersten Habsburger, stammenden Särge. In der Stiftskirche zu St. Paul wurde als Begräbnisstätte vorerst die Gruft unter dem Hochaltar ausgewählt. Nach Fertigstellung eines Tumbagrabmals aus Marmor an der Ostwand der südlichen Seitenapsis im Jahre 1818 erfolgte die Verlagerung der einfachen Holzsärge in dieses Gedächtnisdenkmal. Ein Jahrhundert später, im Oktober 1917, wurde unter Abt Odilo Frankl die Grablege der Habsburger neuerlich geöffnet und die großteils schon morschen Holzsärge durch neue Eichensärge ersetzt. Am 15. Juni 1918, 700 Jahre nach der Geburt König Rudolfs I. von Habsburg, erfolgte die feierliche Neubeisetzung der vierzehn frühen Habsburger in der Stiftskirche. Die in St. Paul beigesetzten Habsburger sind Gertrud Anna Gräfin von Hohenberg, die erste Gemahlin Rudolfs von Habsburg (geboren um 1225, gestorben am 16. 2. 1281 in Wien), Hartmann, zweitältester Sohn Rudolfs (geboren um 1263 in Rheinfelden, 1281 im Rhein ertrunken), Karl, der jüngste Sohn Rudolfs (geboren am 14. 2. 1276 in Rheinfelden, hier am 12. 8. 1276 gestorben), Elisabeth von Görz-Tirol, Gemahlin Albrechts I. (geboren um 1263, gestorben am 28. 10. 1313 in Wien und erst 1316 in dem von ihr gestifteten Kloster Königsfelden beigesetzt), Leopold I. (geboren Anfang Mai 1290, gestorben am 28. 2. 1326 in Straßburg), Katharina von Savoyen, Gemahlin Leopolds I. (geboren um 1298 in Brabrent, gestorben am 30. 9. 1336 in Rheinfelden und in Königsfelden beigesetzt), Katharina, Tochter Leopolds I. und der Katharina von Savoyen, Gemahlin des Enguerrand de Coucy und in zweiter Ehe des Grafen Konrad von Hardegg (gestorben 1349), Heinrich, Sohn Albrechts I. (geboren um 1299 in Wien, gestorben am 3. 2. 1327 in Bruck an der Mur), Elisabeth von Virnenburg, Gemahlin Heinrichs (geboren um 1298, gestorben am 14. 9. 1343 in Königsfelden), Agnes, Tochter Albrechts I.,

Gemahlin von König Andreas III. von Ungarn (geboren am 18. 5. 1281 in Wien, gestorben am 10. 6. 1364 in Königsfelden), Elisabeth, Tochter Albrechts I., Gemahlin des Herzogs Friedrich III. von Lothringen (geboren um 1285 in Wien, gestorben am 19. 5. 1352 in Nancy), Gutta (Jutta), Tochter Albrechts I., Gemahlin des Grafen Ludwig VIII. von Oettingen (geboren um 1300 in Wien, gestorben im März 1329 in Wien), Friedrich II., Sohn Herzog Friedrichs I. (geboren um 1316 in Wien, gestorben um 1322 in Rheinfelden), Herzog Leopold III., Sohn Albrechts II. und Begründer der Leopoldinischen Linie (geboren am 1. 11. 1351 in Wien, gefallen am 9. 7. 1386 in der Schlacht bei Sempach).

Im Jahre 1936 kamen im Zuge der Gesamtrestaurierung der Stiftskirche – die tumbaartige Gedenkstätte wurde am 4. September 1935 abgetragen – schließlich die einfachen hölzernen Sarkophage wiederum in die Gruft unter dem Hochaltar. Von der 1818 errichteten Tum ba haben sich im südlichen Querhaus an der Ostwand die vierzehn Wappenschilde der Habsburger, überhöht durch Fürstenkronen, erhalten, darunter die Stirnwand des tumbaartigen Gedenkgrabmals aus Adneter Marmor mit der Inschrift: *PIIS MANIBUS / LOTHARING HABSBURG / AUSTRIACORUM / PRINCIPUM.*

Lit.: R. STRELLI, St. Paul, der ersten Habsburger letzte Ruhestätte (1918), S. 3ff. – ÖKT 37 (1969), S. 167, Abb. 212. – Kat. Nr. 18.14.

F. L

27.10

TAUFSTEIN

Martin Pacobello, 1619. Aufsatzgehäuse, vermutlich vom Veldener Tischlermeister Konrad Scherer, um 1620

weißer Kärntner Marmor, H 115 cm. Aufsatzgehäuse: Nußholz, H 156 cm

Westende des südlichen Seitenschiffes

Abt Hieronymus Marchstaller beauftragte im Jahre 1619 den in Klagenfurt tätigen Bildhauer Martin Pacobello mit der Fertigung eines neuen Taufsteines für die Stiftskirche, der heute im Westende des südlichen Seitenschiffes steht. Das aus weißem Marmor gearbeitete achteckige Taufbecken trägt auf dem vorderen Beckenrand die Jahreszahl 1619, darunter das durch einen geflügelten Puttokopf verbundene Doppelwappen des Stiftes (geschacht) und des Auftraggebers, Abt Marchstaller (von einem Balken geteilt, belegt mit einem zepterartigen Stab, der einen aufgesetzten breitrandigen Hut durchbohrt und am Griff bzw. an der Stabmitte von einer Hand mit Armstumpf gehalten wird). Auf dem Schalenrand finden sich neben weiteren Reliefdarstellungen auch zwei gekürzte Nomina sacra: IHS für *JESUS* und M(A)R(I)A. Der künstlerisch sehr beachtenswerte Aufsatz aus Nußholz ist ebenfalls in die Zeit um 1620 zu datieren und wird dem mehrfach in den Gedingbüchern erwähnten *Tischler aus Velden*, der möglicherweise mit dem in den Aufzeichnungen der Jahre von 1617 und 1627 genannten Konrad Scherer identisch ist, zugeschrieben.

Lit.: ÖKT 37 (1969), S. 146ff., Abb. 185.

F. L

27.11

HOCHALTAR

unbekannter Künstler, bez.: 1705, Voluten mit Engeln und Antependium um 1725–1730

Holz, vergoldet

Der spätbarocke Tabernakel wurde unter Abt Albert Reichart (1677–1727) in Auftrag gegeben. Welchen Künstler er dafür herangezogen hat, konnte von der Forschung noch nicht geklärt werden.
Vorher schmückte ein spätgotischer Flügelaltar, den Abt Sigmund Jöbstl (1488–1489) aufstellen ließ, der jedoch 1628 dem Hochaltar von Michael Hönel weichen mußte, den Chorraum. Der Hochaltar von Michael Hönel wurde 1705 abgetragen – einzelne Statuen wurden in die Kirche auf dem Josefsberg gebracht – und der spätbarocke Hochaltar aufgestellt. Auch dieser mußte 1880 einem neuromanischen weichen, wurde aber nicht zerstört, sondern in die Erhardikirche gebracht, von wo er, im Zuge der Renovierung 1935/36 wieder an seinen angestammten Platz kam.
Der Altar läßt sich auf das Jahr 1705 datieren, während das Antependium mit den verschlungenen Namenszügen von Jesus, Maria und Josef und die beiden seitlichen Volutenschwünge mit größeren Engeln spätere Arbeiten um 1725–1730 sind. Der reich geschmückte Altaraufsatz mit dem Tabernakel in der Mitte, seitlichen Voluten, auf denen kleine Engel sitzen, und dem Baldachin, wird mit dem Auge Gottes bekrönt.

Lit.: ÖKT 37 (1969), S. 126–133, Abb. 165. – K. GINHART, Michael Hönel und seine Beziehungen zum Stift St. Paul, Car. I 149 (1959), S. 464ff.

B. Wi.

27.12

s. II, S. 579–581, Abb. 160–162

KANZEL

Kärnten, 3. Viertel des 18. Jahrhunderts

Holz, farbige Fassung

Mittelschiff, am nordwestlichen Pfeiler

Die St. Pauler Kanzel zählt zu den bedeutendsten Beispielen barocker Plastik in Kärnten. Sie weist formale und stilistische Ähnlichkeiten mit der Kanzel in der Stadtpfarrkirche von Völkermarkt auf, die dem dort ansässigen Bildhauer Michael Zill zugeschrieben wird. Eventuell war er auch an der Ausführung der St. Pauler Kanzel mitbeteiligt.
Am reich profilierten Gesims des Kanzelkorbes sind die Sitzfiguren der vier alttestamentlichen Propheten Moses (mit der Gesetzestafel), König David (mit dem geöffneten Buch, in dem *Miserere* geschrieben steht), Jesaja (mit der Sonnenuhr) und Jonas (mit dem Walfisch) postiert. Die dahinterliegenden Brüstungsfelder beinhalten Schnitzreliefs mit Darstellungen aus dem Leben des Apostels Paulus: Paulus als Redner auf dem Areopag in Athen, der gefesselte Paulus spricht in Jerusalem zu König Agrippa und dessen Anhängern, das Erlebnis des Paulus mit der Schlange und die Krankenheilung während seiner Überwinterung auf Malta. Das Relief der Stiegenbrüstung verbildlicht in reichbewegter und vielfiguriger Konzeption den Sturz des Apostels Saulus, an der Rückwand ist seine Enthauptung zu sehen. Die Figur des erblindeten Saulus lehnt von Engeln umgeben am Schalldeckel der Kanzel. Den obersten Abschluß bildet das dreieckige Trinitätssymbol, das in hebräischer Schrift den Namen Gottes beinhaltet.

s. II, S. 579ff.

Lit.: ÖKT 37 (1969), S. 144ff., Abb. 183, 184.

B. S.

27.13 s. II, S. 572, Abb. 151; S. 574, Abb. 154

DIE BEIDEN QUERHAUSALTÄRE

Vgl. dazu II, S. 571ff.

27.14-27.17

DIE VIER SEITENALTÄRE

Kärnten, 3. Viertel des 18. Jahrhunderts

Stiftskirche, Seitenschiffe

Die vier Seitenaltäre, der Benediktus- und Josefsaltar im Norden sowie der Scholastika- und Christusaltar im Süden, zeigen reiche architektonische Gliederung durch verkröpfte und profilierte Gesimse und die für die Entstehungszeit charakteristische Ornamentik mit Rocaillemotiven. Die qualitätvolle Ausführung zeugt vom hohem handwerklich-technischen Niveau des unbekannten Meisters.

B. S.

27.14 s. II, S. 578, Abb. 159

BENEDIKTUSALTAR

Das Altargemälde mit dem hl. Benedikt wird von den Statuen zweier jugendlicher Benediktinerheiligen (rechts ev. Placidus) flankiert. An den reich gekurvten Seitenleisten befinden sich die geschnitzten Embleme männlicher Würdenträger, rechts die weltlichen Attribute (Krone und Zepter der Kaiser und Könige, Spangenhelm der Fürsten und Grafen) und links die geistlichen (Tiara und Doppelkreuz der Päpste, Hut und Kreuz der Kardinäle, Mitra und Krummstab der Bischöfe). Den oberen Altarabschluß dominiert das Benediktuskreuz mit dem Benediktussegen.

B. S.

27.15

JOSEFSALTAR

Seitlich des Altargemäldes mit der Darstellung des hl. Josef stehen die Figuren der hl. Katharina und der hl. Barbara.

B. S.

27.16

SCHOLASTIKAALTAR

Neben dem Altargemälde mit der hl. Scholastika befinden sich die Statuen der hl. Gertrud und der hl. Walburga. Als Pendant zum Benediktusaltar sind an den Altarseiten die Embleme weiblicher Würdenträger (Krone und Zepter der Kaiserinnen und Königinnen, Krone und Stab der Herzoginnen) befestigt.

B. S.

27.17

CHRISTUSALTAR

Das Altargemälde präsentiert Christus als Guten Hirten, die beiden Altarfiguren stellen die Hll. Isidor und Notburga dar.

Lit.: ÖKT 37 (1969) S 135ff., Abb. 170f., 175–178.

B. S.

27.18

DIE SEITENALTARGEMÄLDE

Die vier Altargemälde sind Werke des Wiener Spätnazareners Joseph von Hempel (Wien 1800–Tokod in Ungarn 1871).Der Maler ist im Jahre 1848 aus Wien nach Klagenfurt gezogen, wo er bis 1851 lebte. Innerhalb dieser Jahre hat er die vier Altarbilder für St. Paul angefertigt und dem Stift geschenkt. Die Hll. Benedikt und Scholastika waren beliebte Motive des Künstlers. In der Sammlung des Landesmuseums Joanneum in Graz befindet sich eine Skizze jenes Ölbildes, das den hl. Benedikt mit den Hll. Placidus und Maurus in St. Paul zeigt. Für das Altargemälde des hl. Josef hat Hempel seinen Bruder Hans als Modell benützt, das Gesicht des kleinen Jesus stellt seine Tochter Therese (geb. 1844) dar. „Jesus als Guter Hirte" gehört ebenfalls zu den häufig von ihm gemalten Themen, wie z. B. sein letztes Werk dieses Titels im Schloß Thörl (Privatbesitz Hempel). Für St. Paul hat Hempel noch drei weitere, heute verschollene Bilder mit den Darstellungen der Hll. Maria Magdalena, Johannes des Täufers und ein „Herz-Jesu"-Bild gestiftet.

Lit.: Kat. Die Nazarener in Österreich 1809–1939, Zeichnungen und Druckgrafik, Neue Galerie am Landesmuseum Joanneum Graz (1979).

K. H.

27.19

MOBILIAR

An den Seitenwänden des Langhauses stehen vier spätbarocke (2. Viertel des 18. Jahrhunderts) Beichtstühle aus Nußholz, die in aufwendiger Einlegearbeit ornamentiert sind.
Der westliche Bereich des Kirchenhauptschiffes ist mit spätbarocken Betbänken eingerichtet, die unter Abt Albert Reichart um 1720 in Auftrag gegeben wurden und mit für diese Zeit typischen Laub-Bandwerkmotiven verziert sind.
Die restlichen Betbänke wurden 1935/36 vom Stiftstischler Albin Unterholzer in barockisierender Manier angefertigt.

Lit.: ÖKT 37 (1969), S. 147.

B. S.

27.20–27.21

DIE BEIDEN SEITENKAPELLEN

27.20

KAPELLE DER SCHMERZHAFTEN MUTTERGOTTES

1621

nördlich in der Querachse des *chorus minor*

Auf Initiative von Abt Hieronymus Marchstaller wurde 1619 im zweijochigen, kreuzgratgewölbten Kapellenraum die Rosenkranz-Bruderschaft eingeführt. Diese Funktion erforderte bei der malerischen Ausstattung die Darstellung der 15 Geheimnisse des Rosenkranzes und des hl. Dominikus. 1622 wurde der Klagenfurter Künstler Lorenz Glaber mit der Ausführung der Malereien beauftragt. Die spätbarocken Stuckdekorationen in Form von Engelsköpfen, Muscheln, Akanthus, Knorpelwerk und Voluten werden Gabriel und Johann Peter Wittini zugeschrieben.
Die vier zeitgenössischen Fresken mit Szenen aus dem Leben des hl. Benedikt wurden von Prof. Arthur Hanzer ausgeführt.

s. II, S. 175ff.

Lit.: ÖKT 37 (1969), S. 97, S. 122, Abb. 163

B. S.

27.21

AUFERSTEHUNGSKAPELLE

Den zweijochigen kreuzgratgewölbten Raum bestimmte Abt Albert Reichart (1677–1727) als Grabkapelle. Seine Gebeine sind in einer Gruft dieser Kapelle beigesetzt, worauf seine Initialen

A (bbas) A (lbertus) S(ancti) P (auli) im Bogenfeld des original erhaltenen schmiedeeisernen Eingangsgitters verweisen.
Die lebensgroße, holzgeschnitzte Gruppe des auferstandenen Christus ist eine Arbeit des Tiroler Bildhauers Michael Stölz (1820–1890).

Lit.: ÖKT 37 (1969), S. 125.

B. S.

28

Das Sommerrefektorium

Abt Benedikt Hasler (1743–1748) ließ das Sommerrefektorium, den Speisesaal des Klosters am Nordende des Westflügels, um 1744 einrichten umd mit spätbarocken Stukkaturen schmücken. Sie stammen vermutlich von Marx Josef Pittner, einem in Kärnten führenden Stukkateur des 18. Jahrhunderts. Sein Vater Kilian Pittner hatte bereits das Winterrefektorium zwischen 1720 und 1725 mit klassischen Laub-Bandwerk ausgestattet. Die Blumengewinde, Blätter, Muscheln und Rosengitter im Sommerrefektorium, sie wurden im 19. Jahrhundert weiß übertüncht, erstrahlen heute in zartem Gelb, Rosa und Blau. Wirkungsvoll fügen sich die 1932 von Switbert Lobisser geschaffenen Fresken in diesen spätbarocken Formenreichtum. „Die Traube als Himmelsgabe" und „Der Wein als Tröster" sind am Gewölbe dargestellt, die Stirnwände zeigen den „Einzug der ersten Benediktiner in St. Paul 1091" und die „Türkenbelagerung des Stiftes 1476".
An das Sommerrefektorium schließt ein sechseckiges, ebenfalls mit Stukkaturen geschmücktes Turmkabinett an.
Seit 1984 wird die Sammlung chinesischer Kunstschätze im Sommerrefektorium präsentiert.

DIE SAMMLUNG CHINESISCHER KUNSTSCHÄTZE IM STIFT ST. PAUL

Eine museale und eine didaktische Dokumentation chinesischer Kunst

Gegen Ende des Jahres 1980 trafen am Institut für Chinesische Kultur (Sun Yat-sen Institut) in Wien acht „Kulturkisten" aus Taipei auf Taiwan ein. Das historische Museum in Taipei hatte eine repräsentative Auswahl von Gegenständen chinesischer Kunst und chinesischen Kunsthandwerks als Lehrsammlung zusammengestellt. Bronzegefäße, Terrakottafiguren, Plastiken aus Holz und Ton, Porzellanmalereien, Bildrollen und Kalligraphien verkörpern in urbildgetreuen Nachbildungen chinesisches Kunstschaffen über einen Zeitraum von nahezu viertausend Jahren. Bis auf einen photokopierten Bestand an Bildrollen waren alle Gegenstände aus dem gleichen Material wie ihre Urbilder und nach traditionellen Formen künstlerischen Schaffens hergestellt. Das historische Museum in Taipei schickte diese Sammlung von kopierten musealen Antiken an das Institut für Chinesische Kultur in Wien, um durch ihre Schaustellung das Wissen um chinesisches Kunstschaffen auf einer Wanderung durch Österreich zu verbreiten. Man wußte vorerst nicht recht, wie man dieser Zielsetzung nachkommen sollte. Univ.-Prof.Dr. et DDr. h. c. Günther Winkler, Präsident des Instituts für Chinesische Kultur, bat Abt Bruno Rader um Rat und Hilfe. Abt Bruno bot die zwei Räume des Sommerrefektoriums für eine Dauerausstellung an. Nach einigen Verhandlungen, geführt von Botschafter Lo Loon, schenkte die chinesische Regierung auf Taiwan daraufhin die ganze Lehrsammlung dem Kloster. Zur Anreicherung der Lehrsammlung aus Taipei stellte Prof. Winkler aus seinem Privatbesitz einige originale Kunstgegenstände zur Verfügung. Diese Gegenstände wurden in Vitrinen in den drei Fensternischen des großen Saales des Sommerrefektoriums untergebracht. Die Kopien von Bronzegefäßen, von Ton- und Holzfiguren sowie von weiß-blauem und buntem Porzellan fanden zunächst ihren Standort im Oktogon des Sommerrefektoriums. Die Sammlung wurde in der Folgezeit weiterhin mit originalen Antiken und wertvollen Duplikaten aus dem Privatbesitz von Prof. Winkler angereichert und mit Hilfe von Christoph Widrich und Wilhelm Waldmann weiter ausgebaut. Die Diskrepanz zwischen den originalen Kunstgegenständen und den Kopien der Lehrsammlung trat alsbald aber sichtbar in Erscheinung. Der große Saal des Sommerrefektoriums war in kurzer Zeit mit Gegenständen überfüllt. Dieser Umstand und die gebotene Rücksichtnahme auf die Architektur von Sommerrefektorium und Oktogon führten zur Teilung der China-Ausstellung in eine Antiken-Sammlung und in eine Lehrsammlung. Prof. Winkler plante daher, gemeinsam mit Stiftstischler Wilhelm Waldmann, eine raumgerechte Möblierung des großen Saales des Sommerrefektoriums und des Oktogons mit neuen Ausstellungsvitrinen und stattete den ganzen Refektoriumsbereich mit ausgesuchten Gegenständen aus seinem Privatbesitz aus. Die ursprüngliche Lehrsammlung mußte nun an einen anderen Ort verbracht werden. Für die Neuaufstellung der Lehrsammlung stellte Abt Bruno den großen Raum neben dem Hugo Wolf-Saal (Pfarrsaal) zur Verfügung.

Hofdame, Jade, Ming-Dynastie

In Rücksichtnahme auf die Gewölbe, auf die Stukkatur und auf die pastellfarbenen Fresken des großen Saales des Sommerrefektoriums und des Oktogons wurden für die Sammlung von Prof. Winkler neue Ausstellungsschränke den Wänden angepaßt. Möblierung, Raumarchitektur und Aufstellung der Ausstellungsgegenstände erwuchsen nach und nach zu einer Harmonie und gegenseitigen Ergänzung. Aus dem anfänglichen Provisorium wurde nach jahrelangem Suchen nach ausstellungsgerechten Gegenständen in Antiquariaten in Wien und bei Kunsthandwerkern in Taiwan eine wohlsortierte Kunstsammlung.

Als Vorbild für die Auswahl der Gegenstände im Sommerrefektorium diente die berühmte Kunstsammlung des Palast-Museums in Taipei. Die nach und nach fertiggestellten Ausstellungsschränke wurden mit ausgesuchtem Porzellan bestückt. In Etappen entstand auf diese Weise die Sammlung des weiß-blauen handgefertigten Porzellans im großen Saal des Sommerrefektoriums und des blaßgrünen, grauen, bunten und vielfarbigen handgefertigten Por-

zellans im Oktogon. Die Vitrinen in den drei Fensternischen im großen Saal des Sommerrefektoriums wurden nach Maßgabe des Zuerwerbs mit kleinen kunsthandwerklichen Kostbarkeiten angereichert. Dabei wurde auf die repräsentative Vielfalt ebenso geachtet wie auf die Setzung von Schwerpunkten des Seltenen und Besonderen an Originalen und Kopien aus Porzellan und an antiken Kunstgegenständen aus Elfenbein und wertvollem Stein, wie etwa Jade und Bergkristall. Einige große Bodenvasen, große Wandteller, zahlreiche hohe Vasen und ein paar Bilder vermehren die Gegenstände handwerklicher Kunst. Jadegegenstände machen das eigentlich Chinesische an Ursprünglichkeit, Formschönheit, Alter und Zeitlosigkeit noch stärker spürbar.
Die Aufstellung des weiß-blauen Porzellans erfolgte nach ästhetischen Gesichtspunkten und bietet dennoch einige historische Schwerpunkte aus der Zeit der Ming-Dynastie und der Ching-Dynastie. Dabei scheint bemerkenswert, daß Originale und Kopien von musealen Originalen in einem edlen kunsthandwerklichen Wettstreit nebeneinanderstehen und dennoch eine Einheit bilden. Chinesisches Kunstschaffen ist seit Jahrhunderten vielfach originell und nachgeahmt zugleich. Es folgt bis heute uralten Gesetzen von Form- und Farbgebung und manch ein nachgeahmtes Stück Porzellan aus unseren Tagen verrät eine stärkere künstlerische Hand als dieses oder jenes Original aus alter Zeit.
Die Lehrausstellung im großen Raum neben dem Hugo Wolf-Saal wurde auch mit originalen Kunstgegenständen aus dem Nachlaß des geistlichen Herrn Prof. Werner Krüger, der auf Taiwan gesammelt und seinen kleinen Schatz dem Kärntner Landesmuseum vermacht hat, angereichert. Vor allem Terrakotta-Figuren und Elfenbeinschnitzereien bilden den Schwerpunkt dieser durch das Landesmuseum vermittelten Leihgabe auf Dauer. Zu dieser Lehrsammlung, auch als Schulausstellung gedacht, hat neben Prof. Winkler auch das Palast-Museum in Taipei einen Beitrag geleistet. Die Aufstellung dieser Gegenstände macht die kulturgeschichtliche Dimension Chinas sichtbar.

OBJEKTE DER AUSSTELLUNG IM SOMMERREFEKTORIUM:

Porzellan

blau-weiß, Originale und Kopien musealer Vorbilder aus der Zeit von 1300–1900 n. Chr., Yuarn-Dynastie, Ming-Dynastie, Ching-Dynastie (handgemacht).
Blau-weiß-rötliche (Metallschmelztechnik) Kopien von Museumsstücken aus der Zeit von 1400–1900 n. Chr. (handgemacht); ein kostbares Original aus dem 19. Jahrhundert.

Doppelkürbisflasche, Porzellan, Ming-Dynastie

Zwei Schalen in weiß, nach Vorbildern aus der Zeit der Sung-Dynastie (900–1200 n. Chr.) kopiert von Nachbildungen aus der Zeit der Ming-Dynastie um 1500 n. Chr. (hauchdünn und schneeweiß, Unterglasurgravierungen, handgemacht).

Jadearbeiten

Hofdame aus der späteren Ming-Zeit in grauer Jade, Torso; antike Gegenstände in bräunlicher Hunan-Jade aus der Zeit der Han-Dynastie um 200 v. Chr.; Jadeschnitzereien aus der Zeit von 1500 bis 1970, braune Hunan-Jade, weiße Jade, braungrüne Jade, grüne Jade.

Elfenbein- und Steinschneidearbeiten

Der glückliche Alte (späte Ming-Zeit um 1600), ein höfischer Fächer (um 1800), eine Schatulle (um 1800), Löwen (1970) und andere Gegenstände aus edlen Steinen (20. Jahrhundert).

Holz– und Nußschnitzereien

aus dem 19. und 20. Jahrhundert in Originalen.

Schmuck

Email auf Silber vergoldet in Originalen, Filigranarbeiten aus dem 19. Jahrhundert.

Kleine Damenschuhe

Bestickte Seide und Filzsohlen, aus dem 19. Jahrhundert.

Glücklicher alter Mann, Elfenbein, Ming-Dynastie

Vase, Porzellan, Ch'ing-Dynastie

Porzellan

Celadon (Grünglasur und Sprungtechnikglasur); Kopien klassischer Formen nach Vorbildern aus der Zeit der Sung-Dynastie; Originale aus der Zeit der Ching-Dynastie.
Einfärbiges Porzellan (ochsenblutrot, blau, gelb, grün), Originale und Kopien nach klassischen Formen aus der Zeit von 600–1900.
Buntes, mehrfarbiges Porzellan, Originale und Kopien nach musealen Vorbildern aus der Zeit von 1500–1900.

OBJEKTE DER SCHULAUSSTELLUNG IM GROSSEN RAUM NEBEN DEM HUGO-WOLF-SAAL:

Bronzen

Kopien von Originalen aus der Zeit von 1400–200 v. Chr.

Terrakottafiguren

Kopien von Originalen aus der Zeit von 220 v. Chr. bis 226 n. Chr.; Originale aus dem 17. Jahrhundert.

Tonskulpturen

Kopien von Originalen aus der Zeit von 600–900 n. Chr.; chinesischer Bauernhof aus glasiertem Ton, 20. Jahrhundert.

Holzschnitzereien

in traditioneller Manier, aus dem 19. und 20. Jahrhundert.

Elfenbeinschnitzereien

aus dem 18. bis 20. Jahrhundert in alter Tradition.

Jadearbeiten

aus dem 20. Jahrhundert

Stein- und Glasfiguren

aus dem 20. Jahrhundert.

Emailarbeiten

Kopien von Vasen aus dem 18. Jahrhundert und zeitgenössische Originale in verfeinerter Manier (20. Jahrhundert).

Bildrollen

Kopien von klassischen Malereien aus der Zeit von 800–1800; einige Originale in traditioneller Manier aus dem 20. Jahrhundert.

Kalligraphien

Drucke und Originale mit klassischen Texten, alle Arten von chinesischen Schreibweisen darstellend: Siegelschrift, höfische Kanzleischrift, Konzeptschrift, Normalschrift und Kursivschrift, nach Vorbildern von 250 v. Chr.–1900 n. Chr.

Dekorteller, Ch'ing-Dynastie

Porzellangefäße

Kopien antiker Vorbilder aus der Zeit von 900–1800 n. Chr.

CHRONOLOGIE DER DYNASTIEN:

HSIA–DYNASTIE (legendär, 2205–1766 v. Chr.)

SHANG–DYNASTIE (ca. 1600–ca.1110 v. Chr.)

CHOU–DYNASTIE (ca. 1110–256 v. Chr.)

Westliche Chou–Dynastie (ca. 1100–770 v. Chr.)

Frühlings- und Herbstperiode (770–475 v. Chr.)

Periode der Streitenden Reiche (475–221 v. Chr.)

CH'IN–DYNASTIE (221-207 v. Chr.)

HAN–DYNASTIE (206 v. Chr.–220 n. Chr.)

Westliche Han–Dynastie (206 v. Chr.–8 n. Chr.)

Interregnum des Wang Mang (9–23)

Östliche Han–Dynastie (25–220)

SECHS DYNASTIEN (220–589)

Drei Reiche (220–280)

Westliche Chin–Dynastie (265–316)

Östliche Chin–Dynastie (317–420)

Südliche Dynastien (420–589)

Nördliche Dynastien (368–581)

Sui–Dynastie (581–618)

TANG–DYNASTIE (618–907)

FÜNF–DYNASTIEN (907–960)

LIAO–DYNASTIE (im Norden Chinas, 916–1125)

SUNG–DYNASTIE (960–1278)

Nördliche Sung–Dynastie (960–1126)

Südliche Sung–Dynastie (1127–1279)

Chin–Dynastie (im Norden, 1115–1234)

YÜAN–DYNASTIE (1271–1368)

MING–DYNASTIE (1368–1644)

CH'ING–DYNASTIE (1644–1912)

REPUBLIK 1912

Lit.: Kat. 4000 Jahre ostasiatische Kunst (1978), S. 596–600.

H. P.

Abkürzungsverzeichnis

Abb.	Abbildung(en)
ADB	Allgemeine deutsche Biographie
AES	Archäologisch-epigraphische Studien
ANRW	Aufstieg und Niedergang der römischen Welt
Anz.ÖAkad. Wiss., phil.-histor. Kl.	Anzeiger der Österreichischen Akademie der Wissenschaften, philosophisch-historische Klasse
Apg.	Apostelgeschichte
AT	Altes Testament
Aufl.	Auflage
AVGT	Archiv für vaterländische Geschichte und Topographie
B	Breite
Bbl.	Bibliographie
Bd./Bde.	Band/Bände
bez.	bezeichnet
BH	Bezirkshauptmannschaft
Bl./Bll.	Blatt/Blätter
Br.	Breisgau
Car. I	Carinthia I (bis Band 80 Car. = Carinthia)
CIL	Corpus Inscriptionum Latinarum
Cod.	Kodex
CSIR II	Corpus Signorum Imperii Romani, Österreich, Bd. II
CSEL	Corpus Scriptorum Ecclesiasticorum Latinarum Academiae Vindobonensis
d.Ä.	der Ältere
dat.	datiert
Ders./Dies.	Derselbe/Dieselbe
Diss.	Dissertation
div.	diverse
d.J.	der Jüngere
Dm	Durchmesser
dzt.	derzeit
ebd.	ebenda
Ed./ed.	Editor/ediert
ehem.	ehemals
Erg.-Bd.	Ergänzungsband
ev.	eventuell
Ex	Das Buch Exodus
f., ff.	folgende
Fasz.	Faszikel
FDA	Freiburger Diözesan-Archiv
FG	Festgabe

Fig.	Figur, Figuren
fl	Gulden
fol	Folio
FS	Festschrift
FS R. Egger	Römische Antike und frühes Christentum. Ausgewählte Schriften von Rudolf Egger, Bd. I (Klagenfurt 1962), Bd. II (Klagenfurt 1963)
GB	Germania Benedictina
geb.	geboren
gen.	genannt
Gen	Das Buch Genesis
gest.	gestorben
GLA	Badisches Generallandesarchiv, Karlsruhe
GP	Germania Pontificia
H	Höhe
H.	Heft
HHSTA	Haus-, Hof- und Staatsarchiv Wien
Hl./hl./	der/die Heilige/heilige, heilig
Hll./hll.	die Heiligen/heiligen
Hrsg./hrsg.	Herausgeber/herausgegeben
HS/HSS	Handschrift/Handschriften
L./Lav.	Lavanttal
Ink.	Inkunabel
Inv.Nr.	Inventarnummer
Jb.	Jahrbuch
JbSP	Jahresberichte des Stiftsgymnasiums St. Paul
Jg.	Jahrgang
Jh	Johannesevangelium
JL	Jaffé-Löwenfeld
Kap.	Kapitel
Kat.	Katalog
Kat.Nr./ Kat.Nrn.	Katalognummer/ Katalognummern
Kat. St. Blasien 1983	Das tausendjährige St. Blasien. 200jähriges Domjubiläum, Historische Ausstellung Kloster St. Blasien 1983, 2 Bände, 2., ergänzte Auflage, Karlsruhe 1984.
Kg/Reg	Das Buch der Könige
KHM	Kunsthistorisches Museum Wien
Klgl	Klagelieder
kr.	Kreuzer
L	Länge

lat.	lateinisch
Lit.	Literatur
MAG	Mitteilungen der Anthropologischen Gesellschaft in Wien
maschriftl.	maschinschriftlich
max.	maximal
MC	Monumenta historica ducatus Carinthiae
Med	Medaille
MG	Monumenta Germaniae Historica
MIÖG	Mitteilungen des Instituts für österreichische Geschichtsforschung
MÖSTA	Mitteilungen des österreichischen Staatsarchivs
Mt	Matthäusevangelium
MZK	Mitteilungen der kaiserlich-königlichen Central-Commission zur Erforschung und Erhaltung der Baudenkmale
Nd.	Neudruck / Nachdruck
NF	Neue Folge
Nr. / Nrn.	Nummer / Nummern
Num	Das Buch Numeri
o.J.	ohne Jahr
o.O.	ohne Ort
Op.	Opus
o.S.	ohne Seite
ÖBL	Österreichisches biographisches Lexikon
ÖJh	Jahreshefte des Österreichischen Archäologischen Institutes in Wien
ÖNB	Österreichische Nationalbibliothek Wien
ÖKT 37 (1969)	Österreichische Kunsttopographie, Bd. XXXVII. Die Kunstdenkmäler des Benediktinerstiftes St. Paul im Lavanttal und seiner Filialkirchen, bearbeitet von Karl GINHART, Wien 1969.
ÖZKD	Österreichische Zeitschrift für Kunst und Denkmalpflege
p.	Pagina
P.	Pater
r	recto
red.	redigiert
Reproduktion	photographische Reproduktion
s.	siehe
S.	Seite
SBer ÖAkad.Wiss., Phil.-Histor. Kl.	Sitzungsberichte der Österreichischen Akademie der Wissenschaften, Philosophisch-Historische Klasse
Sd.	Sonderdruck
Sign. / sign.	Signatur / signiert
SMGB	Studien und Mitteilungen zur Geschichte des Benediktinerordens und seiner Zweige
s.o.	siehe oben
s.II.	Verweis auf den Beitragsband
sog.	sogenannt(e / n)
Sp.	Spalte
St., st.	Sankt / sankt
STA	Stiftsarchiv St. Paul
SUB	Salzburger Urkundenbuch
T	Tiefe
Taf.	Tafel
Tl. / Tle.	Teil / Teile
UB St. Paul	Urkundenbuch St. Paul
UK	Urkunde
unveränd.	unverändert
v	verso
Veröff.	Veröffentlichung(en)
vgl.	vergleiche
vol.	volumen (Band)
Z.	Zeile
ZdVWK	Zeitschrift des deutschen Vereins für Kunst und Wissenschaft
ZDVK	Zeitschrift des deutschen Vereins für Kunstwissenschaft
ZGO	Zeitschrift für Geschichte des Oberrheins
ZS	Zeitschrift
z.T.	zum Teil

Autorensiglen

P. A.	Pauline Almassy	E. O.	Elisabeth Oberhaidacher
E. B.	Ernst Bacher	K. O.	Karel Otavsky
W. B.	Wilhelm Baum	P. P.	Peter H. Pascher
A. B.	Alois Brandstetter	D. P.	Doris Petautschnig
U. B.	Ulfried Burz	G. P.	Gernot Piccottini
W. D.	Wilhelm Deuer	M. P.	Martina Pippal
H.Th. D.	Heimo Th. Dolenz	H. P.	Hartwig Pucker
R. F.	Rudolf Flotzinger	Ch. R.	Christine Rabensteiner
J. Gr.	Johannes Grabmayer	B. R.	Bruno Rader
H. G.	Hans Gröchenig	J. R.	Josef Röck
J. G.	Johannes Gut	O. S.	Oskar Sakrausky
W. H.	Waltraut Hauk	B. S.	Brigitte Schuchlenz
J. H.	Janez Höfler	L. S.	Leopold Spitzer
K. H.	Karl Hempel	S. S.	Siegfried Stattmann
M.A. J.	Manfred A. Jelonek	W. S.	Wolfgang Szaivert
B. K.	Barbara Kienzl	W.M. T.	Werner M. Thelian
G. K.	Gerhard Kleinhenn	J. T.	Johannes Tomaschek
W. K.	Waltraud Krassnig	Ch. T.	Christine Tropper
E. L.	Elmar Lechner	P.G. T.	Peter G. Tropper
G.M. L.	Gregor M. Lechner	M. W.	Markus J. Wenninger
F. L.	Friedrich W. Leitner	B. W.	Barbara Wild
H. L.	Hubert Lengauer	B. Wi.	Barbara Wiltsche
B. M.	Barbara Maier	R. W.	Robert Wlattnig
H. M.	Hermann Maué	Ch. Z.	Charlotte Ziegler

Weitere Photographien:

Abegg-Stiftung, Riggisberg bei Bern (Christoph von Viràg)
Badische Landesbibliothek, Karlsruhe
Benediktinerstift Admont (P. Johannes Tomaschek)
Benediktinerstift Melk (P. Jeremia Eisenbauer)
Benediktinerstift St. Paul (Archiv)
Diözesanmuseum, Klagenfurt
Bodleian Library, Oxford
Bundesdenkmalamt Klagenfurt (Ulrich Harb)
Bundesdenkmalamt Wien
Germanisches Nationalmuseum, Nürnberg
Institut für Kunstgeschichte, Universität Wien
Kunsthistorisches Museum, Wien
Kurverwaltung St. Blasien
Pfarramt St. Daniel
Landesstelle für Volkskunde Freiburg (Bernhard Oeschger)
Landesarchiv für Kärnten, Klagenfurt (A. Poschinger)
Landesmuseum für Kärnten, Klagenfurt (Ulrich P. Schwarz)
Österreichische Nationalbibliothek, Wien
Württembergische Landes- und Hochschulbibliothek Stuttgart (Joachim Siener)
Josef Barth, Wolfsberg
Photo Bauer, Waldshut
Heimo Binder, Graz
Walter Fritz, Klagenfurt
Kunstverlag Hofstetter, Ried im Innkreis
Kunstverlag Peda, Passau
Lichtbildwerkstätte Alpenland, Wien
Elfriede Mejchar, Wien
Fotostudio Otto, Wien
Reinhold Polsinger, Wolfsberg
Ernst Peter Prokop, Klagenfurt
Hartwig Pucker, St. Paul
Peter Puch, Klagenfurt
Walter Roschnik, Wien
Peter G. Tropper, Klagenfurt
Studio Weimann, Zwettl
Olga Winter, St. Paul
Robert Wlattnig, Klagenfurt

Ogilvy & Mather
Mein Stil.
Meine Bank.

KÄRNTENS UNBERÜHRTE NATUR.
SEIT 1858
Villacher

KULTUR IST MEHR ALS
EITELKEIT

WIR SIND MEHR ALS
ELFENBEIN

UNIVERSITÄT FÜR
BILDUNGSWISSENSCHAFTEN
KLAGENFURT

DIE LANDESUNIVERSITÄT

WISSENSCHAFTLICHE BETREUUNG
DER
LANDESAUSSTELLUNG
ST. PAUL 1991